構造	化合物の分類	具体的な例		

C. 含窒素官能基

$-NH_2$	第一級アミン	$CH_3CH_2NH_2$	エチルアミン	染料や医薬の合成中間体
$-NHR$	第二級アミン	$(CH_3CH_2)_2NH$	ジエチルアミン	医薬品
$-NR_2$	第三級アミン	$(CH_3)_3N$	トリメチルアミン	昆虫誘引剤
$-C\equiv N$	ニトリル(シアニド)	$CH_2=CH-C\equiv N$	アクリロニトリル	オーロンの製造原料

D. 酸素と窒素を含む官能基

$-\overset{+}{N}\overset{O}{\underset{O^-}{\diagdown}}$	ニトロ化合物	CH_3NO_2	ニトロメタン	ロケット燃料
$-\overset{O}{\underset{\|}{C}}-NH_2$	第一級アミド	$H\overset{O}{\underset{\|}{C}}NH_2$	ホルムアミド	紙の柔軟仕上剤

E. 含ハロゲン官能基

$-X$	ハロゲン化アルキルまたはハロゲン化アリール	CH_3Cl	塩化メチル	冷凍剤,局部麻酔薬
$-\overset{O}{\underset{\|}{C}}-X$	酸塩化物(またはハロゲン化アシル)	$CH_3\overset{O}{\underset{\|}{C}}Cl$	塩化アセチル	アセチル化剤

F. 含硫黄官能基

$-SH$	チオール	CH_3CH_2SH	エタンチオール	都市ガスの着臭剤
$-S-$	チオエーテル	$(CH_2=CHCH_2)_2S$	アリルスルフィド	ニンニクの臭い
$\overset{O}{\underset{\underset{O}{\|}}{\|}}S-OH$	スルホン酸	$CH_3-\!\!\!\!\bigcirc\!\!\!\!-SO_3H$	p-トルエンスルホン酸	強い有機酸

Organic Chemistry: A Short Course [Tenth Edition]

ハート 基礎有機化学

三訂版

H. ハート／L. E. クレーン／D. J. ハート 共著
秋葉欣哉／奥 彬 共訳

培風館

Organic Chemistry ; A Short Course
10th Edition
by
Harold Hart, Leslie E. Craine, David J. Hart

First published by Houghton Mifflin Company, Boston, Massachusetts, United States of America.
Copyright © 1999 by Houghton Mifflin Company. All rights reserved.

本書の無断複写は，著作権法上での例外を除き，禁じられています。
本書を複写される場合は，その都度当社の許諾を得てください。

序　文

本書の目的

　2001年は本書の初版が出版されてから48年目にあたる。初版以来，本書の内容と体裁は幾度にもわたって改訂されてきたが，本書の目的はその間もかわらず持ち続けられてきた。すなわち，最新の有機化学への入門をわかりやすく魅力ある形で提供することが目的なのである。

　本書は化学を専攻としない農学，生物学，医化学，薬学，医療技術，健康科学，工学，栄養学，林学などを勉強する学生が必要とする有機化学の知識を身につける目的で書かれたものである。この分野の学生諸君にも，著者らが楽しんでいるのと同じように有機化学を楽しく学んでもらおうと，有機化学と日常生活との深いかかわりを具体的に示しながら著者らは特別な努力をはらった。その効果あってか，本書は米国のみならず世界各国で翻訳されて数十万人の学生の人達によって使用されているのである。

　本書は半年間の初級者用テキストとして書かれたものだが，ほかの使い方もできる。たとえば，しばしば4学期制の1または2学期分として使用されているし，フランスや日本などでは化学専攻学生用の入門書として本書が使用されたあと，さらに長大かつ詳細な専門書へと移っている。また米国においても，1年間の自然科学専攻の学生用に，適切な補助教材と共に使用されている。さらには数多くの高等学校においても，入門的一般化学に引き続いて2年生用の化学のテキストとして採用されている。

第10改訂版で新しくなったところ

　全体にわたって言葉使いを明確にして，これまで理解が難しいと思われてきた項目やその内容をよりわかりやすく書き改めた。細かな改訂に加えて，これまでの読者にはつぎの点が大きく改訂されたことに気づいてもらえるだろう。(1) この改訂版から全色刷に変わった。その目的は，魅力的なカラー写真を使って化学と日常生活の関わりを具体的に示し，図表の見栄えを高め，反応ならびに反応機構の重要な点を強調するためである。(2) 12章で赤外スペクトルの量を増やし，生体分子のマススペクトルを加えた。(3) 18章ではDNA増殖におけるポリメラーゼ連鎖反応（PCR）の簡単な説明を加えた。(4) 本書末尾に付録として，有機化合物の相対的な酸性度を示す「有機官能基の酸性度」を表として加えた。(5) 新しい反応と反応機構が記述された章では，章末に「反応のまとめ」ならびに「反応機構のまとめ」を追加した。(6) 章末問題はその章の主題別に小見出しをつけて分類した。さらに，いくつかの化学原理を合わせて考えたり，そこまでの章で学んだ原理を使って解答する総合問題には，特別なアイコンを付けて示した。

第10版のA Word Aboutでは前版から5つを削除し，新たに5つを加えた。読者に楽しんでもらえるこの興味ある話題はつぎのものである：「対掌体と生物活性」，「キノンと爆弾カブトムシ」，「アルカロイドと吹き矢毒カエル」，「プロスタグランディン，アスピリンと痛み」，「炭水化物から得られる油脂代替物質」。

　本書は1学期分の授業に適した量に収まるように配慮してある。したがって，新しい内容を追加した章ではできるだけ古い項目を削ってある。

本書の編成

　若干の例外はあっても，本書の編成は平均して一般的である。はじめに1章では化学結合と化学異性，さらに有機化合物を分類する概略を説明したあと，引き続いて飽和，不飽和，そして芳香族炭化水素に関する3つの章をこの順に置いた。これらの章では反応機構についての概念を早めに提示し，2および3章では立体異性に関しても早めに学習して，そのあと5章全体で立体化学について解説する。6章では有機ハロゲン化合物を扱い，そこで脂肪族置換反応と脱離反応の機構，さらに動的立体化学について学習する。

　つぎに，主要な含酸素官能基をとりあげた一連の章（7〜10章）では，炭素原子の酸化程度の順番にしたがって，アルコールとフェノール，エーテル，アルデヒドとケトン，カルボン酸とその誘導体を学習する。また酸素に対応する含硫黄官能基についても，これらの章で学ぶようにした。11章ではアミンについて学習する。

　ここまでの2〜11章は主要な官能基について学習するもので，有機化学の中心になるものである。このあとの12章はスペクトル分析法（スペクトロスコピー）に関する章である。とくに有機化合物の構造解析に重要なNMRに重点をおいて学ぶことにして，学生が「この化合物がきみの提唱する構造をもっている根拠はなにか？」といった質問に答えられる学習を行う。

　このあとの二つの章は入門書ではあまり扱わないのがふつうだが，有機化学の応用面ではとくに重要な複素環化合物（13章）と高分子化合物（14章）について学習する。最後の4つの章（15〜18）では，重要な生体物質である脂質，炭水化物，アミノ酸とタンパク質，核酸について学び，本書を締めくくる。

A Word About について

　本書全般にわたり応用面をできるだけ強調するように配慮したが，特別の項目としてA Word Aboutを設け，その章で学んだ事柄が他の化学分野や日常生活にどのように応用されているかについて，具体的かつ簡潔に解説した。これらは，番号をつけた独立の章としてはまとめずに本文中に適宜挿入し，本文とは区別できるように色刷りにした。教官の方は必要に応じて取捨選択し講義していただきたい。

例題と解答問題について

　問題を解くことは有機化学を学ぶうえで必要不可欠なことである。本書では十分に練った解答つき例題を各章の適当な位置に置き，学生の解答力を養成する助けとした。さらに，各章の内容に関する解答抜きの短い問題を随所に数多く用意し，章ごとの復習を強化するようにした。また，章末には十分な量の問題を添付して，解答力養成の場をさらに強化しておいた。このように例題と問題の総数は941となり，各章の平均では52以上もある。

序　文

謝　辞

この10版についてはつぎの方々に細かな点まで目を通していただいた。

　Kansas大学のAlbert W. Burgstahler, Delaware大学のDana Chatelliere, Charleston Beverly Foote, Liverpool大学のThomas L. Gilchrist, Enterprise州立短期大学のRobert Lewis, Paradise Valleyコミュニティ・カレッジのWilliam L. Mancini, California州立大学Chino校のBarbara Oviedo, Winona州立大学のDavid J. Rislove, Western Ontario大学のMel Usselman.

これらの方々からいただいた多くの示唆を本書に生かすことができたことに感謝している。

　著者にとってうれしいことは，本書で有機化学を学び，役立てることができた学生の人達とその指導教官から手紙をいただいたことである。これまで便りをいただいた世界各国の皆さんに，この場所を借りてお礼を申し上げたい。皆さんからいただいた多くのご教示をこの10版に反映させていただいた。私達著者は，学生あるいは教官を問わず，広く皆さんからのご意見をいただいて，本書の改善に生かして行きたいと思っています。

　　　　　　　　　　　　　　　　　Harold Hart（ハロルド・ハート）
　　　　　　　　　　　　　　　　　ミシガン州立大学　　名誉教授
　　　　　　　　　　　　　　　　　East Lansing, MI 48824

　　　　　　　　　　　　　　　　　Leslie E. Craine（レスリー・E・クレーン）
　　　　　　　　　　　　　　　　　セントラル・コネチカット州立大学　　化学科
　　　　　　　　　　　　　　　　　1615 Stanley Street
　　　　　　　　　　　　　　　　　New Britain, CT 06050

　　　　　　　　　　　　　　　　　David J. Hart（デービッド・J・ハート）
　　　　　　　　　　　　　　　　　オハイオ州立大学　　化学科
　　　　　　　　　　　　　　　　　100 West 18th Avenue
　　　　　　　　　　　　　　　　　Columbus, OH 43210

訳者序文

　ハート基礎有機化学の原著初版が出版されてから，2003年で50年目の節目を迎えることになった。この間に有機化学は目覚ましい発展を遂げ，日本からも4人のノーベル化学賞受賞者を輩出するほどに化学の学問的水準は高まっている。それとともに，化学に関連する学問分野の医学生理学，生化学，高分子化学，さらには材料化学の画期的な発展に支えられたIT産業に始まる各産業分野の発展にも目を見張るものがあった。本書もその間，学問の進歩と社会の発展に合わせて意欲的な改訂を絶えず重ね，今回で改訂第10版を数えるまでになった。この訳書も1986年の初版に始まり今回で翻訳改訂第3版となる。

　50年の節目を意識したのか，この改訂第10版は初版以来の基本的な教育目標は貫きながらも，著者序文に述べているように全カラー刷りをはじめ新たな工夫と改訂をいくつか行っている。また本書はこれまでHarold Hart教授の単著であったが，今回から新たにLeslie E. CraineとDavid J. Hartの両教授を著者陣に加えて，視点の若返りと新たな世代へのバトンタッチを図っている。

　われわれ二名の訳者はいずれも1960年代後半から1970年代にかけて，Hart教授のもとで有機化学を学んで研究に携わる機会を持ち，また世界で広く採用されている本書を，三版にわたってわが国に紹介する役割を担当してきたことを光栄に思う。同時に今回も前回までと同様に，本書の新しい視点ならびに著者らの優れた教育的配慮と工夫に共鳴しながら翻訳を楽しんだ。そして本書が世界各国で広く採用されて好評を得ているわけを考えることができた。

　訳出にあたっては，序論ならびに4-8章と10-18章を奥が，1-3章ならびに9章を秋葉が担当した。最後になったが，化学用語の統一をはじめとして本書の出版に際し大変お世話になった（株）培風館の山本 新氏と小野 泰子氏に深く感謝の意を表したい。

　　　平成14年10月

奥　　彬，秋葉 欣哉

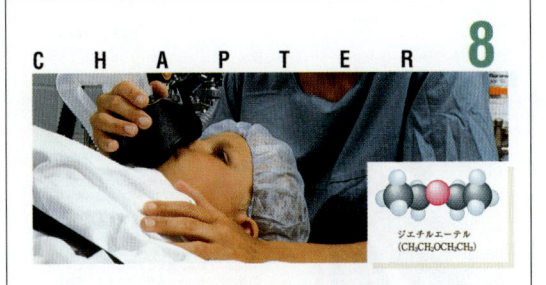

序　文

各章の頭に置いた写真は，その章で学習する有機化学が日常生活と関わり合う事柄を扱ったものであり，そこでの代表的物質の分子モデルまたは構造式とあわせて表示してある。

章頭ページの欄外に印刷してある章の概要は，その章で扱う内容を概観的に学生に示したものである。

章中でいくつかの化学原理を学んだあとに例題が置かれている。そこでは問題解答という思考過程の各段階を，学生に注意深く歩ませることを目標としている。それが済むとただちに例題や問題を解かせて，学んだばかりの知識を補強することができる。

A Word About の欄では，化学が我々の日常生活に大変重要な関わりをもっていることを学生に知らせることが目的である。ここでの話題は，将来医学分野や環境分野の職業につく学生にも関連している。

---

88   3 アルケンとアルキン

A WORD ABOUT …

視覚の化学

ニンジンは β-カロチンを含んでいる

有機化合物の色彩は一般に二重結合が長く共役している系と関連している。よい例が β-カロチン（β-carotene）である。これはニンジンや他の多くの植物中にみられる黄橙色の色素である。この炭化水素 $C_{40}H_{56}$ には11個の共役した炭素-炭素二重結合がある。これは C_{20} の不飽和アルコールである**ビタミン A**（vitamin A；レチノールともいわれる）の生物学的前駆体であり，ビタミン A は視覚に関与する重要物質である **11-cis-レチナール**（retinal）に誘導される．図3.7 に示すように，ビタミン A を 11-cis-レチナールに変換するにはアルコール残基（−CH₂OH）をアルデヒド（−CH=O）に酸化するだけでなく，$C_{11}-C_{12}$ 位の二重結合が trans ⟶ cis 異性化をする必要がある．

cis-trans 異性化は視覚においてきわめて重要な役割を演じている．目の網膜にある桿状体細胞には**ロドプシン**（rhodopsin）とよばれる光に敏感な赤色の色素が含まれている．この色素は活性化された 11-cis-レチナールと錯体を形成したタンパク質の**オプシン**（opsin）である．適当なエネルギーをもった可視光はロドプシンに吸収されると，錯体を形成した cis-レチナールは trans 体へ異性化する．この過程は驚異的に速く，ピコ秒（10⁻¹² 秒）以内に起こる．構造式からも明らかなように，cis 体と trans 体の形状はずいぶん異なっている．

trans-レチナール

オプシンと trans-レチナールとの錯体（メタロドプシン-II とよばれる）は cis-レチナールとの錯体より不安定であり，オプシンと

ところで二重結合での反応を考えるまえに，二重結合のまわりの回転阻害が原因で学んでおこう．

s 異性

は回転が束縛されているために，適当な置換基をもつアルーストランス）異性（幾何異性）が存在する．たとえば1,2-の異なる形がある．

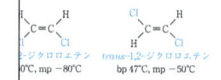

cis-1,2-ジクロロエテン   trans-1,2-ジクロロエテン
bp 60 ℃, mp −80 ℃   bp 47 ℃, mp −50 ℃

すべての図は全色刷りと3次元表示に改訂して，学生が分子の形状を視覚的に理解できるようにした．

---

162   5 立体異性

中心炭素，H, Cl がそれぞれ重なるように C−Cl 結合のまわりを120°回転させる．
キラルな分子

メチル基とエチル基は重ならない．

図5.3 2-クロロブタンとその鏡像体の分子モデル．鏡像体はもとの分子に重ねることができない．

一方，図5.3 に示すように，2-クロロブタンには互いに重ねられない鏡像関係にある2つの構造が存在できる．このように重ねられない関係にある1対の分子のことを**対掌体**（enantiomer，エナンチオマー）とよぶ．もちろんすべての分子について鏡像体は書けるが，そのなかでも重ねられないものが対掌体とよばれる．

5.2 不斉中心；不斉炭素原子

2-クロロプロパンには存在しないが 2-クロロブタンには存在するキラリティを出現させる構造上の特徴は何か．注目してほしいのは 2-クロロブタンでは2-位の炭素原子上（＊印をつけたもの）に4つの異なる置換基（Cl, H, CH₃, CH₂CH₃）が結合していることである．このように4つの異なる置換基をもつ炭素原子のことを**不斉炭素原子**（stereogenic carbon atom）とよんでいる．またこのような炭素原子は立体異性体を生じる原因であるため，**不斉中心**（stereogenic center）ともよばれる．

$$\text{CH}_3-\overset{\overset{\displaystyle \text{Cl}}{|}}{\underset{\underset{\displaystyle \text{H}}{|}}{\text{C}}}-\text{CH}_2\text{CH}_3$$

例として，どのような置換基でもよいから A, B, D, E という4つの異なる置換基を結合した炭素原子を考えてみよう．図5.4 にはその分子と鏡像体が示してある．この鏡面の左右に書かれた分子が互いに重ねられない鏡像体（対掌体）の関係にあ

☞ **対掌体**とは，重ね合わすことができない鏡像の関係にある一対の分子のことである．
☞ **不斉炭素原子**，または**不斉中心**とは，4つの異なる置換基が結合している中心の炭素原子のことである．

欄外の定義 ☞：大切な術語とその定義を容易に復習できるように強調したものである．

序　文

vii

「反応のまとめ」ならびに「反応機構のまとめ」は，その章で学んだ重要な内容と原理を学生が復習できるように，章末部分にまとめてある。

章末問題はその章で扱ったおもな内容に関する質問である。

このアイコンは，いくつかの化学原理を集めて解答したり，それまでの章で学んだ化学原理を使って解答する章末問題につけてある。

目　次

0　学生諸君へ　　1

有機化学とは何か？　　1
合成有機化合物　　2
合成の意義　　2
日常生活と有機化学　　4
本書の内容と組み立て方　　4
A Word Aboutについて　　5
練習問題を解くことの大切さについて　　5

1　結合と構造異性　　7

1.1　原子における電子の配置　　7
1.2　イオン結合および共有結合　　10
1.3　炭素と共有結合　　14
1.4　炭素-炭素単結合　　15
1.5　分極した共有結合　　16
1.6　多重共有結合　　18
1.7　原子価　　20
1.8　構造異性　　21
1.9　構造式の書き方　　22
1.10　簡略化した構造式の書き方　　25
1.11　形式電荷　　27
1.12　共　鳴　　28
1.13　矢印の意味と利用法　　30
1.14　結合の軌道論的な考え方；σ結合　　32
1.15　炭素原子のsp^3混成軌道　　34
1.16　炭素の正四面体構造；メタンの結合　　36
1.17　分子の骨格による分類　　37
1.18　官能基にもとづく分類　　40
　　　章末問題　　42

2　アルカンとシクロアルカン；配座異性および幾何異性　　47

2.1　アルカンの構造　　48
2.2　有機化合物の命名法　　50
2.3　アルカンの命名に関するIUPACの規則　　50
2.4　アルキルおよびハロゲン置換基　　53
2.5　IUPACの規則の使い方　　55
2.6　アルカンの天然資源　　56
A WORD ABOUT：異性体，可能なものと不可能なもの　　56
2.7　アルカンの物理的性質と非結合性分子間相互作用　　57
2.8　アルカンの立体配座　　54

2.9	シクロアルカン；命名法と立体配座	62	
2.10	シクロアルカンの*cis-trans*異性	67	
2.11	異性体に関するまとめ	68	
2.12	アルカンの反応	69	
2.13	ハロゲン化の遊離基連鎖機構	73	

A WORD ABOUT：メタン，沼気およびMillerの実験　72
反応のまとめ　75
反応機構のまとめ　75
章末問題　76

3　アルケンとアルキン　79

3.1	定義と分類	80	
3.2	命名法	81	
3.3	二重結合の特徴	84	
3.4	二重結合の軌道モデル；π結合	85	
3.5	アルケンの*cis-trans*異性	88	

A WORD ABOUT：視覚の化学　88

3.6	付加反応と置換反応の比較	90	
3.7	極性付加反応	91	
3.8	非対称なアルケンへの非対称な反応剤の付加；Markovnikov則	93	
3.9	アルケンへの求電子付加反応の機構	95	
3.10	Markovnikov則の説明	97	
3.11	反応における平衡：何が反応を進行させるのか	99	
3.12	反応速度：反応はどのような速さで進行するのか	101	
3.13	アルケンのホウ水素化	104	
3.14	水素の付加	105	
3.15	共役系への付加	106	
3.16	遊離基付加；ポリエチレン	109	
3.17	アルケンの酸化	111	

A WORD ABOUT：エチレン：工業用原料と植物ホルモン　112

3.18	三重結合に関するいくつかの事実	115	
3.19	三重結合の軌道モデル	115	
3.20	アルキンの付加反応	116	
3.21	アルキンの酸性度	120	

A WORD ABOUT：石油，ガソリンおよびオクタン価　118
反応のまとめ　121
反応機構のまとめ　123
章末問題　123

4　芳香族化合物　127

4.1	ベンゼンについて	128	
4.2	ベンゼンのKekulé構造式	130	
4.3	ベンゼンの共鳴構造モデル	130	
4.4	ベンゼンの軌道モデル	131	
4.5	ベンゼンの書き方	132	
4.6	芳香族化合物の命名法	133	
4.7	ベンゼンの共鳴エネルギー	135	
4.8	芳香族化合物における求電子置換反応	136	
4.9	芳香族化合物の求電子置換反応の機構	137	
4.10	芳香族環を活性化する置換基と不活性化する置換基	142	
4.11	o-, p-配向基とm-配向基	143	
4.12	合成反応における配向効果の重要性	148	
4.13	多環式芳香族化合物	149	

A WORD ABOUT：多環式芳香族炭化水素とがん　151
A WORD ABOUT：芳香族の球体C_{60}：フラーレン　152
反応のまとめ　154
反応機構のまとめ　155
章末問題　156

5 立体異性　159

5.1	キラリティと対掌体		160
5.2	不斉中心；不斉炭素原子		162
5.3	立体配置と*R-S*表示法		166
5.4	*cis-trans*異性体の*E-Z*表示法		170
5.5	偏光と光学活性		171
	A WORD ABOUT：Pasteurの実験とvan't Hoff–LeBelの理論		174
5.6	対掌体の性質		176
5.7	Fischer投影式		178
5.8	2つ以上の不斉中心をもつ化合物；ジアステレオマー		179
5.9	メソ化合物；酒石酸の立体異性体		181
5.10	立体化学における定義の要約		183
5.11	立体化学と化学反応性		185
5.12	ラセミ混合物の光学分割		186
	A WORD ABOUT：対掌体およびその生理活性について		188
	章末問題		188

6 有機ハロゲン化合物；置換反応と脱離反応　195

6.1	求核置換反応		196
6.2	求核置換の反応の例		197
6.3	求核置換反応の機構		200
6.4	S_N2反応の機構		200
6.5	S_N1反応の機構		204
6.6	S_N1とS_N2反応機構の比較		206
6.7	脱ハロゲン化水素，脱離反応；E2とE1脱離反応		208
6.8	置換反応と脱離反応の競合		210
	A WORD ABOUT：殺虫剤と除草剤		212
6.9	多ハロゲン置換された脂肪族化合物		214
	A WORD ABOUT：CFCとオゾン層，その功罪		214
	反応のまとめ		217
	反応機構のまとめ		217
	章末問題		218

7 アルコール，フェノール，チオール　221

7.1	アルコールの命名法		222
7.2	アルコールの分類		223
7.3	フェノール命名法		223
7.4	アルコールおよびフェノールの水素結合		224
7.5	酸性と塩基性についての考察		225
7.6	アルコールおよびフェノールの酸性度		228
7.7	アルコールおよびフェノールの塩基性		231
7.8	アルコールの脱水反応によるアルケンの生成		232
7.9	アルコールとハロゲン化水素の反応		233
7.10	アルコールからハロゲン化アルキルをつくるほかの方法		235
7.11	アルコールとフェノールの違い		236
7.12	アルコールの酸化によるアルデヒドならびにケトンの生成		236
7.13	水酸基を2つ以上もつアルコール		238
7.14	フェノールにおける芳香族置換反応		239
	A WORD ABOUT：工業的に生産されているアルコール類		240
7.15	フェノールの酸化反応		241
	A WORD ABOUT：生化学的に重要なアルコールとフェノール		242
7.16	アルコールならびにフェノールの硫黄類似体としてのチオール		244
	A WORD ABOUT：まっすぐな毛髪，カールした毛髪		245
	反応のまとめ		246
	章末問題		247

8 エーテルとエポキシド　251

- 8.1 エーテルの命名法　252
- 8.2 エーテルの物理的性質　253
- 8.3 エーテルの溶媒としての用途　253
- 8.4 Grignard試薬と有機金属化合物　254
- 8.5 エーテルのつくり方　257
- 8.6 エーテルの開裂　259
- A WORD ABOUT：エーテルと麻酔剤　260
- 8.7 エポキシド（オキシラン）　261
- A WORD ABOUT：マイマイガのエポキシド　262
- 8.8 エポキシドの反応　262
- 8.9 環状エーテル　264
- 反応のまとめ　267
- 章末問題　268

9 アルデヒドとケトン　271

- 9.1 アルデヒドとケトンの命名法　272
- 9.2 一般的なアルデヒドとケトン　273
- 9.3 アルデヒドおよびケトンの合成　275
- A WORD ABOUT：キノンと爆弾カブトムシ　276
- 9.4 天然に存在するアルデヒドとケトン　277
- 9.5 カルボニル基　277
- 9.6 カルボニル基に対する求核付加反応；機構的考察　279
- 9.7 アルコールの付加；ヘミアセタールおよびアセタールの生成　281
- 9.8 水の付加；アルデヒドおよびケトンの水和反応　285
- 9.9 Grignard試薬およびアセチリドの付加反応　285
- 9.10 シアン化水素の付加；シアノヒドリンの生成　288
- 9.11 窒素系の求核剤の付加反応　289
- 9.12 カルボニル化合物の還元反応　290
- 9.13 カルボニル化合物の酸化反応　291
- 9.14 ケト-エノール互変異性　293
- A WORD ABOUT：互変異性とホトクロミズム　294
- 9.15 α-水素の酸性度；エノラートアニオンについて　295
- 9.16 カルボニル化合物における重水素交換反応　296
- 9.17 アルドール縮合　298
- 9.18 混合アルドール縮合　299
- 9.19 アルドール縮合を用いる工業的合成　300
- 反応のまとめ　301
- 反応機構のまとめ　302
- 章末問題　303

10 カルボン酸とその誘導体　307

- 10.1 カルボン酸の命名法　308
- 10.2 カルボン酸の物理的性質　312
- 10.3 酸性度および酸性度定数　312
- 10.4 カルボン酸が酸性を示す理由　314
- 10.5 酸性度に与える構造の影響，誘起効果の適用　315
- 10.6 カルボン酸からの塩の形成　316
- 10.7 カルボン酸の合成法　317
- 10.8 カルボン酸の誘導体　320
- 10.9 エステル　321
- 10.10 エステルの合成，Fischerのエステル化　322
- 10.11 酸触媒エステル化反応の機構；求核的アシル基置換反応　322
- 10.12 ラクトン　325
- 10.13 エステルのけん化　325
- 10.14 エステルの加アンモニア分解　326
- 10.15 エステルとGrignard試薬の反応　327
- 10.16 エステルの還元　327
- 10.17 活性化されたアシル化合物の用途　328

10.18 酸ハロゲン化物	329	
10.19 酸無水物	331	
A WORD ABOUT：天然物に存在するアシル基 活性化基としてのチオエステル	333	
10.20 アミド	334	
A WORD ABOUT：尿　素	336	
10.21 カルボン酸誘導体についてのまとめ	337	
10.22 エステル α 位の水素とClaisen縮合反応について	339	
反応のまとめ	342	
反応機構のまとめ	344	
章末問題	344	

11　アミンとそれに関連した窒素化合物　349

11.1 アミンの分類と構造	350
11.2 アミンの命名法	351
11.3 アミンの物理的性質と分子間相互作用	353
11.4 アミンのつくり方；アンモニアおよびアミンのアルキル化	354
11.5 アミンのつくり方；ニトロ化合物の還元	356
11.6 アミンの塩基性	358
11.7 アミンとアミドの塩基性の比較	361
11.8 アミンと強酸との反応；アミン塩の生成	362
A WORD ABOUT：アルカロイドと吹矢毒蛙のはなし	364
11.9 光学分割試薬としてのキラルなアミン	364
11.10 酸誘導体を用いたアミンのアシル化反応	366
11.11 第四級アンモニウム化合物	368
11.12 芳香族ジアゾニウム化合物	369
11.13 ジアゾカップリングとアゾ染料	371
反応のまとめ	374
反応機構のまとめ	375
章末問題	376

12　スペクトル分光法による分子構造の決定　381

12.1 分光法の理論	382
12.2 核磁気共鳴スペクトル（NMR）	384
12.3 ^{13}C NMRスペクトル	396
A WORD ABOUT：生化学と医学におけるNMR	398
12.4 赤外スペクトル	400
12.5 可視スペクトルと紫外スペクトル	405
12.6 マススペクトル	408
章末問題	412

13　複素環化合物　419

13.1 ピリジン，その結合様式と塩基性	420
13.2 ピリジンにおける置換反応	421
13.3 その他の6員環複素環化合物	424
13.4 5員環複素環化合物；フラン，ピロール，チオフェン	428
13.5 フラン，ピロール，チオフェンにおける求電子置換反応	430
13.6 その他の5員環複素環化合物；アゾール化合物	431
A WORD ABOUT：ポルフィリン類のこと：血が赤く草が緑なわけ	432
13.7 縮合環をもった5員環複素環化合物；インドールとプリン	434

	A WORD ABOUT：モルヒネをはじめとする含窒素医薬品		436
	反応のまとめ		439
	反応機構のまとめ		440
	章末問題		440

14　合成高分子　443

14.1	高分子の分類	444		14.8	逐次重合；ポリエステルとナイロン		458
14.2	ラジカル連鎖重合	445			A WORD ABOUT：分解性ポリマー		460
14.3	カチオン連鎖重合	451		14.9	ポリウレタンならびにその他の逐次生長ポリマー		463
14.4	アニオン連鎖重合	452			
14.5	立体規則性ポリマー；Ziegler–Natta重合	453			A WORD ABOUT：新しいポリアミドのアラミドについて		464
14.6	ジエンポリマー：天然ゴムと合成ゴム	455			反応のまとめ		467
					反応機構のまとめ		468
14.7	共重合体	457			章末問題		469

15　脂質と洗剤　471

15.1	脂肪と油脂；グリセリン三エステル類	471		15.7	プロスタグランジン, ロイコトリエン, リポキシン		484
15.2	植物油の水素添加	475		15.8	ワックス		485
15.3	脂肪および油脂のけん化；セッケンの製造	476			A WORD ABOUT：プロスタグランジン, アスピリンと痛み		486
15.4	セッケンの働き	477		15.9	テルペンとステロイド		486
15.5	合成洗剤	479			反応のまとめ		492
	A WORD ABOUT：市販の洗剤について	482			章末問題		493
15.6	リン脂質	483			

16　炭水化物　495

16.1	定義と分類	496		16.9	単糖の還元反応		509
16.2	単糖類	497		16.10	単糖の酸化反応		509
16.3	単糖のキラリティ；Fischer投影式とD, L-糖	498		16.11	単糖からのグリコシドの生成		510
				16.12	二糖類		512
16.4	単糖の環状ヘミアセタール構造	502			A WORD ABOUT：甘さと甘味料		516
16.5	アノマー炭素と変旋光	504		16.13	多糖類		516
16.6	ピラノース構造とフラノース構造	505			A WORD ABOUT：炭水化物からつくられる油脂代替物		521
16.7	ピラノース立体配座	507			
16.8	単糖類のエステルとエーテル	508		16.14	糖のリン酸エステル		522

16.15 デオキシ糖	523	
16.16 アミノ糖	523	
16.17 アスコルビン酸（ビタミンC）	524	
反応のまとめ		525
章末問題		527

17　アミノ酸, ペプチド, タンパク質　531

17.1　天然に存在するアミノ酸	531
A WORD ABOUT：アミノ酸による年代測定法	534
17.2　アミノ酸の酸・塩基特性	535
17.3　酸性基または塩基性基を2つ以上もつアミノ酸の酸・塩基特性	538
17.4　電気泳動法	540
17.5　アミノ酸の反応	541
17.6　ニンヒドリン反応	541
17.7　ペプチド	542
A WORD ABOUT：天然物中のペプチド	542
17.8　ジスルフィド縮合	545
17.9　タンパク質	545
17.10　タンパク質の1次構造	546
17.11　アミノ酸配列を決定する手順	550
17.12　ペプチドの合成	552
A WORD ABOUT：タンパク質のアミノ酸配列と進化	554
17.13　タンパク質の2次構造	558
17.14　タンパク質の3次構造；繊維状タンパク質と球状タンパク質	562
17.15　タンパク質の4次構造	564
反応のまとめ	565
章末問題	567

18　ヌクレオチドと核酸　571

18.1　核酸の一般的な構造	571
18.2　デオキシリボ核酸（DNA）の構成成分	572
18.3　ヌクレオシド	573
18.4　ヌクレオチド	574
18.5　DNAの1次構造	576
18.6　核酸の配列順序の決定方法	577
A WORD ABOUT：DNAと犯罪	578
18.7　実験室での核酸合成	579
18.8　DNAの2次構造；2重らせん構造	580
18.9　DNAの複製	583
18.10　リボ核酸（RNA）	585
18.11　遺伝暗号の伝達機構とタンパク質の生合成	587
18.12　生物学的に重要なその他のヌクレオチド	590
A WORD ABOUT：核酸とウイルス	592
反応のまとめ	596
章末問題	596

出典（写真）	599
付録	601
事項索引	605
化合物索引	613

CHAPTER 0

学生諸君へ

ここでは，およそ有機化学とはどのような学問なのか，また今日の技術化社会においていかに大切な学問なのかを述べよう。そのあとで学生諸君に効果的に学習してもらうために，本書の構成上の特長と学習上のヒントを説明しよう。

有機化学とは何か

「有機」ということばは，この学問が有機体，言い換えれば生命体と何らかのかかわりをもっていることを示唆している。有機化学は元来生命体から得られる物質のみを扱う学問であった。かつて，多くの科学者は動植物から得られる物質を抽出・精製し分析していたが，これは半ば生命体への好奇心から，半ば医薬や染料の原料となる有効成分を入手したいという願望からであった。

しかしそのうち，動植物中で作られるほとんどの化合物が，鉱物など無生物中に存在する化合物とは多くの点で異なっていることが明らかになってきた。ことに生物体から

▲ 天然有機化合物ならびに合成有機化合物は，自然環境中あるいは私達の物質文明社会のあらゆる場所に存在している。

有機化学とは何か？
合成有機化合物
合成の意義
日常生活と有機化学
本書の内容と組み立て方
A Word About について
練習問題を解くことの大切さについて

得られる化合物は，ほとんどが炭素，水素，酸素，窒素，そしてときには硫黄，リン，その他二，三の限られた元素で構成され，とりわけ炭素はどの有機化合物にも含有されている。この事実から「**有機化学**は炭素化合物の化学である」という現在の定義ができあがったのである。この定義により有機化学の学問領域は拡大され，自然界から得られる化合物のみならず，「合成物」すなわち研究室で有機化学者の手によって，新たにつくられた化合物もその中に含有されることになったのである。

合成有機化合物

生命体のなかに存在する化合物は，他の物質と異なり，触れることができないある種の生命力のようなものを含み，これが生命を吹き込んでいると科学者たちは長い間考えていた。そのため化学者たちは有機化合物を実験室でつくろうとはあえてしなかったのである。ところが1828年にドイツの化学者Friedrich Wöhlerは，当時28才であったが，当時から尿の成分としてよく知られていた尿素を無機物質（または鉱物とよんでもよかろう）のシアン酸アンモニウムを加熱してつくり出した。彼はこの偶然の発見に大変興奮して，スウェーデン人の化学者であり恩師でもあるJöns J.Berzeliusにあてた手紙の中で「私は腎臓を使わずに，つまり人や犬のような動物の手を借りずに尿素をつくれるのです」と書いている。これをはじめとする類似の実験によって，徐々にではあったが生命力説（vital-force theory）の信仰が薄れ，近代有機合成化学への道が開けてきた。

合成とは，ふつう比較的単純で小さな分子をいくつかつなぎ合わせ，より大きく複雑な分子をつくり上げることをいう。少ない数の原子から構成された分子を用いて多くの原子からなる分子をつくるためには，原子を互いに結ぶ方法，すなわち化学結合のつくり方と切断方法を知らなければならない。Wöhlerの尿素合成には偶然性が幸いしたが，もし合理的に制御して合成を行えば，原子がひとつずつ正しく結合して目的とする化合物分子が組み立てられ，さらに効率のよい合成方法になるであろう。

化学結合は化学反応により形成され，また切断される。諸君は本書の学習を通して，新しい化学結合をつくり，合成に役立つたくさんの反応を学ぶであろう。

合成の意義

現在まで研究室や化学工場で合成された有機化合物の数は，動植物など自然界の物質から分離されたものよりはるかに多い。分子の合成方法を知ることはなぜ重要なのだろうか。それにはいくつかの理由が考えられよう。第一に，天然物質を天然資源から抽出する代わりに，それよりも安価で容易な手法を用いて，天然物と同じ

☞ **有機化学**とは炭素化合物の化学であると定義されている。
☞ **合成**とは，小さく単純な分子をつなぎ合わせて，より大きく複雑な分子をつくることである。

ものを実験室で製造することが重要な意味をもつからである。かつては天然物から分離していたが，現在は工業的規模で合成され市販されている化合物の例として，ビタミン類，アミノ酸，インジゴ染料，ショウノウ系防虫剤など数多くの名を挙げることができる。合成ということばはしばしば人工的で，不自然なものを意味するいささか好ましくないことばとして使われることもあるが，今ここでいう合成天然物とは自然から取り出されるものとまったく同一の物質なのである。

合成が大切であるもう一つの理由は，天然物よりも役に立つ性質をもった新物質をつくり出せることにある。たとえば合成繊維のナイロンやオーロンは，その用途によっては絹，木綿，そして麻のような天然繊維よりも優れた性質をもっている。医薬品として知られる化合物も合成品であることが多い。たとえば，アスピリン，エーテル，ノボカイン，バルビタール類などがある。現在の工業化された社会で，私たちが日常使用している合成品の種類は膨大な数にのぼる。たとえば，プラスチック類，洗剤，殺虫剤，経口避妊薬などはほんの数例にすぎない。そしてこれらすべての化合物は炭素でできた有機化合物なのである。

有機化学者はしばしば化学理論を検証するために，またあるときは単に学問的興味から有機化合物を合成することがある。たとえば，幾何学的構造の中には美的快感を与えるものがあるが，そのような炭素原子配列をもつ分子を合成する難題に挑戦したくなることがある。その一例に炭化水素のキュバン C_8H_8 の合成があるが，1964年に初めて合成されたこの分子は，立方体の8つの角のそれぞれに炭素をもち，各炭素は1つの水素と3つの炭素とに結合した構造を有している。これは単なる美的趣味以上の内容をもった分子なのである。たとえばキュバンのもつ結合角は通常の値からかなりひずんでおり，キュバンの化学を研究することによって，炭素-炭素結合や炭素-水素結合のひずみが化学的反応挙動に及ぼす影響を知ることができる。はじめはただ理論的な興味からはじまったキュバンの研究だったが，その特異な性質がわかってきた結果，医薬や爆薬への応用面が開けつつある。

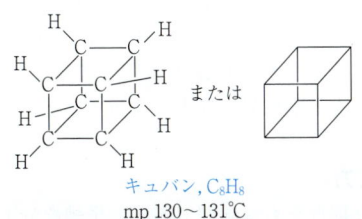

キュバン, C_8H_8
mp 130～131℃
Philip E. Eaton (Chicago大学), 1964

キュバンのほかにも，分子構造に関する学問的興味と困難な合成への挑戦という面から有機化学者を強く魅きつけた化合物があり，そのいくつかをつぎに示す。

プリズマン, C_6H_6
液体
Thomas J. Katz
(Columbia大学)
1973

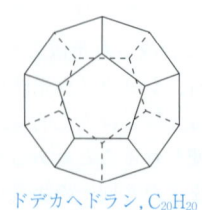

ドデカヘドラン, $C_{20}H_{20}$
mp 430℃
Leo A. Paquette (Ohio州立大学)
1982

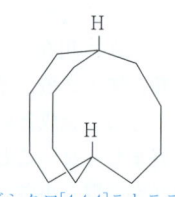

in,out-ビシクロ[4.4.4]テトラデカン, $C_{14}H_{26}$
mp 159〜161℃
John E. McMurry (Cornell大学)
1989

日常生活と有機化学

　有機化学はひとびとの生活と密接なかかわりをもっている。まず，われわれ人間は有機物質によって構成され，また取り囲まれている。生命体内のほとんどすべての反応には有機物質が関与しており，少なくとも自然科学的見地からいえば，有機化学を知らずに生命を理解することは不可能である。生命体のおもな構成物質であるタンパク質，炭水化物，脂質（脂肪），核酸（DNA, RNA），細胞膜，酵素，ホルモンなどは有機物であり，これらの化学構造については本書の後半部分でふれることになっている。しかし，その構造はかなり複雑であるから，それに先立ち簡単な分子について学習しておく必要がある。

　そのほか日常接している化学物質には，自動車用ガソリン，潤滑油，タイヤなどがあり，衣類，家具用の木材，書籍用の紙，医薬品，プラスチック製容器，写真用フィルム，香料，カーペットなどの織物もある。思いつくままに品物を挙げてみても，それが有機物である確率はかなり高い。新聞やTVでもたえずポリエチレン，エポキシ樹脂，発泡スチロール，ニコチン，不飽和脂肪酸，コレステロールなどに関する記事に出くわす。これらの用語はすべて有機物質に関するものであり，本書ではその構造などに関して詳しく解説を行っている。

　このように有機化学は一言でいえば，化学者，外科医，歯科医，獣医，薬剤師，看護婦，農学者などや，それを目指す学生諸君のための一科学分野にとどまらず，現代技術文明を構成する不可欠な要素となっているのである。

本書の内容と組み立て方

　有機化学は広範な裾野をもつ学問である。単純な分子や反応がある一方で，かなり複雑なものも多い。そこで本書では単純なものからはじまって，複雑なものへ学習を進めることとし，まず炭素原子との結合に関する章から入る。そのあと2つの元素（炭素と水素）だけから構成される有機化合物（炭化水素のこと）に関する3つの章を置いた。そのうち2番目の章（3章）では，有機反応機構と反応平衡と反応速度についてはじめて触れることになる。そのあと引き続いて有機化合物の3次

元的な性質（立体構造）を扱う章を置いた．つぎに炭素と水素からなる分子構造に他の元素を加えた分子について学ぶために，6章ではハロゲンを，7章から10章では酸素と硫黄を，11章では窒素をもつ有機化合物を学習する．この章までで有機化合物のおもなクラスすべてについての紹介が終ることになる．

スペクトル的手法は有機化合物の構造，すなわち有機分子における原子や置換基の正確な配列のようすを解明する重要な手法となっている．そこでこの課題を12章でとりあげる．つぎに医薬品や天然物で重要な複素環化合物についての13章を置き，さらに有機化学という学問の工業的展開においてもっとも重要な役割を果たす高分子化合物に関する14章を置いた．後半の4つの章では，生化学的に重要な分子の中で，とくに脂質，炭水化物，タンパク質，核酸の4つをとりあげた．これらの天然物分子の構造はかなり複雑なので，本書の最終の部分で学ぶことにした．この時点までに学習が済んでいる単純な分子の知識を背景にすれば，これら4つの章での分子が複雑な構造をもっていても，その化学はわかりやすく理解できるはずである．

学生諸君が各章の新しい内容を復習してよく理解するように，「反応のまとめ」と「反応機構のまとめ」を各章末に置いて，その章で新しく出会った反応と反応機構をまとめて示すようにした．

A Word About について

1章を除く各章ではA Word Aboutという名称の特別の欄を設けた．ここではその章で学んだ主要な事柄がどのように展開されているかを，短くまとまった独立項目として解説している．たとえば知的好奇心に関するもの（実在不可能な有機分子構造を扱った2章のA Word About），工業的応用技術（3章の石油・ガソリン・オクタン価，7章の工業用アルコールに関するもの），生物学と医学における有機化学の話題（4章の多環式芳香族化合物とガン，13章のモルヒネと含窒素医薬），その他の興味ある話題（16章の甘さと甘味剤に関するもの）などがある．これらは各章の適当な場所での休憩の場として諸君に楽しんでもらえるものと思う．

練習問題を解くことの大切さについて

有機化学を勉強する成功の一つのカギは演習問題を解くことにある．

本書の各章には諸君が理解しなければならない数多くの内容が盛り込まれており，章を重ねるごとにつぎつぎと新しい事柄が積み重ねられていく．これらを理解していくには，そこで学んだ情報を頭の中で整理し，いつでも呼びだせるように訓練する必要がある．言うまでもなく，本書は注意深く学習しなければならないが，それだけでは不十分である．つまり学んだ事実を応用できる実際的な能力が必要なのだ．その実力は演習問題を解くことによって養われる．

本書ではいくつかのタイプの異なる問題を準備した．はじめに解答つきの例題が

あるが，これによって問題の解き方を学ぶことができる。例題に引き続いてそれによく似た問題が示してある。それらは出てきたばかりの新しい知識を，諸君がきちんと理解しているか確かめるために考案された問題である。各章には章末問題がまとめてあり，これを解くことで諸君の問題を解く力を磨くことができるだろう。そこでの問題は項目ごとに分類してある。まずは基礎的知識力を問う問題からはじまり，徐々に挑戦的な内容に変わっていくように並べてある。新たに学んだ化学的知識とそれまでに学んだ知識とを合わせて解答する総合問題には，特別なアイコン 🔗 を付しておいた。

　それでは学習をはじめることにしよう。

CHAPTER 1

$CH_3CH_2CH_2COCH_3$
酪酸メチル

$CH_3COCH_2CH_2CH_3$
酢酸プロピル

結合と構造異性

原子が互いに結合して分子を形成する方法を理解することは重要なことである。なぜなら，分子の構造を説明し，ある特定の分子が反応する仕方を理解する助けになるからである。学生諸君のなかには，化学の初歩的課程でこれらの考え方をある程度学習した者がいれば，その人は本章の各節に軽く目を通して，すでに理解しているかどうかを問題を解いて試してみるとよい。容易に解ければその部分をとばしてもよいが，もし本文中や章末の問題を解くのに困難を感じるようであれば，本章全体をしっかり学習する必要がある。ここで展開される考え方は，本書全体を通して頻繁に使うものであるからである。

1.1 原子における電子の配置

原子（atom）は**電子**（electron）に囲まれた小さく高密度の**原子核**（nucleus）からできている。原子核は陽電荷を帯び，原子の質量の大部分は原子核のものである。原子核は陽電荷を帯びた**陽子**（proton）と電荷を帯びない**中性**

1.1 原子における電子の配置
1.2 イオン結合および共有結合
1.3 炭素と共有結合
1.4 炭素-炭素単結合
1.5 分極した共有結合
1.6 多重共有結合
1.7 原子価
1.8 構造異性
1.9 構造式の書き方
1.10 簡略化した構造式の書き方
1.11 形式電荷
1.12 共 鳴
1.13 矢印の意味と利用法
1.14 結合の軌道論的な考え方； σ結合
1.15 炭素原子のsp^3混成軌道
1.16 炭素の正四面体構造；メタンの構造
1.17 分子の骨格による分類
1.18 官能基にもとづく分類

▲ 酪酸メチルと酢酸プロピルは構造異性体であり，それぞれ林檎と梨の香気と芳香成分である。

子(neutron)から構成されている。ただし，水素は唯一の例外で，その原子核は1個の陽子のみでできている。原子は中性で，原子核の陽電荷はそれを取り囲む電子の陰電荷により正確に中和されている。元素の**原子番号**(atomic number)は原子核に含まれる陽子の数に等しい(原子核を取り囲む電子の数に等しい。つまりこの2つの数は同じである)。一方，**原子量**(atomic weight)は原子核に含まれる陽子の数と中性子の数の和にほぼ等しい。これは電子の重さは陽子や中性子に比べてきわめて軽いからである。うら表紙の内側の周期表はすべての元素の原子番号と原子量を示している。

　まずはじめに，原子の電子について考えてみよう。ある特定の原子が他の原子と反応して新たな分子を生成するための重要なかぎを握っているのが電子の数と配置である。また，有機化学においては軽い元素がもっとも重要であるので，ここでは比較的軽い元素の電子配置だけを扱うことにする。

　電子は原子核のまわりの**軌道**(orbital)とよばれる特定の空間に集中して存在している。1つの軌道は最大2個の電子を収容できる。それぞれの軌道は形が異なり，s，p，およびdという文字でその形を示すことになっている。さらにこの軌道は1，2，3…という数字で示される**殻**(shell)に分類される。それぞれの殻はその数字に対応して異なる種類と異なる数の軌道を収容できる。たとえば，第1殻は記号$1s$で表される1種類だけの軌道を収容できる。第2殻は$2s$および$2p$で表される2種類の軌道を収容でき，第3殻は$3s$，$3p$および$3d$で表される3種類の軌道を収容できる。さらに，ある特定の殻に収容できるs，pおよびd軌道の数はそれぞれ1，3および5個である。これらの規則によれば，それぞれの殻が電子で満たされたときに，何個の電子が収容されるかを計算できる(表1.1)。最初の18種類の元素がもっている殻の種類とその軌道の電子配置を表1.2に示した。

　第1殻はヘリウム(He)およびそれよりも大きいすべての元素で満たされており，第2殻はネオン(Ne)およびそれよりも大きいすべての元素では満たされている。ただし，これらの電子で満たされた殻は化学結合の形成にほとんど何の役割も演じない。化学結合に主としてかかわりあうのは外殻電子，つまり**価電子**(valence electron)であり，これからは価電子に注目することにする。

　表1.3には最初の18種類の元素についてその価電子，つまり最外殻に収容されている電子が示してある。ここでの元素記号は原子の**核**(kernel)(原子核と満たされた内殻電子とを合わせたもの)を示し，・印は価電子を示す。元素は周期表にしたがって族に分類され，族を示す数値(ローマ数字)は価電子の数に対応している

☞　**原子**は正に帯電した**陽子**と中性な**中性子**を含む小さな凝縮した**核**とそれを取り囲む負に帯電した**電子**からなる。元素の**原子番号**は核にある陽子の数に等しい；**原子量**は核にある陽子と中性子の数の和にほぼ等しい。

☞　電子は**軌道**に存在する。軌道は**殻**に分類される。一つの軌道は最大2個の電子を収容できる。

☞　**価電子**は最外殻に位置する。原子の**核**(kernel)は原子核と内殻電子からなる。

1.1 原子における電子の配置

表 1.1 最初の3個の殻における軌道と電子の数

殻の番号	タイプ別(s, p, d)の軌道の数			すべての殻が満たされたときの電子の総数
	s	p	d	
1	1	0	0	2
2	1	3	0	8
3	1	3	5	18

表 1.2 電子番号18までの元素の電子配置

原子番号	元素	軌道に収容されている電子の数				
		$1s$	$2s$	$2p$	$3s$	$3p$
1	H	1				
2	He	2				
1	Li	2	1			
4	Be	2	2			
5	B	2	2	1		
6	C	2	2	2		
7	N	2	2	3		
8	O	2	2	4		
9	F	2	2	5		
10	Ne	2	2	6		
11	Na	2	2	6	1	
12	Mg	2	2	6	2	
13	Al	2	2	6	2	1
14	Si	2	2	6	2	2
15	P	2	2	6	2	3
16	S	2	2	6	2	4
17	Cl	2	2	6	2	5
18	Ar	2	2	6	2	6

表 1.3 原子番号18までの元素の価電子

族	I	II	III	IV	V	VI	VII	VIII
	H·							He:
	Li·	Be·	·B·	·C·	·N:	·O:	·F:	:Ne:
	Na·	Mg·	·Al·	·Si·	·P:	·S:	·Cl:	:Ar:

（ヘリウムを除く）。

原子構造に関する以上の知識をもとにして，元素がどのように化学結合を形成するかという問題に取り組んでみよう。

1.2 イオン結合および共有結合

1916年にCalifornia大学Berkeley校の教授であったGilbert N. Lewisは現在でも使われている化学結合の理論を提案した。彼は**不活性気体**（inert gas）であるヘリウムが原子核のまわりに2個の電子だけをもち，それにつぐ不活性気体のネオンが10個の電子（2＋8；表1.2参照）をもつことに気づいた。これらの不活性気体の原子は他の原子と結合しないので，非常に安定な電子配置をもつに違いないと結論した。さらに彼は不活性気体以外の原子はこのような安定な電子配置を獲得するように反応することを示唆した。このような安定性は2つの方法で得られる。1つの原子から他の原子へ完全に電子を移動させるか，または2つの原子間で電子を共有するかのいずれかである。

1.2a イオン性化合物

イオン結合（ionic bond）はある原子から1つまたは2つ以上の価電子を他の原子へ移動させることによって形成される。電子を与えた原子は正に帯電し，**陽イオン**（**カチオン**：cation）となる。電子を受容した原子は負に帯電し，**陰イオン**（**アニオン**：anion）となる。ナトリウム原子と塩素原子が反応して塩化ナトリウム（通常の食塩）を生成するのは典型的な電子移動反応である*。

$$\text{Na}\cdot \; + \; :\!\ddot{\text{Cl}}\!: \; \longrightarrow \; \text{Na}^+ \; + \; :\!\ddot{\text{Cl}}\!:^- \tag{1.1}$$

ナトリウム　塩素　　　ナトリウム　塩素
原子　　　　原子　　　陽イオン　　陰イオン

ナトリウム原子は1個だけの価電子を第3殻にもっている。その電子を与えることにより正に帯電し，ネオンの電子配置となり，ナトリウム陽イオンになる。一方，塩素原子は7個の価電子をもっているので，電子を1個余分に受け入れることにより負に帯電し，アルゴンの電子配置となり，塩素陰イオンになる。ナトリウムのように電子を与える傾向をもつ原子を**電気的に陽性**（electropositive）であるという。塩素のように電子を受け入れる傾向をもつ原子を**電気的に陰性**（electronegative）であるという。

---

* 式1.1における曲がった矢印はナトリウム原子の原子価殻から塩素原子の原子価殻への1電子の移動を示す。電子の移動を示す曲がった矢印については1.13節に詳しく説明されている。

☞ **イオン性化合物**は正に帯電した**陽イオン**と負に帯電した**陰イオン**からできている。

☞ **電気的に陽性**な原子は電子を供与して陽イオンとなる。**電気的に陰性**な原子は電子を受容して陰イオンとなる。

例題 1.1

マグネシウム原子（Mg）とフッ素原子（F）の反応式を書け。

解答
$$\text{Mg} : + \cdot \ddot{\text{F}} : + \cdot \ddot{\text{F}} : \longrightarrow \text{Mg}^{2+} + 2 : \ddot{\text{F}} : ^{-}$$

マグネシウム原子には2個の価電子がある。フッ素原子は原子価殻を完成するために（マグネシウムから）1個の電子しか受け入れられないので、1個のマグネシウム原子と反応するには2個のフッ素原子が必要である。

式1.1の生成物は塩化ナトリウムであり、同じ数のナトリウムイオンと塩素イオンからできているイオン性化合物である。このように、イオン性化合物は一般に電気的に強い陽性な原子と、電気的に強い陰性な原子とが相互作用するときに生成する。イオン性化合物の結晶中ではイオンの位置はそれぞれの正電荷と負電荷の求引力により保持されており、その例が図1.1の塩化ナトリウムの結晶に示してある。

ある意味では、イオン結合は真の結合とはいえない。その理由は、互いに反対符号の電荷をもったイオンどうしは磁石の両極のように引き合うが、結晶中で一定の配置に配列している場合、1つのイオンがもう1つの特定のイオンと結合したり、連結しているとはいえないからである。さらに、もちろんのことだが、その物質が溶解すると、イオンは解離し比較的自由に溶液中を動きまわることができるからである。

例題 1.2

ベリリウムイオンはどのような電荷を持つか。

解答 表1.3に示したように、ベリリウム（Be）には2個の価電子がある。ヘリウムと同じように満たされた電子配置をとるためには、ベリリウムは2個の価電子を失わなければならない。したがって、ベリリウム陽イオンは2個の正電荷をもち、Be^{2+}と記される。

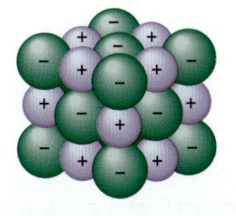

図1.1 塩化ナトリウム、Na^+Cl^-、はイオン結晶である。紫色の球はナトリウムイオンNa^+を表し、緑色の球は塩化物イオンCl^-を表す。それぞれのイオンは結晶の表面にあるイオンを除き、反対の電荷をもつ6つのイオンに囲まれている。

問題 1.1 表1.3を参考にして，つぎの元素が反応してイオン化合物を生成するとき，どのような電荷を帯びるかを示せ： Al, Li, S, H

一般的にいうと，周期表のある特定の周期では，より電気的に陽性な元素はできるだけ左側に，またより電気的に陰性な元素はできるだけ右側に位置している。ある特定の族では，より電気的に陽性な元素はより高周期（下側）に，そしてより電気的に陰性な元素はより低周期（上側）に位置する。

例題 1.3
どちらの原子がより電気的に陽性か
(a) リチウムとベリリウム
(b) リチウムとナトリウム

解答
(a) リチウムの核の正電荷（＋3）はベリリウムの核の正電荷（＋4）より少ない。したがって，1個の電子を取り除くためのエネルギーはリチウムのほうがベリリウムより小さい。リチウムのほうがベリリウムより容易に電子を失うから，リチウムのほうがより電気的に陽性な原子である。
(b) ナトリウム原子の価電子は2つの内殻をへだてて核の正電荷から遮蔽されているが，リチウムの価電子は1つの内殻により遮蔽されているだけである。したがって，ナトリウムから1個の電子を取り除くほうがエネルギーが小さいので，ナトリウムのほうがより電気的に陽性な元素である。

問題 1.2 表1.3を参考にして，つぎの元素の組み合わせではどちらがより電気的に陽性の元素であるか答えよ。
(a) ナトリウムとアルミニウム (b) ホウ素と炭素 (c) ホウ素とアルミニウム

問題 1.3 表1.3を参考にして，つぎの元素の組み合わせではどちらがより電気的に陰性の元素であるか答えよ。
(a) 酸素とフッ素 (b) 酸素と窒素 (c) フッ素と塩素

問題 1.4 表1.3における位置から判断すると，炭素原子は電気的に陽性と電気的に陰性のどちらの性質をもつと予想されるか答えよ。

1.2b 共有結合
電気的陰性と電気的陽性の両性質がいずれもあまり強くない元素，あるいは同程度の電気陰性度をもつ元素では，完全に電子を移動させるかわりに，電子を共有して結合を生成する傾向がある。**共有結合**（covalent bond）は原子どうしが1対また

☞ **共有結合**は2個の原子が1対あるいはそれ以上の電子対を共有するときに生成する。**分子**は共有結合で連結された2個あるいはそれ以上の原子からなる。

はそれ以上の数の電子対を互いに共有して形成される。2個（あるいはそれ以上）の原子が共有結合で連結されると**分子**（molecule）が生成する。2つの原子が同じものかまたは電気陰性度が等しいときは電子は均等に共有される。水素分子はその例である。

$$H\cdot + \cdot H \longrightarrow H:H + 熱 \tag{1.2}$$
水素原子　　　水素分子

それぞれの水素原子は，電子を共有することにより第1電子殻が満たされたと考える。つまり，1つの原子はつぎの構造式の丸で囲んだように，他の原子と共有するすべての電子を自身で「所有している」と考えるのである。

$$\text{Ⓗ:H} \quad \text{H:Ⓗ} \tag{1.3}$$

例題 1.4

2個の塩素原子から塩素分子を生成する反応式を式1.2にならって書け。

解答

$$:\!\ddot{\underset{..}{Cl}}\!\cdot + \cdot\!\ddot{\underset{..}{Cl}}\!: \longrightarrow :\!\ddot{\underset{..}{Cl}}\!:\!\ddot{\underset{..}{Cl}}\!: + 熱$$

2個の塩素原子により1対の電子が共有される。これによって，各々の塩素原子が8個の電子（3対の非共有電子対と1対の共有電子対）をもち原子価殻を完成する。

2個の水素原子が結合して分子を生成するときには熱が発生する。逆に水素分子を2個の原子に開裂しようとすると，それと同量の熱（エネルギー）を水素分子に与えなければならない。1モルの水素分子（1グラム分子量，この場合は2g）を開裂するには104 kcal（すなわち435 kJ*）の熱が必要であり，これはかなり大きなエネルギーである。このエネルギーは**結合エネルギー**（bond energy），あるいは**BE**とよび，各結合ごとに異なる値をもつ。（付録の表A参照）

H－H結合はきわめて強い結合である。そのおもな理由は，水素原子では価電子が1個の原子核によってのみ引きつけられているのに比べ，共有電子対は両方の水素原子核によって引きつけられているからである。しかし，水素分子内に働く他の力はこの電子対と原子核間の引力を相殺するように作用している。そのような力には同種の電荷をもった2個の原子核間の反発力があり，また同種の電荷をもった2個の電子間の反発力もある。これらの引力と反発力の間に平衡が保たれており，水素原子は互いに離れ去ることも融合してしまうこともない。そのかわりに，2個の

---

* 多くの有機化学者は現在のところ熱量単位としてキロカロリーを使用しているが，熱量の国際単位はキロジュールである。1 kcal = 4.184 kJ

☞ **結合エネルギー（BE）**は1モルの共有結合を開裂するのに必要なエネルギーである。エネルギーの値は開裂する結合の種類による。

水素原子は連結されたまま,つまり結合したまま**結合距離**(bond length)とよばれる一定範囲の平衡距離のなかで振動している。水素分子の結合距離(つまり,2個の水素原子核の間の平均距離)は0.741Å*である。共有結合の距離は結合する原子の種類と共有される電子対の数によって決まる。典型的な共有結合の距離を付録の表Bに示す。

1.3 炭素と共有結合

炭素とその結合をみてみよう。われわれは原子状炭素を $\dot{\text{C}}\cdot$ という記号で表すが,Cという文字は核(原子核と2個の1s電子を含めたもの)を表し,・印は価電子を表している。

炭素の原子価殻は4個の価電子をもっているので半分満たされている(または半分空いているともいえる)。炭素原子はそのすべての価電子を失うという性質も(もしそうならC^{4+}となる),または電子を4個獲得するという性質も(もしそうならC^{4-}となる)強くはもっていない。それは,炭素が周期表の真ん中に位置しているために,強い電気的陽性も強い電気的陰性も示さないからである。その代わりに炭素は,通常,他の原子と電子を共有して共有結合を作る。たとえば,炭素は4個の水素原子と4個の電子対**を共有して(結合1本につき互いに1個ずつの価電子を出し合って)結合を作る。その結果生成する物質はメタン(methane)である。炭素は4個の塩素原子とも同様に結合して,テトラクロロメタン(tetrachloromethane)***を生成する。

$$\begin{array}{c} \text{H} \\ \text{H}\!:\!\overset{\text{H}}{\underset{\text{H}}{\text{C}}}\!:\!\text{H} \end{array} \quad \text{または} \quad \begin{array}{c} \text{H} \\ \text{H}-\overset{|}{\underset{|}{\text{C}}}-\text{H} \\ \text{H} \end{array} \qquad :\!\ddot{\text{C}}\text{l}\!:\!\overset{:\ddot{\text{Cl}}:}{\underset{:\ddot{\text{Cl}}:}{\text{C}}}\!:\!\ddot{\text{C}}\text{l}\!: \quad \text{または} \quad \begin{array}{c} \text{Cl} \\ \text{Cl}-\overset{|}{\underset{|}{\text{C}}}-\text{Cl} \\ \text{Cl} \end{array}$$

メタン   テトラクロロメタン
             (四塩化炭素)

原子は電子対を共有することにより原子価殻を満たす。上の2例では,炭素は8個の価電子によって囲まれている。またメタンの水素は2個の電子により原子価殻を完成しており,テトラクロロメタンの塩素原子は8個の電子により原子価殻を満たしている。このようにすべての原子価殻が満たされており,生成した化合物はきわ

---

* 1Å(オングストローム)は10^{-8}cmである。したがってH−H結合距離は0.74×10^{-8}cmである。結合距離を表す単位にピコメートル(pm;1Å=100pm)も使われる。本書では,オングストロームを使用する。
** 異なる原子から供与された電子を区別するために,記号として・や×印を用いることがある。しかし,電子はもちろん等価である。
*** テトラクロロメタンは系統的名称であり,四塩化炭素(carbon tetrachloride)は慣用名である。有機化合物の命名法についてはあとで学ぶ。

☞ **結合距離**は共有結合で結合した2個の原子間の平均距離である。

1.4 炭素–炭素単結合

めて安定である。

共有された電子対は共有結合とよばれる。それはこの電子対が2個の原子核との間に示す相互引力によって，2個の原子を結びつけているからである。単結合はメタンやテトラクロロメタンの2番目の式のように通常1本の直線で表される。

例 題 1.5

クロロメタン（塩化メチルともいう；CH_3Cl）の構造式を書け。

解答

$$H:\overset{H}{\underset{H}{\ddot{C}}}:\ddot{C}l: \quad \text{または} \quad H-\overset{H}{\underset{H}{\overset{|}{C}}}-Cl$$

問題 1.5 ジクロロメタン（塩化メチレンともいう；CH_2Cl_2）およびトリクロロメタン（クロロホルム；$CHCl_3$）の構造式を書け。

1.4 炭素–炭素単結合

炭素原子の特性は，炭素以外の原子だけではなく，炭素原子とも電子を共有する能力をもつことにある。このことにより，数百万もの有機化合物が存在することができるのである。たとえば，2個の炭素原子が互いに結合したあと，さらにこの炭素原子それぞれが他の原子と結合できる。エタン（ethane）とヘキサクロロエタン（hexachloroethane）では，結合した2個の炭素それぞれが3個の水素原子，または3個の塩素原子と結合している。

$$H:\overset{H}{\underset{H}{\ddot{C}}}:\overset{H}{\underset{H}{\ddot{C}}}:H \quad \text{または} \quad H-\overset{H}{\underset{H}{\overset{|}{C}}}-\overset{H}{\underset{H}{\overset{|}{C}}}-H \qquad :\overset{\ddot{C}l:}{\underset{:\ddot{C}l:}{\ddot{C}l}}:C:C:\overset{\ddot{C}l:}{\underset{:\ddot{C}l:}{\ddot{C}l}}: \quad \text{または} \quad Cl-\overset{Cl}{\underset{Cl}{\overset{|}{C}}}-\overset{Cl}{\underset{Cl}{\overset{|}{C}}}-Cl$$

エタン   ヘキサクロロエタン

これらの化合物には2個の炭素原子が存在するが，その化学的性質はそれぞれメタンおよびテトラクロロメタンの性質とよく似ている。

エタンの炭素–炭素結合は水素分子の水素–水素結合と同様に完全な共有結合であり，2個の電子は等価な2個の炭素原子の間に均等に共有されている。また水素分子と同様に，炭素–炭素結合を2個のCH_3基（メチル遊離基とよばれる）に開裂するためには熱が必要である。**遊離基**（radical）とは奇数個の非共有電子をもつ基（分子の断片）のことである。

☞ **遊離基**は奇数個の非共有電子をもつ分子の断片である。

$$\text{H-}\underset{\underset{H}{|}}{\overset{\overset{H}{|}}{C}}:\underset{\underset{H}{|}}{\overset{\overset{H}{|}}{C}}\text{-H} \xrightarrow{熱} \text{H-}\underset{\underset{H}{|}}{\overset{\overset{H}{|}}{C}}\cdot + \cdot\underset{\underset{H}{|}}{\overset{\overset{H}{|}}{C}}\text{-H}$$

　　　　　　　エタン　　　　　　2個のメチル遊離基

しかし，エタンの炭素-炭素結合を開裂するのに必要な熱量は水素分子の水素-水素結合を開裂するのに必要な熱量より小さい。その値は1モルのエタンについて88 kcal（すなわち368 kJ）である。エタンの炭素-炭素結合（1.54Å）は水素-水素結合（0.74Å）より長くまた多少弱い。式1.3に示すような熱による炭素-炭素結合の開裂反応は石油の「熱分解（クラッキング）」の第1段階であり，ガソリン製造における重要な工業的操作法である（"石油，ガソリン，オクタン価"に関するA Word About（p.118）を参照）。

例 題　1.6

Ｃ－Ｈ結合（メタンやエタンのような）の結合距離はどの程度の長さであろうか。

解答　Ｈ－Ｈ結合距離（0.74Å）とエタンのＣ－Ｃ結合距離（1.54Å）の中間の値であろう。実際の値は1.09Åであり，Ｈ－ＨとＣ－Ｃ結合距離の平均値に近い。

問 題　1.6

Cl－Clの結合距離は1.98Åである。エタンのＣ－Ｃ結合とクロロメタンのＣ－Cl結合はどちらが長いか？

炭素原子はほとんど限りなく互いに連結することが可能であり，炭素-炭素結合を100またはそれ以上をも連続してもつ分子は数多くある。同じ元素だけが結合して鎖を形成する能力のことを**連鎖能**（catenation）という。

問 題　1.7

エタンの構造を参考にして，プロパンC_3H_8の構造を書け。

1.5　分極した共有結合

ここまで見てきたように，共有結合は同じ種類の原子間（Ｈ－Ｈ，Ｃ－Ｃ）だけではなく，異種の原子間（Ｃ－Ｈ，Ｃ－Cl）でも電気陰性度（電子受容能）があまり大きく異ならない場合に形成される。しかし，異なる原子間の場合には，電子対は2原子間に均等には共有されない。このような結合はしばしば**分極した共有結合**（polar covalent bond）とよばれ，結合している原子は部分的に正および負の電荷を帯びている。

塩化水素分子は分極した共有結合の一例である。塩素原子は水素原子よりも電気陰性度が大きいが，その結合はイオン結合よりも共有結合である。しかし，電子対

☞　**連鎖能**は同一種類の原子が共有結合により長鎖をつくる能力のことである。
☞　**分極した共有結合**は電子対が両原子間に同等には分布していない共有結合のことである。

1.5 分極した共有結合

はより塩素のほうへ引きつけられているため，塩素は水素に比べて多少の負電荷を帯びている。この結合の分極したようすは矢印で表され，矢印の頭は負の，尾は正の符号で示される。

そのほか部分電荷をδ＋およびδ－（「デルタプラス」および「デルタマイナス」と読む）で表す方法もある。

$$\overset{\longrightarrow}{\text{H :Cl:}} \quad \text{または} \quad \overset{\delta+ \quad \delta-}{\text{H :Cl:}} \quad \text{または} \quad \overset{\delta+ \quad \delta-}{\text{H}-\text{Cl:}}$$

このように結合電子対は不均等に共有されて塩素のほうへ偏っている。

分極した共有結合のどちらの末端が正または負に分極するかは，ふつう周期表（表1.3）の族によって決められる。同一周期においては，周期表を左から右へ進むにつれて原子番号が増大し原子核上の正電荷が増加するため，元素はより電気陰性（電子受容性）になる。原子核の正電荷が増加すると，価電子をより強く引きつける。また，ある特定の族においては，周期表の上部から下部へ進むにつれて（同じ欄を上から下へ進む），価電子を原子核から遮蔽している内殻電子の数が増加するので，元素の電気陰性度はこの順に減少する。このような一般的考察により，つぎに示す結合では右側の原子は左側の原子に比べて負に分極していることがわかる。

$$\overset{\longrightarrow}{\text{C}-\text{N}} \quad \overset{\longrightarrow}{\text{C}-\text{Cl}} \quad \overset{\longrightarrow}{\text{H}-\text{O}} \quad \overset{\longrightarrow}{\text{Br}-\text{Cl}}$$
$$\overset{\longrightarrow}{\text{C}-\text{O}} \quad \overset{\longrightarrow}{\text{C}-\text{Br}} \quad \overset{\longrightarrow}{\text{H}-\text{S}} \quad \overset{\longrightarrow}{\text{Si}-\text{C}}$$

炭素-水素結合は有機化合物においてきわめて一般的な結合であるから，ここで特別に説明しておく必要がある。炭素と水素の電気陰性度はほぼ等しいので，C－H結合はほぼ完全な共有結合である。いくつかの一般的な元素の電気陰性度を表1.4に示す。

例題 1.7

テトラクロロメタンの構造において結合の分極のようすを示せ。

解答

$$\begin{array}{c} \text{Cl}^{\delta-} \\ | \\ {}^{\delta-}\text{Cl}-\overset{\delta+}{\text{C}}-\text{Cl}^{\delta-} \\ | \\ \text{Cl}^{\delta-} \end{array}$$

塩素は炭素より電気的に陰性である。したがって，すべてのC－Cl結合の電子は塩素のほうへ偏っている。

問題 1.8 P－ClおよびS－O結合の分極のようすを予想せよ。

問題 1.9 冷却剤であるジクロロジフルオロメタンCCl_2F_2（CFC-12）の構造を書き，結合の分極のようすを示せ。

表 1.4 代表的な元素の電気陰性度

族	I	II	III	IV	V	VI	VII
	H 2.2						
	Li 1.0	Be 1.6	B 2.0	C 2.5	N 3.0	O 3.4	F 4.0
	Na 0.9	Mg 1.3	Al 1.6	Si 1.9	P 2.2	S 2.6	Cl 3.2
	K 0.8	Ca 1.0					Br 3.0
							I 2.7

< 1.0 　　 1.5〜1.9 　　 2.5〜2.9
1.0〜1.4 　　 2.0〜2.4 　　 3.0〜4.0

問題 1.10 メタノール，CH$_3$OH，の構造式を書き，（適当な結合について）結合の分極のようすを矢印 ⊢→ で記せ。

1.6 多重共有結合

原子価殻を完成するために，原子どうしが1対以上の電子対を共有することがある。二酸化炭素，CO$_2$，はその一例である。炭素原子は4個の価電子をもち，酸素は6個の価電子をもつので，二酸化炭素の各原子が8個の電子で原子価殻を完成できる構造はつぎのようである。

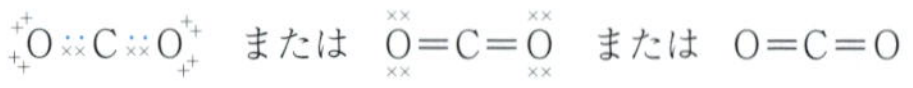

$$\overset{+}{\text{O}}::\text{C}::\overset{+}{\text{O}} \quad \text{または} \quad \overset{\times\times}{\underset{\times\times}{\text{O}}}=\text{C}=\overset{\times\times}{\underset{\times\times}{\text{O}}} \quad \text{または} \quad \text{O}=\text{C}=\text{O}$$
$$\text{A} \hspace{3cm} \text{B} \hspace{3cm} \text{C}$$

Aの構造では，・印は炭素からの電子を，×印は酸素からの電子を示している。Bの構造は結合ならびに酸素の非共有電子対を示している。そしてCの構造は共有結合のみを示している。いずれの表現方法でも2対の電子対が炭素と酸素の間に共有されている。したがって，この結合を**二重結合**（double bond）とよぶ。また各酸素原子はこれと同時に2対の**非結合性電子対**（nonbonding electron），すなわち**非**

☞ **二重結合**では，2対の電子対が2個の原子の間に共有されている。
☞ **非結合電子対**あるいは**非共有電子対**は一つの原子上にある。

1.6 多重共有結合

共有電子対（unshared electron pair）をもっている。各々の原子が8個の価電子で囲まれているようすは，つぎの構造式の丸で囲んだところによって示されている。

$$:\!\ddot{\text{O}}\!::\!\text{C}\!::\!\ddot{\text{O}}\!: \quad :\!\ddot{\text{O}}\!::\!\text{C}\!::\!\ddot{\text{O}}\!: \quad :\!\ddot{\text{O}}\!::\!\text{C}\!::\!\ddot{\text{O}}\!:$$

シアン化水素，HCN，は**三重結合**（triple bond）をもつ簡単な化合物の一例であり，三重結合では3個の電子対が共有されている。

$$\text{H}:\text{C}:::\text{N}: \quad \text{または} \quad \text{H}-\text{C}\equiv\text{N}: \quad \text{または} \quad \text{H}-\text{C}\equiv\text{N}$$
シアン化水素

問題 1.11 シアン化水素の各原子が原子価殻を完成しているようすを，丸で囲って示せ。

例 題 1.8

二酸化炭素を表した下の電子配置に誤りがあれば指摘せよ。

解答 $:\text{O}::::\text{C}::\ddot{\text{O}}:$

この式には正しい数（16個）の全価電子が含まれており，各々の酸素は8個の価電子で囲まれていて，この点は正しい。ところが炭素原子は許容数より2個多い10個の価電子をもっており，この点が誤りである。したがって，左側のO＝Cの電子配置を右側のように訂正すべきである。

問題 1.12 二酸化炭素に関するつぎの電子配置で誤りがあれば示せ。

(a) $:\text{O}:::\text{C}:::\text{O}:$　(b) $:\ddot{\text{O}}:\ddot{\text{C}}:\ddot{\text{O}}:$　(c) $:\ddot{\text{O}}:\text{C}:::\text{O}:$

問題 1.13 メタナール（ホルムアルデヒド）の分子式はH_2COである。価電子の配置を正しく示す式を書け。

問題 1.14 一酸化炭素COについてエレクトロンドッド式を書け。

炭素原子どうしは単結合だけでなく二重結合あるいは三重結合でも連結できる。したがって，2個の炭素原子からなる**炭化水素**（hydrocarbon）（炭素と水素原子だけからできている化合物）には，エタン，エチレン，およびアセチレンの3種類が存在する。

☞ **三重結合**では，3対の電子対が2個の原子の間に共有されている。
☞ **炭化水素**は水素と炭素のみからできている化合物である。

$$\underset{\text{エタン}}{\text{H}-\overset{\overset{\text{H}}{|}}{\underset{\underset{\text{H}}{|}}{\text{C}}}-\overset{\overset{\text{H}}{|}}{\underset{\underset{\text{H}}{|}}{\text{C}}}-\text{H}} \qquad \underset{\underset{\text{(エチレン)}}{\text{エテン}}}{\overset{\text{H}}{\underset{\text{H}}{}}\text{C}=\text{C}\overset{\text{H}}{\underset{\text{H}}{}}} \qquad \underset{\underset{\text{(アセチレン)}}{\text{エチン}}}{\text{H}-\text{C}\equiv\text{C}-\text{H}}$$

これらの違いは炭素-炭素結合が単結合，二重結合，および三重結合であることである。もちろん，水素の数も異なる。あとで学ぶように，炭素原子間の結合様式が異なるために，これらの化合物の化学反応性は異なっている。

例題 1.9

炭素-炭素二重結合を1つもつ分子C_3H_6の構造式を書け。

解答 まず最初に1個の二重結合をもつ3個の炭素の配列を書く。

$$\text{C}=\text{C}-\text{C}$$

つぎに，各炭素がそのまわりに8個の電子をもつように水素をつけ加える（すなわち，各炭素が4つの結合をもつようにする）。

$$\text{H}-\overset{\overset{\text{H}}{|}}{\text{C}}=\overset{\overset{\text{H}}{|}}{\text{C}}-\overset{\overset{\text{H}}{|}}{\underset{\underset{\text{H}}{|}}{\text{C}}}-\text{H}$$

問題 1.15
C_4H_8の分子式をもち，かつ炭素-炭素二重結合を1つもつ分子構造を3種書け。

1.7 原子価

元素の**原子価**（valence）とは基本的にその元素の原子が形成できる結合の数である。この数は，通常その原子の原子価殻を満たすのに必要な電子の数に等しい。表1.5に数種の元素の一般的な原子価を示す。価電子の数と原子価とは異なることに注意してほしい。たとえば，酸素は6個の価電子をもつが原子価は2である。両

表 1.5 代表的な元素の原子価

元素	H·	·Ċ·	·N̈·	·Ö·	:F̈·	:C̈l·
原子価	1	4	3	2	1	1

☞ 元素の**原子価**はある元素の原子が形成できる結合の数である。

1.8 構造異性

方の数の和は原子価殻が満たされた場合の電子の数（8個）に等しい。

表1.5に示した原子価は結合が単結合，二重結合，さらには三重結合であっても適用される。たとえば，炭素は本書でここまでに出てきたすべての分子式（メタン，テトラクロロメタン，エタン，エテン，エチン，二酸化炭素など）において4本の結合をもっている。これらの元素の原子価は分子の正しい構造式を書く助けになるので，記憶しておく必要がある。

例 題 1.10

水素は1，炭素は4の原子価をもつ構造式を分子式C_3H_4について書け。ただし，結合を表すには直線を用いて示せ。

解答 3種の可能性がある。

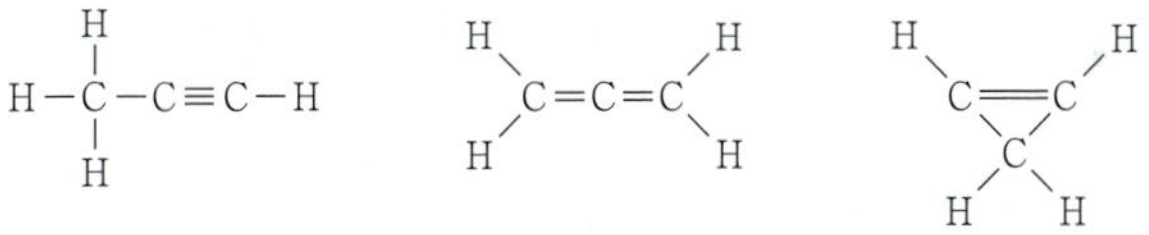

これら3種の異なる原子配列に対応する化合物が実際に知られている。

問題 1.16
つぎの分子式について，各元素が表1.5に示す原子価をもつ構造式を書け。ただし，結合を表すには直線を用いて示せ。
(a) CH_5N (b) CH_4O

問題 1.17
分子式C_2H_5は安定な分子を表しているであろうか。

例題1.10において，3個の炭素原子と4個の水素原子とが3通りの異なる様式で結合でき，いずれも炭素，水素両原子の原子価を満足していることがわかった。この現象に関してもう少し詳しくみてみよう

1.8 構造異性

ある物質の**分子式**（molecular formula）はその分子中に含まれる原子の数と種類を表しているが，**構造式**（structural formula）はそれらの原子がどのように配列しているかを表す。たとえば，H_2Oは水の分子式であり，これによって水1分子は2個の水素と1個の酸素原子からなることがわかる。しかし，H－O－Hという構造式はそれ以上の内容を示している。これによって2個の水素原子は酸素と結合していることがわかる（水素どうしは結合していない）。

原子の数と種類が同じであり，それらの原子価を満足させながら2通り以上の形

☞ **分子式**はある物質の原子の種類と数を示し，構造式はそれらの原子の配置を示す。

に配置できることがある。このような一群の分子を**異性体**（isomer）とよぶ。これはギリシャ語のisos（等しい）とmeros（部分）に由来する術語である。**構造異性体**（structural isomer）とは同じ分子式をもちながら異なる構造式をもつ化合物のことである。このような異性体の例を1つあげてみる。

同じ分子式C_2H_6Oをもちながら，まったく異なる性質をもつ2種の化学物質がある。その1種は78.5 °Cで沸騰する無色の液体であり，もう1種は常温で無色の気体である（bp -23.6 °C）。この両物質の分子中では原子の配置が異なっており，このことが一方が液体で他方が気体であることの原因になっていると思われる。

分子式C_2H_6Oに関しては，炭素が4，酸素が2，水素が1という原子価の条件を満足する構造式として，つぎの2種（2種しかない）が考えられる。

$$\begin{array}{cc} \text{H H} & \text{H H} \\ | \ | & | \ | \\ \text{H}-\text{C}-\text{C}-\text{O}-\text{H} \quad \text{および} \quad \text{H}-\text{C}-\text{O}-\text{C}-\text{H} \\ | \ | & | \ | \\ \text{H H} & \text{H H} \end{array}$$

エタノール　　　　　　　　　メトキシメタン
（エチルアルコール）　　　　（ジメチルエーテル）
bp 78.5°C　　　　　　　　　 bp -23.6°C

左の構造式では2個の炭素は単結合によって連結されており，右の構造式では2個の炭素は酸素と連結している。水素を加えて原子価を完成するには，どちらも6個の水素が必要である。これらの構造を証明するいくつもの実験的証拠がある。これらの原子配列がお互いに大変異なる物質となる説明は後（7章と8章）にゆずる。

エタノールとメトキシメタンは構造異性体である。いずれも同一の分子式をもつが構造式は異なっている。エタノールとメトキシメタンは分子構造が異なるために物理的および化学的性質も異なっている。一般的に，構造異性体は異なる化合物であり，それらは分子構造が異なるために，物理的および化学的性質が異なる。

問題 1.18 分子式C_3H_8Oで表される可能な3種の異性体の構造式を書け。

1.9 構造式の書き方

この有機化学の学習を通して，構造式を書くことになる。そこで構造式の書き方に関する二三のヒントを学んでおくと今後の役に立つだろう。異性体に関するもう1つの例を取りあげてみよう。分子式C_5H_{12}に対応するすべての可能な構造式を書きたいとする。まず5個の炭素すべてを**直鎖状**（continuous chain）に書いてみる。

☞　**異性体**は原子の種類と数は同じだが，原子の配置が異なる分子である。
☞　**構造異性体**は分子式は同じだが構造式が異なるものである。
☞　**直(連)鎖**では，原子は次々に結合している。**枝分かれのある炭素鎖**ではもっとも長い連鎖から枝分かれがでている。

1.9 構造式の書き方

$$C-C-C-C-C$$
直鎖状炭素鎖

この炭素鎖を形成するために，末端炭素は1つの原子価を，鎖の中間にある炭素は2つの原子価を使用している。したがって，両末端の炭素は残り3つの原子価を，また中間の炭素は残り2つの原子価を水素と結合するために残している。その結果構造式はつぎのようになる。

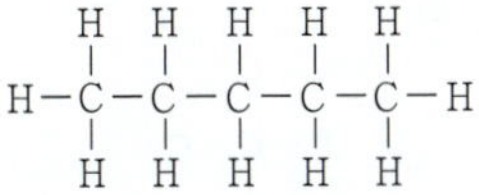

$$\begin{array}{c} H\;H\;H\;H\;H \\ |\;\;|\;\;|\;\;|\;\;| \\ H-C-C-C-C-C-H \\ |\;\;|\;\;|\;\;|\;\;| \\ H\;H\;H\;H\;H \end{array}$$

n-ペンタン bp 36℃

他の異性体の構造式を書くためには，**枝分かれした炭素鎖** (branched chain) を考える必要がある。たとえば，最長の炭素鎖を4炭素に減少させて，5番目の炭素をどれか中間の炭素に連結するとつぎのようになる。

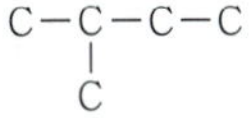

$$\begin{array}{c} C-C-C-C \\ | \\ C \end{array}$$

枝分かれのある炭素鎖

これらの炭素の原子価がすべて4になるように残りの結合に水素を加えると，3個の炭素がそれぞれ3個の水素と結合し，残りの炭素は1個，または2個の水素と結合することがわかる。

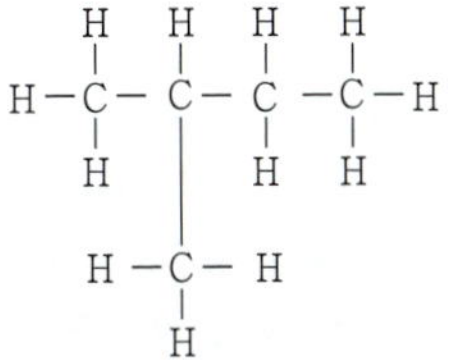

$$\begin{array}{c} H\;\;H\;\;\;\;\;H \\ |\;\;\;|\;\;\;\;\;| \\ H-C-C-C-C-H \\ |\;\;\;|\;\;\;\;\;| \\ H\;\;H\;\;\;\;\;H \\ \;\;\;\;\;| \\ \;\;\;H-C-H \\ \;\;\;\;\;| \\ \;\;\;\;\;H \end{array}$$

2-メチルブタン, bp 28℃
（イソペンタン）

つぎに上と同様に炭素4つの直鎖はそのままにして，5番目の炭素をまえとは異なる位置につないでみよう。するとつぎのような炭素鎖を書くことができる。

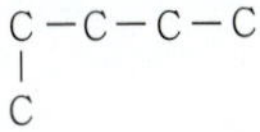

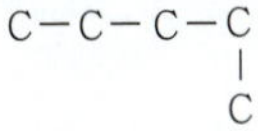

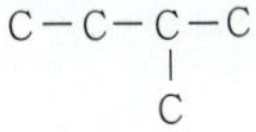

$$\begin{array}{ccc} C-C-C-C & C-C-C-C & C-C-C-C \\ | & \;\;\;\;| & \;\;\;\;\;\;\;| \\ C & \;\;\;\;C & \;\;\;\;\;\;\;C \end{array}$$

しかし，ここには新しい型の炭素鎖が1種もないことに気がつく。最初の2種の構造は1本につながった炭素鎖をもちペンタンの構造式そのものである。3番目の構造は2-メチルブタンの枝分かれした炭素鎖と同一で，4炭素鎖の右から数えて2番目の炭素に炭素1個の枝分かれをもつ構造である。どんなペンタンの構造式を書いても，紙面から鉛筆をあげずにすべての5個の炭素を結ぶ線を書ける。2-メチルブタンはどのように書いても，連続的に4個の炭素を結ぶ線を書けるのみである。

しかし分子式 C_5H_{12} には3番目の異性体がある。最長炭素鎖を3炭素に減少し，2個の1炭素分岐を中央の炭素に連結するとその骨格ができあがる。

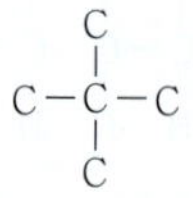

$$\begin{array}{c} C \\ | \\ C-C-C \\ | \\ C \end{array}$$

つぎに水素で炭素の原子価を満たすと，中央の炭素には水素が結合していないことがわかる。

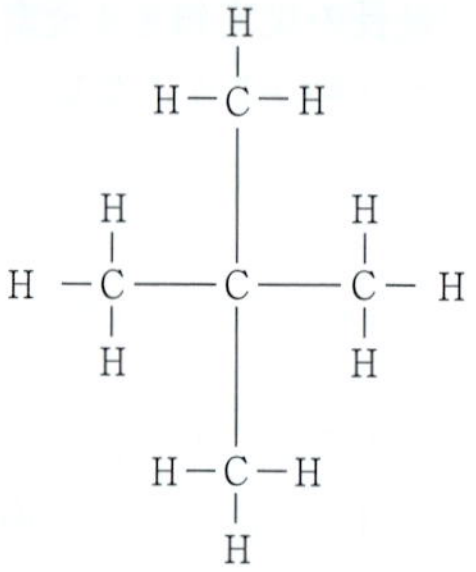

2,2-ジメチルプロパン，bp 10℃
(ネオペンタン)

このように，分子式 C_5H_{12} に対応する構造式として3種類（3種類だけ）を書くことができる。実際にも，この分子式をもつ化学物質は3種類だけしか存在しないことが知られている。それらは一般に n-ペンタン（n は直鎖，すなわち枝分かれのない炭素鎖），イソペンタン，ネオペンタンとよばれるものである。

問題 1.19　つぎの構造式がC_5H_{12}のどの異性体に対応するか答えよ。

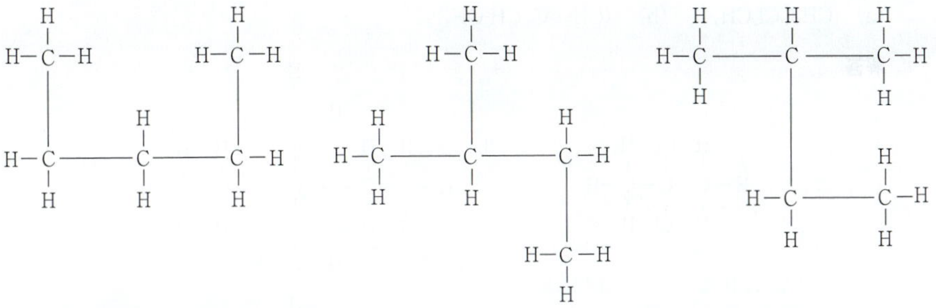

1.10　簡略化した構造式の書き方

本書でここまで用いてきたような構造式の書き方は有用であるが，いささか繁雑である。かなりの紙面をとるし，書き方も面倒である。そこで構造式の正しい意味を正確に伝えながらも構造式を簡略化して書く手法がしばしば用いられる。たとえば，エタノール（エチルアルコール）の構造式はつぎのように略記することができる。

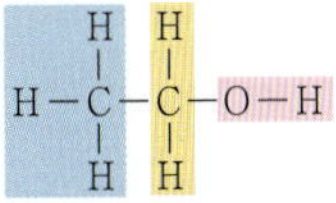

から　CH_3-CH_2-OH　または　CH_3CH_2OH　へと略記

いずれの式もエタノールを示し，その異性体であるメトキシメタン（ジメチルエーテル）とは明らかに異なる。メトキシメタンは次のいずれかで示される。

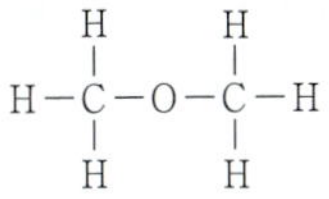

から　CH_3-O-CH_3　または　CH_3OCH_3　へと略記

同様に3種類のペンタンの構造式もつぎのように略記できる。

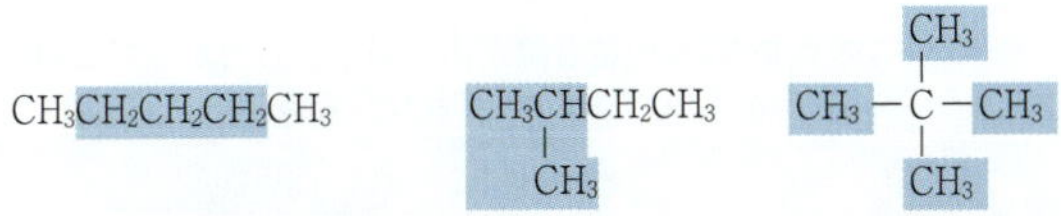

$CH_3CH_2CH_2CH_2CH_3$　　　$CH_3CHCH_2CH_3$　　　$CH_3-\underset{CH_3}{\overset{CH_3}{C}}-CH_3$
n-ペンタン　　　　イソペンタン　　　　ネオペンタン

これらの構造式はさらに簡略化されることがある。たとえばつぎのように1行に印刷される。

$CH_3(CH_2)_3CH_3$　　　$(CH_3)_2CHCH_2CH_3$　　　$(CH_3)_4C$
n-ペンタン　　　　インペンタン　　　　ネオペンタン

例題 1.11

つぎの構造式をすべての結合を示す構造式に書きかえよ。
(a) CH₃CCl₂CH₃　(b) (CH₃)₂C(CH₂CH₃)₂

解答

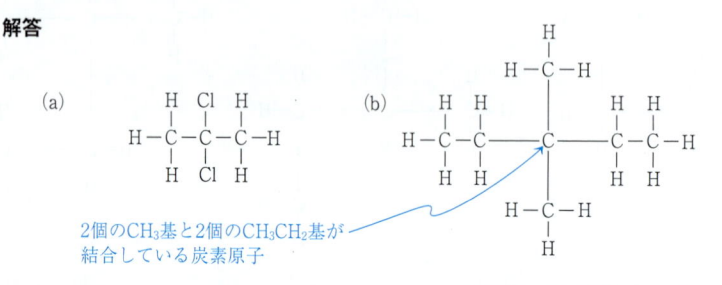

(a)
```
      H  Cl H
      |  |  |
　H - C - C - C - H
      |  |  |
      H  Cl H
```

(b)
```
              H
              |
          H - C - H
              |
      H   H   |   H   H
      |   |   |   |   |
  H - C - C - C - C - C - H
      |   |   |   |   |
      H   H   |   H   H
              |
          H - C - H
              |
              H
```

2個のCH₃基と2個のCH₃CH₂基が結合している炭素原子

問題 1.20

つぎの構造式をすべての結合を示す構造式に書きかえよ。
(a) (CH₃)₂CHCH₂OH　(b) CCl₂=CCl₂

構造式のもっとも単純化された略記法は，つぎのように線を使って炭素骨格を描く方法であろう。

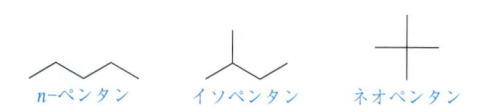

　　n-ペンタン　　イソペンタン　　ネオペンタン

この略記法では，それぞれの直線部分の各末端に炭素原子が存在するという約束がある。水素は省略されているが，各炭素上の水素の数は各点から出ている直線の数を数値4（炭素の原子価）から差し引くことにより容易に求めることができる。多重結合は複数の直線で表される。たとえば炭素5個の直鎖をもち，2番目と3番目の炭素原子の間に二重結合がある炭化水素（すなわちCH₃CH=CHCH₂CH₃）はつぎのように表される。

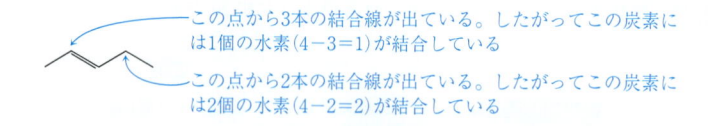

この点から3本の結合線が出ている。したがってこの炭素には1個の水素（4－3＝1）が結合している

この点から2本の結合線が出ている。したがってこの炭素には2個の水素（4－2＝2）が結合している

例題 1.12

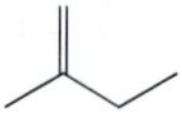

　で表される分子のさらに詳しい構造式を書け。

解答

$$\text{CH}_3-\underset{\underset{\text{CH}_2}{\|}}{\text{C}}-\text{CH}_2-\text{CH}_3 \quad \text{または} \quad \text{H}-\underset{\underset{\text{H}}{|}}{\overset{\overset{\text{H}}{|}}{\text{C}}}-\underset{}{\overset{\overset{\text{H}}{|}\ \text{H}}{\underset{}{\text{C}}}}-\underset{\underset{\text{H}}{|}}{\overset{\overset{\text{H}}{|}}{\text{C}}}-\underset{\underset{\text{H}}{|}}{\overset{\overset{\text{H}}{|}}{\text{C}}}-\text{H}$$

問題 1.21 $(\text{CH}_3)_2\text{CHCH}(\text{CH}_3)_2$ を直線を用いて結合を示す構造式に書きかえよ。

1.11 形式電荷

ここまでは中性な原子で構成された分子を考えてきた。しかし，正あるいは負に帯電した原子を1個，またはそれ以上もつ化合物もある。これらの電荷は一般にその分子の化学反応に影響するので，電荷が存在する位置を知ることが重要である。水分子と陽子（プロトン）との反応生成物であるヒドロニウムイオン，H_3O^+ を考えてみよう。

$$\text{H}-\ddot{\text{O}}-\text{H}+\text{H}^+ \longrightarrow \left[\begin{array}{c} \text{H} \\ | \\ \text{H}-\overset{}{\text{O}}-\text{H} \end{array}\right]^+$$

ヒドロニウムイオン

この構造は酸素のまわりに8電子と各水素のまわりに2電子をもち，すべての原子価殻は満たされている。全体で8個の価電子があることに注目してほしい。酸素が6電子を提供し，各水素が1電子を提供すれば合計9電子になるはずだが，このイオンは1価の正電荷をもつので電子1個が失われており，8電子が残っている。このうち6電子で3本のO—H単結合を形成し，さらに非共有電子対1つを酸素上に残している。

ヒドロニウムイオン全体が1個の正電荷を帯びているが，「形式的にどの原子が電荷を保持しているか」を考えてみよう。**形式電荷**（formal charge）を求めるには，まず各原子がその上にある非共有電子はそのすべてを，共有電子についてはその半分だけを「所有」していると考える（各共有結合から1電子）。つぎに，中性原子の価電子数から上で求めた電子数を差し引けば形式電荷が求まる。この定義は下式のように表わされる。

$$\left(\text{形式電荷}\right)=\left(\begin{array}{c}\text{中性原子における}\\ \text{価電子の数}\end{array}\right)-\left(\begin{array}{c}\text{非共有電}\\ \text{子の数}\end{array}+\begin{array}{c}\text{共有電子の}\\ \text{数の半分}\end{array}\right) \quad (1.5)$$

これをさらに簡略化すると，

☞ 共有結合で結合した分子あるいはイオンの中のある原子の**形式電荷**は中性原子の価電子数からその原子の共有結合数とその原子の非共有電子数を引いた値である。

$$\begin{pmatrix} 形式電荷 \end{pmatrix} = \begin{pmatrix} 中性原子における \\ 価電子の数 \end{pmatrix} - \begin{pmatrix} ドット数 + 結合数 \end{pmatrix}$$

この定義をヒドロニウムイオンに適用してみよう．

各水素原子について
 中性原子における価電子数 ＝ 1
 非共有電子数 ＝ 0
 共有電子数の 2 分の 1 ＝ 1
 したがって，形式電荷 ＝ 1 − (0 + 1) = 0

酸素原子について
 中性原子における価電子数 ＝ 6
 非共有電子数 ＝ 2
 共有電子数の 2 分の 1 ＝ 3
 したがって，形式電荷 ＝ 6 − (2 + 3) = +1

つまり，酸素原子がヒドロニウムイオンの＋1の電荷を形式的に帯びていることになる．

例題 1.13

水酸化物イオン OH^- では形式電荷はどの原子上に存在するか答えよ．

解答 価電子を・印で表すと（エレクトロン・ドット式），$[:\!\overset{..}{O}\!:\!H]^-$ となる．酸素は6電子を，水素は1電子を提供し，さらに負電荷としてもう1電子あるので合計8電子が存在する．これにもとづいて酸素上の形式電荷を算出すると $6 − (6 + 1) = −1$ となり，酸素が負電荷を帯びている．

問題 1.22

アンモニア NH_3，アンモニウムイオン NH_4^+，およびアミドイオン NH_2^- の窒素原子がもつ形式電荷を計算せよ．

エレクトロン・ドット式（価電子を・印で表す構造式）と形式電荷を用いてもう少し複雑な場合をつぎにみてみよう．

1.12 共 鳴

結合を生成する際に，1対の電子が2個以上の原子に関与することがある．一例として炭酸イオン CO_3^{2-} を考えてみよう．

炭酸イオンにおける価電子の総数は24である（炭素から4個，3つの酸素から $3 \times 6 = 18$ 個，さらにイオンに負電荷を与える電子が2個．この2電子はおそらく2個のナトリウム原子のような金属から1個ずつ与えられるものであろう）．炭素と

1.12 共鳴

酸素のまわりの原子価殻（オクテット）を満すように価電子を・印で表す構造式（エレクトロン・ドット式）はつぎのように書ける。

$$\left[\begin{array}{c}:\!\ddot{O}\!:\\ :\!\ddot{O}\!:\!:\!C\!:\!:\!\ddot{O}\!:\end{array}\right]^{2-} \text{または} \left[\begin{array}{c}\ddot{O}\\ :\!\ddot{O}\!-\!C\!=\!\ddot{O}\end{array}\right]^{2-}$$

炭酸イオン，CO_3^{2-}

この構造には炭素–酸素単結合が2本と炭素–酸素二重結合が1本含まれている。ここに形式電荷の定義を適用すると，炭素の形式電荷は0であり，単結合の酸素はそれぞれ−1の形式電荷をもち，二重結合の酸素の形式電荷は0であることがわかる。

問題 1.23 上述のCO_3^{2-}の形式電荷に関する説明内容が正しいことを示せ。

炭酸イオンのエレクトロン・ドット式を書いたときに，どの酸素原子を炭素と二重結合で結ぶかはまったくの任意であった。実際，まったく等価な構造式を3種書くことができる。

$$\left[\begin{array}{c}:\!\ddot{O}\!:^-\\ :\!\ddot{O}\!-\!C\!=\!\ddot{O}\!:\end{array}\right] \longleftrightarrow \left[\begin{array}{c}:\!\ddot{O}\!:^-\\ :\!\ddot{O}\!=\!C\!-\!\ddot{O}\!:^-\end{array}\right] \longleftrightarrow \left[\begin{array}{c}\ddot{O}\\ :\!\ddot{O}\!=\!C\!-\!\ddot{O}\!:^-\end{array}\right]$$

炭酸イオンの3個の等価な共鳴構造式

どの構造においても，1本のC＝O結合と2本のC—O結合が存在する。これらの構造では，原子の配列は同一である。それらはおたがいに電子の配置のみが異なっている。

炭酸イオンの3種の構造式をもう一度下に示す。曲がった矢印は構造間の電子対の動きを示す。

$$\left[\begin{array}{c}:\!\ddot{O}\!:^-\\ :\!\ddot{O}\!-\!C\!=\!\ddot{O}\!:\end{array}\right] \longleftrightarrow \left[\begin{array}{c}:\!\ddot{O}\!:^-\\ :\!\ddot{O}\!=\!C\!-\!\ddot{O}\!:^-\end{array}\right] \longleftrightarrow \left[\begin{array}{c}\ddot{O}\\ :\!\ddot{O}\!=\!C\!-\!\ddot{O}\!:^-\end{array}\right]$$

化学者は電子の存在位置の変化を見失わないようにするために曲がった矢印を使う。曲がった矢印の使い方は1.13節に詳しく説明する。

上記の構造式のどれをとっても「真の」炭酸イオンを表すものではないことが物理的測定によって明らかにされている。たとえば，どの構造にも炭素と酸素の間に2種類の異なる形式の結合があるが，炭素–酸素の結合距離は3本ともすべて同一（1.31Å）であることが実験的にわかっている。この距離は正常なC＝O（1.20Å）とC−O（1.41Å）の結合距離の中間の値である。この事実を説明するために，「真

の」炭酸イオンは3種の共鳴構造式の**共鳴混成体**（resonance hybrid）であるという。これはちょうど3種の共鳴構造式の平均値を考えるようなものである。したがって「真の」炭酸イオンでは，2個の形式負電荷は3個の酸素原子上に均等に分散しており，各酸素原子は3分の2の負電荷を帯びていることになる。炭酸イオンは3種の共鳴構造の間で物理的に相互変換するのではなく，実際に1種の構造，つまり3種の**共鳴構造式**（resonance structure）の**混成体**（resonance hybrid）であることを理解することは重要なことである。

　ある1つの分子において原子配置はかわらないで，電子配置に関しては異なる構造が2つ以上書ける場合には共鳴（resonance）が存在する。共鳴と異性とはまったく別のものであり，後者においては原子自身の位置が異なるのである。共鳴が可能な場合は，その物質はいくつかの極限構造式（contributing structure）の共鳴混成体としての構造をもつといえる。共鳴は極限構造式の間に両頭矢印⟷を用いて表し，片矢印⇌を用いる平衡の表現方法とは区別して用いる。

　炭酸イオンの炭素−酸素結合はいずれも単結合でも二重結合でもなく，その中間の性質をもったものである。おそらく1と1/3結合といえるだろう（どの炭素−酸素結合も2種の共鳴構造式においては単結合，残り1種においては二重結合である）。また，完全な結合には直線を用い，部分結合（この場合は1/3結合）には点線を用いれば，共鳴混成体はつぎのように1つの式だけで表すこともできる。

$$\left[\begin{array}{c}\text{O}\\ \text{O}\cdots\text{C}\cdots\text{O}\\ \text{O}\end{array}\right]^{2-}$$

炭酸イオンの
共鳴混成体

問題 1.24　硝酸イオン，NO_3^-，について3種の等価な極限構造式を記せ。さらにそれぞれの構造式において，窒素原子と各酸素原子上の形式電荷を算出せよ。共鳴混成体での酸素と窒素上の電荷はどうなるであろうか。また曲がった矢印を用いて極限構造式間の相互変換の方法を示せ。

1.13　矢印の意味と利用法

　化学式における矢印には特有の意味がある。たとえば，1.12節で，炭酸イオンの3種の共鳴構造式の相関関係を示すために曲がった矢印↷を使用した。分子の構造の表し方と名称を学ぶことが重要であると同様に，矢印の使い方を学ぶことは有機化学において重要である。

☞　分子あるいはイオンの**共鳴構造式**は原子の配置は変わらないで電子の配置が異なる2種あるいはそれ以上の構造式のことである。共鳴構造式が書ける時は，分子あるいはイオンの構造はこれらの共鳴構造式の**共鳴混成体**である。共鳴構造式を極限構造式ともいう。

1. **曲がった矢印**（⌢）は共鳴構造式および反応における電子対の動きを示すために使われる。したがって，この矢印は電子の出発点からはじまり終着点で終わる。下の例では，左側の構造において，C＝O結合から酸素原子に向かう矢印は炭素と酸素間の2つの共有結合のうち1つの結合の電子対が酸素原子へ移動することを示す。

$$\ce{>C=O:} \longleftrightarrow \ce{>\overset{+}{C}-\overset{..}{\underset{..}{O}}:^-}$$

右側の構造においては，炭素原子は形式的な正電荷をもち酸素原子は形式的な負電荷をもつことに留意すること。さらに，分極した共有結合の一対の電子が一方の結合した原子に移動するときは，より電子求引性の大きな原子に向かって動くことに気をつけたい。この場合は酸素に向かって電子が移動する。次の例では，酸素原子の非共有電子対から炭素と酸素原子の間の点に向かう矢印は，酸素原子の非共有電子対が酸素と炭素の間に動いて共有結合となることを示す。

$$\ce{>\overset{+}{C}-\overset{..}{\underset{..}{O}}:^-} \longleftrightarrow \ce{>C=\underset{..}{O}:}$$

右側の構造では，炭素と酸素の形式電荷はゼロとなる。

曲がった片矢印は**釣り針形矢印**（⌢）といわれる。この矢印は1電子の動きを示すのに使われる。式1.6では，2本の釣り針形矢印はエタンの炭素-炭素結合の2個の電子が2個のメチル遊離基を生成する時の各電子の動きを示す。

$$\ce{H-\underset{H}{\overset{H}{C}}-\underset{H}{\overset{H}{C}}-H} \longrightarrow \ce{H-\underset{H}{\overset{H}{C}}\cdot + \cdot\underset{H}{\overset{H}{C}}-H} \tag{1.6}$$

2. **直線形矢印**（⟶）は化学反応式において反応物から生成物への変化を表す。エタンからメチル遊離基を示す式1.6の直線形矢印はその一例である。直線形の片矢印は一般に一対として使われ（⇌），反応が可逆であることを示す。

$$\ce{A + B <=> C + D}$$

2種の構造式の間の**直線形の両頭矢印**（⟷）は共鳴構造式であることを示す。そのような矢印は化学反応を示すものではない。上に，C＝O結合の共鳴構造式（1.12節）の矢印を示した。

☞ **曲がった矢印**は共鳴構造式および反応における電子対の動きを示す。

☞ **釣り針形矢印**（曲がった片矢印）は1電子の動きを表す。**直線形矢印**は化学反応式において反応物から生成物を示す。2つの構造式の間の**直線形の両頭矢印**は互いに共鳴構造式であることをを表す。

例 題 1.14

酢酸イオン，$CH_3CO_2^-$，の共鳴混成体の構造式を正しい矢印を用いて記せ。また，形式電荷があれば示せ。

解答 酢酸イオンには2種の等価な共鳴構造式がある。各構造式とも，ひとつの酸素上に形式的な負電荷がある。

$$CH_3-C\begin{matrix}\ddot{O}:\\\ddot{\underset{..}{O}}:^-\end{matrix} \longleftrightarrow CH_3-C\begin{matrix}:\ddot{\underset{..}{O}}:^-\\\ddot{O}:\end{matrix}$$

酸素から一対の電子が移動して炭素との間に共有結合をつくると，炭素ともう一方の酸素の間にある共有結合の一対の電子が酸素へ移動する。これは炭素の原子価が4を越えないために必要なことである。

問 題 1.25

3個の窒素が直線形に連結したアジドイオン，N_3^-，の共鳴混成体の構造式を正しい矢印を用いて記せ。

電子対の動きを示す方法として，本書を通して曲がった矢印を用いる。本章の章末問題にはこの矢印を使うことに慣れるための問題を入れてある。

1.14 結合の軌道論的な考え方；σ結合

エレクトロン・ドット式はしばしば有効に用いられるが，これにはある程度の限界がある。Lewisの結合論にはそれ自体に限界があり，とくに分子の3次元構造を説明するのには適していない。この目的のためには，軌道を用いる他の結合論のほうがはるかに有用である。

原子軌道は1.1節で述べたようにそれぞれが固有の形をもっている。s軌道は球状であり，s軌道を占める電子の運動は原子核のまわりの球状の空間領域に限られている。3個のp軌道は亜鈴形をしており，x, y, zの3つの直交座標に沿った軸をもっている。これらの軌道の形を図1.2に示す。

化学結合を軌道論的に考えると，原子はその原子軌道が重なり結合を形成するように互いに接近する。たとえば，2個の水素原子が結合するときには，その2個の球状の1s軌道が合わさって両水素原子を取り囲む新しい軌道を形成する（図1.3）。この軌道は両方（各水素から1個ずつ）の価電子を収容し，原子軌道と同様に，**分子軌道**（molecular orbital）も2個までの電子を収容できる。水素分子ではこれらの電子は主として2個の原子核の間の空間を占めている。

水素分子の軌道はH—Hの原子核を結ぶ軸に沿って円筒状の対称性をもっている。このような軌道は**σ（シグマ）軌道**（sigma orbital）とよばれ，その結合を

☞ **分子軌道**は分子内の電子に占有される空間である。
☞ **σ軌道**は2個の結合した原子の軸に沿っている。σ軌道にある一対の電子を**シグマ結合**という。

1.14 結合の軌道論的な考え方；σ結合

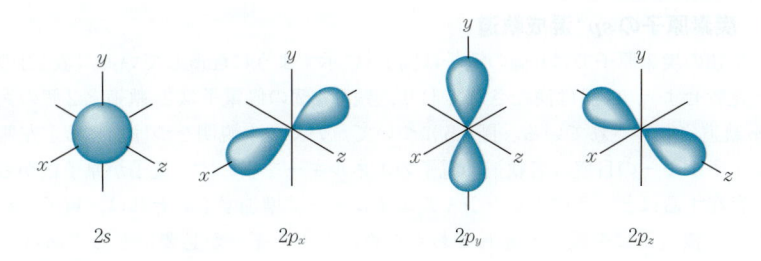

図1.2 炭素の価電子が収容されているsおよびp軌道の形状。原子核は3本の座標軸の原点にある。

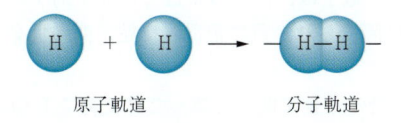

図1.3 2つの水素原子間における共有結合形成のようすを分子軌道的に表したもの。

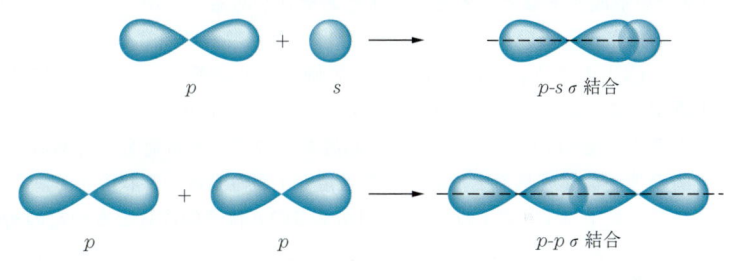

図1.4 σ結合を形成するための軌道の重なり方

σ結合（sigma bond）という。σ結合は，図1.4に示すように*，sとp軌道あるいは2個のp軌道の重なりによって形成される。

この考え方が炭素化合物の結合にどのように適用できるかをみてみよう。

---

* 正しく配向した2個のp軌道は重なることによってπ（パイ）結合とよばれる別種の軌道を形成することができる。この種の結合については3章で述べる。

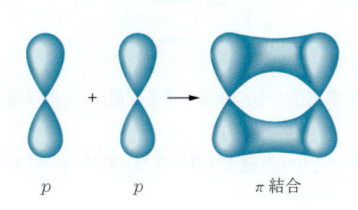

1.15 炭素原子のsp^3混成軌道

単独の炭素原子では6個の電子は図1.5に示すように配置している（表1.2の炭素と比較せよ）。$1s$殻は満たされており，残り4個の価電子は$2s$軌道と2個の異なる$2p$軌道に収容されている。図1.5について，いくつか説明をつけ加える。左側に示すエネルギーの目盛は各軌道の電子のエネルギーを表わす。電子が原子核から遠くに存在するほど，そのポテンシャルエネルギーは増加する。それは，電子（負に帯電）と核（正に帯電）を離しておくためにエネルギーが必要だからである。$2s$軌道のエネルギーは3個の$2p$軌道よりもわずかに低い（すでに図1.2に示したように3個の$2p$軌道のエネルギーは等しく，軌道の方向が異なるだけである）。もっともエネルギーの高い2個の電子は，同一の軌道ではなく別々の$2p$軌道に収容される。このため，より遠くに隔てられ，負に帯電した粒子間の反発が減少する。1つの$2p$軌道は空いている。

図1.5によると，炭素の結合に関して誤った考え方をもつおそれがある。たとえば（半分しか満たされていない2個の$2p$軌道を完成しようとして）炭素は2本の結合しか形成しないとか，または（ある原子が空の$2p$軌道に電子を2個供与して）3本の結合を形成するなどと考えてしまうおそれがある。しかし，私たちは経験的にこの考え方が誤っていることに気がつくはずだ。炭素は通常4本の単結合を形成し，CH_4やCCl_4のようにこれらはすべて等価なことが多い。このように理論が事実と矛盾することをどのように説明したらよいであろうか。

一つの考え方を図1.6に示した。原子価殻が4個の原子軌道を混合あるいは合併して4個の等価な混成軌道を形成し，各軌道が1個の価電子を収容する。こうして得られた混成軌道は4分の1のs軌道と4分の3のp軌道の性質をもつため**sp^3混成軌道**（sp^3 hybird orbital）といわれる。図1.6に示すように，すべてのsp^3軌道のエネルギーは等しく，$2p$軌道よりもわずかに低く，$2s$軌道よりもかなり高い。sp^3軌道の形はp軌道の形に似ているが，その亜鈴形は片方に偏っており，図1.7に示したように電子は大きなほうの軌道胞（1つの軌道のうち，節面に関してどちらか一方の部分）に存在する確率が大きい。この図のように1つの炭素原子上の4本のsp^3混成軌道は正四面体の4つの頂点に向いている。この独特な幾何学的配置によ

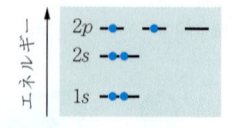

図1.5 炭素原子がもつ6個の電子配置図。・印は電子を表す。

☞ **sp^3混成軌道**は，4分の1のs軌道と4分の3のp軌道の性質をもつp軌道に似た形の軌道である。

1.15 炭素原子のsp^3混成軌道

り，各軌道は残り3本の軌道からできるだけ離れて存在できるので，軌道が電子対で満たされたとき，軌道間の反発は最小になる。この4本のsp^3軌道で作られる結合の角度はほぼ109.5°であり，これは正四面体の中心から各頂点へ向かって引いた直線間の角度と同じである。

混成軌道は他の混成軌道あるいは原子軌道と重なってσ結合を形成することができる。図1.8にその例を示す。

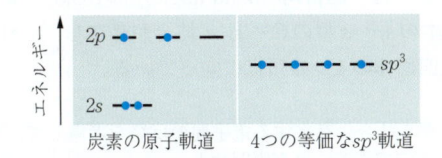

図1.6 炭素原子の非混成原子軌道とsp^3混成原子軌道の比較。・印は電子を表す。（原子価殻にある電子のみを示してある；1s軌道の電子は結合に関与しないので省略してある）

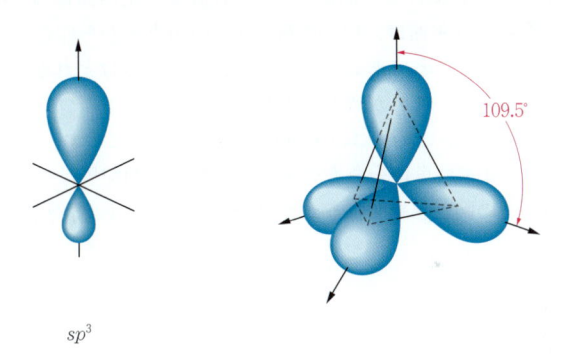

図1.7 sp^3軌道は原子核から一定の方向に向かって伸びており，その方向線上で他の原子と結合する。右図に示してあるように，炭素原子の4つのsp^3軌道は正四面体の頂点へ向かって伸びている（右図においては，各軌道の小さな「裏の軌道胞」は複雑さを避けるために省略してある）

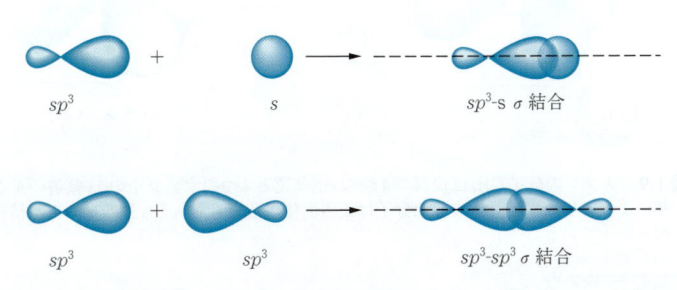

図1.8 sp^3混成軌道を使って形成されるσ結合の例

1.16 炭素の正四面体構造；メタンの結合

炭素原子が4個の水素原子と結合してメタンを作るしくみを説明する準備が整った。その過程をを図1.9に示す。炭素原子はすべての水素原子と σ 結合で連結されており，その σ 軌道は炭素の sp^3 軌道と水素の $1s$ 軌道の重なりによって作られる。4本の σ 結合は炭素の原子核から正四面体の各頂点に向かっている。こうすることにより，どの結合の電子対も他の結合の電子から受ける反発を最小限にとどめている。すべてのH−C−Hの**結合角**（bond angle）は109.5°である。以上を要約すると，メタンには4本の sp^3-s 型のC−H σ 結合が存在し，それぞれの結合は炭素原子を中心とする正四面体の4つの頂点に向っている。

問題 1.26 異なる結合に存在する電子間の反発を考慮して，メタンの平面構造は正四面体構造よりも不安定であることを説明せよ。

炭素の正四面体構造は有機化学において重要な役割を担っているので，正四面体の特徴をよく知っておく必要がある。1つの特徴は，正四面体の中心とどれか2つの頂点とから作られる平面は，中心と残り2つの頂点とから作られるもう一つの平面を垂直に2等分することである。たとえば，メタンではどれか2個の水素と炭素とが1つの平面を作り，これが残り2個の水素と炭素とからつくられる別の平面を垂直に2等分している。この2つの平面の関係を図1.10に示す。

メタンのように4本の単結合をもつ炭素上の幾何学的配置はつぎのように描かれることが多い。この図で実線で描かれた結合は紙面内にあり，点線のくさび形で描

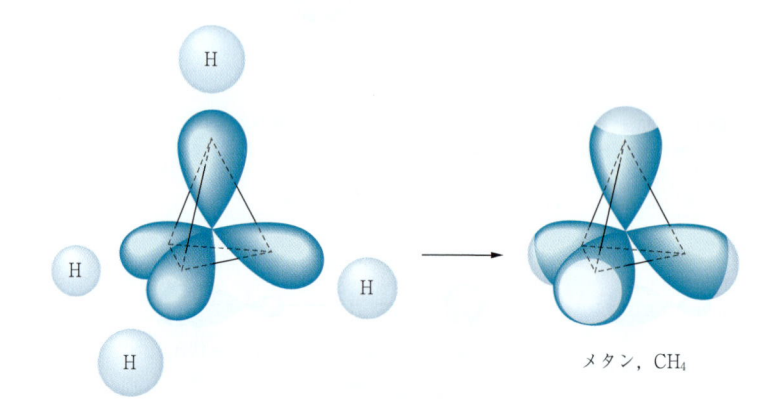

図1.9 メタンの分子 CH_4 は炭素の4つの sp^3 軌道と4つの水素原子の $1s$ 軌道の重なりによって生成する。生成した分子は正四面体構造をもち sp^3-s 型の4つの σ 結合から成っている

☞ **結合角**は1つの原子上の2つの共有結合がなす角度である。

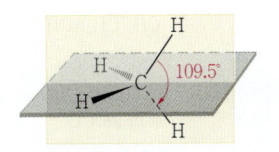

図 1.10 メタン分子の炭素と2つの水素の作る平面は，同じ炭素と他の2つの水素が作る平面を垂直に2等分している

かれた結合は紙面の裏側へ伸び，実線のくさび形で描かれた結合は紙面から手前に向かって出ている．このように描かれた構造は3次元構造（3D構造）ともよばれる．

　以上で炭素化合物における単結合とその幾何学的配置について学んだので，次章において，飽和炭化水素の構造と反応性について学ぶ準備ができた．しかしそのまえに，有機化学全体をひととおり見渡してみて，その内容が系統的に学習できるしくみになっていることを知っておくことも大切であろう．

　炭素原子はそれ自身で，あるいは他の原子ときわめて多様な結合を作れるので，存在可能な有機化合物の数はほとんど無限である．数百万種以上の有機化合物の性質が明らかにされており，その数は日々増加している．このように膨大な内容をどうすれば系統的に学習できるのだろうか．幸いなことに有機化合物はその構造によって比較的少ない数のグループに分類できる．つまり，炭素の骨組（炭素の「骨格」ともよばれる）の特徴によって分類する方法と，その骨組に結合している官能基によって分類する方法とがある．

1.17　分子の骨格による分類

　有機化合物の分子骨格はおもに3種類に分類される．

1.17a　非環式化合物

　非環式（acyclic）という用語は環状（cyclic）ではないという意味である．非環式の有機分子は炭素原子から作られた鎖状構造をなし，環状構造はもっていない．

☞　**非環状化合物**は環構造を含まない．**炭素環式化合物**は炭素原子だけからなる環をもつ．

CH₃(CH₂)₅CH₃ と OH 付きの構造, および CH₃C(=O)(CH₂)₄CH₃

ゲラニオール
(ローズ油)
bp 229-230 ℃

香料に使用される枝
分かれのある化合物

ヘプタン
(石油)
bp 98.4 ℃

石油中にある炭化水
素。ガソリンのオク
タン価の評定試験の
標準物質の1つとし
て使用される

2-ヘプタノン
(ちょうじ油)
bp 151.5 ℃

果実臭のある無色の
液体。ブルーチーズ
の"こしょうのよう
な"においは一部こ
れが原因である

図 1.11 天然物中に存在する非環状化合物の例とその原料（（　）内），および二，三の特徴

この炭素鎖には，枝分かれのないものや枝分かれしたものがあることはすでに学んだ。

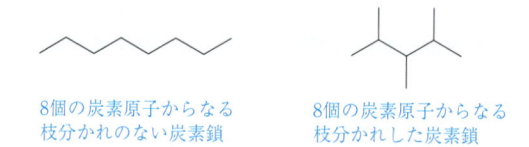

8個の炭素原子からなる
枝分かれのない炭素鎖

8個の炭素原子からなる
枝分かれした炭素鎖

ペンタンは枝分かれのない炭素鎖をもつ非環式化合物の一例であり，イソペンタンおよびネオペンタンは非環式だが枝分かれした炭素骨格をもっている (1.9 節参照)。図 1.11 に，自然界に存在する二，三の非環式化合物の構造を示す。

1.17b 炭素環式化合物

炭素環式化合物（carbocyclic compound）は炭素原子から作られた環をもつ化合物である。もっとも小さな炭素環は3個の炭素原子からなるが，その他の炭素環はきわめて多くの種類の大きさと形状とをもっている。これらの炭素環には，炭素鎖が結合していることもあり，多重結合が含まれることもある。炭素環を2個以上もつ化合物も多数知られている。図 1.12 には，自然界に存在する炭素環式化合物の構造がいくつか示してある。5員環と6員環がもっとも一般的であるが，これより小さなものや大きなものも知られている。

レモン，リモネンの原料

1.17c 複素（ヘテロ）環式化合物

3番目の分類項目として**複素（ヘテロ）環式化合物**（heterocyclic compound）が

☞ **複素（ヘテロ）環式化合物**は少なくとも1個の炭素でない原子を環内にもつ。

1.17 分子の骨格による分類

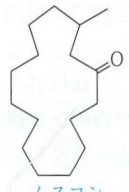

ムスコン
(ジャコウジカ)
bp 327–330 ℃

香料に使用されている 15 員環化合物

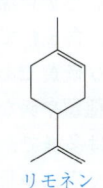

リモネン
(柑橘類の果実油)
bp 178 ℃

2 つの側鎖のうち，1 つが枝分かれしている環状化合物

ベンゼン
(石油)
mp 5.5 ℃,
bp 80.1 ℃

きわめてふつうの環状化合物

α-ピネン
(テレピン油)
bp 156.2 ℃

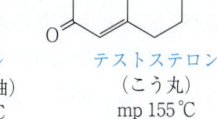

2 環式分子．非環式分子に変換するには 2 つの結合を切らなければならない

テストステロン
(こう丸)
mp 155 ℃

男性ホルモンの一種で，ふつうの大きさの環がいくつか縮環している．すなわち，隣接する 2 つの炭素原子を共有している

図 1.12　天然に存在する種々の大きさと形状をもった炭素環状化合物の例．それぞれの構造式の下に，その原料と構造の特徴が示してある

ニコチン
bp 246 ℃

タバコの中に存在．異なる大きさの 2 種類のヘテロ環をもち，それぞれに窒素が 1 つある

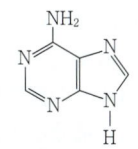

アデニン
mp 360–365 ℃
(分解)

DNA の 4 つのヘテロ環塩基のうちの 1 つ．2 つのヘテロ環が縮環しており，それぞれにヘテロ原子（窒素）が 2 つある

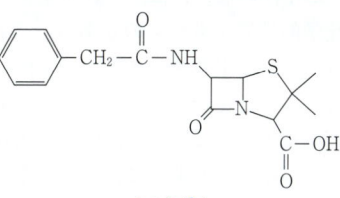

ペニシリン
(非晶質体)

もっとも広く使われている抗生物質の 1 つ．2 つのヘテロ環のうち小さいほうが生物活性の発現にとっては重要である

クマリン
mp 71 ℃

クローバーや牧草中にあり，新しく刈り取った干し草の芳香成分である

α-テルチエニル
mp 92–93 ℃

硫黄を含むヘテロ環が 3 つ連なったこの化合物は，ある種のキンセンカ属の植物に含まれる

カンタリジン
mp 218 ℃

含酸素ヘテロ環であるこの化合物はハンミョウ類（Spanish Fly という名でも知られている）の活性物質であり，Cantharis vesicatoria 種の甲虫を乾燥したものから単離された．一時は性的欲望を増す物質と考えられていたが誤りである

図 1.13　種々のヘテロ原子と種々の大きさの環をもつ天然のヘテロ環化合物の例

あるが，これに属する有機化合物の数はもっとも多い。ヘテロ環式化合物では環内に最低1個のヘテロ原子，すなわち炭素でない原子が，含まれていなければならない。もっとも一般的なヘテロ原子は酸素，窒素，および硫黄であるが，これ以外の元素を含むヘテロ環化合物も多数知られている。同じ種類や異なる種類のヘテロ原子が2個以上含まれる場合もある。ヘテロ環の大きさは多様で，多重結合を含むことや炭素鎖や炭素環を側鎖にもつことがあり，こうして実に多種多様な構造を作り出している。図1.13にはヘテロ環を含む天然物の構造をいくつか示してある。これらの略式の構造式では，ヘテロ原子は元素記号で記され，炭素は線で表されている。

図1.11〜1.13に示されている構造式は分子の骨格を示すばかりでなく，骨格に含まれている，あるいは結合している種々の置換基も示している。幸いなことに，これらの置換基も有機化学の学習がしやすいように分類することができる。

1.18 官能基にもとづく分類

原子団のなかには，それが結合している分子骨格の種類にはあまり影響されない化学的性質をもつものがある。これらの原子団は**官能基**（functional group）とよばれる。ヒドロキシル基（−OH，水酸基）は官能基の一例であり，この基を炭素骨格に含む化合物はアルコールとよばれる。有機反応では，ある種の化学的変化が官能基上に起こっても，分子の残りの部分はもとの構造を保持している例がほとんどである。このように化学反応では構造式の大部分が変化しないで保持される（未変化のまま残る）ので，有機化学の学習が非常に単純化される。したがって，われわれは種々の官能基の化学に注目して勉強すればよい。化合物1つずつについて学ぶかわりに，分類した一群の化合物ごとに学習すればよい。

これから学習するおもな官能基と，それに属する代表的な化合物とが表1.6に示されている。これからあとの各章でこれらの化合物群について詳しく説明する予定であるが，いまのうちに，これらの名称と構造に慣れておくほうがよい。ある官能基についてその性質を詳しく説明する前に名前がでて，それが何であるかを思い出せない場合には表1.6か，または本書の表紙の内側に印刷してある表を参考にするとよい。

問題 1.27 つぎの天然物にはどのような官能基が含まれているか答えよ（構造式は図1.11および1.12に示してある）。
 (a) ゲラニオール　　(b) 2-ヘプタノン　　(c) リモネン　　(d) テストステロン

☞　**官能基**はそれが結合している分子骨格には関係なく，ある特定の化学的性質を示す原子団である。

1.18 官能基にもとづく分類

表 1.6 主要な官能基

	構造	化合物の分類	具体例	具体例の名称と用途
A. 分子骨格の一部となっている官能基	−C−C−	(アルカン)	CH_3-CH_3	エタン，天然ガスの成分
	C=C	(アルケン)	$CH_2=CH_2$	エチレン，ポリエチレンの製造原料
	−C≡C−	(アルキン)	HC≡CH	アセチレン，溶接用
B. 酸素を含む官能基	−C−OH	(アルコール)	CH_3CH_2OH	エチルアルコール，ビール，ワインおよび酒類
1. 炭素−酸素単結合をもつもの	−C−O−C−	(エーテル)	$CH_3CH_2OCH_2CH_3$	ジエチルエーテル，麻酔剤
2. 炭素−酸素二重結合をもつもの[a]	$\underset{\text{}}{\overset{O}{\underset{\|}{-C}}}-H$	(アルデヒド)	$CH_2=O$	ホルムアルデヒド，生物標本の保存用
	$-\overset{O}{\underset{\|}{C}}-\overset{}{\underset{}{C}}-$	(ケトン)	$\overset{O}{\underset{\|}{CH_3CCH_3}}$	アセトン，ワニスやゴム用接着剤の溶剤
3. 炭素−酸素単および二重結合をもつの	$-\overset{O}{\underset{\|}{C}}-OH$	(カルボン酸)	$\overset{O}{\underset{\|}{CH_3C}}-OH$	酢酸，食酢の成分
	$-\overset{O}{\underset{\|}{C}}-O-C-$	(エステル)	$\overset{O}{\underset{\|}{CH_3C}}-OCH_2CH_3$	酢酸エチル，マニキュアや模型飛行機用塗料の溶剤
C. 窒素を含む官能基[b]	−C−NH₂	(第一級アミン)	$CH_3CH_2NH_2$	エチルアミン，アンモニア臭あり
	−C≡N	(ニトリル)	$CH_2=CH-C≡N$	アクリロニトリル，オーロン（Orlon）の製造原料
D. 酸素と窒素を含む官能基	$-\overset{O}{\underset{\|}{C}}-NH_2$	(第一級アミド)	$H-\overset{O}{\underset{\|}{C}}-NH_2$	ホルムアミド，紙の加塑剤
E. 硫黄を含む官能基[c]	−C−SH	チオール (thiol) （メルカプタンともいう）	CH_3SH	メタンチオール，腐敗したキャベツ臭あり
	−C−S−C−	チオエーテル (thioether) （スルフィドともいう）	$(CH_2=CHCH_2)_2S$	アリルスルフィド，ニンニク臭あり

a) C=O基は数種類の官能基中に存在し，カルボニル基（carbony group）とよばれる。カルボン酸の $-\overset{O}{\underset{\|}{C}}-OH$ 基はカルボキシル基（carboxyl group）とよばれる（カルボニルとヒドロキシルの合成語）。
b) −NH₂基はアミノ基（amino group）とよばれる。
c) チオールとチオエーテルはアルコールとエーテルの硫黄類縁体である。

章末問題

原子価，結合，およびルイス構造

1.28 つぎの原子における価電子の数を示せ。元素記号で核（原子核と内殻電子）を表し，価電子を・印で示せ。
    (a) 炭素　(b) 臭素　(c) ケイ素　(d) ホウ素　(e) 酸素　(f) リン

1.29 食塩（塩化ナトリウム）の水溶液を硝酸銀溶液で処理するとただちに白色沈殿が生成する。四塩化炭素を硝酸銀水溶液と振ってもそのような沈殿は生成しない。この2種類の塩化物中の結合の種類にもとづいてこの事実を説明せよ。

1.30 周期表（表1.3 あるいは裏表紙の内側）における各元素の相対的位置にもとづいて，つぎの物質をイオン性の化合物と共有結合性の化合物に分類せよ。
    (a) NaBr　(b) F_2　(c) $MgCl_2$　(d) P_2O_5
    (e) S_2Cl_2　(f) LiCl　(g) ClF　(h) $SiCl_4$

1.31 つぎの元素において (1) 価電子はいくつあるか，(2) 通常の原子価はいくつかを記せ。
    (a) 酸素　(b) 水素　(c) フッ素　(d) 炭素　(e) 窒素　(f) 硫黄

1.32 つぎの化合物の構造式を書け。単結合は直線で示し，非共有電子対があれば・印を用いて示せ。
    (a) CH_3F　(b) C_3H_8　(c) C_2H_5Cl
    (d) CH_3OH　(e) $CH_3CH_2NH_2$　(f) CH_2O

1.33 つぎの共有結合性の化合物の構造式を書け。どの結合が極性か。$\delta+$ および $\delta-$ の記号を正しい位置に記して，極性を示せ。
    (a) Br_2　(b) CH_3Cl　(c) CO_2　(d) HCl
    (e) SF_6　(f) CH_4　(g) SO_2　(h) CH_3OH

1.34 結合の極性を考えると，酢酸，式 $CH_3\overset{\overset{O}{\|}}{C}-OH$，のどの水素がもっとも酸性が強いと思うか。酢酸と水酸化ナトリウムの反応式を書け。

構造異性体

1.35 つぎの分子式について，考えられる異性体の構造式をすべて書け。
    (a) C_3H_8　(b) C_3H_7I　(c) $C_2H_4F_2$　(d) $C_3H_6Cl_2$
    (e) C_4H_9F　(f) $C_2H_2Br_2$　(g) C_3H_6　(h) $C_4H_{10}O$

1.36 C_6H_{14} で表される5種類の異性体の構造式を書け。系統的に書くよう注意し，6個の炭素原子の連鎖から始めよ。

構造式

1.37 つぎの簡略化された構造式を，すべての結合を表す構造式に書き換えよ。
    (a) $CH_3(CH_2)_3CH_3$　(b) $(CH_3)_3CCH_2CH_3$　(c) $(CH_3)_2CHOH$
    (d) $CH_3CH_2SCH_3$　(e) CH_2ClCH_2OH　(f) $(CH_3)_2NH$

=総合問題

1.38 つぎの簡略化された構造式を，すべての炭素上に正しい数の水素を示す構造式に書きかえよ．

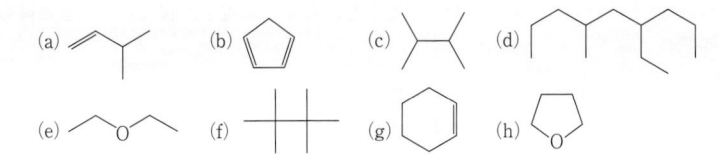

(a)　(b)　(c)　(d)

(e)　(f)　(g)　(h)

1.39 以下の省略された構造式を線引の式に書き換えよ（問題1.38のように）．

(a) $CH_3(CH_2)_4CH_3$　　(b) $(CH_3)_2CHCH_2CH_2CCH_3$ (with C=O)

(c) $CH_3CHCH_2C(CH_3)_3$
　　　　$|$
　　　　OH

(d) $CH_3-\underset{H_2C}{\overset{H_2C}{|}}\overset{CH}{\underset{|}{C}}=CH$ 構造

1.40 図1.11に書かれたゲラニオールの簡略化された構造式を参考にして，つぎの問いに答えよ．
 (a) 何個の炭素が存在するか．　(b) 分子式はどうなるか．
 (c) さらに詳しい構造式を書け．

1.41 つぎの化合物の分子式は何か．それらの簡略化された構造式は図1.12および1.13に示してある．
 (a) リモネン　　(b) ベンゼン　　(c) テストステロン
 (d) ニコチン　　(e) クマリン　　(f) アデニン

形式電荷，共鳴，曲がった矢印

1.42 つぎの分子種のエレクトロン・ドット式を書け．形式電荷があれば該当する原子上に記せ．
 (a) 亜硝酸，HONO　　　　　　　(b) 硝酸，$HONO_2$
 (c) ホルムアルデヒド，H_2CO　　(d) アンモニウムイオン，NH_4^+
 (e) シアニドイオン，CN^-　　　 (f) 一酸化炭素，CO
 (g) 硫酸イオン，SO_4^{2-}　　　　(h) 三塩化ホウ素，BCl_3
 (i) 過酸化水素，H_2O_2　　　　　(j) 炭酸水素イオン，HCO_3^-

1.43 つぎに示したきわめて反応性の高い炭素種について，炭素上の形式電荷を記せ．

$$H-\overset{H}{\underset{H}{C}}\quad H-\overset{H}{\underset{H}{C}}\cdot\quad H-\overset{H}{\underset{}{C}}:\quad H-\overset{H}{\underset{}{C}}\cdot$$

1.44 共鳴混成体である亜硝酸イオン，NO_2^-，に対する2種の共鳴構造式をエレクトロン・ドット式で記せ（酸素は2個とも窒素に結合している）．各共鳴構造式と共鳴混成体に

おいて2個の酸素上の電荷はどうなるか。電子対の配列をかえることにより，2種の構造が互いに変換できることを曲がった矢印を用いて示せ。

1.45 下記の構造式において，曲がった矢印で示されるように電子が移動したときに得られる構造を記せ。

$$CH_3-\overset{\overset{\displaystyle \ddot{O}:}{\|}}{C}-NH_2$$

得られた構造において，各原子の原子価殻は満たされているだろうか？各構造式において，形式電荷があれば記せ。

1.46 下記の2種の構造式に曲がった矢印を記入し，両者を相互変換するための電子対の移動を示し，形式電荷があれば記せ。

$$\left[C_6H_5-\ddot{O}-H \longleftrightarrow C_6H_5=\ddot{O}-H \right]$$

1.47 下記の反応式に曲がった矢印を記入して，原系から生成物を形成するための電子対の移動を示し，形式電荷があれば記せ。

$$CH_3-\ddot{N}H_2 + CH_3-\overset{\overset{\displaystyle :\ddot{O}:}{\|}}{C}-OCH_3 \longrightarrow CH_3-\underset{\underset{\displaystyle H_2N-CH_3}{|}}{\overset{\overset{\displaystyle :\ddot{O}:}{|}}{C}}-OCH_3$$

電子構造と分子の形

1.48 つぎの物質はイオン結合と共有結合をもっている。それぞれに対して，エレクトロン・ドット式を書け。
　(a) CH_3ONa　(b) NH_4Cl

1.49 つぎの構造式では示されていない非共有電子対をすべて記せ。

　(a) $(CH_3)_2NH$　(b) $CH_3\overset{\overset{\displaystyle O}{\|}}{C}-OH$　(c) CH_3CH_2SH　(d) $CH_3OCH_2CH_2OH$

1.50 窒素原子のsおよびp軌道が混成してsp^3軌道を作ると考えて，窒素原子の電子配置を表す図（図1.6の右側のものに似たもの）を書け。このモデルにもとづいて，アンモニア分子，NH_3，の立体構造を書け。

1.51 アンモニウムイオン，NH_4^+，の構造はメタンに類似した正四面体構造である。この構造を原子軌道および分子軌道の考え方を用いて説明せよ。

1.52 CCl_4およびCH_3OHの立体構造を直線および点線と実線のくさび型を用いて示せ。

1.53 ケイ素は周期表で炭素のすぐ下にある。テトラクロロシラン，$SiCl_4$，の幾何学的構造を予想せよ。

章末問題

有機化合物の分類

1.54 C_4H_8O の分子式をもち，つぎの分類に属する化合物の構造式を書け。
(a) 非環式　(b) 炭素環式　(c) ヘテロ環式

1.55 つぎの化合物をよく似た化学反応を行うと予想されるいくつかのグループに分類せよ。
(a) CH_3OH　(b) C_4H_9OH　(c) $CH_2(OH)CH(OH)CH_2(OH)$
(d) C_5H_{12}　(e) CH_3OCH_3　(f) C_8H_{18}
(g) C_3H_7OH　(h) C_6H_{14}　(i) $CH_3OCH_2CH_2OCH_3$

1.56 表1.6を参照して，つぎの化合物の構造式を書け。
(a) アルコール，$C_4H_{10}O$　　(b) エーテル，C_3H_8O
(c) アルデヒド，C_3H_6O　　(d) ケトン，C_4H_8O
(e) カルボン酸，$C_4H_8O_2$　　(f) エステル，$C_5H_{10}O_2$
(g) aの異性体であるアルコール　(h) アミン，C_3H_9N

1.57 多くの有機化合物は一つ以上の官能基を含む。蛋白質の簡単な構成要素であるグリシン（下記）はその例である。

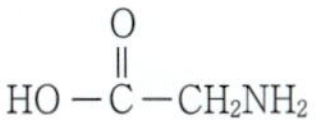

$$HO-\overset{\overset{O}{\|}}{C}-CH_2NH_2$$
グリシン

(a) グリシンにはどのような官能基があるか。
(b) 全ての非共有電子対を加えて，構造式を書き直せ。
(c) グリシンの分子式はどうか。
(d) この分子式をもつ構造異性体を書け。この異性体にはどのような官能基があるか。

CHAPTER 2

$CH_3(CH_2)_nCH_3$

アルカンとシクロアルカン；配座異性および幾何異性

2.1	アルカンの構造
2.2	有機化合物の命名法
2.3	アルカンの命名に関するIUPACの規則
2.4	アルキルおよびハロゲン置換基
2.5	IUPACの規則の使い方
2.6	アルカンの天然資源
2.7	アルカンの物理的性質と非結合性分子間相互作用
2.8	アルカンの立体配座
2.9	シクロアルカン；命名法と立体配座
2.10	シクロアルカンの cis-trans 異性
2.11	異性体に関するまとめ
2.12	アルカンの反応
2.13	ハロゲン化の遊離基連鎖機構
A WORD ABOUT ...	
2.6	異性体，可能なものと不可能なもの
2.13	メタン，沼気およびMillerの実験

　人類がエネルギーとして使用する燃料の大部分を供給している石油と天然ガスの主成分は**炭化水素**（hydrocarbon）であり，それは炭素と水素だけからできている化合物である。炭素−炭素結合の形式により，炭化水素は3種類に大きく分類される。**飽和**（saturated）**炭化水素**は炭素−炭素単結合だけで形成されている。**不飽和**（unsaturated）**炭化水素**には炭素−炭素多重結合，すなわち二重結合か三重結合の一方または両方が含まれている。**芳香族**（aromatic）**炭化水素**はベンゼン*と構造的に関連した特殊な環状化合物である。

　飽和炭化水素は非環状の場合は**アルカン**（alkane）といい，環状の場合は**シクロアルカン**（cycloalkane）という。まずはじめに，それらの構造と性質について説明しよう。

　▲　石油の精製，石油はアルカンの主要な天然資源である（A Word About「石油，ガソリン，およびオクタン価」参照）
　＊　不飽和および芳香族炭化水素については3章および4章で説明する。

表 2.1 最初の 10 種類の直鎖状アルカンの名称と構造式

名称		炭素数	分子式	構造式	考えられる異性体の数
メタン	methane	1	CH_4	CH_4	1
エタン	ethane	2	C_2H_6	CH_3CH_3	1
プロパン	propane	3	C_3H_8	$CH_3CH_2CH_3$	1
ブタン	butane	4	C_4H_{10}	$CH_3CH_2CH_2CH_3$	2
ペンタン	pentane	5	C_5H_{12}	$CH_3(CH_2)_3CH_3$	3
ヘキサン	hexane	6	C_6H_{14}	$CH_3(CH_2)_4CH_3$	5
ヘプタン	heptane	7	C_7H_{16}	$CH_3(CH_2)_5CH_3$	9
オクタン	octane	8	C_8H_{18}	$CH_3(CH_2)_6CH_3$	18
ノナン	nonane	9	C_9H_{20}	$CH_3(CH_2)_7CH_3$	35
デカン	decane	10	$C_{10}H_{22}$	$CH_3(CH_2)_8CH_3$	75

2.1 アルカンの構造

もっとも小さなアルカンはメタンである。その3次元の正四面体構造についてはすでに前章で述べた（図1.9参照）。それ以外のアルカンは，メタンから炭素鎖を延長したあと炭素の原子価に合わせて適切な数の水素をつけ加えれば，その構造式を書くことができる（表2.1，図2.1*参照）。

すべてのアルカンは一般式 C_nH_{2n+2}（n は炭素原子の数）で表せる。枝分かれのない炭素鎖をもつアルカンは **直鎖アルカン**（normal alkane）とよばれ（表2.1），この系列の化合物は炭素数が1個多いものと1個少ないものとでは $-CH_2-$（**メチレン**（methylene）**基**）の数が1個異なるだけである。このように規則的なある単位の繰り返しにより形成される化合物群は **同族体**（homologous series）とよばれる。それらの化学的性質および物理的性質は似ており，その性質は炭素原子数の増加につれて少しづつ変化する。

例題 2.1

炭素原子を6個もつアルカンの分子式を示せ。

解答 $n=6$ のときは，$2n+2=2×6+2=14$，よって分子式は C_6H_{14} となる。

---

* 分子模型を用いると有機分子の構造を3次元的にみることができる。本書を学ぶときに分子模型を用いると非常に有効であり，さまざまな種類の異性体を学ぶときにはとくに有用である。比較的安価な分子模型セットが書店で通常売られているので，どれを買えばよいか教官に相談するとよい。もし模型セットが買えない場合には，結合はつまようじで，原子はマシュマロやキャンデイー，ゼリー豆などを用いて模型を作れば，大概の目的には有効に使える。

☞ **アルカン**は**飽和炭化水素**であり，炭素-炭素単結合のみを含む。**シクロアルカン**は環状構造をもつ。**不飽和炭化水素**は炭素-炭素二重あるいは三重結合を含む。**芳香族炭化水素**は構造的にベンゼンに関連した環状化合物である。

☞ 枝分かれのないアルカンは**直鎖アルカン**，または n-アルカンという。

☞ **同族列の化合物**は一定の構造単位ずつ異なるのみで，類似の性質をもつ。

2.1 アルカンの構造

エタン

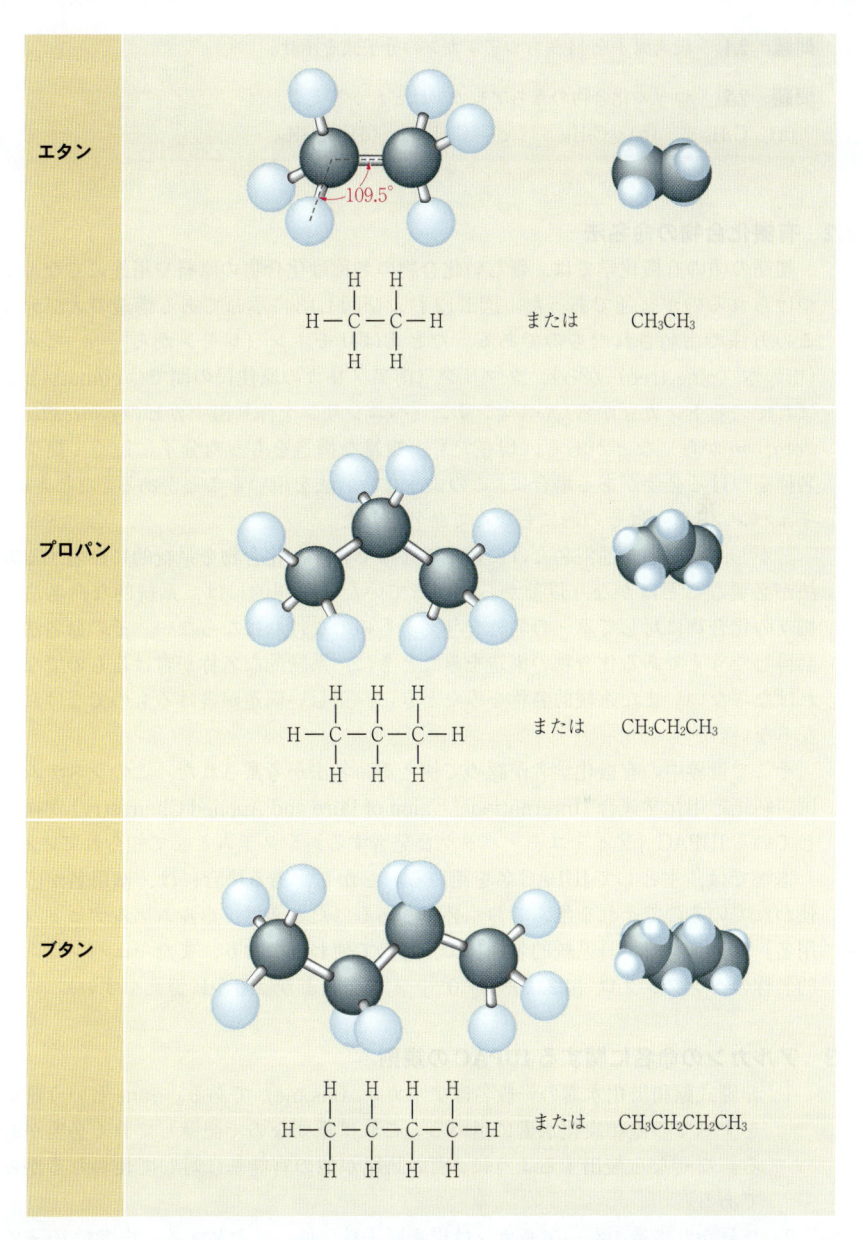

109.5°

H H
| |
H—C—C—H   または   CH₃CH₃
| |
H H

プロパン

H H H
| | |
H—C—C—C—H   または   CH₃CH₂CH₃
| | |
H H H

ブタン

H H H H
| | | |
H—C—C—C—C—H   または   CH₃CH₂CH₂CH₃
| | | |
H H H H

図2.1 エタン，プロパンおよびブタンの3次元モデル。左側の棒と球のモデルは原子の結合の仕方と正しい結合角を示している。右側の空間充てん型分子モデルは分子の形と大きさがよくわかるように作られている。いくつかの水素はかくれてみえない。

問題 2.1 炭素原子を14個もつアルカンの分子式を示せ。

問題 2.2 つぎの化合物のうちアルカンはどれか答えよ。
(a) C_7H_{18} (b) C_7H_{16} (c) C_8H_{16} (d) $C_{27}H_{56}$

2.2 有機化合物の命名法

初期の頃の有機化学では，新しい化合物の名称は化合物の原料や用途にちなんでつけられるのが普通であった。図1.12および図1.13に示してある構造の大部分はこの方法で命名されたものである。たとえばリモネン（レモンから），α-ピネン（松の木（pine tree）から），クマリン（南アメリカの原住民の間ではcumaruとよばれているトンカ豆から），ペニシリン（ペニシリンを作り出すカビの *penicillium notatum* から）などがある。現在でも，複雑な構造をもった分子に短くて簡単な名称をつける必要がある場合に，このような命名法を用いることがある。たとえば，キュバン（3頁）はその形にちなんで命名された。

しかし，慣用名や通俗名だけに頼ることはできず，化合物を系統的に命名する方法が必要なことはかなり以前からわかっていた。理想的には，系統的な命名法は個々の化合物に対して単一の名称を与えるものでなければならない。その命名法を会得したうえである化合物の構造をみたときに，系統的な名称が書けるものでなければならない。また系統的名称をみたときに，正しい構造が書けるものでなければならない。

そこで世界中の有機化学者が認めて使える命名法が考案された。このシステムは国際純正応用化学連合（International Union of Pure and Applied Chemistry）が推薦しているIUPAC（アイ・ユー・パックと発音する）システムとして知られている。

本書では，主としてIUPAC名を用いる。しかし，ある場合には，慣用名が広く使われているのでそれを学んでおく必要もある（たとえば，ホルムアルデヒド［慣用名］はメタナール［系統的名称］より好んで使われており，またキュバンは系統的名称のペンタシクロ［$4.2.0.0^{2,5}.0^{3,8}.0^{4,7}$］オクタンよりはるかに憶えやすい）。

2.3 アルカンの命名に関するIUPACの規則

1. 非環式飽和炭化水素の一般名はアルカン（alkane）である。-aneという語尾をすべての飽和炭化水素に用いる。これは重要なので記憶しておく必要がある。なぜなら後出するように，別の語尾が他の官能基に対して使われるからである。

2. 枝分かれ構造のないアルカンは炭素原子数に従って命名する。炭素数10までのアルカンの名称が表2.1の第1列に示してある。

☞ アルカンの**基本名**の名称はもっとも長い炭素鎖の名称である。

2.3 アルカンの命名に関するIUPACの規則

3 枝分かれのあるアルカンの名称の**基本名**（root name）には，炭素原子がもっとも長く連続した炭素鎖を用いる。

$$CH_3-CH-CH-CH_2-CH_3 \quad または \quad CH_3-CH-CH-CH_2-CH_3$$
（with CH₃, CH₃ substituents above）

たとえば，上の構造式の最長の炭素鎖は5炭素鎖である（アミがかかっている炭素）。したがって，この化合物は全部で7個の炭素原子をもつにもかかわらず，置換ペンタンとして命名する。

4 主鎖についた基は**置換基**（substituent）とよばれる。その中で，炭素と水素だけでできた飽和の置換基は**アルキル基**（alkyl group）とよばれる。アルキル基は同じ数の炭素原子をもつアルカンの語尾–aneを–ylにかえて名称とする。

　上の例では，どの置換基も炭素原子を1個しかもっていない。この置換基はメタンから水素1個を取り除いた1炭素置換基で，メチル基（methyl group）とよばれる。

$$H-\underset{H}{\overset{H}{C}}-H \qquad H-\underset{H}{\overset{H}{C}}- \quad または \quad CH_3- \quad または \quad Me-$$

メタン　　　　　　　　メチルグループ

1個以上の炭素をもつ置換基の名称は2.5節で述べる。

5 主鎖に番号をつける方法は，主鎖上の最初の置換基の位置番号ができるだけ小さくなるように行う。すべての置換基には，その名称とそれが付く主鎖上の炭素の番号を付ける。同じ置換基が2個以上主鎖上にある場合には，ジ（di–），トリ（tri–），テトラ（tetra–）などの接頭語が使われる。この命名と番号づけはすべての置換基に対して行う必要がある。主鎖上の1つの炭素に同種の置換基が2個結合している場合も同様である。

$$\overset{1}{CH_3}-\overset{2}{CH}-\overset{3}{CH}-\overset{4}{CH_2}-\overset{5}{CH_3}$$
（with CH₃, CH₃ above C-2 and C-3）

この化合物の正しい名称は2,3-ジメチルペンタン（2,3-dimethylpentane）である。この名称から，この化合物にはメチル置換基が2個存在し，1個は5炭素鎖のC-2位に，もう1個はC-3位に結合していることがわかる。

6 2種あるいはそれ以上の異なる種類の置換基がある場合は，置換基はアルファベット順に並べる。ただし，ジ（di）およびトリ（tri）のような接頭語は

☞ **置換基**は分子の主鎖に付く基のことである。炭素と水素だけからなる飽和した置換基を**アルキル基**という。

置換基のアルファベットの中には取り入れない。

7 IUPAC名を書くときには，ことばの区切り方に注意する必要がある。炭化水素のIUPAC名は1つの単語として書く。位置番号が2つ以上続くときはコンマで区切り，番号と文字とはハイフンでつなぐ。順位が最後になった置換基と主鎖のアルカンの名称の間には，余白をあけずに，続けて記す。

これらの規則を要約かつ拡張して，アルカンの正しいIUPAC名を見いだすためにはつぎの手続を段階的に行う：

1 最長の連続した炭素鎖を定める。これにより主鎖の炭化水素名が決まる。たとえば，

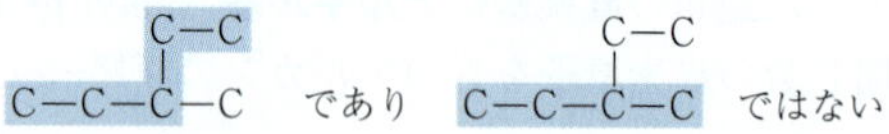

$$\underset{\text{であり}}{\text{C-C-C-C}}\overset{\text{C-C}}{|} \quad \underset{\text{ではない}}{\text{C-C-C-C}}\overset{\text{C-C}}{|}$$

2 最初に枝分かれする位置にもっとも近い末端からはじめてもっとも長い鎖に番号をつける。たとえば，

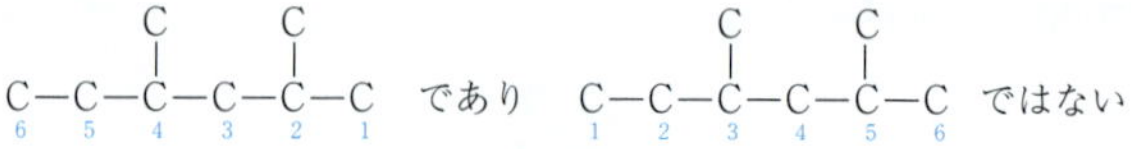

$$\underset{6\ 5\ 4\ 3\ 2\ 1}{\text{C-C-C-C-C-C}}\overset{\text{C}\quad\text{C}}{|\quad|} \quad \text{であり} \quad \underset{1\ 2\ 3\ 4\ 5\ 6}{\text{C-C-C-C-C-C}}\overset{\text{C}\quad\text{C}}{|\quad|} \quad \text{ではない}$$

最長鎖が2本ある場合には，もっとも枝分かれの多い鎖を選ぶ。たとえば，

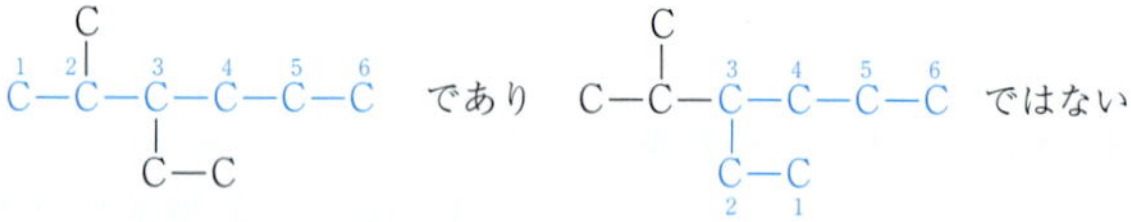

であり ではない

2つの枝　　　　　　　1つの枝

最長鎖の両端から等距離に枝分かれがあるときは，3番目の枝分かれにもっとも近い末端から番号をつける：

であり ではない

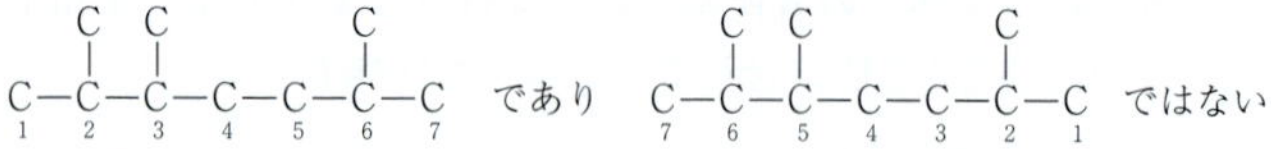

2,3,6-トリメチルヘプタン　　　2,5,6-トリメチルヘプタン

3番目の枝分かれがないときは，アルファベット順位の高い置換基にもっとも近い末端から番号をつける：

であり ではない

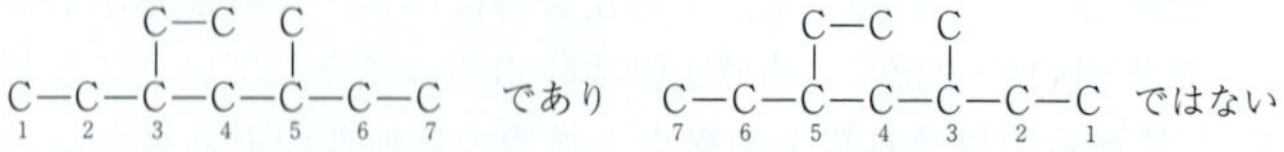

3-エチル-5-メチルヘプタン　　　5-エチル-3-メチルヘプタン

3 名称を1語として記す。このとき置換基をアルファベット順に記し，正しい区切り（コンマ・ハイフン）をつける。

2.4 アルキルおよびハロゲン置換基

例 題 2.2

化合物 CH₃-C(CH₃)(CH₃)-CH₂CH₂CH₃ の IUPAC 名を答えよ。

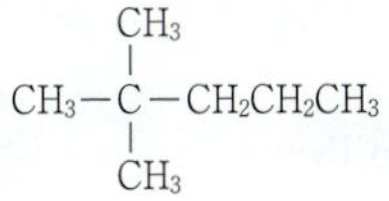

解答

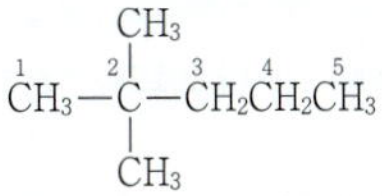

$\overset{1}{C}H_3-\overset{2}{C}(CH_3)(CH_3)-\overset{3}{C}H_2-\overset{4}{C}H_2-\overset{5}{C}H_3$ 2,2-ジメチルペンタン

問題 2.3 つぎの化合物のIUPAC名を答えよ。

(a) 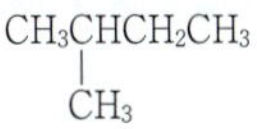 CH₃CH(CH₃)CH₂CH₃ (b) 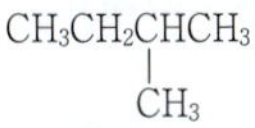 CH₃CH₂CH(CH₃)CH₃ (c) 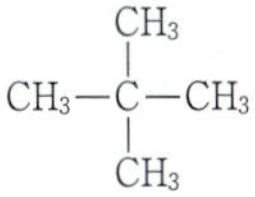 CH₃-C(CH₃)(CH₃)-CH₃

2.4 アルキルおよびハロゲン置換基

前節でメチル基を例にとって説明したように，アルキル置換基の名称はアルカンの語尾アン（-ane）をイル（-yl）にかえて作られる。したがって，2炭素のアルキル基はエタン（ethane）に由来する**エチル**（ethyl）**基**という名称でよばれる。

CH₃CH₃   CH₃CH₂-   または   C₂H₅-   または   Et-

エタン   エチル基

しかし，プロパンになるとどの水素を取り除くかによって2種類のアルキル基が得られる。もし末端の水素を取り除けば，その基は**プロピル**（propyl）**基**とよばれる。これに対して中心の炭素原子上から水素を取り除けば，**イソプロピル**（isopropyl）**基**または1-メチルエチル（1-methylethyl）基とよばれる異なる基が得られる。

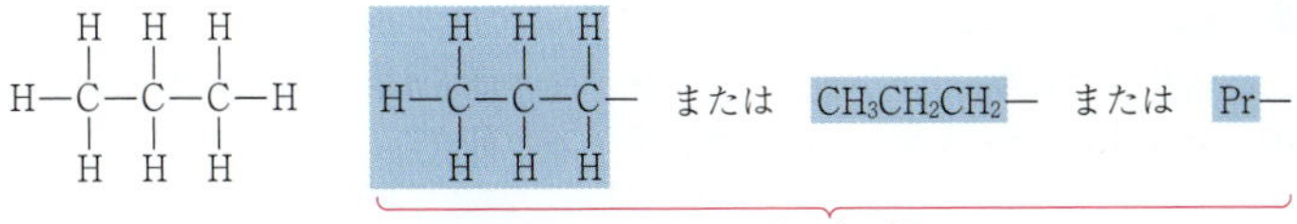

プロパン   プロピル基   または CH₃CH₂CH₂-   または Pr-

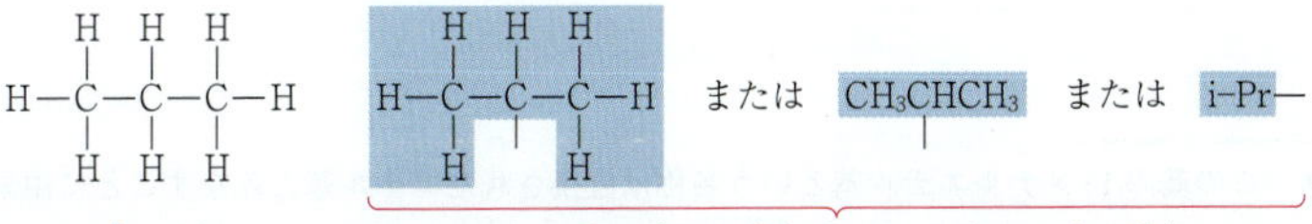

プロペン   イソプロピル または 1-メチルエチル基*   または CH₃CHCH₃   または i-Pr-

☞ 2炭素のアルキル基は**エチル基**である。**プロピル基**および**イソプロピル基**は第一級および第二級炭素で主鎖に付いている3炭素基である。

ブチル基には4つの異なる基がある。

$CH_3CH_2CH_2CH_2-$　　　$CH_3CHCH_2CH_3$　　　$\begin{array}{c}CH_3\\ \diagdown\\ CH-CH_2-\\ \diagup\\ CH_3\end{array}$　　　$\begin{array}{c}CH_3\\ |\\ CH_3-C-\\ |\\ CH_3\end{array}$

　　ブチル　　　　　　　sec-ブチル　　　　　　イソブチル　　　　　　tert-ブチル
　　　　　　　　　（または1-メチルプロピル）　（または2-メチルプロピル）　（または1,1-ジメチルエチル）

炭素原子数が1～4個以下のこれらのアルキル基の名称は，きわめて一般的に使われているので，必ず憶えてほしい。

　　アルキル基を示す一般的な記号として **R** が使用される。したがってR－Hはすべてのアルカンを表し，R－Clはすべての塩化アルキル（塩化メチル，塩化エチルなど）を表す。

　　ハロゲン置換基には，対応するハロゲン元素の語尾-ineを-oにかえた名称を用いる。

　　　　　　　　F－　　　Cl－　　　Br－　　　I－
　　　　　　　フルオロ-　クロロ-　ブロモ-　ヨード-

例 題 2.3

　$CH_3CH_2CH_2Br$の慣用名とIUPAC名を記せ。

解答　慣用名は臭化プロピル（propyl bromide）である（日本語名ではフッ化，塩化，臭化，ヨウ化の後にアルキル基の名称を示す。英語ではアルキル基の慣用名の後に，ハロゲン化物イオンの名称を示す）。IUPAC名は1-ブロモプロパン（1-bromopropane）であり，ハロゲンは3炭素鎖上の置換基として命名される。

問題 2.4　CH_2ClFのIUPAC名を書け。

問題 2.5　つぎの化合物の構造式を書け。
　(a)　塩化プロピル　　　(b)　ヨウ化イソプロピル　　(c)　2-クロロプロパン
　(d)　ヨウ化tert-ブチル　(e)　臭化イソブチル　　　　(f)　フッ化アルキルの一般式

---

　*　この基の1-メチルエチル基という名称は置換されたエチル基とみなすことに由来する。

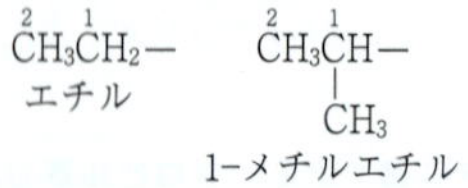

$\overset{2}{C}H_3\overset{1}{C}H_2-$　　$\begin{array}{c}\overset{2}{C}H_3\overset{1}{C}H-\\ |\\ CH_3\end{array}$
　エチル　　　　1-メチルエチル

☞　**R**はアルキル基を示す一般的な記号である。

2.5 IUPACの規則の使い方

表2.2には具体的な構造に対するIUPACの規則の適用例が示してある。各例を学習し，正しい名称をつけ間違いやすい点を避ける方法を知ろう。

特定の構造に対して正しいIUPAC名を書けるだけでなく，その逆すなわちIUPAC名から構造を書くことも重要である。IUPAC名から構造式を書くときの手順は，まず，最長炭素鎖を書いてから番号をつける。正しい位置に置換基をつけ，最後に各炭素に正しい数の水素を加えて構造式を完成する。たとえば，2,2,4-トリメチルペンタンの構造式はつぎの手順で書く：

C—C—C—C—C　→（ペンタン鎖を書く／番号をつける）→　$\overset{1}{C}-\overset{2}{C}-\overset{3}{C}-\overset{4}{C}-\overset{5}{C}$　→（3つのメチル基をつける）

→（水素で原子価を満たす）

2,2,4-トリメチルペンタン

表 2.2 IUPACの規則の適用例

$\overset{5}{CH_3}\overset{4}{CH_2}\overset{3}{CH_2}\overset{2}{C}\overset{1}{H}CH_3$
　　　　　　　　$|$
　　　　　　　CH_3

2-メチルペンタン
(4-メチルペンタンではない)

語尾アン（-ane）により炭素-炭素結合はすべて単結合であることがわかる。ペント（pent-）はもっとも長い鎖に5つの炭素があることを示す。そして置換基のメチル基にできるだけ小さい番号をつけるように右から左へ番号をつける。

$\overset{1}{CH_3}\overset{2}{CH}\overset{3}{CH_2}\overset{4}{CH_2}\overset{5}{CH_3}$
　　　$|$
　　　$\overset{2'}{C}\overset{1'}{H_2}CH_3$

3-メチルヘキサン
(2-エチルペンタンや
4-メチルヘキサンではない)

3番目の炭素上にメチル基をもつ6個の炭素からできた飽和した鎖。通常はこの構造を
$CH_3CH_2CHCH_2CH_3$ のように書く。
　　　　　　$|$
　　　　　CH_3

　　　　　　CH_3
　　　　　　$|$
$CH_3-C-CH_2CH_3$
　　　　　　$|$
　　　　　　CH_3

2,2-ジメチルブタン
(2,2-メチルブタンや
2-ジメチルブタンではない)

それぞれの置換基が位置番号をもたなければならない。接頭語ジ（di-）は置換基のメチル基が2個あることを示す。

$\overset{1}{C}H_2\overset{2}{C}H_2\overset{3}{C}H\overset{4}{C}H_3$
　$|$　　　　$|$
　Cl　　　Br

3-ブロモ-1-クロロブタン
(1-クロロ-3-ブロモブタンや
2-ブロモ-4-クロロブタンではない)

まずはじめに，最初の置換基の番号がもっとも小さくなるようにブタン鎖に番号をつける。つぎに，位置番号に関係なく，置換基をアルファベット順に記す。

A WORD ABOUT ...

異性体, 可能なものと不可能なもの

表2.1によると, アルカン $C_{10}H_{22}$ には75種の構造異性体がある。炭素数を2倍にすると ($C_{20}H_{42}$), 何種類の異体性が考えられるだろうか。 答は366 319種だ！もう1度炭素数を2倍にしたらどうだろうか ($C_{40}H_{82}$)。まさに62 481 801 147 341種。もちろん, 誰も紙と鉛筆あるいは分子モデルを使って可能性のあるすべての分子を作りその数を決めたわけではない (そんなことをしたら一生かかってしまう)。これらの数を計算するために, 複雑な数式が開発されている。

紙の上では構造式を書ける異性体でも, 実際の構造は不可能で合成できないものもある。たとえば, メタンの水素をメチル基で置換して得られるアルカンをつくり, さらにその操作を無限に繰り返して得られる一連のアルカンを考えてみよう。図2.2は2次元の図でしかないけれども, このようにして内部の殻に炭素原子が存在し, 表面に水素原子が存在する分子を作り上げることができる。3次元では, 分子はほぼ球状になる。これらのうち, 最初の2つの分子だけが知られている (メタンと2,2-ジメチルプロパン)。$C_{17}H_{36}$ の炭化水素 (テトラ-t-ブチルメタン, すなわちもっと正確にいうと, 3,3-ジ-t-ブチル-2,2,4,4-テトラメチルペンタン) は未だ合成されていない。もし合成されても, それはきわめて歪んだ分子だろう。その理由は単純で, 分子の表面にすべてのメチル基を収容するだけの空間がないからである。空間充てん模型を用いた計算によると, 内部の5つの炭素は約85 $Å^2$ の表面積をもつ球面を形成するが, 12個のメチル基は約107 $Å^2$ の表面積を必要とする。したがって, この $C_{17}H_{36}$ の異体性の合成はほとんど可能性がないだろう。もし可能であっても, その結合角と結合距離は正常な値

問題 2.6 つぎの化合物をIUPACの規則に従って命名せよ。
(a) CH_3CHFCH_3 (b) $(CH_3)_3CCH_2CHClCH_3$

問題 2.7 3,3-ジメチルペンタンの構造式を書け。

問題 2.8 1,3-ジクロロブタンは正しいIUPAC名であるが, 1,3-ジメチルブタンは正しくない。なぜか説明せよ。

2.6 アルカンの天然資源

もっとも重要なアルカンの天然資源は **石油** (petroleum) と **天然ガス** (natural gas) の2種類である。石油は有機化合物の複雑に混合した液体であり, その多くはアルカンおよびシクロアルカンである。石油を精製してガソリン, 燃料油, その他の有用な物質を得る方法について, 詳しくは118頁のA Word About「石油・ガソリン, およびオクタン価」を読むこと。

天然ガスはしばしば石油とともに発見される。その成分はメタン (約80%) とエタン (5〜10%) と少量の鎖の長いアルカンである。プロパンは液化石油ガス (LPG) の主成分であり, 主として地方やモービルホームで家庭燃料として使われ,

☞ **石油** と **天然ガス** はもっとも重要なアルカンの天然資源である。

からはかなり異なるだろう。この炭化水素を合成することは有機化学者にとって興味ある課題であるが，今のところ成功していない。

この系列においては$C_{53}H_{108}$の異性体が合成できる可能性はない。なぜならその構造は歪みすぎているからだ。樹木，海綿やその他の生物体の生長は表面積と体積との比率によって，これらの炭化水素と同様に制限されている。(この課題については次の解説を参照せよ: R. E. Davies and P. J. Freyd, *J. Chem. Educ.*, **1989**, *66*, 278～81)

$CH_4 \longrightarrow C(CH_3)_4$
$\qquad\qquad C[C(CH_3)_3]_4 \longrightarrow C\{C[C(CH_3)_3]_3\}_4$
$CH_4 \longrightarrow C_5H_{12} \longrightarrow C_{17}H_{36} \longrightarrow C_{53}H_{108}$

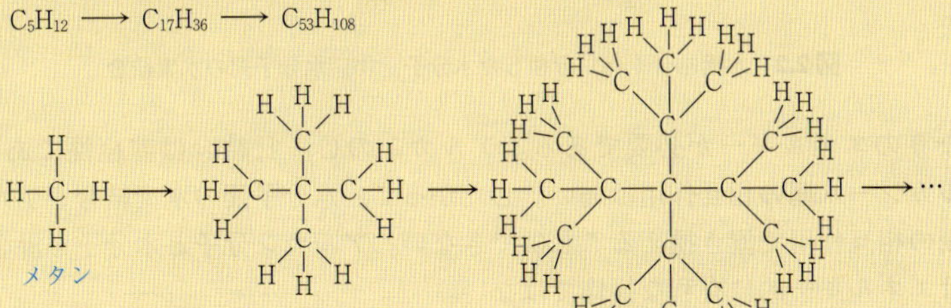

メタン

2,2-ジメチルプロパン

テトラ-t-ブチルメタン
($C_{17}H_{36}$)

ある地域ではブタンが使われている。天然ガスは石油に匹敵するかそれ以上のエネルギー源となりつつある。合衆国においては，このエネルギー源を全国いたるところへ配るために250 000マイル以上の天然ガスのパイプラインが敷かれている。天然ガスは巨大タンカーによって世界中に配送されている。1 m³の液化ガスは常圧では約600 m³に相当するから，スペースを確保するためにガスは液化（－160℃）されている。巨大タンカーは100 000 m³以上の液化ガスを輸送でき，将来においては，発展途上国は石油を輸入するよりも国内における天然ガス資源を開発することにより，より安価なエネルギーを獲得すると思われる。

2.7 アルカンの物理的性質と非結合性分子間相互作用

アルカンは水に不溶である。それは水分子は極性であるが，アルカンは非極性だからである（すべてのC－CおよびC－H結合はほぼ純粋な共有結合である）。水分子のO－H結合は酸素の電子求引力が高いために（1.5節），強く分極している。この分極により，水素原子に部分的陽電荷が生じ，酸素原子には部分的陰電荷が生じる。その結果，ある水分子の水素原子は他の水分子の酸素原子に強く求引される。その上水素原子は小さいので分子同士が互いに密接に接近することができる。この特殊な求引力を**水素結合**（hydrogen bonding）という（図2.2）*。アルカンと水の分子を分散させるには水分子間の求引力を断ち切らなければならないが，これには

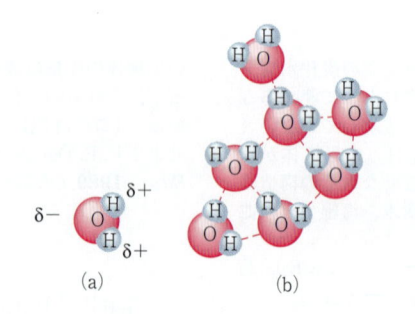

図2.2 水素結合：(a) 分極した水分子，(b) 水分子間の水素結合

かなりのエネルギーが必要である。アルカンのC-H結合は非極性であるので，アルカン-水間の相互作用は弱い。したがって，水分子間の水素結合をアルカン-水間の相互作用で置き換えることはできない。アルカン分子と水分子を混合することはエネルギー的に有利な操作ではない。

アルカンと水とが溶け合わない性質は，多くの植物で巧みに利用されている。葉や果実の保護膜は部分的にアルカンによって形成されていることが多い。リンゴを磨いたことがある人なら，その表皮にはワックスが含まれていることを知っているだろう。確かにそのなかには$C_{27}H_{56}$や$C_{29}H_{60}$の直鎖のアルカンが存在している。キャベツやブロッコリー（カリフラワーの一種）の葉のワックスはおもにn-$C_{29}H_{60}$であり，タバコの葉のアルカンはおもにn-$C_{31}H_{64}$である。同様の炭化水素は，蜜ろう中にもみられる。これらの植物ワックスのおもな働きは葉や果実から水分の損失を防ぐことである。

アルカンは，同じような分子量をもつ有機化合物と比較して，沸点が低い。それは，アルカンは非極性分子だからである。非極性分子内の電子は常に動いているので，分子内で不均等に分布することがあり，そのため分子に部分的に陽と陰の末端が生じる。この一時的に分極した分子は隣接した分子を一時的に分極させ，分子どうしは互いに弱く引きあうことになる。分子間のこのような相互作用を**ファンデルワールス**（van der Waals）**引力**という。

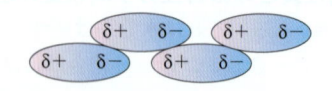

これらは弱い求引力なので，分子を互いに引き離す（つまり液体から気体へ変換する）操作には比較的小さなエネルギーしか必要としないので，これらの分子の沸

---

* N-HやF-Hの共有結合をもつ分子は，N, O, F原子を含む分子と水素結合による相互作用をする。

☞ **水素結合**と**ファンデルワールス引力**は**非結合性分子間相互作用**である。

2.7 アルカンの物理的性質と非結合性分子間相互作用

点は比較的低い。図2.3にいくつかのアルカンの沸点が示してある。この弱い求引力は分子表面間の短い距離にしか作用しないので，アルカンの沸点は分子鎖が長くなるにつれて上昇し，反対に分子鎖が枝分かれして分子の形が球形に近くなると低下する。図2.4はファンデルワールス引力に対する分子の形の効果を示す。

水素結合とファンデルワールス引力は**非結合性分子間相互作用**（nonbonding intermolecular interaction）の例である。この相互作用は分子の性質と挙動に重要な影響を与える。これから異なる種類の有機化合物を探求するにつれて，たくさんの例をみることになるだろう。

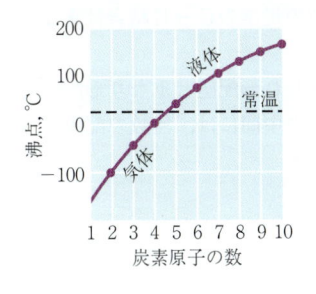

名称	構造式	沸点, °C
ペンタン	$CH_3CH_2CH_2CH_2CH_3$	36
2-メチルブタン（イソペンタン）	$CH_3CHCH_2CH_3$ $\quad\quad\vert$ $\quad\quad CH_3$	28
2,2-ジメチルプロパン（ネオペンタン）	$\quad\quad CH_3$ $\quad\quad\vert$ CH_3-C-CH_3 $\quad\quad\vert$ $\quad\quad CH_3$	10

図2.3 なめらかな曲線が示すように，直鎖アルカンの沸点は炭素鎖の長さが増大するにつれて上昇する。しかし，表から分かるように，枝分かれすると沸点は低下する（表中の化合物の炭素と水素の数は同一である，C_5H_{12}）。

2,2-ジメチルプロパン
bp 10°C

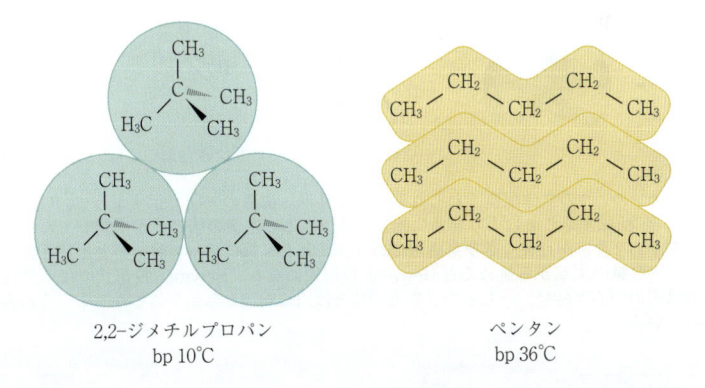

ペンタン
bp 36°C

図2.4 2,2-ジメチルプロパンとペンタンの分子量は同じであるが，棒状のペンタンは球状の2,2-ジメチルプロパンより相互に接触できる表面積が大きい。したがって，ペンタン分子は2,2-ジメチルプロパン分子より強く，ファンデルワールス力（求引力）を感じる。

2.8 アルカンの立体配座

分子の形はその分子の性質に影響を与える。たとえばエタンのような簡単な分子で，1つの炭素原子（それに結合した水素原子も含めて）を他の炭素原子に対して回転させると，回転の程度に応じて無限個の構造が考えられる。これらの配列は**立体配座**（conformation）あるいは**コンホマー**（conformer：**配座異性体**）とよばれる。コンホマーは**立体異性体**（stereoisomer）の一種であり，構成原子は同一の順番で結合しているが空間における配置が異なるものである。エタンの立体配座のうち代表的な2種を図2.5に示した。

エタンのねじれ形配座（staggered conformation）では，片方の炭素に結合した各C－H結合は他方の炭素上のH－C－H角を2等分している。一方，重なり形配座（eclipsed conformation）では，手前および後方の炭素のC－H結合は重なっている。

片方の炭素を他方に対して60°回転させると，ねじれ形配座と重なり形配座を互いに変換できる。エタンのこの2種の代表的な配座の中間には，無数の配座が存在する。

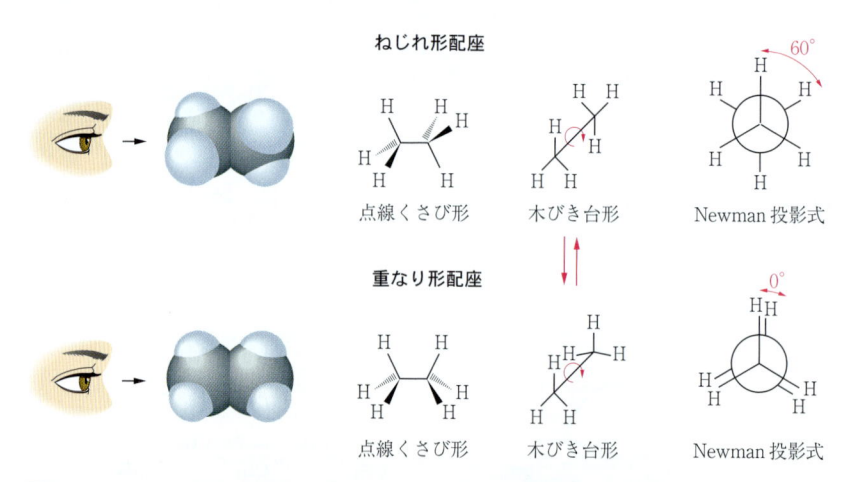

図2.5 エタンの2つの立体配座，ねじれ形と重なり形。曲線の矢印で示すように，C－C結合のまわりに60°回転することにより容易に相互変換できる。左側の構造式が空間充てん型モデルである。左から2番目が点線くさび形構造であり，これを視線にそって眺めると木びき台形構造になり，C－C軸の末端から眺めるとNewman投影式になる。Newman投影式では手前の炭素上の結合は円の中心と結び，うしろの炭素上の結合は円の周辺から顔をのぞかせるように書く約束になっている。

☞ 単結合のまわりの回転により相互変換される同一分子の異なる**立体配座**（形）のものを**コンホマー**（**配座異性体**）あるいは**回転異性体**という。

☞ 配座異性体は**立体異性体**の一種であり，原子の結合の仕方は同じであるが空間における配置が異なる。

2.8 アルカンの立体配座

　エタンのねじれ形配座と重なり形配座は，炭素−炭素結合の軸まわりの回転によって互いに相互変換できるので，**回転異性体**（rotamer）と考えることができる。このような単結合のまわりの回転は，炭素のsp^3軌道の重なりがσ結合のまわりの回転によっては影響されないので，きわめて容易におこる（図1.8参照）。実際にはエタンのねじれ形と重なり形とが素速く相互変換するのに必要な熱量は常温で十分供給される。したがって，常温では2種のコンホマーを別々に分離することはできない。しかしさまざまな種類の物理的証拠によって，この2種のコンホマーの安定性は同じではないことがわかっている。ねじれ形配座がすべてのエタンの配座の中でもっとも安定であり（ポテンシャルエネルギーがもっとも低い），常温ではエタン分子の99％以上がねじれ形配座になっている。

$$\text{ねじれ形} \rightleftarrows \text{重なり形} \tag{2.1}$$

例題 2.4

プロパンのねじれ形配座および重なり形配座のNewman投影式を書け。

解答

ねじれ形　　1つの水素をメチルで置き換えた以外は投影式はエタンのものと類似している．

重なり形　　ねじれ形配座の"後方"の炭素を60°回転すると重なり形配座になる．

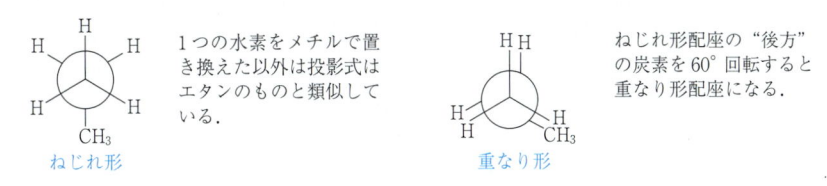

$C_1 - C_2$結合を見通している。

問題 2.9

ブタンの炭素2と炭素3の間の結合を中心軸にしてみたNewman投影式では2種の異なるねじれ形配座がある。それらを書き，この2種のうちどちらが安定であるか予想せよ。

　配座異性体について記憶しておかなければならないもっとも重要なことは，配座異性体とは単一の分子が示す異なった形であって，単結合（σ結合）のまわりの回転で相互変換が可能だということである。たいていの場合，この回転に必要な熱エネルギーは常温で得られるので，常温では配座異性体を分離することは一般に困難である。

　さて，つぎはシクロアルカンの構造と立体配座を学ぶことにしよう。

2.9 シクロアルカン；命名法と立体配座

シクロアルカンは炭素原子からなる環を最低1個はもつ飽和炭化水素である。そのよい例がシクロヘキサンである。

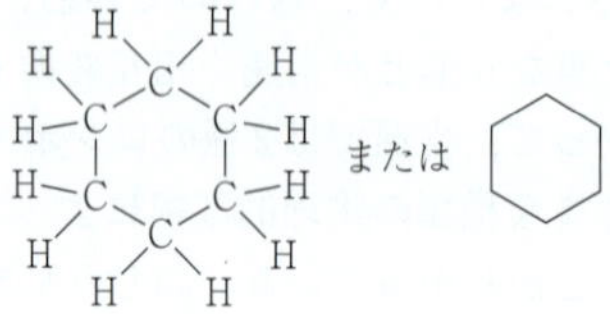

シクロヘキサンの構造式および
省略した構造式

シクロアルカンは環を構成する炭素原子数に対応したアルカンの名称の前にシクロ (cyclo-) という接頭語をつけて命名する。無置換シクロアルカン類のうち，はじめの6種について構造と名称をつぎに示す。

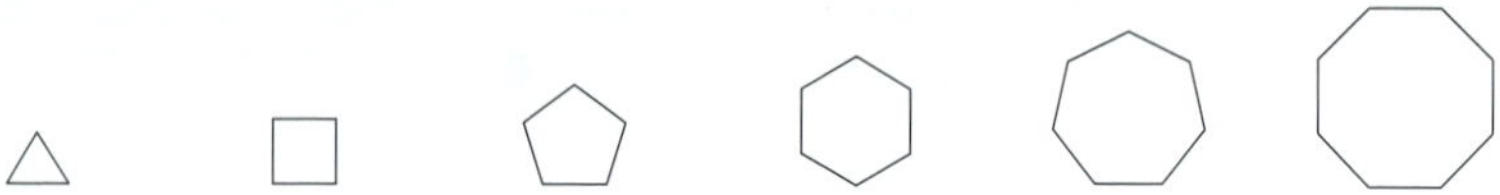

| シクロプロパン | シクロブタン | シクロペンタン | シクロヘキサン | シクロヘプタン | シクロオクタン |
| bp −32.7℃ | bp 12℃ | bp 49.3℃ | bp 80.7℃ | bp 118.5℃ | bp 149℃ |

環上にアルキル基やハロゲン置換基が結合しているときの命名法はつぎの通りである。置換基が1個だけ存在するときは，その位置を示す番号を書く必要はない。置換基が2個以上存在するときは番号が必要である。この場合，1個の置換基は必ず1の位置に結合しているものとし，つぎに他の置換基にできるだけ小さい番号がつくように引き続いて環に番号づけを行う。異なる置換基があるときは，アルファベット順でもっとも優位なものが炭素1におかれる。この方法の例をつぎに示す。

メチルシクロペンタン
(1-メチルシクロペンタン
ではない)

1,2-ジメチルシクロペンタン
(1,5-ジメチルシクロペンタン
ではない)

1-エチル-2-メチルシクロペンタン
(2-エチル-1-メチルシクロペンタン
ではない)

問題 2.10 アルカンの一般式はC_nH_{2n+2}である。単一環のシクロアルカンに対応する式はどうか。

問題 2.11 つぎの化合物の構造式を書け。
 (a) 1,3-ジメチルシクロヘキサン　(b) 1,2,3-トリクロロシクロプロパン

問題 2.12 つぎの化合物のIUPAC名を示せ。

2.9 シクロアルカン；命名法と立体配座

(a) シクロペンチル-CH₂CH₃ (b) シクロプロパン Cl Cl (c) シクロブタン Br, CH₃

シクロアルカンの立体配座はどうなっているのだろう。炭素原子3個だけで作られるシクロプロパンは必然的に平面構造である（3点で1つの平面が決まるのだから当然である）。C－C－Cの結合角は60°にしかならず（炭素は同平面の三角形を形成する），通常の正四面体構造の角度109.5°よりはるかに小さい。水素は炭素で作られた平面の上下にあり，隣接する炭素に結合した水素は互いに重なっている。

シクロプロパン

例題 2.5

シクロプロパンの水素が炭素平面の上下に存在する理由を説明せよ。

解答 図1.11を参考にせよ。シクロプロパンの炭素はそれと類似の立体構造をもっているが，C－C－C角が正四面体角より"圧縮されている"点が異なる。そのかわりに，H－C－H角が拡大して正四面体角より大きく，約120°である。

H－C－H面は，この紙面内にあるC－C－C環平面を直角に二等分している。

炭素原子数が4以上で形成されるシクロアルカンはすべて非平面構造をもち，"折れ曲がり"配座をとる。シクロブタンやシクロペンタンでは，分子は折れ曲がりによりもっとも安定な配座となる（歪みエネルギーが最小となる）。分子を平面と仮定した場合よりもこの折れ曲がり配座のほうがC－C－C角が多少小さくなるが，隣接する水素どうしの重なりが減少するためこの不利さは十分補われる。

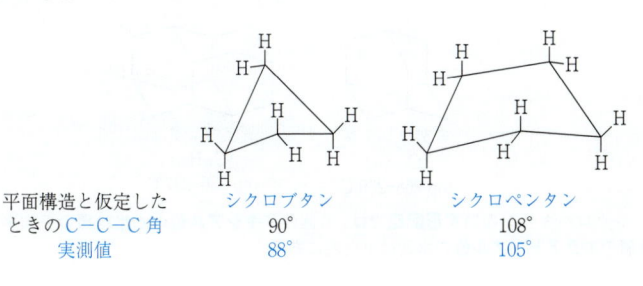

	シクロブタン	シクロペンタン
平面構造と仮定したときのC－C－C角	90°	108°
実測値	88°	105°

6員環はやや特殊であるが，自然界にきわめてよくみられる構造であることから，詳細に研究されてきた。シクロヘキサンが平面であると仮定すると，C－C－C結合の内角は120°になる。これは正四面体角の109.5°よりかなり大きい。このひずみのためにシクロヘキサンは平面構造をとれない。シクロヘキサンにおけるもっとも有利な立体配座は**いす形配座**（chair conformation）である。この配座においてすべてのC－C－C角は正常な角度109.5°になり，隣接する炭素原子上の水素どうしはすべて完全なねじれ形配座をとる。図2.6にはシクロヘキサンのいす形配座のモデルが示してある*（分子モデルが手に入れば，本節と2.10，2.11節での議論をよりよく理解するために，シクロヘキサンをつくってみるとよい。）。

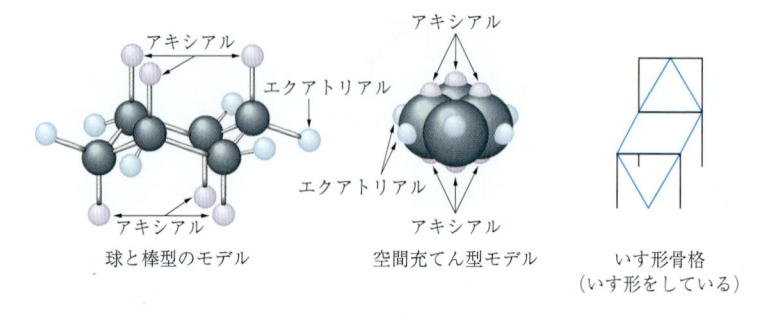

球と棒型のモデル　　空間充てん型モデル　　いす形骨格（いす形をしている）

図2.6　シクロヘキサンのいす形配座を球と棒および空間充てん型分子モデルで示してある。アキシアル位の水素は炭素骨格を含む平均平面より上部または下部にあり，エクアトリアル位の水素はほぼその平面内にある。「いす形」という用語の語源を表す図を右側に示してある。

---

*　ダイヤモンドは天然に存在する炭素の一形態である。ダイヤモンドの結晶では炭素原子はシクロヘキサンのいす形に似た構造で互いに結合している。ただし，シクロヘキサンのすべての水素が炭素原子で置き換えられているので，炭素原子は連続的な編み目構造をつくっている。炭化水素であるアダマンタン（adamantane）やジアマンタン（diamantane）は，いす形のシクロヘキサンが縮環してダイヤモンド構造の初期形成過程を示している。ダイヤモンドの構造に関する興味ある総説がある：M. F. Ansell "Diamond Cleavage", *Chemistry in Britain*, **1984**, 1017〜21.

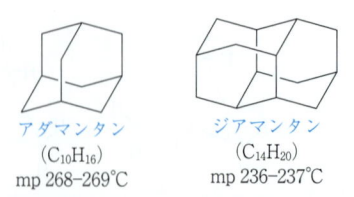

アダマンタン　　　　ジアマンタン
($C_{10}H_{16}$)　　　　　($C_{14}H_{20}$)
mp 268–269°C　　　mp 236–237°C

☞　シクロヘキサンの**いす形配座**では，6個の**アキシアル位**の水素は環の平均平面の上下にあり，6個の**エクアトリアル位**の水素は平面内にある。

問題 2.13 シクロヘキサンの1つの炭素原子を中心とするH−C−HおよびC−C−Cの2つの平面はどのような関係にあるのか説明せよ（必要なら，例題2.5を参照せよ）。

いす形配座においては，シクロヘキサンの水素は**アキシアル**（axial）と**エクアトリアル**（equatorial）とよばれる2組に分類される。6個の炭素原子で形成される平均分子平面を基準として，アキシアル水素のうち3個は上，残りの3個は下にある。一方エクアトリアル水素は6個ともほぼ分子平面内にある。環上の1つおきの炭素（たとえば1,3,5位のもの）が平面の下方向へ動き，残りの3個の環炭素が逆に上方向へ動けば，このいす形配座はもう1つのいす形配座へ変換される。これによって変換前にはアキシアル位にあった水素はすべてエクアトリアル位に，エクアトリアル位にあった水素はすべてアキシアル位にかわる。

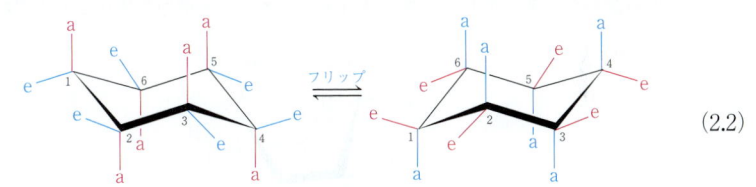

$$(2.2)$$

環が"反転"(flip)すると，左側の構造におけるアキシアル結合（赤線）は右側の構造においてエクアトリアル結合（赤線）にかわる．

　左側の構造におけるアキシアル結合（赤）は，環が"フリップ"すると，右側の構造のエクアトリアル結合（赤）になる。

　この環のフリップは常温では速く起こるが低温（たとえば−90°）では遅くなるので，2種類の異なる水素が存在することを核磁気共鳴スペクトル（NMR）を用いて実際に検出できる（12章参照）。

　シクロヘキサンの立体配座に関してはもう1つの重要な特徴がある。シクロヘキサンの空間充てん型モデルを注意深く眺めると，環の平均平面の同じ側にある3個のアキシアル水素は，互いにほとんど接触していることがわかる（図2.6）。もしこのアキシアル水素のうちの1つを大きな置換基（たとえばメチル基）にかえると，アキシアル位での混み合いはさらにひどくなる。したがって，大きな置換基，この場合はメチル基がエクアトリアル位に存在する配座が優勢になる。

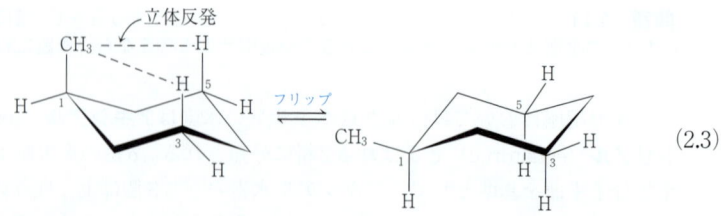

メチル基がアキシアル位にあるもの　メチル基がエクアトリアル位にあるもの
5%　　　　　　　　　　　　　　95%

問題 2.14 シクロヘキサンにはもう1つ，すべてのC−C−C角が109.5°の折れ曲がり配座が存在し，舟形配座（boat conformation）とよばれている。しかしこの配座はいす形配座に比べてはるかに不安定である。その理由を説明せよ。（ヒント：C_2-C_3結合をその端から眺めたときの水素の配置に注目すること。分子模型を使うとよく理解できる。）

舟形配座のシクロヘキサン

問題 2.15 *tert*-ブチルシクロヘキサンでは，*tert*-ブチル基がエクアトリアル位にある配座のみが検出されている。この立体配座がメチルシクロヘキサンの場合よりも優勢なのはなぜか説明せよ。

いす形配座の6員環は多くの有機分子に共通の構造である。グルコースの様な糖類（16.8節）もその例であるが，環内の1個の炭素が酸素に置き換わっている。

グルコース
（β-D-グルコピラノース）

各炭素上の大きな基がエクアトリアル位にあることに注意しよう。糖類の立体配座は16章で詳しく学ぶ。

アルカンおよびシクロアルカンの反応を学ぶまえに，シクロアルカン環の2個以上の炭素原子に置換基が結合した場合に生じる立体異性について知っておく必要がある。

2.10 シクロアルカンの cis-trans 異性

立体異性（stereoisomerism）とは，原子どうしの結合の順序は同一であるが，空間的な配置が異なる分子に関するものである（60頁）。**cis-trans**（シス-トランス）**異性**（*cis-trans* isomerism；**幾何異性**（geometrical isomerism）ともよばれる）は立体異性の1種であり，特定の例を用いて説明すると理解しやすい。たとえば1,2-ジメチルシクロペンタンの可能な構造を考えてみることにしよう。わかりやすくするために，環の多少の折れ曲がりを無視して平面構造として書くことにする。そのようにすると，2つのメチル基が環平面の同じ側にあるものと，反対側にあるものの2種が書ける。

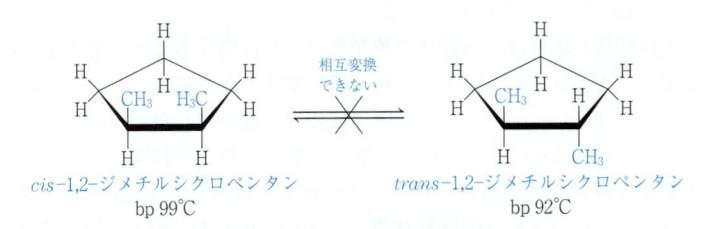

cis-1,2-ジメチルシクロペンタン
bp 99℃

trans-1,2-ジメチルシクロペンタン
bp 92℃

これらのメチル基はそれぞれ *cis*（ラテン語で同じ側の意味）または *trans*（ラテン語で反対側の意味）とよばれる関係にある。

cis-trans 異性体は，原子や置換基の空間的な配置が互いに異なるだけである。ところが，それだけで異性体の物理的および化学的性質は異なったものになる（たとえば，1,2-ジメチルシクロペンタンの2種の構造の下に示した沸点の差に注目してほしい）。*cis-trans* 異性体はそれぞれが独立した化合物である。配座異性体とは異なり，炭素-炭素結合のまわりの回転によって相互変換できるものではない。上の例では環状構造がこの回転を妨げている。これらのジメチルシクロペンタンを変換するには，環を切断して開環し，回転して再び閉環するかあるいは別の結合解裂の操作を行わなければならない。

cis-trans 異性体はそれぞれ分離することが可能であり，単独に貯蔵しておくことができ，一般には常温では相互変換しない。*cis-trans* 異性は分子の生物学的性質を決めるのに重要である。たとえば，2個の反応性のある基が *cis* にある分子はそれらが *trans* にある分子の場合とは酵素あるいは生物学的なレセプターと相互作用の仕方が異なるであろう。

問題 2.16 つぎの化合物の *cis* および *trans* 異性体の構造式を書け。
(a) 1-ブロモ-2-クロロシクロプロパン　(b) 1,3-ジクロロシクロブタン

☞ シクロアルカンの ***cis-trans* 異性体**は別の形式の立体異性体（60頁）であり，**幾何異性体**ともいわれる。これらは置換基が環の同じ側にあるかあるいは反対側にあるかによる。

2.11 異性体に関するまとめ

ここまで議論してきたいくつかの異性体について，その関係をまとめておくと役に立つだろう．これを図2.7に示した．

一対の異性体について，まずはじめにみるべきことは結合様式（すなわち原子のつながり方）である．結合様式が異なれば，それらの化合物は構造異性体（structural isomer）である．しかし，結合様式が同じならば，それらは立体異性体（stereoisomer）である．構造異性体の例としてはエタノールとメトキシメタン（p.22）あるいは3種類のペンタン異性体（p.25）がある．立体異性体の例としてはエタンのねじれ形と重なり形（p.60）あるいは1,2-ジメチルシクロペンタンの *cis* および *trans* 異性体（p.67）がある．

立体異性体の場合は，異性体の種類をさらに区別することができる．単結合の回転によって2種の立体異性体が容易に相互変換できる場合（エタンのねじれ形と重なり形のように）は，それらは配座異性体（conformational isomer）あるいはコンホマー（conformer）とよばれる．結合の解裂と再結合によってのみ2種の立体異性体が相互変換できる場合（1,2-ジメチルシクロペンタンの *cis* 体および *trans* 体のように）は，それらは**配置異性体**（configurational isomer）*†とよばれる．

問題 2.17 図2.7のスキームにしたがって，つぎの1対の異性体を分類せよ．
(a) 1-ヨードプロパンと2-ヨードプロパン
(b) *cis* と *trans*-1,2-ジメチルシクロヘキサン
(c) いす形と舟形のシクロヘキサン

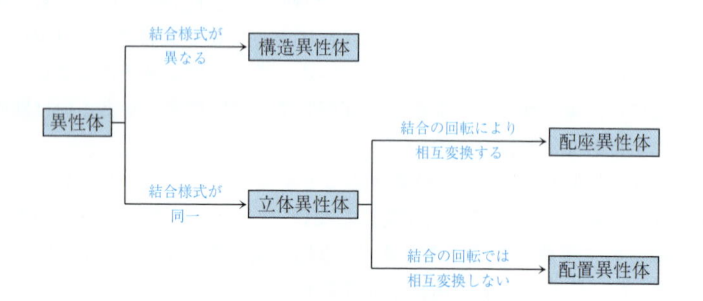

図2.7 各種異性体の相互関係

---

* 配座異性体は同じ分子の異なる配座のものであり，一方配置異性体は異なる分子であることをしっかり記憶しよう．幾何異性体は配置異性体の1種である．

† 3章でみるように，アルケンにも幾何異性がある．5章では，別の形の配置異性体をみるだろう．

☞ **配置異性体**（*cis-trans* 異性体のような）は結合の解裂および結合の再生によってのみ変換できる立体異性体である．

2.12 アルカンの反応

アルカンの結合はすべて単結合であり，かつ共有結合性で非極性でもあるから，アルカンは比較的反応性がない。アルカンは一般の酸，塩基，酸化剤，還元剤などと反応しない。この不活性な性質を利用して，アルカンは抽出や再結晶あるいは他の物質の化学反応のための溶媒として使用される。しかしアルカンは酸素やハロゲンのようないくつかの反応剤とは反応するので，つぎにこれらの反応について説明しよう。

2.12a 酸化と燃焼；燃料としてのアルカン

アルカンのもっとも重要な用途は燃料である。過剰の酸素中では，アルカンは燃焼して二酸化炭素と水になる。もっとも重要なのはこの反応で多量の熱が発生することである（つまり**発熱反応**（exothermic reaction）である）。

$$CH_4 + 2\,O_2 \longrightarrow CO_2 + 2\,H_2O + 熱 \quad (212.8\,\text{kcal/mol}) \tag{2.4}$$
メタン

$$C_4H_{10} + \tfrac{13}{2}O_2 \longrightarrow 4\,CO_2 + 5\,H_2O + 熱 \quad (688.0\,\text{kcal/mol}) \tag{2.1}$$
ブタン

これらの燃焼反応は炭化水素を用いて熱を得たり（天然ガス，灯油），動力を得る（ガソリン）基本になっている。ここでは反応の開始段階が必要であり，通常は火花や炎を用いて点火する。いったん反応が起こると自発的にかつ発熱的に進行する。

メタンでは，炭素原子の4本の結合はすべてC－H結合である。その燃焼生成物である二酸化炭素では，4本の結合はすべてC－O結合である。**燃焼**は**酸化反応**であり，C－H結合がC－O結合に変換される。メタンでは炭素はもっとも還元された形をしている。一方，二酸化炭素では炭素はもっとも酸化された形をしている。炭素の中間の酸化状態も知られており，そこではC－H結合のうち1，2あるいは3本がC－O結合に変換されている。したがって，炭化水素を完全燃焼させるのに充分な酸素が得られないときは，式2.6から式2.9に示すような，部分酸化が起きることも驚くにはあたらない。

$$2\,CH_4 + 3\,O_2 \longrightarrow 2\,CO + 4\,H_2O \tag{2.6}$$
一酸化炭素

$$CH_4 + O_2 \longrightarrow C + 2\,H_2O \tag{2.7}$$
炭素

$$CH_4 + O_2 \longrightarrow CH_2O + H_2O \tag{2.8}$$
ホルムアルデヒド

☞ **発熱反応**は熱を発生する。
☞ 炭化水素の**燃焼**は**酸化反応**であり，C－H結合がC－O結合に変換される。

$$2\,C_2H_6 + 3\,O_2 \longrightarrow 2\,CH_3CO_2H + 2\,H_2O \tag{2.9}$$
酢酸

排気ガス中に含まれる有毒な一酸化炭素（式2.6），ディーゼルエンジンのトラックからおびただしく放出される煤煙（式2.7），部分的にはアルデヒドに起因するスモッグ（式2.8），および潤滑油中における酸の生成（式2.9）はすべて自動車社会の代償*である。しかし，炭化水素の不完全燃焼もときには有用なことがあり，自動車のタイヤの製造に使われるカーボンブラック（式2.7）やインクの顔料の製造に使われるランプブラックなどがある。

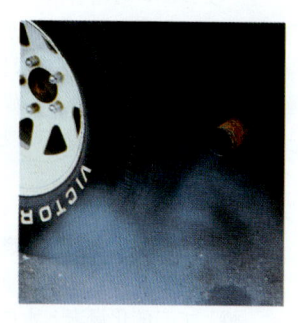

自動車の後部パイプの廃棄ガスは水を含んでいる。

例題 2.6

ホルムアルデヒド（CH_2O）とギ酸（HCO_2H）のどちらの化合物の炭素のほうがより酸化されているか。

解答 構造式を書く。

$$\begin{array}{cc} H & O \\ \,\,\diagdown & \diagup\!\!\!\diagup \\ C=O & H-C \\ \diagup & \diagdown \\ H & OH \end{array}$$

ホルムアルデヒド　　ギ酸

ギ酸の方がより酸化されている（3本のC−O結合と1本のC−H結合があるが，ホルムアルデヒドには2本のC−O結合と2本のC−H結合がある）。

問題 2.18　どちらの炭素がより酸化されているか答えよ。

(a)　メタノール（CH_3OH）とホルムアルデヒド
(b)　メタノールとジメチルエーテル（CH_3OCH_3）

2.12b　アルカンのハロゲン化

アルカンと塩素ガスの混合物を低温暗所中で保存しても何の反応も起こらないが，太陽光の照射下や高温では発熱反応が起こり，アルカンの水素原子が1個あるいは2個以上塩素原子で置換される。この反応はつぎの一般式で表される。

$$R-H + Cl-Cl \xrightarrow[\text{加熱}]{\text{光または}} R-Cl + H-Cl \tag{2.10}$$

メタンを例にとって具体的に書くと

＊　天候の寒い時に自動車の後部パイプから白い廃棄ガスが出ているのに気がついたことがあるだろう。炭化水素の燃焼では水が生成する（式2.4〜2.9）ので，白い煙はガソリンの燃焼による水である。

2.12 アルカンの反応

$$CH_4 + Cl-Cl \xrightarrow[\text{または加熱}]{\text{太陽光}} CH_3Cl + HCl \quad (2.11)$$

メタン　　　　　　　　　　　　　クロロメタン
　　　　　　　　　　　　　　　　（塩化メチル）
　　　　　　　　　　　　　　　　bp $-24.2℃$

この反応は**塩素化**（**クロル化**：chlorination）とよばれる。これは**置換反応**（substitution reaction）であり，水素を塩素で置換している。

同様の反応に**臭素化**（**ブロム化**：bromination）があり，これはハロゲンとして臭素を用いた場合に起こる。

$$R-H + Br-Br \xrightarrow[\text{加熱}]{\text{光または}} R-Br + HBr \quad (2.12)$$

もし過剰のハロゲンが存在すると，反応はさらに進行して多ハロゲン化物が得られる。たとえばメタンと過剰量の塩素を反応させると，塩素を2，3あるいは4個もつ生成物が得られる*。

$$CH_3Cl \xrightarrow{Cl_2} CH_2Cl_2 \xrightarrow{Cl_2} CHCl_3 \xrightarrow{Cl_2} CCl_4 \quad (2.13)$$

　　　　　　　ジクロロメタン　　トリクロロメタン　　テトラクロロメタン
　　　　　　　（塩化メチレン）　（クロロホルム）　　（四塩化炭素）
　　　　　　　bp 40℃　　　　　bp 61.7℃　　　　　　bp 76.5℃

反応条件や塩素とメタンの比を制御すると，生成物のうちの1種を優先的に製造することができる。

問題 2.19 メタンの臭素化生成物として考えられるすべての構造と名称を書け。

比較的長い分子鎖をもつアルカンでは，反応のはじめの段階からいくつかの生成物が混合物として得られる**。たとえばプロパンでは

$$CH_3CH_2CH_3 + Cl_2 \xrightarrow[\text{または加熱}]{\text{光}} CH_3CH_2CH_2Cl + \underset{\underset{Cl}{|}}{CH_3CHCH_3} + HCl \quad (2.14)$$

プロパン　　　　　　　　　　　1-クロロプロパン　　2-クロロプロパン
　　　　　　　　　　　　　　　（塩化n-プロピル）（塩化イソプロピル）

さらに大きな分子量のアルカンのハロゲン化では生成物の組成はさらに複雑になる。個々の異性体を分離して純粋な形で得ることは困難になるので，ハロゲン化反応は特定のハロゲン化アルキルの合成手段としては有効ではない。しかし無置換の

---

*　便宜上反応原料の1つ（この場合Cl_2）を式2.13のように矢印の上に書くことがある。またわかりきった無機生成物（この場合HCl）を省略することもある。
**　単一の有機反応原料から2種以上の生成物が生じるときは，化学量論的に左右均衡のとれた反応式を書かないことが多い。そのかわり式2.14のように，反応式の右側に重要な有機生成物すべての構造を示す。

☞　炭化水素の**塩素化**は**置換反応**であり，水素が塩素で置換される。同様に，**臭素化**では臭素に置換される。

A WORD ABOUT ...

メタン，沼気およびMillerの実験

アパラチア山脈の炭鉱業

メタンは沼沢地，低湿地，あるいは湖の泥が堆積した場所などのように，バクテリアが有機物を無酸素状態（嫌気性条件下）で分解する場所ならどこでもよく発生している。そのためメタンは沼気（marsh gas）ともよばれる。中国では沼地の底の泥からメタンを集めて家事や照明用に用いているところがある。メタンは牛のような反すう動物の消化管中でも同様にバクテリアにより造られている。

バクテリアによるメタンの生産量はかなりの量に達し，地球の大気中には平均1 ppmのメタンが含まれている。この地球は小さく，またメタンは他の大気成分（O_2, N_2）に比べて軽いので，ほとんどが大気圏外へ飛散すると予想される。そこで計算してみると，メタンの大気中の平衡濃度は現在観測されている値よりもはるかに低くなければならない。これに比べて実際のメタン濃度がかなり高いのは，メタンが大気から飛散すると同時に，植物性物質のバクテリア分解によってメタンが定常的に生産されているためである。

大都市では大気中のメタン含量は数ppmもの高いレベルに達している。この濃度のピーク時は早朝と夕方であり，自動車の通行量と直接関連している。幸いなことに，都市の炭化水素類としての大気の汚染源の約50％を占めるメタンは，人体に直接の害は与えないようである。

メタンは炭抗の中にたまることがあり，メタンが5～14％の空気と混合すると爆発し，また抗夫たちがメタンにより（十分な量の酸素が欠乏して）窒息することがあるのでたいへん危険である。メタンが危険な濃度に達し

シクロアルカンでは水素はすべて等価であるため，単一の生成物を純粋に得ることができる。

$$\text{シクロペンタン} + Br_2 \xrightarrow{光} \text{ブロモシクロペンタン（臭化シクロペンチル）} + HBr \qquad (2.15)$$

問題 2.20 ペンタンのモノ臭素化生成物の構造をすべて書け。対応するシクロペンタンの反応（式2.15）に比べて生成物の組成が複雑であることに注目せよ。

問題 2.21 オクタンをモノ塩素化したときに生成する有機化合物はそれぞれ何種類あるか答えよ。シクロオクタンではどうか。

問題 2.22 2,2-ジメチルプロパンの塩素化は合成反応として有用だろうか。

たかどうかは，いろいろな防災手段により容易に検知できる。

水素は太陽系でもっとも多く存在する元素である（太陽の質量の約87％は水素である）。したがって惑星が形成されたとき，水素以外の元素は還元（酸化ではない）された形で存在していたに違いない；炭素はメタン，窒素はアンモニア，酸素は水として．実際に地球の外側の惑星（土星や木星）では，現在でもメタンとアンモニアが豊富に含まれた大気に包まれている．Stanley L. Miller（Columbia大学のHarold C. Urey研究室）が行った有名な実験は，生命が還元性の大気の中で発生したであろうという説を支持している．Millerはメタン，アンモニア，水および水素の混合物を人工放電（雷の代用）にさらすと，生物学的に重要で生命体に不可欠ないくつかの有機化合物（たとえばアミノ酸）が生成することを発見した．それ以後，放電のかわりに熱や紫外光を用いた実験でも同様の結果が得られている（地球の原始大気は今よりもはるかに豊富な紫外光を受けていたと思われる）．また，酸素をこの擬似原始大気に加えるとアミノ酸は生成しなかった．つまり，地球の原始大気には遊離の酸素が含まれていなかったことを示す強力な証拠である．Millerの実験は**化学進化**（chemical evolution）と現在よばれている科学の一分野，すなわち生命体の細胞が地球あるいは宇宙のどこかで初めて出現するまでに行われてきた化学現象に関するさまざまな研究に対して，モデルを提供した．

Millerの実験以後，生命の起源に関する化学に対する考え方は多くの実験と宇宙の探査結果にもとづいて，より正確なものとなってきた．現在のところ我々は地球の原始大気は太陽の星雲が付着してできたものではなく，地殻内部の融解物から脱ガスして生成したものであることを知っている．地球の初期の大気の主要な炭素源は，Millerが仮定したようなメタンではなく，二酸化炭素および一酸化炭素であり，窒素はアンモニアではなく主としてN_2として存在していた．このような想定された原始の大気を使って，あらためてMillerのような実験を再現すると，生体分子が得られた．

さらに読み進めるためには，13章の前生物の化学や「Chemical Evolution」by Stephen F. Mason, Clarendon Press, Oxford, 1991 をみよ．

2.13 ハロゲン化の遊離基連鎖機構

ハロゲン化反応はどのようにして起こるのだろうか．なぜ光や熱が必要なのだろうか．式2.10と式2.11はハロゲン化の反応全体を表したものである．反応物と生成物の構造，さらに矢印の上には必要な反応条件や触媒を示す．しかしこれらの式からは生成物が原料から生成してくるしくみを正確に知ることはできない．

反応機構（reaction mechanism）とは，反応剤が反応して生成物を形成するさいにたどる結合の開裂と結合の生成過程とを投階的に記述していくものである．ハロゲン化反応は数多くの実験により，1段階ではなく数段階で起こっていることが確かめられている．ハロゲン化反応は**遊離基連鎖反応**（free-radical chain reaction）により起こる．**連鎖開始段階**（chain-initiating step）は，ハロゲン分子をハロゲン原子2個に開裂するところである．

☞　**反応機構**は試薬が反応して生成物が生じるときに起こる結合の開裂と結合の生成過程を段階的に説明することである．

☞　**遊離基連鎖反応**には**連鎖開始段階**，**連鎖生長段階**，および**連鎖停止段階**がある．

$$\text{開始反応} \quad :\!\ddot{\underset{..}{Cl}}\!:\!\ddot{\underset{..}{Cl}}\!: \xrightarrow{\text{光}\atop\text{または加熱}} :\!\ddot{\underset{..}{Cl}}\!\cdot + :\!\ddot{\underset{..}{Cl}}\!\cdot \qquad (2.16)^*$$

塩素分子　　　　　　　塩素原子

Cl－Cl結合はC－H結合やC－C結合に比べると弱い（付録の表Aの結合エネルギーを比較せよ）。したがって，もっとも切れやすい結合である。光がエネルギー源のときは，アルカンではなくて塩素が可視光を吸収する，そこでCl－Cl結合が開裂する。

連鎖生長段階（chain-propagating step）の反応は

$$\text{生長反応}\begin{cases} R-H + \cdot\ddot{\underset{..}{Cl}}: \longrightarrow R\cdot + H-Cl & (2.17) \\ \\ R\cdot + Cl-Cl \longrightarrow R-Cl + \cdot\ddot{\underset{..}{Cl}}: & (2.18) \end{cases}$$

アルキル遊離基　　　　　　　　塩化アルキル

塩素原子はきわめて反応性が高い。なぜなら，不完全な原子価殻（8電子ではなく7電子）をもつからである。塩素原子は互いに再結合して塩素分子を形成することもあるが（式2.16の逆反応），アルカン分子と衝突すると水素原子を引き抜き，塩化水素とアルキル遊離基R・を生じる。遊離基とは非共有電子を奇数個もった化学種であることを思い出してほしい（1.4節参照）。また図2.1の空間充てん型モデルから，アルカンでは炭素骨格を水素が覆って分子の表面を形成していることにも注目してほしい。このためハロゲン原子がアルカン分子と衝突するときには，C－H結合の水素のほうを攻撃するであろう。

塩素原子と同様に，連鎖生長反応の最初の段階（式2.17）で生じたアルキル遊離基はきわめて反応性に富む（不完全な原子価殻）。これが塩素分子と衝突すると塩化アルキル分子と塩素原子を生じることになる（式2.18）。この段階で生じた塩素原子は一連の反応を繰り返すことができる。そして式2.17と式2.18をたし合わせると，塩素化の反応全体を表した式（式2.10）になる。連鎖生長の各段階で遊離基（あるいは原子）が消費されるが，別の遊離基（あるいは原子）が生成して連鎖を繰り返し続けていくことができるので，この段階でほとんどの反応原料は消費され，ほとんどすべての生成物が形成される。

もし**連鎖停止段階**（chain-terminating step）が存在しなければ，連鎖反応を1度開始するだけで原理的には反応原料がすべて消費されることになる。しかし実際には連鎖開始段階で多くの塩素分子が開裂して，塩素原子をつくり出すために数多くの連鎖反応が同時に開始される。つまり反応の進行中にはかなり多数の遊離基が

＊　電子1個だけの動きを表すには"釣り針形矢印"⌒を用いる。一方，電子対の動きを表すには曲がった矢印⌒を用いる。

存在している。2個の遊離基が結合すれば，連鎖は停止する。連鎖停止段階にはつぎの3種類がある。

$$\text{停止反応} \begin{cases} 2\,\ddot{\text{Cl}}\cdot \longrightarrow \text{Cl}-\text{Cl} & (2.19) \\ 2\,\text{R}\cdot \longrightarrow \text{R}-\text{R} & (2.20) \\ \text{R}\cdot + :\ddot{\text{Cl}}\cdot \longrightarrow \text{R}-\text{Cl} & (2.21) \end{cases}$$

これらの反応では新しい遊離基は生成しない。したがって，連鎖は断ち切られる，つまり停止する。

問題 2.23 式2.17と式2.18を加えると，塩素化の全反応式（式2.10）となることを示せ。

問題 2.24 メタンが遊離基的塩素化反応を行って塩化メチルを生成するとき，すべての反応段階（開始，生長，停止）を反応式で示せ。

問題 2.25 メタンの塩素化反応で少量のエタンとクロロエタンが生成することが実験的に観測されている。この理由を説明せよ（ヒント：連鎖停止段階を考えてみよ）。

反応のまとめ

1. アルカンおよびシクロアルカンの反応

a. 燃焼（2.12.a節）

$$C_nH_{2n+2} + \left(\frac{3n+1}{2}\right)O_2 \longrightarrow nCO_2 + (n+1)H_2O$$

b. ハロゲン化（2.13節）

$$R-H + X_2 \xrightarrow[\text{または光}]{\text{加熱}} R-X + H-X \quad (X=\text{Cl, Br})$$

反応機構のまとめ

1. ハロゲン化（2.13節）

開始反応 $:\ddot{\text{X}}-\ddot{\text{X}}: \longrightarrow 2\,:\ddot{\text{X}}\cdot$

生長反応 $R-H + :\ddot{\text{X}}\cdot \longrightarrow R\cdot + H-\ddot{\text{X}}:$

$R\cdot + :\ddot{\text{X}}-\ddot{\text{X}}: \longrightarrow R-\ddot{\text{X}}: + :\ddot{\text{X}}\cdot$

停止反応 $2\,:\ddot{\text{X}}\cdot \longrightarrow :\ddot{\text{X}}-\ddot{\text{X}}:$

$2\,R\cdot \longrightarrow R-R$

$R\cdot + :\ddot{\text{X}}\cdot \longrightarrow R-\ddot{\text{X}}:$

章末問題

アルカンの命名および構造式

2.26 つぎの化合物の構造式を書け。
- (a) 2-メチルペンタン
- (b) 2,2-ジメチルブタン
- (c) 4-エチル-2,2-ジメチルヘキサン
- (d) 3-ブロモ-2-メチルペンタン
- (e) 1,1-ジクロロシクロプロパン
- (f) 2-ヨードプロパン
- (g) 1,1,4-トリメチルシクロヘキサン
- (h) 1,1,3,3-テトラクロロプロパン

2.27 つぎの化合物の構造をすべての結合を記した形で書け。つぎにIUPACの規則を用いて命名せよ。
- (a) $CH_3(CH_2)_2CH_3$
- (b) $CH_3CH_2CH(CH_3)CH_2CH_3$
- (c) $(CH_3)_3CCH_2CH_3$
- (d) $(CH_2)_3$
- (e) $CH_3CH_2CHFCH_3$
- (f) $CH_3CCl_2CBr_3$
- (g) $i\text{-}PrCl$
- (h) $MeBr$
- (i) CH_2ClCH_2Cl
- (j) $(CH_3CH_2)_4C$

2.28 つぎの化合物の慣用名とIUPAC名を書け。
- (a) CH_3F
- (b) CH_3CH_2Br
- (c) CH_2Cl_2
- (d) CHI_3
- (e) $(CH_3)_2CHBr$
- (f) $CH_3CH_2CH_2I$
- (g) $(CH_3)_3CCl$
- (h) $\begin{array}{c} CH_2-CH-Br \\ |\quad\quad| \\ CH_2-CH_2 \end{array}$
- (i) $CH_3CHFCH_2CH_3$

2.29 つぎに記した化合物の構造式を書け。ここに記したいずれの名称も正しくない理由を説明し，正しい名称を記せ。
- (a) 1-メチルブタン
- (b) 2-エチルブタン
- (c) 2,3-ジブロモプロパン
- (d) 1,3-ジメチルシクロプロパン
- (e) 4-クロロ-3-メチルブタン
- (f) 1,1,3-トリメチルペンタン

2.30 自然界で情報伝達に使われる化学物質はフェロモンとよばれる。ヒトリガ（昆虫）のメスがオスを誘引するのに使うフェロモンは炭素原子18個からなるアルカンの2-メチルヘプタデカンである。その構造式を書け。

2.31 つぎの化合物について可能な異性体すべて（カッコ内にその数が示してある）の構造式を書き，各異性体のIUPAC名を示せ。
- (a) C_4H_{10} (2)
- (b) $C_3H_6F_2$ (4)
- (c) $C_2H_2ClBr_3$ (3)
- (d) C_5H_{12} (3)
- (e) C_4H_9Cl (4)
- (f) C_3H_6BrCl (5)

2.32 つぎの分子式をもつシクロアルカンについて，考えられるすべての構造式とそれらのIUPAC名を書け。*cis-trans*異性体が存在する場合もあることに注意せよ。
- (a) C_5H_{10}
- (b) C_6H_{12} (16個ある)

アルカンの性質と分子内相互作用

2.33 表を参考にしないで，つぎの5種の炭化水素を沸点の低いものから順に並べよ。
- (a) 2-メチルヘキサン
- (b) n-ヘプタン
- (c) 3,3-ジメチルペンタン
- (d) n-ヘキサン
- (e) 2-メチルペンタン

分子間相互作用の面から答えを説明せよ。

=総合問題

2.34 以下の液体をヘキサンにもっとも溶けにくいものからもっとも溶けやすいものへ順に並べよ。
(a) $CH_3(CH_2)_6CH_3$ (b) H_2O (c) CH_3OH
分子間相互作用の面から答えを説明せよ。

アルカンの立体配座

2.35 問題2.9ではブタンのねじれ形配座（炭素2-炭素3の間の結合を軸方向から眺めたもの）を2種書いたが，重なり形配座も2種存在する。同様に眺めた Newman 投影式を書け。そして以上の4種の配座を安定なものから順に並べよ。

2.36 1-ブロモ-2-クロロエタンで可能なねじれ形配座および重なり形配座をすべて Newman 投影式を用いて書け。そしてそれぞれの下に対応する"くさび形"および"木びき台形"投影式を書け。各構造式に対し安定なものから順に番号をつけよ。

シクロアルカンの立体配座；cis-trans異性

2.37 つぎの化合物において優先する立体配座を書け。
(a) エチルシクロヘキサン (b) *trans*-1,4-ジメチルシクロヘキサン
(c) *cis*-1-メチル-3-イソプロピルシクロヘキサン
(d) 1,1-ジクロロシクロヘキサン

2.38 つぎの *cis-trans* の対になった化合物に命名せよ

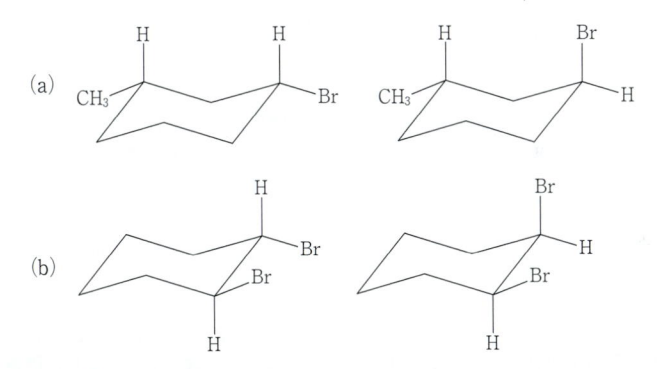

(a) [構造式]

(b) [構造式]

2.39 *cis*-1,3-ジメチルシクロヘキサンが *trans*-1,3-ジメチルシクロヘキサンよりも安定である理由を，配座構造式を用いて説明せよ。一方，1,2-および1,4-ジメチル体では *cis* と *trans* の両異性体の安定性の順序が上とは逆になることも説明せよ。

2.40 1,3-ジ-*tert*-ブチルシクロヘキサンでは，*cis* 体と *trans* 体のうちどちらがより安定か。各異性体について配座構造式を書いてその理由を説明せよ。

2.41 図2.7のスキームに従がって，つぎに示す1対の化合物を分類せよ。
(a) 問題2.38の化合物対

(b) [構造式:シクロヘキサン環にHとCl] および [構造式:シクロヘキサン環にClとH]

(c) [Newman投影式:Cl,CH₃,H / H,Cl,H] および [Newman投影式:Cl,H,H / H,Cl,CH₃]

(e) CH₃CHCH₂CH₃ および CH₃CH₂CHCH₃ （注意！）
　　　　|　　　　　　　　　　　　　|
　　　CH₃　　　　　　　　　　　　CH₃

(d) [Newman投影式:Cl,CH₃,H / H,Cl,H] および [Newman投影式:Cl,H,H / H,CH₃,H]

2.42 ジクロロシクロヘキサンの可能な構造式をすべて書け。cis-$trans$ 異性体も含めよ。

アルカンの反応：燃焼とハロゲン化

2.43 つぎの多環式アルカンからは何種類のモノクロロ体が得られるか。

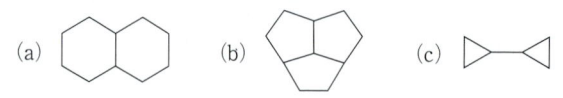

(a) [デカリン構造] (b) [三環式構造] (c) [スピロ構造]

2.44 構造式を用いてつぎの反応式を書き、生成物の有機化合物に命名せよ。
(a) ヘキサンの完全燃焼　　　　(b) シクロヘキサンの完全燃焼
(c) ブタンのモノブロム化　　　(d) シクロペンタンのモノクロル化
(e) プロパンの完全クロル化

2.45 プロパンをジクロル化したところ、$C_3H_6Cl_2$ の分子式をもつ4つの異性体生成物が単離された。それぞれをA，B，C，Dとする。各生成物を分離した後、さらに個別にクロル化すると1種または2種以上のトリクロロプロパン $C_3H_5Cl_3$ が得られた。AとBそれぞれからは3種類、Cからは1種類、Dからは2種類のトリクロロ化物が得られた。CとDの構造を推定せよ。Aからの生成物のうちの1つはCからの生成物と一致した。AとBの構造を推定せよ。

2.46 遊離基連鎖反応機構によるエタンのモノクロル化反応を段階的に書け。

$$CH_3CH_3 + Cl_2 \longrightarrow CH_3CH_2Cl + HCl$$

また、連鎖停止反応の結果、どのような微量の副生成物が生じると予想されるか？

CHAPTER 3

リコペン

アルケンとアルキン

アルケンは炭素–炭素二重結合をもつ化合物である。もっとも小さなアルケンであるエテンは植物ホルモンであり（A Word About「エチレン」参照），他の有機化合物を工業的に製造するもっとも重要な出発物質である（図3.11）。官能基としてのアルケンは種々な資源の中に見いだされる，たとえば柑橘類（リモネン，図1.12），ステロイド（コレステロール，15.9節），および昆虫フェロモン（ムスカリン類；A Word Aboutマイマイガのエポキシド）。アルケンの物理的性質はアルカンに類似している（2.7節）。アルケンは水より軽く，非極性で水には難溶である。アルカンと同様に，炭素数が4かそれ以下のものは無色の気体であるが，それを超える同族体は揮発性の液体である。

アルキンは炭素–炭素三重結合をもつ化合物であり，その物理的および化学的性質はアルケンに類似している。本章では，これら二種類の化合物の構造と化学反応を調べる。化学反応とエネルギーの関係も簡単に検討する。

3.1 定義と分類
3.2 命名法
3.3 二重結合の特徴
3.4 二重結合の軌道モデル；π結合
3.5 アルケンのcis–trans異性
3.6 付加反応と置換反応の比較
3.7 極性付加反応
3.8 非対称なアルケンへの非対称な反応剤の付加；Markovnikov則
3.9 アルケンへの求電子付加反応の機構
3.10 Markovnikov則の説明
3.11 反応における平衡：何が反応を進行させるのか
3.12 反応速度：反応はどのような速さで進行するのか
3.13 アルケンのホウ水素化
3.14 水素の付加
3.15 共役系への付加
3.16 遊離基付加；ポリエチレン
3.17 アルケンの酸化
3.18 三重結合に関するいくつかの事実
3.19 三重結合の軌道モデル
3.20 アルキンの付加反応
3.21 アルキンの酸性度

A WORD ABOUT....
3.5 視覚の化学
3.17 エチレン：工業用原料と植物ホルモン
3.21 石油，ガソリンおよびオクタン価

▲ 熟した赤いトマトには共役したアルケンであるリコペンが含まれている（3.15節）。

3.1 定義と分類

炭素-炭素二重結合を含む炭化水素は**アルケン**（alkene）とよばれ，三重結合をもつものは**アルキン**（alkyne）とよばれる*。これらを一般式で書くと

$$C_nH_{2n} \qquad C_nH_{2n-2}$$
アルケン　　　アルキン

この2種類の炭化水素はいずれも**不飽和**（unsaturated）であるといわれるが，その理由はアルカン（C_nH_{2n+2}）に比べて炭素数に対する水素数が少ないからである。アルケンまたはアルキンに1または2モルの水素を付加させるとアルカンが得られる。

$$\begin{array}{c} RCH=CHR \\ \text{アルケン} \\ RC\equiv CR \\ \text{アルキン} \end{array} \xrightarrow[\text{触媒}]{H_2 / 2H_2} RCH_2CH_2R \text{ アルカン} \tag{3.1}$$

二重結合あるいは三重結合を2個以上もつ化合物も存在する。2個の二重結合をもつ化合物は**アルカジエン**（alkadiene）であり，一般には**ジエン**（diene）とよばれる。トリエン，テトラエン，そしてポリエン（二重結合を数多くもつ化合物はmanyの意味のギリシャ語polyをつけてポリエンとよばれる）もまた存在する。三重結合を2個以上もつ化合物，さらには二重結合と三重結合の両方をもつ化合物も知られている。

例 題 3.1

分子式C_3H_4で示される化合物の可能な構造式をすべて示せ。

解答　分子式C_3H_4は一般式C_nH_{2n-2}に対応する。したがってこの化合物は三重結合を1個もつか，二重結合を2個もつか，あるいは環状構造を1個と二重結合を1個もつのいずれかである。具体的な構造式についてはp.18の例題1.10の解答を参照せよ。

問 題 3.1

分子式C_4H_6で示される化合物の可能な構造式を示せ。（可能な構造式は9種あり，そのうち4種は非環状で残りの5種は環状化合物である。すべて既知化合物である）。

＊ 古くから使われ現在も使われているアルケンの別称にオレフィン（olefin）がある。アルキンはそのシリーズの最初の化合物にちなんでアセチレン（acetylene）類ともよばれる。

☞ **アルケン**と**アルキン**は，炭素-炭素二重結合および炭素-炭素三重結合をもつ不飽和炭化水素である。

☞ **アルカジエン**すなわち**ジエン**は2個のC-C二重結合をもつ。それには，**累積している**（隣接している）もの，**共役している**（1個のC-C単結合で離されている）もの，あるいは**非共役である**（2個以上のC-C単結合で離されている）ものがある。

1つの分子中に多重結合が2個以上あるときには，これらが互いにどのような位置関係にあるかによってさらに構造を分類すると便利である．二重結合が互いに隣接するものは**累積している**（cumulated）とよばれる．多重結合が単結合と交互に配置しているものは**共役している**（conjugated）とよばれる．多重結合の間に単結合が2個以上あると，これらの多重結合は**孤立している**（isolated）とか**非共役である**（nonconjugated）とよばれる．

$$
\begin{array}{ccc}
\mathrm{C}=\mathrm{C}=\mathrm{C} & \mathrm{C}=\mathrm{C}-\mathrm{C}=\mathrm{C} & \mathrm{C}=\mathrm{C}-\mathrm{C}-\mathrm{C}=\mathrm{C} \\
\mathrm{C}=\mathrm{C}=\mathrm{C} & \mathrm{C}=\mathrm{C}\equiv\mathrm{C} & \mathrm{C}\equiv\mathrm{C}-\mathrm{C}-\mathrm{C}\equiv\mathrm{C} \\
\text{累積形} & \text{共役形} & \text{孤立形}
\end{array}
$$

問題 3.2 つぎの化合物のうち共役した多重結合をもつものはどれか．

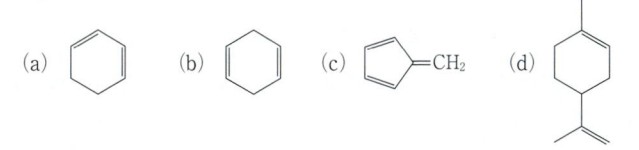

(a) (b) (c) (d)

3.2 命名法

アルケンおよびアルキンの命名法に関するIUPACの規則はアルカンに関する規則（2.3節参照）に似ているが，多重結合の名称や位置を示すために，さらにいくつか規則を追加する必要がある．

1. 語尾のエン（-ene）は炭素-炭素二重結合を示すのに用いられる．2個以上の二重結合があるときは，語尾はジエン（-diene），トリエン（-triene）などとなる．語尾のイン（-yne：yneはwineのように発音する）は三重結合に用いられる（三重結合が2個あるとジイン（-diyne）となるなど）．二重結合と三重結合を1個ずつもつ化合物はエナイン（-enyne）である．
2. 二重結合あるいは三重結合の2個の炭素を含むように最長鎖を選ぶ．たとえば，

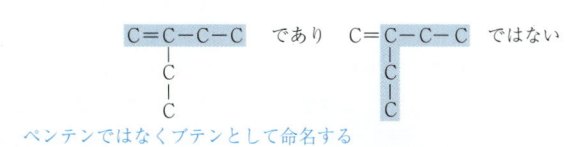

$$
\underset{\text{ペンテンではなくブテンとして命名する}}{\mathrm{C}=\mathrm{C}-\underset{|}{\mathrm{C}}-\mathrm{C}} \quad \text{であり} \quad \mathrm{C}=\mathrm{C}-\underset{|}{\mathrm{C}}-\mathrm{C} \quad \text{ではない}
$$

3. 多重結合にもっとも近い末端から番号をつけ，その多重結合の炭素原子が最小の番号をもつようにする．

$$
\overset{1}{\mathrm{C}}-\overset{2}{\mathrm{C}}=\overset{3}{\mathrm{C}}-\overset{4}{\mathrm{C}}-\overset{5}{\mathrm{C}} \quad \text{であり} \quad \overset{5}{\mathrm{C}}-\overset{4}{\mathrm{C}}=\overset{3}{\mathrm{C}}-\overset{2}{\mathrm{C}}-\overset{1}{\mathrm{C}} \quad \text{ではない}
$$

多重結合が両末端から等距離にあるときは，最初の枝分かれにもっとも近い末端から番号をつける。

$$\overset{1}{C}-\overset{2}{C}=\overset{3}{\underset{|}{C}}-\overset{4}{C} \quad であり \quad \overset{4}{C}-\overset{3}{C}=\overset{2}{\underset{|}{C}}-\overset{1}{C} \quad ではない$$
$$CC$$

4 多重結合の位置はその結合につけられた小さなほうの炭素番号で示す。たとえば，

$$\overset{1}{CH_2}=\overset{2}{CH}\overset{3}{CH_2}\overset{4}{CH_3} \quad \text{1-ブテンであり 2-ブテンではない}$$

5 2つ以上の多重結合があるときは，1番目の多重結合の番号がもっとも小さくなる末端から番号をつける。

$$\overset{1}{C}=\overset{2}{C}-\overset{3}{C}=\overset{4}{C}-\overset{5}{C} \quad であり \quad \overset{5}{C}=\overset{4}{C}-\overset{3}{C}=\overset{2}{C}-\overset{1}{C} \quad ではない$$

二重結合と三重結合が末端から等距離にあるときは，二重結合が最小番号をもつようにする。たとえば，

$$\overset{1}{C}=\overset{2}{C}-\overset{3}{C}\equiv\overset{4}{C} \quad であり \quad \overset{4}{C}=\overset{3}{C}-\overset{2}{C}\equiv\overset{1}{C} \quad ではない$$

この規則の適用例をみてみよう。まず各系の最初の2例を示す。

$$CH_3CH_3 \qquad CH_2=CH_2 \qquad HC\equiv CH$$
エタン　　　　　　　エテン　　　　　　　エチン

$$CH_3CH_2CH_3 \qquad CH_2=CHCH_3 \qquad HC\equiv CCH_3$$
プロパン　　　　　　プロペン　　　　　　プロピン

名称の語幹（eth-あるいはprop-）から炭素数が，語尾（-ane，-ene，または-yne）から単結合か二重結合か三重結合かがわかる。上の例ではどの場合も考えられる構造は1種しか存在しないので，多重結合の位置を示す数字はいらない。

炭素数が4個になると，二重結合や三重結合の位置を番号で示す必要が生じる。

$$\overset{1}{CH_2}=\overset{2}{CH}\overset{3}{CH_2}\overset{4}{CH_3} \quad \overset{1}{CH_3}\overset{2}{CH}=\overset{3}{CH}\overset{4}{CH_3} \quad \overset{1}{HC}\equiv\overset{2}{C}\overset{3}{CH_2}\overset{4}{CH_3} \quad \overset{1}{CH_3}\overset{2}{C}\equiv\overset{3}{C}\overset{4}{CH_3}$$
1-ブテン　　　　　2-ブテン　　　　　1-ブチン　　　　　2-ブチン

枝分かれ構造は通常の方法で命名する。

$$\overset{1}{CH_2}=\overset{2}{\underset{|}{C}}-\overset{3}{CH_3} \quad \overset{1}{CH_2}=\overset{2}{\underset{|}{C}}-\overset{3}{CH_2}\overset{4}{CH_3} \quad \overset{1}{CH_3}-\overset{2}{\underset{|}{C}}=\overset{3}{CH}\overset{4}{CH_3} \quad \overset{1}{CH_2}=\overset{2}{\underset{|}{C}}-\overset{3}{CH}=\overset{4}{CH_2}$$
$$CH_3 CH_3 CH_3 CH_3$$

メチルプロペン　　2-メチル-1-ブテン　　2-メチル-2-ブテン　　2-メチル-1,3-ブタジエン
（イソブチレン）　　　　　　　　　　　　　　　　　　　　　　　　（イソプレン）

3.2 命名法

この規則がどのように適用されるかをつぎの例に示す。

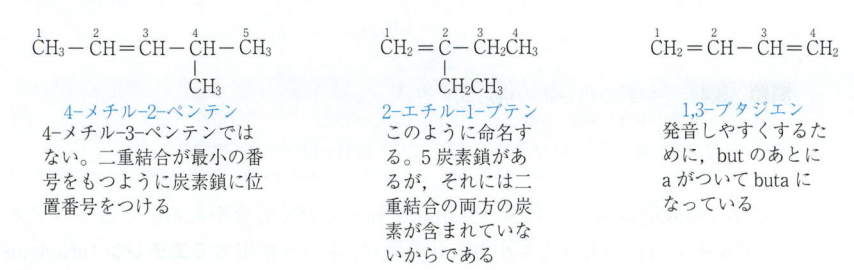

$$\overset{1}{CH_3}-\overset{2}{CH}=\overset{3}{CH}-\overset{4}{CH}-\overset{5}{CH_3}$$
$$\qquad\qquad\qquad\quad |$$
$$\qquad\qquad\qquad CH_3$$

4-メチル-2-ペンテン
4-メチル-3-ペンテンではない。二重結合が最小の番号をもつように炭素鎖に位置番号をつける

$$\overset{1}{CH_2}=\overset{2}{C}-\overset{3}{CH_2}\overset{4}{CH_3}$$
$$\qquad |$$
$$\quad CH_2CH_3$$

2-エチル-1-ブテン
このように命名する。5炭素鎖があるが、それには二重結合の両方の炭素が含まれていないからである

$$\overset{1}{CH_2}=\overset{2}{CH}-\overset{3}{CH}=\overset{4}{CH_2}$$

1,3-ブタジエン
発音しやすくするために、but のあとに a がついて buta になっている

環状炭化水素については，多重結合の炭素原子から数えはじめる。

シクロペンテン
1つの構造しか可能性がないので、番号をつける必要がない

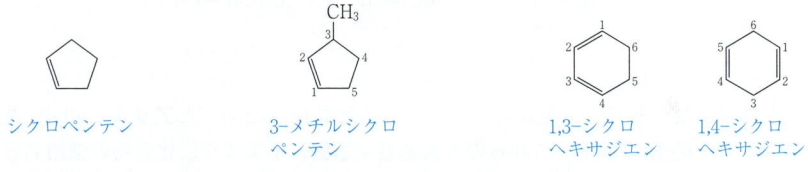

3-メチルシクロペンテン
番号づけを二重結合からはじめて、二重結合を通ってから置換基に最小の位置番号がつくように行う。したがって5-メチルシクロペンテンや1-メチル-2-シクロペンテンは誤りである

1,3-シクロヘキサジエン

1,4-シクロヘキサジエン

問題 3.3 IUPACの規則に従って，つぎの構造式を命名せよ。
(a) $CH_2=C(Br)CH_3$　(b) $(CH_3)_2C=C(CH_3)_2$　(c) $ClCH=CHCH_3$
(d) （構造式：メチルシクロヘキセン）　(e) $CH_2=C(CH_3)CH=CH_2$　(f) $CH_3(CH_2)_3C\equiv CH$

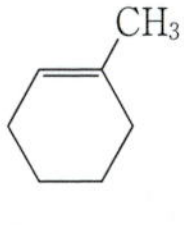

例 題 3.2

3-メチル-2-ペンテンの構造式を記せ。

解答　IUPAC名から構造式を得るには，まず最長鎖あるいは環を書き，番号をつけ，そして多重結合の位置をきめる。この例では，主鎖は5炭素で二重結合が炭素-2と炭素-3の間にある。

$$\overset{1}{C}-\overset{2}{C}=\overset{3}{C}-\overset{4}{C}-\overset{5}{C}$$

つぎに置換基をつける。

$$\overset{1}{C}-\overset{2}{C}=\overset{3}{C}-\overset{4}{C}-\overset{5}{C}$$
$$\qquad\qquad |$$
$$\qquad\quad CH_3$$

最後に水素をつける。

$$\text{CH}_3-\text{CH}=\underset{\underset{\text{CH}_3}{|}}{\text{C}}-\text{CH}_2-\text{CH}_3$$

問題 3.4 つぎの化合物の構造式を書け。
(a) 2,4-ジメチル-2-ペンテン　(b) 3-ヘキシン
(c) 1,2-ジクロロシクロブテン　(d) 2-クロロ-1,3-ブタジエン

IUPACの規則以外にも数種の慣用名を知っておく必要がある。たとえばアルケンとアルキン系列のもっとも小さな化合物は，ふつう慣用名で**エチレン**（ethylene），**アセチレン**（acetylene）および**プロピレン**（propylene）とよばれている。

$$\underset{\underset{(\text{エテン})}{\text{エチレン}}}{\text{CH}_2=\text{CH}_2} \qquad \underset{\underset{(\text{エチン})}{\text{アセチレン}}}{\text{HC}\equiv\text{CH}} \qquad \underset{\underset{(\text{プロペン})}{\text{プロピレン}}}{\text{CH}_3\text{CH}=\text{CH}_2}$$

2種の重要な基に慣用名がある。それらは**ビニル**（vinyl）と**アリル**（allyl）基であり，下の左側に示す。これらの置換基名は右側に示すように化合物の慣用名として使われている。

$$\underset{\underset{(\text{エテニル})}{\text{ビニル}}}{\text{CH}_2=\text{CH}-} \qquad \underset{\underset{(\text{クロロエテン})}{\text{塩化ビニル}}}{\text{CH}_2=\text{CHCl}} \qquad \underset{\underset{(3\text{-プロペニル})}{\text{アリル}}}{\text{CH}_2=\text{CH}-\text{CH}_2-} \qquad \underset{\underset{(3\text{-クロロプロペン})}{\text{塩化アリル}}}{\text{CH}_2=\text{CH}-\text{CH}_2\text{Cl}}$$

問題 3.5 つぎの化合物の構造式を書け。
(a) ビニルシクロペンタン　(b) アリルシクロプロパン

3.3 二重結合の特徴

炭素–炭素二重結合には単結合とは異なるいくつかの特徴がある。たとえば二重結合を構成する各炭素原子は，ほかに3個の原子としか結合しない（正四面体形の炭素原子には4個の原子が結合している）。このような炭素を**平面三方形**（trigonal）とよぶ。さらに，二重結合の2個の炭素原子とそれに結合した4個の原子は1つの平面内に存在する。エチレンについてこの平面性が図3.1に示してある。エチレンのH−C−HおよびH−C＝C角はほぼ120°である。単結合（σ結合）のまわりの回転は自由に起こるが，二重結合のまわりの回転は束縛されている。エチレンは平面であり，他の配座をとることはない。つまり2個の水素と結合している二重結合の炭素原子は他方の炭素に対して回転することはない。さらに炭素—炭素二重結合は炭素–炭素単結合より短いことも特徴的である。

このような単結合と二重結合の相違点が表3.1にまとめてある。この二重結合の

☞　**平面三方形**の炭素原子は他の3個の原子とのみ結合している。

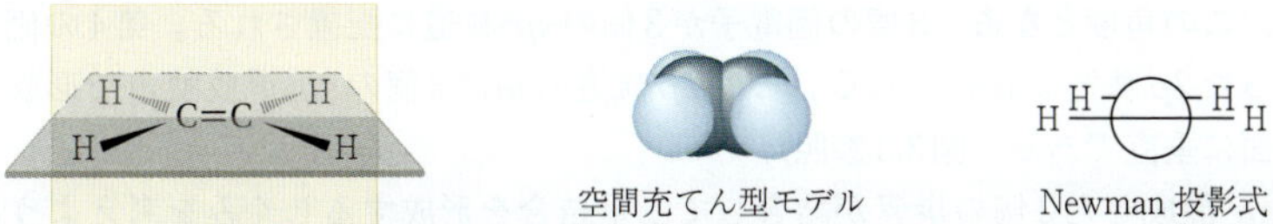

3.4 二重結合の軌道モデル；π結合

図 3.1 エチレンを表す3種類のモデル。すべてのモデルは炭素–炭素二重結合に結合している4個の原子（水素）が同一平面内にあることを示している。

表 3.1　C–C および C＝C 結合の比較

性　質	C – C	C ＝ C
1. 炭素に結合している原子の数	4（正四面体形）	3（平面三方形）
2. 回　転	比較的自由	束縛されている
3. 立体構造	多数の配座が可能 ねじれ形が有利	平　面
4. 結合角	109.5°	120°
5. 結合距離	1.54Å	1.34Å

構造と性質が化学結合の軌道モデルにより説明できることをつぎに示そう。

3.4　二重結合の軌道モデル；π結合

　炭素の原子軌道が平面三方形の結合となる，すなわち他の3個の原子だけと結合を作るしくみが図3.2に示してある。この図の左側の部分は図1.6とまったく同じである。しかし，ここでは3個の軌道だけを合わせて3個の等価な ***sp^2混成軌道*** （sp^2-hybridized orbital）をつくる（1個の s 軌道と2個の p 軌道を合わせてつくるので，sp^2 軌道とよぶ）。これらの軌道は同一平面内にあり，正三角形の頂点に向かっている。各軌道間の角度は120°である。各軌道の電子間の反発が最小となるの

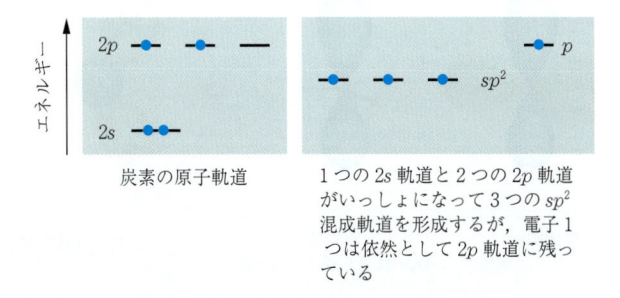

図 3.2　炭素の非混成軌道と sp^2 混成軌道。

> ☞　sp^2 **混成軌道**は3分の1が s 性で3分の2が p 性である。3本の結合は正三角形の頂点に向かい，2個の sp^2 軌道の角度は120°である。

で，この角度となる。3個の価電子が3個のsp^2軌道に配置される。第4の価電子は残った$2p$軌道に収容される。この$2p$軌道の軸は3個のsp^2混成軌道で形成される平面に垂直である（図3.3参照）。

sp^2混成した2個の炭素が結合して二重結合を形成するしくみを考えよう。この過程は段階的に起こると考えれば理解できる（図3.4）。二重結合の2本の結合のうち1本は，sp^2軌道が2個直線的に重なって生じる**σ（シグマ）結合**である。2番目の結合の形成の仕方はこれとは異なっている。2個の炭素上のp軌道がちょうど平行となるように配列される。図3.4の中段に示すような側面での重なりが起こる。この側面からのp軌道の重なりで生じる結合を**π（パイ）結合**とよぶ。以上をまとめてエチレンの結合について示したのが図3.5である。

この軌道モデルを用いると，表3.1にあげた二重結合の特徴が説明できる。二重結合の軸まわりの回転が阻害されているのは，回転が起こるためには図3.6に示すように π 結合を切断しなければならないからである。エチレンを例にとると，π 結合を切断するには約62 kcal/mol（259 kJ/mol）のエネルギーが必要だが，これは室温で獲得できるエネルギーよりはるかに大きい。これらの軌道間の角度が120°であるため，電子間の反発が最小になっている。また，炭素-炭素二重結合が炭素-炭素単結合よりも短い理由は，2個の共有された電子対のほうが1個の電子対よりも2個の原子核を強く引きつけるからである。

繰り返していうと，この炭素-炭素二重結合のモデルは1本の σ 結合と1本の π 結合から構成されている。σ 結合を作る2電子は2個の原子核を結ぶ軸上にあり，π 結合を作る2電子は2個の炭素とそれに結合する4原子で形成する平面の上下の空間に存在する。π 電子は σ 電子よりも外側に広がっており，あとで学ぶように，種々の求電子剤の攻撃を受けやすい。

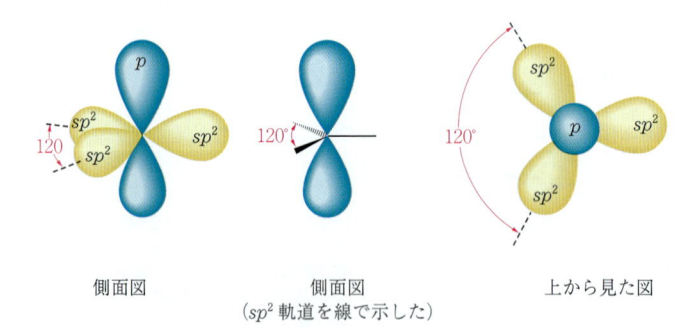

側面図	側面図 （sp^2軌道を線で示した）	上から見た図

図 3.3 同一平面内で120°の角度をなす3つのsp^2軌道をもつ平面三方形の炭素が書かれてある。残りの1つの$2p$軌道はsp^2混成軌道に垂直である。sp^2軌道には裏側に小さな軌道胞があるが，作図の都合上省略してある。

☞ **パイ（π）結合**は隣接する炭素のp軌道の側面からの重なりにより形成される。

3.4 二重結合の軌道モデル；π結合

p軌道を平行にした2つのsp^2混成の炭素

重なりつつあるsp^2軌道の2つの電子によりσ結合が形成される

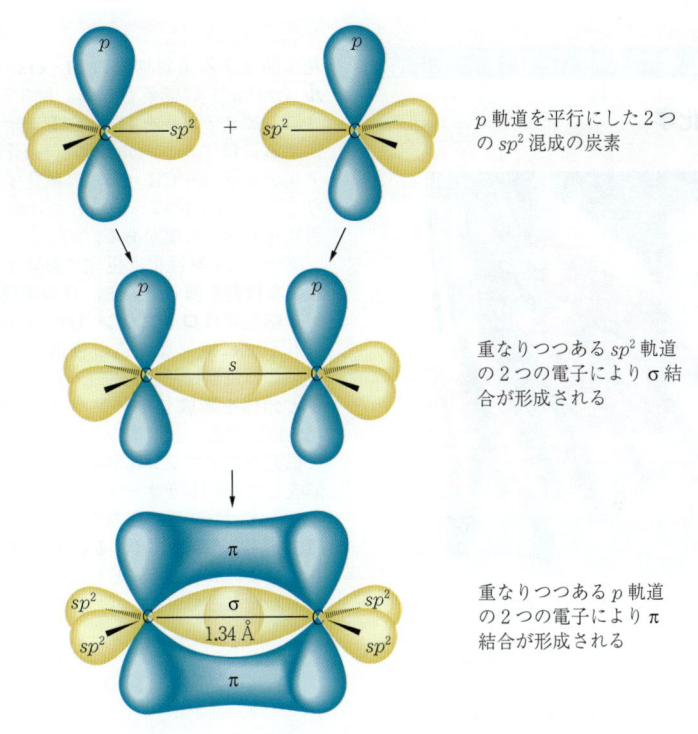

重なりつつあるp軌道の2つの電子によりπ結合が形成される

図 3.4 炭素-炭素二重結合の形成を表す図。2つのsp^2炭素がσ結合（2つのsp^2軌道の直線的な重なり）とπ結合（正しく配向したp軌道の側面からの重なり）を形成する。

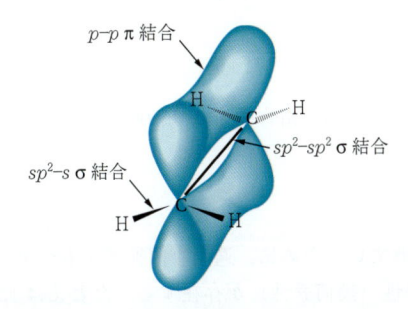

図 3.5 エチレンの結合は1つのsp^2-sp^2炭素-炭素σ結合，4つのsp^2-s炭素-水素σ結合および1つのp-p π結合からできている。

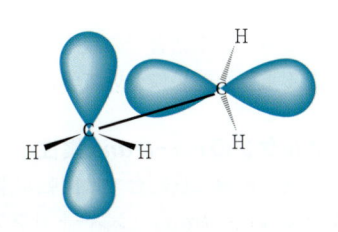

図 3.6 1つのsp^2炭素をもう1つの炭素に対して90°回転すると$2p$軌道どうしが直交し，それらの重なりが不可能になる（したがってπ結合は存在しない）

A WORD ABOUT...

視覚の化学

ニンジンはβ-カロチンを含んでいる

有機化合物の色彩は一般に二重結合が長く共役している系と関連している。よい例が**β-カロチン**（β-carotene）である。これはニンジンや他の多くの植物中にみられる黄橙色の色素である。この炭化水素$C_{40}H_{56}$には11個の共役した炭素−炭素二重結合がある。これはC_{20}の不飽和アルコールである**ビタミンA**（vitamin A；レチノールともいわれる）の生物学的前駆体であり、ビタミンAは視覚に関与する重要物質の**11-cis-レチナール**（retinal）に誘導される。図3.7に示すように、ビタミンAを11-cis-レチナールに変換するにはアルコール残基（$-CH_2OH$）をアルデヒド（$-CH=O$）に酸化するだけでなく、$C_{11}-C_{12}$位の二重結合が$trans \longrightarrow cis$異性化をする必要がある。

cis-trans異性化は視覚においてきわめて重要な役割を演じている。目の網膜にある桿状体細胞には**ロドプシン**（rhodopsin）とよばれる光に敏感な赤色の色素が含まれている。この色素は活性部位で11-cis-レチナールと錯体を形成したタンパク質の**オプシン**（opsin）である。適当なエネルギーをもった可視光がロドプシンに吸収されると、錯体を形成したcis-レチナールはtrans体へ異性化する。この過程は驚異的に速く、ピコ秒（10^{-12}秒）以内に起こる。構造式からも明らかなように、cis体とtrans体の形状はずいぶん異なっている。

trans-レチナール

オプシンとtrans-レチナールとの錯体（メタロドプシン-IIとよばれる）はcis-レチナールとの錯体より不安定で、オプシンと

ところで二重結合での反応を考えるまえに、二重結合のまわりの回転阻害が原因となる重要な効果について学んでおこう。

3.5 アルケンのcis-trans異性

炭素−炭素二重結合では回転が束縛されているために、適当な置換基をもつアルケンではcis-trans（シス-トランス）異性（幾何異性）が存在する。たとえば1,2-ジクロロエテンには2種の異なる形がある。

cis-1,2-ジクロロエテン
bp 60℃, mp -80℃

trans-1,2-ジクロロエテン
bp 47℃, mp -50℃

3.5 アルケンの cis-trans 異性

trans-レチナールに解離する。この構造上の変化が桿状体神経細胞に反応を引き起こし、それが脳に伝えられて視覚として認識される。

以上が視覚現象のすべてであれば、桿状体細胞に存在するすべての 11-cis-レチナールはただちに消費されてしまうであろうから、われわれはほんの瞬間しか物を見ることができないはずである。しかし、幸運なことに、光の照射下で trans-レチナールを 11-cis-異性体へもどすレチナールイソメラーゼとよばれる酵素が存在するので、このサイクルを繰り返すことができる。細胞および細胞膜に存在するカルシウムイオンは、光が当った後に視覚システムが回復する速度を制御している。同時にカルシウムイオンは細胞がどのような波長の光にも対応するように働いている。以上をまとめると、視覚のサイクルはつぎのように示すことができる。

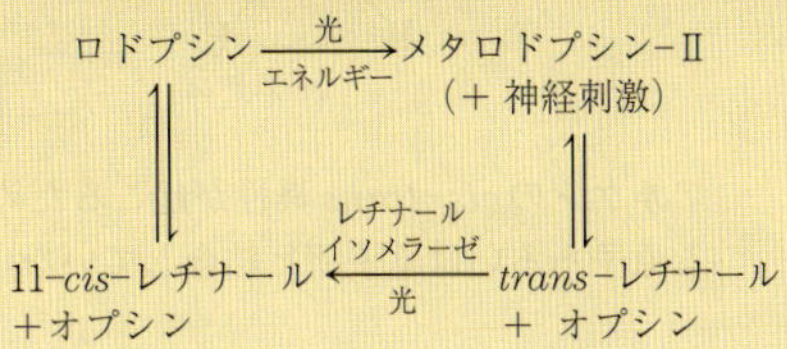

$$\text{ロドプシン} \underset{\text{エネルギー}}{\overset{\text{光}}{\rightleftarrows}} \text{メタロドプシン-II} (+\text{神経刺激})$$

$$\text{11-cis-レチナール} + \text{オプシン} \underset{\text{光}}{\overset{\text{レチナールイソメラーゼ}}{\longleftarrow}} \text{trans-レチナール} + \text{オプシン}$$

この表し方はかなり単純化されているが、実際にはロドプシンと完全に解離した trans-レチナールとオプシンの間にはさらに数種類の中間体が存在している。

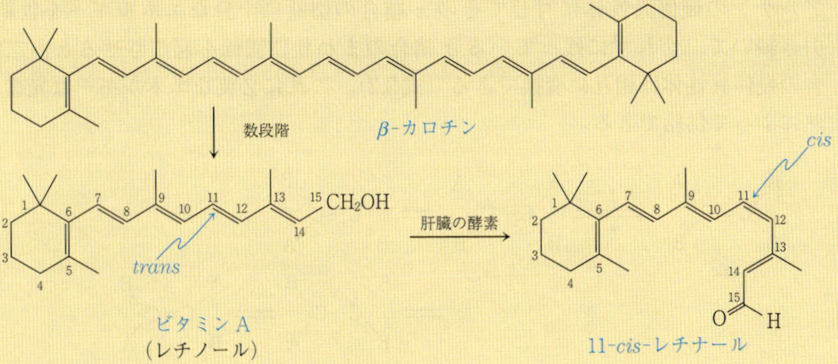

図 3.7 肝臓において、β-カロチンは最初ビタミン A に、続いて 11-cis-レチナールに変換される

これらの立体異性体は、二重結合のまわりの回転によって相互に変換されることは、室温ではほとんど起こらない。シクロアルカンの cis-trans 異性体のように、これらは配置異性体であり、沸点の差を利用して蒸留によって分離される。

例題 3.3

1-ブテンおよび 2-ブテンに cis-trans 異性体は存在するであろうか。

解答 2-ブテンには cis-trans 異性体があるが、1-ブテンにはない。

cis-2-ブテン
bp 3.7°C, mp −139°C

trans-2-ブテン
bp 0.3°C, mp −106°C

1-ブテンでは，1位の炭素に同じ2個の水素原子が結合しているので，考えられる構造は1種しかない。

$$\underset{\text{1-ブテン}}{\ce{H2C=CH-CH2CH3}} \quad 両者は同じものである \quad \underset{\text{1-ブテン}}{\ce{H2C=CH-CH2CH3}}$$

アルケンの *cis-trans* 異性が起こるためには，二重結合の2個の炭素がそれぞれ2種の異なる原子あるいは原子団と結合していなければならない。

問題 3.6 つぎの化合物で *cis-trans* 異性体が存在するのはどれか。それらの構造式を書け。

(a) プロペン (b) 3-ヘキセン (c) 2-メチル-2-ブテン (d) 2-ヘキセン

アルケンの幾何異性体に対してその π 結合の切断に十分なエネルギーを供給し，引き続いて，切れずに残っている σ 結合のまわりに回転を起こさせると，二重結合の幾何異性体は相互に変換できる（式3.2）。これに必要なエネルギーは光または熱によって供給できる。

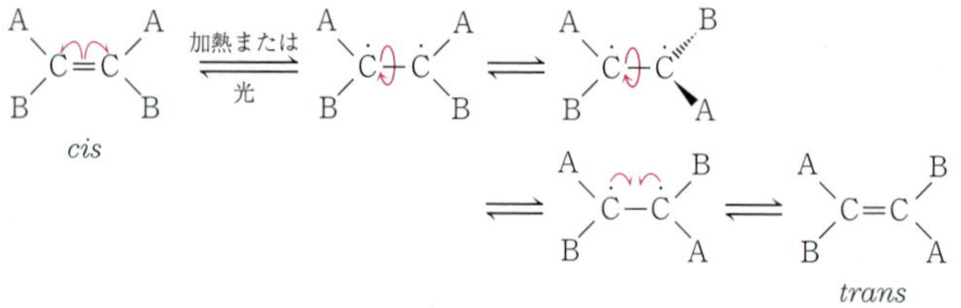

$$\underset{cis}{\ce{A\bond{=}C(B)(A)\bond{-}C(B)(A)}} \xrightleftharpoons{\text{加熱または光}} \cdots \xrightleftharpoons{} \underset{trans}{\ce{A\bond{=}C(B)(B)\bond{-}C(A)(A)}} \tag{3.2}$$

3.6 付加反応と置換反応の比較

2章では，燃焼を別として，アルカンのもっとも一般的な反応は**置換反応**（substitution；たとえばハロゲン化）であることを学んだ。この反応の形式を一般式で表すと

$$\ce{R-H + A-B -> R-A + H-B} \tag{3.3}$$

ここでR－Hはアルカンを表し，A－Bはハロゲン分子を表す。

これに対して，アルケンのもっとも一般的な反応は**付加反応**（addition）である。

☞ アルケンのもっとも一般的な反応は二重結合の炭素に試薬が付加して，炭素-炭素単結合の生成物を生じることである。

3.7 極性付加反応

$$\boxed{C=C} + \boxed{A-B} \longrightarrow -\underset{\underset{A}{|}}{C}-\underset{\underset{B}{|}}{C}- \tag{3.4}$$

付加反応においては試薬A-BのA基が二重結合の一方の炭素と結合し，B基が残りの炭素と結合する．したがって生成物の2個の炭素原子の間には単結合しかない．

付加反応ではどのような結合の変化が起こるのだろうか．アルケンのπ結合が開裂し，反応剤A-Bのσ結合も開裂する．その結果2種の新しいσ結合が生成する．言い換えれば，1本のπ結合と1本のσ結合を切断して2本のσ結合を作ることになる．一般にσ結合はπ結合よりも強いから，反応全体としては有利な反応である．

問題 3.7 一般に，同じ2個の原子間ではσ結合のほうがπ結合よりも強いのはなぜか説明せよ．

3.7 極性付加反応

二重結合へ2段階の極性反応で付加する反応剤が数種類ある．本節では，この形式の反応例を述べ，そのあと反応機構を詳しく考えよう．

3.7a ハロゲンの付加

アルケンは容易に塩素や臭素を付加する．

$$CH_3CH=CHCH_3 + Cl_2 \longrightarrow CH_3CH-CHCH_3 \atop || \atop ClCl \tag{3.5}$$

2-ブテン　　　　　　　　2,3-ジクロロブタン
bp 1〜4℃　　　　　　　bp 117〜119℃

$$CH_2=CH-CH_2-CH=CH_2 + 2Br_2 \longrightarrow CH_2-CH-CH_2-CH-CH_2 \atop |||| \atop BrBrBrBr \tag{3.6}$$

1,4-ペンタジエン　　　　　　　　1,2,4,5-テトラブロモペンタン
bp 26.0℃　　　　　　　　　　　mp 85〜86℃

ハロゲンをトリー あるいはテトラクロロメタンなどの不活性溶媒に溶解し，その溶液をアルケンに滴下する．付加反応はふつう室温あるいはそれ以下でも瞬時に起こる．また置換反応とは異なり，光や熱は必要ではない．

問題 3.8 臭素をつぎの化合物と室温で反応させたときの反応式を書け．
(a) 1-ブテン　 (b) シクロヘキセン

臭素の付加反応は有機化合物中の不飽和結合を検出するための化学的試験として

用いられる。臭素のテトラクロロメタン溶液は深赤褐色を呈しているが，不飽和化合物とその臭素付加体はふつう無色である。臭素溶液を不飽和化合物に加えるにつれて，臭素の色は消える。検体が飽和化合物であると，この条件下では臭素と反応しないので色は消えない。

3.7b 水の付加（水和）

酸触媒の存在下で，水はアルケンに付加する。水はH－OHの結合で切断して付加し，生成物はアルコールである。

$$CH_2=CH_2 + H-OH \xrightarrow{H^+} \underset{\underset{H}{|}\underset{OH}{|}}{CH_2-CH_2} \quad (またはCH_3CH_2OH) \tag{3.7}$$

エタノール

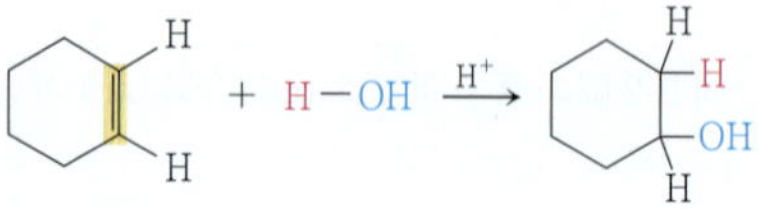

$$\text{シクロヘキセン} + H-OH \xrightarrow{H^+} \text{シクロヘキサノール} \tag{3.8}$$

シクロヘキセン
bp 83.0℃

シクロヘキサノール
bp 161.1℃

この場合，酸触媒が必要である。それは中性な水分子は，反応を開始するためのプロトンを供給できるほど酸として強くないからだ。この反応は段階的機構で進行するが，それについてはあとで（式3.20）で説明しよう。水和は工業的にも，時には実験室でもアルケンからアルコールを合成するのに利用される。

問題 3.9 つぎの化合物の酸触媒水和反応の反応式を書け。
(a) シクロペンテン　(b) 2-ブテン

3.7c 酸の付加

各種の酸がアルケンの二重結合へ付加する。この反応では水素イオン（プロトン）が二重結合の一方の炭素へ付加し，酸の残りの部分が他方の炭素へ付加する。

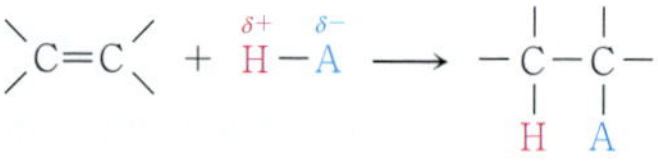

$$\underset{}{\overset{}{>}}C=C\underset{}{\overset{}{<}} + \overset{\delta+}{H}-\overset{\delta-}{A} \longrightarrow -\underset{\underset{H}{|}}{C}-\underset{\underset{A}{|}}{C}- \tag{3.9}$$

このような付加を行う酸には，ハロゲン化水素（HF, HCl, HBr, HI）と硫酸（H－OSO$_3$H）がある。代表的な反応例を2つ示す。

$$CH_2=CH_2 + H-Cl \longrightarrow \underset{\underset{H}{|}\underset{Cl}{|}}{CH_2-CH_2} \quad (またはCH_3CH_2Cl) \tag{3.10}$$

エチレン　　塩化水素　　クロロエタン
　　　　　　　　　　　（塩化エチル）

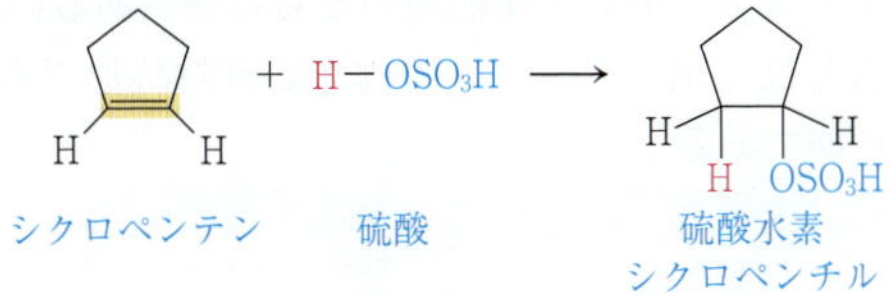

3.8 非対称なアルケンへの非対称な反応剤の付加；Markovnikov則　　93

$$\text{シクロペンテン} + \text{H}-\text{OSO}_3\text{H} \longrightarrow \text{硫酸水素シクロペンチル} \tag{3.11}$$

問題 3.10 つぎの反応を反応式で示せ。
(a) 2-ブテン ＋ HI　(b) シクロヘキセン ＋ HBr

付加反応の機構を議論するまえに，ここまで学んだ反応例では意識的に避けてきた付加反応の少し複雑な内容に触れておこう。

3.8 非対称形アルケンへの非対称な反応剤の付加；Markovnikov則

付加反応を考えるときに，反応剤とアルケンを**対称形**（symmertric）と**非対称形**（unsymmetric）のものに分類して考えると都合がよい。表3.2にその内容を例示しておく。もし反応剤および（または）アルケンが対称形であれば，考えられる付加生成物はただ1種である。これまでのすべての付加反応の式と問題をみればわ

表 3.2 付加反応における反応剤とアルケンの対称性の分類

	対称形	非対称形
試薬	Br—Br Cl—Cl H—H	H—Br H—OH H—OSO$_3$H
アルケン	CH$_2$=CH$_2$ CH$_3$CH=CHCH$_3$ (シクロペンテン) 鏡面あり	CH$_3$CH=CH$_2$ CH$_3$CH$_2$CH=CHCH$_3$ (メチルシクロペンテン) 鏡面なし

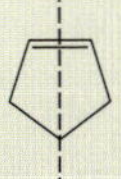

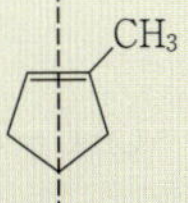

☞ **非対称なアルケン**への**非対称な反応剤**の付加生成物は**位置異性体**といわれる。**位置特異的**な付加は1種類の位置異性体のみを生じる。**位置選択的**な付加は主として1種類の位置異性体を生じる。

かるように，これまではアルケンか反応剤のどちらか（あるいは両方）が対称形であった．しかし，もし反応剤とアルケンの両方が非対称形であれば，原理的には2種の生成物が生成可能である．

$$\underset{\text{非対称な}\atop\text{アルケン}}{\overset{R}{\underset{H}{>}}C=C\overset{H}{\underset{H}{<}}} + \underset{\text{非対称な}\atop\text{反応剤}}{X-Y} \longrightarrow -\underset{\underset{Y}{|}}{\overset{\overset{R}{|}}{C}}-\underset{\underset{Y}{|}}{\overset{\overset{H}{|}}{C}}-\ \text{および，または}\ -\underset{\underset{Y}{|}}{\overset{\overset{R}{|}}{C}}-\underset{\underset{X}{|}}{\overset{\overset{H}{|}}{C}}- \tag{3.12}$$

式3.12の生成物は **位置異性体**（regioisomer）とよばれる．この種の反応で2種の可能な位置異性体のうち，もし一方だけしか生成しないと，その反応は **位置特異的**（regiospecific）であるといわれる．一方の生成物が主として生成するときは，その反応は **位置選択的**（regioselective）であるといわれる．

具体例としてプロペンへの水の酸触媒付加反応を考えてみよう．原理的には2種の生成物，1-プロパノールと2-プロパノールの生成が考えられる．つまり水の水素がプロペンのC-1に付加し水酸基がC-2に付加する場合と，その逆の組み合せである．

$$\overset{3}{CH_3}\overset{2}{CH}=\overset{1}{CH_2}\ \begin{matrix}\xrightarrow{H-OH/H^+} CH_3CHCH_3\ (\text{2-プロパノール})\\ \xrightarrow{H-OH/H^+} CH_3CH_2CH_2-OH\ (\text{1-プロパノール})\end{matrix} \tag{3.13}$$

実際の実験では1種の生成物だけが生成する．したがってこの付加は位置特異的であり，唯一の生成物は2-プロパノールである．

アルケンへの付加反応のほとんどは，2種の考えられる付加生成物のうちの1種だけを（または主として1種を）生成する．二，三の例を示す．

$$CH_3CH=CH_2 + \overset{\delta+}{H}-\overset{\delta-}{Cl} \longrightarrow CH_3CHCH_3\ |\ Cl \quad (CH_3CH_2CH_2Cl\ \text{ではない}) \tag{3.14}$$

$$CH_3\underset{|\ CH_3}{C}=CH_2 + \overset{\delta+}{H}-\overset{\delta-}{OH} \xrightarrow{H^+} CH_3\underset{|\ CH_3}{\overset{|\ OH}{C}}CH_3 \quad (CH_3CHCH_2OH\ |\ CH_3\ \text{ではない}) \tag{3.15}$$

$$\text{(1-メチルシクロペンテン)} + H^{\delta+}-I^{\delta-} \longrightarrow \text{(1-メチル-1-ヨードシクロペンタン)} \quad (\text{ではない: 2-ヨード-1-メチルシクロペンタン}) \tag{3.16}$$

反応剤はすべて極性であり，陽性と陰性の末端をもっていることに注意しよう。この種の付加反応を数多く調べた結果，ロシアの化学者 Vladimir Markovnikov（ウラジミール・マルコフニコフ）は100年以上も前につぎの規則を提案した。非対称形の反応剤が非対称形のアルケンに付加するときは，二重結合の2個の炭素のうち水素原子数の多いほうの炭素に反応剤の電気的に陽性な部分が結合する*。

問題 3.11 つぎの反応でどの位置異性体が優勢に生成するか，Markovnikov則を適用して予想せよ。
(a) 1-ブテン + HCl　　(b) 2-メチル-2-ブテン + H_2O（H^+触媒）

問題 3.12 2-ペンテンへの HCl の付加反応で可能な2種の生成物とは何か。またこの反応は位置特異的に起こるであろうか，説明せよ。

現代の化学理論では Markovnikov 則をどのように説明できるか，考えてみよう。

3.9 アルケンへの求電子付加反応の機構

二重結合の π 電子は σ 電子よりも反応剤の攻撃を受けやすい形をしている。さらに，π 結合は σ 結合より弱いためアルケンで付加反応にあずかるのはこの π 電子である。二重結合は電子を求める反応剤に対して π 電子を供与する役割を演じることになる。

極性反応剤は**求電子剤**（electrophile）と**求核剤**（nucleophile）に分類される。求電子剤（電子を愛する者（electron lover）という意味）は電子欠損反応剤である（他の分子との反応で求電子剤は電子を探し求める）。それらはたいてい陽イオン（カチオン）だが，電子欠損性の分子種のこともある。一方，求核剤（核を愛する者（nucleus lover）という意味）は電子に富んだ反応剤である（求核剤は求電子剤に電子を供与して結合を形成する）。

$$\underset{\text{求電子剤}}{E^+} + \underset{\text{求核剤}}{:Nu^-} \longrightarrow E:Nu \tag{3.17}$$

---

* 実際には，Markovnikov はこの規則を多少異なる表現で示した。しかし，本書での表現のほうが憶えやすく応用しやすい。彼自身がどのような表現をしたかについての興味ある歴史的な解説および彼の名前のスペリングについては，J. Tierney, *J. Chem. Educ.*, **1988**, *65*, 1053〜54.

☞　**求電子剤**は電子不足の反応剤であり，それらは電子を求める。**求核剤**は電子豊富な反応剤であり，それらは電子を求電子剤に供与して結合を生成する。

炭素−炭素二重結合に対する極性付加の機構について考えてみよう。例としてアルケンへの酸の付加をとりあげる。炭素−炭素二重結合はπ電子をもっているので求核剤である。プロトン（H^+）は求電子剤であり，これがπ結合に近づくと，2個のπ電子は1個の炭素原子とプロトンの間にσ結合を作るのに使われる。このσ結合の形成にπ電子を2個とも使うので，残りの炭素上には陽電荷が発生することになる。つまり**炭素陽イオン**（**カルボカチオン**：carbocation）が生成する。

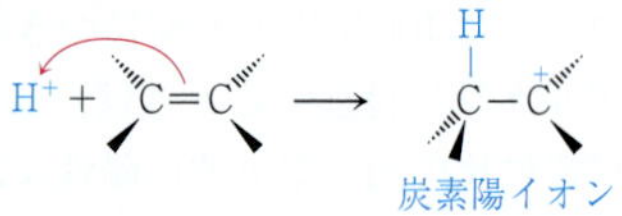

$$H^+ + \text{C=C} \longrightarrow \underset{\text{炭素陽イオン}}{\text{H-C-C}^+} \tag{3.18}$$

生成した炭素陽イオンはきわめて反応性が高い。その理由は，陽電荷をもった炭素のまわりには通常の炭素のように8電子ではなく，6電子しか存在しないからである。このために炭素陽イオンは2電子を供給してくれる化学種すなわち求核剤と迅速に結合する。

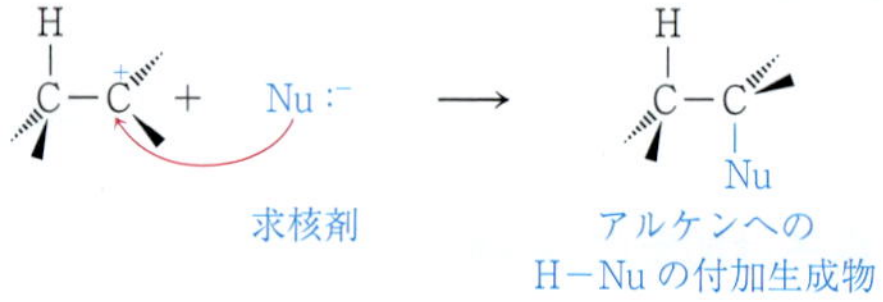

$$\underset{}{\text{C-C}^+} + \underset{\text{求核剤}}{Nu:^-} \longrightarrow \underset{\substack{\text{アルケンへの} \\ \text{H-Nu の付加生成物}}}{\text{H-C-C-Nu}} \tag{3.19}$$

アルケンへの$H-Cl$, $H-OSO_3H$, $H-OH$の付加の例が示してある。

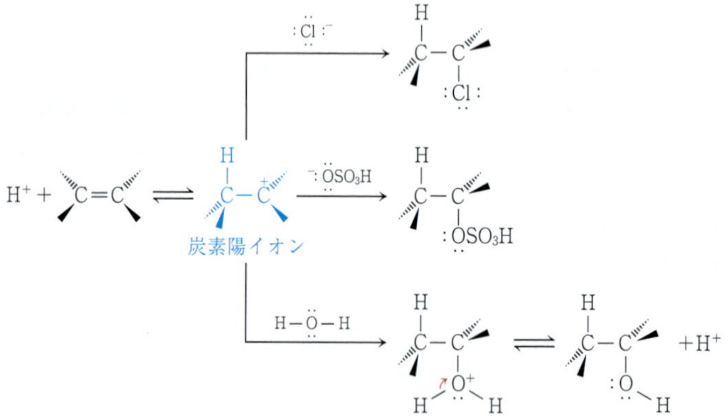

$$H^+ + \text{C=C} \rightleftharpoons \underset{\text{炭素陽イオン}}{\text{H-C-C}^+} \begin{array}{l} \xrightarrow{:Cl:^-} \text{H-C-C-Cl} \\ \xrightarrow{:OSO_3H^-} \text{H-C-C-OSO_3H} \\ \xrightarrow{H-\ddot{O}-H} \text{H-C-C-}\overset{+}{O}H_2 \rightleftharpoons \text{H-C-C-OH} + H^+ \end{array} \tag{3.20}$$

まず求電子剤のH^+が付加して炭素陽イオンを生じ，つぎにこれが求核剤である塩化物イオン，硫酸水素イオン，あるいは水分子と結合する。

☞　**炭素陽イオン**は他の3つの原子に結合し，陽電荷をもった炭素原子である。

一般のアルケンでは，この過程の第1段階，すなわち炭素陽イオンの形成段階が第2段階よりも反応が遅い。生じた炭素陽イオンは一般にきわめて反応性が高いので，求核剤との結合速度が極端に速い。このように付加反応の遅い段階が求電子剤による攻撃段階であるので，この反応全体は**求電子付加反応**（electrophilic addition）とよばれる。

例 題 3.4

アルケンへの求電子付加反応には炭素陽イオンが関与しているので，この中間体の化学種の結合を理解することは重要である。炭素陽イオンの結合状態を軌道を用いて説明せよ。

解答 この炭素原子は陽電荷をもっているので，価電子は3個しかない。それぞれの電子は3つのsp^2軌道に1個ずつ収容される。3つのsp^2軌道は同一平面内にあり，軌道間の角度は120°である。これは3つの軌道にある電子間の反発を最小にする配置である。残った1つのp軌道はこの平面に垂直で電子を収容していない空の軌道である。

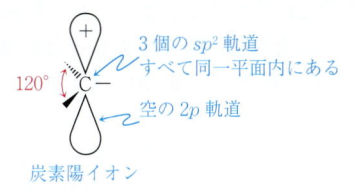

- 3個のsp^2軌道 すべて同一平面内にある
- 120°
- 空の$2p$軌道
- 炭素陽イオン

3.10 Markovnikov則の説明

Markovnikov則を説明するために，プロペンへのH—Clの付加を考えてみよう。反応の第1段階は二重結合へのプロトンの付加である。これにはイソプロピルカチオンあるいはn-プロピルカチオンを与える2通りの経路がある。

$$\overset{3}{CH_3}-\overset{2}{CH}=\overset{1}{CH_2} \xrightarrow{H^+} \begin{matrix} \text{C-1への付加} & CH_3\overset{+}{C}HCH_3 \\ & \text{イソプロピルカチオン} \\ \text{C-2への付加} & CH_3\overset{+}{C}H_2 \\ & n\text{-プロピルカチオン} \end{matrix} \quad (3.21)$$

プロペン

生成物の構造はこの段階ですでに決まってしまう。すなわち，イソプロピルカチオンが塩素陰イオンと結合すると2-クロロプロパンだけが生成し，プロピルカチオンからは1-クロロプロパンだけが生成するからである。ところが実際の反応では2-クロロプロパンだけが唯一の生成物として得られるから，プロトンはC-1に付加してイソプロピルカチオンだけを生成すると結論できる。なぜそうなるのかをつぎに説明しよう。

☞ 求電子剤がアルケンに付加する反応は**求電子付加反応**といわれる。

炭素陽イオンは，正電荷をもつ炭素上に置換基がいくつ存在するかによって，**第三級**（tertiary；3つの置換基をもつ），**第二級**（secondary；2つの置換基をもつ），**第一級**（primary；1つの置換基をもつ）に分類することができる。多くの研究によってこれらの安定性はつぎの順に減少することがわかっている。

$$\underset{\text{第三級}(3°)}{R-\overset{R}{\underset{R}{\overset{+}{C}}}} > \underset{\text{第二級}(2°)}{R-\overset{+}{\underset{R}{C}H}} >> \underset{\text{第一級}(1°)}{R-\overset{+}{C}H_2} > \underset{\text{メチル（第一級だが特殊）}}{\overset{+}{C}H_3}$$

もっとも安定 ──────────────→ もっとも不安定

この順序はどうして決まるのか，1つの理由はつぎのようである。

炭素陽イオンは，陽電荷が1つの炭素上に集中されるのではなく，陽電荷がその分子中の他の原子上に非局在化できるときに安定化される。アルキルカチオンでは，分子中の陽電荷を帯びた炭素原子上にある空のp軌道と平行に並ぶことができるC−HおよびC−C σ結合から，陽電荷をもった炭素に向かって電子が流れ込むことによりこの非局在化が起こる（図3.8）。もし陽電荷をもった炭素が水素原子の代わりに他の炭素原子（アルキル基，R基）で取り囲まれていると，電荷の非局在化を助けるC−HおよびC−C結合の数がさらに増えることになる。これが観測される炭素陽イオンの安定性の順序を決めるおもな理由である。

ここまで学んでくると，Markovnikov則を現代的でより有用な表現に書き換えられることがわかる。すなわち，非対称形の二重結合へ非対称形の反応剤が付加するときは，もっとも安定な炭素陽イオンが生成するように反応が進行する。

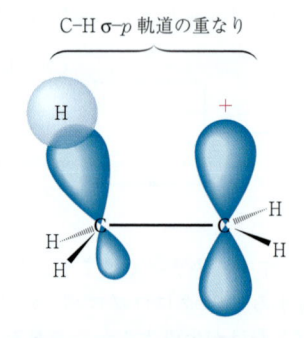

図3.8 正に帯電した炭素原子上の空の$2p$軌道に対してC−HおよびC−C σ結合が並列することにより電子を供与できるので，アルキル基は炭素陽イオンを安定化する。

☞ 炭素陽イオンは**第一級**，**第二級**，**第三級**に分類され，それぞれ1個，2個，3個の置換基Rが正に帯電した炭素原子に結合している。

問題 3.13 以下の炭素陽イオンを第一級，第二級あるいは第三級に分類せよ。

(a) $CH_3CH_2\overset{+}{C}HCH_3$ (b) $(CH_3)_2CH\overset{+}{C}H_2$ (c) シクロペンチル陽イオン（環上にCH_3）

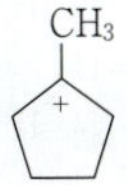

問題 3.14 問題3.13の炭素陽イオンのなかでどれがもっとも安定で，どれがもっとも不安定か。

問題 3.15 式3.15と式3.16の求電子付加反応を段階的に書け。そして両反応がもっとも安定な炭素陽イオンを経由して起こることを示せ。

Markovnikov則について考えると，化学反応について重要かつ一般的な2つの疑問が生じる。(1) どのような条件で反応が起こるのだろうか？ (2) どのような速さで反応が起こるのだろうか？アルケンの反応を検討する前に，つぎの2節でこれらの疑問について簡単に考えてみる。

3.11 反応における平衡：何が反応を進行させるのか

化学反応は2つの方向へ進むことができる。原系の分子は生成系の分子をつくり，生成系の分子は原系の分子を再生するように反応することができる。次の反応について

$$aA + bB \rightleftharpoons cC + dD \tag{3.22}$$

正反応と逆反応に対する化学平衡を次式で表すことができる*。

$$K_{eq} = \frac{[C]^c [D]^d}{[A]^a [B]^b} \tag{3.23}$$

この式において，K_{eq}，**平衡定数**（equilibrium constant），は生成物の濃度の積を原系の反応物の濃度の積で割ったものである。（小文字のa，b，cおよびdは平衡式における原系と生成系の分子の数である）。

平衡定数は反応の進む方向を示す。K_{eq}が1より大きいときは，生成物CとDの生成が原系のAとBの生成より有利であり，反応は左から右へ進行する。逆に，K_{eq}が1より小さいときは，反応は右から左へ進行する。

反応が右すなわち生成物のほうへ進むかどうかは何が決めるのか。生成物のほうが反応物（原系）よりエネルギーが低い（より安定な）ときに反応は起こる。生成物のほうが反応物よりエネルギーが高いときは反応は左すなわち反応物のほうへ起こる。生成物が反応物よりエネルギーが低いときは反応中に熱が発生する。たとえば，HBrのような酸がエテンに付加するときは熱が発生する。この反応は**発熱反**

---

* 二重の矢印はこの反応が両方向へ進行し，化学的平衡になることを示す。

☞ **平衡定数**，K_{eq}は反応の進行する方向を示す。

応（exothermic）である。

$$\begin{array}{c}H\\ \\ H\end{array}\!\!C\!=\!C\!\!\begin{array}{c}H\\ \\ H\end{array} + HBr \rightleftharpoons CH_3CH_2Br \qquad (3.24)$$

一方，エタンが2個のメチル基（遊離基）を生成するためには加熱をしなければならない（式1.3）。この反応は**吸熱反応**（endothermic）である（熱を必要とする）。熱エネルギーに対して化学者が使う術語は**エンタルピー**（enthalpy）であり，**H**という符号で表す。生成物と反応物のエンタルピーの差はΔHという符号で表す（デルタ H と読む）。

エテンに対するHBrの付加では，生成物（ブロモエタン）は反応物（エテンとHBr）より安定であり，反応は右へ進む。この反応ではΔHは負であり（熱がでる），K_{eq}は1よりはるかに大きい（図3.9 (a)）。エタンから2個のメチル基が生成するためにはΔHは正であり（熱が吸収される），K_{eq}が1よりはるかに小さい（図3.9 (b)）*。

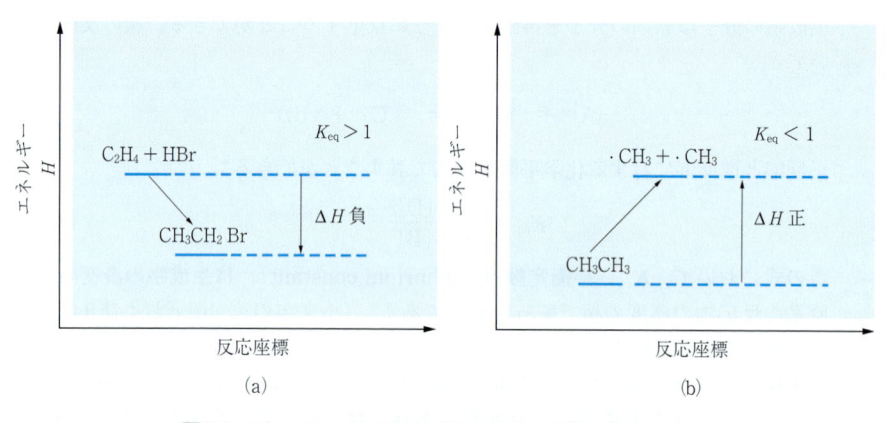

図3.9 (a) エテンへのHBrの付加；反応の平衡は右側にある。
(b) エタンからメチル遊離基の生成；反応の平衡は左側にある。

---

* 実際には，エンタルピーは生成物と反応物の間のエネルギー差に関与する唯一の要素ではない。**エントロピー**（entropy），**S**，といわれる要素も全エネルギー差に関与する。これは**Gibbs**（ギッブス）**の自由エネルギー差**（Gibbs free-energy difference），**ΔG**，といわれ，$\Delta G = \Delta H - T\Delta S$という式で表される。しかし，たいていの有機反応ではエントロピーの寄与はエンタルピーの寄与に比べてきわめて小さい。

☞ **発熱反応**は熱エネルギーを放出し，**吸熱反応**は熱エネルギーを吸収する。熱エネルギーを表す化学の術語は**エンタルピー**，H，である。

3.12　反応速度：反応はどのような速さで進行するのか

　反応の平衡定数は生成物が反応物より安定かどうかを示す。しかし，平衡定数は反応の速度についてはまったく関係がない。たとえば，ガソリンと酸素の反応の平衡定数はきわめて大きいが，ガソリンは空気中で安全に取り扱える。スパーク（火花）で反応を開始しなければ，反応は非常に遅いからである。エテンに対するHBrの付加は発熱反応であるけれども，その速度は非常に遅い。

　結合が切断し，生成して反応が起こるためには分子は充分なエネルギーをもち，そして正しい方向から衝突しなければならない。この過程に必要なエネルギーが反応の障壁である。障壁が高いほど反応は遅い。

　化学者は反応の過程で起こるエネルギーの変化を示すために**反応のエネルギーダイアグラム**（reaction energy diagram）を用いる。図3.10はエテンに対するHBrの極性付加（式3.24）のエネルギーダイアグラムを示す。この反応は2段階で起こる。第1段階では，プロトンが二重結合に付加するにつれてアルケンのπ結合が開裂し，C-H σ結合が生成し，中間体として炭素陽イオンが生成する。反応はダイアグラムの左に示したエネルギーで始まる。π結合が開裂しはじめ新しいσ結合が生成しはじめるにつれて，反応物によって形成される構造は最大のエネルギー状態に達する。最大のエネルギーをもつこの構造は第1段階の**遷移状態**（transition state）といわれる。この構造は単離されず，第1段階の炭素陽イオンが完全に生成するまで変化していく。

　反応物（原系）と遷移状態のエネルギー差を**活性化エネルギー**（activation energy），E_a，という。反応の速度を決定するのはこのエネルギーである。E_aが大きいと，反応は遅いであろう。E_aが小さいと反応は速やかに進行するだろう。

　反応の第2段階においては，新しい炭素-臭素 σ結合が生成する。ここで，炭素陽イオン中間体である陽電荷を帯びた炭素に臭素イオンが近づくと，エネルギーが上昇し最大になる。このエネルギー最大時の構造が第2段階における遷移状態である。遷移状態と炭素陽イオンとのエネルギー差がこの段階の活性化エネルギーE_aである。この構造は単離することができず，σ結合が完全に生成するまで変化し続け，生成物が完成する。

　図3.10において，つぎのことに注意してほしい。反応の最終生成物は反応物よりエネルギー（ΔH）が低いけれども，反応物はそれぞれ各段階に対する2つのエネルギー障壁（E_a1とE_a2）を越えなければならない。2つの遷移状態の間に，最低エネルギー状態となる炭素陽イオン中間体があるが，これは反応物あるいは生成物よりもエネルギーが高いので，反応の第1段階は吸熱反応である。それは炭素陽イオン中間体は反応物よりエネルギーが高いからだ。第2段階は発熱反応である，そ

☞　**反応のエネルギーダイアグラム**は反応の経過につれて起こるエネルギーの変化を示す。**遷移状態**はある特定の反応段階における最高のエネルギーをもつ構造である。**活性化エネルギー**，E_a，は反応物と遷移状態のエネルギー差であり，反応速度を決める。

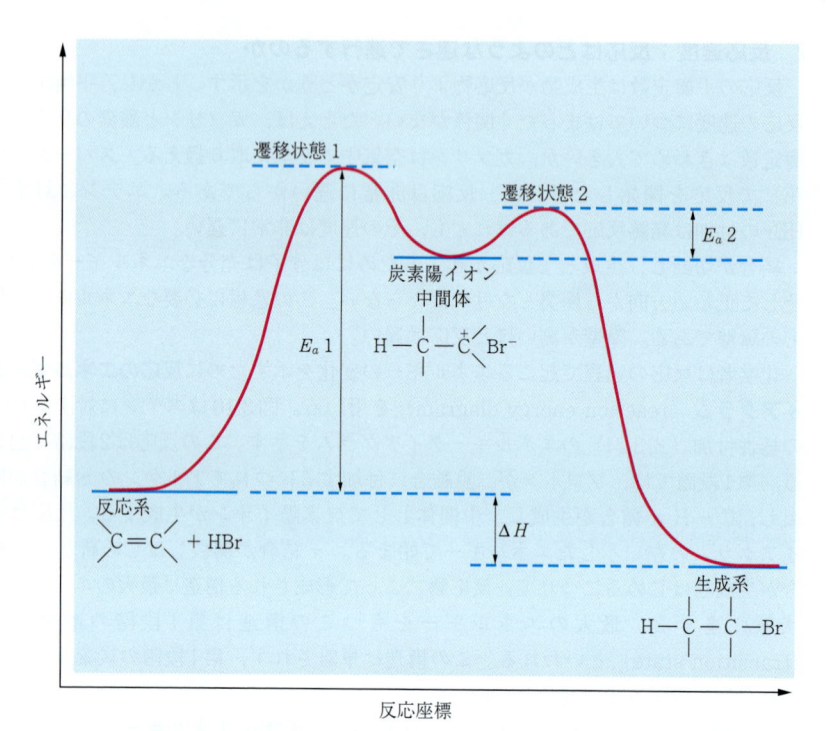

図3.10 HBrのエテンへの付加反応のエネルギーダイヤグラム

れは生成物は炭素陽イオン中間体よりエネルギーが低いからだ。また，全反応は発熱反応である。それは生成物は反応物よりエネルギーが低いからだ。しかし，反応の速度はもっとも高いエネルギー障壁E_a1で決まる。第2段階の活性化エネルギーE_a2は第1段階の活性化エネルギーに比べてきわめて小さい。したがって，3.9節に述べたように，第1段階は2つの反応のうち遅いほうの反応であり，反応の速度はこの第1段階の速度によって決まる。

例題 3.5

非常に遅く多少発熱である1段階反応のエネルギーダイアグラムを書け。

解答 非常に遅い反応はE_aは大きく，多少の発熱反応のΔHは負の小さな値である。したがって，ダイアグラムはこのようになる。

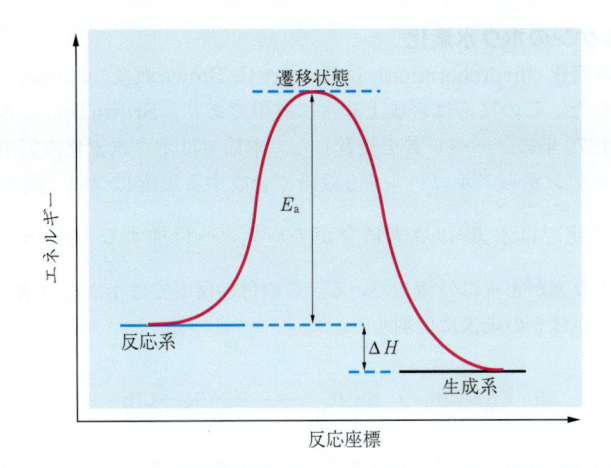

3.12 反応速度：反応はどのような速さで進行するか

[図：エネルギーダイアグラム。縦軸「エネルギー」、横軸「反応座標」。曲線の頂点に「遷移状態」、左端に「反応系」、右端に「生成系」、活性化エネルギー E_a とエンタルピー差 ΔH が示されている。]

問題 3.16 非常に速く，非常に発熱的である１段階反応のエネルギーダイアグラムを書け。

問題 3.17 非常に遅く多少吸熱である１段階反応のエネルギーダイアグラムを書け。

問題 3.18 第１段階は吸熱で，第２段階は発熱である２段階反応のエネルギーダイアグラムを書け。反応物，遷移状態，反応中間体，活性化エネルギー，およびエンタルピー差を表示せよ。

　反応速度がどのようにMalkovnikov則と関連しているかみてみよう。求電子付加反応では，より安定な炭素陽イオンがより安定性の低い炭素陽イオンより速やかに生成する。これはより安定な炭素陽イオンがより安定性の低い炭素陽イオンよりエネルギーが低く，したがってより安定な炭素陽イオンを生成するための活性化エネルギー E_a も低いからである。求電子付加反応の位置選択性は第１段階の競争反応の結果であり，より安定な炭素陽イオンのほうが速い速度で生成する。

　反応速度に影響を与えるその他の要因は**温度**（temperature）と**触媒**（catalyst）である。加熱をすると一般に反応速度は増加する。これは反応分子が活性化エネルギー障壁を越えるだけのエネルギーをもつようになり反応が起こるからだ。触媒は活性化エネルギーのより低い別の反応経路あるいは機構をつくることにより，反応を加速する。酵素は生化学反応においてこの役目を担っている。

　3.13～3.17節において，アルケンの反応の検討を続けよう。

☞　**温度**を上げるかまたは**触媒**を使うことで反応速度は増加する。

3.13 アルケンのホウ水素化

ホウ水素化（hydroboration）は Herbert C. Brown 教授（Purdue 大学）によって発見された。この反応は合成上非常に有用であり，Brown 氏はこの分野における研究で 1979 年にノーベル賞を受賞した。本節ではホウ水素化の実用的な一例として，アルケンからアルコールを 2 段階で合成する反応について説明しよう。このホウ水素化では水素−ホウ素結合がアルケンへ付加する。H−B⟨ 結合は水素が $\delta-$，ホウ素が $\delta+$ に分極している。この付加反応ではホウ素（求電子剤）が置換基の少ないほうの炭素に付加する。

$$R-CH=CH_2 + \overset{\delta-}{H}-\overset{\delta+}{B}\langle \longrightarrow R-CH_2-CH_2-B\langle \tag{3.25}$$

これは Markovnikov 則に従うアルケンへの通常の求電子付加反応に類似している。しかし反応は協奏反応である（つまり，すべての結合の開裂と生成が 1 段階で起こる）。

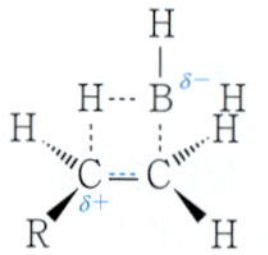

ホウ水素化の遷移状態

ボランには 3 本の B−H 結合があるので，1 モルのボラン，BH_3，は 3 モルのアルケンと反応する。たとえば，プロペンはトリ-n-プロピルボランを生成する。

$$3\,CH_3CH=CH_2 + BH_3 \longrightarrow CH_3CH_2CH_2-B\begin{matrix}CH_2CH_2CH_3\\CH_2CH_2CH_3\end{matrix} \tag{3.26}$$

プロピレン　　ボラン　　　　トリ-n-プロピルボラン

こうして生成したトリアルキルボランは，通常，単離せずに他の試薬と反応させて目的とする最終生成物に導かれる。たとえば，トリアルキルボランは過酸化水素と塩基により酸化されてアルコールになる。

$$(CH_3CH_2CH_2)_3B + 3\,H_2O_2 + 3\,NaOH \longrightarrow 3\,CH_3CH_2CH_2OH + Na_3BO_3 + 3\,H_2O \tag{3.27}$$

トリ-n-プロ　　　　　　　　　　　　　　n-プロピル　　　ホウ酸
ピルボラン　　　　　　　　　　　　　　アルコール　　ナトリウム

このホウ水素化と酸化を組み合わせた反応の特筆すべき有用性は，アルケンの酸触媒水和反応では得ることができない形のアルコールを作ることができる点にある（式 3.13 参照）。

☞ **ホウ水素化**はアルケンへの H−B⟨ 結合の付加反応である。

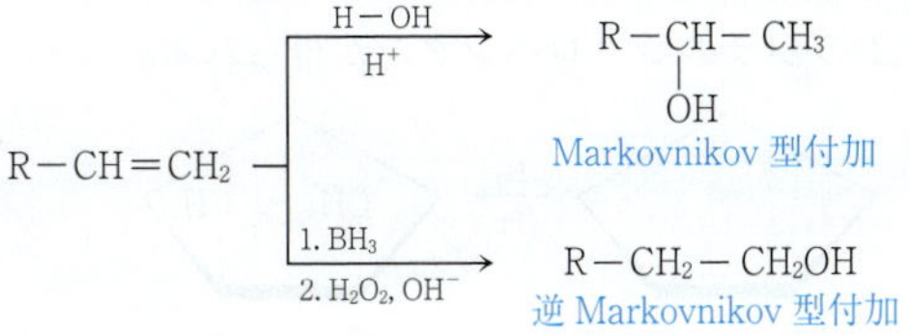

$$R-CH=CH_2 \xrightarrow[H^+]{H-OH} R-CH-CH_3 \atop \quad\quad OH \quad \text{Markovnikov 型付加}$$

$$R-CH=CH_2 \xrightarrow[2.\ H_2O_2,\ OH^-]{1.\ BH_3} R-CH_2-CH_2OH \quad \text{逆 Markovnikov 型付加} \tag{3.28}$$

2段階のホウ水素化反応の結果，水は炭素-炭素二重結合への通常のMarkovnikov則とは逆の方向で付加する。

例 題 3.6

つぎの一連の反応で生成するアルコールを示せ。

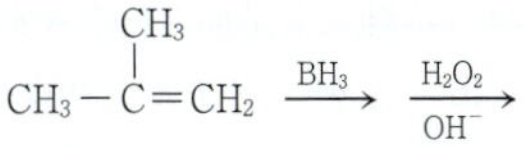

$$CH_3-\underset{\underset{CH_3}{|}}{C}=CH_2 \xrightarrow{BH_3} \xrightarrow[OH^-]{H_2O_2}$$

解答 ホウ素は置換基の少ないほうの炭素に付加する。続いて生成物を酸化すると対応するアルコールになる。式3.15の結果と比較せよ。

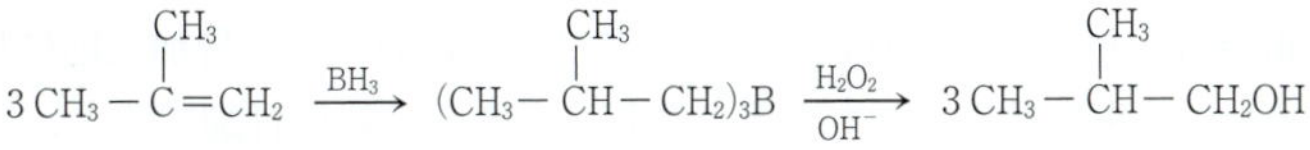

$$3\ CH_3-\underset{\underset{CH_3}{|}}{C}=CH_2 \xrightarrow{BH_3} (CH_3-\underset{\underset{CH_3}{|}}{CH}-CH_2)_3B \xrightarrow[OH^-]{H_2O_2} 3\ CH_3-\underset{\underset{CH_3}{|}}{CH}-CH_2OH$$

問題 3.19 2-メチル-2-ブテンにホウ水素化に引き続き酸化を行うと，どのようなアルコールが得られるか答えよ。

問題 3.20 ホウ水素化-酸化反応によって ⬡—CH_2CH_2OH を与えるもとのアルケンの構造を示せ。このアルケンは酸-接触水和反応ではどんな生成物を与えるか。

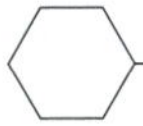

3.14 水素の付加

水素は適当な触媒の存在下でアルケンに付加する。この過程を**水素化**（hydrogenation）という。

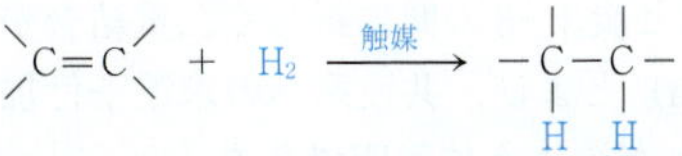

$$\overset{}{\underset{}{>}}C=C\overset{}{\underset{}{<}} + H_2 \xrightarrow{\text{触媒}} -\underset{H}{\overset{|}{C}}-\underset{H}{\overset{|}{C}}- \tag{3.29}$$

触媒は一般に微粉状のニッケル，白金，パラジウムなどの金属である。これらの金属は表面に水素ガスを吸着し水素-水素結合を活性化する。両方の水素原子は一般

☞ **水素化**は触媒の存在下における水素のアルケンへの付加反応である。

に触媒表面から二重結合の同じ面に付加する．たとえば，1,2-ジメチルシクロペンテンからは cis-1,2-ジメチルシクロペンタンが得られる．

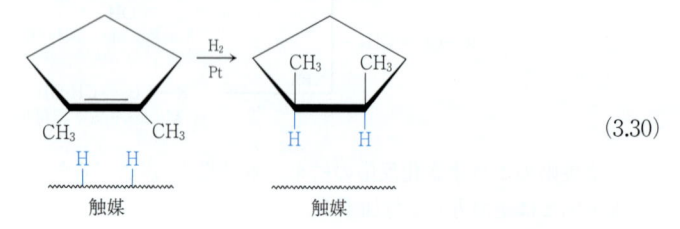

$$\text{（図）} \xrightarrow[\text{Pt}]{\text{H}_2} \text{（図）} \tag{3.30}$$

二重結合の接触水素添加は工業的には植物油をマーガリンなどの料理用油脂へ変換するのに利用されている（15.3節参照）．

問題 3.21 つぎの化合物の接触水素添加の反応式を書け．
(a) メチルプロペン (b) 1,2-ジメチルシクロヘキセン．

3.15 共役系への付加

3.15a 共役ジエンへの求電子付加

二重結合と単結合が交互に結合した共役系においては，付加反応に特殊な結果が生じる．1モルの臭化水素が1モルの1,3-ブタジエンに付加すると，いささか注目すべき結果が得られる．すなわち，2種の生成物が得られることだ．

$$\overset{1}{\text{CH}_2}=\overset{2}{\text{CH}}-\overset{3}{\text{CH}}=\overset{4}{\text{CH}_2} \xrightarrow{\text{HBr}} \begin{cases} \text{CH}_2-\text{CH}-\text{CH}=\text{CH}_2 \quad \text{(1,2-付加)} \\ \phantom{\text{CH}_2-}|\phantom{\text{CH}-}| \\ \phantom{\text{CH}_2-}\text{H}\phantom{\text{CH}-}\text{Br} \\ \qquad \text{3-ブロモ-1-ブテン} \\ \text{CH}_2-\text{CH}=\text{CH}-\text{CH}_2 \quad \text{(1,4-付加)} \\ \phantom{\text{CH}_2-}|\phantom{\text{CH}=\text{CH}-}| \\ \phantom{\text{CH}_2-}\text{H}\phantom{\text{CH}=\text{CH}-}\text{Br} \\ \qquad \text{1-ブロモ-2-ブテン} \end{cases} \tag{3.31}$$

1,3-ブタジエン

1番目の生成物ではHBrは2個の二重結合の1個に付加し，残りの二重結合はもとの位置のままである．この生成物を **1,2-付加**（1,2-addition）物とよぶ．2番目の生成物は一見予想外のようにみえるが，水素と臭素がもとのジエンの炭素-1と炭素-4に付加し，炭素-2と炭素-3の間に新しく二重結合ができている．この反応を **1,4-付加**（1,4-addition）とよび，共役系への求電子付加ではきわめて一般的な反応である．この結果はつぎのように説明できる．

第1段階では，プロトンがMarkovnikov則に従って末端の炭素原子に付加する．

☞ 共役ジエンに対する **1,2-付加** では，試薬は第1と第2の炭素に付加し，**1,4-付加** では第1と第4の炭素に付加する．

3.15 共役系への付加

$$H^+ + CH_2=CH-CH=CH_2 \longrightarrow CH_3-\overset{+}{C}H-CH=CH_2 \qquad (3.32)$$

生成した炭素陽イオンは共鳴により安定化でき，つぎの2つの極限構造式の共鳴混成体として表される。

$$[CH_3-\overset{+}{C}H-CH=CH_2 \longleftrightarrow CH_3-CH=CH-\overset{+}{C}H_2]$$

陽電荷は炭素-2と炭素-4上に非局在化している。したがって，この炭素陽イオンが臭素イオン（求核剤）と反応するときに，炭素-2で反応すれば1,2-付加生成物，炭素-4で反応すれば1,4-付加生成物を与える。

$$\left.\begin{array}{c} CH_3-\overset{+}{\underset{2}{C}H}-\underset{3}{CH}=\underset{4}{CH_2} \\ \updownarrow \\ \underset{1}{CH_3}-\underset{2}{CH}=\underset{3}{CH}-\underset{4}{\overset{+}{C}H_2} \end{array}\right\} \xrightarrow{Br^-} \begin{array}{c} CH_3-CH-CH=CH_2 \\ | \\ Br \end{array} + \begin{array}{c} CH_3-CH=CH-CH_2 \\ | \\ Br \end{array} \qquad (3.33)$$

問題 3.22 1,3-ブタジエンへHBrが付加する第1段階において，プロトンが炭素-1に付加し（式3.32），炭素-2に付加しない理由を説明せよ。

これらの反応で生成する炭素陽イオン中間体は，単一の化学種で共鳴混成体である。炭素-炭素二重結合に隣接するこの形式の炭素陽イオンは**アリルカチオン**（allyl cation）とよばれる。下に共鳴混成体として書かれている置換基のないアリルカチオンは第一級炭素陽イオンである。その陽イオンは末端の2個の炭素上に非局在化しているので，単純な第一級炭素陽イオン（プロピルカチオンのような）よりは安定である。

$$CH_2=CH-\overset{+}{C}H_2 \longleftrightarrow \overset{+}{C}H_2-CH=CH_2 \qquad (3.34)$$

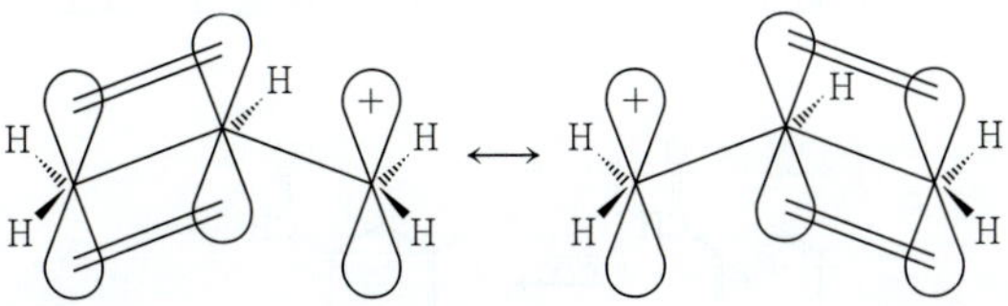

アリル炭素陽イオン

☞ **アリルカチオン**では，炭素-炭素二重結合に陽電荷をもつ炭素原子が隣接している。

問題 3.23 共鳴混成体である3-シクロペンテニルカチオン  に寄与する極限構造式を書け。

問題 3.24 臭素が1,3-ブタジエンへ1,2-付加および1,4-付加するとき，予想される反応式を書け。

3.15b 共役ジエンの付加環化反応：Diels–Alder反応

共役ジエンはアルケン（あるいはアルキン）と反応するとき，異なる形式の1,4-付加を行う。もっとも簡単な例はエチレンが1,3-ブタジエンへ付加してシクロヘキセンを生成するものである。

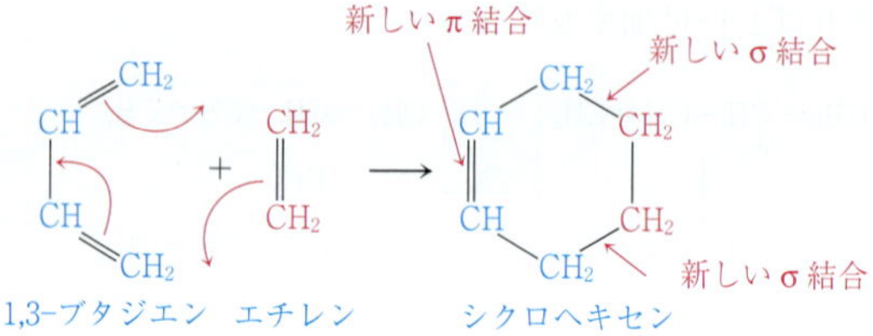

$$\text{1,3-ブタジエン} + \text{エチレン} \longrightarrow \text{シクロヘキセン} \tag{3.35}$$

この反応は**付加環化反応**（cycloaddition reaction），つまり環状化合物を生成する付加反応の例である。3つのπ結合を2つのσ結合と1つの新しいπ結合へ変換するこの付加環化反応は，発見者であるOtto DielsとKurt Alderにちなんで，**Diels–Alder反応**といわれている。この反応は環状化合物を形成するのに非常に有用であるので，1950年度の化学部門のノーベル賞がその発見者に与えられた。ホウ水素化（3.13節）と同様に，この反応は協奏反応である。すべての結合の開裂と生成が同時に起こる。

2種の反応剤は**ジエン**（diene）と**親ジエン**（dienophile）（ジエンを愛するもの：diene lover）である。式3.35の簡単な例は高圧下でしか反応せず収率もそれほどよくないため，Diels–Alder反応の典型的な例ではない。しかし，以下の例のように，この反応は親ジエンに電子求引基*がある場合には適当な温度で高収率で進行する。

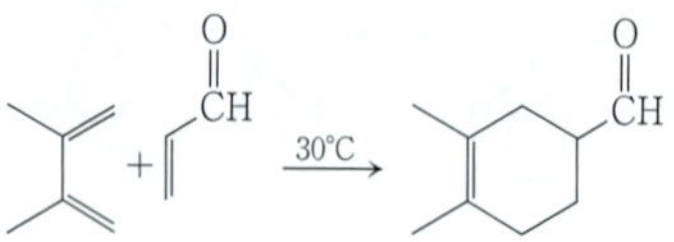

$$\xrightarrow{30℃} \tag{3.36}$$

---

*　電子求引基はπ結合の電子を引きつける原子団であり，アルケンを電子欠損状態にする。したがってジエンに対してより求電子的になる。

☞　**Diels–Alder反応**は共役**ジエン**と**親ジエン**が環状化合物を生成する**付加環化反応**であり，その過程で3個のπ結合が2個のσ結合と1個の新しいπ結合に変換される。

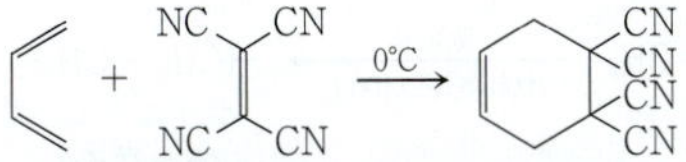

3.16 遊離基付加；ポリエチレン

$$\text{（3.37）}$$

例題 3.7

Diels-Alder 反応を用いて下の化合物を合成せよ。

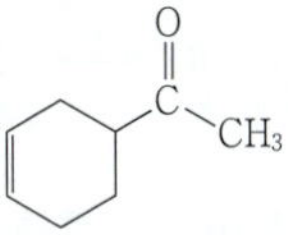

解答　逆方向に考えよ。生成物中にある二重結合は出発物質のジエンでは単結合であった。したがって，

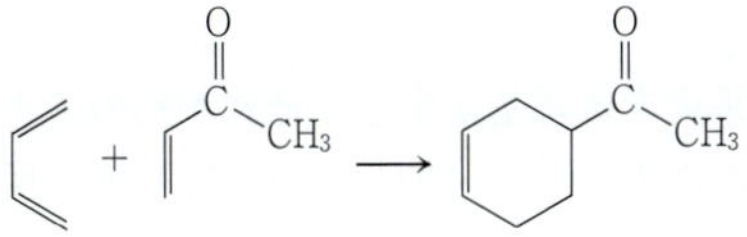

問題 3.25　リモネン（図1.13）がイソプレン（2-メチル-1,3-ブタジエン）どうしの Diels-Alder 反応で生成する式を書け。

問題 3.26　下記の付加環化反応の生成物の構造を記せ。

(a)  ［フラン］ $O + CH_2=CH-CN$　(b) $CH_2=CH-CH=CH_2 + NC-C\equiv C-CN$

3.16 遊離基付加；ポリエチレン

　イオン機構ではなく遊離基機構でアルケンに付加する反応剤がいくつかある。これらの遊離基付加反応のうち，工業的な観点からもっとも重要なものは高分子を与える反応である。

　高分子（**ポリマー**：polymer）とは，小さな単位の繰り返しで構成されている大きな分子量をもつ巨大分子のことである。この繰り返し単位のもとになる小さな分子のことを**単量体**（**モノマー**：monomer）という。そして単量体を高分子へ変換する過程のことを**重合**（polymerization）という。

　エチレンの遊離基（free radical）重合でポリエチレンが得られる。その生産量は膨大だ（合衆国だけでも毎年450万t）。この重合反応では触媒を用いてエチレンを高圧下に加熱する。この反応はどのように進行するのだろうか。

☞　**高分子**は，**単量体**といわれる小分子からなる繰り返し単位を含む巨大分子である。高分子生成の過程を**重合**という。

$$CH_2=CH_2 \xrightarrow[1000\,気圧\,>100℃]{ROOR} -(CH_2-CH_2)_n- \qquad (3.38)$$
エチレン　　　　　　　　　　　ポリエチレン
　　　　　　　　　　　　　　　　（$n=$数千）

重合反応の触媒として有機過酸化物はよく用いられるものの1つである。この分子中のO-O単結合は弱く，加熱すると各酸素が1電子ずつもつ遊離基に開裂する。

$$R-O-O-R \xrightarrow{加熱} 2R-O\cdot \qquad (3.39)$$
　有機過酸化物　　　　　2個の遊離基

触媒から発生した遊離基は炭素-炭素二重結合に付加する。

$$RO\cdot \quad CH_2=CH_2 \longrightarrow RO-CH_2-\overset{\cdot}{C}H_2 \qquad (3.40)$$
重合触媒として　　　　　　　　　　　　炭素遊離基
遊離基

この付加反応の結果炭素遊離基が生じ，それが別のエチレン分子に付加し，そこで生じた遊離基がまた別の分子に付加し……と繰り返し反応が進行する。

$$ROCH_2\overset{\cdot}{C}H_2 \xrightarrow{CH_2=CH_2} ROCH_2CH_2CH_2\overset{\cdot}{C}H_2 \xrightarrow{CH_2=CH_2}$$
$$\qquad\qquad\qquad ROCH_2CH_2CH_2CH_2\overset{\cdot}{C}H_2 \quad さらに続く \qquad (3.41)$$

この炭素鎖は連鎖停止反応（2個のラジカルの結合によることが多い）が起こるまで成長し続ける。

　この成長反応では長い炭素鎖が1本だけ形成されるように思うかもしれないが，実際には必ずしもそうとは限らない。「成長中の」ポリマー鎖がそれ自身の分子鎖から水素原子を引き抜くことがある。これによっていわゆる分子鎖の枝分かれ（chain branching）が起こる。

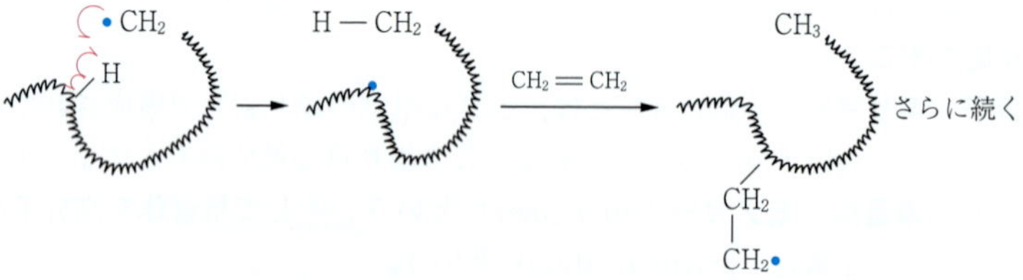

最後には，長い鎖と短い鎖をもった巨大分子が生成する。

枝分かれしたポリエチレン

枝分かれの程度およびその他のポリマー構造の特徴は，触媒や反応条件の選択によって制御できる。

ポリエチレン分子はその名称（ポリエチレン）にもかかわらず大部分が飽和しており，CH_2 基の連鎖である。しかし，枝分かれのある場所では CH 基がありその末端には CH_3 基がある。また分子の一方の末端には触媒からの OR 基があるが，分子量が非常に大きいため，この OR 基はポリマーの性質に関してはほとんど影響しない。

このようにして製造されたポリエチレンは透明で包装やフィルムに使われている（たとえば，冷凍剤やサンドウィッチバッグ）。

14章において，多種類のポリマーについて述べる。その中にはポリエチレンのような方法で得られるものもあれば，別の方法で得られるものもある。

ポリエチレンを含む製品

3.17 アルケンの酸化

一般にアルケンはアルカンよりも酸化剤によって酸化されやすい。これらの酸化剤は二重結合の π 電子を攻撃する。この反応は二重結合の存否を決める化学的試験法としても有用であり，また合成法としても有用である。

3.17a 過マンガン酸イオンによる酸化；化学的試験法

アルケンはアルカリ性過マンガン酸カリウムと反応して**グリコール**（glycol；隣接した2つの水酸基をもつ化合物）になる。

$$3 \,\text{>C=C<} + 2K^+MnO_4^- + 4H_2O \longrightarrow 3 -\underset{\underset{\text{OH}}{|}}{C}-\underset{\underset{\text{OH}}{|}}{C}- + 2MnO_2 + 2K^+OH^- \qquad (3.43)$$

アルケン　　過マンガン酸　　　　　　　グリコール　　二酸化
　　　　　　カリウム　　　　　　　　　　　　　　　マンガン
　　　　　　（紫）　　　　　　　　　　　　　　　　（黒褐色）

反応が進むにつれて，紫色の過マンガン酸イオンが黒褐色の二酸化マンガンの沈殿

☞ **グリコール**は隣接する炭素に2個の水酸基をもつ化合物である。

A WORD ABOUT ...

エチレン：工業用原料と植物ホルモン

ぶどう農園

エチレン（ethylene）はもっとも簡単なアルケンで，有機反応剤のなかで工業生産額は第1位である。最近の合衆国におけるエチレンの年産額は500億ポンドを超えている。プロペンは第2位で生産額は約2分の1である。

エチレンはどのように製造され，何に使用されているのだろうか。たいていの炭化水素は"クラッキング（cracking）"によりエチレンになる（118頁の"A Word About：石油，ガソリンおよびオクタン価"を参照せよ）。合衆国においては，このための主原料はエタンである。

$$CH_3-CH_3 \xrightarrow{700 \sim 900℃} CH_2=CH_2 + H_2$$

工業的に生産されるエチレンのうちかなりの量は，3.16節で述べたように，当然のことながらポリエチレンに変換される。しかし，炭素—炭素二重結合は反応性があるために，エチレンはその他の工業的有機反応剤の製造のための主要な原料である。図3.11には，生産量の多い50種類の有機反応剤のうち9種を示した。これらはすべてエチレンから製造されている。

エチレンは有機反応剤のもっとも重要な工業原料であるばかりでなく，農業で決定的に重要なある種の生化学的性質をもっている。エチレンは**植物ホルモン**（plant hormone）であり，種子を発芽させ，花を開花させ，果実を熟し落果させ，そして葉と花びらをしぼませ黄変させる作用をもつ物質である。エチレンはアミノ酸であるメチオニンから特異な環状アミノ酸である1-アミノシクロプロパン-1-カルボン酸（ACC）を経て，植物中で自然に作られる。ACCは数段階を経てエチレンに変換される。

$$CH_3-S-CH_2CH_2-CH-CO_2^- \xrightarrow{\text{数段階}}$$
$$\underset{\text{メチオニン}}{\overset{+}{NH_3}}$$

$$\underset{\text{ACC}}{\overset{CH_2}{\underset{CH_2}{\diagdown}}C\overset{CO_2^-}{\diagup}{\overset{+}{NH_3}}} \xrightarrow{\text{数段階}} \underset{\text{エチレン}}{CH_2=CH_2} + CO_2 + HCN$$

エチレンが生物学的に作用する仕方は目下研究されているところである。

化学者達は植物中でエチレンを制御しながら発生できる人工物質を合成した。その一例が2-クロロエチルホスホン酸 $ClCH_2CH_2PO(OH)_2$ である。それはエスレル（ethrel）という商品名でUnion Carbide社から発売されているが，水溶性で植物に吸収されてエチレン，塩化物イオンとリン酸イオンに分解される。この試薬はパイナップルやトマトなどの果実を均等に実らせ，農場全体で効率よく収穫されるように商業的に大量に使用されている（写真参照）。この試薬は小麦，りんご，さくらんぼ，綿のような多種類の農作物の成長を調節するのにも使われており，また少量使用するだけでよい。植物はエチレンにきわめて敏感であり，気体中に百万分の0.1以下の濃度があれば感知する。

3.17 アルケンの酸化

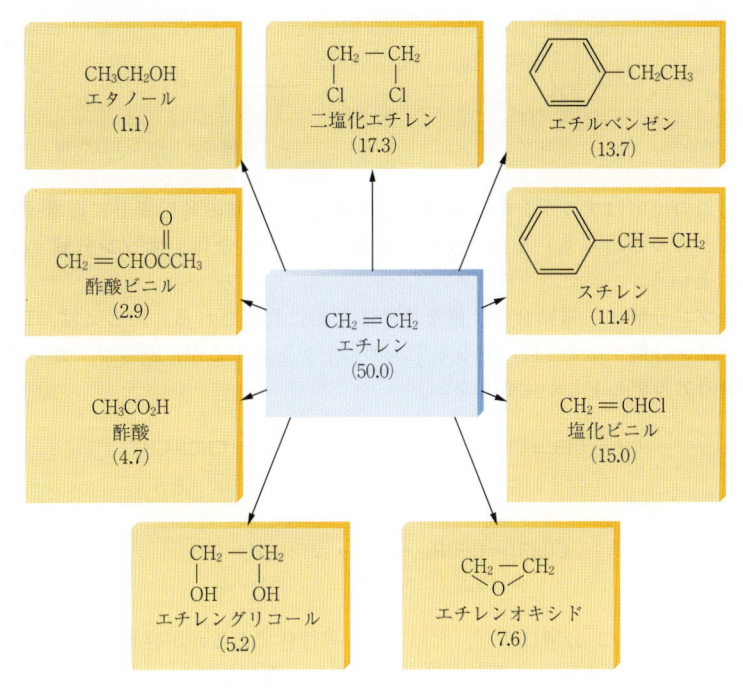

```
        CH₃CH₂OH          CH₂─CH₂           ⬡─CH₂CH₃
        エタノール          │   │            エチルベンゼン
         (1.1)            Cl   Cl              (13.7)
                        二塩化エチレン
                          (17.3)

           O                                  ⬡─CH=CH₂
           ‖                                   スチレン
      CH₂=CHOCCH₃       CH₂=CH₂                (11.4)
       酢酸ビニル          エチレン
         (2.9)            (50.0)            CH₂=CHCl
                                             塩化ビニル
        CH₃CO₂H                                (15.0)
          酢酸
         (4.7)

         CH₂─CH₂          CH₂─CH₂
         │   │              \ /
         OH  OH              O
      エチレングリコール      エチレンオキシド
         (5.2)               (7.6)
```

図 3.11 エチレンは多数の工業的有機化学製品を製造するための中心的物質である。カッコ内の数字は最近の合衆国における生産量を 10 億ポンド（約 45 万 t）の単位で示したもの。

に変化していく。アルカンは通常は反応しないので，この変色の反応はアルカンとアルケンを区別する試験法として用いられている。

問題 3.27 2-ブテンと過マンガン酸カリウムの反応式を示せ。

3.17b アルケンのオゾン分解

アルケンはオゾン，O_3，と素早くかつ定量的に反応する。オゾンは酸素ガスを通じながら高圧放電を行うと発生し，そのガスをジクロロメタンのような安定な溶媒にアルケンを溶かした溶液に低温で通じる。最初の生成物モロゾニド（molozonide）は，速やかにオゾニド（ozonide）に転移する。これらの生成物は爆発性のため通常は単離されず，ただちに還元剤（ふつうは亜鉛末と酸水溶液）で処理されて，カルボニル化合物として単離される。

$$\text{C=C} \xrightarrow{O_3} \left[\begin{array}{c}\text{-C-C-}\\ \text{O}\diagdown\text{O}\diagup\text{O}\end{array}\right] \longrightarrow \underset{\text{オゾニド}}{\text{C}\diagup\text{O}\diagdown\text{C}\text{-O-O}} \xrightarrow[H_3O^+]{Zn} \underset{\text{2種のカルボニル化合物}}{\text{C=O} + \text{O=C}} \qquad (3.44)$$

アルケン   モロゾニド   オゾニド   2種のカルボニル化合物

結局この反応はアルケンの二重結合を開裂して，2個の各炭素上に炭素-酸素二重結合（カルボニル基）を作る反応である。この反応全体を**オゾン分解**（ozonolysis）という。

　オゾン分解は二重結合の位置を決めるために利用される。たとえば，1-ブテンをオゾン分解すると2種の異なるアルデヒドが生成するが，2-ブテンからはただ1種類のアルデヒドしか生成しない。

$$\underset{\text{1-ブテン}}{CH_2=CHCH_2CH_3} \xrightarrow[\text{2. Zn, H}^+]{\text{1. O}_3} \underset{\text{ホルムアルデヒド}}{CH_2=O} + \underset{\text{プロパナール}}{O=CHCH_2CH_3} \qquad (3.45)$$

$$\underset{\text{2-ブテン}}{CH_3CH=CHCH_3} \xrightarrow[\text{2. Zn, H}^+]{\text{1. O}_3} \underset{\text{エタナール}}{2\,CH_3CH=O} \qquad (3.46)$$

このようにオゾン分解により，どのブテン異性体であるかが容易にわかる。さらにオゾン分解の生成物の構造から逆にたどると，未知のアルケンの構造が推定できる。

例 題 3.8

　あるアルケンをオゾン分解すると，アセトン $(CH_3)_2C=O$ とホルムアルデヒド $CH_2=O$ が等量生成した。このアルケンの構造を推定せよ。

解答　両方のオゾン分解生成物の酸素が結合している炭素から酸素を除いたあと，二重結合で結べばよい。このアルケンは $(CH_3)_2C=CH_2$ である。

問題 3.28　オゾン分解するとアセトン $(CH_3)_2C=O$ だけを与えるアルケンは何か，答えよ。

3.17 アルケンのその他の酸化法

　アルケンは種々の反応剤でエポキシドに変換される（式3.47）。

$$\underset{\text{アルケン}}{\text{C=C}} \longrightarrow \underset{\text{エポキシド}}{\text{C-C}\atop\text{O}} \qquad (3.47)$$

☞　**オゾン分解**はアルケンをオゾンで酸化してカルボニル化合物を得る反応である。

この反応とエポキシドの化学を8章で詳しく学ぶ。

アルカンと同様に（すべての他の炭化水素も），アルケンは燃料として使用できる。完全燃焼すると，二酸化炭素と水になる。

$$C_nH_{2n} + \frac{3n}{2}O_2 \longrightarrow nCO_2 + nH_2O \tag{3.48}$$

アルキンとその化学を説明する前に，わが国の経済におけるエチレンの重要性を"A Word About"で読んでみよう（p.112）。

3.18 三重結合に関するいくつかの事実

本章の残り数節で三重結合やアルキンの特徴をいくつか説明しよう。三重結合を形成している炭素原子には2個の原子だけが結合し，その結合角は180°である。つまりアセチレン類は図3.12に示すように直線状の分子である。

炭素–炭素三重結合の距離は約1.21Åであり，平均的な二重結合距離（1.34Å）や単結合距離（1.54Å）よりもかなり短い。明らかに両炭素間に存在する3個の電子対は，2個の電子対（二重結合）に比べて2個の炭素をさらに近い距離に引きつけている。また三重結合は直線状であるから，アルキンには cis-$trans$ 異性は存在しない。

そこで，結合の軌道理論がこのような事実をどのように説明できるかをつぎに示そう。

3.19 三重結合の軌道モデル

アセチレンの炭素原子は他の2個の原子と結合しているだけである。したがって，$2s$ 軌道と $2p$ 軌道1個だけを合わせて2個の **sp 混成軌道** をつくる（図3.13）。この2個の軌道は炭素原子を中心として互いに逆の方向へ広がり，軌道間の角度は180°で2個の混成軌道に収容された電子間の反発を最小にしている。1個の価電子がそれぞれの sp 混成軌道におかれている。残りの2個の価電子は，上記 sp 混成軌道と直交し，また互いにも直交する2個の p 軌道に収容されている。

図3.14には2個の sp 混成した炭素から三重結合が作られるようすが示されている。2個の sp 軌道の末端どうしが重なり合って炭素間に σ 結合が形成され，さらに p 軌道が適切な配置をとって重なることにより，2個の π 結合（図では π_1 と π_2 で表してある）を形成している。このモデルを見ればアセチレン分子の直線性がよく理解できる。

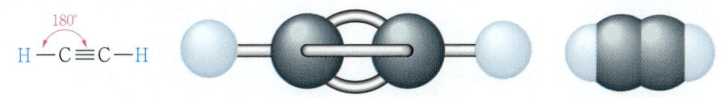

図3.12 アセチレンの分子モデル，直線性が示されている

☞ **sp 混成軌道** の性質は s と p が半々である。2個の sp 軌道の角度は180°である。

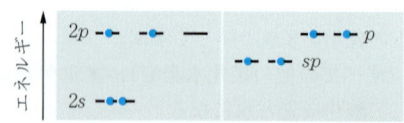

図3.13 炭素上の非混成軌道とsp混成軌道。

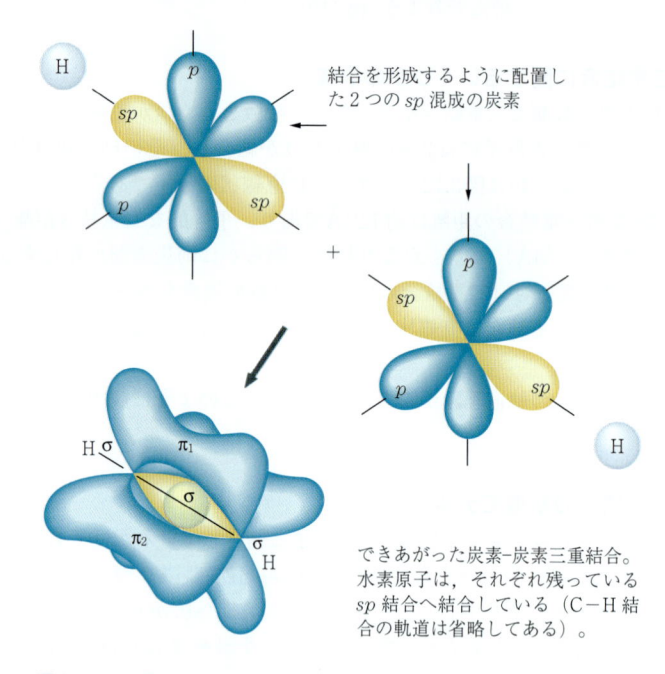

図3.14 三重結合は2つのsp混成軌道が直線的に重なって形成するσ結合と、並行に配向した2つのp軌道が側面で重なって形成する2組の互いに垂直なπ結合とからできている

3.20 アルキンの付加反応

アルケンのところで説明した付加反応の多くは、一般に速度は遅いけれどもアルキンでも起こる。たとえば臭素はつぎのように付加する。

$$H-C\equiv C-H \xrightarrow{Br_2} \underset{\text{trans-1,2-ジブロモエテン}}{\overset{H}{\underset{Br}{>}}C=C\overset{Br}{\underset{H}{<}}} \xrightarrow{Br_2} \underset{\text{1,1,2,2-テトラブロモエタン}}{H-\underset{\underset{Br}{|}}{\overset{\overset{Br}{|}}{C}}-\underset{\underset{Br}{|}}{\overset{\overset{Br}{|}}{C}}-H} \quad (3.49)$$

エチン

第1段階で示したように、おもにtrans付加が起きる。

普通のニッケルあるいは白金触媒を用いると、アルキンはアルカンまで水素付加

3.20 アルキンの付加反応

される（式3.1）。**Lindlar**（リンドラー）**触媒**とよばれる特殊なパラジウム触媒を用いると，水素が1モルだけ付加するように反応を制御できる。このときの生成物は cis-アルケンである。その理由は水素原子が2個とも触媒表面から三重結合の同一面へ付加するためである。

$$CH_3-C\equiv C-CH_3 \xrightarrow[\text{Pd (Lindlar触媒)}]{H-H} \begin{array}{c} CH_3 \quad CH_3 \\ \diagdown \quad \diagup \\ C=C \\ \diagup \quad \diagdown \\ H \quad H \end{array} \tag{3.50}$$

2-ブチン　　　　　　　　　　　　　cis-2-ブテン
bp 27°C　　　　　　　　　　　　　bp 3.7°C

非対称形の三重結合と非対称形の反応剤との反応では，つぎに示す例のように反応の各段階がMarkovnikov則に従って進行する。

$$CH_3C\equiv CH + H-Br \longrightarrow CH_3\overset{+}{C}=CH_2 + Br^- \longrightarrow \underset{\text{2-ブロモプロペン}}{CH_3\underset{Br}{\overset{|}{C}}=CH_2} \tag{3.51}$$

$$\underset{Br}{\overset{|}{CH_3C}}=CH_2 + H-Br \longrightarrow CH_3\overset{+}{C}-CH_3 + Br^- \longrightarrow \underset{\text{2,2-ジブロモプロパン}}{CH_3-\underset{Br}{\overset{Br}{\underset{|}{\overset{|}{C}}}}-CH_3}$$

アルキンへの水の付加反応においては，酸触媒だけでなく水銀（Ⅱ）イオンも必要である。水銀（Ⅱ）イオンは三重結合と錯体を形成して付加反応に対する反応活性を高める。反応はアルケンの場合と似ているが，最初の生成物である**ビニルアルコール**（vinyl alcohl，**エノール**（enol）ともいう）は転位して，カルボニル化合物になる。

$$R-C\equiv CH + H-OH \xrightarrow[\text{HgSO}_4]{H^+} \left[R-\underset{|}{\overset{HO}{\underset{}{\overset{|}{C}}}}=\underset{}{\overset{H}{\underset{|}{\overset{|}{C}}}}-H \right] \longrightarrow R-\overset{O}{\overset{\|}{C}}-CH_3 \tag{3.52}$$

ビニルアルコール，
またはエノール

その結果，生成物はメチルケトンになり，アセチレン（R＝H）の場合はアセトアルデヒドである。このエノールの反応と式3.52の第2段階の反応機構についてはさらに9章で述べる。

問題 3.29 つぎの反応式を書け。
 (a) $CH_3C\equiv CH + Br_2$ (1 モル)　　(b) $CH_3C\equiv CH + Cl_2$ (2 モル)
 (c) 1-ブチン＋HBr (1 および2 モル)　(d) 1-ペンチン＋H_2O (Hg^{2+}, H^+)

☞ **Lindlar触媒**はアルキンへの水素付加を1モルに制限し，cis-アルケンを生成する。
☞ **ビニルアルコール**あるいは**エノール**は水酸基のある炭素が炭素-炭素二重結合の炭素となっているアルコールである。

A WORD ABOUT ...

石油，ガソリンおよびオクタン価

石油は化石燃料のなかで現在もっとも重要なものである。われわれの工業化社会を営んでいくうえで，石油は食物，空気，水，住居につぐ重要な物質である。ではこの「黒い黄金」といわれる石油とはいったい何なのか，そして私達はどのようにこれを利用しているのだろうか。

石油は，はるか大昔に地下に埋没した動植物が徐々に分解して生成した炭化水素の複雑な混合物である。原油は堆積岩に囲まれた地下の広大な空洞に蓄積された粘性の高い黒色の液体である（石油（petroleum）という単語は，語源的にはrock oilの意味であり，ラテン語のpetra（岩：rock）とoleum（油：oil）に由来する）。まずは地下にある原油を掘り出して地表までくみ上げなければならない。つぎにこの原油を有効利用するために精製を行わなければならない。

石油精製の第1段階は**蒸留**（distillation）である。原油を約400℃に加熱すると蒸留気体が長い分留塔を上昇していく。低沸点の留分は速く上昇し，分留塔の高い部分まで昇ってから凝縮して液体になる。一方高沸点の留分はそれ程高くまで上昇しない。そこで分留塔のいろいろな高さから液体を取り出すことによって，原油を表3.3に示す留分に大まかに分画する。

ガソリン留分は原油のほぼ25％を占めるにすぎない。しかし，ガソリンは燃料としてまた石油化学工業の原料としてもっとも価値のある留分である。石油化学工業は合成繊維，プラスチック，その他多数の有用な物質をわれわれに供給している。このため，他の留分をガソリンに変換する技術が数多く開発されている。

高沸点留分は触媒（おもにシリカやアルミナ）とともに加熱すると，分解されて（クラッキング：crackingという），短い炭素鎖をもった低沸点の生成物に変換される。この処理過程で炭素鎖はいろいろな位置で切れる。

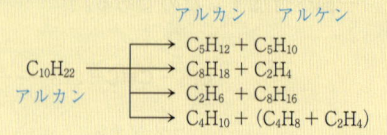

$$C_{10}H_{22} \longrightarrow \begin{array}{l} C_5H_{12} + C_5H_{10} \\ C_8H_{18} + C_2H_4 \\ C_2H_6 + C_8H_{16} \\ C_4H_{10} + (C_4H_8 + C_2H_4) \end{array}$$

（アルカン　アルケン／アルカン）

クラッキングでの水素原子数の収支が合うためには，あるアルカン分子から少なくとも1分子ずつのアルカンとアルケンが生成してこなければならない。この接触分解によって大きなアルカン分子が小さなアルカンとアルケンの混合物に変換され，石油からガソリンのとれる量が増大する。

このクラッキングでは低分子量の気体炭化水素，たとえば，エテン，プロペン，ブタン，ブテンなどが多量に生成してくる。それらのうち，とくにエテンは石油化学の重要な原料として利用される。さらに多量のガソリンを得るために，これらの低分子量の炭化水素をガソリン留分の沸点をもつ多少大きな分子量の炭化水素に変換する技術が研究されてきた。その1つが**アルキル化**（alkylation）であり，アルカンとアルケンを1分子ずつ結合させて，沸点の高いアルカンを作る方法である。

$$C_2H_6 + C_4H_8 \xrightarrow{触媒} C_6H_{14}$$

$$\underline{C_4H_{10} + C_4H_8}_{気体} \xrightarrow{触媒} \underline{C_8H_{18}}_{液体}$$

この技術は1930年代に開発され，第2次世界大戦中に航空機燃料を製造する目的に利用されたが，現在でもまだハイオクタンガソリン，現在の非常に改良された車のエンジンに必要，の製造に利用されている。

ここで**オクタン価**（octane number）について説明しておこう。これがなぜ重要なのであろうか。ある種類の炭化水素，とくに高度に枝分かれした構造をもつ炭化水素は車のエ

原油が精製される石油精製所

ンジン中でスムーズに燃焼し，ピストンを平均して円滑に回転させる。これに対して他の炭化水素，とくに直鎖状で枝分かれのない炭化水素はシリンダー中で爆発しやすく，ピストンを激しく回転させる。このような不都合な爆発がノッキング現象を起こす。そこでガソリンのノッキングしやすさを表すための便宜的方法が何年も以前に決められた。**イソオクタン**（isooctane：2,2,4-トリメチルペンタン）は高度に枝分かれした構造をもつ優れた燃料であり，このオクタン価を任意に100とする。これに比べて**ヘプタン**（heptane）はエンジン用燃料としてきわめて不適当であり，そのオクタン価を0とする。したがってオクタン価87の"レギュラーガソリン"とは，イソオクタン87％とヘプタン13％の混合物と同じノッキングしやすさをもっているもの，ということになる。

少量の**四エチル鉛**（tetraethyllead：$(CH_3CH_2)_4Pb$）をガソリンに添加するとオクタン価は上昇するが，環境汚染防止という立場からみると好ましくないので，現在は使われていない。そこで無鉛ガソリンには高オクタン価の炭化水素がかなり高率で含まれていなければならない。このために，直鎖状の炭化水素を高オクタン価の枝分かれした炭化水

素に変換する技術を開発する必要にせまられたのである。

ある種の触媒を用いれば，直鎖アルカンを枝分かれしたアルカンに変換できる。この**異性化**（isomerization）とよばれる技術は現在工業的に大規模に実施されている。

$$CH_3CH_2CH_2CH_3 \xrightarrow[\text{アルミナ}]{\text{AlCl}_3, \text{HCl}} CH_3\underset{\underset{CH_3}{|}}{C}HCH_3$$

n-ブタン　　　　　　　　　イソブタン

ベンゼンやトルエンのような芳香族炭化水素も高いオクタン価をもっている。**プラットホーミング**（platforming）とよばれる工程では，白金触媒を用いてアルカンをシクロアルカンへ環化させ，さらに脱水素して芳香族炭化水素に変換している。

もちろん，このプラットホーミング工程では，多量の水素ガスが生成してくる。この工程で毎日数百万ガロン（1ガロンは約3.8 ℓ）もの芳香族炭化水素が製造されており，その一部は無鉛ガソリンに加えられてオクタン価を高め，さらには，次章で学ぶように数多くの石油化学製品の原料として使用されている。

$$CH_3(CH_2)_5CH_3 \xrightarrow{\text{Pt触媒}}$$

メチルシクロヘキサン

$$\xrightarrow{\text{Pt触媒}}$$

トルエン
（芳香族炭化水素）

石油化学工業の歴史をさらに学ぶには次の本を読むことをすすめる。P. H. Spitz著，"石油化学製品：ある工業の発展（Petrochemicals: *The rise of an industry*）"；John Wiley & Sons, NewYork, 1988）。

3.21 アルキンの酸性度

三重結合の炭素に結合した水素は弱い酸性を示し，強い塩基によって引き抜かれる。たとえば，ナトリウムアミドはアセチレンをアセチリドに変換する。

$$\text{R}-\text{C}\equiv\text{C}-\text{H} + \text{Na}^+\text{NH}_2^- \xrightarrow{\text{液体 NH}_3} \text{R}-\text{C}\equiv\text{C}:^-\text{Na}^+ + \text{NH}_3 \quad (3.53)$$

ナトリウムアミド　　　　　　　ナトリウムアセチリド

この水素は弱い酸性を示す

この種の脱プロトン化の反応は三重結合の炭素に結合した水素では容易に起こるが，二重結合や単結合の水素では起こりにくい。その理由を知るために，まずC—H結合の炭素原子の混成を比べてみよう。

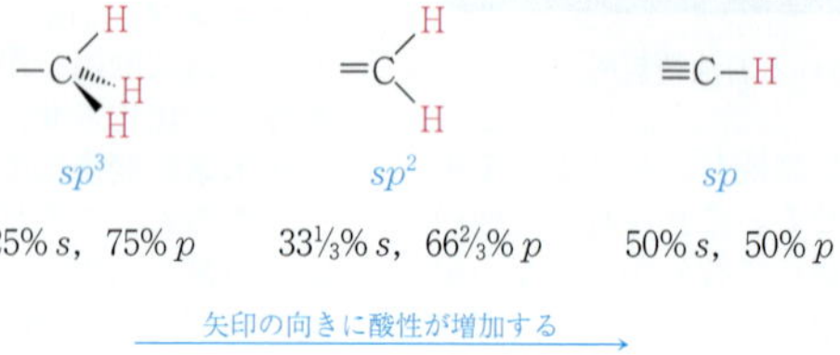

$$-\overset{\text{H}}{\underset{\text{H}}{\text{C}}}-\text{H} \qquad =\overset{\text{H}}{\underset{\text{H}}{\text{C}}} \qquad \equiv\text{C}-\text{H}$$

sp^3　　　　　　　sp^2　　　　　　　sp

25% s, 75% p　　33⅓% s, 66⅔% p　　50% s, 50% p

→ 矢印の向きに酸性が増加する →

炭素の混成のs性が大きくなりp性が小さくなるほど，その炭素に結合している水素の酸性度は増加する。ここで，s軌道がp軌道よりも原子核に近いことを思い出してほしい。その結果，結合性電子対は≡C—H結合においてもっとも炭素原子に近く引きつけられていることになり，このタイプのプロトンは塩基により引き抜かれやすくなっている。この種のプロトンを引き抜くのに十分な強さの塩基性をナトリウムアミドはもっている。

問題　3.30　1-ヘキシンを液体アンモニア中でナトリウムアミドと処理したときの反応式を書け。

1-アルキンは酸性ではあるが，水よりはかなり酸性が弱い。アセチリドは水によりアルキンに加水分解される。内部アルキンにはとくに酸性の強い水素はない。

問題　3.31　ナトリウムアセチリドと水の反応式を書け。

問題　3.32　2-ブチンはナトリウムアミドと反応するだろうか。説明せよ。

表 3.3 一般的な石油成分の分類

沸点幅, ℃	名称	1分子に含まれる炭素数の幅	用途
<20	気体	C_1 から C_4	暖房用，調理用および化学用原料
20〜200	ナフサ，直留ガソリン	C_5 から C_{12}	燃料；石油エーテル，bp 30〜60℃，のような軽い留分は実験用溶媒としても使用される
200〜300	ケロシン	C_{12} から C_{15}	燃料
300〜400	重油	C_{15} から C_{18}	家庭用暖房燃料，ディーゼル油
>400		C_{18} 以上	潤滑油，グリース，パラフィンろう，アスファルト

反応のまとめ

1. アルケンの反応

a. ハロゲンの付加（3.7a 節）

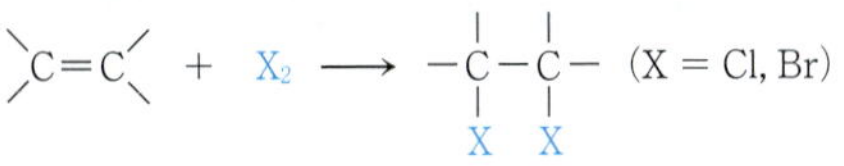

$$\text{>C=C<} + X_2 \longrightarrow -\underset{X}{\overset{|}{C}}-\underset{X}{\overset{|}{C}}- \quad (X = Cl, Br)$$

b. 極性反応剤の付加（3.7b，3.7c 節）

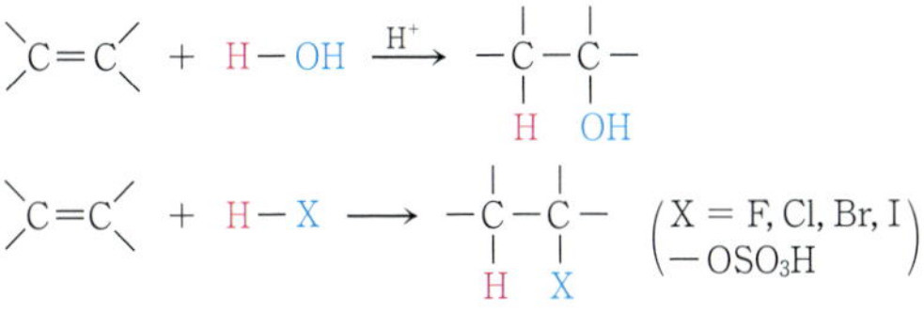

$$\text{>C=C<} + H-OH \xrightarrow{H^+} -\underset{H}{\overset{|}{C}}-\underset{OH}{\overset{|}{C}}-$$

$$\text{>C=C<} + H-X \longrightarrow -\underset{H}{\overset{|}{C}}-\underset{X}{\overset{|}{C}}- \quad \begin{pmatrix} X = F, Cl, Br, I \\ -OSO_3H \end{pmatrix}$$

c. ホウ水素化-酸化（3.13 節）

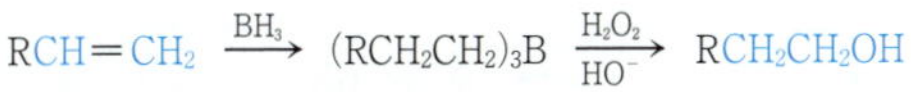

$$RCH=CH_2 \xrightarrow{BH_3} (RCH_2CH_2)_3B \xrightarrow[HO^-]{H_2O_2} RCH_2CH_2OH$$

d. 水素の付加（3.14 節）

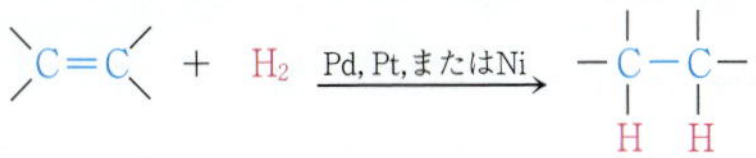

$$\text{>C=C<} + H_2 \xrightarrow{Pd, Pt, または Ni} -\underset{H}{\overset{|}{C}}-\underset{H}{\overset{|}{C}}-$$

e. 共役ジエンへの X_2 と HX の付加（3.15a 節）

$$\text{C=C-C=C} + X_2 \longrightarrow \underset{\underset{\text{1,2-付加}}{}}{\text{C-C-C=C}}_{\overset{|}{X}\ \overset{|}{X}} + \underset{\underset{\text{1,4-付加}}{}}{\text{C-C=C-C}}_{\overset{|}{X}\ \ \ \ \overset{|}{X}}$$

$$\text{C=C-C=C} + \text{H-X} \longrightarrow \underset{\underset{\text{1,2-付加}}{}}{\text{C-C-C=C}}_{\overset{|}{H}\ \overset{|}{X}} + \underset{\underset{\text{1,4-付加}}{}}{\text{C-C=C-C}}_{\overset{|}{H}\ \ \ \ \overset{|}{X}}$$

(X = Cl, Br)

f. 共役ジエンへの付加環化反応（3.15b 節）

g. エチレンの重合（3.16 節）

$$n\text{H}_2\text{C=CH}_2 \xrightarrow{\text{触媒}} \text{-(CH}_2\text{-CH}_2\text{)}_n\text{-}$$

h. ジオールあるいはカルボニル基をもつ化合物への酸化（3.17 節）

$$\text{RCH=CHR} \xrightarrow{\text{KMnO}_4} \underset{\overset{|}{\text{OH}}\ \overset{|}{\text{OH}}}{\text{RCH-CHR}} + \text{MnO}_2$$

$$\text{\textbackslash C=C/} \xrightarrow{O_3} \text{\textbackslash C=O} + \text{O=C/}$$

2. アルキンの反応

a. 三重結合への付加（3.20 節）

$$\text{R-C≡C-R} + \text{H}_2 \xrightarrow{\text{Lindlar触媒}} \underset{\overset{}{\text{H}}\ \ \overset{}{\text{H}}}{\overset{\text{R}\ \ \ \ \text{R}}{\text{C=C}}} \quad (cis\text{ 付加})$$

$$\text{R-C≡C-H} + X_2 \longrightarrow \underset{\overset{}{X}\ \ \overset{}{\text{H}}}{\overset{\text{R}\ \ \ \ X}{\text{C=C}}} \xrightarrow{X_2} \text{RCX}_2\text{CHX}_2$$

b. アセチリド陰イオンの生成（3.21 節）

$$\text{R-C≡C-H} + \text{Na}^+\text{NH}_2^- \xrightarrow{\text{NH}_3} \text{R-C≡C:}^-\text{Na}^+ + \text{NH}_3$$

反応機構のまとめ

1. 求電子付加（E⁺ ＝ 求電子剤と Nu:⁻ ＝ 求核剤（3.9節）

$$\mathrm{C=C} \xrightarrow{E^+} -\overset{|}{\underset{E}{C}}-\overset{+}{\underset{|}{C}}- \xrightarrow{Nu:^-} -\overset{|}{\underset{E}{C}}-\overset{|}{\underset{Nu}{C}}-$$

炭素陽イオン

2. 1,4-付加（3.15a節）

$$\mathrm{C=C-C=C} \xrightarrow{E^+} \left[\mathrm{C-\overset{+}{C}-C=C} \longleftrightarrow \mathrm{C-C=C-\overset{+}{C}} \right] \quad \text{アリル炭素陽イオン}$$

$$\xrightarrow{Nu:^-} \mathrm{E-C-C=C-C-Nu}$$

3. 付加環化反応（3.15b節）

（図）

4. エチレンの遊離基重合（3.16節）

$$R\cdot \quad C=C \longrightarrow R-C-C\cdot$$

$$R-C-C\cdot \quad C=C \longrightarrow R-C-C-C-C\cdot \text{（などなど）}$$

章 末 問 題

アルケンとアルキン：命名法と構造

3.33 指示された数の多重結合をもつ以下の化合物について，すべての可能な異性体の構造式と IUPAC 名をすべて書け．

(a) C_5H_8（三重結合1つ）　(b) C_5H_8（二重結合2つ）
(c) C_4H_8（二重結合1つ）

3.34 つぎの化合物の IUPAC 名を書け

(a) $CH_3CH=C(CH_3)_2$　(b) $CH_3CH=CHCH_2CH_3$　(c) （図）
(d) $CH_3CH_2C\equiv CCH_2CH_3$　(e) $CH_2=CH-CBr=CH_2$　(f) $CH_2=CH-CH_2-C\equiv CH$
(g) （図）　(h) （図）

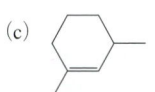

3.35 つぎの化合物の構造式を書け

(a) 2-ヘキセン　(b) シクロブテン　(c) 1,3-ジクロロ-2-ブテン
(d) 4-メチル-1-ペンチン　(e) 1,4-シクロヘキサジエン　(f) 塩化ビニル
(g) 臭化アリル　(h) ビニルシクロプロパン　(i) 3-メチルシクロペンテン
(j) 2,3-ジブロモ-1,3-シクロペンタジエン

3.36 つぎの名称が正しくない理由を説明し，それぞれに正しい名称を与えよ．
 (a) 3-ペンテン (b) 3-ブチン (c) 2-メチルシクロヘキセン
 (d) 2-エチル-1-プロペン (e) 3-メチル-1,3-ブタジエン (f) 1-メチル-2-ブテン
 (g) 3-ペンチン-1-エン (h) 3-ブテン-1-イン

3.37
 (a) 炭素–炭素間の一般的な単結合（sp^3-sp^3），二重結合（sp^2-sp^2），三重結合（sp-sp）の結合距離を答えよ．
 (b) つぎの化合物における単結合の長さは図示したとおりである．このように単結合としては短いのはなぜか説明せよ．

$$\underset{\underset{1.47\text{Å}}{\uparrow}}{CH_2=CH-CH=CH_2} \quad \underset{\underset{1.43\text{Å}}{\uparrow}}{CH_2=CH-CH\equiv CH} \quad \underset{\underset{1.37\text{Å}}{\uparrow}}{HC\equiv C-C\equiv CH}$$

3.38 つぎの化合物のうち *cis-trans* 異性があるのはどれか．そのような異性体が存在する場合には，異性体構造が明確にわかるように構造式を書け．
 (a) 2-ペンテン (b) 1-ヘキセン (c) 1-クロロプロペン
 (d) 3-ブロモプロペン (e) 1,3,5-ヘキサトリエン (f) 1,2-ジクロロシクロデセン

3.39 カビの代謝物質で抗がん作用があるマイコマイシン（*mycomycin*）の構造式は下の通りである．

$$HC\equiv C-C\equiv C-CH=C=CH-CH=CH-CH=CH-CH_2-\overset{\overset{O}{\|}}{C}-OH$$

まずカルボニル炭素からはじめて炭素鎖に位置番号をつけよ．
 (a) どの多重結合が共役しているか．
 (b) どの多重結合が累積多重結合であるか．
 (c) どの多重結合が孤立しているか．

アルケンへの求電子付加

3.40 式 3.21 に示したプロペンへのプロトン付加の反応のエネルギーダイアグラムを描け．イソプロピル陽イオンのみが生成する理由を説明せよ．

3.41 つぎの化合物と1モルの臭素を反応させたときに得られる生成物の構造式と名称を書け．
 (a) 2-ブテン (b) 塩化ビニル (c) 1,4-シクロヘキサジエン
 (d) 1,3-シクロヘキサジエン (e) 2,3-ジメチル-2-ブテン

3.42 つぎに示した化合物を得るにはどのような不飽和炭化水素にどのような反応剤を付加反応させればよいか答えよ．
 (a) $CH_3CHClCHClCH_3$ (b) $(CH_3)_2CHOSO_3H$ (c) $(CH_3)_3COH$
 (d) [シクロヘキシル-Br] (e) $CH_3CH=CHCH_2Cl$ (f) $CH_3CBr_2CBr_2CH_3$
 (g) [シクロペンチル-CHBrCH$_3$]

=総合問題

章末問題

3.43 カリオフィレン（caryophyllene）はちょうじ油の香りの主成分の不飽和炭化水素である。その分子式は $C_{15}H_{24}$ である。カリオフィレンを水素添加すると飽和炭化水素である $C_{15}H_{28}$ となる。カリオフィレンは環状化合物か。そうだとすると，いくつの環があるか。また，水素添加からカリオフィレンの構造についてその他何がわかるか。

3.44 下記の反応剤のうち，どれが求電子剤でどれが求核剤か。
(a) HCl (b) H_3O^+ (c) Br^- (d) $AlCl_3$ (e) OH^-

3.45 水は求電子剤としても，あるいは求核剤としても反応することができる。理由を説明せよ。

3.46 1-メチルシクロヘキセンを酸触媒で水和すると1-メチルシクロヘキサノールになる。この反応機構を段階的に書け。

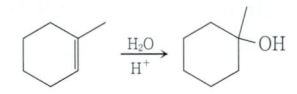

3.47 リモネン（図1.13）の1水和物には2つの可能な構造がある。その構造を示せ。これらのアルコールはテルピネオールとよばれる。リモネンの2つの二重結合を水和して得られるジオール（ジアルコール）の構造はどのようなものか示せ。これらのアルコールは，せき止め薬の"抱水テルピンの特効薬"として使用されている。

共役ジエンの反応

3.48 炭素陽イオンである $(CH_3)_2CH\overset{+}{C}HCH=CHCH(CH_3)_2$ の共鳴に寄与する極限構造式を書け。このイオンは対称的構造をしているか。

3.49 1,3-ヘキサジエンに1モルの臭化水素を付加させると2種類の生成物が得られる。これらの生成物の構造を書き，それらの生成を説明する反応機構を段階的に示せ。

3.50 下記のDiels-Alder反応の生成物を予想せよ。

(a) $CH_2=CH-CH-CH_3$ +

(b) $CH_3-CH=CH-CH=CH-CH_3$ + $NC-CH=CH-CN$

3.51 下記の生成物はどのようなジエンと親ジエンから生成するか。

(a) (b)

アルケンのその他の反応

3.52 遊離基の安定性の順序は炭素陽イオンの安定性（3°＞2°＞1°）と同じであることを知った上で，プロペンの遊離基重合で得られるポリプロピレンの構造を予想せよ。式3.40や式3.41のように，各段階の機構を書いてみるとよい。

3.53 つぎの化合物をホウ素水素化し，続いて H_2O_2/OH^- で酸化する反応式を書き，生成するアルコールの構造式を正しく示せ。

(a) 2,3-ジメチル-1-ブテン　(b) 1-メチルシクロペンテン

3.54 [シクロペンチリデン]=CH₂ を原料に用い，つぎの化合物に変換する反応式を書け。

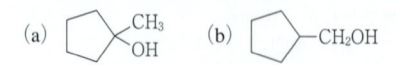

(a) [シクロペンチル(CH₃)(OH)]　(b) [シクロペンチル-CH₂OH]

3.55 シクロペンタンとシクロペンテンを区別できる簡単な化学的試験法を2種述べよ。

3.56 オゾン分解するとつぎの化合物を与えるもとのアルケンは何か，その構造を書け。
(a) $CH_3CH_2CH=O$ だけ　　　　(b) $(CH_3)_2C=O$ と $CH_3CH_2CH=O$
(c) $CH_2=O$ と $(CH_3)_2CHCH=O$　(d) $O=CHCH_2CH_2CH=O$ だけ

アルキンの反応

3.57 つぎの反応の反応式を書け。
(a) 2-ペンチンと H_2 （1モル，Lindlar触媒）
(b) 3-ヘキシンと Cl_2 （2モル）
(c) プロピンと液体アンモニア中のナトリウムアミド
(d) プロピンと H_2O （H^+, $HgSO_4$触媒）

3.58 どのようなアルキンと試薬とを反応させるとつぎの化合物が生成するか説明せよ。
(a) 2,2-ジクロロブタン　(b) 2,2,3,3-テトラクロロブタン

まとめの問題

3.59 つぎの反応剤を1-ブテンと反応させたときの反応式を書け。
(a) 塩素　　　　　　　　(b) 塩化水素　　　　　　(c) 水素（Pt触媒）
(d) オゾン，続いてZn, H^+　(e) BH_3, 続いて H_2O_2, OH^-　(f) H_2O, H^+
(g) $KMnO_4$, OH^-　　　(h) 酸素（燃焼）

3.60 HClの1-ブテンへの付加の完全な反応機構を書け（問題3.59 (b)）。

3.61 プロピンに $[(CH_3)_2CHCH]_2BH$ を反応させ続いて H_2O_2 と OH^- で処理すると，得られた
　　　　　　　　　　　　　　　|
　　　　　　　　　　　　　　　CH_3

生成物はアルデヒドのプロパナール $CH_3CH_2-\overset{O}{\overset{\|}{C}}-H$ である。
(a) アルケンのどのような反応がこの反応に類似しているか。
(b) この生成物を問題3.57 (d) の生成物と比較せよ。プロパナールへ転移する中間体（単離されない）の構造を書け。（ヒント：式3.52参照）

CHAPTER 4

ベンズアルデヒド

芳香族化合物

4.1 ベンゼンについて
4.2 ベンゼンのKekulé構造式
4.3 ベンゼンの共鳴構造モデル
4.4 ベンゼンの軌道モデル
4.5 ベンゼンの書き方
4.6 芳香族化合物の命名法
4.7 ベンゼンの共鳴エネルギー
4.8 芳香族化合物における求電子置換反応
4.9 芳香族化合物の求電子置換反応の機構
4.10 芳香族環を活性化する置換基と不活性化する置換基
4.11 $o-$, $p-$配向基と$m-$配向基
4.12 合成反応における配向効果の重要性
4.13 多環式芳香族化合物
A WORD ABOUT . . .
4.13 多環式芳香族炭化水素とがん
4.13 芳香族の球体C_{60}：フラーレン

　世界史の流れをかたち作るうえで，香味料と薬草類は長いあいだ人々の心を冒険へと駆り立てる役割を果たしてきた。そのわけは，これらには乳香やミルラ樹脂（没薬）のような神秘性をおびた交易品が含まれており，Vasco da Gama, Christopher Columbus, Ferdinand Magellan, Sir Francis Drakeなど西洋中世の偉大な探検家たちは，これらの香味料を求めて東方世界を開拓してきたからである。それは香味料貿易には危険を伴ったとはいえ，巨大な富をもたらしたからであった。したがって，有機化学者たちがはじめに研究対象として取りあげた天然物のなかに，香味料と薬草類があったことはとくに驚くべきことではない。芳香や香味のもとになるこれらの物質を，植物から純粋に抽出して構造が確認できれば，それらを多量かつ安価に，また危険を伴わずに合成できるものと初期の化学者たちも考えていたのである。

　天然物質の一般的な特徴として，多くの香味物質あるいは芳香性（aromatic）の物質が，比較的単純で共通の構造

▲ 苦扁桃（bitter almond）から芳香族化合物のベンズアルデヒドが採れる。

をもっていることが挙げられる。その代表的なものに，多様な化学反応を行っても無傷のまま残る6炭素からなる単位構造があり，これを除いた他の構造部分で多くの場合反応が起こる。この単位構造 C_6H_5- をもっている数多くの物質の中に，**ベンズアルデヒド**（benzaldehyde；苦扁桃油から分離），ベンジルアルコール（benzyl alcohol；東南アジア産の樹木から得られるバルサム樹脂のゴム安息香から分離），**トルエン**（toluene；トルバルサムから分離された炭化水素の一種）などがあった。これらの3種の化合物は酸化すると C_6H_5 基はそのまま残り，**安息香酸**（benzoic acid；ゴム安息香の一成分）となる。この酸のカルシウム塩をさらに加熱すると炭化水素 C_6H_6 が得られる（式4.1）。

$$\begin{array}{c} C_6H_5CH=O \\ \text{ベンズアルデヒド} \end{array} \xrightarrow{\text{酸化}} \begin{array}{c} C_6H_5CH_2OH \\ \text{ベンジルアルコール} \end{array} \xrightarrow{\text{酸化}} \begin{array}{c} C_6H_5CO_2H \\ \text{安息香酸} \end{array} \xrightarrow[\text{2. 加熱}]{\text{1. CaO}} \begin{array}{c} C_6H_6 \\ \text{ベンゼン} \end{array} \qquad (4.1)$$

$$\begin{array}{c} C_6H_5CH_3 \\ \text{トルエン} \end{array} \xrightarrow{\text{酸化}}$$

これと同じ炭化水素は1825年に Michael Faraday が，照明用ガスを圧縮してはじめて単離することに成功した。これが現在**ベンゼン**（benzene）*と名づけられ，芳香族化合物とよばれる一群の物質の母体となる炭化水素である。この**芳香族化合物**（aromatic compounds）という名称の由来は，芳香（aroma；アロマ）を有するということよりも，むしろその特色ある化学物質と化学的安定性を表すためにつけられたものである。なぜベンゼンは特異的に安定なのだろうか，またベンゼンやそれに類似の化合物はどのような化学反応を行うのだろうか？本章ではそのことについて学習する。

4.1 ベンゼンについて

ベンゼン C_6H_6 の炭素／水素の比から，この化合物がかなり不飽和な構造をもっていることが示唆される。たとえば，飽和アルカンのヘキサン C_6H_{14} やシクロヘキサン C_6H_{12} の炭素／水素比と比較すると，そのことがよくわかる。

問題 4.1 分子式 C_6H_6 の条件を満たす異性体の構造式を最低5つは書いてみよ。これらはすべて不飽和性が高かったり，ひずんだ小員環からできていることに注目すること。

---

* 現代ではベンゼンはきわめて重要な有機化学薬品の一つになっており，米国の年産量は7500万トンにも達している。ベンゼンは工業的に石油製品のアルカンやシクロアルカン類の接触リフォーミング，あるいはガソリン留分のクラッキングで製造されている。そのおもな用途はスチレン，フェノール，アセトン，シクロヘキサン，その他の工業化学品の製造原料などである。

☞ **ベンゼン**，C_6H_6 は**芳香族化合物**とよばれる安定な炭化水素類の母体化合物である。

4.1 ベンゼンについて

　ベンゼンは不飽和度の高い分子式をもつにもかかわらず，ふつうは不飽和化合物に似た反応性を示さない。たとえば，アルケンやアルキンが行うような臭素溶液の消色反応を行わないし，過マンガン酸カリウムによる酸化反応も受けにくい。またアルケンやアルキンが行う典型的な付加反応も行わない。その代わりに，ベンゼンは主として置換反応を行うことがよく知られている。たとえば臭化鉄（Ⅲ）を触媒に用いた臭素化反応を行うと，ベンゼンはブロモベンゼンと臭化水素を生成する。

$$C_6H_6 + Br_2 \xrightarrow{FeBr_3触媒} C_6H_5Br + HBr \tag{4.2}$$
　　ベンゼン　　　　　　　　　　ブロモベンゼン

塩素も塩化鉄（Ⅲ）存在下で同じようにベンゼンと反応する。

$$C_6H_6 + Cl_2 \xrightarrow{FeCl_3触媒} C_6H_5Cl + HCl \tag{4.3}$$
　　ベンゼン　　　　　　　　　　クロロベンゼン

　モノブロモベンゼンあるいはモノクロロベンゼンは，今まで1種類だけしか単離確認されていない（つまり上記の2つの反応のいずれにおいても，異性体生成物は存在しないということである）。この事実は，ベンゼンの6つの水素がすべて化学的に等価でなければならないことを意味している。つまり，どの水素が臭素で置換されても同じブロモベンゼンが生成する。同じことはベンゼン環上に何が置換してもいえる。

　ブロモベンゼンを臭化鉄（Ⅲ）触媒を用いてさらに等モルの臭素と反応させると，3種類のジブロモベンゼンが得られる。

$$C_6H_5Br + Br_2 \xrightarrow{FeBr_3触媒} C_6H_4Br_2 + HBr \tag{4.4}$$
　　　　　　　　　　　　　　　ジブロモベンゼン
　　　　　　　　　　　　　　　（異性体3つ）

　しかし，これらの異性体はそれぞれ同量ずつ生成するわけではない。3種類のうち2つが主生成物であり，残りの1つは少量しか生成しないが，重要なことは異性体の数が3つあるということである。同じ結果は，クロロベンゼンをさらに塩素化してジクロロベンゼンへ変換するときにも認められる。このことはベンゼン環上にどのような置換基が2つ置換する反応についてもいえる。

　ベンゼンの構造が解明されるまでには長い年月を要したが，いま考えるとその構造はそれほど難しくはない。そこで，まずはじめにベンゼンの構造に関するいまの学説の根拠となった主要な考え方を紹介してみよう。

4.2　ベンゼンのKekulé構造式

　Kekuléは1865年にベンゼンについて最初の妥当な構造式を提唱した*。彼は6つの炭素原子はそれぞれ正六角形の頂点に位置し，それぞれに水素原子が1つ結合していると考えた。さらに各炭素原子に4の原子価を与え，6員環の周囲が単結合と二重結合とで交互に形成されていると考えた（今日，共役二重結合系とよんでいるものと同じである）。この構造だけから予想すると，ベンゼンはかなり不飽和な性質をもつはずである。ところが，実際には不飽和結合の検出反応（臭素の脱色反応ならびに過マンガン酸塩テスト）に対してベンゼンは陰性を示すことがわかっていたので，Kekuléはその説明として，6員環上の単結合と二重結合とがきわめて迅速に入れ代わるためにアルケン特有の反応が起こりにくいと考えたのである。

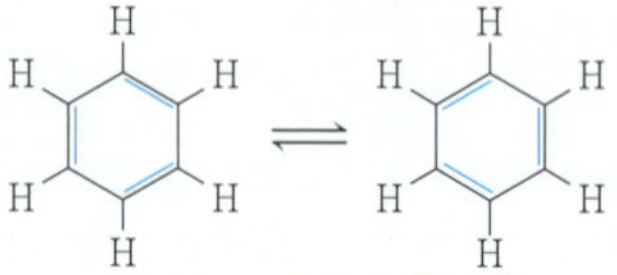

ベンゼンのKekulé構造式

問題 4.2　ベンゼンのKekulé構造式を用いて式4.2ならびに式4.4を書いてみよ。この構造式を用いてモノブロモベンゼンは1種類，ジブロモベンゼンは3種類しか存在しないことを説明できるであろうか。

問題 4.3　ベンゼン環上の隣接する2つの炭素原子上に臭素をもつジブロモベンゼンは，Kekulé構造式で書くと，臭素をもつ炭素間の結合が二重結合か単結合かで2つの異なる構造が書けるが，実際には1種類しか存在しない。この事実をKekulé構造式を用いて説明できるであろうか。

4.3　ベンゼンの共鳴構造モデル

　ベンゼンの構造に関して提唱されたKekuléモデルは完璧なものではないがほぼ正しいといえよう。2つのKekulé構造式は電子配列が異なるだけで，どの構造でもすべての原子の位置（座標）はかわってないことに注目してほしい。このことは共

＊　Friedrich A. Kekulé（1829～1896）は有機化学の学問分野における構造解明方法の発展に貢献したパイオニアであった。彼は，炭素が4価であることと同時に，有機化合物の構造には炭素原子間の結合がきわめて重要であることを認識した最初の有機化学者の1人であった。彼の名はベンゼンをはじめとする芳香族化合物のKekulé構造式によりよく知られているが，興味あることに彼ははじめ建築学を学び，そのあと化学に転向した経歴の持ち主であった。このことから推察するに，おそらく彼は化学を分子の建築学として眺めていたのかも知れない。

図4.1 ベンゼンの空間充てん式分子モデル

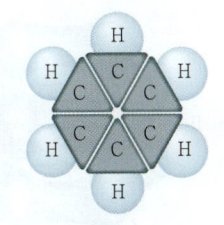

性質
無色の液体
bp 80 ℃
mp 5.5 ℃

鳴（resonance）の必要条件である（1.12節参照）。つまりKekulé構造式は，ベンゼンの唯一の共鳴混成体構造を表現するのに必要な2つの等価な構造式を示していることになる。この共鳴混成体を表現するためには，Kekuléが用いたような2つの構造式間の平衡の矢印 ⇌ を用いる代わりに，両頭矢印 ⟷ を用いる約束になっている。

ベンゼンはこの2つの極限
構造式の共鳴混成体である

このベンゼンのモデルについて別の言い方で説明するとつぎのようになる。ベンゼンのどの分子もまったく同じものであり，上に書かれたKekuléの極限構造式*（resonance contributor，共鳴構造式ともいう）のうち，いずれか1つが他のものより真のベンゼンの構造をより適切に表現しているというものではない。ベンゼンを共鳴混成体として表現する限り，真のベンゼンはKekuléのどの極限構造よりも安定化されている。ベンゼンには単結合も二重結合も存在しない代わりに，その中間の性質をもった炭素-炭素結合が1種類だけ存在している。したがって，ベンゼンがアルケンと同じ化学反応挙動を示さないのは当然である。

このベンゼンの構造が正しいことは，現在の物理学的手法によるさまざまな測定結果により立証されている。すなわち，ベンゼン分子は平面構造をもち，炭素原子は正六角形の各頂点に位置しており，すべての炭素-炭素結合の長さは等しく，その結合距離は1.39Åであり，典型的な炭素-炭素単結合距離（1.54Å）と二重結合距離（1.34Å）の中間にある。図4.1にベンゼンの大きさを表した空間充てん型モデルを示しておいた*。

4.4 ベンゼンの軌道モデル

原子軌道理論はアルカン，アルケン，アルキン類の立体構造を解明するうえでき

---

* ベンゼンとシクロヘキサンの形状の違いを図2.6と比べて確認してほしい。

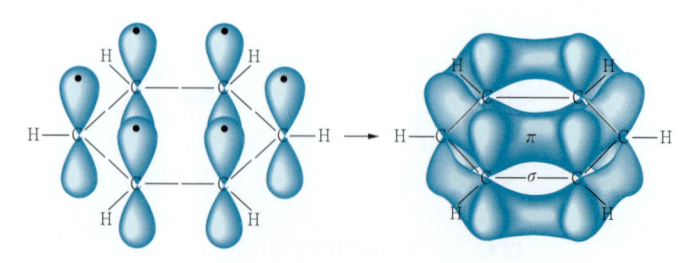

図 4.2 ベンゼンにおける結合のようすを軌道の形状を用いて描いたものである。σ結合はsp^2軌道が先端を重ね合わせることで重なってつくられているそれぞれの炭素は，p電子を1つ供出して隣接炭素のp軌道と側面を重ねることによりπ電子系を形成している。

わめて効果があったが，ベンゼン構造を説明するためにも有効である。ベンゼンの炭素原子はどれも3つの原子（2つの炭素と1つの水素）と結合している。各炭素原子はエチレンと同じようにsp^2混成しており，それぞれがもつ3つのsp^2軌道のうち2つは隣接する2つの炭素原子の同様なsp^2軌道と重なって，環全体の六角形σ結合をかたち作っている。残り1つのsp^2軌道は水素の$1s$軌道と重なり，C－Hσ軌道をつくっている。さらにそれぞれの炭素原子上のsp^2軌道3つでつくられる平面に対して垂直にp軌道が1つ存在し，これが4つ目の原子価電子1つを収容しているから，6つの炭素原子上のp軌道はとなりどうしで重なってπ軌道を形成する。その結果，六角形の環平面の上下に電子雲が作り出される。このようにsp^2混成した6つの炭素原子からベンゼン環がつくられているようすを示したのが図4.2である。このモデルはベンゼンが平面構造をもつこと，またH－C－CならびにC－C－C結合の角度が120°の正六角形であることをわかりやすく説明している。

4.5 ベンゼンの書き方

ベンゼンの書き方には2通りある。1つは標準的なKekulé構造であり，もう1つは非局在化したπ電子雲を表すために六角形の内側に円を書き込んだものである。

Kekulé　　非局在化π軌道

六角形に内接して円を書く構造は，電子が環をめぐって均一に分布する状態を強調しているので，この2つの構造のうちではより正しい構造といえよう。これに対してKekuléの書き方は6つのπ電子が存在することを示しており，ベンゼン環の反応を扱うとき，価電子の動きをたどるうえで都合がよい。そこで本書ではKekuléの書き方を用いることにする。ただしこの書き方（記号）を使用するときには，この二重結合の記号は書かれた場所に固定されているわけでもなければ，二重結合と

4.6 芳香族化合物の命名法

例　題　4.1

ベンズアルデヒド（式4.1）の構造式を書け。

解答　ベンゼンの構造式の水素原子1つがアルデヒド基で置き換わった構造である。

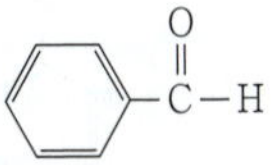

問　題　4.4　ベンジルアルコール，トルエン，安息香酸（式4.1）の構造式を書け。

4.6　芳香族化合物の命名法

系統的な化合物命名法が確立される以前から，それとは関係なく芳香族の化学は相当進んでいたので，歴史的な慣用名が通用しており，IUPACもそれを受け入れている。たとえば，

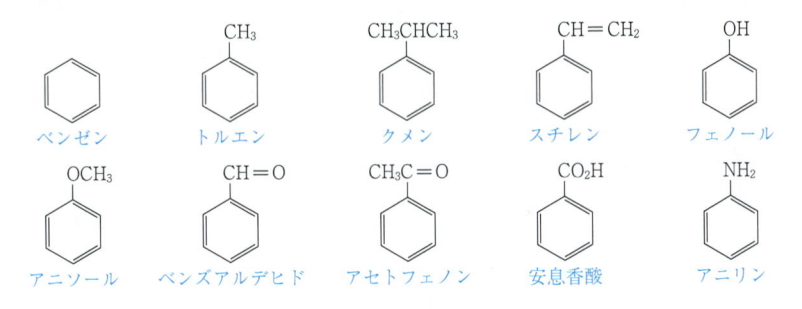

ベンゼン　　トルエン　　クメン　　スチレン　　フェノール

アニソール　　ベンズアルデヒド　　アセトフェノン　　安息香酸　　アニリン

一置換ベンゼン類はベンゼンの誘導体として系統的に命名される。

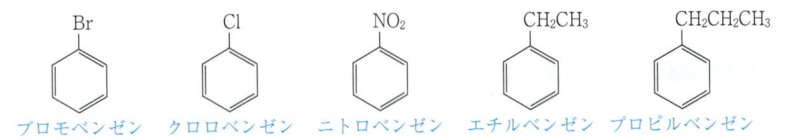

ブロモベンゼン　　クロロベンゼン　　ニトロベンゼン　　エチルベンゼン　　プロピルベンゼン

置換基が2つ存在すると3つの異性体構造が書ける。それぞれは**オルト**（ortho-），**メタ**（meta-），**パラ**（para-）という接頭語をつけて表され，あるいは $o-$, $m-$, $p-$ の略号で示されることが多い。また，置換基Xが存在する位置を炭素1とすると，それに対する **o-置換基の位置** は炭素2と6，m-置換基の位置は炭素3と5，p-置換基の位置は炭素4で表すこともできる*。

---

*　最初の置換基Xはベンゼン環上のどの位置にあってもよい。このXに対して2番目の置換基がどの位置にあるかということが大切なのである。

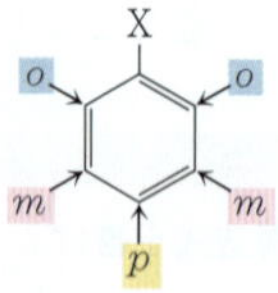

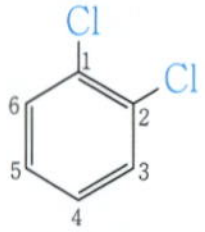

X が結合した環の位置を示す図:
- o-(オルト), m-(メタ), p-(パラ)

構造式:
- o-(またはオルト-)ジクロロベンゼン
- m-(またはメタ-)ジクロロベンゼン 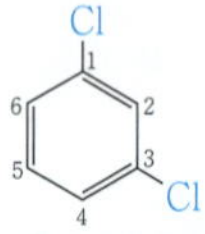
- p-(またはパラ-)ジクロロベンゼン 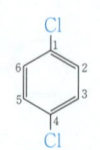
- p-(またはパラ-)キシレン* 
- p-(またはパラ-)クロロベンゼンスルホン酸 

問題 4.5 o-キシレンおよびm-キシレンの構造を書け。

o-, m-, p-の接頭語は2つの置換基が異なるときにも使用できる。

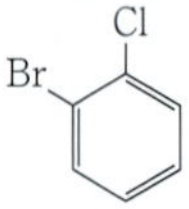

- o-ブロモクロロベンゼン
- m-ニトロトルエン 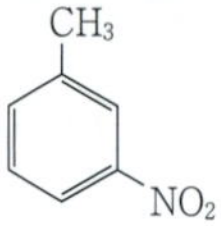
- p-クロロスチレン 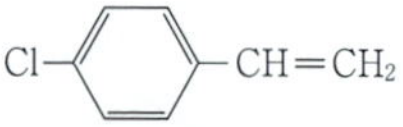
- m-クロロフェノール 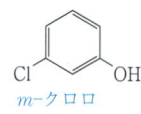
- o-エチルアニリン 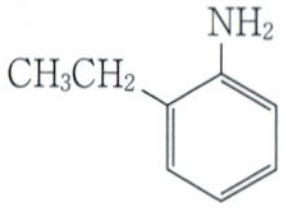

置換基の数が3つ以上のときには，置換基の位置は環炭素に番号をつけて表示する。

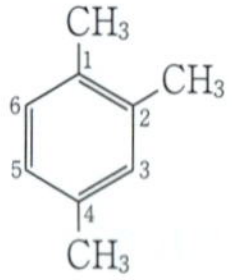

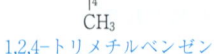

- 1,2,4-トリメチルベンゼン
- 3,5-ジクロロトルエン 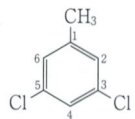
- 2,4,6-トリニトロトルエン（TNT） 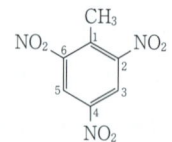

問題 4.6 つぎの構造式を書け。
(a) o-ニトロフェノール　　(b) p-ブロモトルエン
(c) m-ジニトロベンゼン　　(d) p-ジビニルベンゼン

問題 4.7 つぎの構造式を書け。
(a) 1,3,5-トリメチルベンゼン　(b) 4-ブロモ-2,6-ジクロロトルエン

芳香族炭化水素はまとめて**アレーン**（arene）とよばれている。これに対応する

＊　慣用名ならびにIUPAC名はp-キシレンであってp-メチルトルエンではない。

☞　芳香族炭化水素は**アレーン**，芳香族型の置換基は**アリール基 Ar**とよばれる。

置換基名は**アリール**（aryl）で，アルキル基に記号Rを使用するのと同じように記号 **Ar** を用いる。したがって記号 Ar－R はアリールアルカンを示すことになる。

芳香族の置換基の名称で，**フェニル基**（phenyl）と**ベンジル基**（benzyl）の2つがとくによく用いられる。

C_6H_5- または ⟨Ph⟩ －
フェニル基

$C_6H_5CH_2-$ または ⟨Ph⟩－CH_2-
ベンジル基

フェニル基の略号にはPhを用いる。このような置換基名の使用例をつぎに示す。

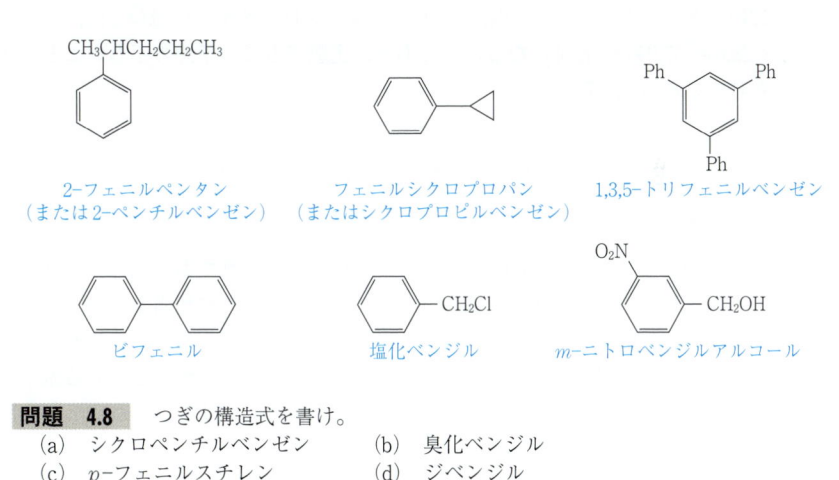

2-フェニルペンタン
（または2-ペンチルベンゼン）

フェニルシクロプロパン
（またはシクロプロピルベンゼン）

1,3,5-トリフェニルベンゼン

ビフェニル

塩化ベンジル

m-ニトロベンジルアルコール

問題 4.8 つぎの構造式を書け。
(a) シクロペンチルベンゼン　　(b) 臭化ベンジル
(c) p-フェニルスチレン　　(d) ジベンジル

問題 4.9 つぎの構造をもつ化合物に命名せよ。
(a)　　(b)

4.7 ベンゼンの共鳴エネルギー

共鳴混成体がそこに書かれた極限構造式のどれよりも安定であることはすでに強調したが，ベンゼンではこのことを実験によってわかりやすく証明できる。さらにベンゼンが対応する仮想の化合物1,3,5-シクロヘキサトリエン（Kekulé構造に対するIUPAC名）と比較して，どの程度安定なのかを数値的に算出することもできる。つぎにそれを説明しよう。

ふつうの炭素–炭素二重結合の水素化反応は発熱反応であり，発生するエネルギー（発熱量）は二重結合1モルあたりおよそ26～30 kcal/molである（式4.5）。（発熱量の正確な値は二重結合上の置換基の種類によって変わる）。また，同じ分子中

にある2つの二重結合が水素化されると，上記の2倍の反応熱が発生する．

$$\text{C=C} + \text{H–H} \longrightarrow -\underset{\underset{H}{|}}{C}-\underset{\underset{H}{|}}{C}- + 熱 \quad (26〜30\,\text{kcal/mol}) \tag{4.5}$$

たとえば，シクロヘキセンの水素化熱は28.6 kcal/molである（式4.6）．

$$\text{シクロヘキセン} + \text{H–H} \longrightarrow \text{シクロヘキサン} + 熱 \quad (28.6\,\text{kcal/mol}) \tag{4.6}$$

1,3-シクロヘキサジエンの完全水素化熱はシクロヘキセンのほぼ2倍，すなわち $2 \times 28.6 = 57.2\,\text{kcal/mol}$ になるはずであり，実験でもこの予想の正しいことが確かめられている（式4.7）．

$$\text{1,3-シクロヘキサジエン} + 2\,\text{H–H} \longrightarrow \text{シクロヘキサン} + 熱 \quad (55.4\,\text{kcal/mol}) \tag{4.7}$$

そこで，同じ法方でKekulé構造（仮想のトリエン化合物である1,3,5-シクロヘキサトリエン）の水素化反応熱を推算すると，二重結合3つに相当する値，すなわち約84〜86 kcal/molとなる．ところが水素化実験を行ってみると，ベンゼンは単純なオレフィンに比べてはるかに水素化しにくく，シクロヘキサンを生じる水素化反応熱は予想以上に低くて，わずか49.8 kcal/molである（式4.8）．

$$\text{ベンゼン} + 3\,\text{H–H} \longrightarrow \text{シクロヘキサン} + 熱 \quad (49.8\,\text{kcal/mol}) \tag{4.8}$$

この結果から「真のベンゼン分子は，その極限構造式に書かれた仮想の分子1,3,5-シクロヘキサトリエンよりも約36 kcal/mol（86－50＝36）安定である」と結論できる．

安定化エネルギー（stabilization energy）または**共鳴エネルギー**（resonance energy）とは，真の分子（共鳴混成体）のもつエネルギーと，共鳴の極限構造式のうちでもっとも安定なものについて計算したエネルギーとの差である，と定義することができるだろう．ベンゼンについてはこの値が約36 kcal/molとかなりのエネルギー差になる．このために，ベンゼンをはじめとする芳香族化合物は，さまざまな反応において結果的に芳香族の環状構造を保ったまま共鳴エネルギーを保持するように反応することがきわめて多い．

☞ **安定化エネルギー**または**共鳴エネルギー**とは，真の分子（共鳴混成体）のもつエネルギーと，共鳴の極限構造式のうちでもっとも安定なものについて計算したエネルギーとの差である．

4.8 芳香族化合物における求電子置換反応

芳香族化合物のもっとも一般的な反応は，芳香環上の水素をほかの原子や基で置きかえるタイプのものである。ベンゼンの代表的な置換反応をいくつかつぎに示す。

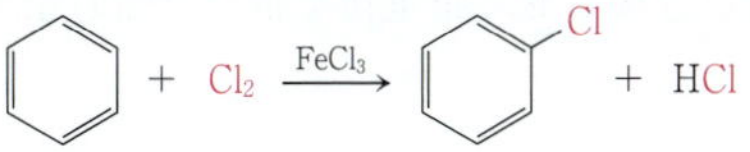

$$C_6H_6 + Cl_2 \xrightarrow{FeCl_3} C_6H_5Cl + HCl \quad \text{クロル化} \quad (4.9)$$

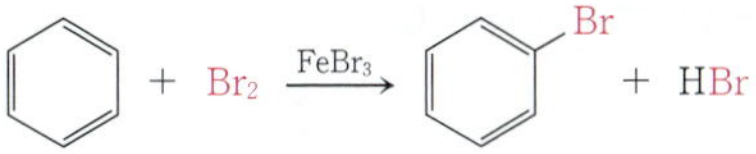

$$C_6H_6 + Br_2 \xrightarrow{FeBr_3} C_6H_5Br + HBr \quad \text{ブロム化} \quad (4.10)$$

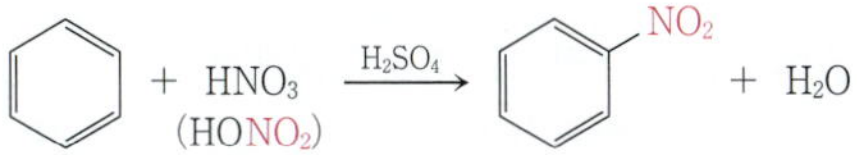

$$C_6H_6 + HNO_3 \text{ (HO}NO_2\text{)} \xrightarrow{H_2SO_4} C_6H_5NO_2 + H_2O \quad \text{ニトロ化} \quad (4.11)$$

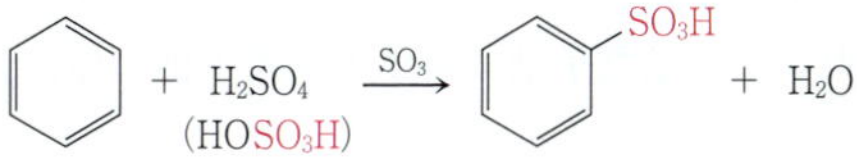

$$C_6H_6 + H_2SO_4 \text{ (HO}SO_3H\text{)} \xrightarrow{SO_3} C_6H_5SO_3H + H_2O \quad \text{スルホン化} \quad (4.12)$$

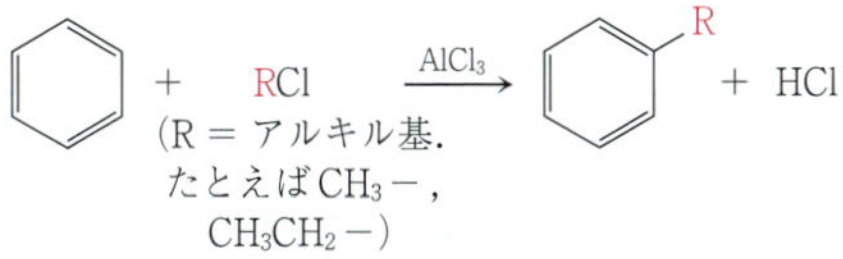

$$C_6H_6 + RCl \xrightarrow{AlCl_3} C_6H_5R + HCl \quad \text{アルキル化} \quad (4.13)$$

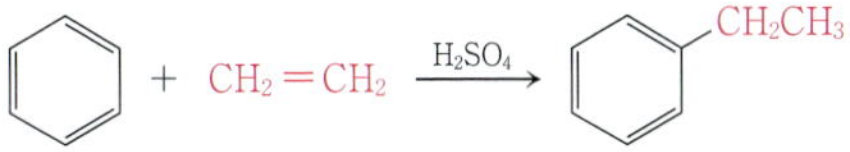

（R＝アルキル基. たとえば CH_3-, CH_3CH_2-）

$$C_6H_6 + CH_2=CH_2 \xrightarrow{H_2SO_4} C_6H_5CH_2CH_3 \quad \text{アルキル化} \quad (4.14)$$

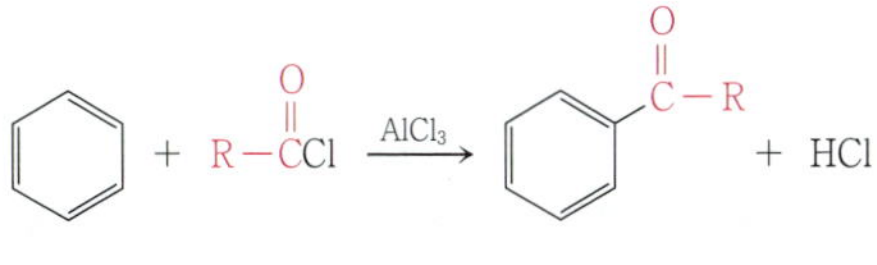

$$C_6H_6 + R-\overset{O}{\underset{}{C}}-Cl \xrightarrow{AlCl_3} C_6H_5-\overset{O}{\underset{}{C}}-R + HCl \quad \text{アシル化} \quad (4.15)$$

これらの反応のほとんどは0～50℃の反応温度で順調に進行するが，ベンゼン環上にあらかじめ置換基が存在するときは，置換基に応じて反応条件をゆるやかにあるいは過酷に調節しなければならない。また同じ置換基を2つ以上導入するときにも反応条件を変更しなければならない。

これらの反応の起こり方，付加反応よりも置換反応が起こりやすい理由，触媒の役割などについてはつぎに述べる。

4.9 芳香族化合物の求電子置換反応の機構

前節に示した反応（式4.9～4.15）のすべてが，ベンゼン環に対する求電子剤

(electrophilic reagent)の攻撃ではじまることは多くの証拠によりわかっている。ここでは反応例として塩素化反応（式4.9）をとり上げてみよう。ベンゼンと塩素との反応は触媒が存在しないときわめて遅いが，触媒を加えると速くなる。そこでまずこの触媒の働きを考えてみよう。この反応では触媒としてルイス酸を用いるが，これが塩素分子のCl－Cl結合を分極させて正電荷を帯びた強力な求電子剤であるクロロニウムイオンを発生させる。

$$:\ddot{Cl}-\ddot{Cl}: + \underset{\underset{Cl}{|}}{\overset{\overset{Cl}{|}}{Fe}}-Cl \rightleftharpoons \overset{\delta+}{Cl}\cdots\overset{\delta-}{Cl}\cdots\underset{\underset{Cl}{|}}{\overset{\overset{Cl}{|}}{Fe}}-Cl \quad (4.16)$$

弱い求電子剤 　　　強い求電子剤

このように強力な求電子剤が必要な理由はあとで説明する。

求電子剤は，芳香族環のπ電子雲から与えられるπ電子2つを使って芳香族環に付加し，環の1つの炭素原子とσ結合を形成する。その結果この炭素原子はsp^3混成となる。ここではベンゼン環が求電子剤に対するπ電子供与体，言い換えると求核剤として働いていることになる。

$$\bigcirc + Cl\overset{\delta+}{-}\overset{\delta-}{Cl}\cdots FeCl_3 \longrightarrow \bigodot\!\!\overset{H}{\underset{Cl}{}} + FeCl_4^- \quad (4.17)$$

この炭素はsp_3混成となり，4つの他の原子と結合していて二重結合性をもたない。

ベンゼノニウムイオン
（一種の炭素陽イオン）

この反応の結果生じる炭素陽イオンを**ベンゼノニウムイオン**（benzenonium ion）とよんでいる。この炭素陽イオンの電荷は，塩素原子が結合したsp^3炭素からみたo-およびp-の位置に共鳴により非局在化することができる。

ベンゼノニウムイオンの共鳴式　　　左のベンゼノニウムイオンを1つに合成した表現方法

ベンゼノニウムイオンはアリル型炭素陽イオン（3.15a節参照）に似ているが，陽電荷は2つの炭素上だけでなく3つの炭素原子上に非局在化している。しかしながら，このイオンが生成することにより失われる芳香族の共鳴エネルギーは，上記のような非局在化によってもほんの一部分しか取り戻せない。そこでベンゼノニウ

☞　共鳴安定化した**ベンゼノニウムイオン**は，求電子的芳香族置換反応に共通の反応性中間体の炭素陽イオンである。

4.9 芳香族化合物の求電子置換反応の機構

ムイオンは，求電子剤が付加した炭素原子上の水素をプロトンとして放出することにより，芳香族環を再生させて反応を完結させる。

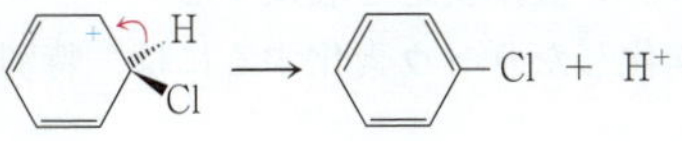

$$\text{[中間体]} \longrightarrow \text{[ClベンゼンとH}^+\text{の生成]} \tag{4.18}$$

この二段階の反応機構につぎの一般反応式を使えば，4.8節に示したすべての求電子置換反応にもあてはめることができる。

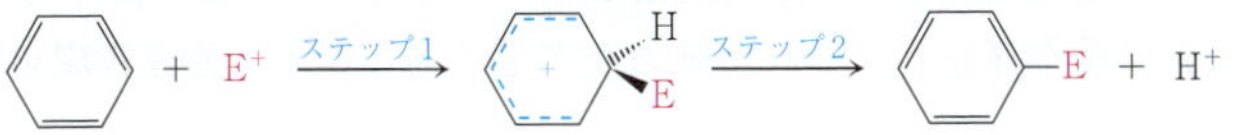

$$\text{ベンゼン} + E^+ \xrightarrow{\text{ステップ1}} \text{[中間体]} \xrightarrow{\text{ステップ2}} \text{Ar–E} + H^+ \tag{4.19}$$

ここで，強い求電子剤がなぜ必要か，また付加反応よりも置換反応が起こる理由はなにか，それを明らかにしてみよう。ステップ1では，芳香族環のπ電子系が壊れるので芳香族の安定化エネルギー（共鳴エネルギー）は失われる。このように求電子剤が芳香族環に付加してπ系を破壊するためには，それだけのエネルギーと強力な求電子剤とが必要である。ステップ2では，プロトンを放出することで芳香族環の共鳴エネルギーが再獲得できる。しかし，中間体の炭素陽イオンに求核剤が付加するとそれが不可能になる（二重結合への求電子付加反応で求核剤が付加するのと同じである。3.9節参照）。

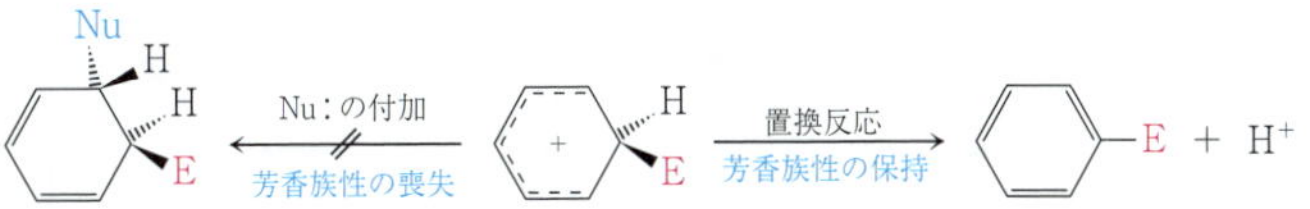

$$\text{[Nu付加体]} \xleftarrow{\text{Nu:の付加}\atop\text{芳香族性の喪失}} \text{[中間体]} \xrightarrow{\text{置換反応}\atop\text{芳香族性の保持}} \text{Ar–E} + H^+ \tag{4.20}$$

式4.19のステップ1では芳香族性の破壊にかなりの活性化エネルギーが必要となり，反応速度は通常遅く，ここが反応の律速段階になる。ステップ2では芳香族環が再生されるので低い活性化エネルギーをもつことになり，反応速度は通常速い。

問題 4.10 ベンゼンに対する求電子的芳香族置換反応とアルケンへの求電子的付加反応のいずれにおいても，最初の反応段階は遅く二段目の反応は速い。そこで，式4.19の反応について図3.10を参考にしながら反応のエネルギー図を書け。

ここで，4.8節に示した種々のタイプの求電子芳香族置換反応について簡単に説明しよう。

4.9a ハロゲン化

ハロゲン分子とそれに対応したハロゲン化鉄を触媒として使用すれば（すなわち $Cl_2 + FeCl_3$ または $Br_2 + FeBr_3$ の組み合わせのこと），芳香族環の上に塩素または

臭素を容易に導入できる。この反応を行うには，ふつう芳香族化合物と鉄粉の混合物にハロゲンをゆっくりと加える。すると，鉄がまずハロゲンと反応してハロゲン化鉄を生じ，これがハロゲン置換反応を触媒する。

芳香族環を直接フッ素化したりヨウ素化するには，特別な反応方法を用いなければならない。

4.9b ニトロ化

芳香族ニトロ化反応（式4.11）では，硫酸触媒*が硝酸をプロトン化して脱水させると**ニトロニウムイオン**（nitronium ion）が発生する。この陽イオンには陽電荷をもつ窒素原子が存在し，これが強力な求電子剤となって芳香族環を攻撃する。

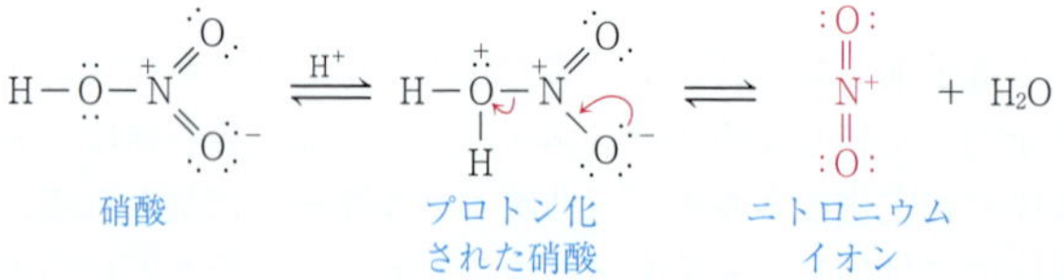

$$H-O-NO_2 \xrightarrow{H^+} H-\overset{+}{O}(H)-NO_2 \rightleftharpoons NO_2^+ + H_2O \quad (4.21)$$

硝酸　　　プロトン化された硝酸　　　ニトロニウムイオン

例題 4.2

ベンゼンのニトロ化の反応機構を段階的に書け。

解答　第一段階に必要な求電子剤 NO_2^+ の生成は式4.21に示してある。これに続いてつぎの反応が進行する。

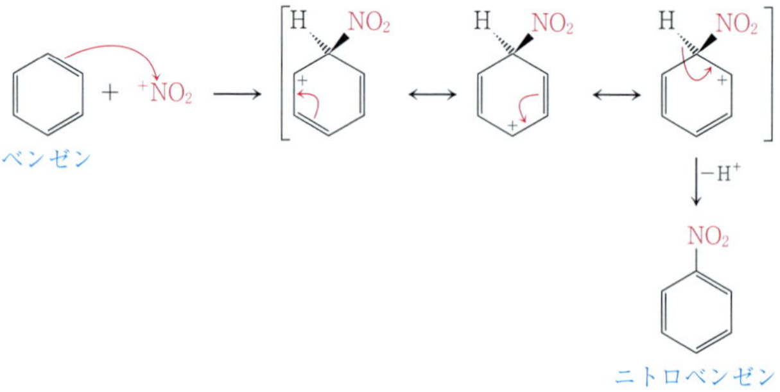

ベンゼン + $^+NO_2$ → [共鳴構造] $\xrightarrow{-H^+}$ ニトロベンゼン

4.9c スルホン化

スルホン化反応（式4.12）には濃硫酸あるいは発煙硫酸が使用される。ここで反応にあずかる求電子剤は，三酸化硫黄（SO_3）またはプロトン化された三酸化硫

---

*　硫酸は次の平衡反応式に示すようにプロトンを供与する触媒として働いている。
$$H-OSO_3H \rightleftharpoons H^+ + {}^-OSO_3H$$

☞　正電荷をもつ**ニトロニウムイオン**はベンゼンのニトロ化における求電子剤である。

4.9 芳香族化合物の求電子置換反応の機構

黄$^+$SO$_3$Hである。つぎに示す共鳴構造式はSO$_3$の硫黄原子が強力な求電子剤になっていることを示している。

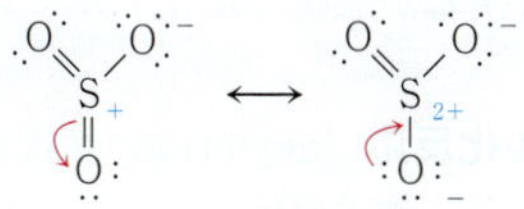

この反応で得られる生成物のスルホン酸は強い有機酸である。この酸は高温で塩基と反応させるとフェノールを与える。

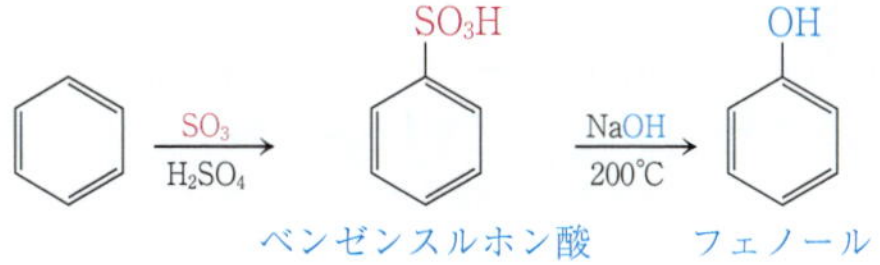

$$\text{ベンゼン} \xrightarrow[\text{H}_2\text{SO}_4]{\text{SO}_3} \text{ベンゼンスルホン酸} \xrightarrow[200℃]{\text{NaOH}} \text{フェノール} \tag{4.22}$$

問題 4.11 ベンゼンのスルホン化の反応機構を段階的に書け。

4.9d アルキル化とアシル化

芳香族化合物のアルキル化反応（式4.13, 4.14）は一般に **Friedel–Crafts 反応**（Friedel-Crafts reaction）とよばれるが，この名称はCharles Friedel（フランス）とJames M. Crafts（アメリカ）の二人が，1877年にはじめてこの反応を見いだしたことにちなんでつけられている。この反応の求電子剤は炭素陽イオンであり，ハロゲン化アルキルにルイス酸触媒（AlCl$_3$など）を働かせてハロゲン化物イオンを脱離させる方法や，アルケンにプロトンを付加させる方法（式4.14）により発生させる。式4.23ならびに式4.24にエチルベンゼンの合成を例にとって，その反応経路を詳しく示しておこう。

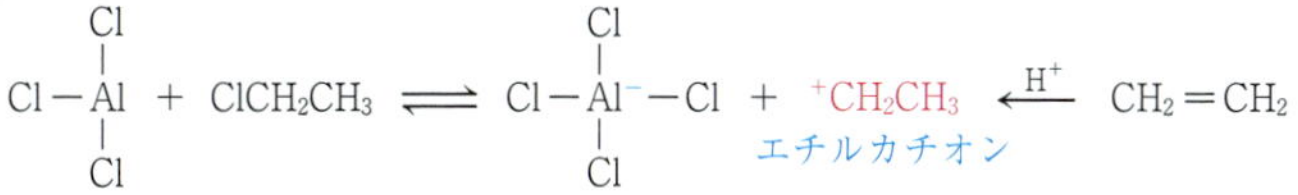

$$\text{Cl}_3\text{Al} + \text{ClCH}_2\text{CH}_3 \rightleftharpoons \text{AlCl}_4^- + {}^+\text{CH}_2\text{CH}_3 \xleftarrow{\text{H}^+} \text{CH}_2=\text{CH}_2 \tag{4.23}$$

（エチルカチオン）

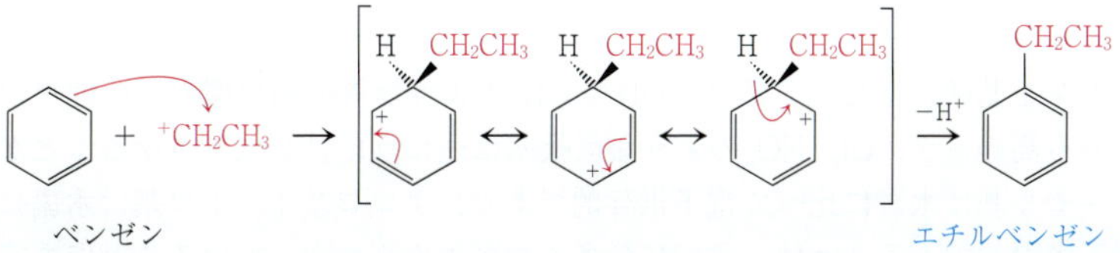

$$\text{ベンゼン} + {}^+\text{CH}_2\text{CH}_3 \rightarrow [\text{中間体共鳴}] \xrightarrow{-\text{H}^+} \text{エチルベンゼン} \tag{4.24}$$

問題 4.12 式4.14あるいは式4.23, 4.24の反応において，エテンの代わりにプロペンを用いた場合，生成物はプロピルベンゼンそれともイソプロピルベンゼンになるのだろうか説明せよ。

☞ 芳香族化合物のアルキル化またはアシル化は **Frieldel–Crafts 反応** とよばれる。

Friedel-Craftsアルキル化反応の適用には制限がある。この反応は，ふつうニトロ基やスルホン基などがベンゼン環上に存在する場合には用いることができない。その理由は，これらの置換基が触媒の塩化アルミニウムと錯体を形成し，反応活性を失うからだ。

Friedel-Crafts**アシル化反応**（acylation）（式4.15参照）も同じように起こる。ここでの求電子剤はカルボン酸誘導体，とくにハロゲン化アシルから発生させたアシルカチオンである。この反応は芳香族ケトンの有効な合成方法になっている。

$$CH_3CCl + AlCl_3 \rightleftharpoons CH_3\overset{+}{C}=O + AlCl_4^- \qquad (4.25)$$
塩化アセチル　　　　　　　アセチルカチオン

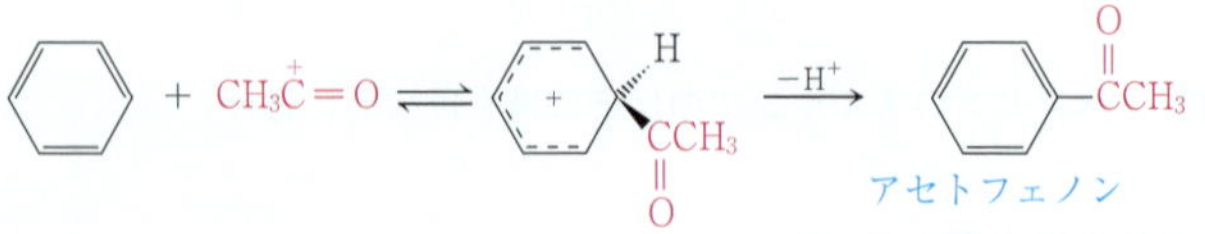

$$\text{(式 4.26)} \qquad (4.26)$$
アセトフェノン

4.10 芳香族環を活性化する置換基と不活性化する置換基

本節ならびに次節で，上に述べた芳香族化合物の求電子置換反応の反応機構を支持するいくつかの実験事実を示そう。まずはじめに，芳香族環上にあらかじめ存在する置換基が，新たに起こる置換反応に及ぼす影響を考えてみる。

その例として，同一反応条件下でつぎの化合物をニトロ化したときの相対反応速度を示す。

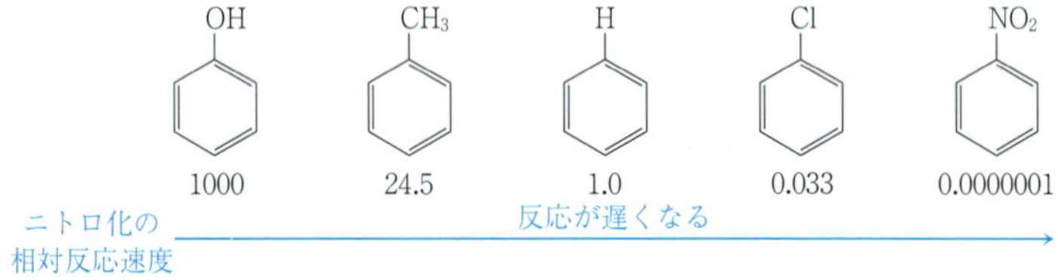

OH	CH₃	H	Cl	NO₂
1000	24.5	1.0	0.033	0.0000001

ニトロ化の相対反応速度　　　　　反応が遅くなる →

ベンゼンを基準にして比べると，OHやCH₃のような置換基は環の反応性をベンゼンよりも高めるが，Cl，NO₂のような置換基は逆に反応性を低下させることがわかる。メチル基は水素に比べて電子供与的であり，クロロ基やニトロ基は水素に比べて電子求引的であることは，すでに数多くの証拠からわかっていることである。

上記の観察結果は求電子置換反応の機構と完全に一致している。すなわち，反応速度が芳香族環への求電子剤の攻撃段階で決まるのなら，環上に存在する電子供与性の置換基は反応を加速し，反対に電子求引性の置換基は，攻撃する求電子剤に対する環のπ電子供与能力を低下させるから，反応は遅くなるだろう。置換基の性質

4.11　o-, p-配向基とm-配向基

によって芳香族環の反応性がこのように2通りの影響を受けることは，ニトロ化だけでなくすでに述べたすべての芳香族置換反応でも観測されている。

4.11　o-, p-配向基とm-配向基

芳香族環の上にすでに存在している置換基は，新たに入ってくる置換基の結合する位置を決める。たとえば，トルエンをニトロ化するとo-ならびにp-ニトロトルエンがおもに生成するが，ニトロベンゼンをニトロ化するとm-ジニトロベンゼンがおもに生成する。

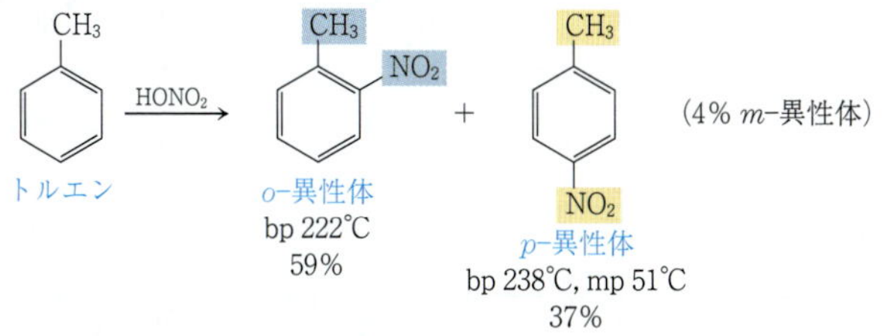

$$\text{トルエン} \xrightarrow{\text{HONO}_2} o\text{-異性体 (bp 222°C, 59\%)} + p\text{-異性体 (bp 238°C, mp 51°C, 37\%)} \quad (4\% \ m\text{-異性体}) \tag{4.27}$$

$$\text{ニトロベンゼン} \xrightarrow{\text{HONO}_2} m\text{-異性体 (mp 89°C, 93\%)} \quad (7\% \ o\text{-異性体}) \tag{4.28}$$

この反応様式はほかの求電子置換反応（たとえば塩素化，臭素化，スルホン化）でも同様に観測されている。つまりトルエンはおもにo-, p-位置で置換反応を，ニトロベンゼンはm-位置で置換反応を行うことがわかっている。

このように，ある種類の置換基はo-, p-配向性を示し，そのほかの置換基はm-配向性を示す。この配向性を代表的な置換基について分類した結果を表4.1に示す。この2つのタイプの置換基配向性を，求電子置換反応の反応機構を適用して説明してみよう。

4.11a　o, p-配向性置換基

ここではトルエンのニトロ化を例として取りあげて説明しよう。反応機構のはじめの段階で，ニトロニウムイオンがメチル置換基に対してo-, m-, p-の各位置を攻撃したときのようすをつぎに示す。

☞　o-, p-配向基は，ベンゼン環上へ新たな求電子剤が置換するときに，その導入位置を既存の配向基に対してo-およびp-位に配向させる。m-配向基はm-位に配向させる。

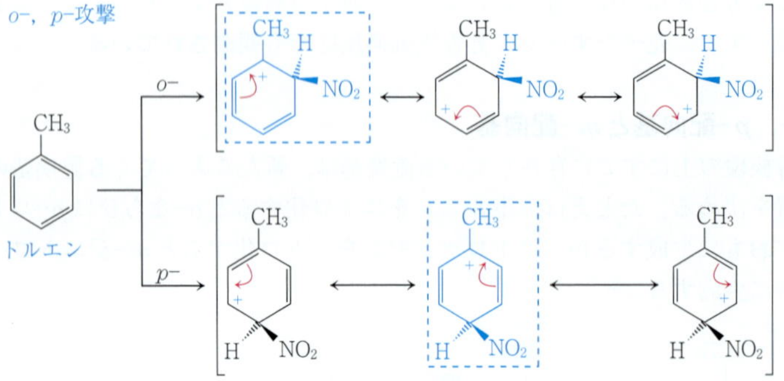

o-, p-攻撃の反応中間体と m-攻撃の反応中間体を示す反応式 (4.29) および (4.30)。

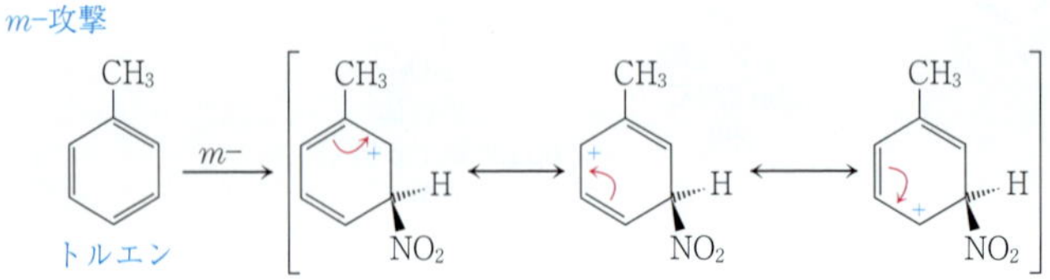

ここで，o-ならびに p-置換反応のいずれにおいても，反応中間体のベンゼノニウムイオンに関して書かれた3つの極限構造式のうちの1つが（点線枠の中），メチル基が結合している環の炭素原子上に正電荷をもつことに注目してほしい。この極限構造式は第三級炭素陽イオンのものであり，他の極限構造が第二級炭素陽イオンのものであるのに比べて安定である。一方，m-攻撃においてはすべての極限構造式は第二級炭素陽イオンのものであり，中間体ベンゼノニウムイオンの陽電荷はメチル置換基が結合した炭素上には存在しない。このように反応はもっとも安定な炭素陽イオン中間体を経由して進行するので，その結果としてメチル基は o-, p-配向性を示す。

これと同様に他のアルキル基もすべて o-, p-配向性を示す。

つぎに表4.1に記載されている他の o-, p-配向性置換基についても考えてみよう。これらの置換基はすべて芳香族環に直結した原子上に非共有電子対をもっているので，これが隣接位の陽電荷を安定化できる。

$$-\ddot{\mathrm{F}}: \qquad -\ddot{\mathrm{O}}\mathrm{H} \qquad -\ddot{\mathrm{N}}\mathrm{H}_2$$

ここでは一例としてフェノールの臭素化をとりあげて考察してみよう。

4.11 o-, p-配向基と m-配向基

表 4.1 既存置換基による配向効果と活性化効果
（この順に置換基の活性化効果は低くなる）

	置換基の種類	置換基の名称	
オルト, パラ配向性	$-\ddot{N}H_2, -\ddot{N}HR, -\ddot{N}R_2$	アミノ	活性化
	$-\ddot{O}H, -\ddot{O}CH_3, -\ddot{O}R$	ヒドロキシ, アルコキシ	
	$-\ddot{N}HC(=O)-R$	アシルアミノ	
	$-CH_3, -CH_2CH_3, -R$	アルキル	
	$-\ddot{F}:, -\ddot{C}l:, -\ddot{B}r:, -\ddot{I}:$	ハロ	
メタ配向性	$-C(=O)-R \quad -C(=O)-\ddot{O}H$	アシル, カルボキシ	不活性化
	$-C(=O)-\ddot{N}H_2 \quad -C(=O)-\ddot{O}R$	カルボックスアミド, カルボアルコキシ	
	$-S(=O)(=O)-\ddot{O}H$	スルホ	
	$-C\equiv N:$	シアノ	
	$-\overset{+}{N}(=\ddot{O})-\ddot{O}:^{-}$	ニトロ	

o-, p-攻撃

フェノール

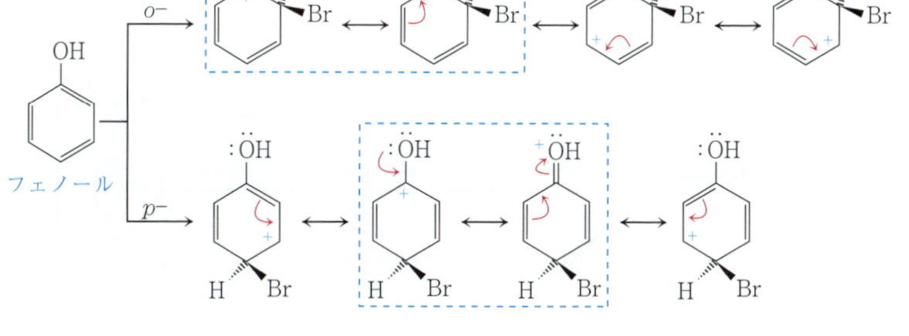

(4.31)

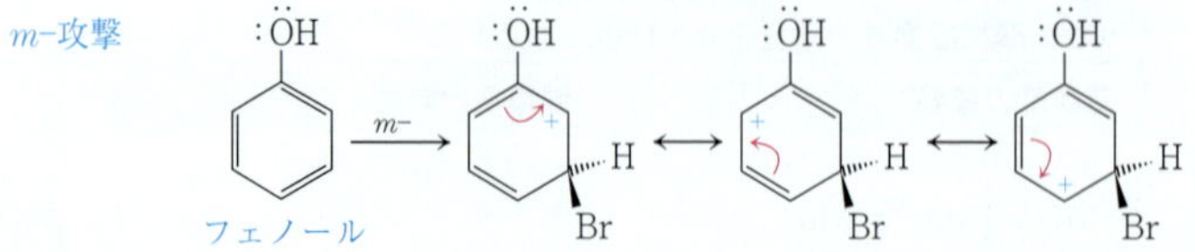

m-攻撃

$$\text{フェノール} \xrightarrow{m-} \cdots \tag{4.32}$$

　o-またはp-攻撃で生じる中間体ベンゼノニウムイオンの極限構造の1つが，水酸基の結合した炭素上に陽電荷を存在させている．この構造で酸素原子がもつ非共有電子対を，陽電荷をもった炭素原子上に移動させると，陽電荷が酸素原子に非局在化することになる（点線青枠内の構造）．このような構造はm-攻撃において書くことができない．したがって水酸基はo-, p-配向基となる．

　ここに述べた考察は一般性をもっており，芳香族環に直結した原子上に非共有電子対をもっている置換基はすべてo-, p-配向性である．

問題 4.13　アニリンの臭素化反応において生成する中間体の共鳴式を書き，o-, p-配向性が有利となる理由を説明せよ．

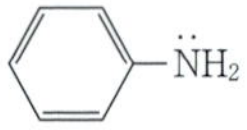

アニリン

4.11b　m-配向性置換基

　ニトロベンゼンのニトロ化反応についても，ニトロ基のm-配向効果が同じように説明できるだろうか．ニトロベンゼンでは窒素原子上に形式電荷$+1$が存在するから，これを考慮に入れて反応が起こるそれぞれの位置についてベンゼノニウムイオンを書いてみるとつぎのようになる．

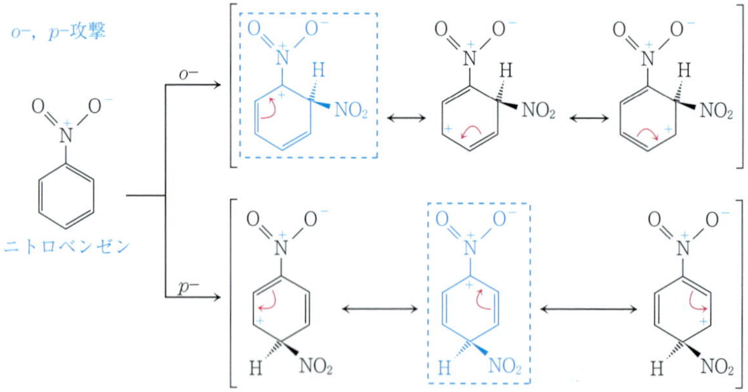

o-, p-攻撃

$$\text{ニトロベンゼン} \tag{4.33}$$

4.11 o-, p-配向基とm-配向基

m-攻撃

ニトロベンゼン

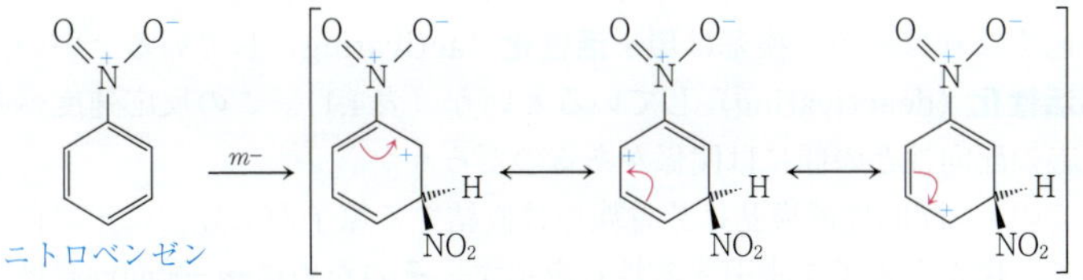

$$\text{(4.34)}$$

　o-ならびにp-置換反応の反応中間体について書かれた式4.33の極限構造式のうち，青い点線で囲ったものは2つの陽電荷をとなり合わせにもっており，同じ電荷どうしが反発しあうために，きわめて好ましくない配置である。これに対してm-置換反応では，このような好ましくない極限構造式を書くことができないので（式4.34），結果的にo-, p-置換反応と比較してm-置換反応が有利になるわけだ。

　これと同じ説明を表4.1に記載の官能基すべてにあてはめることができる。これらのm-配向性置換基を眺めて気付くことは，芳香族環に直接結合する原子が二重結合または三重結合を構成する原子の1つであり，もう1つの原子は炭素よりも大きな電気陰性度をもつもの（たとえばOやN）であることである。これらの置換基では芳香族環に結合した原子は部分的に正電荷を帯びていて（たとえばニトロ基の窒素原子がそれである），つぎのような極限構造式を書くことができる。

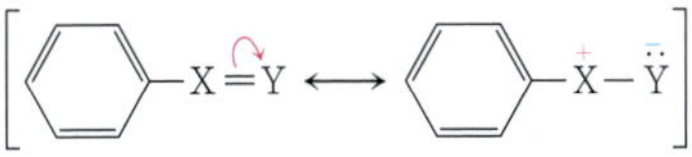

ここでYは酸素や窒素のような電子求引性の原子であるから，原子Xは部分的に正電荷を帯びることになる。

　このような置換基は，ニトロ基のm-配向性を説明するのに用いたのと同様の理由から，すなわち，中間体ベンゼノニウムイオンにおいて陽電荷が2つ隣接しないように，すべてm-配向性を示す。以上をまとめると，芳香環に直結した原子が陽電荷を帯びていたり，またはその原子よりも電気陰性な原子と多重結合で結ばれている置換基はすべてm-配向性である，と結論できる。

問題 4.14 安息香酸のo-, m-, p-それぞれの位置における臭素化反応を考え，中間に経由するベンゼノニウムイオンを比較して，主生成物がm-ブロモ安息香酸になる理由を説明せよ。

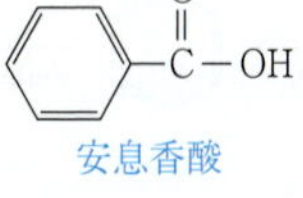

安息香酸

4.11c 反応速度に及ぼす置換基効果

　芳香族環上の置換基は置換反応が起こる位置を決めるだけでなく，反応速度にも

効果を及ぼす。すなわちベンゼンの反応性よりも高くなったり低くなったりする効果である。ある置換基がベンゼン環上につくことにより，元のベンゼンよりも反応速度が速くなればその置換基は環を**活性化**（activating）しているといい，遅くなれば**不活性化**（deactivating）しているという（表4.1）。この反応速度への効果と置換反応の配向性との間には関係があるのだろうか。

すべての m-配向性置換基は芳香族環に直結する原子が部分的に正電荷を帯びているので，環から電子を求引する性質を示す。そのために m-配向性置換基は芳香族環を不活性化する基である。これとは対照的に o-，p-配向性置換基は芳香族環に電子を供与する性質をもつから芳香族環を活性化する基である。ハロゲン（F, Cl, Br, I）では，これらの2つの相反する効果が同時に作用するので，唯一の重要な例外である。すなわち，ハロゲンは強力な電子求引基であるために環の反応性を低下させるが，その一方でハロゲン原子上の非共有電子対の存在により o-，p-配向性を示す。

4.12 合成反応における配向効果の重要性

芳香族化合物の求電子置換反応を組み込んだ数段階からなる合成経路を設計するときに大切なことは，既存の置換基による配向性と活性化の効果を考慮に入れることである。たとえば，ベンゼンに臭素化とニトロ化とを行ってブロモニトロベンゼンを合成する反応を考えてみよう。はじめに臭素化を行い，つぎにニトロ化を行うと o-ならびに p-異性体の混合物が得られる。

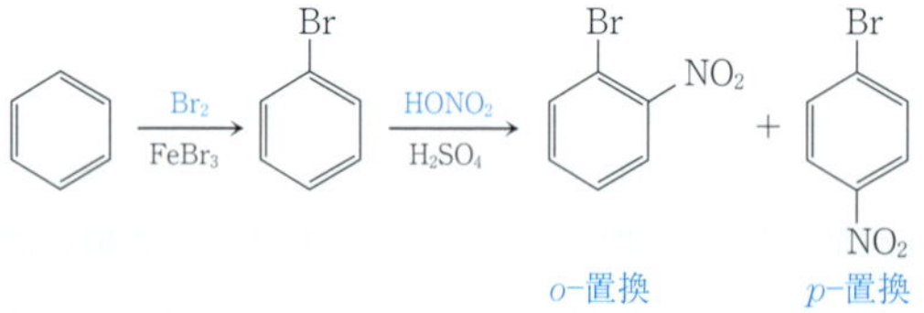

$$\text{ベンゼン} \xrightarrow[\text{FeBr}_3]{\text{Br}_2} \text{ブロモベンゼン} \xrightarrow[\text{H}_2\text{SO}_4]{\text{HONO}_2} o\text{-置換} + p\text{-置換} \tag{4.35}$$

その理由はブロモベンゼンの Br 置換基が o-，p-配向性を示すからである。一方これとは逆に，はじめニトロ化を行ない，つぎに臭素化を行うとニトロ基の m-配向性効果によりおもに m-異性体が得られる。

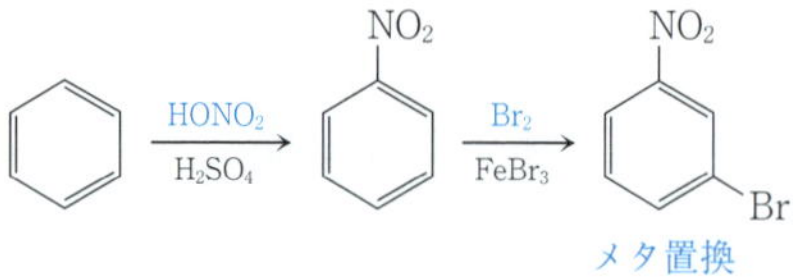

$$\text{ベンゼン} \xrightarrow[\text{H}_2\text{SO}_4]{\text{HONO}_2} \text{ニトロベンゼン} \xrightarrow[\text{FeBr}_3]{\text{Br}_2} \text{メタ置換} \tag{4.36}$$

☞ 無置換ベンゼンに比べて置換ベンゼンの求電子芳香族置換反応の速度が速ければ，その置換基は**活性化**しているという。同様に反応速度が遅ければ**不活性化**しているという。

4.13 多環式芳香族化合物

このように臭素化とニトロ化という2つの反応を組み合わせるとき，反応の順番はきわめて大切であり，この組み合わせによって得られる生成物の構造は変わる。

問題 4.15 ベンゼンを原料とするつぎの化合物の合成反応を考えよ。
(a) m-ブロモベンゼンスルホン酸 (b) p-ニトロトルエン

問題 4.16 求電子芳香族置換反応を2つ続けて行っても，m-ブロモクロロベンゼンまたはp-ニトロベンゼンスルホン酸は合成できない理由を説明せよ。

4.13 多環式芳香族化合物

芳香族性（aromaticity）の概念，すなわち，ある種の完全に共役した**環状**（cyclic）分子構造が示す顕著な安定性は，ベンゼンや単純な置換ベンゼンの範囲を超えて拡張できる。

製鉄用として多量に使用されているコークスは，石炭を空気遮断して乾留し製造されるが，この過程で生じる副生成物の留分は**コールタール**（coal tar）とよばれ，数多くの芳香族炭化水素（ベンゼン，トルエン，キシレンなど）の混合物である。**ナフタレン**（naphthalene）$C_{10}H_8$はこのコールタールの高沸点留分から純粋に得られた最初の化合物であった。これは融点80℃の無色の美しい結晶として昇華してくるので，容易に単離できる。ナフタレンはベンゼン環が2つ縮合した平面構造をもつ分子であり，炭素原子2個を両方の環で共有している。

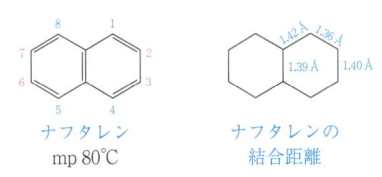

このような防虫剤はナフタレンでできている

ナフタレン
mp 80℃

ナフタレンの結合距離

ナフタレン骨格の結合距離はすべてが等しいわけではないが，いずれもベンゼンの結合距離（1.39Å）に近い値をもっている。2つのベンゼン環をもっているがナフタレンの共鳴エネルギーは約60kcal/molであり，ベンゼンの値（36kcal/mol）の2倍よりも少し小さい。ナフタレンは対称性をもった分子であり，C-1，C-4，C-5，C-8ならびにC-2，C-3，C-6，C-7の2組の等価な炭素原子群から構成されている。ナフタレンもベンゼンと同じように求電子置換反応（ハロゲン化，ニトロ化など）を行うが，その反応条件はベンゼンに比べると一般に穏やかである。こ

☞ **芳香族性**の概念は，ある種の完全に共役した環状構造における異常な安定性と深く関連している。

の反応で得られる1置換生成物は2種類あるが，一般にC_1位置での反応が優先して起こる。

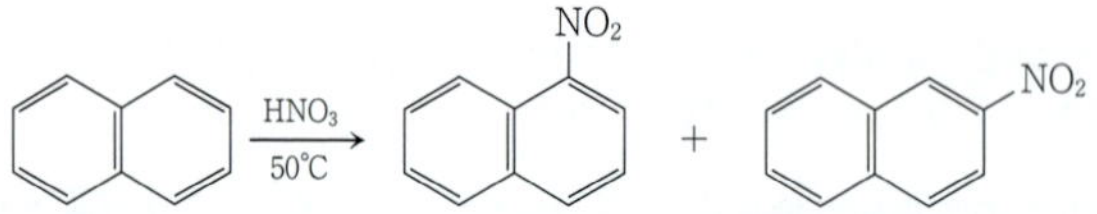

$$\text{ナフタレン} \xrightarrow[50℃]{HNO_3} \text{1-ニトロナフタレン} + \text{2-ニトロナフタレン} \tag{4.37}$$

(生成比 10：1)

例題 4.3

ナフタレンのC-1位のニトロ化で生じる炭素陽イオン中間体の共鳴式を書け。ただし，置換されないベンゼン環の芳香族性が保持されている極限構造式だけを示すこと。

解答 つぎの4つの共鳴構造式がそれに該当する。

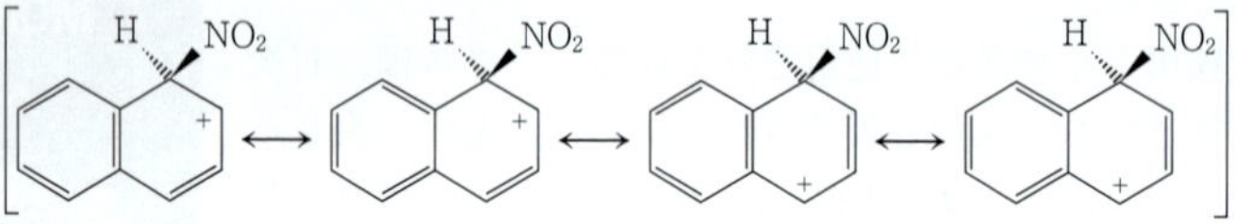

問題 4.17
上記の例題をC-2位のニトロ化にあてはめて解答せよ。さらにその結果を用いてC-1位の置換反応が有利になることを説明してみよ。

ナフタレンはすべての**縮合多環式の芳香族炭化水素**（fused polycyclic hydrocarbons）の母体となる化合物である。その例をいくつかつぎに示す。

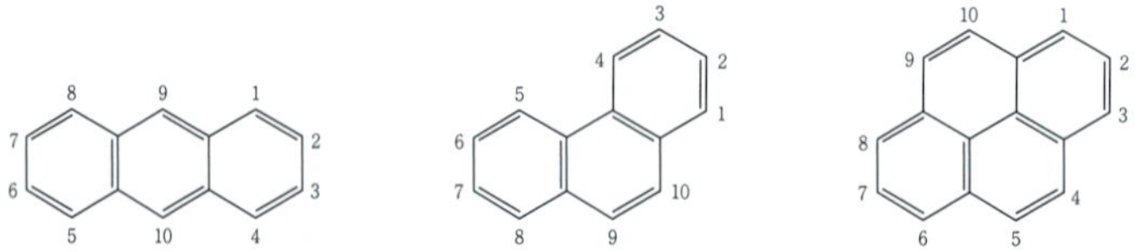

アントラセン
mp 217℃

フェナントレン
mp 98℃

ピレン
mp 156℃

このように芳香族環をつぎつぎにつないでゆくと，6角形が並んだ平板状の炭素原子の集団，すなわち黒鉛（グラファイト）ができあがる。

問題 4.18
炭素原子に対する水素原子の比をベンゼン，ナフタレン，アントラセン，ピレンについて計算せよ。縮合環の数が増すにつれて炭素の割合が増加し，環の数が極端に多くなると黒鉛になることがわかる（A Word About「芳香族の球体C_{60}」を参照）。

☞ **縮合多環式の芳香族炭化水素**は少なくとも2つのベンゼン環をもち，それぞれの環は少なくとももう1つの環と2つの炭素原子を共有している。

4.13 多環式芳香族化合物

A WORD ABOUT ...

多環式芳香族炭化水素とがん

多環式芳香族炭化水素のあるものは発がん性物質でもある。もっとも強力なものはハツカネズミの皮膚にごくわずかの量を塗布するだけで皮膚腫瘍を起こす。このような発がん性炭化水素はコールタールだけでなく，油煙（すす）やタバコの煙の中，またバーベキューの焼肉の中にも存在する。これらが悪性の生理的効果を示すことにはじめて注目されたのは，煙突掃除夫の陰のうがん発生の主原因が煤煙であると指摘された1775年にさかのぼる。同様に肺がんや口唇がんがヘビースモーカーに多いということもわかってきた。

これらの発がん物質ががんを発生するしくみは現在までにかなり解明されてきた。人体は体内に侵入したこのような炭化水素を除くために，それを酸化して水溶性物質に変換し，排出しやすくするように働く。このときに生じる代謝性の酸化生成物が発がんの真犯人であることがわかったのだ。強い発がん性物質の1つであるベンゾ[a]ピレンを例にとると，これは酵素酸化によりジオールエポキシドに変換される。この生成物が細胞のDNAと反応して変異（mutation）を起こすので，その結果，細胞の正常な再生機能が失われる。

ベンゼンは人体にきわめて有害であり，重い肝臓障害を起こすが，トルエンの毒性はそれよりもかなり低い。このよく似た2つの化合物の毒性に大きな差が生じる理由はなぜだろうか。その理由は，体内に入ったベンゼンを排泄するためには芳香族環が酸化されなければならないが，このとき生成する酸化反応中間体が有害だからである。一方トルエンは，側鎖のメチル基が酸化されて安息香酸となって容易に排泄され，このときの中間酸化生成物はほとんど無害である。

化学薬品のあるものは発がん性物質になるが，その他のものの中にはがん細胞の発育を阻害し，治療剤としてはたらくものもある。このように，がん細胞の発育を抑制できる数多くの化学物質を利用するがん化学療法の研究は，ひとの健康のために多大の貢献をしてきた。

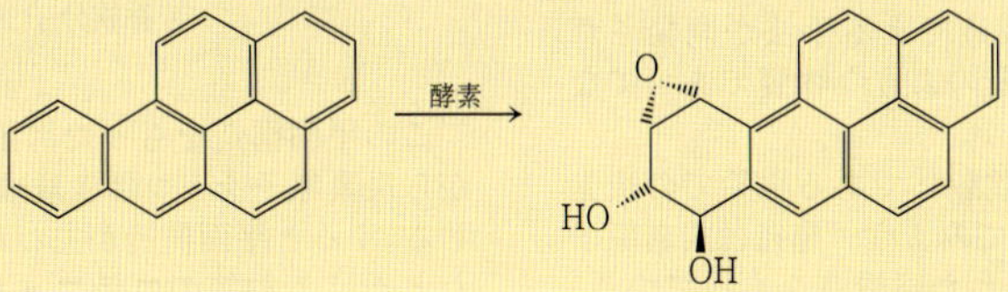

ベンゾ[a]ピレン　　　→酵素→　　　ジオールエポキシド

A WORD ABOUT ...

芳香族の球体 C_{60} : フラーレン

最近の化学的新発見の中で，C_{60}ほど爆発的に化学的研究活動を刺激したものはあるまい。1980年代の中ほどまでは炭素の同質異形体としてはダイアモンド（p.58）と黒鉛（グラファイト）の2つしか知られていなかった。ところが1985年の9月になって，それまで宇宙空間において巨大赤色星から放出される小さな炭素物質に興味をもっていた科学者が，同じ物質を地球上でつくろうとして黒鉛に高エネルギーのパルスレーザー光を当て，生じた揮発性物質を質量分析計にかけたのであった。その結果，驚いたことに予期した小さな炭素物質以外に，C_{60}（C = 12 × 60 = 720）に相当する強い質量スペクトルを観測したのである。それ以外にもいくつか高質量のスペクトル（たとえばC_{70}に対応する840の質量）も弱いながら観察された。彼らはこの異常に安定なC_{60}にきわめてユニークな構造を提唱したのであった。この構造の正しいことはやがて証明され，5年後にはこの新しい構造をもった炭素物質の化学的研究に提供できる量が製造できる手法が開発された。このC_{60}とはどのような物質であってなぜ安定なのだろうか。

はじめにC_{60}の前駆体である黒鉛での炭素原子の並び方をみてみよう。黒鉛は炭素原子を平面六角形に連ねた層構造をもっている。層の外縁にあるものを除いた炭素原子は，同じ層面の他の炭素原子3つとベンゼンの結合長（1.39Å）とほぼ同じ長さの結合（1.42Å）で結ばれている。この黒鉛層は無限の広がりをもつ縮合芳香環であり，層の間に結合は存在せず，その間隔は3.4Åである。層間に働く相互作用力は弱く，黒鉛の滑り性（または滑らかな感触）は層間の滑りに基づくものと理解されている。

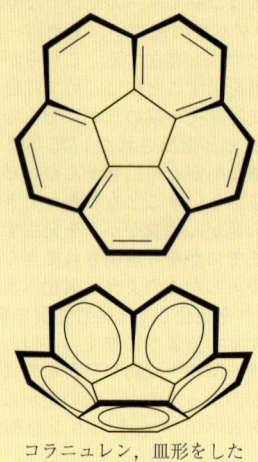

コラニュレン，皿形をした芳香族分子

この平面構造をもった黒鉛の1つの6角形から炭素原子を1つ弾き飛ばすと5角形が生じる。すると平面構造が失われて曲面化する。たとえば芳香族の**コラニュレン**（corannulene）は5つのベンゼン環が五角形のまわり

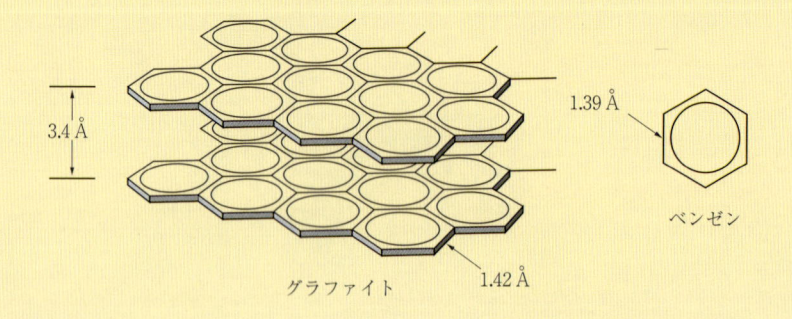

グラファイト
ベンゼン

4.13 多環式芳香族化合物

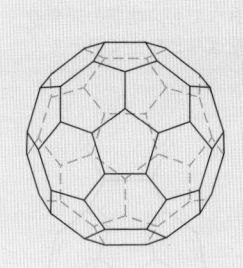

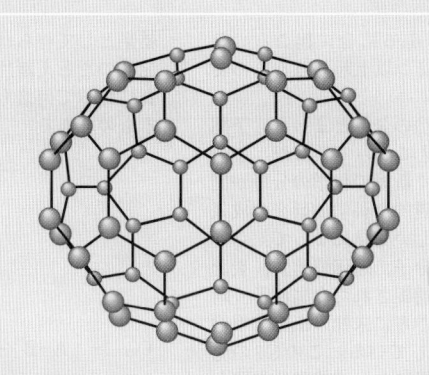

図4.3 C_{60} または "バックミンスターフラーレン" (左図) と C_{70} (右図)

を取り囲んでおり，平面ではなく皿のような構造をもっている。この曲面化した黒鉛からさらに炭素原子を抜けば曲面化が進み，究極的には球面状の構造ができあがる。このように黒鉛と C_{60} の関係は明らかであるが，その形成過程に関する研究はまだ終わっていない (N. S. Goroff, *Acc. Chem. Res.* **1996**, *29*, 77-83参照)。

当初は仮説であって，あとで証明されたこの C_{60} クラスターの構造は，サッカーボールと同じ形（図4.3）である。すなわち60個の炭素の頂点と32の面から構成されている多面体である。そこには五角形が12個（5炭素×5角形12個＝60個の炭素原子）と，六角形が20個含まれている（6炭素×6角形20個（＝120炭素原子）÷2＝60炭素原子。2で除す理由は図4.3をみてわかるように，どの炭素原子も六角形2つにより共有されているからである）。それぞれの五角形は5個の六角形で囲まれており，五角形どうしは隣接していない。さらに六角形の6本の結合は五角形3つと六角形3つとに縮合している。

この C_{60} クラスターは，同じ図柄を geodesic ドームの建築に使用した建築家であり，哲学者でもあるバックミンスター・フラー（Buckminster Fuller）にちなんで "バックミンスター・フラーレン" と名付けられた。また球状なので Buckyball ともよばれることがある。さらに C_{60} の誘導体や閉殻構造をもつ炭素集合体（たとえば卵状の C_{70} や C_{76}，C_{84} など）はフラーレン（fullerene）と名付けられている。

C_{60} はなぜ安定なのだろうか。ベンゼンや黒鉛と同じように，このクラスターの炭素原子はそれぞれは sp^2 混成軌道によって炭素原子3つに結合しているから，各炭素原子上にある1つの価電子は球面に対して垂直な p 軌道に存在する。これらの p 軌道はベンゼン環の上下の π 電子雲のように球面の内側と外側に π 電子雲を形成している。したがってこの構造は芳香族であり，全体として極めて安定になる。事実この C_{60} は黒色 lustrous rock 中に存在することが最近発見されており，5億年以上も昔にそこに含有されたものであると提唱されている。

いまでは C_{60} はグラム単位の量で製造できる。特別に製造された煤から有機溶媒（C_{60} はわずかに溶解する）によって抽出され，さらにクロマトグラフ分離法を使って混在する炭素数の多いフラーレンから分離して精製できる。その溶液は美しい色彩を呈し，例えばヘキサン溶液はマゼンタ色である。

C_{60} の反応性はどうだろうか。C_{60} には水素原子がないから置換反応はできず，もっぱら付加反応を行う。60個の炭素原子はベンゼンの6つの炭素のように等価だが，結合に関していえば同じものばかりではない。C_{60} の結合には，隣接する2つの六角形が共有するものと，隣接する5角形と六角形が共有する結合の2種類が存在する。6-6結合（1.39Å）のほうが5-6結合（1.43Å）よりも短く，二重結合に近い。したがって，C_{60} への付加反

応のほとんどはこの 6-6 結合に起こる。そしてこの付加反応は 2 つ以上起こりうるのである。

ここで私たちは偶然の発見とまったく予期しなかった C_{60} の発見について学んだ。この発見によってまったく新規の化学の分野が開かれたが，これも基礎的な科学的研究の成果である。この素晴らしい発見によって，さらに新しいタイプの高分子，超伝導物質，炭素クラスターの内部に捕捉された金属原子，新規な触媒，医薬品，さらに未知の工業的用途などが出現しようとしている。この C_{60} の発見物語は，技術の世界において基礎的学問と研究の推進がいかに大切であるかを物語っていよう。研究がどのような結果につながるのか正確には予見できないときでも，そこから結果として得られるものは，それが基本的な発見のたとえ断片であっても，初期の研究投資に比べて何倍もの見返りとなって戻ってくるものである。

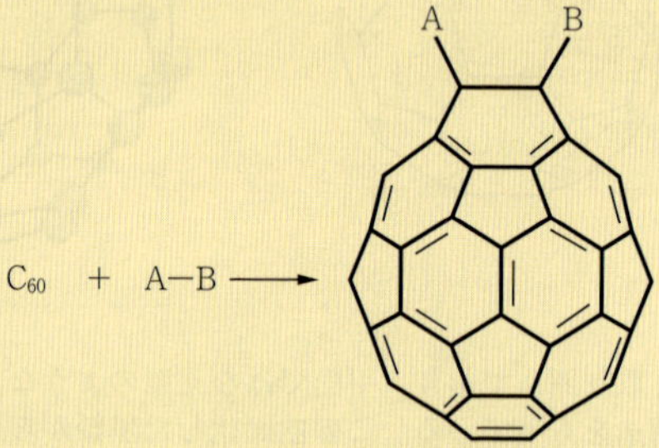

$$C_{60} + A-B \longrightarrow$$

反応のまとめ

1. 接触水素化反応（4.7 節）

$$\text{ベンゼン} + 3H_2 \xrightarrow{\text{金属触媒}} \text{シクロヘキサン}$$

2. 求電子芳香族置換反応（4.8 節）

a. ハロゲン化

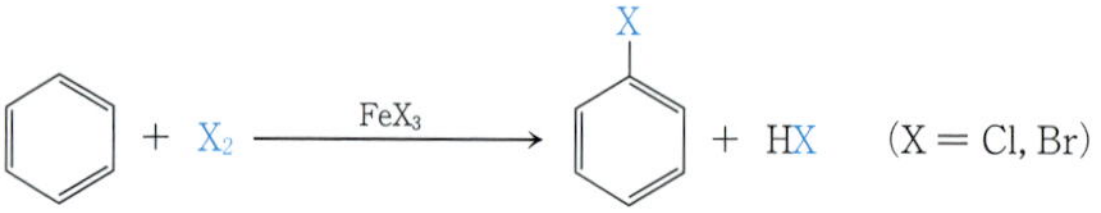

$$\text{ベンゼン} + X_2 \xrightarrow{FeX_3} \text{Ph-X} + HX \quad (X = Cl, Br)$$

b. ニトロ化

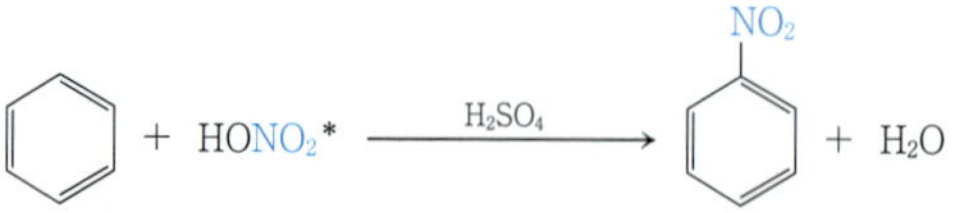

$$\text{ベンゼン} + HONO_2^* \xrightarrow{H_2SO_4} \text{Ph-}NO_2 + H_2O$$

* 硝酸，HNO_3

c. スルホン化

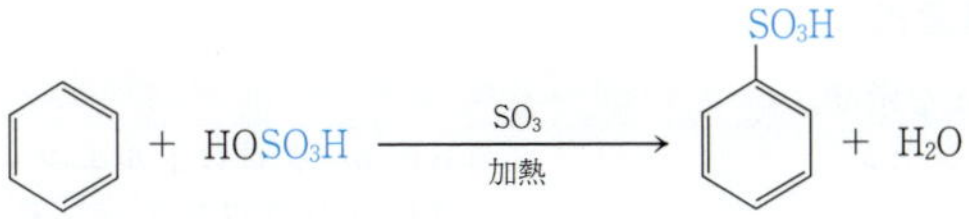

$$\text{C}_6\text{H}_6 + \text{HOSO}_3\text{H} \xrightarrow[\text{加熱}]{\text{SO}_3} \text{C}_6\text{H}_5\text{SO}_3\text{H} + \text{H}_2\text{O}$$

d. アルキル化（Friedel-Crafts 反応）

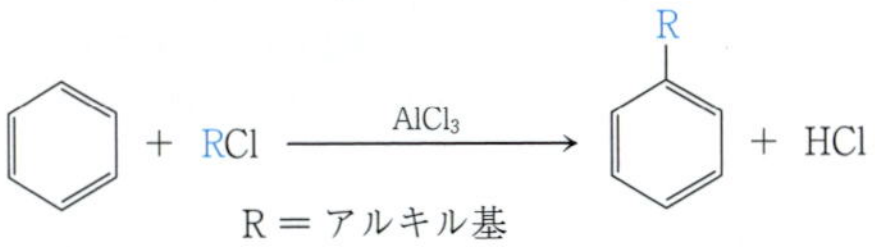

$$\text{C}_6\text{H}_6 + \text{RCl} \xrightarrow{\text{AlCl}_3} \text{C}_6\text{H}_5\text{R} + \text{HCl}$$

R ＝ アルキル基

e. アルキル化

$$\text{C}_6\text{H}_6 + \text{CH}_2=\text{CH}_2 \xrightarrow{\text{H}^+} \text{C}_6\text{H}_5\text{CH}_2\text{CH}_3$$

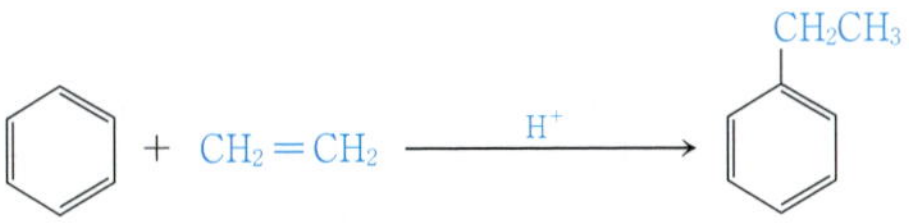

f. アシル化（Friedel-Crafts 反応）

$$\text{C}_6\text{H}_6 + \text{R}-\overset{\text{O}}{\underset{\|}{\text{C}}}-\text{Cl} \xrightarrow{\text{AlCl}_3} \text{C}_6\text{H}_5\text{COR} + \text{HCl}$$

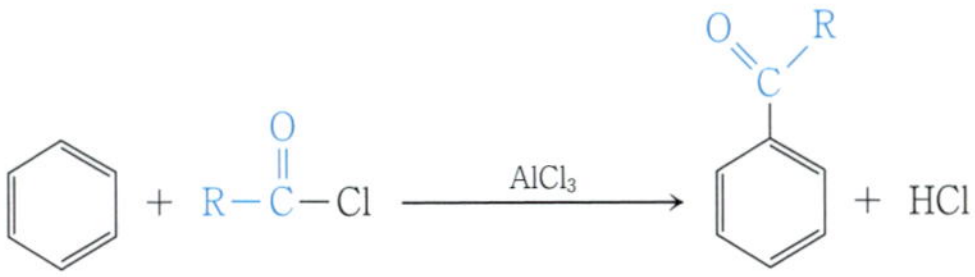

反応機構のまとめ
求電子芳香族置換反応（4.9 節）

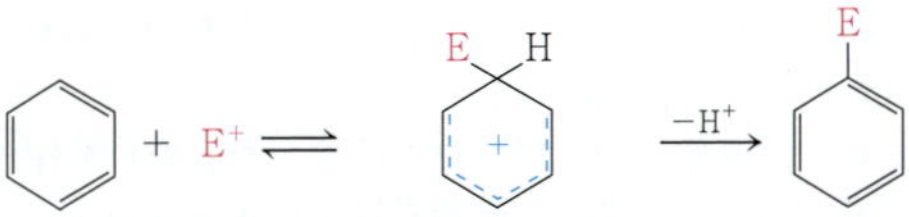

$$\text{C}_6\text{H}_6 + \text{E}^+ \rightleftarrows \text{[ベンゼノニウムイオン]} \xrightarrow{-\text{H}^+} \text{C}_6\text{H}_5\text{E}$$

ベンゼノニウムイオン

章末問題

芳香族化合物：命名と構造式

4.19 つぎの化合物の構造式を示せ．
(a) 1,3,5-トリブロモベンゼン
(b) m-クロロトルエン
(c) p-ジエチルベンゼン
(d) イソプロピルベンゼン
(e) p-クロロフェノール
(f) 臭化ベンジル
(g) 2,3-ジフェニルブタン
(h) p-ブロモスチレン
(i) 2-クロロ-4-エチル-3,5-ジニトロトルエン
(j) m-クロロベンゼンスルホン酸
(k) p-ニトロアニソール
(l) 2,4,6-トリメチルアニリン
(m) p-ブロモ安息香酸
(n) o-フルオロアセトフェノン

4.20 つぎの化合物名を示せ．

(a) 〔C$_6$H$_5$-CH(CH$_3$)$_2$〕
(b) 〔3-ブロモベンズアルデヒド構造 CH=O, Br〕
(c) 〔1,8-ジクロロナフタレン〕
(d) 〔2,5-ジブロモトルエン構造 Br, Br, CH$_3$〕
(e) 〔(CH$_3$)$_3$C-C$_6$H$_4$-OH〕
(f) 〔2-ニトロトルエン構造 CH$_3$, NO$_2$〕
(g) 〔ヘキサフルオロベンゼン C$_6$F$_6$〕
(h) 〔3,5-ジクロロスチレン構造 CH=CH$_2$, Cl, Cl〕
(i) 〔CH$_3$CH$_2$-C(シクロプロピル)-C$_6$H$_5$ 構造〕

4.21 つぎの化合物のすべての異性体について，構造式と化合物名とを示せ．
(a) トリメチルベンゼン
(b) ジクロロニトロベンゼン

4.22 ジブロモベンゼンには o-, m-, p-体の3種類がある．それぞれが別のビンに入っており，どれがどの異性体なのか判別できないと仮定しよう．この3つの試料を A, B, C とよぶことにする．A (mp 87°C) はニトロ化により1種類だけのジブロモニトロベンゼンを与える．A の構造を書け．B と C はともに液体である．ニトロ化により B からは2種類の，C からは3種類のジブロモニトロベンゼンが生成する（もちろん等量ずつではない）．B および C の構造と，それらのモノニトロ化物の構造とを示せ．この手法は Körner 法として知られ，ベンゼン誘導体の異性体構造の決定法としてよく利用されたものである．

4.23 つぎの芳香族炭化水素の構造式と化合物名を記せ．
(a) C$_8$H$_{10}$；3種類のモノブロモ誘導体（環上にブロモ置換したもの）を作れるもの．
(b) C$_9$H$_{12}$；ニトロ化するとモノニトロ化物を1種類だけ生成するもの．
(c) C$_9$H$_{12}$；ニトロ化するとモノニトロ化物を4種類生成するもの．

🔗 =総合問題

芳香族性と共鳴

4.24 1,3,5,7-シクロオクタテトラエンを水素化する際に放出される熱量は110 kcal/molである。この事実から，この化合物の共鳴エネルギーについてどのようなことがわかるか説明せよ。

4.25 ニトロ基-NO_2の構造はふつうつぎのように描かれる。

$$-N\underset{\ddot{\underset{..}{O}}:}{\overset{+\;\;\;\;\overset{\nearrow O}{}}{}}$$

しかし，実際には，2つの窒素-酸素結合は同じ長さ1.21Åをもち，これは$N-O$単結合距離の1.36Åと$N=O$二重結合距離の1.18Åの中間の値である。この結果を説明できる構造式を示せ。

4.26 芳香族ニトロ化反応での求電子剤であるニトロニウムイオン，NO_2^+について，その外殻電子配置をも含めた構造式をすべて書け。また形式電荷も示せ。さらにどの構造がもっとも安定か説明せよ。

求電子芳香族置換反応の機構

4.27 つぎの反応の機構を段階的に記せ。
 (a) p-キシレン ＋ 硝酸（＋硫酸触媒）
 (b) トルエン ＋ 塩化t-ブチル ＋ $AlCl_3$

4.28 クロロベンゼンをクロル化したときに生じる炭素陽イオン中間体について，考えられるすべての極限構造式を書け。さらにおもな生成物がo-ならびにp-ジクロロベンゼンである理由を説明せよ。（注：衣類の防虫剤であるp-ジクロロベンゼンはこの方法で工業的に製造されている）。

4.29 安息香酸のクロル化について問題4.28と同じ質問に答えよ。さらに主生成物がm-クロロ安息香酸である理由を説明せよ。

4.30 ベンゼンを硫酸触媒を使ってプロペンと反応させると，モノアルキル化された生成物が2つ得られる。その構造式を書け。さらにそのうちどれが主生成物であるかを理由とともに答えよ。

4.31 芳香族クロル化反応では$FeCl_3$が，ブロム化反応では$FeBr_3$が触媒として使用される理由を説明せよ（つまり，ハロゲン化剤と同じハロゲンをもつハロゲン化鉄を触媒に用いる理由を示せ）。

4.32 ベンゼンを過剰量のD_2SO_4と室温で処理すると，ベンゼン環上の水素原子は徐々に重水素で置換される。この観察結果を説明できる反応機構を示せ。

置換ベンゼンの反応：活性化効果と配向効果

4.33 式4.19に示したベンゼノニウムイオンの共鳴混成構造の分子軌道図を書き，環を構成する炭素原子それぞれの混成（hybridization）を答えよ。

4.34 つぎの反応におけるおもなモノ置換生成物を示せ。あらかじめ存在している置換基の種類によって，m-配向性あるいはo-, p-配向性の違いが出てくることを考慮して答えよ。
 (a) アニソール ＋ 塩素（Fe触媒）
 (b) ブロモベンゼン ＋ 塩素（Fe触媒）
 (c) ニトロベンゼン ＋ 濃硫酸（熱） ＋ SO_3
 (d) トルエン ＋ 臭素（Fe触媒）

(e) ベンゼンスルホン酸 ＋ 濃硝酸（熱）（硫酸触媒）
(f) ヨードベンゼン ＋ 塩素（Fe触媒）
(g) トルエン ＋ 塩化アセチル（AlCl$_3$触媒）
(h) エチルベンゼン ＋ 濃硝酸（硫酸触媒）

4.35 つぎの置換基がベンゼン環上にあると，o-，p-配向性またはm-配向性のいずれの働きを示すであろうか．さらにこれらの置換基が環の反応性を高めるのか，それとも低下させるのか答えよ．

(a) $-\overset{\overset{O}{\|}}{C}-OCH_3$　　(b) $-\overset{\overset{O}{\|}}{N}HCCH_3$　　(c) $-SCH_3$　　(d) $-\overset{+}{N}H(CH_3)_2$

4.36 爆薬のTNT（2,4,6-トリニトロトルエン）はトルエンを硝酸と硫酸の混酸でニトロ化して製造されるが，ニトロ化の段階を進めるにつれて反応条件を過酷にしなければならないという．その理由を説明せよ．

4.37 つぎの2つの化合物のうち，どちらが求電子置換反応（たとえばニトロ化反応）において高い反応性を示すかを答えよ．
(a) アニソールまたは安息香酸　　(b) クロロベンゼンまたはエチルベンゼン

求電子芳香族置換反応と合成反応

4.38 ベンゼンまたはトルエンだけを芳香族原料に用いて，つぎの化合物の合成方法を考えよ．

(a) p-クロロニトロベンゼン　　(b) p-トルエンスルホン酸
(c) p-ニトロエチルベンゼン　　(d) メチルシクロヘキサン
(e) 2,6-ジクロロ-4-ニトロトルエン　　(f) m-クロロニトロベンゼン
(g) 2-ブロモ-4-ニトロトルエン　　(h) m-ブロモアセトフェノン

4.39 3-ブロモ-5-ニトロ安息香酸を1段階で合成する方法として，3-ブロモ安息香酸または3-ニトロ安息香酸のいずれを原料に用いるのが適当か，その理由とともに答えよ．

4.40 ある2置換ベンゼンから出発して，3,5-ジニトロブロモベンゼンが純粋に合成できる方法を示せ．

多環芳香族炭化水素

4.41 つぎの化合物において考えられる可能な1置換生成物の数を答えよ．
(a) アントラセン　　(b) フェナントレン

4.42 アントラセンの臭素化では主として9-ブロモアントラセンが得られる．この反応機構を段階的に書いて説明せよ．

CHAPTER 5

カルボン

立体異性

5.1	キラリティと対掌体
5.2	不斉中心；不斉炭素原子
5.3	立体配置と R-S 表示法
5.4	cis-trans 異性体のE-Z表示法
5.5	偏光と光学活性
5.6	対掌体の性質
5.7	Fischer 投影式
5.8	2つ以上の不斉中心をもつ化合物；ジアステレオマー
5.9	メソ化合物；酒石酸の立体異性体
5.10	立体化学における定義の要約
5.11	立体化学と化学反応性
5.12	ラセミ混合物の光学分割

A WORD ABOUT...

5.5	Pasteurの実験とvan't Hoff-LeBelの理論
5.12	対掌体およびその生理活性について

立体異性体（stereoisomer）とは，原子間の結合順序はかわらないが，空間的な原子の配列が異なる化合物群のことをいう。立体異性体どうしの構造上の違いは，構造異性体どうしの違いに比べるとはるかに微細なものではあるが，それでも異性体分子の化学的性質には重要な違いを生じる原因になる。たとえば，医薬品の効き目に関していえば，立体異性体のどれが使われるかによって効き目や副作用の有無に顕著な差が現れる。生命の化学そのものも，炭水化物（16章），アミノ酸（17章）そして核酸（18章）といった天然物分子において，特定の立体異性体がほかの異性体よりも優勢に存在していることによって機能しているのである。

立体異性体は異性体間の相互変換の起こりやすさによって，2つのタイプに分類できることはすでに述べてきた（2.11節の図2.7参照）。すなわち，単結合まわりの回転に

▲ キャラウェイの種（左図）とハッカの葉（右図）の香りの違いは，いずれもカルボン（carvone）の対掌体，つまり＊印のついた炭素上での原子の空間的配列が異なる2種類の異性体の差が原因になっている。

より相互変換できるもの（**立体配座異性体**：conformational isomer，または**コンホマー**（conformers））と，共有結合の切断と再結合によってしか相互変換できないもの（**立体配置異性体**：configurational isomer）とに分類できる。

ここではそれとは異なる立体異性体の重要な分類方法について考えてみよう。この分類方法は異性体の性質を説明するうえでとくに有効である。

5.1 キラリティと対掌体

1対の手袋をみてみよう。左手用の手袋は右手につけることはできない。この1対の手袋と同じように分子のあるものは「利き手」の性質をもっていて，それによってその分子の化学的性質が特徴づけられる。ここでは分子の「利き手」の性質について探ってみることにする。

分子（または物体）は**キラル**（chiral）か**アキラル**（achiral，非キラルのこと）かのいずれかである。キラルという言葉はカイラルとも発音され，ギリシャ語のcheir（手のこと）に由来する言葉である。キラルな分子（または物体）とは利き手の性質をもったものであり，一方，アキラルな分子とはこの性質をもたないものである。

ある分子（物体）がキラルかアキラルかを識別するにはどうしたらよいのだろうか。それには，その分子（物体）とその鏡像体とを見比べてみるとよい。するとキラルな分子の鏡像体はもとの分子に重ね合わせることができないことがわかるだろう。これに対してアキラルな分子の鏡像体はもとの分子と同じであり，重ね合わせることができる。

この識別方法をいくつかの代表的な例についてあてはめてみよう。図5.1に一つのわかりやすい例が示してある。左手の鏡像体はもはや左手ではなく右手である。つまり一つの手のひらとその鏡像体とは重ね合わせることができない。このように手のひらはキラルである。ところがボール（球体）の鏡像体は同じくボール（球体）であり，アキラルである。

問題 5.1 次の物体をキラルなものとアキラルなものに分類せよ。
(a) ゴルフボール (b) 紅茶茶碗 (c) フットボール (d) コルク栓抜き
(e) テニスラケット (f) 靴 (g) 肖像画 (h) 鉛筆

2-クロロプロパンならびに2-クロロブタンとその鏡像体を眺めてみよう。図5.2には2-クロロプロパンがアキラルであることが示されている。その鏡像体はもとの分子に重ねることができるので2-クロロプロパンには1つの構造しか書けない。

☞ **立体異性体**では原子の結合順序は同じであるが，原子の空間的な配列が異なっている。立体異性体は**立体配座異性体**と**立体配置異性体**の2つに分類される。

☞ **キラル**（カイラルとも発音する）な分子は利き手の性質を有し，**アキラル**（アキラルとも発音する）な分子にはそれがない。

5.1 キラリティと対掌体

左の鏡像体は左手ではなく，右手と同じである。

キラルな物体

ボールの鏡像体はもとの物体そのものである。

アキラルな物体

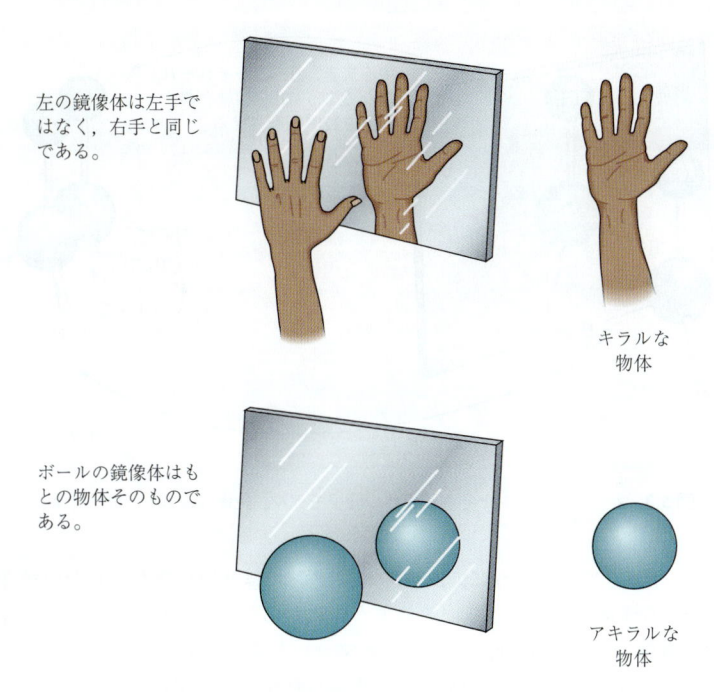

図 5.1 キラルな物体とアキラルな物体の鏡像関係

鏡

鏡像の分子についてだけ C－Cl 結合のまわりを 120°回転させる。

アキラルな分子

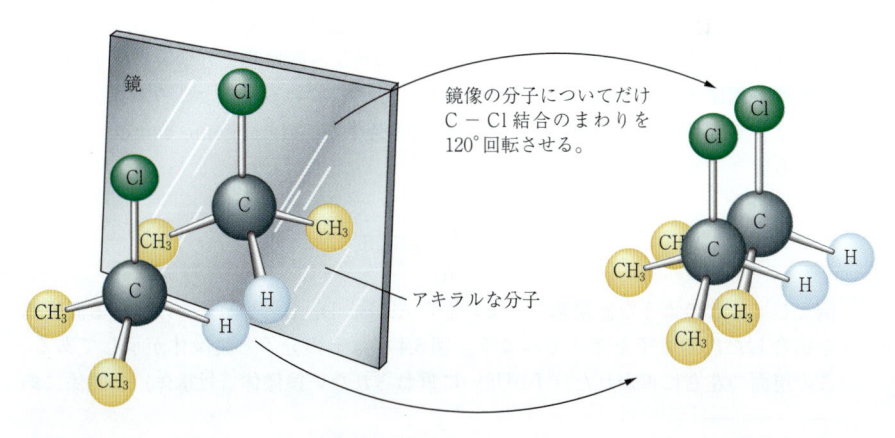

図 5.2 2-クロロプロパンとその鏡像体の分子モデル。鏡像体はもとの分子に重ねることができる。

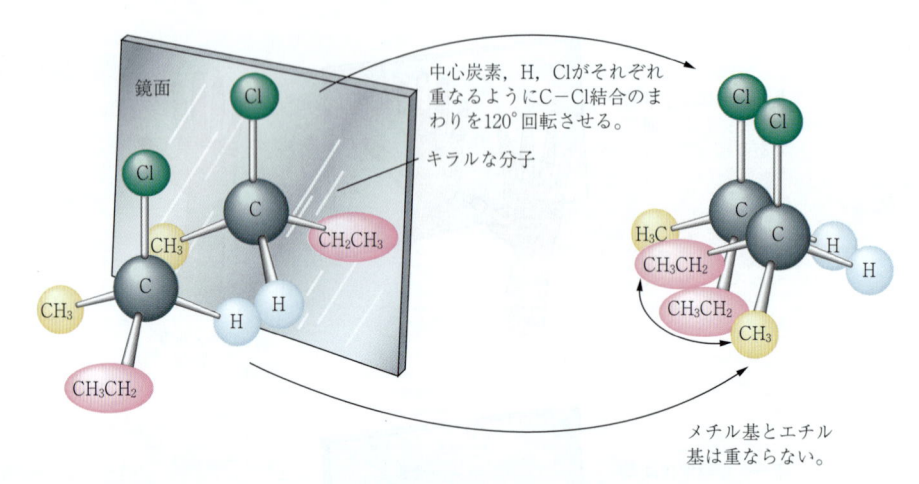

図5.3 2-クロロブタンとその鏡像体の分子モデル。鏡像体はもとの分子に重ねることができない。

一方，図5.3に示すように，2-クロロブタンには互いに重ねられない鏡像関係にある2つの構造が存在できる。このように重ねられない関係にある1対の分子のことを**対掌体**（enantiomer，エナンチオマー）とよぶ。もちろんすべての分子について鏡像体は書けるが，そのなかでも重ねられないものが対掌体とよばれる。

5.2 不斉中心；不斉炭素原子

2-クロロプロパンには存在しないが2-クロロブタンには存在するキラリティを出現させる構造上の特徴は何か。注目してほしいのは2-クロロブタンでは2-位の炭素原子上（＊印をつけたもの）に4つの異なる置換基（Cl，H，CH_3，CH_3CH_2）が結合していることである。このように4つの異なる置換基をもつ炭素原子のことを**不斉炭素原子**（stereogenic carbon atom）とよんでいる。またこのような炭素原子は立体異性体を生じる原因であるため，**不斉中心**（stereogenic center）ともよばれる。

$$\begin{array}{c} Cl \\ | \\ CH_3-\overset{*}{C}-CH_2CH_3 \\ | \\ H \end{array}$$

例として，どのような置換基でもよいからA，B，D，Eという4つの異なる置換基を結合した炭素原子を考えてみよう。図5.4にはその分子と鏡像体が示してある。この鏡面の左右に書かれた分子が互いに重ねられない鏡像体（対掌体）の関係にあ

☞ **対掌体**とは，重ね合わすことができない鏡像の関係にある一対の分子のことである。
☞ **不斉炭素原子**，または**不斉中心**とは，4つの異なる置換基が結合している中心の炭素原子のことである。

5.2 不斉中心；不斉炭素原子

ることは図5.5で説明できる。（本章を学習するためには分子模型を利用することをすすめたい。3次元構造を表現するのに2次元の平面図［紙面や黒板など］に書くだけでは理解できないことがある。もっとも経験を積めば別の話だが）。図5.4にはこの分子の様子が示されており，A，B，D，Eの置換基が右まわり，または左まわりに配置されていることがわかる（右手配置または左手配置ともよべる）。

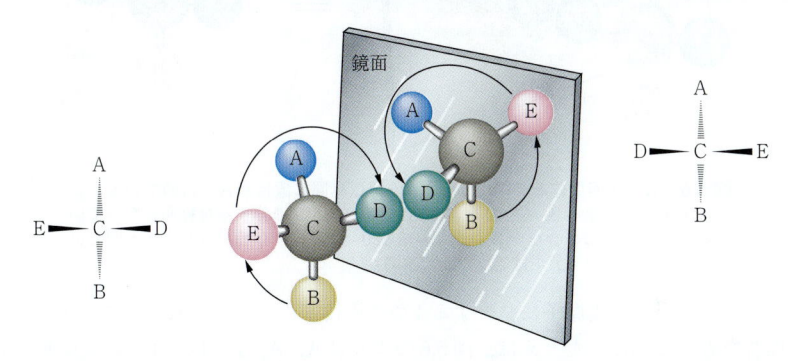

図5.4 対掌体のキラリティ。C－Aの結合にそってみおろすと，BEDとつながる順序は左のモデルでは時計まわりであり，その鏡像体（右のもの）では反時計まわりになっていることがわかる。

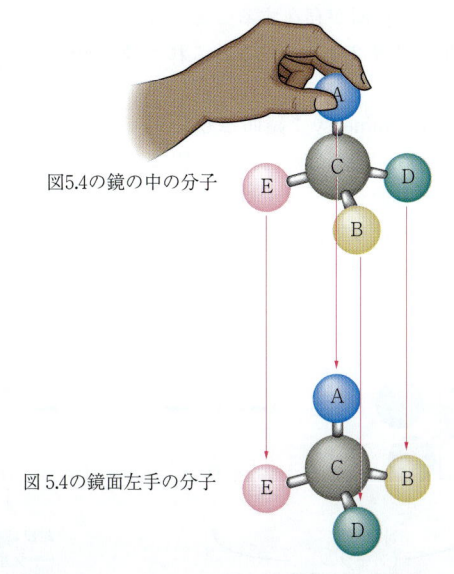

図5.5 不斉炭素原子に結合した4種類の置換基を鏡像の関係に配列すると，できあがった2つの分子は重ね合わせることができない。この図はいろいろ回転させたりねじったりしてみても，結合を切断しない限りCに結合した4つの置換基のうちの2つの置換基だけしか重ねられないことを示している。

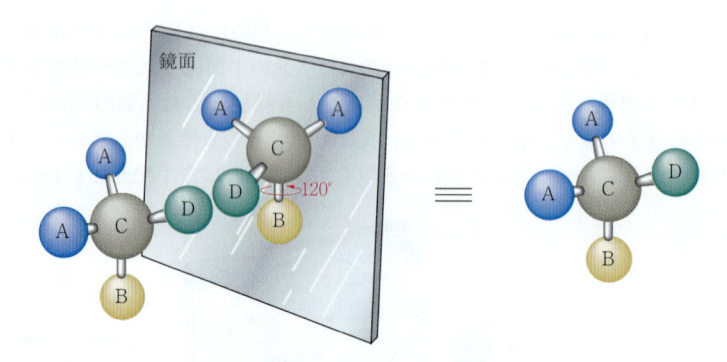

図 5.6 この正四面体モデルでは，2つの頂点を同じ置換基Aが占めている。このモデルでは原子B，C，Dを含む面がACA角を2等分する対称面となっている。その鏡像は結合C−Bのまわりを120°回転させると左のモデルと同じになるから，このモデルはアキラルである。

 つぎに中心の炭素原子に結合する4つの置換基のうち，どれか2つが同じである場合を考えてみる。たとえば，図5.6のようにA，A，B，Dの4つの置換基をもつ場合をとりあげてみると，この分子とその鏡像体は同一であり，したがってアキラルであることがわかる。この例は2-位の炭素に結合する4つの置換基（CH_3，CH_3，H，Cl）のうち2つが同じである2-クロロプロパンに当てはまる。

 図5.6の分子には対称面が存在することに注目してほしい。この平面は原子B，C，Dを通って角ACAを2分している。これとは対照的に図5.4の分子は対称面をもたない。

 対称面（plane of symmetry；鏡面ともよぶ）とは，物体あるいは分子の中に存在し，その片側に存在する部分が，ほかの側に存在する部分の反射像になるような面のことをいう。対称面をもつ分子はすべてアキラルである。これに対して，キラルな分子は対称面をもたない。したがって対称面を探すことがその分子がキラルかアキラルかを識別する早道の1つである。

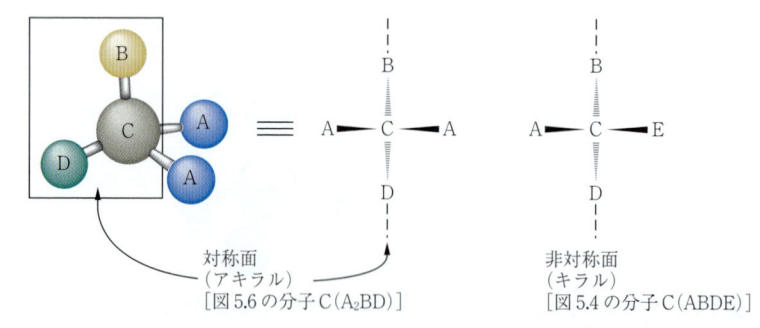

対称面
（アキラル）
［図5.6の分子$C(A_2BD)$］

非対称面
（キラル）
［図5.4の分子$C(ABDE)$］

☞ **対称面**とか鏡面とよばれるものは，その片側に存在する部分がもう一方に存在する部分の反射像になっている。

5.2 不斉中心；不斉炭素原子

以上をまとめると，不斉中心をもつ分子は（ここで例示しているのは不斉中心が4つの異なる置換基をもつ炭素原子である）2つの立体異性体，すなわち1対の対掌体として存在できる。このような分子には対称面は存在しない。一方，対称面をもった化合物はアキラルである。

例題 5.1
3-メチルヘキサンの不斉中心を示せ。

解答 まず構造式を書き，そのなかで4つの異なる置換基をもった炭素原子を探すこと。

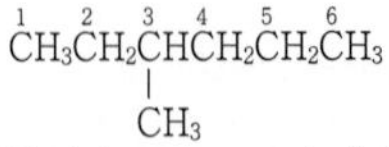

$$\overset{1}{CH_3}\overset{2}{CH_2}\overset{3}{CH}\overset{4}{CH_2}\overset{5}{CH_2}\overset{6}{CH_3}$$
$$|$$
$$CH_3$$

3-位の炭素を除いた残りの炭素原子はすべて，少なくとも2つ以上の水素をもっているから，不斉中心ではない。しかし3-位の炭素は4つの異なる置換基（H, CH_3, CH_3CH_2, $CH_3CH_2CH_2$）と結合しているので不斉中心である。便宜的にはこの不斉中心に＊印を付けることがある。

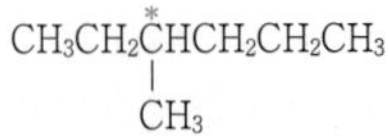

$$CH_3CH_2\overset{*}{C}HCH_2CH_3$$
$$|$$
$$CH_3$$

例題 5.2
3-メチルヘキサンの2つの対掌体の構造を書け。

解答 書き方はいくつかあるが，そのうち2つを示す。はじめに正四面体構造をもった4本の結合を3-位の炭素原子上に書く。

ここに4つの異なる置換基を順序にこだわらずにつなぐ。

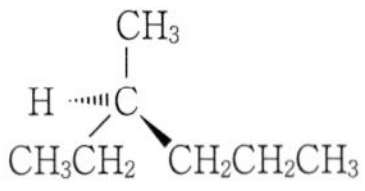

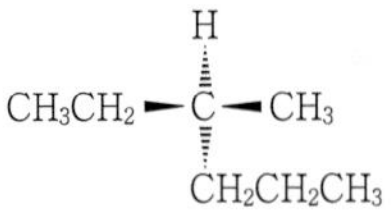

つぎに，どれか2つの置換基の位置を入れ換えれば鏡像体が書かれたことになる。

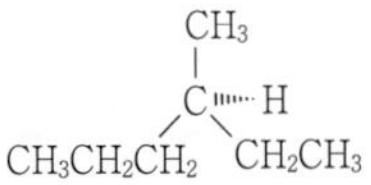

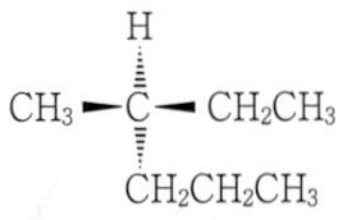

このように，不斉中心のどれか2つの置換基を入れかえると対掌体が生じることを，分子模型を使って確かめてみるとよい。

問題 5.2
つぎの分子の不斉中心を探せ。
(a) 3-ヨードヘキサン　　(b) 2,3-ジブロモブタン
(c) 3-メチルシクロヘキセン　　(d) 1-ブロモ-1-フルオロエタン

問題 5.3 つぎの2つの分子のどちらがキラルかを答えよ。
(a) 1-ブロモ-1-フェニルエタン　(b) 1-ブロモ-2-フェニルエタン

問題 5.4 上問5.3のキラルな化合物について、その2つの対掌体の3次元構造を書け。

問題 5.5 エタンの重なり（eclipsed）立体配座における対称面を書け。この立体配座においてエタンはキラルかそれともアキラルかを答えよ。

問題 5.6 エタンのねじれ形（staggered）立体配座は対称面をもつだろうか。この立体配座において、エタンはキラルかそれともアキラルかをよく考えて答えよ。

問題 5.7 cis-ならびに$trans$-1,2-ジクロロエテンについて対称面を書け。これらの分子はキラルかそれともアキラルかを注意深く考えて答えよ。

5.3 立体配置とR-S表示法

対掌体では不斉中心に結合した置換基の配列順序が互いに異なることを上に述べたが、この配列のことを不斉中心の**立体配置**（configuration）という。したがって、対掌体とよばれるものは別の**立体配置**をもつ異性体のことであって、それぞれが逆の立体配置をもつ関係にある。

ある1つの対掌体について述べるとき、それがどのような立体配置のものか構造式を書かずに判断できれば便利である。これを可能にしたのがCahn-Ingold-PrelogのR-S表示法またはCIP表示法*である。これについてつぎに説明する。

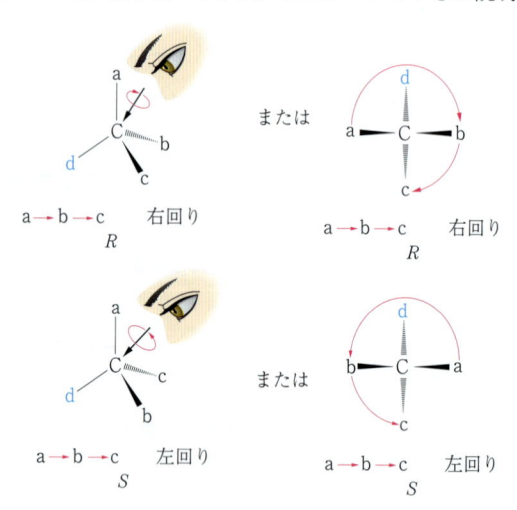

---

*　イギリス人の2人の化学者Robert S. CahnとChristopher. K. Ingoldならびにスイスの化学者でノーベル賞受賞者Vladimir Prelogの3名の名にちなんでつけられた。

☞　不斉中心に結合する4つの置換基の配列のことを、その中心の**立体配置**という。

5.3 立体配置とR-S表示法

不斉中心に結合した4種類の置換基を，一定の優先順位にしたがってa→b→c→dの順に並べる（順位のつけかたについてはつぎに説明する）。ここで順位が最下位の基dを不斉中心を通して反対側から眺めてみる。そうすると残り3つの基a, b, cは不斉中心を円心とする円周上にならぶことになるが，ここでa→b→cの順序が時計まわりの配置であれば立体配置はR（ラテン語のrectus；右の意味*）であると定義する。反時計まわりの配置であればS（ラテン語のsinister；左の意味）であると定義する。

優先順位の決め方はつぎのとおりである。

順位則1. 不斉中心に直接結合する原子を原子番号の大きなものから小さなものへ順に並べ，原子番号の大きなものに高い優先順位をつける。たとえば

$$Cl > O > C > H$$

高い優先順位 ⟶ 低い優先順位

もし4つの原子の中にHがあれば，その順位はいつも最下位であるから，不斉中心を眺めるときにはこのC−H結合をCからHの方向へ向かって見下ろせばよい。

順位則2. 順位則1を用いても優先順位が決まらない場合は（すなわち，キラル中心に直結している原子のうち2つ以上が同じ場合），不斉中心からさらに1つ離れた位置の原子について上記と同じく原子番号による順位則1を適用する。たとえば，エチル基とメチル基とではエチル基の優先順位が高くなるが，その理由はこの2つの置換基について不斉中心から遠さの順番にしたがって優先順位を探していくと，はじめて両基で異なる原子に出会うのが2番目に遠い位置であり，そこにはエチル基では炭素（高順位）が，メチル基では水素（低順位）がある。

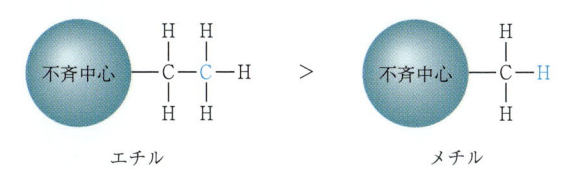

例題 5.3

つぎの置換基間での優先順位を示せ。

H, Br, −CH$_2$CH$_3$, −CH$_2$OCH$_3$

解答 Br > −CH$_2$OCH$_3$ > −CH$_2$CH$_3$ > H

不斉中心に直結した原子番号の順位はBr > C > Hであるが，2つの炭素置換基の優先順位を決めるには，順位差がみつかるまで順に繰り下げて比べればよい。

−CH$_2$OCH$_3$ > −CH$_2$CH$_3$ （O > Cであるから）

---

* もっと正確にいうならrectusとは「正しい，または適正」の意味でのrightであって，「右」の方向を意味するものではない（右の意味ならdexterであろう）。ひょっとしたら，この表示法の提案者の一人のイニシャルがR.S.であることと関係があるのかもしれない。

問題 5.8 つぎのそれぞれの置換基群における優先順位を示せ。
(a) $-CH_3$, $-C(CH_3)_3$, $-H$, $-NH_2$
(b) $-OH$, $-F$, $-CH_3$, $-CH_2OH$
(c) $-OCH_3$, $-NHCH_3$, $-CH_2NH_2$, $-OH$
(d) $-CH_2CH_3$, $-CH_2CH_2CH_3$, $-C(CH_3)_3$, $-CH(CH_3)_2$

環状化合物における不斉中心についても，同様の順位則をあてはめることができる。たとえば，1,1,3-トリメチルシクロヘキサンでは，炭素3に結合した4つの置換基における優先順位は $CH_2C(CH_3)_2CH_2 > CH_2CH_2 > CH_3 > H$ となる。

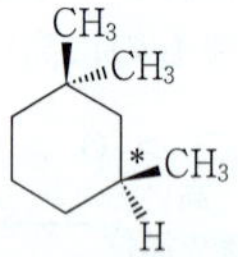

1,1,3-トリメチルシクロヘキサン

順位則3. この順位則はすこしわかりにくいが，二重結合，三重結合，そして芳香族環（ただしKekulé構造で書いたものを基準とする）に関するものである。この順位則では多重結合を多重線の線と同じ数の単結合から構成されているものとして取り扱う。たとえばビニル基の $-CH=CH_2$ はつぎのようになる。

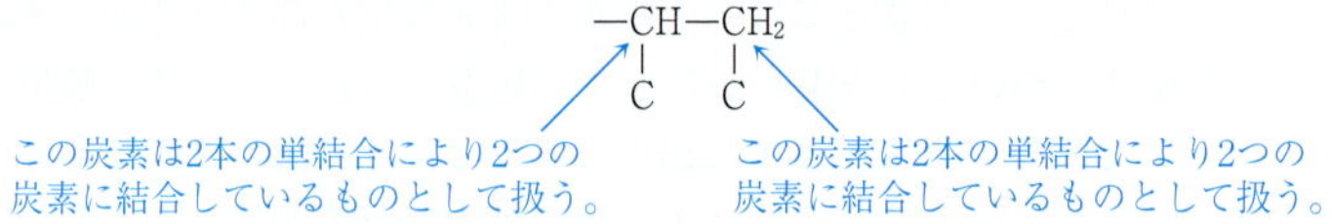

この炭素は2本の単結合により2つの炭素に結合しているものとして扱う。　　この炭素は2本の単結合により2つの炭素に結合しているものとして扱う。

つまりビニル基の2つの炭素は，単結合で2つの炭素に結合しているものとみなす。

同様に三重結合は，

$-C\equiv CH$ を 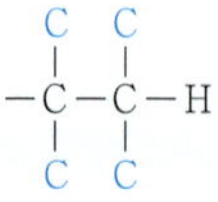 と同じにみなす。

またカルボニル基は

$-CH=O$ を 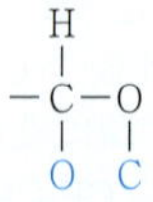 と同じにみなす。

例題 5.4
イソプロピル基とビニル基とではどちらの優先順位が高いか答えよ。

5.3 立体配置と R–S 表示法

解答 ビニル基のほうが高い優先順位をもつ。優先順位の差（カラーで示したところ）がみつかるまで順にくり下げて比べるとわかる。

$$-\mathrm{CH}=\mathrm{CH}_2 \equiv -\underset{|}{\mathrm{CH}}-\underset{|}{\mathrm{CH}_2} \qquad -\mathrm{CH(CH}_3)_2 \equiv -\underset{|}{\mathrm{CH}}-\underset{|}{\mathrm{CH}_2}$$

ビニル基　　C　C　　　　イソプロピル基　　CH₃　H

問題 5.9 つぎの置換基の組み合わせにおける優先順位を示せ。

(a) $-\mathrm{CH}\equiv\mathrm{CH}$ と $-\mathrm{CH}=\mathrm{CH}_2$　　(b) $-\mathrm{CH}=\mathrm{CH}_2$ と —⟨C₆H₅⟩

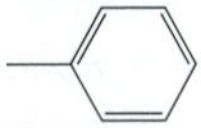

(c) $-\mathrm{CH}=\mathrm{O}$, $-\mathrm{CH}=\mathrm{CH}_2$, $-\mathrm{CH}_2\mathrm{CH}_3$, $-\mathrm{CH}_2\mathrm{OH}$

つぎに，これらの優先順位の適用例をみてみよう。

例 題 5.5

ここに示す3-メチルヘキサンの対掌体について，その立体配置（R または S）を決定せよ（例題5.2参照）。

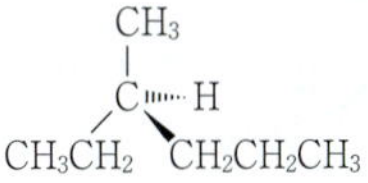

解答 はじめに不斉中心に結合した4つの異なる置換基について優先順位を決める。

$$-\mathrm{CH}_2\mathrm{CH}_2\mathrm{CH}_3 > -\mathrm{CH}_2\mathrm{CH}_3 > -\mathrm{CH}_3 > -\mathrm{H}$$

つぎに，優先順位がもっとも低い置換基（−H）を裏側（反対側）から眺めて，残り3つの置換基の並び方が優先順位に従って右回り（R）あるいは左回り（S）になっているのかを決めればよい。

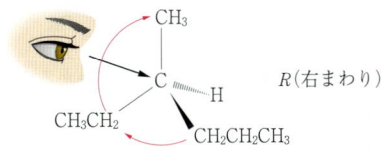

R（右まわり）

その結果，右回りであるから（R）-3-メチルヘキサンであることがわかる。

この分子を他の表示法（例題5.2）を用いて眺めてみても同じ結論に達する。

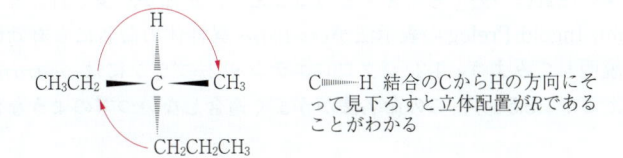

C⫶⫶⫶H 結合のCからHの方向にそって見下ろすと立体配置が R であることがわかる

問題 5.10 つぎの化合物の不斉中心における立体配置（R または S）を決定せよ。

(a) 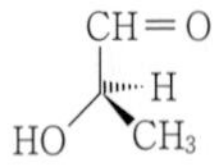 構造式：CH=O, HO, H, CH₃ の不斉中心

(b) 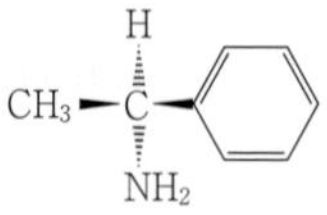 構造式：H, CH₃, NH₂, フェニル基の不斉中心

例題 5.6

(R)-2-ブロモブタンの立体配置がわかるように構造式を書け。

解答 まずふつうの平面構造式を書き，不斉中心に結合する置換基の優先順位を決める。

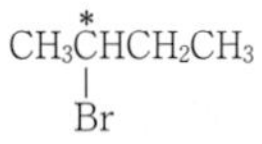

$$CH_3\overset{*}{C}HCH_2CH_3$$
$$|$$
$$Br$$

$$Br- > CH_3CH_2- > CH_3- > H-$$

つぎに最低順位の水素を一番遠くに配置してから，残り3つの基を優先順位（$Br \rightarrow CH_3CH_2 \rightarrow CH_3$）に従って右まわり（$R$）に配置すればよい。

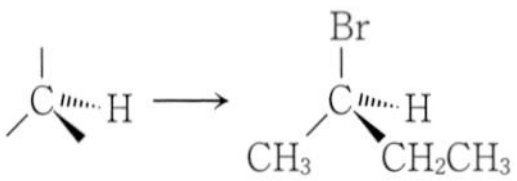

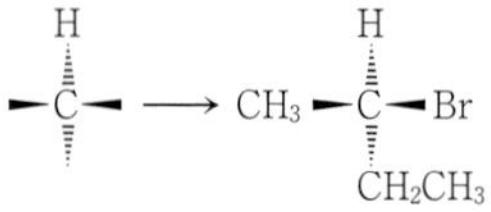

もちろん，第一順位の置換基を真上に置かずに（残る2つの位置のどちらかに置いて）つぎのように書けば，これらは上のものと等価である。

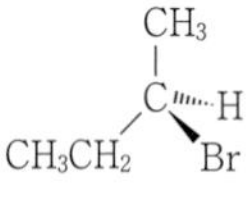

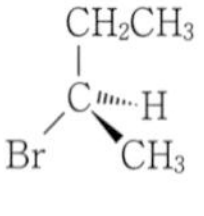

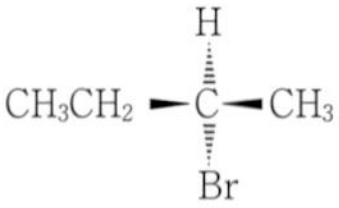

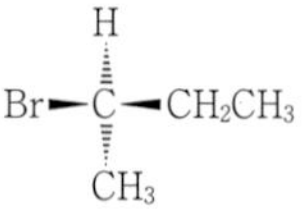

問題 5.11 つぎの化合物の構造式を立体配置がわかるように書け。

(a) (S)-3-メチルヘキサン　　　　(b) (R)-3-メチル-1-ペンテン
(c) (S)-3-メチルシクロペンテン

5.4 *cis-trans* 異性体の *E-Z* 表示法

キラルな性質について考察をすすめるまえに，本節から少し外れるかも知れないが，Cahn-Ingold-Prelog の表示法が *cis-trans* 異性体の命名にも有効に適用できることを説明してみよう。1,2-ジクロロエテンや2-ブテンには *cis-trans* 命名法は容易に使えるが（3.5節），この命名法がうまく適合しないつぎのような化合物が存在する。

$$\underset{\text{cis それとも trans?}}{\underset{Cl}{\overset{F}{>}}C=C\underset{I}{\overset{Br}{<}}} \qquad \underset{\text{cis それとも trans?}}{\underset{CH_3}{\overset{CH_3CH_2}{>}}C=C\underset{Br}{\overset{Cl}{<}}}$$

いま5.4節で不斉中心について学んだばかりの順位則を，二重結合異性体に適用してみよう。同じ優先順位則を用いて，二重結合を構成する2つの炭素それぞれに結合した2つの置換基に優先順位をつける。その結果，各炭素上の高順位の置換基が二重結合の軸をはさんで反対側に配置されている異性体には接頭語 E（ドイツ語の entgegen；逆，の意味）をつける。もし同じ側に配置されていれば接頭語 Z（ドイツ語の zusammen；いっしょに，の意味）をつける。上の例について優先順位の高い基を青色で示すとその名称は構造式の下に記すようになる。

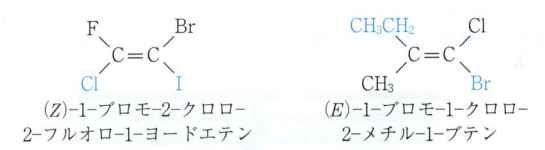

$$\underset{\substack{(Z)\text{-1-ブロモ-2-クロロ-}\\ \text{2-フルオロ-1-ヨードエテン}}}{\underset{Cl}{\overset{F}{>}}C=C\underset{I}{\overset{Br}{<}}} \qquad \underset{\substack{(E)\text{-1-ブロモ-1-クロロ-}\\ \text{2-メチル-1-ブテン}}}{\underset{CH_3}{\overset{CH_3CH_2}{>}}C=C\underset{Br}{\overset{Cl}{<}}}$$

問題 5.12 つぎの構造をもつ化合物を E–Z 表示法を使って命名せよ。

(a) $\underset{H}{\overset{CH_3}{>}}C=C\underset{CH_2CH_3}{\overset{H}{<}}$ (b) $\underset{Br}{\overset{F}{>}}C=C\underset{H}{\overset{Cl}{<}}$

問題 5.13 つぎの化合物の構造式を示せ。

(a) (Z)-2-ペンテン (b) (E)-1,3-ペンタジエン

5.5 偏光と光学活性

　分子キラリティの概念は，理論的には5.1および5.2節で述べた炭素原子の正四面体構造の考え方を基本としている。ところが歴史的には両者は逆の関係で展開してきた。なぜそうなったかを語ることは，科学史のなかでもっともエレガントで見事な論理性をもった物語の一つになろう。ことのはじまりは18世紀の初期に偏光の存在が発見されたこと，その光路の途中に介在する分子が受ける影響に関する研究がはじまったことにある。

　通常の光はその進行方向に対して平行で，すべての面内で振動する波動から構成されている。ところが，あるタイプの物質内をこの光が透過すると，透過した光波はすべて並行平面内で振動するものに変わってしまう。この光のことを**平面偏光**（plane-polarized light）とよんでいる。図5.7にそのようすを図示した。

　光を偏光させる便利な手法の1つは，イギリスの物理学者 William Nicol が1828

☞ **平面偏光**とは，平行な一定の面内で振動する波動だけで構成された光である。

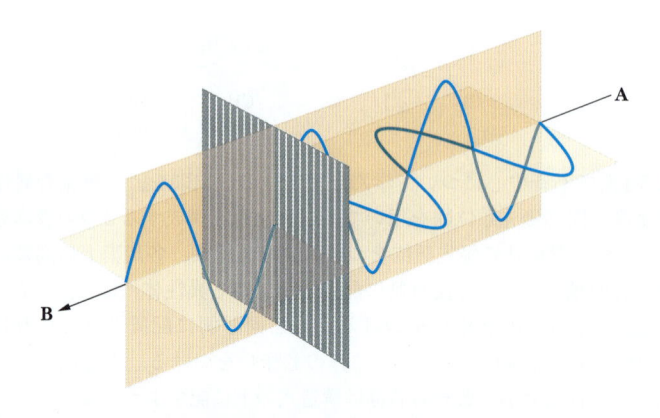

図 5.7 はじめはいろいろな角度をもって振動していた光ABが，偏光物質でろ過された結果，垂直成分だけになって抜け出てくるようすを示している。

図 5.8 この図は偏光物質で作られた2枚の膜を，その偏光軸が互いに直角になるように並べたものである。1枚の円板だけでは透明だが，重なっている部分は光を通さない。この実験は，2つのポラロイドサングラスを用いても簡単に行うことができる。試してみるとよい。(Poraroido社提供)

年に発明したアイスランドスパー（結晶性炭酸カルシウムの一種）を使った**ニコルプリズム**（Nicol prism）とよばれる道具である。さらに，近年になって開発された偏光物質にアメリカのEdwin H. Landが発明したポラロイド（Polaroid）がある。この物質は，ある結晶性の有機化合物を透明なプラスチック中に適切に配列させて埋め込んだものである。サングラスにはこのポラロイドがしばしば使用されている。

通常の光は，2つの偏光物質がその偏光軸をそろえたときにだけ偏光として通過するが，偏光軸が互いに垂直のときは通過できない。この現象は図5.8に具体的に示されている。これをもとにして種々の物質が平面偏光に及ぼす効果を調べる装置がつくられた。

旋光計（polarimeter）の図解を図5.9に示す。この使用方法は，まず光源を点灯し，試料管は空のままで分析プリズムを回転させると，ある角度で光が完全にさえぎられ視野が暗くなる。この状態で偏光プリズムと分析プリズムの2つの軸は互いに直交している。つぎに測定試料を試料管に入れる。もし試料が**光学不活性**（optically inactive）ならなにも起こらずに視野は暗いままだが，**光学活性**（optically active）であると平面偏光の面を回転させるので，いくらかの光が分析計を通って眼に届くようになる。そこで分析プリズムを時計まわり，または反時計まわりに回転させると，再び光が遮断されて視野が暗くなる。このとき分析プリズムを回転させた角度 α を実測旋光度とよび，この光学活性物質が平面偏光を回転させた角度の大きさに等しい。そして分析プリズムを右へ回転させた場合（時計まわり）にその物質は**右旋性**（dextrorotatory）（＋）であるといい，左へ回転させた場合（反時計まわり）に**左旋性**（levorotatory）（－）＊であるという。便宜的に右旋性物質には（＋），左旋性物質には（－）の符合をつける約束になっている。

　光学活性物質の実測旋光度 α の大きさを決める因子はいくつかある。もちろん α は分子構造の影響を受け，さらに試料管中の分子の数，試料管の長さ，偏光の波長，測定温度によって変化するため，異なる物質の光学活性を比較したいときは，これらの因子を標準化した測定値を用いる必要がある。この目的のために次式で定義される**比旋光度 [α]**（specific rotation）が使用される。

$$比旋光度 = [\alpha]_\lambda^t = \frac{\alpha}{l \times c}（溶媒）$$

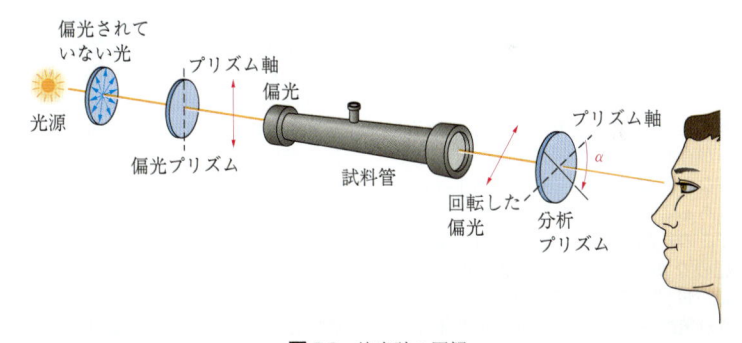

図5.9 旋光計の図解

＊　1回だけの測定で旋光度が＋なのか－なのかを知ることはできない。例として，＋10°の読みは－350°なのかもしれない。この解決法として，たとえば試料濃度を10％だけ高くする方法を適用すると，＋10°が正しければ結果として＋11°に変化し，－350°が正しければ－385°（つまり－25°として読める）に変化することになる。

☞　**旋光計**あるいは旋光分光計とよぶものは，**光学活性**の検出に用いる装置である。光学活性な物質は平面偏光を回転させるが，**光学不活性**な物質にはその性質がない。

☞　光学活性物質の**比旋光度**（測定した旋光度を標準化したもの）は，その物質に固有の物理的性質である。

A WORD ABOUT ...

Pasteurの実験とvan't Hoff-LeBelの理論

実験室にいる Louis Pasteur

フランスの偉大な科学者 Louis Pasteur（1822〜1895）は光学活性とキラリティ（5.1節の利き手の概念のこと）とを関連づけた最初の人であった。彼は、同じ物質のなかにも面偏光をそれぞれ逆方向に回転させる2つの分子が存在し、これらが互いに重ねることができない鏡像の関係（すなわち1対の対掌体）にあることを見いだした。彼がどのようにしてこの結論に至ったかを説明しよう。

19世紀のなかば、Pasteurはブドウ酒の生産で名高い母国フランスでの研究を通じて、ブドウ酒の発酵中に、たるの中で異性体関係にある2種類の酸が析出することを知っていた。その1つは右旋性を示す酒石酸（tartaric acid）であり、もう1つは当時ラセミ酸とよばれていた光学不活性な酸であった。

Pasteurはこれらの酸のさまざまな塩を作って検討した結果、酒石酸のナトリウムアンモニウム塩の結晶がキラルであることを発見したのである。つまりこの結晶は対称面をもたず、どの結晶も同じ利き手、すなわちキラリティをもっていた。いうなれば右利きであった。

Pasteurは、同様にラセミ酸のナトリウムアンモニウム塩の結晶をつくって調べてみた。するとここでもキラルな結晶が得られたが、あるものは右利きであるものは左利きであることに気づいた。これらの結晶は、互いに重ね合わない鏡像体の関係にあり、それぞれは等量存在していた。すなわち結晶は全体として対掌体の混合物であった。そこで彼は拡大鏡とピンセットを使って右利きと左利きの結晶に注意深く分けてみた。

ここで Pasteur は重大なことを発見したのである。すなわちこの2種類の結晶を別々に水に溶解し旋光計で測定したところ、それぞれが光学活性をもつことをみつけたのである（注目すべきは、この2つの結晶が光学不活性なラセミ酸から得られたことである）。2種類の水溶液の1つは酒石酸ナトリウムアンモニウム塩とまったく同じ比旋光度を示し、もう1つの水溶液は同じ強度ながら逆符合の比旋光度を示した。したがって後者は前者の鏡像であり、左旋性の酒石酸でなければならない。このことからPasteurは、ラセミ酸はそれまで考えられていたような単一物質ではなく、（＋）および（−）酒石酸の50：50混合物であると結論した。ラセミ酸が光学不活性だったのは2つの対掌体の等量混合物であったからである。現在では、ラセミ混合物

ここで l は試料管の長さをデシメーターで表したもの、c は溶液1ミリリットルあたりの溶質のグラム数で表された濃度、t は溶液の温度、λ は光の波長である。使用した溶媒は（　）内に示す。一般に測定は常温で行い、光源にはナトリウムランプのD線（$\lambda = 589.3\,\mathrm{nm}$）が通常用いられるが、旋光分光計とよばれる新しい装置では測定波長を任意に変えることができる。このように波長も含めて厳密な一定条

(racemic mixture)とは対掌体の50：50混合物であると定義されており，2つの対掌体それぞれの旋光が打ち消しあうために光学不活性である。

Pasteurは，酒石酸の結晶形は水に溶解して失われるにもかかわらず光学活性が観測されたことから，光学活性は結晶固有の性質ではなく，分子の本質的な性質に基づくことを看破していたが，その性質を分子構造に関係づけて詳細に説明できるところまでは至らず，その解明にはさらに25年を待たなければならなかった。

Pasteurの実験が行われていたころに，ドイツではKekuléが有機化合物の構造に関する理論を展開させていた。Kekuléが炭素は4価であることを認識していたことは，彼の書物(1867年ごろ)やロシアの化学者Aleksand M. Butlerovの書物(1862年)，さらにはイタリアのEmanuele Paternoの書物(1869年)にも書かれている。しかし，有機分子の光学活性を説明できる大胆な仮説は，1874年にはじめてオランダの物理学者Jacobus H. van't Hoff (1852～1911) と彼の弟子であったJoseph A. LeBel (1874～1930) により同時に提唱された。

van't HoffとLe Belは，正四面体の4つの頂点に4種類の置換基を配置するとき2通りの配列が可能であることと，これらが互いに重ね合わせられない鏡像の関係にあることに注目した。彼らはまたこの配列が，下の図に示すように右利きと左利きの関係にあることを知っていた。

彼らはこれをもとに大胆な仮説を提唱した。すなわち炭素原子の4つの原子価は正四面体の4隅に向かって伸びており，光学活性な分子は，4つの異なる置換基が結合した炭素原子を少なくとも1つはもっている，というものであった。この考えは，Pasteurが見いだしたように（＋）ならびに（－）酒石酸が偏光面をそれぞれ反対方向（右回りと左回り）に同じ角度だけ回転させる理由を説明できる。したがって光学不活性な有機物質とは，キラルな炭素原子（不斉炭素）をもっていないものか，または対掌体の50：50混合物であるということになる。

以上に述べたことが，炭素原子の正四面体構造がはじめて認識された経緯である*。この仮説が提唱されるに至った論理的展開はまさに驚嘆に値するものである。とくに当時は原子を構成する電子や原子核がまだ発見されていなかったし，化学結合の物理的性質もほとんどわかっていなかったことを考えると，なおのことである。van't HoffとLeBelはこの仮説を提唱した頃はあまり有名な研究者でなかった。彼らの仮説は当時少なくとも何人かの著名な化学者によってあざけられたが，まもなく一般に受け入れられるようになり，現在は科学的真理として認められている。その功績により1901年にvan't Hoffは最初のノーベル化学賞を受賞している。

---

* 事実，LeBelは彼の考え方を対称性の問題として発展させたが，van't Hoffは不斉炭素原子の概念を基本として発展させた。この両者の違いについて述べた興味ある解説書がある。R. B. Grossman, *J, Chem, Educ.* **1988**, *66*, 30-33.

件下で測定した光学活性物質の比旋光度は，融点，沸点，密度などと同じように，その物質の確定した物性の1つとみなされている。

問題 5.14 1.5gショウノウ（光学活性）をエタノール（光学不活性）に溶解して50mlの溶液とし，長さ5cmの試料管に入れて20℃（ナトリウムD線を使用）で測定した実測旋光度は＋0.66°であった。ショウノウの比旋光度を計算せよ。

19世紀初頭に，フランスの物理学者 Jean B. Biot（1774～1862）は膨大な数の物質について旋光度測定を行った。その結果，テルペンチン（なま松やに），レモン油，ショウノウのアルコール溶液，ショ糖の水溶液などは光学活性を示すが，水，アルコール，食塩水などは光学不活性であることを見いだしている。さらにその後，数多くの天然物（炭水化物，タンパク質，ステロイドなど）が光学活性化合物のリストに追加された。このように化合物の性質が光学活性なものと光学不活性なものとに分かれるのは，分子構造のどのような性質に起因しているのだろうか。

平面偏光がある分子を透過する際に，光と分子中の電子とは相互作用する。平面偏光は本来アキラルな電磁波であるから，対称性をもつアキラルな分子中ではその相互作用にも対称性があり，そのため偏光面には回転を生じない。しかしキラルな分子中では状況が異なる。たとえばキラルな分子の1つの対掌体（ここではR体としよう）をとりあげよう。これは一定の立体配置Rをもつ分子ばかりで構成され，その鏡像体（ここではS体）は存在しない。したがって，このキラルな分子と光の間にはキラルな相互作用が生じ，これによって生じる偏光面の回転は他の分子により相殺されない。この回転はわずかな量だが，旋光計中には1分子だけではなく，数多くのR体分子が溶液状態で入っている（1モルの1000分の1でさえも6×10^{20}個の分子を含むことを思い出してほしい）。その結果，この試料を透過する平面偏光の偏光面の変化は認識できるだけの量となる。すなわちキラルな分子は光学活性を示す。

5.6 対掌体の性質

対掌体の性質が互いに異なるのはキラリティに関してだけであり，他の性質はすべて同じである。だから2つの対掌体を識別できるのはキラルな性質を利用したときだけである。身近な例を引用してこのことを具体的に示してみよう。

左利きの野球選手（キラル）は右利きの選手と同じボールやバット（アキラル）を使用できるが，右利き用の野球グローブ（キラル）は使用できない。右ねじのボルト（キラル）には左ねじ用ボルトと同じワッシャー（アキラル）は使用できるが，ナット（キラル）は右ねじ用しか適合しない。結局，キラリティ（右利きと左利きの違い）は他のキラリティと相互作用するときはじめて重要な意味をもつが，アキラリティと相互作用するときは重要でない。

対掌体どうしはアキラルな等しい物性を数多くもっている。たとえば融点，沸点，密度，スペクトルなどがそれであり，一般のアキラルな溶媒中では溶解度も同じである。ところがそれとは対照的にキラルな物性は互いに異なっている。その違いが表れる例として平面偏光を回転させる方向の違いがある（時計まわりと反時計まわり）。そのとき，2つの対掌体は平面偏光をそれぞれ逆方向に回転させ，比旋光度

---

* 分子の中での電子運動によってつくられる電場と磁場とが光のもつ電場と磁場とに影響を与えるからである。

5.6 対掌体の性質

の符合は逆でも強度は等しい。なぜかというと，角度の大きさはキラルな物性ではなく，回転方向がキラルな物性だからである。つぎにその例を示そう。

乳酸は，多様な生化学過程において重要な役割をもつ光学活性なヒドロキシ酸であり，分子構造中に不斉中心を1つもっている。その構造と性質を図5.10に示す。注目してほしいのは，2つの対掌体が同じ融点をもち，比旋光度も正負の符合以外は等しい点である。

ところで，立体配置（R と S）と旋光度の符号（＋と－）のあいだには関連がないことを知ってほしい。たとえば，左旋性を示す（R）-乳酸をメチルエステルに変換しても（式5.1），キラル炭素に直結する結合は反応に関与しないので立体配置は不変であるが，生成物エステルの物理的性質である旋光度の符号は－から＋に変化する。

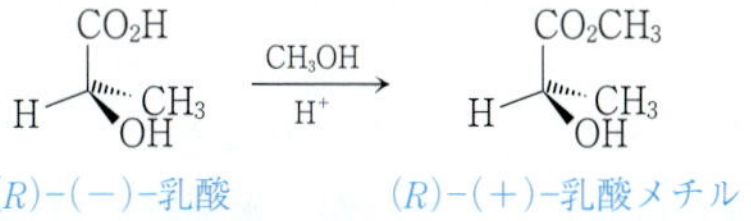

$$(R)\text{-}(-)\text{-乳酸} \xrightarrow{CH_3OH, H^+} (R)\text{-}(+)\text{-乳酸メチル} \tag{5.1}$$

2つの対掌体はしばしば生理学的には違った挙動を示す。その理由は，生理学的性質は一般に生体内のキラルな分子との反応により発現するものだからである。たとえば，乳酸脱水素酵素（乳酸デヒドロゲナーゼ）は（＋）乳酸をピルビン酸に酸化するが，（－）乳酸を酸化しない（式5.2）。

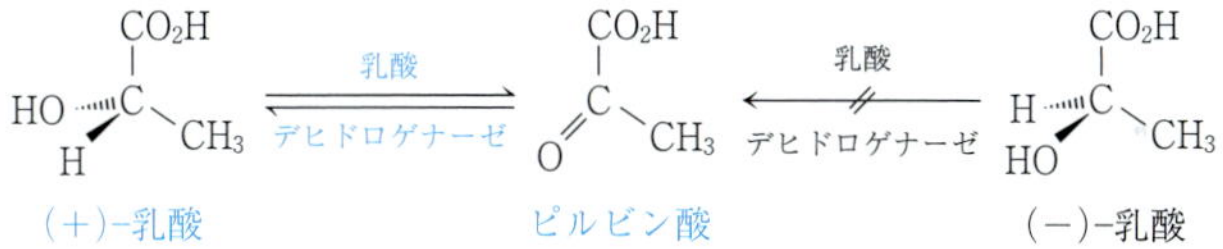

$$(+)\text{-乳酸} \underset{\text{デヒドロゲナーゼ}}{\overset{\text{乳酸}}{\rightleftarrows}} \text{ピルビン酸} \overset{\text{乳酸}}{\underset{\text{デヒドロゲナーゼ}}{\xleftarrow{\not}}} (-)\text{-乳酸} \tag{5.2}$$

その理由は，酵素自身がキラルであり，ちょうど右手が右利き用と左利き用の手袋を識別できるように，右利きと左利きの乳酸分子を識別するからである。

対掌体の性質の違いは，さまざまな形の生理活性の違いとなって示される。たとえば，対掌体の1つが医薬としての効能を示しても，別の対掌体は効能を示さないことが多い。具体的な例を挙げると，（－）アドレナリンは強心剤であるが（＋）異性体には効き目がない。そのほかにも，対掌体の1つが毒薬でも別の対掌体は無

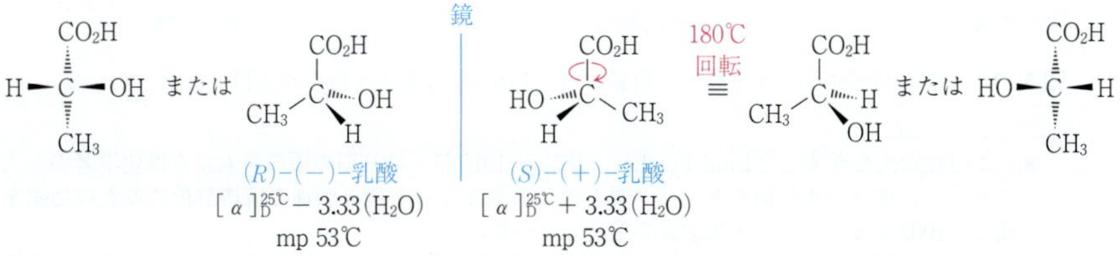

(R)-(-)-乳酸
$[\alpha]_D^{25℃} - 3.33(H_2O)$
mp 53℃

(S)-(+)-乳酸
$[\alpha]_D^{25℃} + 3.33(H_2O)$
mp 53℃

図 5.10 乳酸の対掌体構造と物性

害であったり，1つが抗生物質であっても他方は役に立たなかったり，1つが昆虫の性誘引物質であっても他方には効果がなく，ときには性忌避物質になることすらある．このように生物の世界においてキラリティはきわめて重要な意味をもっているのである．

5.7 Fischer 投影式

キラルな分子の3次元的置換基配列をくさび型の点線と実線を使って表示する方法の代わりに，2次元的な表示方法があれば便利なことがある．その方法の一つに古くから Emil Fischer*によって考案され使われている **Fischer 投影式**（Fischer projection）とよばれるものがある．

図5.10の鏡面の左に書かれた (R)-乳酸の投影式を取りあげてみよう．この3次元的構造式を平面上に投影すると図5.11のように平面化された Fischer 投影式が得られる．

この Fischer 投影式について注意しなければならない2つの大切な約束がある．まず，不斉中心の炭素Cは表示されないが，水平線と垂直線の交点がそれに相当することである．つぎに，不斉中心につながる2本の水平線は紙面の上方向，すなわち読者の方向に出ている置換基であり，垂直線は紙面の下すなわち読者とは逆の方向に投影された置換基を示していることである．また他の立体化学的表現法でもみられるように，任意の2つの置換基の位置を入れ換えるともう一方の対掌体になる．

問題 5.15 (S)-乳酸の Fischer 投影式を書け．

つぎの節に示すように，Fischer 投影式は2つ以上の不斉中心をもつ化合物を考えるときとくに便利である．

(R)-乳酸　　(R)-乳酸の Fischer 投影式　　　　　　　(R)-乳酸

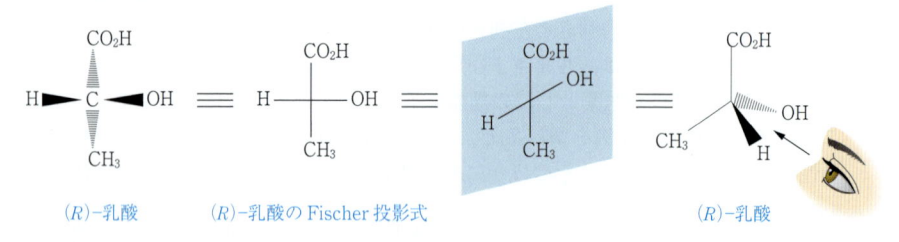

図 5.11 右側の分子モデルを平面上に投影すると Fischer 投影式が得られる様子を示したもの．

＊　この投影式を考案した Emil Fischer（1852～1919年）は初期の頃の偉大な有機化学者の一人であった．彼は炭水化物やタンパク質をはじめ数多くの有機天然物の構造解析に多大の功績を残し，1902年度のノーベル化学賞を受賞している．

☞　**Fischer 投影式**とは，不斉中心の3次元立体配置を表す目的に用いられる，2次元的な分子構造の表現方法の一つである．

5.8　2つ以上の不斉中心をもつ化合物；ジアステレオマー

天然に存在する多くの化合物は2つ以上の不斉中心をもつことが多い。このような場合に異性体の数を決めたり，異性体間の関連性を明らかにすることは重要である。わかりやすいように，天然物分子ではないが2-ブロモ-3-クロロブタンを例として考えてみよう。

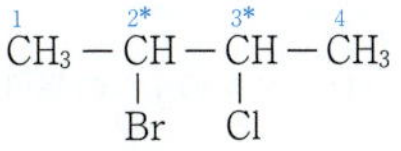
1
2*
3*
4
CH3 − CH − CH − CH3
Br
Cl

2-ブロモ-3-クロロブタン

この分子には＊印のついた2つの不斉中心がある。それぞれが*R*あるいは*S*の立体配置をもつことができるので，合計4つの異性体が存在する。すなわち（2*R*, 3*R*），（2*S*, 3*S*），（2*R*, 3*S*），（2*S*, 3*R*）の4異性体である。この4異性体の書き方の1つを図5.12に示した。ここで注目してほしいのは対掌体の組み合わせが2組あることである。すなわち（2*R*, 3*R*）と（2*S*, 3*S*）とは重ね合わすことができない鏡像体ペアであり，同様に（2*R*, 3*S*）と（2*S*, 3*R*）も別の鏡像体ペアである。

これらの分子にFischer投影式を当てはめてみよう。図5.12の左端に書いた（2*R*, 3*R*）異性体を取りあげると，これをくさび型の実線・点線で表示した構造では，水平位置の置換基が紙面の表に突き出ており，垂直位置の置換基が紙面の裏側へ出ていることを示している。この構造と等価のFischer投影式をつぎに示す*。

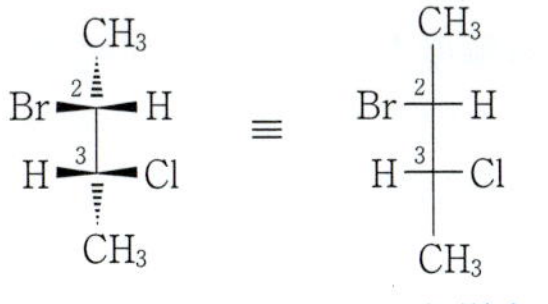
CH3
Br
H
2
H
Cl
3
CH3
≡
CH3
Br
H
2
H
Cl
3
CH3

くさび形　　Fisher投影式

* 注意して眺めてみると，この構造は重なり（eclipsed）立体配座を上から眺めて水平位置の置換基が読者側に突き出るように書いたものである。実際の分子は，いくつかのねじれ（staggered）立体配座平衡混合物であり，その1つが下図に示されている。このようにFischer投影式は立体配座を正しく表しているが，必ずしも低エネルギーの立体配座を正しく表現しているとは限らない。

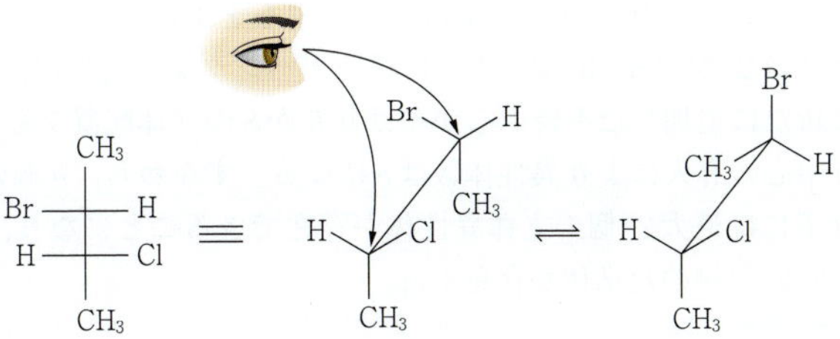
CH3
Br
H
H
Cl
CH3
≡
Br
H
CH3
H
Cl
CH3
⇌
Br
CH3
H
H
Cl
CH3

重なり形　　ねじれ形

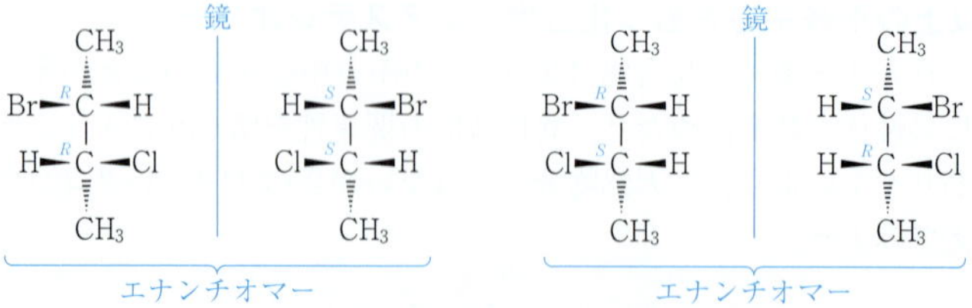

|　　　　　　鏡　　　　　　　　　　　　　　　　鏡
|:---:|
| CH₃　｜　CH₃　　　　CH₃　｜　CH₃ |
| Br—C—H　H—C—Br　　Br—C—H　H—C—Br |
| H—C—Cl　Cl—C—H　　Cl—C—H　H—C—Cl |
| CH₃　｜　CH₃　　　　CH₃　｜　CH₃ |
| エナンチオマー　　　　　エナンチオマー |

図 5.12 2-ブロモ-3-クロロブタンの4つの異性体．不斉中心が2つ存在する．

問題 5.16 図5.12に書かれた2-ブロモ-3-クロロブタンの残り3つの立体異性体についてFischer投影式を書け．

　ここで，有機化学においてたいへん重要なもう1つの立体化学について説明する必要がある．はじめに一例として，図5.12の異性体の $(2R, 3R)$ と $(2R, 3S)$ の関係を調べてみよう．この2つは炭素2で同じ立体配置，炭素3で逆の立体配置をもっているから鏡像関係にはならない．つまりこの2つは立体異性体であることは確かだが対掌体ではない．このような関係にある立体異性体を**ジアステレオマー** (diastereomer) とよんでいる．したがってジアステレオマーとは，お互いが鏡像の関係にない立体異性体の組み合わせのことである．

　対掌体とジアステレオマーとの間には，きわめて重要で明白な相違がある．対掌体は互いに鏡像体だから鏡像の性質（キラルな性質）だけが異なる．しかし，融点，沸点，通常の溶媒への溶解度などのアキラルな物性はまったく同一だから，再結晶や蒸留といったアキラルな物性にもとづく分離法では分離できない．これに比べて，ジアステレオマーは互いに鏡像体ではないから，キラリティに関係なくすべての物性が異なっている．すなわち，ジアステレオマーどうしは異なる融点，沸点，溶解度，旋光度をもっており，2つの異なる化学物質とみなすことができる．

問題 5.17 2-ブロモ-3-クロロブタンの $(2R, 3R)$-ならびに $(2S, 3S)$-異性体の比旋光度はどのような関係にあるのか説明せよ．さらに $(2R, 3S)$-と $(2S, 3R)$-異性体の関係についても答えよ．

　不斉中心が数多く存在する場合，立体異性体の数を一般式で表すことができるであろうか．図5.12の化合物に3番目の不斉中心を追加してこのことを考えてみよう（たとえば2-ブロモ-3-クロロ-4-ヨードペンタン）．図5.12の4つの異性体それぞれに新たに追加した不斉中心がやはりRかSの立体配置をもつので，この3番目の不斉中心の導入により異性体数は8になる．すなわち，n個の異なる不斉中心をもつ分子には最大2^n個の立体異性体が存在できることになり，その結果，もっとも多くて$2^n/2$対の対掌体が存在する．

☞　**ジアステレオマー**とは，お互いが鏡像関係になれない立体異性体のことをいう．

問題 5.18 グルコース（血糖）はつぎの構造式で示される。グルコースの可能な立体異性体数は全部でいくつあるのか答えよ。

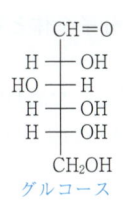

$$\begin{array}{c} CH=O \\ H-OH \\ HO-H \\ H-OH \\ H-OH \\ CH_2OH \end{array}$$
グルコース

この計算方法で推定できる異性体の数は最大可能数である。ところが構造上のある特徴をもつ化合物では異性体の数はそれより少ないことがある。このよう場合についてつぎに述べる。

グルコース結晶の偏光顕微鏡写真

5.9 メソ化合物；酒石酸の立体異性体

2,3-ジクロロブタンの立体異性体を考えてみよう。ここには不斉中心（*印）が2つ存在することがわかる。

$$\overset{1}{CH_3}-\overset{2*}{\underset{Cl}{CH}}-\overset{3*}{\underset{Cl}{CH}}-\overset{4}{CH_3}$$

2,3-ジクロロブタン

この立体異性体を図5.12と同様の表示法で書いたものが図5.13である。ここで (R, R) と (S, S) とは重ね合わすことができない1組の鏡像体（すなわち対掌体）であるのに，残りの (R, S) と (S, R) の2つの異性体は同じ化合物である。

ここで図5.13の右側2つの構造をくわしく調べてみよう。どちらの構造にも紙面に垂直で中央のC－C結合を二分する対称面が存在することに注目してほしい。そのわけは，2つの不斉中心のいずれについても，そこに結合している4種類の置換基が同じ組み合わせだからである。このように右側の2つの構造は互いに重ね合わ

対掌体，キラル　　　　　同一の分子，アキラル，メソ型

図5.13 2,3-ジクロロブタンの3種の立体異性体のFischer投影式

せられる鏡像でありアキラルとなる。このような構造を**メソ化合物**（meso compound）とよんでいる。すなわちメソ化合物とは，2つ以上のキラル中心を有する化合物の立体異性体のうち，アキラルなジアステレオマーのことである。その不斉中心の立体配置は互いに逆になっていて，分子全体としてアキラルであるから光学不活性である*。

Louis Pasteurによって光学活性が詳細に研究された酒石酸を眺めてみよう。これもまた2つの等しい不斉中心をもっている（A Word About「Pasteurの実験とvan't Hoff-Levelの理論」をみよ）。

$$\text{HO}-\overset{\text{O}}{\overset{\|}{\text{C}}}-\overset{*}{\underset{\text{OH}}{\text{CH}}}-\overset{*}{\underset{\text{OH}}{\text{CH}}}-\overset{\text{O}}{\overset{\|}{\text{C}}}-\text{OH}$$

酒石酸

酒石酸の3つの立体異性体とその物性を図5.14に示す。注目してほしい点は，2つの対掌体では比旋光度の符号を除いてすべての物性が同じなのに対して，そのジアステレオマーであるメソ体ではすべての物性が異なることである。

Pasteurの研究からおよそ100年経過した時点でも，1つの対掌体に対して特定の立体配置を帰属させることはまだ不可能であった。具体的にいうと，(+)−酒石酸が(R,R)配置なのか(S,S)配置なのかはわかっていなかったのである。もっとも(+)−酒石酸がこの2つの配置のどれか1つをもち，(−)−酒石酸が残りの配置をもつはずであることは解明されていた。

オランダのJohannes M. Bijvoetは，1951年に特殊なX線測定法を用いてはじめてこの問題を解決した。彼はこの方法を用いて，Pasteurが研究した(+)−酒石酸のナトリウムルビジウム塩の結晶が(R,R)立体配置をもつことを明らかにしたのである。さらにひきつづいてラセミ酸が(R,R)と(S,S)異性体の50：50混合

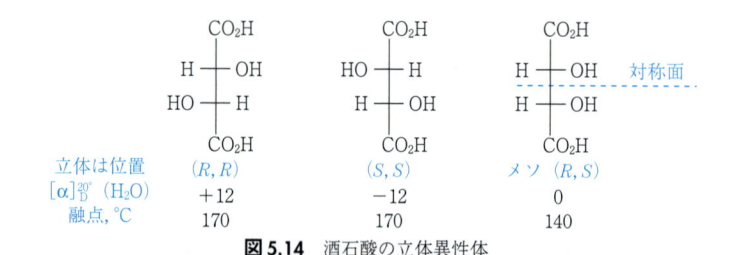

| 立体は位置
$[\alpha]_D^{20}$ (H$_2$O)
融点, ℃ | (R,R)
+12
170 | (S,S)
−12
170 | メソ (R,S) 対称面
0
140 |

図5.14 酒石酸の立体異性体

---

* Fischer投影式では紙面内を180°回転させても立体配置は不変である。たとえば，図5.13に示した左2つの対掌体についてこの操作を行っても相互変換は不可能だが，右側のメソ体構造では可能である。

☞ **メソ化合物**とは，不斉中心をもったアキラルなジアステレオマーのことである。

物であることも明らかになった。メソ体についてはずっとあとになって解明されることになった。

酒石酸は化学反応を用いて他のキラルな化合物につぎつぎと変換できたので，Bijvoetの研究結果をもとにして他の数多くの対掌体の**絶対配置**（absolute configuration）（各不斉中心の正しいRまたはS立体配置のこと）が決定されたのである。

問題 5.19 *trans*-1,2-ジメチルシクロペンタンがキラルであり対掌体として存在できることを証明せよ。

問題 5.20 *cis*-1,2-ジメチルシクロペンタンはキラルかアキラルか答えよ。この分子にふさわしい立体化学的な名称についても答えよ。

5.10 立体化学における定義の要約

本章ならびに2.11節で立体異性体を分類する3つの異なる方法を学んだ。すなわち，(1) 立体配座異性体あるいは立体配置異性体への分類，(2) キラルあるいはアキラルなものへの分類，(3) 対掌体（エナンチオマー）あるいはジアステレオマーへの分類，の3つである。

A {
立体配座異性体：単結合周りの回転によって相互変換が可能。
立体配置異性体：相互変換は回転によっては不可能だが，結合の開裂と再結合により可能。
}

B {
キラルなもの：その鏡像体がもとの分子と重ねられないもの。
アキラルなもの：その鏡像体がもとの分子と同じになるもの。
}

C {
対掌体：鏡像体の関係にあり，一方の対掌体の不斉中心すべての立体配置が他方の対掌体と逆になっているもの。
ジアステレオマー：立体異性体だが鏡像体の関係にないもの。立体配置が1つ以上の不斉中心で異なるもの。
}

これら3つの分類法はどの立体異性体ペアについても適用できる。その具体例をあげてみよう。

1　*cis*-ならびに*trans*-2-ブテン

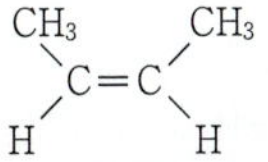

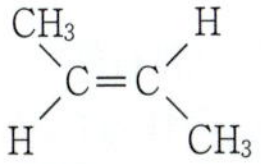

これらの異性体は立体配置が異なり（単結合周りの回転による相互転換が不可能），アキラルであり（いずれの分子についてもその鏡像体がもとの分子と重ねられる），ジアステレオマーの関係にある（立体異性体だが互いに鏡像の関

☞ 分子構造の中の立体中心について，（RまたはS）立体配置が正しく決定されたとき、それを**絶対配置**という。

2 ねじれ形配座ならびに重なり形配座のエタン

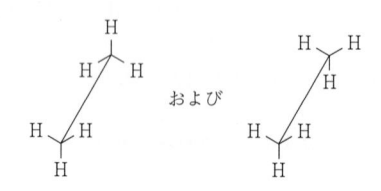

これらは配座異性体であると同時にアキラルである。互いに鏡像関係にないからジアステレオマー的な立体配座異性体（ただし不斉中心をもたない）である。

3 (R)-ならびに (S)-乳酸

これらの異性体は立体配置異性体であるのと同時に，それぞれはキラルであって，両者で一対の対掌体を形成している。

4 メソ-ならびに (R,R)-酒石酸

これら2つの異性体は立体配置異性体ならびにジアステレオマーの関係にあり，1つはアキラルで残り1つはキラルである。(R)-ならびに (S)-乳酸のような対掌体はそれぞれのキラルな性質が異なるだけであるから，蒸留や再結晶法のような通常のアキラルな分離法では分けられない。これに対して，ジアステレオマーはキラルであろうとアキラルであろうとすべての物理的性質が異なる。もしこれらが立体配置異性体なら（たとえば cis-と $trans$-2-ブテン，$meso$-と (R,R)-酒石酸）蒸留や再結晶法のようなアキラルな手法を用いて分離できる。もしこれらが立体配座異性体なら（たとえば staggered と eclipsed 配座のエタン）結合の回転によって極めて容易に相互変換するので，分離は不可能である。

問題 5.21 1,3-ジメチルシクロブタンの2つの立体異性体を書き，この一対の異性体を前ページのA, B, Cに従って分類せよ。

5.11 立体化学と化学反応性

　化学反応において立体化学を考えることはどの程度重要なのだろうか。その答えは反応に関わる化合物の性質によってかわる。まず，アキラルな基質からキラルな生成物が生じる反応例として，1-ブテンへの臭化水素の付加反応において 2-ブロモブタンが Markovnikov 則に従って生成する反応を考えてみよう。

$$\text{CH}_3\text{CH}_2\text{CH}=\text{CH}_2 + \text{HBr} \longrightarrow \text{CH}_3\text{CH}_2\overset{*}{\text{C}}\text{HCH}_3 \atop |\ \text{Br} \tag{5.3}$$

1-ブテン　　　　　　2-ブロモブタン

　この生成物には＊印の位置に不斉中心があるが，2つの対掌体が正確に等量ずつ生成するのでラセミ混合物となる。なぜだろうか。一般に理解されている反応機構に従って考えてみよう。

$$\text{CH}_3\text{CH}_2\text{CH}=\text{CH}_2 + \text{H}^+ \longrightarrow \text{CH}_3\text{CH}_2\overset{+}{\text{C}}\text{HCH}_3 \xrightarrow{\text{Br}^-} \text{CH}_3\text{CH}_2\text{CHCH}_3 \atop |\ \text{Br} \tag{5.4}$$

2-ブチルカチオン

　末端炭素にプロトンが付加して生じる中間体の 2-ブチルカチオンは平面構造をもち，その平面の上と下からまったく等しい確率で臭化物イオンが結合する。

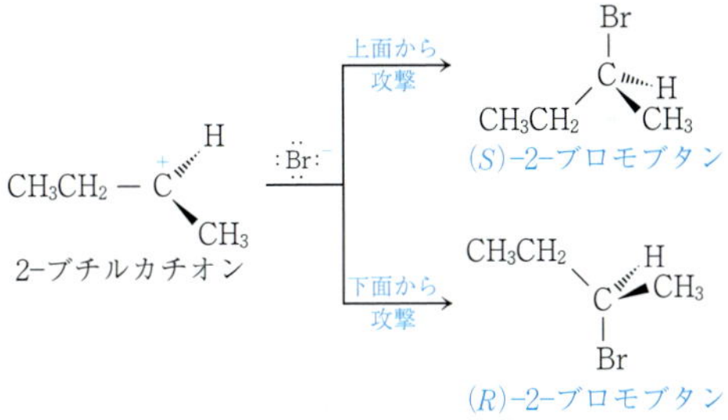

$$\begin{array}{c}\text{上面から攻撃} \longrightarrow (S)\text{-2-ブロモブタン} \\ \text{2-ブチルカチオン} \\ \text{下面から攻撃} \longrightarrow (R)\text{-2-ブロモブタン}\end{array} \tag{5.5}$$

　その結果，生成物はラセミ混合物すなわち2つの対掌体の 50：50 混合物となり光学不活性となる。
　この結果を一般的に表現するなら，"アキラルな化合物からキラルな生成物が生じるときは2つの対掌体は同じ速度で同量ずつ生成する。"となる。

問題 5.22　1-ブテンへの HBr の付加反応機構が，中間体を経由せずに1段階で進行するとしても，生成物はやはりラセミ体の 2-ブロモブタンである理由を説明せよ。

問題 5.23　ブタンの 2-位置への塩素化反応で2つの対掌体が 50：50 で生成する理由を説明せよ。

つぎに，キラルな分子がアキラルな反応剤と反応して，新たに2つ目の不斉中心を生み出す反応の立体化学を考えてみよう．例として，3-クロロ-1-ブテンへのHBrの付加反応をとりあげる．

$$\text{CH}_3\overset{*}{\text{C}}\text{HCH}=\text{CH}_2 + \text{HBr} \longrightarrow \text{CH}_3\overset{*}{\text{C}}\text{H}-\overset{*}{\text{C}}\text{HCH}_3 \quad\quad (5.6)$$
$$\quad\quad\quad |\quad\quad\quad\quad\quad\quad\quad\quad\quad\quad | \quad |$$
$$\quad\quad\quad \text{Cl}\quad\quad\quad\quad\quad\quad\quad\quad\quad \text{Cl} \; \text{Br}$$
3-クロロ-1-ブテン　　　　　　　2-ブロモ-3-クロロブタン

3-クロロ-1-ブテンの純粋なエナンチオマー，たとえばR異性体が反応すると，生成物の立体化学はどうなるだろうか．その答えを早く知るためにはFischer投影式を書くのがよい．

$$\text{(5.7)}$$

(R)-3-クロロ-1-ブテン　　　(2R,3R)-2-ブロモ-3-　　　(2S,3R)-2-ブロモ-3-
　　　　　　　　　　　　　　　クロロブタン　　　　　　クロロブタン

塩素が結合した位置の立体配置はRのまま不変だが，新しい不斉中心はRかSのいずれかである．したがって生成物はジアステレオマー混合物となる．ところでこれらのジアステレオマーは等量ずつ生成するのだろうか．答えは否である．5.7式の原料を見るとこの化合物に対称面は存在しないことがわかる．したがって，二重結合への臭素の接近しやすさは，不斉中心のH側とCl側では等しくならない．

このことを一般的にいえば，"キラルな化合物がアキラルな反応剤と反応して新たな不斉中心を作り出す場合は，ジアステレオマーがそれぞれ異なる反応速度と異なる生成量で得られる．"と表現できる．

問題 5.24 式5.7の反応で，(2R,3R)ならびに(2S,3R)生成物が例えば60：40で得られたとしよう．それなら，純粋な(S)-3-クロロ-1-ブテンにHBrを付加させた場合，ならびに3-クロロ-1-ブテンのラセミ体（RとSの等量混合物）にHBrを付加させた場合のそれぞれについて，その生成物と異性体比を答えよ．

5.12　ラセミ混合物の光学分割

2つのアキラルな反応剤が反応してキラルな生成物が生じるときは，つねに対掌体の**50：50混合物**（**ラセミ混合物**，racemic mixture）が得られることをここまでに学んだ（式5.5）．さてこの対掌体の1つを他方を含まない純粋な状態で入手す

☞ **ラセミ混合物（50：50）の対掌体**を分離する工程のことを**光学分割**という．

5.12 ラセミ混合物の光学分割

る方法を考えてみよう。ラセミ混合物をそれぞれの対掌体に分離する操作法のことを**光学分割法**（resolution）とよんでいる。ところで，それぞれの対掌体はアキラルな物性が等しいのでどうしたら各成分に分割できるのだろうか。その答えは，ラセミ混合物をジアステレオマーに変換したあとそのジアステレオマーどうしを分離し，この分離したものをべつべつに対掌体へ再変換すればよい。

2つの対掌体を分けるためには，まずラセミ体を1つをキラルな反応剤と反応させる。その結果，1対のジアステレオマーが得られる。すでに学んだようにこれらはすべての物性が異なるから，通常の分離手段を用いて分離できる。この原理を次式に示す。

$$\begin{vmatrix} R \\ S \end{vmatrix} + R \longrightarrow \begin{vmatrix} R-R \\ S-R \end{vmatrix} \tag{5.8}$$

1対の対掌体　　キラルな　　ジアステレオマー
（分離不可能）　反応剤　　（分離可能）

ジアステレオマーを分離してから，キラルな反応剤と対掌体が再生する反応を行えば，一方の対掌体が純粋に得られるわけだ。

$$\begin{aligned} R-R &\longrightarrow R+R \\ S-R &\longrightarrow S+R \end{aligned} \tag{5.9}$$

はじめてラセミ混合物を光学分割したのはLouis Pasteurであり，彼は（＋）-ならびに（−）-酒石酸のナトリウムアンモニウム塩を分離したのだ。右利きと左利きの結晶を見分けることができたPasteurは，彼自身がキラルな反応剤であったともいえる。11.9節には化学的な光学分割の代表的な例について述べてある。

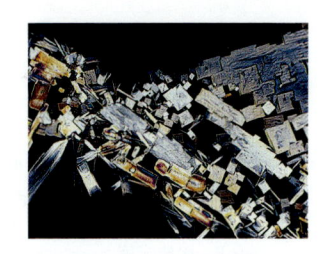

偏光下での酒石酸結晶

ラセミ混合物分割法の背景となっている基本原理は，多くの生体反応の特異性発現の仕組みと同じである。すなわち生体内のキラルな試薬（細胞に含まれる酵素など）が対掌体と1対のジアステレオマーを形成して，これらを識別しているからである。

A WORD ABOUT ...

対掌体およびその生理活性について

キラルな分子の対掌体は生命体に取り込まれたとき，きわめて多様な生理学的な反応を生じる．味覚，匂い，医薬的な効果，毒性，殺菌性，殺かび性，殺虫性をはじめとする性質は，対掌体のあいだで広範囲にわたって異なる．いくつかの例を挙げてみよう．アミノ酸の (R)-アスパラギンは甘い味覚をもっているが (S)-アスパラギンは苦い．(R)-カルボンはハッカの香りがするが (S)-カルボンはキャラウェイの匂いをもっている．(S)-ナプロキセンは大切な抗炎症薬だがその対掌体は肝臓毒である．(S,S)-クロラムフェニコールは有用な抗生物質だがその対掌体はバクテリアに無効である．(R,R)-パクロブトラゾールは殺カビ剤だがその対掌体は植物成長調整剤である．(R,R,S)-デルタメスリンは殺虫剤だがその対掌体は不活性である．

このように，構造が類似しているにもかかわらず2つの対掌体が異なる生物活性を示すのはなぜだろうか．その理由は，これらの小さな分子が生命体のもつ受容体(レセプター)と結合して，一種の錯体(コンプレックス)を形成することにより生理活性が出現するからである．この受容体は一般にタンパク質や複雑な炭水化物あるいは核酸のようなキラルで非ラセミ型の分子でつくられているから，小さな分子の2つの対掌体のうち一方とだけ強く結合する性質をもつためである．これらの対掌体は3次元構造が異なるので，たとえば (R)-アスパラギンはヒトの甘い味覚を引き出す受容体と結合するが，(S)-アスパラ

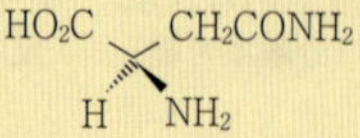

章末問題

立体化学：定義と不斉中心

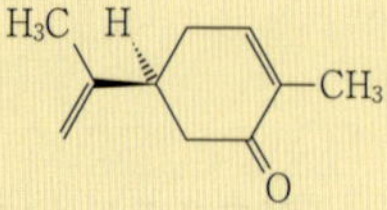

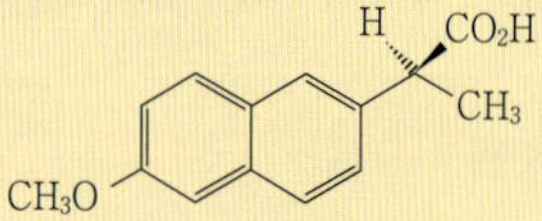

5.25 つぎの語句の意味を定義し，または明確に説明せよ．
(a) 不斉中心 (b) キラルな分子 (c) 対掌体 (d) 面偏光
(e) 比旋光度 (f) ジアステレオマー (g) 対称面 (h) メソ体
(i) ラセミ混合物 (j) 光学分割

5.26 光学活性物質として存在できるのはどれか示せ．
(a) 2,2-ジクロロプロパン (b) 1,2-ジクロロプロパン
(c) 2-メチルペンタン (d) 2,3-ジメチルヘキサン
(e) 1-デューテリオエタノール（CH_3CHDOH） (f) メチルシクロブタン

5.27 つぎの分子構造式中に不斉中心があればそこに＊印をつけよ．
(a) $CH_3CHClCF_3$ (b) $CH_2(OH)CH(OH)CH(OH)CHO$
(c) $C_6H_5CH(OH)CO_2H$ (d) 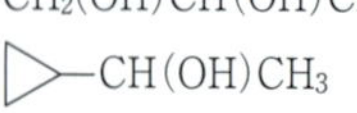 ▷—$CH(OH)CH_3$
(e) 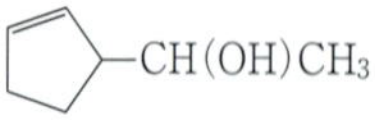 ⬠—$CH(OH)CH_3$ (f)  CH_3—⬡—CH_3

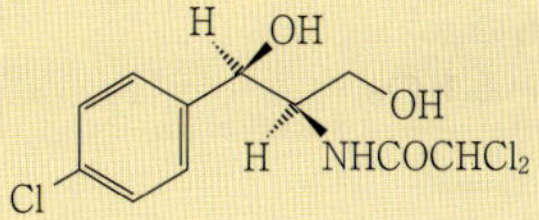

(R,R)-クロラムフェニコール

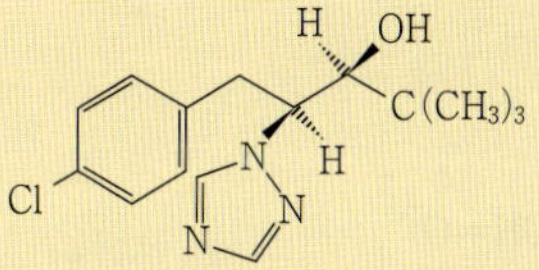

(S,S)-パクロブトラゾール

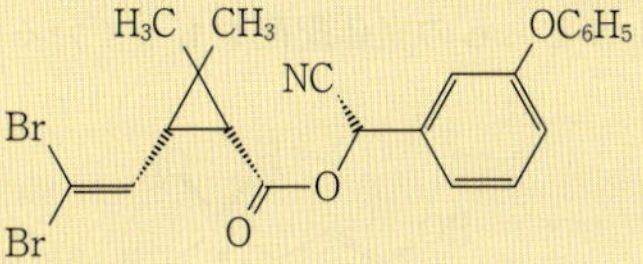

(R,R,S)-デルタメトリン

生理活性を示す対掌体化合物の構造

ギンはこの受容体とは結合せずに，むしろ苦さを引き出す別の受容体と結合するのである。
よく似た例でこの選択性を説明してみよう。左足の靴（受容体）に左右の両足を履かせようとしたとき，左足はこの靴を気持ちよく履けるが（結合），右足は適合しないか，あるいは履けても不快感が生じる（異なる反応）。
このように，キラル分子の対掌体の1つが望ましい生理活性を示すその反面で，逆の対掌体は有害な反応を示す例は，いまでは数多く見いだされている（ナプロキシンの例）。したがってキラルな医薬品分子や農薬分子において，ラセミ体混合物ではなく単一の対掌体を製造することはきわめて重要な課題になってきた。この要望に刺激されて，キラルな分子の一方の対掌体だけを作る新しい合成方法の開発研究が最近精力的に進められている。この反応手法は不斉合成とよばれている。
さらに，純粋な対掌体を得る手法として，ラセミ体混合物を2つの対掌体それぞれに純粋に分離する**光学分割**（resolution）とよばれる分離技術が発展してきた。

光学活性

5.28 ショ糖水溶液の光学活性測定に際してつぎの操作を行うと，観察される比旋光度にどのような変化が起こるであろうか。
 (a) 溶液の濃度を2倍にする。
 (b) 試料管の長さをを2倍にする。

5.29 スクロース1g（ふつうの砂糖）を含む100 mlの水溶液をつくり，これを2-デシメーターの試料管に入れて施光度を測定したところ，25℃（ナトリウムランプ使用）で＋1.33°であった。この結果からスクロースの比旋光度を計算して示せ。

立体異性体の関係について

5.30 つぎの構造が同じものか，それとも対掌体の関係にあるものかを答えよ。

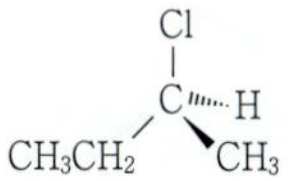

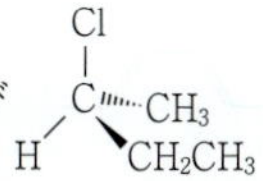

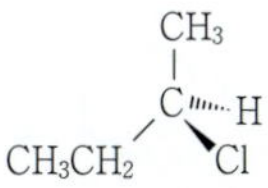

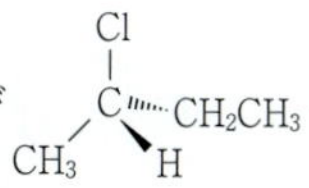

5.31 つぎの分子式をもつ光学活性な化合物の構造式を1つ書け。
 (a) $C_4H_{10}O$ (b) $C_5H_{11}Cl$ (c) $C_4H_8(OH)_2$ (d) C_6H_{12}

5.32 C_5H_9Br の組成をもつ不飽和化合物で，つぎの条件を満たすものの構造式を書け。
 (a) *cis-trans* 異性も光学活性ももたないもの。
 (b) *cis-trans* 異性は存在するが光学活性を示さないもの。
 (c) *cis-trans* 異性は存在しないが光学活性を示すもの。
 (d) *cis-trans* 異性および光学活性の両方をもっているもの。

R-S および E-Z 表示法について

5.33 つぎの各組の置換基について，R-S 表示法にもとづく優先順位の高いものから低いものへと番号をつけよ。
 (a) CH_3—，H—，HS—，CH_3CH_2—
 (b) H—，CH_3—，C_6H_5—，I—
 (c) CH_3—，HO—，$BrCH_2$—，$HOCH_2$—
 (d) CH_3CH_2—，$CH_3CH_2CH_2$—，$CH_2=CH$—，—CH=O

5.34 上問 5.33 で，各組の置換基が1つの炭素原子に結合していると仮定した場合，その分子の R-配置の3次元構造式を書け。

5.35 つぎの構造式で，＊印をつけた不斉中心が R，S どちらの立体配置をもっているのかを答えよ。

(a) (−)-メントン (menthone)
（ハッカに含まれる）

(b) (−)-セリン (serine)
（タンパク質を構成する
アミノ酸の1つ）

(c) (−)-エピネフリン (epinephrine)
（アドレナリンともよばれる）

5.36 香味料キャラウェイの香味のもとである（＋）-カルボンの立体配置が R か S かを決めよ。

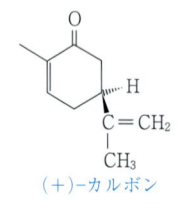

（＋）-カルボン

5.37 最近，仏米間の共同研究によって，もっとも単純なキラル分子である（−）-ブロモクロロフルオロメタン（CHBrClF）が R 立体配置をもつことが見いだされた。この (R)-（−）-ブロモクロロフルオロメタンの3次元構造式を書け。

5.38 E-Z 表示法を用いて，つぎの化合物を命名せよ。

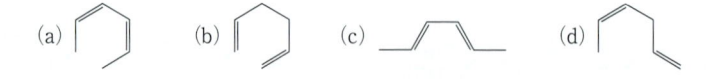

(a)   (b)   (c)   (d)

章末問題

5.39 4-ブロモ-2-ペンテンには E または Z 立体配置をもった二重結合と，R または S 立体配置をもった不斉中心が存在する。この分子には全部でいくつの立体異性体が可能かを答えよ。またそれぞれの構造を書き，対掌体ペアを組み合わせて答えよ。

5.40 つぎの化合物について，考えられる立体異性体をすべて書き，それぞれに R-S および E-Z 表示法を用いて命名せよ。
 (a) 3-メチル-1,4-ペンタジエン　(b) 3-メチル-1,4-ヘキサジエン
 (c) 2-ブロモ-5-クロロ-3-ヘキセン　(d) 2,5-ジクロロ-3-ヘキセン

Fischer 投影式と Newman 投影式

5.41 Fischer 投影式で表した A と同じ立体配置をもつもの，ならびに対掌体の関係にあるものを (a), (b), (c) の中から答えよ。

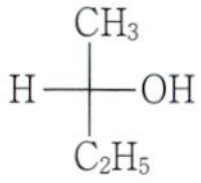

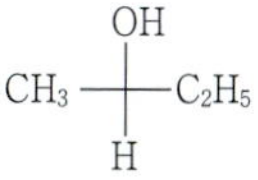

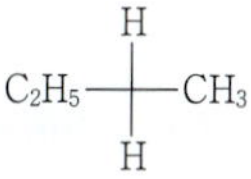

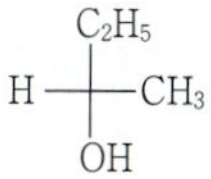

5.42 異なる不斉中心を 3 つもつ分子で考えられる立体配置のうち，2 つは (R,R,R) とその対掌体 (S,S,S) である。これ以外の可能な立体配置を示せ。また，異なる不斉中心を 4 つもつ分子についても同様に説明せよ。

5.43 2-クロロブタンのラセミ混合物を塩素化すると 2,3-ジクロロブタンが生成する。これはメソ体 71 % とラセミ体 29 % から成っている。なぜ 50：50 のメソ体とラセミ体が生成しないのか説明せよ（3 次元構造式または Fischer 投影式を書いてみると説明しやすい）。

5.44 つぎに (R,R)，(S,S)，およびメソ酒石酸の Newman 投影式が示してある。どの立体配置がどの投影式に対応するのかを示せ。

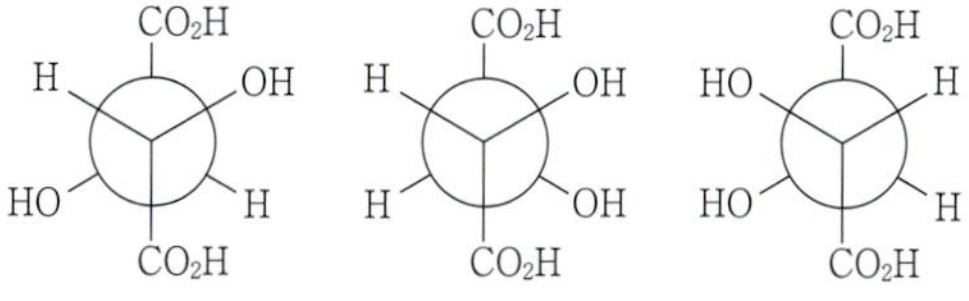

5.45 つぎに示す酒石酸異性体の木びき台構造式を Fischer 投影式に書き直せ。これは酒石酸のどの異性体に相当するのかも答えること。

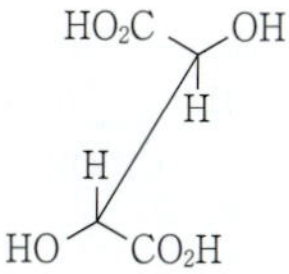

5.46 1,2-ジクロロエタンの2つの異性体構造が書いてある。5.10節の考察にしたがってこれを分類せよ。

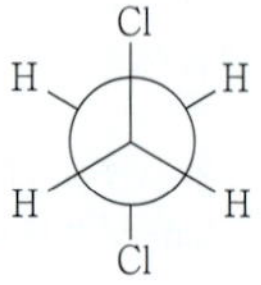

およそ

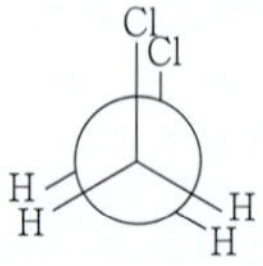

5.47 1,2-ジクロロエタンのほかの2つの異性体構造がつぎに書いてある。これについても前問5.46と同様に答えよ。

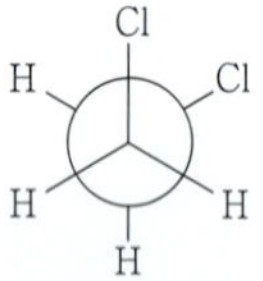

およそ

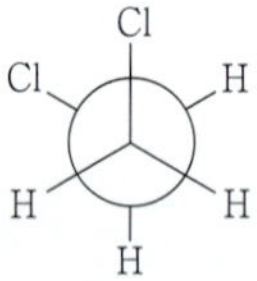

立体化学：天然物および合成的な応用

5.48 毒キノコの有毒成分の1つであるムスカリンの構造を示す。

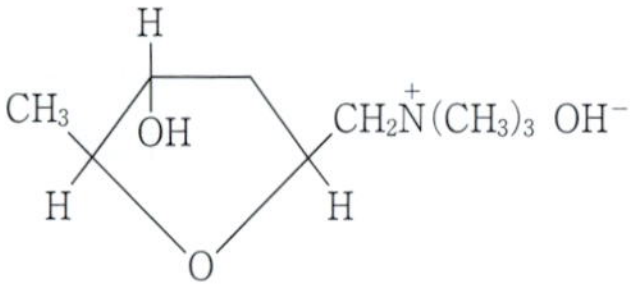

この分子はキラルであろうか。また異性体はいくつ存在できるだろうか，答えよ。ところでこの毒物に関して興味深い殺人推理小説が出版されていることを紹介しよう。その本はDorothy L. Sayer 著「The Documents in the Case」である。そこでの事件解決の糸口には，興味深いことにムスカリンの光学活性体とラセミ体との識別法が使われている [H. Hart,「事故か，自殺か，それとも殺人か。ある立体化学の解答問題について」, *J. Chem. Educ.*, **1975**, *52*, 444 (1975) を参照されたい]。

5.49 クロラムフェニコールは抗生物質であって，とくに腸チフス熱に特効を示す。その構造式を次に示すが，その不斉中心について立体配置が R か S かを示せ。

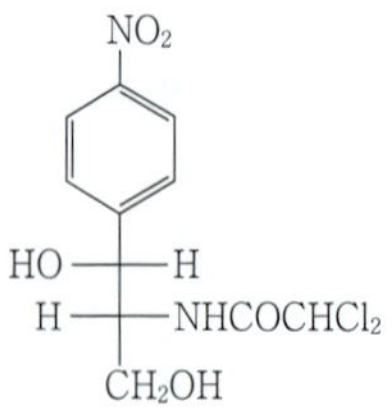

5.50 Precorの名称で市販されているメトプレン（methoprene）はペットのノミ駆除物質として使われている一種の昆虫幼若ホルモンであり，ノミの卵や幼虫の成育を阻害する物質として働く。このメトプレンの生物活性を示すものは光学活性物質であって，下に書いた構造をもっている。この不斉中心を＊印で示し，その立体配置 (R, S) を答えよ。

メトプレン

ネコノミ（成虫）のジャンプ

5.51 喘息の治療に用いられる漢方薬のマオウから抽出した物質には，肺の気道を拡張する働きをもつエフェドリンが含まれている。この天然物の立体異性体は左旋性を示し，立体構造式は下に書かれたものである。

(a) それぞれの不斉中心の心体配置（R,S）を答えよ。
(b) エフェドリンには全体でいくつの立体異性体が存在できるのか答えよ。
(c) （−）-エフェドリンと（−）-エピネフリン（問題5.35（c））の構造を比較して，似ている点と異なる点を説明せよ。

(−)-エフェドリン

立体化学と化学反応

5.52 つぎの反応生成物の立体化学について考察せよ。

(a) C₆H₅−CH=CH₂ + H₂O $\xrightarrow{H^+}$ C₆H₅−CHCH₃
　　　　　　　　　　　　　　　　　　　　　　　　|
　　　　　　　　　　　　　　　　　　　　　　　OH

(b) CH₃CHCH=CH₂ + H₂O $\xrightarrow{H^+}$ CH₃CH−CHCH₃
　　　|　　　　　　　　　　　　　　　　　|　　|
　　　OH　　　　　　　　　　　　　　　　OH　OH
（Rエナンチオマー）

5.53 （＋）-ならびに（−）-カルボン（その構造については問題5.36をみよ）は対掌体の関係にあるが，その香りはずい分と異なり前者はキャラウェイ，後者はハッカの香りがする。これについて説明せよ。

CHAPTER 6

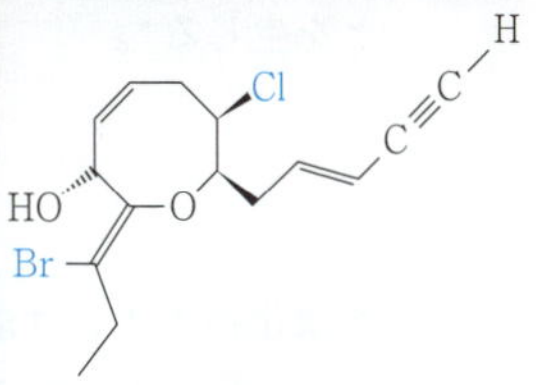

有機ハロゲン化合物；
置換反応と脱離反応

6.1 求核置換反応
6.2 求核置換反応の例
6.3 求核置換反応の機構
6.4 S_N2 反応の機構
6.5 S_N1 反応の機構
6.6 S_N1 と S_N2 反応機構の比較
6.7 脱ハロゲン化水素，脱離反応；E2 と E1 脱離反応
6.8 置換反応と脱離反応の競合
6.9 多ハロゲン置換された脂肪族化合物

A WORD ABOUT . . .
6.8 殺虫剤と除草剤
6.9 CFC とオゾン層，その功罪

　最近，海産動物のスポンジや軟体動物などの生物体から，有機性の塩素または臭素をもつ天然物が数多く単離されるようになった。これらの生物は海水中の無機性ハロゲン化物イオンを代謝することで環境に適応しているのだ。しかし，これらはどちらかといえば例外であって，たいていの有機ハロゲン化合物は研究室でつくられたものである。

　有機ハロゲン化合物が重要である理由はいくつか考えられる。まず第一に，簡単な構造をもつ脂肪族および芳香族ハロゲン化合物，ことに塩化物と臭化物は，有機合成化学において多くの用途をもった原料化合物として利用されている。たとえば本章でこれから述べる置換反応を応用すると，ハロゲンをほかの多様な官能基に置き換えることができ，脱離反応を応用すると不飽和化合物にも変換できる。第二に，多くの有機ハロゲン化合物，ことに2つ以上のハロゲンを有する化合物は，そのまま殺虫剤，除草剤，消火

　▲　上の図には海藻の red algae deters herbivores が生産する含ハロゲン化合物の構造式を示す。

剤, クリーニング用溶剤, 冷凍機用冷媒などの実用目的に使用されている。そこで, 本章ではこの有機ハロゲン化合物の特徴について学ぶことにする。

6.1 求核置換反応

まずはじめに代表的な**求核置換反応**（nucleophilic substitution reaction）をみてみよう。臭化エチルは水酸化物イオンと反応してエチルアルコールと臭化物イオンとを生じる*。

$$HO^- + CH_3CH_2-Br \xrightarrow{H_2O} CH_3CH_2-OH + Br^- \tag{6.1}$$
　　　　　　　臭化エチル　　　　　エチルアルコール

水酸化物イオンは**求核剤**（nucleophile）（3.9節）であり, **基質**（substrate；上式では臭化エチルがこれに対応する）と反応して臭化物イオンと置き代わる。この臭化物イオンのように置きかえられる置換基を一般に**脱離基**（leaving group）とよんでいる。

この種の反応では共有結合の1つが切断し, それに代わる新しい共有結合が1つ形成される。すなわち上の反応例では炭素-臭素結合が切断され, 代わりに炭素-酸素結合が形成されているが, もう少し詳しく眺めると, 脱離するBr^-は$C-Br$結合のσ電子2つをもったまま脱離し, それに代わって求核剤のOH^-は新たに形成される$C-O$結合へσ電子2つをもち込んでいる。このようすは求核置換反応の一般式としてつぎのように示すことができる。

$$\text{Nu:} + \text{R:L} \longrightarrow \text{R:}\overset{+}{\text{Nu}} + \text{:L}^- \tag{6.2}$$
　求核剤　　　基質　　　　生成物　脱離基
　（中性）

$$\text{Nu:}^- + \text{R:L} \longrightarrow \text{R:Nu} + \text{:L}^- \tag{6.3}$$
　求核剤　　　基質　　　　生成物　脱離基
　（アニオン）

求核剤と反応基質がともに中性の場合は, 生成物は陽電荷を帯びることになる（式6.2）。求核剤が陰イオンで反応基質が中性の場合は生成物は中性である（式6.3）。いずれの場合にも, 求核剤は電子対を提供して1つの共有結合を形成する。

当然のことだが, 式6.2のような反応では脱離基もまた共有結合を形成できる非共有電子対をもつので求核剤にもなり, したがって, この反応は原則として可逆反応である。しかし, この反応を式6.2あるいは式6.3の右辺へ進行させる方法はいくつかある。たとえば, 脱離基のL:よりも強力な求核力をもった求核剤を使用すればよい。また過剰量の求核剤を使用することや, 生成物の1つを反応中に反応系

---

* ハロゲン化アルキル類の命名法については2, 4章に述べてある。

☞ ハロゲン化アルキルは**求核置換反応**を行う。そこでは**求核剤**が反応**基質**のハロゲン化アルキルのハロゲン**脱離基**を置換する。

外へ除去して平衡反応を右辺へ移行させる方法もある。この求核置換反応はきわめて用途の広い反応であり，有機合成において広範に利用されている。

6.2 求核置換反応の例

求核剤の分類方法は，基質と新たな共有結合を形成する求核剤の原子の種類で区別するのが一般的である。たとえば式6.1の水酸化物イオンは酸素系の求核剤であり，生成物は新たな炭素–酸素結合を形成する。ふつう求核剤は酸素系，窒素系，硫黄系，ハロゲン系，炭素系に分類できるが，表6.1には求核剤の種類と，それがハロゲン化アルキルと反応して生じる生成物の例がいくつか示してある。

例題 6.1

表6.1を参考にして，ナトリウムエトキシドとブロモエタンとの反応式を書け。

解答 ナトリウムエトキシドは求核剤（表6.1の2項），ブロモエタンは反応基質，ブロミドイオン（臭化物イオン）は脱離基として働く。生成物は麻酔薬にもなるジエチルエーテルである。注意してほしいのは，対イオンのNa^+はこの反応では単に傍観者にしかすぎず，反応のはじめと終わりにしか姿を現さない。

$$CH_3CH_2\ddot{O}:^-Na^+ + CH_3CH_2Br \longrightarrow CH_3CH_2OCH_2CH_3 + Na^+Br^-$$
ナトリウムエトキシド　ブロモエタン　　　　　　ジエチルエーテル

例題 6.2

求核置換反応を用いたシアン化プロピルの合成反応について考案せよ。

解答 まず，欲しいものの構造を書く。

$$CH_3CH_2CH_2-CN$$
シアン化プロピル

求核剤としてシアン化物イオンを用いるなら（表6.1の14項），反応基質にはハロゲン（Cl，Br，I）をもつハロゲン化プロピルを選べばよい。反応式はつぎのように書くことができる。

$$CN^- + CH_3CH_2CH_2Br \longrightarrow CH_3CH_2CH_2CN + Br^-$$

例題 6.3

1-ブチンから求核置換反応を用いて3-ヘキシンを合成する方法を示せ。

解答 出発化合物と生成物の構造をまず比較する。

$$CH_3CH_2C\equiv CH \qquad CH_3CH_2C\equiv CCH_2CH_3$$
1-ブチン　　　　　3-ヘキシン

表6.1の15項より，アセチリドはハロゲン化アルキルと反応してアセチレン誘導体を与えることがわかる。そこでまず1-ブチンをアセチリドに変換し（式3.53をみよ），つぎに炭

表 6.1 一般的な求核剤とハロゲン化アルキルとの反応[a]（式 6.2 および式 6.3）

	Nu			R－Nu	
	構造	名称	構造	名称	備考
酸素系求核剤					
1.	$\mathrm{H\ddot{O}:^-}$	水酸化物イオン	R－OH	アルコール	
2.	$\mathrm{R\ddot{O}:^-}$	アルコキシドイオン	R－OR	エーテル	
3.	$\mathrm{H\ddot{O}H}$	水	$\mathrm{R-\overset{+}{\underset{H}{O}}-H}$	アルキルオキソニウムイオン	これらのイオンはプロトンを脱離してアルコールやエーテルになる $\xrightarrow{-H^+}$ RHO （アルコール）
4.	$\mathrm{R\ddot{O}H}$	アルコール	$\mathrm{R-\overset{+}{\underset{H}{O}}-R}$	ジアルキルオキソニウムイオン	$\xrightarrow{-H^+}$ ROR （エーテル）
5.	$\mathrm{R-C{\overset{O}{\underset{\ddot{O}:^-}{}}}}$	カルボキシラートイオン	$\mathrm{R-OC-R}$	エステル	
窒素系求核剤					
6.	$\mathrm{\ddot{N}H_3}$	アンモニア	$\mathrm{R-\overset{+}{N}H_3}$	アルキルアンモニウムイオン	これらのイオンは塩基の作用によって容易にプロトンを失い、アミンを生成する $\xrightarrow{-H^+}$ RNH$_2$
7.	$\mathrm{R\ddot{N}H_2}$	第一アミン	$\mathrm{R-\overset{+}{N}H_2R}$	ジアルキルアンモニウムイオン	$\xrightarrow{-H^+}$ R$_2$NH
8.	$\mathrm{R_2\ddot{N}H}$	第二アミン	$\mathrm{R-\overset{+}{N}HR_2}$	トリアルキルアンモニウムイオン	$\xrightarrow{-H^+}$ R$_3$N
9.	$\mathrm{R_3\ddot{N}}$	第三アミン	$\mathrm{R-\overset{+}{N}R_3}$	テトラアルキルアンモニウムイオン	
硫黄系求核剤					
10.	$\mathrm{H\ddot{S}:^-}$	硫化水素イオン	R－SH	チオール	
11.	$\mathrm{R\ddot{S}:^-}$	メルカプチドイオン	R－SR	チオエーテル（スルフィド）	
12.	$\mathrm{R_2\ddot{S}}$	チオエーテル	$\mathrm{R-\overset{+}{S}R_2}$	トリアルキルスルホニウムイオン	
ハロゲン系求核剤					
13.	$\mathrm{:\ddot{I}:^-}$	ヨウ化物イオン	R－I	ヨウ化アルキル	この反応ではアセトンが溶媒として用いられる。アセトンはヨウ化ナトリウムを溶解するが、臭化ナトリウムや塩化ナトリウムは溶解しない
炭素系求核剤					
14.	$\mathrm{^-:C{\equiv}N:}$	シアン化物イオン	R－CN	シアン化アルキルニトリル	しばしばイソニトリル、RNC が生成する
15.	$\mathrm{^-:C{\equiv}CR}$	アセチリドイオン	$\mathrm{R-C{\equiv}CR}$	アセチレン	

a) 芳香族ハロゲン化物やハロゲン化ビニルのハロゲン置換基も置換できるが、これらの反応は異なるタイプのものであり、通常、この表に示す求核置換反応を行わない。

6.2 求核置換反応の例

素2つからなるハロゲン化アルキルと反応させればよい。

$$CH_3CH_2C\equiv CH + NaNH_2 \xrightarrow{NH_3} CH_3CH_2C\equiv C^-Na^+$$

$$CH_3CH_2C\equiv C^-Na^+ + CH_3CH_2Br \longrightarrow CH_3CH_2C\equiv CCH_2CH_3 + Na^+Br^-$$

例題 6.4

つぎの反応式を完成させよ。

$$NH_3 + CH_3CH_2CH_2Br \longrightarrow$$

解答 アンモニアは窒素系の求核剤である（表6.1, 6項）。反応剤は両方とも中性だから，生成物は陽電荷をもったものになる（形式電荷＋1が窒素原子上に存在する）。

$$NH_3 + CH_3CH_2CH_2Br \longrightarrow CH_3CH_2CH_2\overset{+}{N}H_3 + Br^-$$

問題 6.1

表6.1を参考にしてつぎの求核置換反応の反応式を書け。

(a) $NaOH + CH_3CH_2CH_2Br$ (b) $(CH_3CH_2)_3N + CH_3CH_2Br$

(c) $NaSH +$ ⟨C₆H₄⟩$-CH_2Br$

問題 6.2

求核置換反応を用いたつぎの化合物の合成反応式を書け。ただし，求核剤，基質，脱離基を明示すること。

(a) $CH_3CH_2CH_2OH$ (b) $(CH_3)_2CHCH_2C\equiv N$ (c) $(CH_3CH_2CH_2)_3N$

(d) $(CH_3CH_2)_3S^+Br^-$ (e) $CH_2=CHCH_2I$ (f) ⟨C₆H₅⟩$-OCH_3$

（注意：表6.1の脚注をみよ）

表6.1に示してある置換反応は，ハロゲン化アルキルのアルキル基Rの構造により影響を受ける。その適用限界は求核剤がアニオンや塩基，またはその両方の性質をもつときに現れる。その例を示す。

$$\underset{\text{アニオン}}{CN^-} + \underset{\substack{\text{ハロゲン化}\\\text{第一級アルキル}^*}}{CH_3CH_2CH_2CH_2Br} \longrightarrow CH_3CH_2CH_2CH_2CN + Br^- \tag{6.4}$$

ところが

$$\underset{\text{アニオン}}{CN^-} + \underset{\substack{\text{ハロゲン化}\\\text{第三級アルキル}}}{CH_3-\underset{\underset{Br}{|}}{\overset{\overset{CH_3}{|}}{C}}-CH_3} \longrightarrow \underset{\text{メチルプロペン}}{CH_3-\underset{}{\overset{\overset{CH_2}{\|}}{C}}-CH_3} + HCN + Br^- \tag{6.5}$$

＊ 第一級，第二級，第三級アルキル基の定義については3.10節参照。

その他の例としてつぎのものがある。

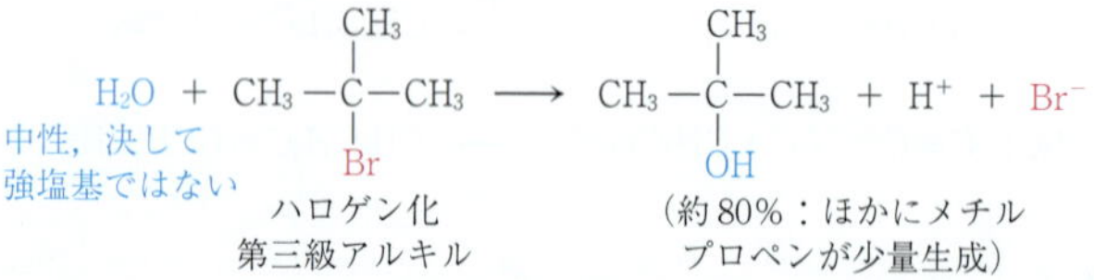

$$H_2O + CH_3-\underset{Br}{\underset{|}{\overset{CH_3}{\overset{|}{C}}}}-CH_3 \longrightarrow CH_3-\underset{OH}{\underset{|}{\overset{CH_3}{\overset{|}{C}}}}-CH_3 + H^+ + Br^- \quad (6.6)$$

中性，決して強塩基ではない　　　ハロゲン化第三級アルキル　　（約80%：ほかにメチルプロペンが少量生成）

ところが

$$OH^- + CH_3-\underset{Br}{\underset{|}{\overset{CH_3}{\overset{|}{C}}}}-CH_3 \longrightarrow CH_3-\underset{}{\overset{CH_2}{\overset{\|}{C}}}-CH_3 + H_2O + Br^- \quad (6.7)$$

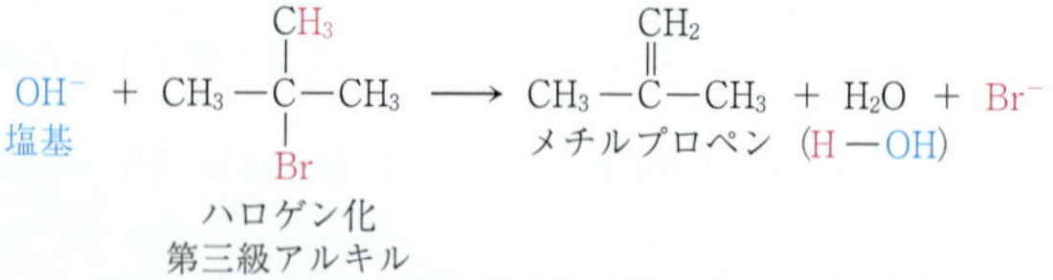

塩基　　　ハロゲン化第三級アルキル　　メチルプロペン　（H―OH）

このような違いを理解するためには，表6.1の置換反応が進行する反応機構を考えてみる必要がある。

6.3 求核置換反応の機構

表6.1に示された置換反応の反応機構を考察してみよう。60年以上も前から数多くの研究が行われてきた結果，現在では求核置換反応の機構はかなり明瞭にわかっている。まずはじめに記憶してほしいことは，求核置換反応の機構が1つだけではないということである。それは求核剤やハロゲン化アルキルの構造，溶媒の性質，反応温度など数多くの因子によって変化する。

求核置換反応の典型的な機構は，**S$_N$2** ならびに **S$_N$1** という記号で示される明らかに異なる2つの反応機構に分類できる。ここでS$_N$という記号は「substitution, nucleophilic」（求核置換反応という意味）の頭文字をとったものであるが，2とか1の数字が意味する内容についてはつぎに説明する。

6.4 S$_N$2 反応の機構

**S$_N$2 反応**（S$_N$2 mechanism）はつぎの反応式で示されるように1段階で進行する反応である。

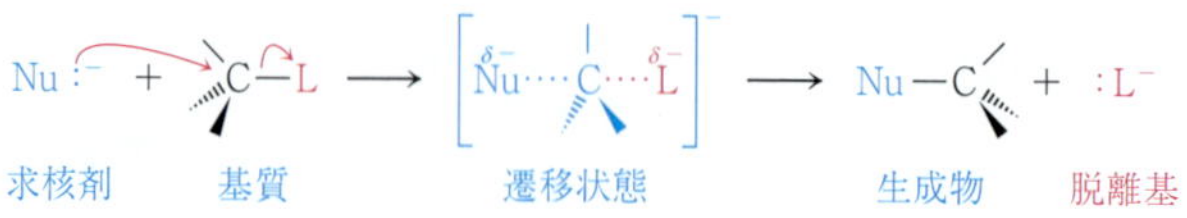

$$Nu:^- + C-L \longrightarrow [Nu\cdots C\cdots L]^{\delta-} \longrightarrow Nu-C + :L^- \quad (6.8)$$

求核剤　　基質　　　　遷移状態　　　　　生成物　　脱離基

☞ **S$_N$2 反応**は1段階反応であり，そこでは脱離基の結合が切れはじめるのと同時に求核剤との結合が形成されてくる。

6.4 S_N2 反応の機構

求核剤はC―L結合の背面から攻撃してくる（図1.7参照：sp^3混成軌道には小さな背面軌道が存在することを思い出すこと）。この反応過程の中間段階（遷移状態とよんでいる）で，求核剤と脱離基とは置換が起こる炭素原子を中央にはさんで結合している。そして脱離基がC―L結合の電子対をとり込んで離れはじめるのと同時に，求核剤はそれ自身がもつ電子対を使って中心炭素に結合していく。

S_N2の数字の2は，この反応が2分子反応であることを示すためにつけてある。すなわち，求核剤と基質の2つの分子が反応機構の主要な段階（ここでは1つしかない）に関与していることを示している。このことが理解できるように，S_N2機構で進行する式6.1の反応のエネルギー図を図6.1に示す。

問題 6.3 $CH_3CH_2CH_2Br$ と NaCN の反応のエネルギー図を書け。そこには活性化エネルギー（E_a）と ΔH とを示すこと（必要なら3.12節を参考にするとよい）。

ところで，ある求核剤と反応基質がS_N2機構で反応することをどのようにして知ることができるのか。それにはこの反応のいくつかの特徴を利用すればよい。

1. 求核剤と反応基質の両方が反応の遷移状態に関与しているために，反応速度はそれぞれの濃度に依存する。たとえば，水酸化物イオンOH^-と臭化エチルとの反応（式6.1）はS_N2反応であるから，塩基（OH^-）濃度を2倍にすると

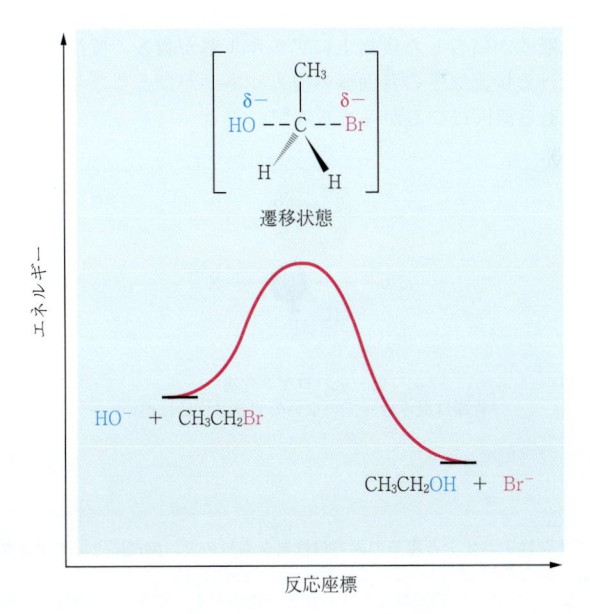

図6.1 S_N2反応のエネルギー図

反応速度は2倍になり、臭化エチルの濃度を2倍にしても同じく2倍になる。あとでも述べるが、S_N1反応ではこの加速効果は認められない。

2　S_N2反応の結果、立体配置が反転(inversionという)する。たとえば(R)-2-ブロモブタンと水酸化ナトリウムとの反応では(S)-2-ブタノールが生成する。

$$\text{HO}^- + \underset{(R)\text{-2-ブロモブタン}}{\overset{\text{CH}_3}{\underset{\text{CH}_2\text{CH}_3}{\text{H}\diagdown\text{C}-\text{Br}}}} \longrightarrow \underset{(S)\text{-2-ブタノール}}{\overset{\text{CH}_3}{\underset{\text{CH}_2\text{CH}_3}{\text{HO}-\text{C}\diagdown\text{H}}}} + \text{Br}^- \quad (6.9)$$

　この実験結果は、Br基が結合していたのと同じ位置に水酸基が入らないことを示したものであり、当時の化学者にとってはかなりの驚きであった。もし正確にもとの位置を置換するなら立体配置は保持され、(R)-臭化物からは(R)-アルコールが得られたはずである。でもそうならないのはなぜだろうか？この反応では水酸化物イオンは明らかにC—Br結合の背面から攻撃してくる。この置換反応が起こると、sp^3炭素に結合する残り3つの置換基はあたかも洋傘が強風にあおられたときのように反転を起こしてしまう*。

3　反応基質R—LがS_N2機構で反応するとき、Rがメチル基または第一級アルキル基の場合に反応速度は速く、第三級アルキル基の場合にもっとも遅くなる。Rが第二級アルキル基の場合はその中間の反応速度を示す。このような反応速度の順序が生じるわけは、S_N2反応機構をよく検討すればわかる。つまり脱離基が結合した炭素上にアルキル基が数多く置換していると、置換反応を受ける炭素原子の背面側の混みぐあいがひどくなり、これが反応速度を低下させる原因になるからである**。

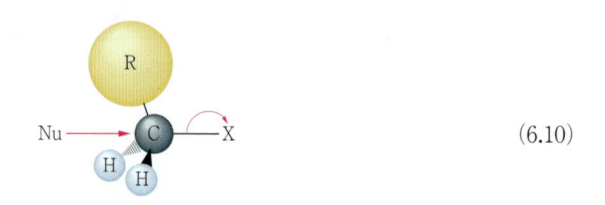

$$\text{Nu} \rightarrow \overset{R}{\underset{H\ H}{C}} - X \quad (6.10)$$

第一級ハロゲン化物
(背面は混み合っていないのでS_N2反応は速い)

＊　OH^-イオンはアニオンと塩基の両方の性質をもつので、副反応としてアルケンの副生を伴う(式6.5ならびに式6.7参照)。このことは6.7節で再び学ぶ。
＊＊　式6.10ならびに式6.11の脱離基Lはハロゲン化物イオンであり、一般にXの記号を使う。7章ではX以外の脱離基についても学ぶ。

6.4 S$_N$2反応の機構

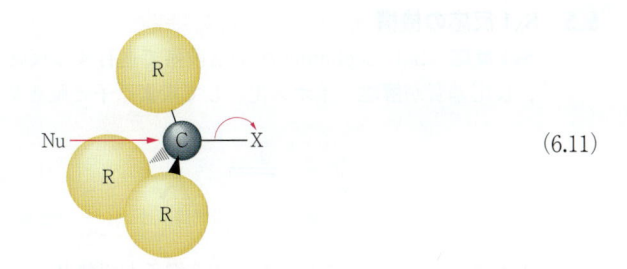

$$\text{(6.11)}$$

第三級ハロゲン化物
(背面は混みあっている；S$_N$2反応は遅いか，または起こらない)

例題 6.5

臭化 *cis*-4-メチルシクロヘキシルとシアン化物イオンとのS$_N$2反応で得られる生成物を答えよ。

cis ／ 遷移状態 ／ *trans*

解答 CN$^-$はC—Br結合を背後から攻撃し，メチル基に対して *trans* の位置を占めることになる。

問題 6.4 ここに示すS$_N$2反応生成物のFischer投影式を書け。

$$\underset{\text{アセトン}}{\overset{\text{NaSH}}{\longrightarrow}}$$

問題 6.5 つぎの3つの化合物をナトリウムエトキシドに対する反応性の高いものから順に並べよ。

CH$_3$CH$_2$CHBr（CH$_3$）　　CH$_3$CHCH$_2$Br（CH$_3$）　　CH$_3$CH$_2$CH$_2$CH$_2$Br

---

以上をまとめると，S$_N$2機構は1段階反応であり，ハロゲン化メチルやハロゲン化第一級アルキルで進行しやすい。S$_N$2反応は立体配置の反転を伴って起こり，反応速度は求核剤と反応基質の両方の濃度に比例する。

つぎにこれらの特徴がS$_N$1反応ではどのように異なるかみてみよう。

6.5 S_N1 反応の機構

S_N1 反応（S_N1 mechanism）は2段階で進行する反応である。はじめの段階は遅く，反応基質が解離（イオン化）して炭素原子と脱離基の間の結合が切れる。

$$\underset{\text{塩基}}{\diagdown\text{C}\frown\text{L}} \xrightleftharpoons{\text{遅い}} \underset{\text{炭素陽イオン}}{\diagdown\text{C}^+} + \underset{\text{脱離基}}{:\text{L}} \quad (6.12)$$

このとき，C−L結合を作っていた2電子が脱離基といっしょに外れていくので炭素陽イオンが生じる。

続いて速い第2段階の反応が起こり，炭素陽イオンは求核剤と結合して生成物になる。

$$\underset{\text{炭素陽イオン}}{\diagdown\text{C}^+} + \underset{\text{求核剤}}{:\text{Nu}} \xrightarrow{\text{速い}} \diagdown\text{C}\frown\text{Nu} \quad \text{および} \quad \diagdown\text{C}\frown\text{Nu} \quad (6.13)$$

求核剤が水やアルコールのように中性のものであるときは，第3段階で求核剤だった酸素原子上のプロトンが失われて，最終生成物が得られる。

数字の1がS_Nのあとにつく理由は，2段階の反応のうち反応速度の遅いほうの反応段階（式6.12）に反応基質だけが関与しているからである。つまりこの段階に求核剤はまったく関与しておらず，反応は1分子的に起こるからである。式6.6の反応はS_N1反応で進行し，その反応のエネルギー図は図6.2に示すようになる。ここで，まずはじめに注目してもらいたいことは，この反応だけでなくすべてのS_N1反応のエネルギー図が，アルケンへの求電子付加反応（図3.10），すなわち炭素陽イオン中間体を経由する反応に似ていることである。つぎに注目すべきことは，この反応の第1段階が，そのあとに起こる置換段階よりもはるかに大きな活性化エネルギーを必要とすること（律速段階）である。

問題 6.6 $(CH_3)_3C-Cl$ と CH_3OH の反応で予想される生成物はなにか。この反応のエネルギー図を書け。

ところで，ある求核剤と反応基質とがS_N1機構で反応することを証明するにはどうしたらよいのだろうか。その方法をつぎに示そう。

1 反応速度は求核剤の濃度に依存しない。2段階反応の1段目だけが律速段階であり，ここに求核剤は関与していない。したがって，この反応の速度を決めるもっとも遅い反応段階は炭素陽イオンの生成速度であり，陽イオンと求

☞ **S_N1反応**は2段階反応である。はじめに炭素と脱離基の結合が切れる。そのあと生成した炭素陽イオンが求核剤と結合する

6.5 S_N1 反応の機構

(CH₃)₃C⁺ + Br⁻
中間体の
炭素陽イオン

反応剤
$H_2O + (CH_3)_3C-Br$

$(CH_3)_3C-\overset{+}{O}H_2 + Br^-$
(このオキソニウムイオンはプロトンを離脱してアルコール生成物となる)

生成物
$(CH_3)_3C-OH + HBr$

エネルギー

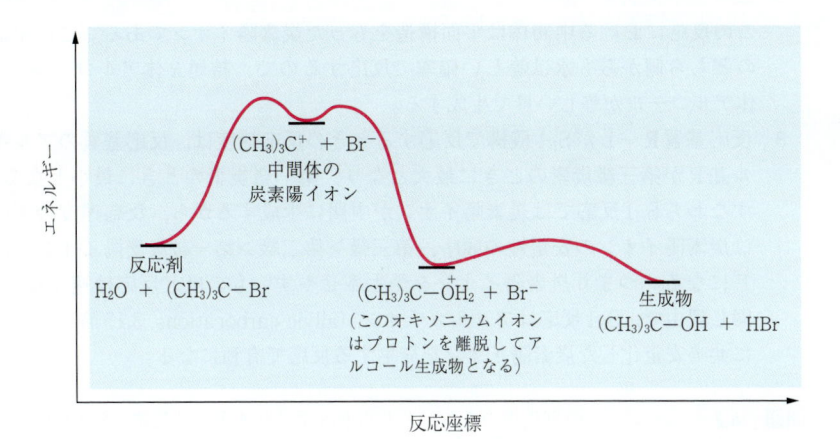

反応座標

図6.2 S_N1 反応のエネルギー図

核剤の反応速度ではない。そして，この1段目で生じた炭素陽イオンはただちに求核剤と反応してしまう。

2 脱離基の結合している炭素が不斉な場合は，S_N1 反応が起こるとその結果，光学活性が失われることが多い（すなわちラセミ化が起こる）。炭素陽イオンの中心には3つの置換基しか結合しておらず，炭素陽イオンは sp^2 混成した電子状態を有しているので，3つの結合は平面を形成する。求核剤は式6.13のように，この炭素陽イオン平面のどちら側からも同じように反応するから，その結果2つの対掌体の50：50混合物，つまりラセミ混合物が生成してくる。例をあげると，(R)-3-ブロモ-3-メチルヘキサンと水との反応ではラセミ混合物のアルコールが生成する。

(R)-3-ブロモ-3-メチルヘキサン　　　　中間体炭素陽イオン

アセトン水溶液

(表6.1, No.3をみよ) H_2O $|-H^+$　　　　(6.14)

50% S
(炭素陽イオンの下面から H_2O が攻撃して生じた生成物)

+

50% R
(炭素陽イオンの上面から H_2O が攻撃して生じた生成物)

この反応における中間体は平面構造をもった炭素陽イオンである。この平面のどちら側からも水は等しい確率で反応するので，結局R体アルコールとS体アルコールが等しい量で生成する。

3 反応基質R－LがS_N1機構で反応するときの反応速度は，反応基質のアルキル基Rが第三級炭素のときに最大となり，第一級炭素のときに最小となる。すなわちS_N1反応では炭素陽イオンが中間に生成するから，反応速度の順序は炭素陽イオンの安定性の順序，第三級＞第二級＞第一級炭素陽イオンと同じになる。つまり炭素陽イオンを発生させやすいものほど反応は速くなる。同じ理由で，S_N1反応はアリルカチオン（allyic carbocations, 3.15節）のように共鳴安定化した炭素陽イオンを発生する反応で有利になる。

> **問題 6.7** つぎの２つの臭化物のうち，どちらがメタノールと速く反応（S_N1反応）するか答えよ。またその２つの臭化物から得られる生成物を答えよ。
> (a) $CH_3CH_2C(CH_3)_2Br$ または $CH_3CH_2CH(CH_3)Br$
> (b) $CH_3CH_2CH_2Br$ または $H_2C=CHCH_2Br$

以上をまとめると，S_N1機構は２段階の反応からなり，ハロゲン化第三級アルキルのときにもっとも起こりやすくなる。ハロゲン化第一級アルキルはこの機構ではふつう反応しない。また反応の結果としてラセミ化が起こり，反応速度は求核剤の濃度の影響を受けない。

6.6 S_N1とS_N2反応機構の比較

ある求核置換反応がS_N2，S_N1いずれの反応機構で進行するのかを知るにはどうすればよいのだろうか。それを知ることによって，ある求核置換反応が適当な時間内に生成物を与えるように進行するのか，さらにはその反応の結果，立体配置の反転が起こるのか，それともラセミ化が起こるのかをあらかじめ知ることができるからである。

表6.2はその手助けになるものである。ここにはこれまでに学んだ置換反応の２つの機構がまとめてあり，溶媒や求核剤の構造効果を同時に比較することができる。

ハロゲン化第一級アルキルはほとんどS_N2機構で反応するのに対し，ハロゲン化第三級アルキルはS_N1機構で反応する。ハロゲン化第二級アルキルの場合は両方の機構で反応する可能性がある。

反応機構を実験的に制御できる方法の一つに溶媒の極性がある。水やアルコールは**プロトン性極性溶媒**（polar protic solvent）であるが（水酸基がプロトン供与性だからプロトン性とよぶ），これらの溶媒がS_N1およびS_N2反応にどのように影響

☞ **プロトン性極性溶媒**とは，水やアルコールのようにプロトンを供給できる溶媒のことである。

6.6 S_N1とS_N2機構の比較

表 6.2 S_N2およびS_N1置換反応の比較

影響をおよぼす因子	S_N2	S_N1
ハロゲン化物の構造		
第一級またはCH_3	起こりやすい	ほとんど起こらない[a]
第二級	ときどき起こる	ときどき起こる
第三級	ほとんど起こらない	起こりやすい
立体化学	反転	ラセミ化
反応溶媒	極性のプロトン性溶媒を使用すると反応は抑えられる	反応中間体がイオンなので，極性溶媒の使用によって反応速度は著しく加速される
求核剤	反応速度は求核剤の濃度に依存する 求核剤がアニオンのとき起こりやすい	反応速度は求核剤に依存しない 求核剤が中性のとき起こりやすい

[a] アリルおよびベンジル基をもった基質は例外である（問題6.7 (b) をみよ）.

を与えるのであろうか．

　S_N1反応機構の最初の段階はイオンの発生を伴う．極性溶媒はイオンを溶媒和できるので，その使用によりS_N1反応は著しく有利になる．一方，極性溶媒は求核剤の非共有電子対と結びついてこれを溶媒和する．ところがS_N2反応の反応速度は求核剤の強さに依存するので，極性溶媒を使用するとこの溶媒和のために反応速度は一般に抑制される結果となる*

　もうおわかりだろうが，S_N2反応（S_N1反応ではない）の速度は求核剤の種類によってかわる．つまり，強力な求核剤を用いるとS_N2機構が優勢になる．ところで，このような求核剤の強弱の判定基準や，2つの求核剤を比較して求核力の差を見分ける方法には，どのようなものがあるのだろうか．その見分け方をいくつか示そう．

1　陰イオンは対応する中性分子よりも強い求核力と高い電子供与力とをもっている．

　　　　　$HO^- > HOH \quad RS^- > RSH \quad RO^- > ROH$

2　周期表の同じ族の元素間では，下方に位置するものほど求核力が強い．
　　　$HS^- > HO^- \quad I^- > Br^- > Cl^- > F^-$ 　（プロトン性溶媒中）

3　周期表の同一周期にある元素間では，電気陰性度が大きな元素ほど求核力が弱い（原子に電子が強く引きつけているからである）．たとえば

$$R_3C^- > R_2N^- > R-O^- > F^- \quad \text{同様に} \quad H_3N: > H_2\ddot{O}: > H\ddot{F}:$$

＊ 極性で非プロトン性の溶媒（たとえばアセトンやジメチルスルホキシド$(CH_3)_2S=O$やジメチルホルムアミド$(CH_3)_2NCHO$など）はもっぱらカチオンを溶媒和する．これらの溶媒はたとえばKCNのK^+を溶媒和するので，アニオンのCN^-は裸になり，言い換えれば非溶媒和されるので，その求核性を高める結果となり，S_N2反応を加速する．

これらのすべての条件を上手に使えば，特定の置換反応の特徴を予想することができる。そのような例を次に示す。

例題 6.6

つぎの反応がS_N1，S_N2いずれの反応機構で進行するのか答えよ。

$$(CH_3)_3CBr + CH_3OH \longrightarrow (CH_3)_3COCH_3 + HBr$$

解答　反応基質がハロゲン化第三級アルキルであるので，S_N1反応である。またメタノールは中性の弱い求核剤であり，反応溶媒として使用するときは極性の高い溶媒としてはたらくので，S_N1反応に必要なイオン化を有利に導く。

例題 6.7

つぎの反応がS_N1，S_N2いずれの反応機構で進行するのか予想せよ。

$$CH_3CH_2I + NaCN \longrightarrow CH_3CH_2CN + NaI$$

解答　反応基質がハロゲン化第一級アルキルであり求核剤のシアン化物アニオンが比較的強い求核剤であるから，S_N2反応である。

問題 6.8　次の反応について，S_N1またはS_N2のいずれの反応機構で反応するのか考えて答えよ。

(a) $\underset{\underset{Br}{|}}{CH_3CHCH_2CH_2CH_3} + Na^+SH^- \longrightarrow \underset{\underset{SH}{|}}{CH_3CHCH_2CH_2CH_3} + NaBr$

(b) $\underset{\underset{Br}{|}}{CH_3CHCH_2CH_2CH_3} + CH_3OH \longrightarrow \underset{\underset{OCH_3}{|}}{CH_3CHCH_2CH_2CH_3} + HBr$

6.7　脱ハロゲン化水素，脱離反応；E2とE1脱離反応

2つの反応剤が反応しても，単一の生成物ではなく2つ以上の生成物が混合物として得られる反応をこれまでにいくつかみてきた。たとえば，アルカンのハロゲン化反応（式2.14），二重結合への付加反応（式3.31），求電子芳香族置換反応（4.11節）では，ある反応剤の組み合わせで2つ以上の異性体が生成することがしばしばあった。求核置換反応においても，2つ以上の生成物が生じることがある。たとえば，1つの臭化アルキルの加水分解反応で2種類のアルコール混合物が生成する反応がそれである（式6.14）。さらに，ある反応剤の組み合わせでまったくタイプの異なる反応が2つ同時に進行して，タイプの異なる生成物が2種類，またはそれ以上生成することもしばしば見受けられる。その一例をとりあげてみよう。

ハロゲンが置換した炭素の隣接炭素上に水素原子が存在する場合，このハロゲン化アルキルに求核剤を反応させると置換反応（substitution）と**脱離反応**（elimination）の2つが競争的に起こる。

☞　ハロゲン化アルキルの**脱離反応**（または**脱ハロゲン化水素反応**）では，隣り合った炭素原子上から水素原子とハロゲン原子とが脱離して炭素–炭素二重結合が生成する。

6.7 脱ハロゲン化水素，脱離反応；E2およびE1脱離反応

$$-\overset{|}{\underset{|}{C}}-\overset{H}{\underset{|}{C}}-X + Nu:^- \longrightarrow \begin{cases} \text{置換反応}(S) \longrightarrow -\overset{H}{\underset{|}{C}}-\overset{|}{\underset{|}{C}}-Nu + X^- & (6.15) \\ \text{脱離反応}(E) \longrightarrow \overset{}{C}=\overset{}{C} + Nu-H + X^- & (6.16) \end{cases}$$

置換反応ではハロゲンXが求核剤と置き換わる。脱離反応では求核剤は塩基として働き，ハロゲンのある炭素の隣の炭素上からプロトンを引き抜く。その結果，ハロゲンXと隣接炭素上の水素とが脱離して，それらが結合していた炭素原子の間に新たな結合（π結合）が形成される*。脱離反応につける符号Eはこの脱離過程（elimination）を表している。上式の反応はハロゲン化水素が脱離するので，**脱ハロゲン化水素反応**（dehydrohalogenation）とよばれる。脱離反応は二重結合や三重結合をもった化合物の一般的な合成法として利用されている。

　置換と脱離の両反応は，反応基質と求核剤の組み合わせによっては同時に起こることがしばしば観察される。どちらの反応が主反応になるかは反応基質の構造や求核剤の種類，また反応条件などにより左右される。ところでこの脱離反応にも置換反応のときと同じように，E2とE1の記号で示す2つの主要な反応機構が存在する。この2つの反応を制御するためには，その反応機構を理解しておく必要があろう。

　E2機構（E2 mechanism）はS_N2機構と同じように1段階反応である。ここでは求核剤は塩基として働き，脱離基のある炭素に隣接した炭素上からプロトン（水素陽イオン）を引き抜く働きをする。それと同時に脱離基が離れ，二重結合が形成される。この機構における電子対の動きを矢印で示すとつぎのようになる。

$$Nu:^- \quad \overset{H}{\underset{L}{\overset{|}{C}-\overset{|}{C}}} \xrightarrow{E2} C=C + Nu-H + :L^- \quad (6.17)$$

この反応式では，E2反応が進行しやすい立体配座（コンホメーション）が書いてある。すなわち，H－C－C－Lとつながった4つの原子はすべて1つの平面内にあり，HとLとは互いにアンチ型（anti）に配列している。この配列がE2機構にとって有利となる理由は，このコンホメーションでC－HとC－Lの両軌道が並行になり，新しい二重結合が作られやすいからである。つまり新しくπ結合を形成するためにC－HとC－Lの両結合が同時に切断できる配列になっているのである。

　E1機構（E1 mechanism）は2段階反応であり，その第1段階は，S_N1と同じく

---

  * π結合とアルケンの結合に関しては3.4節参照のこと。
☞ **E2機構**は，1段階でHXが脱離してC＝C結合が形成されるものである。
☞ **E1機構**は，S_N1機構と同様，最初にイオン化段階を経由する2段階機構である。

反応基質がゆっくりと律速的にイオン化して炭素陽イオンを生成する過程を経由する（式6.12参照）。

$$-\underset{\text{基質}}{\overset{H}{C}}-\overset{|}{C}-L \quad \underset{\text{遅い}}{\rightleftharpoons} \quad -\underset{\text{炭素陽イオン}}{\overset{H}{C}}-\overset{|}{C^+} + :L^- \tag{6.18}$$

生じた炭素陽イオンは引き続き2通りの反応を行う。その1つは求核剤と結合するS_N1反応であり，もう1つは陽イオン炭素の隣の炭素上からプロトンが脱離してアルケンを生成するE1反応である。

$$\underset{\text{炭素陽イオン}}{-\overset{H}{\overset{|}{C}}-\overset{|}{C^+}} \xrightarrow[-H^+]{Nu:^-} \begin{cases} -\overset{H}{\overset{|}{C}}-\overset{|}{C}-Nu & S_N1 \\ \\ \diagup C=C\diagdown + H^+ & E1 \end{cases} \tag{6.19}$$

6.8　置換反応と脱離反応の競合

ここでは，置換反応と脱離反応とが競合する反応を，ハロゲン化アルキルの種類別に考えてみよう。

6.8a　第三級ハロゲン化物

ここでは置換反応はS_N1機構だけで進行するが，脱離反応はE1またはE2のどちらかの機構で進行する。はじめに極性溶媒中で弱い求核剤を用いた場合には，S_N1とE1機構が競合して起こる。たとえば

$$\underset{\text{臭化}t\text{-ブチル}}{(CH_3)_3CBr} \xrightarrow{H_2O} (CH_3)_3C^+ + Br^- \begin{cases} \xrightarrow{H_2O, S_N1} (CH_3)_3COH \\ \quad\quad\quad\quad\quad (約80\%) \\ \xrightarrow{E1} (CH_3)_2C=CH_2 + H^+ \\ \quad\quad\quad\quad\quad (約20\%) \end{cases} \tag{6.20}$$

弱い求核剤の代わりに強力な求核剤を使い，極性の比較的低い溶媒中で反応を行うと，E2脱離反応が優勢となる。たとえば，OH^-またはCN^-を求核剤に用いた場合は脱離反応だけが起こり（式6.5および式6.7），アルケンが唯一の生成物となる。

$$\underset{\text{臭化}t\text{-ブチル}}{\overset{H}{\underset{H}{\overset{|}{C}}}-\overset{Br}{\underset{CH_3}{\overset{|}{C}}}-CH_3} \xrightarrow{E2} \underset{\text{メチルプロペン}(100\%)}{\overset{H}{\underset{H}{C}}=\overset{CH_3}{\underset{CH_3}{C}}} + \underset{(H-OH)}{H_2O} + Br^- \tag{6.21}$$

つまり第三級炭素は強い求核剤による S_N2 攻撃を受けるには立体的障害が大きすぎるので，置換反応は脱離反応と競合できるほどは起こらないのである。

6.8b 第一級ハロゲン化物

ここでは S_N2 と E2 機構だけが進行する。その理由は S_N1 と E1 機構に必要な炭素陽イオンへのイオン化が起こらないからである。

第一級ハロゲン化物はほとんどの求核剤と反応して主として置換反応生成物 (S_N2) を与え，かなりかさ高く強塩基性の求核剤を用いたときだけ E2 機構が進行する。その例を示そう。t-ブトキシカリウムはかさ高い塩基であるため，置換反応が抑えられて主反応は脱離反応になる。

$$CH_3CH_2CH_2CH_2Br \begin{cases} \xrightarrow[\text{エタノール中}]{CH_3CH_2O^- \ Na^+} CH_3CH_2CH_2CH_2OCH_2CH_3 + CH_3CH_2CH=CH_2 \\ \quad\quad\quad\quad\quad\quad\quad\quad\quad\quad\quad \text{ブチルエチルエーテル} \quad\quad\quad\quad 1\text{-ブテン} \\ \quad\quad\quad\quad\quad\quad\quad\quad\quad\quad\quad (S_N2 : 90\%) \quad\quad\quad\quad\quad\quad (E2, 10\%) \\ \xrightarrow[t\text{-ブチルアルコール中}]{CH_3-\underset{\underset{CH_3}{|}}{\overset{\overset{CH_3}{|}}{C}}-O^- \ K^+} CH_3CH_2CH_2CH_2OC(CH_3)_3 + CH_3CH_2CH=CH_2 \\ \quad\quad\quad\quad\quad\quad\quad\quad\quad\quad\quad \text{ブチル}t\text{-ブチルエーテル} \quad\quad\quad 1\text{-ブテン} \\ \quad\quad\quad\quad\quad\quad\quad\quad\quad\quad\quad (S_N2 : 15\%) \quad\quad\quad\quad\quad\quad (E2, 85\%) \end{cases} \tag{6.22}$$

1-ブロモブタン

6.8c 第二級ハロゲン化物

ここでは4つの機構 S_N2 と E2，S_N1 と E1，すべてが起こる可能性がある。生成物の組成は求核剤の求核力と塩基性，さらに溶媒や反応温度の影響を受ける。ふつう，塩基性のあまり強くない良好な求核剤を用いると S_N2 が，極性溶媒のような弱塩基を用いると S_N1 が起こりやすくなるが，強塩基を用いると脱離反応（E2）が優勢になる。

$$CH_3\underset{\underset{Br}{|}}{CH}CH_3 \begin{cases} \xrightarrow[\text{強い求核剤}]{CH_3CH_2S^- \ Na^+} CH_3\underset{\underset{SCH_2CH_3}{|}}{CH}CH_3 \quad (S_N2) \\ \xrightarrow[\text{弱い求核剤}]{CH_3CH_2OH} CH_3\underset{\underset{OCH_2CH_3}{|}}{CH}CH_3 + CH_3CH=CH_2 \\ \quad\quad\quad\quad\quad\quad\quad\quad (S_N1 ; \text{主生成物}) \ (E1 ; \text{微量}) \\ \xrightarrow[\text{強塩基}]{CH_3CH_2O^- \ Na^+} CH_3\underset{\underset{OCH_2CH_3}{|}}{CH}CH_3 + CH_3CH=CH_2 \\ \quad\quad\quad\quad\quad\quad\quad\quad (S_N2 ; \text{微量}) \ (E2 ; \text{主生成物}) \end{cases} \tag{6.23}$$

2-ブロモプロパン

A WORD ABOUT...

殺虫剤と除草剤

キャベツ畑への除草剤の散布（フロリダ州西海岸）

農業での雑草除去は深刻な問題である。雑草は穀物が必要とする養分や水分を浪費し，さらに太陽光線や空間をも奪い，穀物収穫量を減らす原因になっている。アメリカの農業生産能力は雑草のためにおよそ10％も低下しており，金額にすると120億ドル（日本円換算で約1.5兆円）もの損失である。そのうえ毎年60億ドルも除草費用として使われている。

除草手段の1つは除草剤の使用であるが，その除草剤の多くは多ハロゲン化合物である。アメリカのトウモロコシ，大豆，綿花，ピーナッツ，稲の総作付面積の85～90％で除草剤が使用されている。除草剤のなかには作物の植えつけ以前に散布するものもあるが，多くは植えつけのあと発芽までの時期を避けて散布される。また雑草地帯全体の除草を目的として散布されるものもある。世界人口は膨張の一途をたどっているが，それに見合った食糧生産を確保する必要にせまられており，そのためには除草剤の使用がどうしても必要である。除草剤のほとんどはこの食糧生産の目的に使用されているが，そのほか鉄道線路，送電線敷地，道路の路肩，放牧地などの産業用途や芝生庭園などの除草にも使用されている。

歴史にみる除草剤の使用は遠く昔にさかのぼる。古代には塩などが使われていた。第2次大戦前まで使用されていた化学除草剤は高い選択性をもたなかったので，雑草だけでなく穀物をも枯らしてしまうことがよくあった。また単位面積あたりの有効散布量もかなり多かった。しかし，2,4-ジクロロフェノキシ酢酸（2,4-D）が，広葉植物は枯らすが狭葉植物には無害で収穫率を向上させる性質をもつことが発見され，選択性の問題は一応克服されたのである。また，それまでおもに使用されていた無機系除草剤の塩素酸ナトリウム有効散布量が，1エーカーあたり200ポン

例 題 6.8

1-ブロモ-1-メチルシクロヘキサンをつぎの試薬と反応させて得られる生成物を示せ。

(a) エタノール中のナトリウムエトキシド
(b) 煮沸したエタノール

解答 反応基質が第三級塩化アルキルであることにまず注目する。

(構造式: 1-ブロモ-1-メチルシクロヘキサン, CH_3とBrが同一炭素に結合)

(a) ナトリウムエトキシドは強塩基であるから，この反応条件はE2反応が起こるのに都合がよい。したがって塩基が隣接位のCH_2またはCH_3基いずれかから水素を引き抜くことによって次の2つが生じる。

ドと多量であったのに比べて，2,4-Dは1エーカーあたりわずか0.25〜2.0ポンドの散布で十分効果を示した。

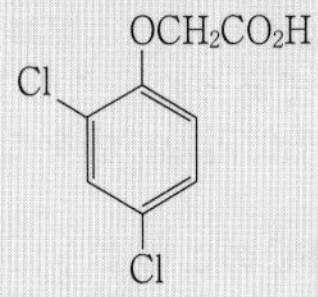

2,4-ジクロロフェノキシ酢酸
"2,4-D"

近年になってDu Pont社が開発したGlean™に代表される新しい除草剤は，その効きめが驚異的であり，除草問題の解決策の1つとなった。

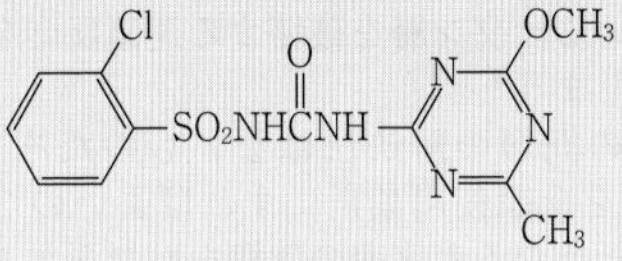

クロロスルフロン
(Glean™)

イネ科穀物（小麦，オート麦，大麦など）の耕地で，このGleanは1エーカーあたり1オンス（約28g）以下という驚異的に少ない散布量で，多種類の雑草を有効に除去できるといわれている。これに類似の除草剤は現在少なくとも1ダース以上が工業的に製造され，多様な農業用途に使用されている。

きわめて低濃度で殺虫剤を使用しても，環境に有害な副作用をもたらす危険性があるかもしれないことと，今日の農業は殺虫剤なしに人類の食糧需要を満たせないという2つの矛盾する現実を解決するために，別の害虫駆除法も研究されている。たとえば，植物には害虫や病原菌に対する自然の保護機構が備わっているものが多くある。そこでは外敵から身を守る物質を生産して有害なバクテリアを殺し，有害な昆虫を排除してその繁殖を妨害し，かびの繁殖を防止するなど，植物の自然防御機能が働いている。

新しい殺虫剤の研究の1つの方向は，これらの自然防御物質を分離して作用機構を解明し，それを直接使用したり（デリス根の主成分であるロテノンはその好例である），その構造解析に基づいて新たな合成殺虫剤を設計することにある。インド，パキスタン，スリランカ地方の乾燥地帯で自生するニームとよばれる樹木が昆虫や線虫，病害に犯されることなく生育していることが知られていたが，最近その種子の抽出物質を利用する新しい殺虫剤が農薬として認可された。

このように，これからの農業の発展と増大する世界人口の食糧危機解決の手段として，化学技術者が開発する除草剤が必要不可欠なものとなりつつある。

および

(b) エタノールは中性で弱い求核剤であり，同時に極性溶媒でもあるので，この反応条件はイオン化を経由する機構に都合がよい。したがって，S_N1反応がおもに起こり，主生成物は1-エトキシ-1-メチルシクロペンタンである。上記のアルケンもE1機構により少量だが副生する。

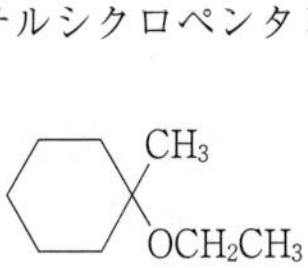

問題 6.9 2-ブロモ-2-メチルブタンから得られる脱離反応生成物のすべての構造式を書け。

A WORD ABOUT ...

CFCとオゾン層，その功罪

クロロフルオロカーボン（CFC）に関するこれまでの経緯は私達に多くの教訓を残してくれた。もともと反応性に富んだ元素としてフッ素は広く知られていたので，フルオロカーボンやCFCがきわめて反応性の低い物質であるということがはじめてわかったときは，誰も予想しなかったので注目を集めた。実際，CFCを発見したアメリカ人のThomas Midgleyはそれが無毒性，不燃性，非腐食性であることを理解してもらうために，CFCを飲み込んだあと吐き出してロウソクに吹きかけ，炎を消す実験までしたほどである。

このような性質を利用したCFCの主要な工業的用途は少なくとも4つあった。まず低沸点の性質も含めた熱特性を利用して，アンモニアや二酸化硫黄などの扱いにくい冷媒に代わる冷凍機用冷媒としての用途があった。実際に，ほとんどの冷蔵庫や冷凍庫，エアコンがこれまでこれを使用してきた。2番目の用途は，優れた発泡剤としての使用であり，固形発泡材料（氷箱，ファーストフード持ち帰り容器，その他の包装材など）の製造ならびに軟質発泡材料（枕や家具のクッションなど）の製造に利用されてきた。3番目は，低い表面張力と低粘度に基づく優れた濡れ特性を利用した洗浄溶液としての用途であった。実際に，コンピューターのプリント基板回路や義足義手の洗浄剤としては非常に優れているのである。4番目は，エアロゾルの噴霧剤としての用途であった。このようにCFCは米国で年商数千億円の市場をこれまで形成していた。

ところがCFCのこのように安定した性質は，深刻な世界的問題を引き起こす原因となってしまった。CFCはきわめて安定なために，他の化学物質とは異なり大気中に放出されると大気圏下層部で分解されず，結果的に成層圏まで上昇してゆき，そこで紫外光の照射を受けてC−Cl結合が切断され塩素原子が放出される。この塩素原子は，地球上の生命体を有害な紫外線から保護する役割を果しているオゾン層を破壊する連鎖反応を起こしてしまう*

この問題の解決法はないものだろうか。CFCを全面使用禁止にすればよいのだろうが，そうなると文明の危機をもたらすことになりかねない。たとえば冷蔵冷凍技術なしに都市圏へ食物を安全かつ適正に供給できるであろうか。昔に戻って旧式の冷蔵庫を使うことはCFC以上の環境破壊につながるかもしれない。これに対するよい解答は簡単には得られていない。

問題 6.10 上問6.9のハロゲン化アルキルをKOH/メタノール溶液で処理するとアルケンの混合物が得られる。ところが同じ基質をメタノールだけで処理すると異なる生成物が得られる。この反応生成物と反応機構を答えよ。

6.9 多ハロゲン置換された脂肪族化合物

工業的規模で製造されている多ハロゲン置換化合物の種類はかなりの数にのぼり，多方面に利用されている。

クロロメタン類*はメタンの塩素化で製造されている（式2.11，2.13）。**四塩化炭素**（carbon tetrachloride；CCl_4，bp 77℃），**クロロホルム**（chloroform；$CHCl_3$，bp 62℃），**塩化メチレン**（methylene chloride；CH_2Cl_2，bp 40℃）はいずれも水

---

* 類似のF，Br，I化合物が知られているが，高価であって工業的にはそれほど重要でない。

しかし，あまり重要でない用途は現在禁止されている。たとえば米国（世界中ではない）では不必要なエアロゾル用の使用は禁止され，CFCの使用量を1998年までに1986年の半分まで減らすことを定めたモントリオール議定書（1987）に世界の24ヶ国が署名した。この議定書はさらに強化されて1996年までにCFCの製造と使用は完全に禁止されることになった。

この特定フロン（CFC）の全面禁止をうけて，化学技術者達はその代替物の探索を開始した。ポリハロゲン化合物の物性が上述のように優れていることに注目して，CFC類似の化合物のなかから代替物質を探索したのである。たとえば，CFC分子に水素原子を1つ以上導入すると大気圏下層部での分解速度が速くなり，その結果オゾン層の破壊の程度は減少することが判っている。このような化合物にはCF_3CHCl_2（HCFC-123，bp 28℃）やCF_3CH_2F（HFC-134a，bp-26℃）がありCFC-11やCFC-12の代替物として現在使用されている。

モントリオール議定書は確かに一定の成果はもたらした。CFCの世界年産量は1986年度の百万トンから1997年には15万トンにまで減少したのである。だが深刻な問題が残っている。それはまだいくつかの国でCFCが製造され，闇市場で取引されているからである。その理由は，CFCを使用する古い機器（冷凍機やエアコンなど）をHCFCやHFC使用の新しい機器に置き換えるコストが高くつくからだ。それにもかかわらずCFC使用機器の取り替えは急速に進んでおり，環境にとって有益な効果をもたらすことだろう。

CFCの問題は，新しい研究成果がもたらす有益性と，有害な影響をもたらす可能性との間の取引きの一例にすぎない。第二次大戦中に殺虫剤DDTを噴霧剤CFCとともに用いたおかげで，敵兵よりもマラリヤが最大の敵であった太平洋戦域で，数多くの兵士の生命をマラリヤから救ったという事実がある。ところがそのあと，無差別にCFCを噴霧剤として用いたために，大気圏中に蓄積する結果になってしまった。化学物質に善悪の区別はないが，人類はその使用には十分注意をはらう責任がある。

＊ Sherwood RowlandとMario J. MolinaによってはじめられたCFCとオゾン層破壊の関連性についての研究の詳細は，次に記されている。*Chemical Engineering News*, **1994**, 77 (33), 8-13. 上記の2名にPaul Crutzenを加えた3名は，大気圏化学の研究業績に関して1995年のノーベル化学賞を受賞した。*Chemical Engineering News*, **1997**, 75 (37), 24.

に不溶であり，有機物質の溶剤として広く使用されている。**トリ-およびテトラクロロエチレン**（tri-, tetrachloroethylene）もドライクリーニング用溶剤として，また金属.繊維加工用の脱脂溶剤として使用されている。

$Cl_2C=CHCl$ $Cl_2C=CCl_2$
トリクロロエチレン　テトラクロロエチレン
bp 87℃　　　　　　bp 121℃

これらの有機塩素化合物の中には発がん物質の疑いがもたれているものがいくつかあるので，溶媒として使用する際には換気に注意をよくする必要がある。

テトラフルオロエチレン（tetrafluoroethylene）は，ポリエチレン（3.16節）の水素をすべてフッ素原子で置き換えた構造をもつフッ素樹脂**テフロン**（Teflon）の原料である。

$$nCF_2=CF_2 \xrightarrow[\text{触媒}]{\text{過酸化物}} {+CF_2CF_2}\!\!\rightarrow_n \quad \text{テフロン} \tag{6.24}$$

　テフロン樹脂はほとんどの化学薬品に腐食されないので，なべやフライパンの料理器具のこげつき防止塗装などに広く使用されている。もう1つのテフロンの用途は，1平方インチあたり90億個もの微細孔をもつ素材のゴアテックス（Gore-Tex）織物である。この細孔は水蒸気は通すが液体状の水は通さない適切な大きさをもち，発汗から生じる水蒸気は通すが風，雨水，雪は通さない。この特色を生かしたゴアテックスは，軍事用や民生用の寒冷期ならびに多湿期の衣服に革命をもたらし，スキー衣服，長靴，寝袋，テントなど荒天用の野外衣料に利用されている。

　高分子化合物ではないパーフルオロケミカルズ（炭化水素，エーテル，アミンなどの水素原子がすべてフッ素原子で置き換わったもの）もまた魅力的で有用な用途をもっている。たとえば，パーフルオロトリブチルアミン，$(CF_3CF_2CF_2CF_2)_3N$，は体積比で60％もの酸素を溶解できる。この性質は血液が20％，血しょうが3％しか酸素を溶解できないのに比べて驚異的であり，この特質を利用してこれらのパーフルオロ化合物は人工血液の重要な成分として使われている。

　同一分子中に2つから3つの異なるハロゲン原子を含んだ工業製品としてのポリハロゲン化合物も知られている。そのよく知られたものに**クロロフルオロカーボン**（**CFCs**，**フレオン**（Freon），日本ではフロンとよばれる）がある。これまでにもっとも多量に製造されたものはCFC-11とCFC-12である。

$$\underset{\text{(bp 77℃)}}{CCl_4} \xrightarrow[\text{SbF}_5]{\text{HF}} \underset{\substack{\text{トリクロロフルオロメタン}\\ \text{(CFC-11)}\\ \text{bp 24℃}}}{CCl_3F} \xrightarrow[\text{SbF}_5]{\text{HF}} \underset{\substack{\text{ジクロロジフルオロメタン}\\ \text{(CFC-12)}\\ \text{bp }-30℃}}{CCl_2F_2} \tag{6.25}$$

　これらは冷媒，ウレタンフォームの発泡剤，洗浄剤，エアロゾール噴霧剤などに利用されてきたきわめて安定な化合物である。ところがこの安定性ゆえに，廃棄されると上部成層圏に蓄積され，地球を取り巻くオゾン層を傷つけることがわかった。そこで，不必要に噴霧目的に使用することが多くの国で禁止され，代替物の開発研究が行われている（A Word About「CFCとオゾン層，その功罪」を参照のこと）。

　臭素を含む類似の化合物は消化剤として広く使用されている。**ハロン**（Halon）とよばれるこれらの中で，つぎのものがよく知られている。

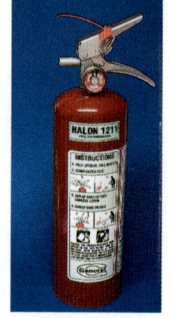

ハロン消火器

☞　CFCまたは**フレオン**とよばれる**クロロフルオロカーボン**は，塩素原子とフッ素原子とをもった多ハロゲン化合物のことである。臭素をもったこのタイプの化合物は**ハロン**とよばれる。

CBrClF₂   CBrF₃
ブロモクロロジフル   ブロモトリフル
オロメタン   オロメタン
(Halon-1211)   (Halon-1301)

ハロンは四塩化炭素よりはるかに効果的な消火剤であり，数秒で火災を消火できるので航空機の安全航行のために大変重要なものになっている。

反応のまとめ

1. 求核置換反応（S_N1 反応と S_N2 反応）

ハロゲン化アルキル化合物は多様な求核剤と反応して，アルコール，エーテル，ハロゲン化アルキル，アルキン等の化合物となる。その例は表6.1と6.2節に示されている。

$$Nu: + R-X \longrightarrow R-Nu^+ + X^-$$
$$Nu:^- + R-X \longrightarrow R-Nu + X^-$$

2. 脱離反応（E1反応とE2反応）

ハロゲン化アルキルは塩基と反応してアルケンとなる（6.7節）。

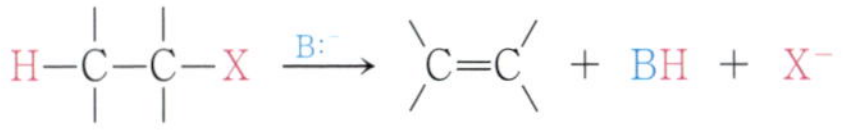

$$H-\overset{|}{\underset{|}{C}}-\overset{|}{\underset{|}{C}}-X \xrightarrow{B:} {>}C=C{<} + BH + X^-$$

反応機構のまとめ

1. S_N2：2分子的求核置換反応（6.4節）

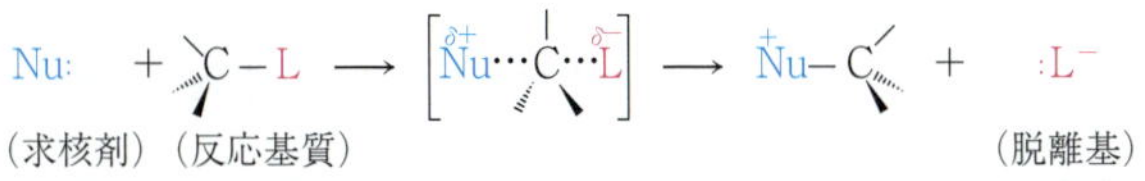

$$Nu: + \;{>}C-L \longrightarrow [Nu^{\delta+}\cdots C\cdots L^{\delta-}] \longrightarrow Nu-C{<}^+ + :L^-$$
（求核剤）（反応基質）   （脱離基）

2. S_N1：1分子的求核置換反応（6.5節）

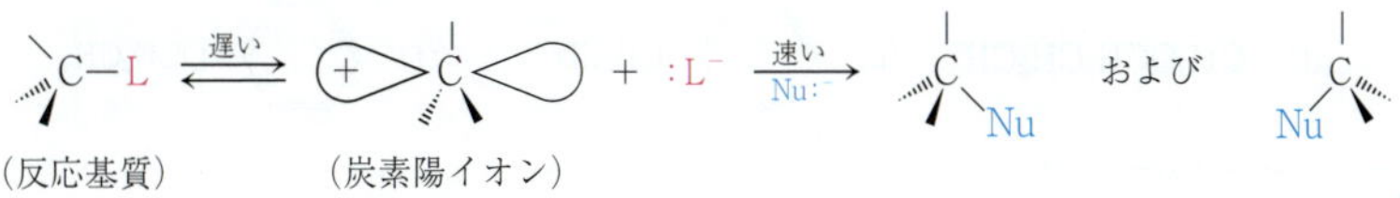

$${>}C-L \underset{遅い}{\rightleftarrows} {>}C^+ + :L^- \xrightarrow[Nu:]{速い} {>}C-Nu \text{ および } {>}C-Nu$$
（反応基質）   （炭素陽イオン）

3. E2：2分子的脱離反応（6.7節）

$$\text{B:} \curvearrowright \overset{H}{\underset{L}{>\!C\!-\!C\!<}} \longrightarrow BH^+ + >\!C\!=\!C\!< + :L^-$$

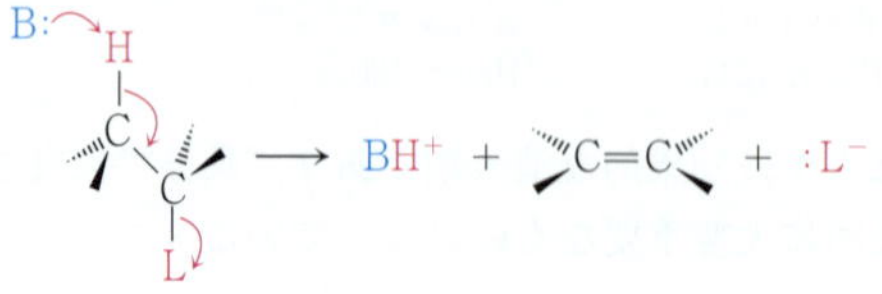

4. E1：1分子的脱離反応（6.7節）

$$-\overset{H}{\underset{|}{C}}-\overset{|}{\underset{|}{C}}-L \rightleftharpoons -\overset{H}{\underset{|}{C}}-\overset{|}{\underset{|}{C}}{}^+ + :L^- \longrightarrow >\!C\!=\!C\!< + H^+$$

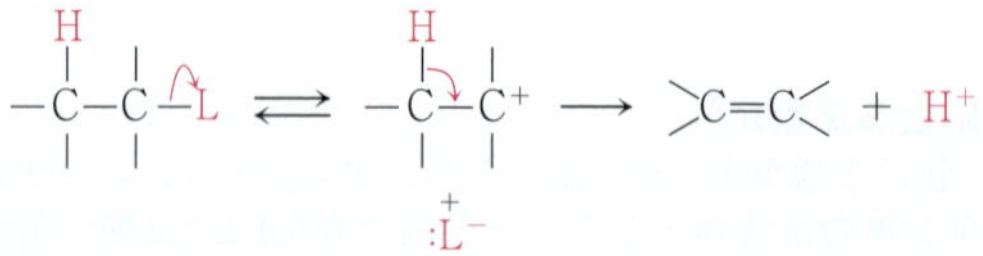

章 末 問 題

ハロゲン化アルキルの構造

6.11 つぎの構造式を書け。
- (a) 塩化第一級アルキルの C_3H_7Cl
- (b) 臭化第三級アルキルの $C_5H_{11}Br$
- (c) ヨウ化第二級アルキルの $C_6H_{11}I$

ハロゲン化アルキルの求核置換反応

6.12 表6.1を参照にしてつぎの置換反応の反応式を書け。
- (a) 1-ブロモブタン ＋ ヨウ化ナトリウム
- (b) 2-クロロブタン ＋ ナトリウムエトキシド
- (c) 臭化 t-ブチル ＋ メタノール
- (d) 塩化 p-クロロベンジル ＋ シアン化ナトリウム
- (e) ヨウ化 n-プロピル ＋ ナトリウムアセチリド
- (f) 2-クロロプロパン ＋ ナトリウムヒドロスルフィド（水硫化ナトリウム）
- (g) 塩化アリル ＋ アンモニア（2当量）
- (h) 1,4-ジブロモブタン ＋ シアン化ナトリウム（過剰量）
- (i) 1-メチル-1-ブロモシクロヘキサン ＋ 水

6.13 つぎの生成物を与えるハロゲン化アルキルと求核剤との反応を示せ。
- (a) $CH_3CH_2CH_2NH_2$
- (b) $CH_3CH_2SCH_2CH_3$
- (c) $HC\equiv CCH_2CH_2CH_3$
- (d) $CH_3OCH_2CH_2CH_3$
- (e) 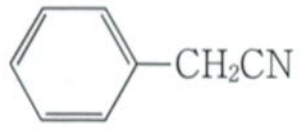 $\text{C}_6\text{H}_5\text{-CH}_2\text{CN}$
- (f) 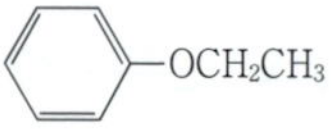 $\text{C}_6\text{H}_5\text{-OCH}_2\text{CH}_3$

＝総合問題

求核置換反応の立体化学

6.14 吸入麻酔薬のdesflurane（$CF_3CHFOCHF_2$）の（+）対掌体はS立体配置をもっている。この(S)-(+)-desfluraneの3次元的構造式を書け。

6.15 つぎの各反応を，反応基質と生成物の立体化学が明確に示されるように書け。
(a) (R)-2-ブロモブタン ＋ ナトリウムメトキシド（メタノール中）
$\xrightarrow{S_N2}$ 2-メトキシブタン
(b) (S)-3-ブロモ-3-メチルヘキサン ＋ メタノール
$\xrightarrow{S_N1}$ 3-メトキシ-3-メチルヘキサン
(c) cis-1-ブロモ-4-メチルシクロヘキサン ＋ NaSH
$\longrightarrow$ 4-メチルシクロヘキサンチオール

6.16 (R)-2-ヨードオクタンのアセトン溶液をヨウ化ナトリウムと反応させると，ゆっくりではあるが光学活性が失われて最後には完全になくなるという。その理由を説明せよ。

求核置換反応と脱離反応の反応機構

6.17 $(CH_3)_2CHCH_2Br$，$(CH_3)_3CBr$，$CH_3CHCH_2CH_3$ の3種類の臭化アルキルをつぎの試薬
$\quad\quad\quad\quad\quad\quad\quad\quad\quad\quad\quad\quad\quad\quad\quad\quad\quad\quad\quad\quad\quad\quad\quad\quad\quad\quad$ |
$\quad\quad\quad\quad\quad\quad\quad\quad\quad\quad\quad\quad\quad\quad\quad\quad\quad\quad\quad\quad\quad\quad\quad\quad\quad\quad$ Br

と反応させたとき，この3つの化合物の反応性の順序がどうなるかを示せ。
(a) シアン化ナトリウム　(b) 50％アセトン水溶液

6.18 式6.20は臭化t-ブチルを加水分解すると$(CH_3)_3COH$が80％と$(CH_3)_2C=CH_2$が20％生成することを示している。ところが塩化t-ブチルあるいはヨウ化t-ブチルを加水分解しても，同じアルコール/オレフィン混合比の生成物が得られるという。その理由を説明せよ。

6.19 つぎの各反応について，予想される生成物とその生成反応の機構とを示せ。
(a) 1-クロロ-1-メチルシクロヘキサン ＋ エタノール
(b) 1-クロロ-1-メチルシクロヘキサン ＋ ナトリウムエトキシド（エタノール中）

6.20 2-クロロ-2-メチルブタンがE1機構で反応するときに，生成すると思われるすべての生成物の構造式を示せ。

6.21 つぎの2つの反応で生成物が異なる理由を，反応機構を考慮に入れて説明せよ。反応機構の説明には曲がった矢印を部分的に使うとよい。

$$CH_2=CH-\underset{\underset{Br}{|}}{CH}-CH_3 + Na^+{}^-OCH_3 \xrightarrow{CH_3OH} CH_2=CH-\underset{\underset{OCH_3}{|}}{CH}-CH_3$$

$$CH_2=CH-\underset{\underset{Br}{|}}{CH}-CH_3 + CH_3OH \longrightarrow CH_2=CH-\underset{\underset{OCH_3}{|}}{CH}-CH_3 + \underset{\underset{OCH_3}{|}}{CH_2}CH=CHCH_3$$

有機合成に使われる求核置換反応

6.22 求電子付加反応と求核置換反応とを組み合わせて，つぎの合成を2段階で行う合成反応を考案せよ。

(a) 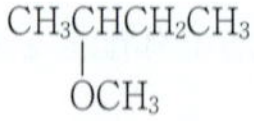 CH₃CHCH₂CH₃ を　　CH₂=CHCH₂CH₃ から合成する。
　　　|
　　　OCH₃

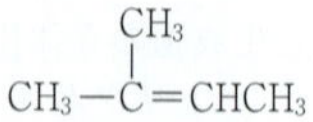

(b) 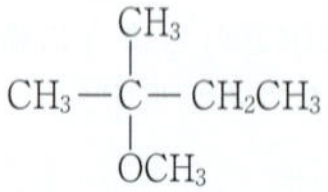 　　　CH₃　　　　　　　　　CH₃
　　　　　|　　　　　　　　　　|
　　CH₃—C—CH₂CH₃ を　　CH₃—C=CHCH₃ から合成する。
　　　　　|
　　　　　OCH₃

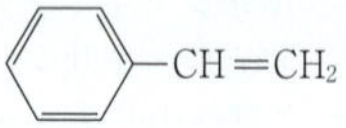

(c) 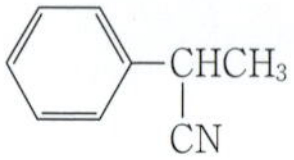 ⌬—CHCH₃ を　⌬—CH=CH₂ から合成する。
　　　　|
　　　　CN

6.23 つぎの合成反応を考えて答えよ。
(a) アルコキシドとハロゲン化アルキルから $CH_3OCH_2CH_3$ を得る。
(b) アルコールとハロゲン化アルキルから $CH_3OC(CH_3)_3$ を得る。

6.24 式3.53の反応と求核置換反応とを組み合わせて、つぎの合成反応を考案せよ。

(a) $CH_3C≡CH$ と ⌬—CH₂Br から $CH_3C≡C-CH_2$—⌬ を合成する。

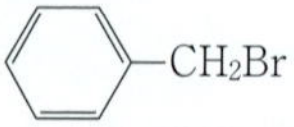

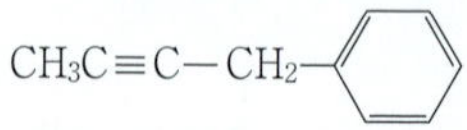

(b) アセチレンとハロゲン化アルキルから $CH_3C≡CCH_2CH_3$ を4段階で合成する。

6.25 求核置換反応と接触水素化反応とを組み合わせて、つぎの合成反応を2段階反応として考案せよ。
(a) $CH_2=CHCH_2Br$ から $CH_3CH_2CH_2OH$ を合成する。
(b) プロピンとブロモエタンから *cis*-2-ペンテンを合成する。

CHAPTER 7

CH₃CH₂OH
エタノール

アルコール，フェノール，チオール

アルコール (alcohol) は一般に化学式 **R−OH** で示され，その構造は水に似ているが，水分子の水素1つがアルキル基で置き換わった形をしている。アルコールの官能基は**水酸基** (hydroxyl group)**−OH** である。**フェノール** (phenol) もアルコールと同じ官能基をもっているが，その水酸基は芳香族環に直接結合している。**チオール** (thiol) はアルコールやフェノールに似た構造をもつが，水酸基の酸素原子が硫黄原子で置き換わった構造である点が異なる。

H−Ö−H　　R−Ö−H　　Ar−Ö−H　　R−S̈−H　　Ar−S̈−H
水　　　アルコール　　フェノール　　チオール　　チオフェノール

アルコール，フェノール，チオールなどの化合物は天然物中に多量に存在する。本章ではその物理的性質とおもな化学反応について学ぶことにしよう。さらに工業的製造法

7.1　アルコールの命名法
7.2　アルコールの分類
7.3　フェノールの命名法
7.4　アルコールおよびフェノールの水素結合
7.5　酸性と塩基性についての考察
7.6　アルコールおよびフェノールの酸性度
7.7　アルコールおよびフェノールの塩基性
7.8　アルコールの脱水反応によるアルケンの生成
7.9　アルコールとハロゲン化水素の反応
7.10　アルコールからハロゲン化アルキルをつくるほかの方法
7.11　アルコールとフェノールの違い
7.12　アルコールの酸化によるアルデヒドならびにケトンの生成
7.13　水酸基を2つ以上もつアルコール
7.14　フェノールにおける芳香族置換反応
7.15　フェノールの酸化反応
7.16　アルコールならびにフェノールの硫黄類似体としてのチオール

A WORD ABOUT . . .
7.14　工業的に生産されているアルコール類
7.15　生化学的に重要なアルコールとフェノール
7.16　まっすぐな毛髪，カールした毛髪

▲　アルコールのエタノールは果物や穀物に含まれる炭水化物の発酵によって得られる。

や実験室的規模での合成法についても述べ，生化学的に重要な役割を果たしている例についても触れる。

7.1 アルコールの命名法

アルコールの慣用名は，OH 基が結合しているアルキル基の名称をまず書き，それにアルコールという言葉を続けるのが一般的である。IUPAC 命名法では**オール**(-ol) という接尾語で水酸基の存在を示すことになっている。いくつかの適用例をつぎに示すが，慣用名も（ ）内に示しておく。

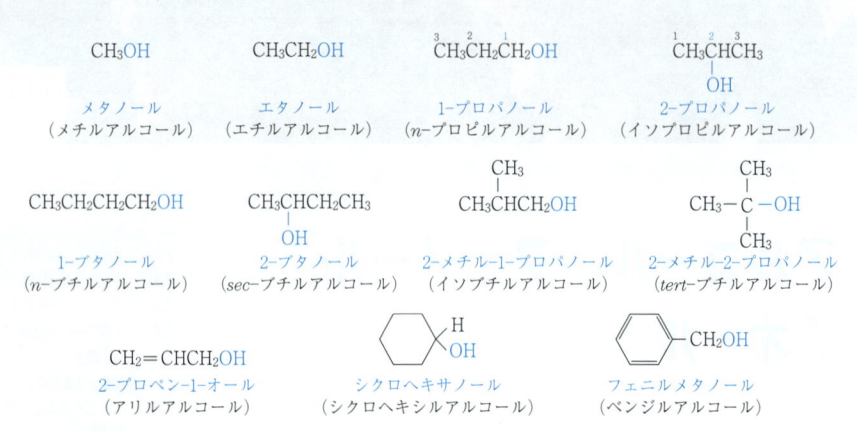

CH_3OH CH_3CH_2OH $\overset{3}{C}H_3\overset{2}{C}H_2\overset{1}{C}H_2OH$ $\overset{1}{C}H_3\overset{2}{C}H\overset{3}{C}H_3$ $|$ OH

メタノール　　エタノール　　1-プロパノール　　2-プロパノール
（メチルアルコール）（エチルアルコール）（n-プロピルアルコール）（イソプロピルアルコール）

$CH_3CH_2CH_2CH_2OH$　$CH_3CHCH_2CH_3$ $|$ OH　CH_3CHCH_2OH $|$ CH_3　$CH_3-\underset{CH_3}{\overset{CH_3}{C}}-OH$

1-ブタノール　　2-ブタノール　　2-メチル-1-プロパノール　　2-メチル-2-プロパノール
（n-ブチルアルコール）（sec-ブチルアルコール）（イソブチルアルコール）（tert-ブチルアルコール）

$CH_2=CHCH_2OH$　シクロヘキサノール　フェニルメタノール
2-プロペン-1-オール　（シクロヘキシルアルコール）（ベンジルアルコール）
（アリルアルコール）

不飽和アルコールの命名には 2 種類の語尾が必要である。それらは二重結合または三重結合の位置と水酸基の位置である。（アリルアルコールの IUPAC 名を参考にすること）。この場合，語尾のオールは末尾につけるが，その位置を示す数字では優先する。

例　題　7.1

IUPAC 命名法に従ってつぎのアルコールに命名せよ。

(a) $ClCH_2CH_2OH$　(b) （OH 付きシクロブタン）　(c) $CH_3C\equiv CCH_2CH_2OH$

解答

(a) 2-クロロエタノール（水酸基をもつ炭素から順に番号をつける）。
(b) シクロブタノール
(c) 3-ペンチン-1-オール（2-ペンチン-5-オールではない）。

☞　**アルコール**には**水酸基（−OH）**がある。**フェノール**では水酸基が芳香族環に結合している。**チオール**ではこれらの官能基の酸素が硫黄原子で置きかわっている。

7.3 フェノールの命名法

問題 7.1 IUPAC命名法に従ってつぎのアルコールに命名せよ。

(a) $BrCH_2CH_2CH_2OH$　(b) 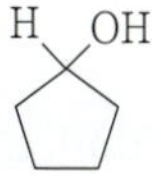 シクロペンタノール(H,OH置換)　(c) $CH_2=CHCH_2CH_2OH$

問題 7.2 つぎの化合物の構造式を書け。
(a) 2-ペンタノール　(b) 1-フェニルエタノール　(c) 3-ペンチン-2-オール

7.2 アルコールの分類

アルコールでは，水酸基が結合している炭素原子に炭素置換基が1つ結合したもの，2つ結合したもの，3つ結合したものをそれぞれ第一級，第二級，第三級アルコールとよんでいる。

$$R-CH_2OH \qquad R-\underset{R}{C}HOH \qquad R-\underset{\underset{R}{|}}{\overset{\overset{R}{|}}{C}}-OH$$

　　第一級(1°)　　　　第二級(2°)　　　　第三級(3°)

メチルアルコールは正確にはこの分類にあてはまらないが，第一級アルコールとみなしてよいだろう。この分類は炭素陽イオンの分類方法とよく似ているが (3.10節参照)，アルコールの反応性も第一級，第二級，第三級の違いによって変わることを本章で説明しよう。

問題 7.3 7.1節で構造式を示した11種類のアルコールを，第一級～第三級アルコールに分類せよ。

7.3 フェノールの命名法

フェノール類はふつう母体となる化合物の誘導体として命名される。

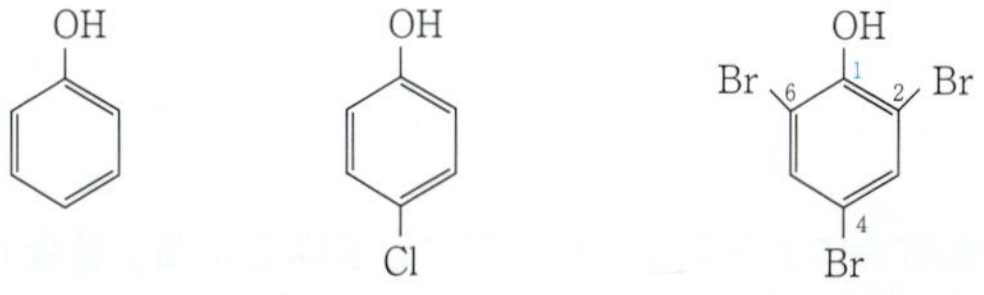

　　フェノール*　　　p-クロロフェノール　　2,4,6-トリブロモフェノール

水酸基とカルボキシル基，アルデヒド基，またはケトン基が同じ分子内に共存する

---

* 最近フェノールとその誘導体についてベンゼノールなる名称が使われはじめている。この名称は Chemical Abstract Service で使用されているが，有機化学の分野ではまだそれほど一般的ではない。

ときは後者に優先順位があり，水酸基は置換基として扱われる．その例を示すと，

    CO₂H   CHO   OH

しかし右のものは違う

    OH   OH   NO₂

  m-ヒドロキシ p-ヒドロキシ p-ニトロフェノール
    安息香酸   ベンズアルデヒド   (p-ヒドロキシニトロ
                                                                         ベンゼンではない)

問題 7.4 下の構造式を書け．
(a) p-エチルフェノール (b) ペンタクロロフェノール（白アリ駆除剤，防カビ剤として使用される） (c) o-ヒドロキシアセトフェノン（アセトフェノンの構造については4.6節をみよ）

7.4 アルコールおよびフェノールの水素結合

アルコールの沸点は，同じ程度の分子量をもつエーテルや炭化水素と比較すると異常に高い．

	CH₃CH₂OH	CH₃OCH₃	CH₃CH₂CH₃
分子量	46	46	44
bp	+78.5℃	−24℃	−42℃

アルコールがこのように高い沸点をもつ理由は分子どうしが水素結合（hydrogen bond）を形成しているからである（2.7節参照）．O−H 結合は，酸素原子の電気陰性度が大きいために強く分極している．この分極によって水素原子は部分的に陽電荷をもち，酸素原子は部分的に負電荷をもっている．この水素原子は小さなサイズと陽電荷をもっているので，酸素原子のような電気的に陰性な原子2つと同時に結合することができる．

$$\underset{\text{2つのアルコール分子が離れて存在}}{\overset{R}{\underset{\delta-}{O}}-\overset{}{\underset{\delta+}{H}} + \overset{R}{\underset{\delta-}{O}}-\overset{}{\underset{\delta+}{H}}} \rightleftarrows \underset{\text{水素結合}}{\overset{R}{\underset{\delta-}{O}}-\overset{}{\underset{\delta+}{H}}\cdots\overset{R}{\underset{\delta-}{O}}-\overset{}{\underset{\delta+}{H}}} \qquad (7.1)$$

このように水素結合によりアルコールは2分子以上が弱く結合している．

水素結合の強さは共有結合と比べるとはるかに弱い*．とはいえエネルギー換算すれば5〜10 kcal/mol（20〜40 kJ/mol）もあり，かなりの結合力である．これが原因となって，アルコールやフェノールはほかの化合物に比べて高い沸点をもつことになる．つまり分子の蒸発に必要な熱量（エネルギー）だけでなく，水素結合の

---

* O−H 共有結合の強さはおよそ120 kcal/mol（480 kJ/mol）である．

表 7.1　アルコールの沸点と水への溶解性

名　称	構造式	bp,℃	水への水溶性 g/100 g, 20℃
メタノール(methanol)	CH_3OH	65	完全に溶解
エタノール(ethanal)	CH_3CH_2OH	78.5	完全に溶解
1-プロパノール(1-propanol)	$CH_3CH_2CH_2OH$	97	完全に溶解
1-ブタノール(1-butanol)	$CH_3CH_2CH_2CH_2OH$	117.7	7.9
1-ペンタノール(1-pentanol)	$CH_3CH_2CH_2CH_2CH_2OH$	137.9	2.7
1-ヘキサノール(1-hexanol)	$CH_3CH_2CH_2CH_2CH_2CH_2OH$	155.8	0.59

解離に必要な熱量も蒸発に先立って供給してやる必要があるからである。

　水も水素結合した液体である（図2.2参照）。その水素結合は編目状の構造をしているが，その水分子の1つを低分子量のアルコール分子で置き換えることは容易であるため，低分子量のアルコールは水に完全に溶解できる。

　しかし，アルコールのアルキル鎖が長くなり，性質が炭化水素に近づいてくると水への溶解度は低下する。表7.1はこの傾向を示している。

7.5　酸性と塩基性についての考察

　有機化合物の酸・塩基としての性質は，有機化合物の反応を説明する上でしばしば役に立つ。ことにアルコールでは効果的である。そこで，ここでは酸性と塩基性の基本的な概念について考察してみよう。

　酸（acid）・**塩基**（base）の定義方法には2つある。**Brønsted-Lowry** の定義では酸とはプロトン供与体であり，塩基とはプロトン受容体である。たとえば，塩化水素を水に溶解したときの変化を示した式7.2では，水は塩化水素からプロトンを受け取る。

$$H-\overset{..}{\underset{H}{O}}: + H-\overset{..}{\underset{..}{Cl}}: \rightleftharpoons H-\overset{+}{\underset{H}{O}}-H + :\overset{..}{\underset{..}{Cl}}:^- \tag{7.2}$$

　　　　塩基　　　酸　　　　水の共役酸　　塩化水素の共役塩基

ここで水は塩基として，すなわちプロトン受容体として働き，塩化水素は酸として，すなわちプロトン供与体として働いている。このプロトン交換反応で生じた生成物

☞ **Brønsted-Lowry酸**はプロトン供与体であり，**Brønsted-Lowry塩基**はプロトン受容体であると定義される。

は共役酸ならびに共役塩基とよばれる。

　酸の強度は，**酸性度定数**（acidity constant）あるいは**イオン化定数**（ionization constant），K_aを用いて定量的に測定される。たとえば，水に溶解した酸HAは，ヒドロニウムイオンおよび共役塩基A^-と平衡にある。

$$HA + H_2O \rightleftharpoons H_3O^+ + A^- \tag{7.3}$$

この反応におけるK_a（99ページ参照）は，つぎの平衡反応式の平衡定数として測定できる。

$$K_a = \frac{[H_3O^+][A^-]}{[HA]} \tag{7.4}*$$

酸が強いほど平衡は右にシフトし，H_3O^+の濃度とK_a値が増大する。水についても同様の平衡式が書ける。

$$H_2O + H_2O \rightleftharpoons H_3O^+ + OH^- \tag{7.5}$$

$$K_a = \frac{[H_3O^+][OH^-]}{[H_2O]} = 1.8 \times 10^{-16} \tag{7.6}$$

問題 7.5　式7.6ならびに水のモル濃度（55.5M）を用いて，水中のH_3O^+またはOH^-の濃度が10^{-7}モル／リットルになることを証明せよ。

　水の酸性度定数K_aにみられるように，その酸強度をK値で表すと負の指数になり使いにくいので，そのかわり酸性度定数K_aを負の対数で表した**pK_a値**が使用されている。

$$pK_a = -\log K_a \tag{7.7}$$

したがって水のpK_aはつぎのように算出できる。

$$-\log(1.8 \times 10^{-16}) = -\log 1.8 - \log 10^{-16} = -0.26 + 16 = +15.74$$

このK_aならびにpK_aの数学的関係が示すように，K_aが小さいかあるいはpK_aが大きいとその酸は弱酸である。

　酸の強度とその共役塩基の強度とが，逆の関係にあるということは覚えておくと便利である。たとえば式7.2をみると，この平衡式は大きく右にシフトしているので塩化水素は強酸である。一方，この式は塩化物イオンCl^-がプロトンに対して低

＊　このK_aを表す式で用いる［角カッコ］は，そのカッコ中に記す化学種の濃度をモル／リットルで示したものである。この酸性度定数K_aは式7.3の反応の平衡定数と同義のものであるが，水の濃度［H_2O］はふつうほぼ一定値の55.5Mであってほかの3つの化学種に比べてはるかに大きい値であるので，式の分母からは省いている。反応の平衡および平衡定数に関しては3.11節参照のこと。

☞　酸の**酸性度定数**（**イオン化定数**ともいう）K_aは酸の強さを表す定量的な数値である。
☞　酸の**pK_a値**は酸度定数の負の対数で表される。

7.5 酸性と塩基性についての考察

い親和性しかもたないことを示しており，したがって Cl⁻ は弱塩基でなければならない。同様な理由で，水は弱酸であるからその共役塩基の水酸化物イオンは強塩基である。

もう一つの定義は Gilbert N. Lewis が提唱した酸・塩基の定義である。これは，**ルイス酸**（Lewis acid）とは電子対を受けとる物質であり，一方，**ルイス塩基**（Lewis base）とは電子対を供与する物質であると定義するものである。これに従えば，プロトンは電子供与体（ルイス塩基）から電子対を受け取ってプロトンの 1s 軌道を充たすからルイス酸である。

$$H^+ + :\!\ddot{O}\!-\!H \;\rightleftharpoons\; [H\!-\!\ddot{O}\!-\!H]^+ \qquad (7.8)$$
$$\hspace{1.2cm}|\hspace{3.2cm}|$$
$$\hspace{1.2cm}H\hspace{3.3cm}H$$
ルイス酸　　ルイス塩基

非共有電子対をもっている原子は，すべてルイス塩基として作用する可能性をもっている。

原子価軌道が電子で充たされていない原子をもつ化合物は，ルイス酸として作用する。その例をつぎに示す。

$$\begin{array}{c}F\\|\\F\!-\!B\\|\\F\end{array} + :\!\ddot{F}\!:^- \;\rightleftharpoons\; \left[\begin{array}{c}F\\|\\F\!-\!B\!-\!F\\|\\F\end{array}\right]^- \qquad (7.9)$$
ルイス酸　ルイス塩基

同様に，求電子的な芳香族塩素化反応（式 4.16, 4.17）や Friedel-Crafts 反応（式 4.23, 4.25）で触媒として用いられる $FeCl_3$ または $AlCl_3$ は，ルイス酸として働いている。すなわちこれらの金属原子は，塩素や塩化アルキルまたは塩化アシルから電子対を受け取ることで，その原子価軌道を電子で充たしている。

最後になったが，いくつかの化合物は相手によって酸または塩基の両方の性質を示すことがある。たとえば，式 7.2 の水は塩基として働いているが，アンモニアとの反応では酸（プロトン供与体）として働く。

$$:\!\ddot{O}\!-\!H + :NH_3 \;\rightleftharpoons\; H\!-\!\ddot{O}\!:^- + H\!-\!\overset{+}{N}H_3 \qquad (7.10)$$
$$|$$
$$H$$
　水　　　　アンモニア　　　水酸化物イオン　　アンモニウムイオン
　（酸）　　　（塩基）　　　　（共役塩基）　　　（共役酸）

このように水はそれよりも強い酸には塩基として働き，それよりも強い塩基には酸

☞　**ルイス酸**とは電子対の受容体であり，**ルイス塩基**とは電子対の供与体であると定義される。

として働く。このような酸および塩基両方の機能をもった化合物は**両性**（amphoteric）であるという。

問題 7.6 エタノールのK_a値は1.0×1.0^{-16}である。これをpK_a値に換算せよ。

問題 7.7 シアン化水素ならびに酢酸のpK_a値はそれぞれ9.2と4.7である。どちらが強酸かを答えよ。

問題 7.8 つぎのものはルイス酸かそれともルイス塩基かを答えよ。
(a) $(CH_3)_3C:^-$ (b) $(CH_3)_3B$ (c) Zn^{2+} (d) CH_3OCH_3 (e) $(CH_3)_3C^+$
(f) CH_3NH_2 (g) $(CH_3)_3N$ (h) $H:^-$ (i) Mg^{2+}

問題 7.9 式3.53におけるアミドイオンNH_2^-の役割を説明せよ。

7.6 アルコールおよびフェノールの酸性度

アルコールとフェノールは水と同じように弱酸である。水酸基はプロトン供与体として働き水と同様の解離反応が起こる。

$$R\ddot{O}-H \rightleftarrows R\ddot{O}:^- + H^+ \tag{7.11}$$

アルコール　　　アルコキシド
　　　　　　　　イオン

アルコールの共役塩基は**アルコキシドイオン**（alkoxide ion）である（例：メタノールからのメトキシドイオン，エタノールからのエトキシドイオンなど）。

表7.2にはアルコールとフェノールからいくつかを選んでそのpK_a値を記してある*。（メタノールとエタノールは水とほぼ同じ酸強度をもっている。かさ高いアルコールのt-ブチルアルコールでは，その共役塩基のアルコキシドイオンがかさ高いために溶媒和を受けにくく，酸強度は低下する。

フェノールはエタノールに比べてはるかに強い酸である。両者ともに水酸基がプロトン供与基であるのに，酸強度に大きな差が生じるのはなぜだろうか。

フェノール類が水やアルコールよりも強酸であるおもな理由は，フェノキシドイオンが共鳴によって安定化できるからである。つまり水酸化物イオンやアルコキシドイオンの陰電荷が酸素原子上に固定化されて存在する（局在化：localization）のに比べて，フェノキシドイオンの陰電荷は共鳴によってo-とp-位に非局在化（delocalization）できるためである。

＊　アルコールやフェノールの酸強度をほかの有機化合物と比較するときは，付録の表Cをみるとよい。

☞　**両性**化合物は酸あるいは塩基のいずれとしても働く。
☞　アルコールの共役塩基は**アルコキシドイオン**である。

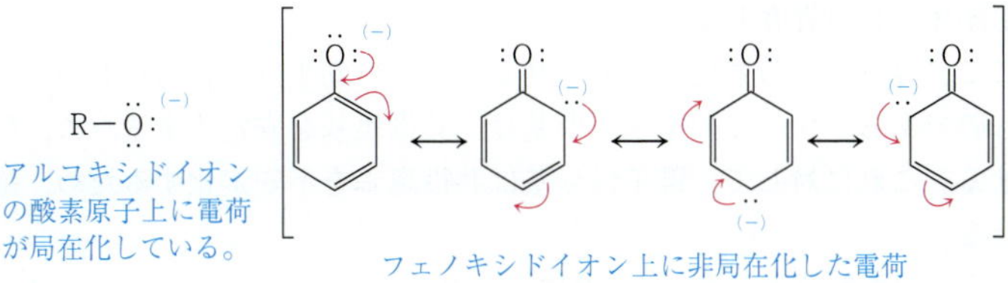

7.6 アルコールおよびフェノールの酸性度

[アルコキシドイオンの酸素原子上に電荷が局在化している。]

[フェノキシドイオン上に非局在化した電荷]

このようにフェノキシドイオンは安定化されているので、その生成はアルコキシドイオンの生成に比べてはるかに有利である。したがってフェノールはアルコールよりも強い酸になる。

表7.2にみられるように2,2,2-トリフルオロエタノールはエタノールより約3000倍強い酸である。ここでのフッ素の効果はつぎのように説明できる。アルコキシドイオンの安定性を考えてみると、フッ素は強い電気陰性度をもった元素であるから、C-F結合はフッ素が負、炭素が正に部分的に分極している。

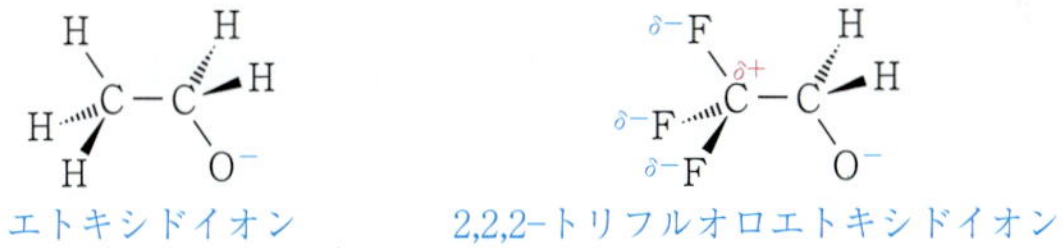

エトキシドイオン　　　2,2,2-トリフルオロエトキシドイオン

この炭素上の正電荷は酸素の負電荷の近傍に位置しているから、電荷の中和が起こりイオンが安定化する。この**誘起効果**（inductive effect）とよばれる効果はエトキ

表 7.2 水溶液中でのアルコールとフェノールのpK_a値

名　称	化学式	pK_a
水	HO-H	15.7
メタノール	CH_3O-H	15.5
エタノール	CH_3CH_2O-H	15.9
t-ブチルアルコール	$(CH_3)_3CO$-H	18
2,2,2-トリフルオロエタノール	CF_3CH_2O-H	12.4
フェノール	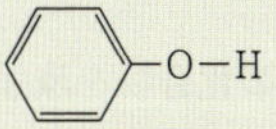 C₆H₅O-H	10.0
p-ニトロフェノール	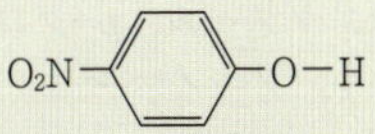 O_2N-C₆H₄-O-H	7.2
ピクリン酸	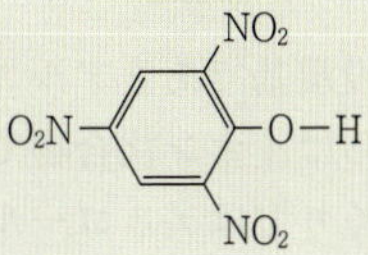 O_2N-C₆H₂(NO_2)₂-O-H	0.25

☞ アルコキシドイオンの負電荷と近接した位置に部分正電荷を発生できる極性結合は、この負電荷を**誘起効果**で安定化する。

シドイオンには存在しない。

ここにみられる酸強度を増大させるフッ素の効果は，特殊なものではなく一般的なものである。すべての電子求引基は，共役塩基を安定化するため，酸強度を増大させる。これに対して，電子供与基は共役塩基を不安定化するため，酸強度を低下させる。

もう1つの例を示そう。表7.2にみられるように，p-ニトロフェノールはフェノールよりもはるかに強酸であるが，ここでのニトロ基はp-ニトロフェノキシドイオンを安定化させる2つの働きをもっている。

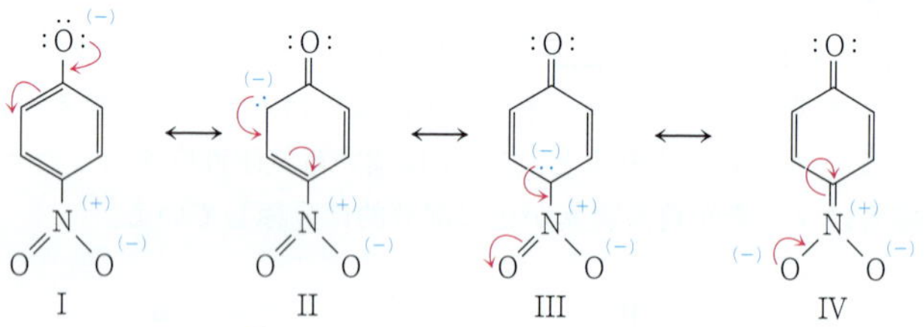

p-ニトロフェノキシドイオンの共鳴構造式

その1つはニトロ基が正の形式電荷をもっているので，強力な電子求引基であることが挙げられる。それにもとづく誘起効果によってp-ニトロフェノールの酸強度は増大する。2番目に水酸基の酸素原子上の負電荷が共鳴によってベンゼンの環のo-とp-位に非極在化し，さらにニトロ基の酸素原子上（構造 IV）にも非局在化できることが挙げられる。このようにニトロ基の誘起効果と共鳴効果はいずれも酸強度を増大する効果を示すことになる。

フェノールのベンゼン環にニトロ基が複数存在すると，酸性はさらに増大する。たとえば，ピクリン酸（2,4,6-トリニトロフェノール）はp-ニトロフェノールよりもはるかに強い酸である。

問題 7.10 2,4,6-トリニトロフェノキシドイオン（ピクラートイオン）の共鳴構造式を書き，負電荷がすべての酸素上に非局在化できることを示せ。

問題 7.11 つぎの5つの化合物を酸強度の強い順に並べかえよ。
2-クロロエタノール，p-クロロフェノール，p-メチルフェノール，エタノール，フェノール

アルコールの共役塩基であるアルコキシドイオンは，水酸化物イオンと同様に強塩基である。これらはイオン化合物であり，有機化学では強塩基としてしばしば使用される。そのつくり方はアルコールと金属ナトリウム，金属カリウム，または金属水素化物の反応である。これらの反応は不可逆的に進行し，金属アルコキシドが白色粉末として得られる。

$$2\,RO-H + 2\,K \longrightarrow 2\,RO^-K^+ + H_2 \tag{7.12}$$

アルコール　　　　　　カリウム
　　　　　　　　　　　アルコキシド

$$RO-H + NaH \longrightarrow RO^-Na^+ + H_2 \tag{7.13}$$

　　　　水素化　　　ナトリウム
　　　ナトリウム　　アルコキシド

問題 7.13 t-ブチルアルコールと金属カリウムの反応式を示し，生成物に命名せよ。

一般に，アルコールを水酸化ナトリウムと処理してもアルコキシドは生成しない。その理由は，アルコキシドが水酸化物イオンよりも強い塩基であるためであり，逆向きの反応が有利になってしまうからである。ところがフェノールは水酸化ナトリウムの反応でフェノキシドイオンを生成できる。

$$ROH + Na^+OH^- \rightleftharpoons RO^-Na^+ + H_2O \tag{7.14}$$

$$\text{C}_6\text{H}_5-OH + Na^+OH^- \longrightarrow \text{C}_6\text{H}_5-O^-Na^+ + HOH \tag{7.15}$$

　フェノール　　　　　　　　　　　ナトリウムフェノキシド

問題 7.13 つぎに示す試薬の組み合わせで反応が起こる場合は，その反応式を示せ。
(a) p-ニトロフェノールと水酸化カリウム水溶液
(b) シクロヘキサノールと水酸化カリウム水溶液

7.7 アルコールおよびフェノールの塩基性

アルコール（およびフェノール）は弱酸であると同時に弱塩基でもある。これらの酸素原子上には非共有電子対があるのでルイス塩基でもある。したがって強い酸によってプロトン化され，オキソニウムイオン H_3O^+ に類似のアルキルオキソニウムイオンを生成する。

$$R-\ddot{O}-H + H^+ \rightleftharpoons \left[\begin{array}{c} H \\ | \\ R-O-H \end{array}\right]^+ \tag{7.16}$$

アルコールが塩基　　　　アルキルオキソニウムイオン
として作用する

このプロトン化は，次の2つの節で述べるアルコールの2つの大切な反応（アルケンへの脱水反応とハロゲン化アルキルへの変換反応）における第1段階目の反応である。

7.8 アルコールの脱水反応によるアルケンの生成

アルコールを強酸とともに加熱すると脱水反応が起こる。たとえばエタノールに少量の濃硫酸を加えて180℃に熱すると、高収率でエチレンが発生する。

$$H-CH_2CH_2-OH \xrightarrow{H^+, 180℃} CH_2=CH_2 + H-OH \qquad (7.17)$$
エタノール　　　　　　　　　エチレン

この反応はアルケンの水和反応の逆反応であり（3.7b節参照）、アルケン類の合成反応として利用されている。これは脱離反応であり、原料アルコールの構造の違いによって、E1またはE2の反応機構で進行する。

第三級アルコールの脱水反応はE1機構で進行する。代表的な反応例としてt-ブチルアルコールの脱水反応があるが、その最初の反応段階は水酸基の迅速な可逆的プロトン化反応である。

$$(CH_3)_3C-\ddot{O}H + H^+ \rightleftharpoons (CH_3)_3C-\overset{+}{\underset{H}{O}}-H \qquad (7.18)$$

これに引き続いて水が脱離基として離れるイオン化（律速段階）が容易に起こるが、その理由は生じる炭素陽イオンが第三級だからである。

$$(CH_3)_3C-\overset{+}{\underset{H}{O}}-H \rightleftharpoons (CH_3)_3C^+ + H_2O \qquad (7.19)$$
　　　　　　　　　　　　　　　t-ブチルカチオン

さらに、この炭素陽イオンに隣接する炭素上からプロトンが失われて反応が完結する。

$$\underset{CH_3}{\underset{|}{\overset{H\ \ \ CH_3}{\overset{|\ \ \ \ |}{CH_2-C^+}}}} \longrightarrow CH_2=C\underset{CH_3}{\overset{CH_3}{\diagup}} + H^+ \qquad (7.20)$$

したがって、上記の3段階反応をまとめた脱水の全反応式はつぎのようになる。

$$\underset{CH_3}{\underset{|}{\overset{H\ \ \ CH_3}{\overset{|\ \ \ \ |}{CH_2-C-OH}}}} \xrightarrow[加熱]{H^+} CH_2=C\underset{CH_3}{\overset{CH_3}{\diagup}} + H-OH \qquad (7.21)$$
t-ブチルアルコール　　　2-メチルプロペン
　　　　　　　　　　　　（イソブチレン）

第一級アルコールの脱水反応では、上記の3段階反応のあとの2つの反応が同時に起こり、第一級炭素陽イオン中間体を経由しない。つまり水の脱離と隣接位置にあるプロトンの脱離とが同時にE2機構により起こる反応である。

$$CH_3CH_2\ddot{O}H + H^+ \rightleftharpoons CH_3CH_2-\overset{+}{\underset{H}{O}}-H \tag{7.22}$$

$$\underset{H}{\overset{H}{|}}CH_2-CH_2-\overset{+}{\underset{H}{O}}-H \longrightarrow CH_2=CH_2 + H^+ + H_2O \tag{7.23}$$

アルコールの脱水反応に関して，つぎの2つのことを記憶しておくべきだろう。(1) すべての反応のはじまりは水酸基へのプロトン付加である（すなわちアルコールは塩基として働く）。(2) 脱水反応は第三級＞第二級＞第一級アルコールの順序で起こりやすい（すなわち反応速度は炭素陽イオンの安定性の順序に従う）。

1つのアルコールから2種類以上のアルケンが生成することがしばしばある。その理由を反応機構から考えてみると，水酸基がついた炭素に隣接する炭素上の水素なら，どれでも原則として脱離できるからである。たとえば2-メチル-2-ブタノールからは2種類のアルケンが生成する。

$$\underset{\text{2-メチル-2-ブタノール}}{\overset{H\ \ OH\ H}{\underset{CH_3}{\overset{|\ \ \ |\ \ \ |}{CH_2-C-CH-CH_3}}}} \xrightarrow[\underset{-H_2O}{\text{加熱}}]{H^+} \underset{\text{2-メチル-1-ブテン}}{\overset{}{\underset{CH_3}{\overset{|}{CH_2=C-CH_2CH_3}}}} \begin{matrix}\text{および}\\\text{または}\end{matrix} \underset{\text{2-メチル-2-ブテン}}{\overset{}{\underset{CH_3}{\overset{|}{CH_3-C=CHCH_3}}}} \tag{7.24}$$

しかし，一般には置換基数のもっとも多い二重結合をもったアルケンが優勢に生成してくる。この「置換基数のもっとも多い」の定義は，二重結合を形成する2つの炭素原子上の置換基数がもっとも多いということである。したがって，上の反応では2-メチル-2-ブテンが主生成物である。

問題 7.13 つぎのアルコールの脱水反応で得られるすべての生成物の構造を書き，どれが主生成物であるかを示せ。

(a) 3-メチル-3-ペンタノール　　(b) [シクロヘキサン環に CH_3 と OH が同一炭素に結合した構造]

7.9 アルコールとハロゲン化水素の反応

アルコールはハロゲン化水素（HCl, HBr, HI）と反応してハロゲン化アルキル（塩化アルキル，臭化アルキル，ヨウ化アルキル）を生成する。

$$\underset{\text{アルコール}}{R-OH} + H-X \longrightarrow \underset{\text{ハロゲン化アルキル}}{R-X} + H-OH \tag{7.25}$$

この置換反応はハロゲン化アルキルの一般的な合成法として利用されている。ハロゲン化物イオンは良好な求核剤であるので，この反応の主生成物は脱水生成物では

なく置換生成物である。反応速度と反応機構はアルコールの構造（第三級，第二級，第一級アルコール）によって異なる。

　反応速度がもっとも速いのは第三級アルコールである。たとえば t-ブチルアルコールから塩化 t-ブチルを得るには，このアルコールを濃塩酸と混合し，室温で数分間振るだけでよい。

$$(CH_3)_3COH + H-Cl \xrightarrow[15分]{室温} (CH_3)_3C-Cl + H-OH \quad (7.26)$$
　　　t-ブチル　　　　　　　　　　　　　塩化t-ブチル
　　アルコール

この反応は S_N1 機構で起こり，炭素陽イオン中間体を経由する。はじめに式7.18および式7.19に示したものと同じ2つの反応段階を通り，最終段階では t-ブチルカチオンが塩化物イオンで捕捉される。

$$(CH_3)_3C^+ + Cl^- \xrightarrow{はやい} (CH_3)_3CCl \quad (7.27)$$

ところがこれとは対照的に，第一級アルコールの1-ブタノールから塩化ブチルを得るためには，濃塩酸と塩化亜鉛のようなルイス酸触媒の混合物とともにアルコールを数時間加熱する必要がある。

$$CH_3CH_2CH_2CH_2OH + H-Cl \xrightarrow[数時間]{加熱, ZnCl_2} CH_3CH_2CH_2CH_2-Cl + H-OH \quad (7.28)$$
　　　1-ブタノール　　　　　　　　　　　　　　　　　1-クロロブタン

この反応は S_N2 機構で進行する。反応の第1段階はアルコールのプロトン化である。

$$CH_3CH_2CH_2CH_2-\ddot{O}H + H^+ \rightleftharpoons CH_3CH_2CH_2CH_2-\overset{+}{\underset{H}{O}}-H \quad (7.29)$$

第2段階は典型的な S_N2 反応であり，塩化物イオンが水を置換する。塩化亜鉛は良好なルイス酸であるので，プロトンと同じように，水酸基の酸素原子上の電子対を共有する働きを示す。それと同時に，塩化物イオンの濃度を高めて S_N2 置換反応を加速する。以上の第一級，第三級アルコールに比べると。第二級アルコールの反応は S_N1 および S_N2 の両機構で進行し，反応の速さはその中位ぐらいである。

$$Cl^- \cdots \overset{CH_3CH_2}{\underset{H}{C}} \cdots \overset{+}{O}-H \longrightarrow CH_3CH_2CH_2Cl + H_2O \quad (7.30)$$

例題 7.2

　t-ブチルアルコールが HCl, HBr, HI のどれとも同じような速度で反応する理由を説明せよ（反応生成物は対応するハロゲン化 t-ブチルである）。

解答 t-ブチルアルコールは第三級アルコールであるから，S_N1 機構で反応する。すべての S_N1 反応に共通していえるように，律速段階は炭素陽イオン（この例題では t-ブチル炭素陽イオン）の生成段階にある。この段階の反応速度はハロゲン化水素の種類に影響されないので，どの反応も等しい速度で進行する。

$$(CH_3)_3COH + H^+ \rightleftarrows (CH_3)_3C-\overset{+}{\underset{H}{O}}-H \xrightarrow[\text{遅い反応段階}]{S_N1} (CH_3)_3C^+ + H_2O$$
t-ブチルカチオン

問題 7.15 1-ブチルアルコールとハロゲン化水素との反応速度はハロゲンの種類によって異なり，HI>HBr>HCl の順になる。その理由を説明せよ（反応生成物は対応するハロゲン化ブチルである）。

問題 7.16 1-メチルシクロヘキサノールと濃 HBr との反応式を書け。

7.10 アルコールからハロゲン化アルキルをつくるほかの方法

ハロゲン化アルキルは有機合成における重要な原料化合物であるから，アルコールから合成する方法が数多く考案されている。たとえば，**塩化チオニル**（thionyl chloride）（式 7.31）はその 1 つである。

$$ROH + Cl-\underset{\text{塩化チオニル}}{\overset{\overset{O}{\|}}{S}}-Cl \xrightarrow{\text{加熱}} RCl + HCl\uparrow + SO_2\uparrow \qquad (7.31)$$

この反応の最大の利点は，ハロゲン化アルキル以外の生成物が塩化水素と二酸化硫黄という気体物質（式 7.31 で上向き矢印で示してある）なので，これらが蒸発してあとに塩化アルキルだけが残る点にある。しかし，炭素数が 3 程度までの塩化アルキルは沸点が低く，HCl や SO_2 とともに蒸発してしまうのでこの反応は適用できない。

ハロゲン化リン（phosphorus halide）（式 7.32）を用いてもアルコールからハロゲン化アルキルを得ることができる。

$$3ROH + \underset{\text{ハロゲン化リン}}{PX_3} \longrightarrow 3RX + H_3PO_3 \quad (X = Cl \text{ または } Br) \qquad (7.32)$$

この反応では，ハロゲン化アルキル以外に生成する亜リン酸の沸点が比較的高いので，ハロゲン化アルキルのほうが低沸点の生成物となることが多く，蒸留で単離できる。

以上 2 つの反応は，ふつうハロゲン化水素との反応速度が遅い第一級および第二級アルコールに適用される。

問題 7.17 つぎのハロゲン化アルキルを，対応するアルコールからハロゲン化水素HXを用いずに得る反応式を示せ。

(a) 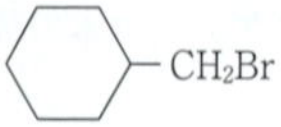 シクロヘキシル-CH₂Br (b)  シクロヘキシル-Cl

7.11 アルコールとフェノールの違い

アルコールとフェノールはいずれも水酸基という同じ官能基をもっており，多くの点で似ている。しかし，明らかに異なる点はC－OH結合の切断反応である。アルコールのC－OH結合は酸触媒により比較的容易に切断されるが，フェノールでは違う。その理由は，フェノールの水酸基はプロトン化できるが，水分子が脱離すると，その結果フェニルカチオンの生成を考えなければならないからである。

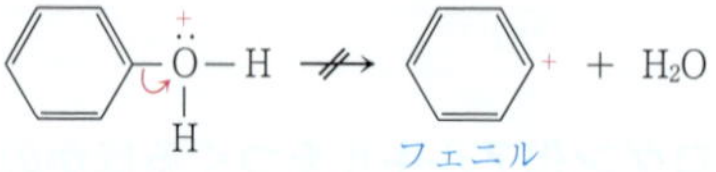

$$\text{PhOH}_2^+ \;\not\longrightarrow\; \text{Ph}^+ \;+\; H_2O \tag{7.33}$$

（フェニルカチオン）

フェニルカチオンの陽電荷をもった炭素は，結合している置換基の数が2つしかないのでsp混成，つまり直線的構造をもとうとする。しかし，ベンゼンの骨格は6員環であり直線的構造をとることは不可能だから，フェニルカチオンはきわめて生成しにくい。したがってS_N1機構によるフェノール水酸基の置換反応は不可能であり，同じようにS_N2機構による置換反応も不可能である（環構造のために反転できないから）。したがってハロゲン化水素，ハロゲン化リン，ハロゲン化チオニルを用いてもフェノールの水酸基をハロゲンで置換することはできない。

問題 7.18 シクロペンタノールとフェノールについて，つぎの試薬との反応を比較せよ。

(a) HBr (b) H_2SO_4，加熱

7.12 アルコールの酸化によるアルデヒドならびにケトンの生成

水酸基が結合した炭素上に1つ以上の水素をもつアルコールは，酸化するとカルボニル化合物に変換できる。第一級アルコールからはアルデヒドが得られ，これをさらに酸化するとカルボン酸になる。第二級アルコールからはケトンが生成する*。第三級アルコールは水酸基のある炭素上に酸化をうける水素原子をもたないので，このタイプの酸化反応は行わない。

＊ アルコールを酸化してアルデヒドまたはケトン，さらにカルボン酸にすると，この反応にあづかる炭素原子と酸素原子との間の結合数は1から2，さらに3へと増加する。別の表現法では，アルコールからアルデヒドまたはケトン，さらにカルボン酸へと反応が進むにつれて，この炭素原子の酸化状態は増大するということができる。

7.12 アルコールの酸化によるアルデヒドならびにケトンの生成

$$\underset{\text{第一級アルコール}}{R-\underset{\underset{H}{|}}{\overset{\overset{OH}{|}}{C}}-H} \xrightarrow{\text{酸化剤}} \underset{\text{アルデヒド}}{R-\overset{\overset{O}{\|}}{C}-H} \xrightarrow{\text{酸化剤}} \underset{\text{酸}}{R-\overset{\overset{O}{\|}}{C}-OH} \quad (7.34)$$

$$\underset{\text{第二級アルコール}}{R-\underset{\underset{H}{|}}{\overset{\overset{OH}{|}}{C}}-R'} \xrightarrow{\text{酸化剤}} \underset{\text{ケトン}}{R-\overset{\overset{O}{\|}}{C}-R'} \quad (7.35)$$

このアルコールの酸化反応に使用される一般的な酸化剤は，無水クロム酸 CrO_3 を硫酸水溶液とアセトンの混合物に溶解したもの（**Jones 試薬,** Jones' reagent）である。これを用いた酸化反応の例をつぎに示す。

$$\underset{\text{シクロヘキサノール}}{\text{C}_6\text{H}_{11}\text{OH}} \xrightarrow[\substack{H^+,\text{アセトン}\\(\text{Jones 試薬})}]{CrO_3} \underset{\text{シクロヘキサノン}}{\text{C}_6\text{H}_{10}=O} \quad (7.36)$$

$$\underset{\text{1-オクタノール}}{CH_3(CH_2)_6CH_2OH} \xrightarrow{\text{Jones 試薬}} \underset{\text{オクタン酸}}{CH_3(CH_2)_6CO_2H} \quad (7.37)$$

第一級アルコールの酸化反応をアルデヒドが生成したところで停止させるためには，上に述べたものとは別の酸化剤を用いる必要がある。その1つに式7.39に示す**ピリジニウムクロロクロマート**（pyridinium chlorochromate, **PCC** と略記する）*がある。

$$\underset{\text{1-オクタノール}}{CH_3(CH_2)_6CH_2OH} \xrightarrow[CH_2Cl_2, 25℃]{PCC} \underset{\text{オクタナール}}{CH_3(CH_2)_6\overset{\overset{O}{\|}}{C}-H} \quad (7.38)$$

PCC は CrO_3 を塩酸に溶解してピリジンを加えると調製できる。

$$CrO_3 + HCl + \underset{\text{ピリジン}}{C_5H_5N:} \longrightarrow \underset{\substack{\text{ピリジウムクロロクロマート}\\(\text{PCC})}}{C_5H_5N^+-H\ CrO_3Cl^-} \quad (7.39)$$

---

* 式7.36から式7.38で示される酸化反応では，クロムは Cr^{6+} から Cr^{3+} まで還元される。Cr^{6+} の水溶液の色はオレンジ色であり Cr^{3+} の色は緑色であるから，この変化を呼気検出器による呼気中のエタノール検出法に利用している。

☞ **Jones 試薬**は H_2SO_4 水溶液とアセトンに溶解した CrO_3 からなる酸化剤である

問題 7.19 つぎの酸化反応の反応式を示せ。
- (a) 1-ヘキサノールとJones試薬
- (b) 1-ヘキサノールとPCC
- (c) 4-フェニル-2-ブタノールとJones試薬
- (d) 4-フェニル-2-ブタノールとPCC

体の中でこれとよく似た酸化反応が，酵素と補酵素の組み合わせによって行われている。この補酵素としては複雑な構造をもつニコチン酸アミドアデニンジヌクレオチド（NAD^+,その構造式は18.12節に示してある）が知られており，その働きによる酸化反応は体内に摂取されたアルコールを代謝する重要なものである。

$$CH_3CH_2OH + NAD^+ \xrightleftharpoons[]{\text{アルコール脱水素酵素}} CH_3C(=O)H + NADH \qquad (7.40)$$

エタノール　　　　　　　　　　　　　　　　アセトアルデヒド

ここで生成するアセトアルデヒドは有害物質だが，これもさらに体内で酸化されて酢酸を経由して二酸化炭素と水に分解される。

7.13 水酸基を2つ以上もつアルコール

2つの水酸基がとなり合った構造をもつ化合物のことを**グリコール**（glycol）（p.111）とよぶ。そのもっともよい例は**エチレングリコール**（ethylene glycol）である*。（水酸基を3つ以上もった化合物も知られており，なかでも**グリセリン**（glycerol）や**ソルビトール**（sorbitol）などいくつかは重要な工業化学品として知られている。

$$\begin{array}{ccc}
CH_2-CH_2 & CH_2-CH-CH_2 & CH_2-CH-CH-CH-CH-CH_2 \\
|\ \ \ \ \ \ | & |\ \ \ \ \ \ |\ \ \ \ \ \ | & |\ \ \ \ \ \ |\ \ \ \ \ \ |\ \ \ \ \ \ |\ \ \ \ \ \ |\ \ \ \ \ \ | \\
OH\ \ OH & OH\ \ OH\ \ OH & OH\ OH\ OH\ OH\ OH\ OH
\end{array}$$

エチレングリコール　　　グリセロール（グリセリン）　　　ソルビトール
（1,2-エタンジオール）　（1,2,3-プロパントリオール）　（1,2,3,4,5,6-ヘキサンヘキサオール）
bp 198℃　　　　　　　bp 290℃（分解）　　　　　　mp 110–112℃

エチレングリコールは自動車のラジエーター不凍液として使用されており，またポリエチレンDacronの製造原料でもある。エチレングリコールは水によく溶解し水素結合力が強いのでエタノールなどに比べると分子量のわりに相当高い沸点をもっている。

グリセロールは無色，高沸点，水溶性のシロップ状液体であり，独特の甘味をも

---

* 慣用名エチレングリコールの語尾には-eneがついているが，二重結合は存在しないことに注意すること。

☞ **エチレングリコール**，**グリセリン**，**ソルビトール**は重要なポリオール類である。

っている。その柔らかな感触を生かしてひげそりや化粧せっけん，せき止めドロップやシロップの成分として広く使用されている。

グリセロールをニトロ化するとグリセリン**三硝酸エステル**（glyceryl trinitrate：ニトログリセリンのこと）が得られるが，これが衝撃にきわめて敏感な強力爆薬であることは周知のとおりである。

$$\begin{array}{c}CH_2OH\\|\\CHOH\\|\\CH_2OH\end{array} + 3\,HONO_2 \xrightarrow{H_2SO_4} \begin{array}{c}CH_2ONO_2\\|\\CHONO_2\\|\\CH_2ONO_2\end{array} + 3\,H_2O \tag{7.41}$$

グリセロール　　　硝酸　　　　グリセリン三硝酸エステル
　　　　　　　　　　　　　　　　（ニトログリセリン）

ダイナマイトの発明者Alfred Nobelは，グリセリン三硝酸エステルを不活性な多孔性物質に吸着させると安定化できることを1866年に見いだした。現在使用されているダイナマイトにはグリセリン（またはグリコール）の硝酸エステルは約15％しか含有されていない。おもな爆薬成分は硝酸アンモニウム（55％）であり，そのほか硝酸ナトリウムと木質パルプをそれぞれ15％ずつ含有している。このダイナマイトは主として鉱山，土木建築用に使用されている。

ニトログリセリンは，血管拡張薬やおたふく風邪患者の心不全予防薬として医療目的にも用いられている。グリセリンの三カルボン酸エステルは油脂として知られているが，これについては15章で述べる。

ソルビトールは数多くの水酸基をもった水溶性の化合物である。その甘味は砂糖とほぼ同じ程度であり，菓子類の製造や糖尿病患者用の砂糖代用品として使用されている。

7.14　フェノールにおける芳香族置換反応

ここでアルコールに代わってフェノールに起こるいくつかの反応を説明しよう。フェノールは穏和な条件下で容易に求電子芳香族置換反応を行う。たとえば希硝酸との反応で容易にニトロ化が起こる。

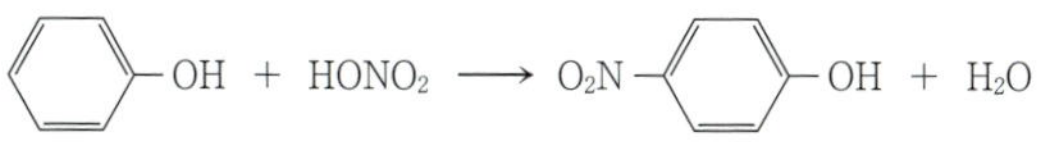

$$C_6H_5-OH + HONO_2 \longrightarrow O_2N-C_6H_4-OH + H_2O \tag{7.42}$$

フェノール　　希硝酸　　　　p-ニトロフェノール

臭素水とも迅速に反応して臭素化を起こし，2,4,6-トリブロモフェノールを生成する。

A WORD ABOUT ...

工業的に生産されている アルコール類

炭素数が4つまでの低級アルコールは多量に工業生産されており，それ自体で広い用途をもつ一方で，重要な化学製品の製造原料にもなっている。

メタノール（methanol）はかつて木材の乾留により製造されていたことがあり，木精（wood alcohol）ともよばれていた。現在ではメタノールは一酸化炭素と水素から製造されている。

$$CO + 2H_2 \xrightarrow[400℃, 150\text{気圧}]{ZnO-Cr_2O_3} CH_3OH$$

世界のメタノール製造量はおよそ1100万tにも達している。ほとんどはホルムアルデヒドなど化学薬品の製造原料として使用されているが，そのほか溶媒や不凍液としての用途もある。メタノールには毒性があり，飲むと失明に至る。その理由は，メタノールが体内で酸化されるとホルムアルデヒド（$CH_2=O$）となり，これがオプシンと結合して，視覚物質となる光感受性色素のロドプシン（p.88のA Word About「視覚の化学」参照）の生成を妨げるからである。

エタノールはショ糖を精製するときに得られる廃糖蜜を発酵させて製造する。穀物でんぷん，イモ類，米などからも同じく発酵法でエタノールが製造でき，これらを穀物アルコ―ル（grain alcohol）とよんでいる。

エタノールは，発酵法以外にも酸触媒水和反応によってエチレンから製造されている（式3.7）。硫酸などの酸触媒を用いてエチレンから製造されるエタノールの世界年産量は100万t以上に達している。

市販のアルコールはエタノール95％と水5％からなる定沸点混合物であり，蒸留でアルコール濃度をこれ以上高めることは困難である。残りの水分を除去して**100％アルコール**（absolute alcohol）を製造するには生石灰（CaO）を加える。生石灰はエタノールとは反応しないが，水と反応して水酸化カルシウム（$Ca(OH)_2$）になり，結果的に水を除去するからである。

エタノールが発酵型飲料（ビール，ワイン，ウィスキーなど）の中に含まれていることは古くから知られていた。アルコール飲料のアルコール濃度の表示法として古くから米国で用いられているプルーフ（proof）単位は，アルコール含有量を容積百分率で表した値の約2倍の数値に相当する。たとえば，100プルーフのウィスキーは50％のエタノールを含有している。

エタノールには溶剤，局所消毒剤（たとえば採血時の），エーテルやエチルエステル類の製造原料に用途がある。また燃料（たとえば自動車燃料のガソホール：gasohol）としても使用されている。

2-プロパノール（2-propanol, イソプロピルアルコール）は，プロペンから酸触媒を用いた水和反応により工業的に製造されている（式3.13）。マッサージ用アルコールの主成分はこれである。世界の年産量は100万t以上にも達し，その半分以上は酸化反応によるアセトン製造原料として使われている。

$$C_{12}H_{22}O_{11} + H_2O \xrightarrow{\text{イースト}} 4\,CH_3CH_2OH + 4\,CO_2$$
ショ糖　　　　　　　　　　　　エチルアルコール

$$\text{フェノール} + 3\,Br_2 \xrightarrow{H_2O} \text{2,4,6-トリブロモフェノール} + 3\,HBr \qquad (7.43)$$

例題 7.3

フェノールの水酸基に対して p-位に起こる求電子置換反応の反応中間体の構造を書き，中間体ベンゼノニウムイオンが水酸基によって安定化するようすを示せ。

解答

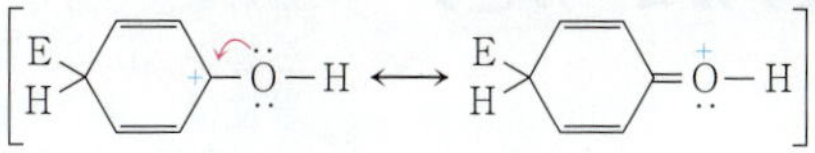

酸素原子上の非共有電子対は，陽電荷の非局在化を助けている。

問題 7.20 フェノキシドイオンのほうがフェノールよりも容易に求電子置換反応を受ける理由を説明せよ。

問題 7.21 つぎの反応式を書け。
(a) p-メチルフェノール ＋ $HONO_2$（1モル）
(b) o-クロロフェノール ＋ Br_2（1モル）

7.15 フェノールの酸化反応

フェノール類は容易に酸化される。フェノール類を含む試料を空気中に放置すると，酸化物を生じて濃く着色することはしばしば観察されることである。ヒドロキノン（hydroquinone：1,4-ジヒドロキシベンゼンのこと）からは酸化反応により1,4-ベンゾキノン（1,4-benzoquinone：一般にキノンとよばれる）が容易に生成する。

$$\text{ヒドロキノン} \xrightarrow[H_2SO_4, 30℃]{Na_2Cr_2O_7} \text{1,4-ベンゾキノン} \tag{7.44}$$

ヒドロキノン
無色, mp 171℃

1,4-ベンゾキノン
黄色, mp 116℃

ヒドロキノンとその関連化合物は写真現像剤として使用され，露光しなかった銀イオンを金属銀へ還元する目的に用いられる。このときヒドロキノンは酸化されてキノンにかわる。ヒドロキノンからキノンへの酸化反応は可逆反応であり，その相互変換できる機能は，生化学的な酸化-還元反応においても大切な役割を果たしている。

空気で酸化分解されるおそれのある物質，たとえば食品類や潤滑油などを保護するために，フェノール系の添加剤が使用される。そこでのフェノール類は**酸化防止剤**（antioxidant）として働いている。すなわち酸化で生じる過酸化物フリーラジカル（ROO·）とフェノールが反応して，それを捕捉するのである。もし捕捉でき

☞ フェノール類は物質を空気酸化から保護するための**抗酸化剤**である。

A WORD ABOUT ...

生化学的に重要なアルコールとフェノール

生化学的に重要な働きを示す多くの分子のなかには，水酸基をもった化合物が数多くある。

物質代謝で重要な4つの不飽和第一級アルコールである 3-メチル-2-ブテン-1-オール，3-メチル-3-ブテン-1-オール，ゲラニオール，ファルネソールをつぎに示す。

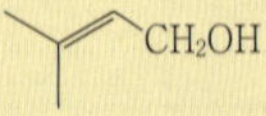

（構造式：3-メチル-2-ブテン-1-オール，3-メチル-3-ブテン-1-オール，ゲラニオール，ファルネソール，スクアレン）

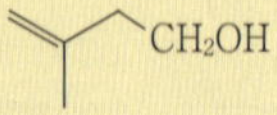

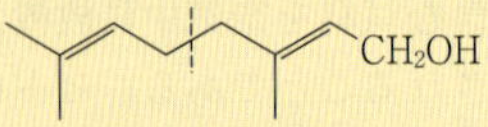

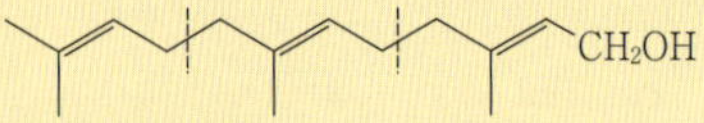

はじめの小さなアルコール2つは**イソプレン単位**（isoprene unit）とよばれる5つの炭素からできており，この構造単位は数多くの天然物中（p.455参照）にみられる。この構造単位は，分子主鎖が4炭素で，残りの1炭素は2番目の炭素上に分枝として結合したものとして考えるとよい。これらの5炭素アルコールが2つ結合すればゲラニオール（10炭素）に，もう1つの5炭素単位が結合すればファルネソール（15炭素）になる。ゲラニオールとファルネソールの構造式ではイソプレン単位を点線で区切って示してある。

このタイプの化合物は一括してテルペン類とよばれている。植物や花の精油中にはテルペンがたいてい含まれており，イソプレン単位がさまざまな形式で結合してつくられた炭素数が5の倍数の骨格構造式をもっている。

ゲラニオール（geraniol）はその名が示すようにゼラニウムの精油中に含まれているが，バラの花弁から抽出したローズ油にも約50％含有されている。ゲラニオールは，テルピン油の主成分である α-ピネン（p.39）が，植物体内で生合成されるときの原料でもある。**ファルネソール**（farnesol）はバラやシクラメンの精油中に含まれ，スズラン（lily-of-the-valley）のようなまろやかな香りをもっている。ゲラニオールとファルネソー

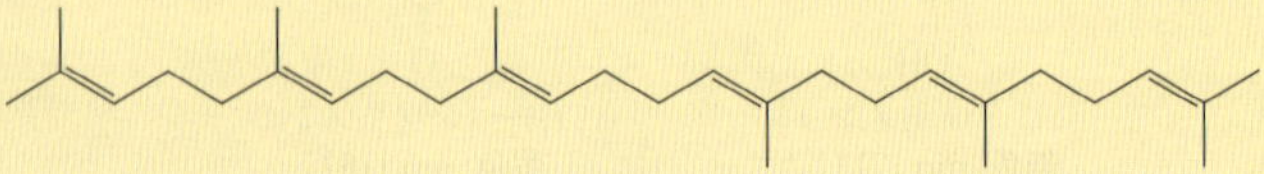

ないとROO·は食品や油脂中に含まれるアルケン類と反応して，これらの分解をひきおこす。このようなフェノール系酸化防止剤の代表的なものとして，BHA（ブチル化ヒドロキシアニソール）とBHT（ブチル化ヒドロキシトルエン）の2つが挙げらる*。

BHAは食品酸化防止剤としてとくに肉製品に使用されている。BHTは食品，家畜用飼料，植物性油脂だけでなく，潤滑油や合成ゴム，そしてプラスチック製品などに幅広く使用されている。

* ヒトの老化における過酸化物フリーラジカルと天然物抗酸化剤の働きに関連した解説書として，つぎの文献がある。R, L, Rusting, *Scientific American*, **1992**（12月号），131-141ページ。

ルはいずれも香水の原料として用いられている。

ファルネソール単位（15炭素）を2つ結合すると，炭素数30の炭化水素**スクアレン**（squalene）になる。これは高等動物の肝臓中に微量存在し，ステロイド類の生体内における合成原料になっている。

代表的なステロイド系アルコールのコレステロールの構造式をつぎに示す。

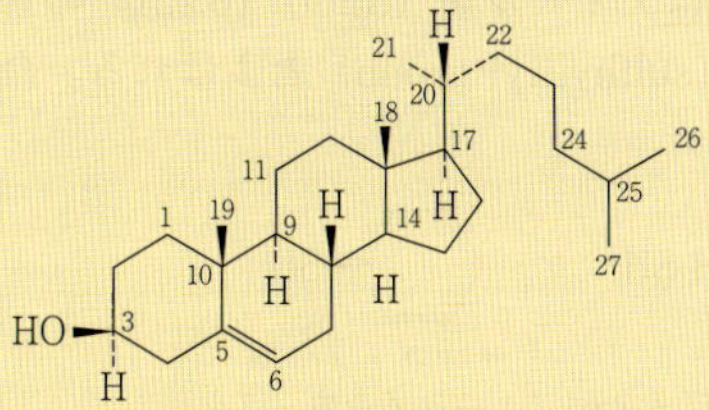

コレステロール
mp 148.5 °C

これは炭素数27（30ではない）から構成されており厳密にはテルペンでないが，生体内でテルペンのスクアレンから複雑な反応経路を通って合成され，最終段階で炭素3つが失われることがわかっている。

フェノールは，生物の物質代謝過程においてアルコールのように多様に関与していないが，二，三の例を挙げてみよう。**リグニン**（lignin）はセルロースとともに樹木の木質部を構成している複雑な構造をもった高分子状物質であり，そのおもな構成成分は3種類の類似したフェノール型アルコールである。

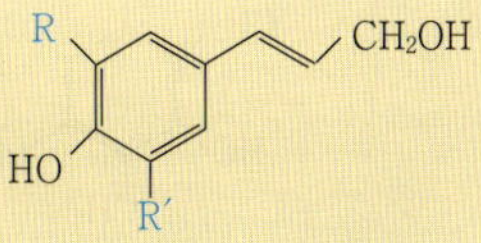

コニフェリルアルコール（R=OCH$_3$, R′=H）
シナピルアルコール（R=R′=OCH$_3$）
p-クマリルアルコール（R=R′=H）

ウルシオール（urushiol）もフェノール系の天然物であるが，有毒なつたや樫に含まれ，強い発アレルギー性があるので嫌われている。

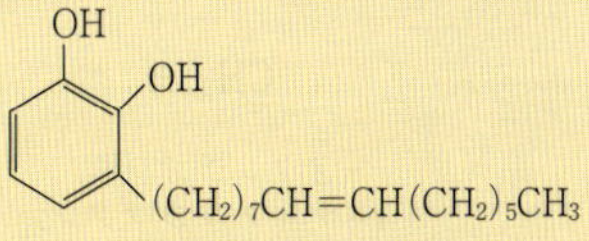

ウルシオールの一種

レスベラトロール（resveratrol）は，食品中に含まれる天然フェノール化合物である。ピーナッツやブドウなどの食品に存在していて抗酸化剤として働き，最近はガンの化学予防剤としての研究が行われている。

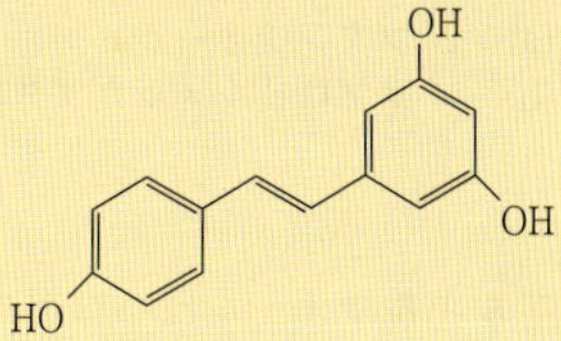

レスベラトロール

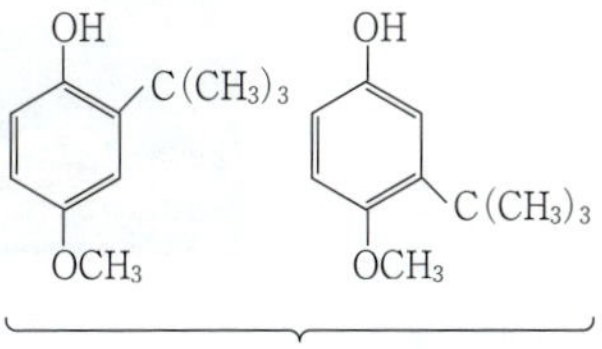

BHA 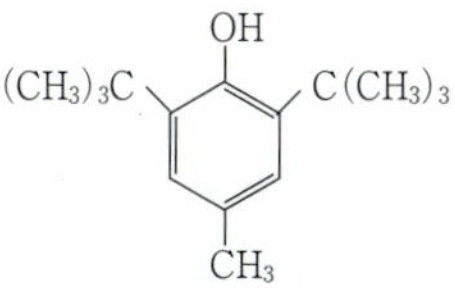   BHT

ビタミンE（vitamin E, **α-トコフェロール**）は天然物中に広く存在するフェノール類の1つである。その生物学的機能の1つは，天然の酸化防止剤としての役割である。

ビタミンE（α-トコフェロール）

7.16 アルコールならびにフェノールの硫黄類似体としてのチオール

周期表をみると硫黄は酸素のちょうど真下にあり，有機化合物の構造中で酸素にとってかわることがしばしばある。**−SH** 基はチオール類（thiol）(p.221) の官能基を示したものであり，**スルフヒドリル基**（sulfhydryl group）とよばれる。命名法はつぎのとおりである。

$$CH_3SH \qquad CH_3CH_2CH_2CH_2SH \qquad \text{C}_6\text{H}_5\text{-SH}$$

メタンチオール　　　1-ブタンチオール　　　チオフェノール
（メチルメルカプタン）（n-ブチルメルカプタン）（フェニルメルカプタン）

チオールは，水銀イオンと反応して**メルカプチド**（mercaptide）とよばれる水銀塩を生成するので，**メルカプタン**（mercaptan）とよばれることもある。

$$2\ RS + HgCl_2 \longrightarrow (RS)_2Hg + 2\ HCl \qquad (7.45)$$

メルカプチド

問題 7.22 つぎの反応式を書け。
(a) 2-ブタンチオール
(b) イソプロピルメルカプタン

アルキルチオールはハロゲン化アルキルとスルフヒドリルイオンの求核置換反応で合成できる。（表6.1，第10項）

$$R\text{-}X + {}^-SH \longrightarrow R\text{-}SH + X^- \qquad (7.46)$$

おそらくチオールの際だった特徴といえば，その強烈な不快臭であろう。よく知られているスカンクの悪臭のもとは，$CH_3CH=CHCH_2SH$ と $(CH_3)_2CHCH_2CH_2SH$ の2種類のチオールである。
チオールの酸性はアルコールよりも強い。たと

シマスカンク（Mephitis mephitis）がチオールの悪臭混合物を敵に対して吹きかけている光景

☞ **スルフヒドリール基**，**−SH**，はチオール類の官能基である。
☞ チオール類は**メルカプタン**ともよばれる。またその水銀塩は**メルカプチド**とよばれる。

7.16 アルコールならびにフェノールの硫黄類似体としてのチオール   245

A WORD ABOUT ...

まっすぐな毛髪，カールした毛髪

毛髪は**ケラチン**（keratin）とよばれる繊維状のタンパク質からできているが，そこには含硫黄アミノ酸の**シスチン**（cystine，アミノ酸のシステインが酸化によって2分子結合したもの）がタンパク質としては例外的に高濃度で含まれている．たとえば馬毛には8％ものシスチンが含有されている．

$$HO_2CCHCH_2S-SCH_2CHCO_2H$$
$$\quad\;\;|\qquad\qquad\quad\;\;|$$
$$\quad NH_2\qquad\qquad NH_2$$

シスチン（CyS―SCy）

このシスチンのジスルフィド結合は，タンパク質を構成しているアミノ酸の鎖を架橋する働きをもっている．（図7.1）．

毛髪をまっすぐにしたり，または波状に変える毛髪パーマで起こっている化学反応は，ジスルフィド結合の単純な酸化-還元反応である（式7.48）．はじめに毛髪を還元剤で処理してS-S結合を切断し，それぞれの硫黄原子を-SH基に変換する．この処理によってタンパク質の分子鎖間の架橋が切れる．つぎにこの還元された毛髪を好みに合わせてまっすぐに，あるいは巻き毛状にセットしてから酸化剤で処理すると，ジスルフィド架橋が再生される．新しいジスルフィド結合はもとの結合位置ではなく，毛髪の新たな形に応じた位置で形成されることになる．

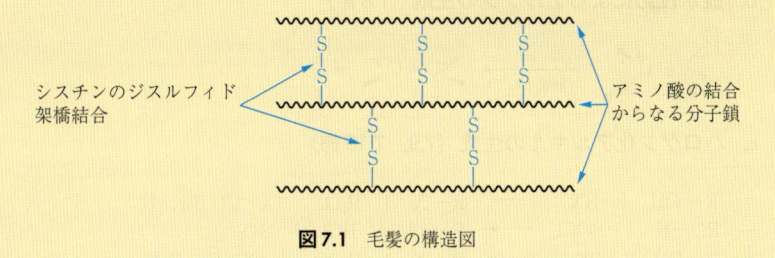

シスチンのジスルフィド架橋結合 ← → アミノ酸の結合からなる分子鎖

図7.1 毛髪の構造図

えばエタノールのpK_aは15.9なのに対してエタンチオールのpK_aは10.6である．このために塩基水溶液と容易に反応してチオラートイオンを生成する．

$$RSH\;+\;Na^+OH^-\;\longrightarrow\;RS^-Na^+\;+\;HOH \tag{7.47}$$
ナトリウムチオラート

問題 7.23 つぎの試薬とエタンチオールとの反応式を書け．
(a) KOH (b) $HgCl_2$ (c) $CH_3CH_2O^-Na^+$

チオールは過酸化水素やヨウ素などの穏和な酸化剤により容易に酸化されて，S-S結合をもった化合物の**ジスルフィド**（disulfide）になる．私たちがよく知っている天然物ジスルフィドの例に，新鮮なニンニクの臭気のもとであるジアリルジスルフィド（$CH_2=CHCH_2S-SCH_2CH=CH_2$）がある*．

---

* ニンニクは*allium*とよばれる植物種に属しているので，アリル基（allyl）の名称はこれに由来する．

☞ **ジスルフィド**とはS-S結合をもつ化合物のことである．

$$2\ RS-H \underset{還元}{\overset{酸化}{\rightleftharpoons}} RS-SR \qquad (7.48)$$

式7.48の反応は還元剤の作用でもとのチオールに戻すことができる。タンパク質中にはジスルフィド結合が存在するから、この可逆的酸化-還元反応を適用して、タンパク質構造に手を加えることができる。

反応のまとめ

1. アルコール

a. アルコキシドの生成（7.6節）

$$2\ RO-H + 2\ Na \longrightarrow 2\ RO^-Na^+ + H_2$$
$$RO-H + NaH \longrightarrow RO^-Na^+ + H_2$$

b. 脱水反応によるアルケンの生成（7.8節）

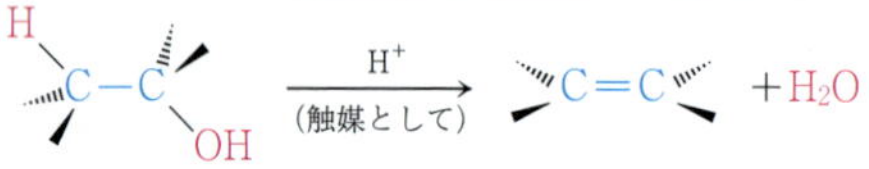

$$\underset{\ \ \ \ \ \ \ \ \ \ OH}{\overset{H}{\underset{}{>}C-C<}} \xrightarrow[\text{（触媒として）}]{H^+} >C=C< + H_2O$$

c. ハロゲン化アルキルの生成（7.9, 7.10節）

$$R-OH + HX \longrightarrow R-X + H_2O \quad (X=Cl,\ Br,\ I)$$
$$RO-H + SOCl_2 \longrightarrow R-Cl + HCl + SO_2$$
$$R-OH + PX_3 \longrightarrow R-X + H_3PO_3 \quad (X=Cl,\ Br)$$

d. 酸化（7.12節）

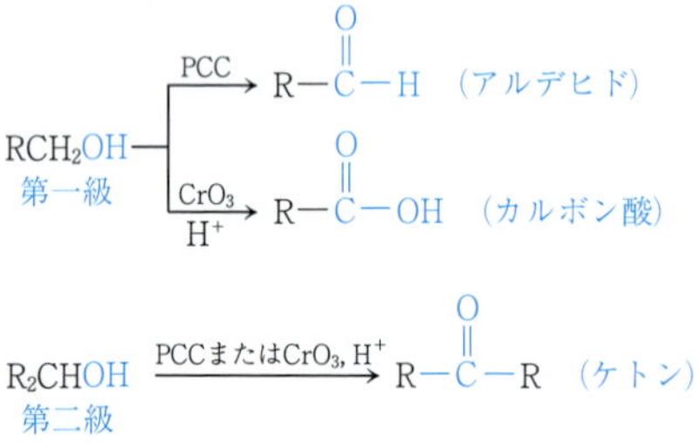

$$RCH_2OH \text{（第一級）} \begin{cases} \xrightarrow{PCC} R-\overset{O}{\underset{\|}{C}}-H \quad \text{（アルデヒド）} \\ \xrightarrow[H^+]{CrO_3} R-\overset{O}{\underset{\|}{C}}-OH \quad \text{（カルボン酸）} \end{cases}$$

$$R_2CHOH \text{（第二級）} \xrightarrow{PCC\text{または}CrO_3,\ H^+} R-\overset{O}{\underset{\|}{C}}-R \quad \text{（ケトン）}$$

2. フェノール

a. フェノキシドの調製（7.6節）

$$ArO-H + NaOH \longrightarrow ArO^-Na^+ + H_2O$$

b. 求電子芳香族置換反応（7.14節）

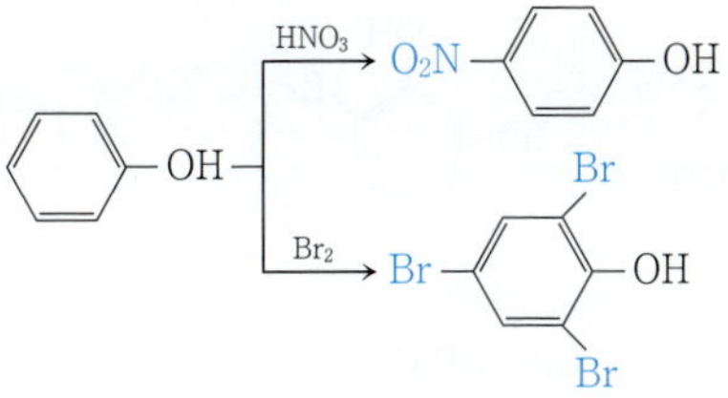

（フェノールからHNO₃でp-ニトロフェノール、Br₂で2,4,6-トリブロモフェノールの生成）

c. 酸化によるキノンの生成（7.15節）

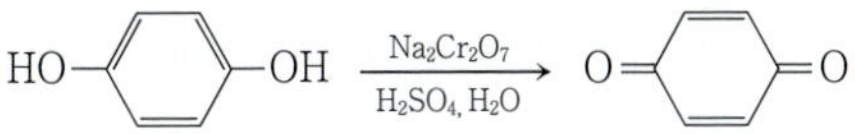

ヒドロキノン $\xrightarrow{\text{Na}_2\text{Cr}_2\text{O}_7, \text{H}_2\text{SO}_4, \text{H}_2\text{O}}$ キノン

---

3. チオール

a. チオラートの生成（7.16節）

$$\text{RS-H} + \text{NaOH} \longrightarrow \text{RS}^-\text{Na}^+ + \text{H}_2\text{O}$$
　　チオール　　　　　　　　　チオラート

b. ジスルフィドの生成（7.16節）

$$2\ \text{RSH} \xrightarrow{\text{酸化}} \text{RS-SR}$$
　　チオール　　　　　　ジスルフィド

章末問題

アルコール命名法と構造について

7.24 つぎのアルコールそれぞれに命名せよ。
(a) $\text{CH}_3\text{CH}_2\text{CH(OH)CH}_2\text{CH}_3$
(b) $(\text{CH}_3)_2\text{CHCH(OH)CH}_2\text{CH}_3$
(c) $\text{CH}_3\text{CH(Cl)CH(OH)CH}_2\text{CH}_3$
(d) $\text{CH}_3\text{CH(Cl)CH}_2\text{CH(OH)CH}_3$

7.25 つぎの化合物の構造式を書け。
(a) 2,2-ジメチル-1-ブタノール
(b) m-ブロモフェノール
(c) 2,3-ペンタンジオール
(d) 2-フェニルエタノール
(e) ナトリウムエトキシド
(f) 1-メチルシクロペンタノール
(g) cis-2-メチルシクロペンタノール
(h) (S)-2-ブタノール
(i) 2-メチル-2-プロペン-1-オール
(j) 2-シクロヘキセノール

7.26 つぎの化合物名を書け。
(a) CH₃C(CH₃)₂CH(OH)CH₃ (b) CH₃CHBrC(CH₃)₂OH

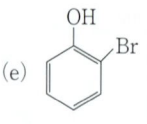

(c) 2,4,6-トリクロロフェノール (OH付き)   (d) シクロプロパン-H,OH   (e) 2-ブロモフェノール   (f) トランス-2-メチルシクロブタノール

(g) CH₃CH=CHCH₂OH (h) CH₃CH(SH)CH₃
(i) HOCH₂CH(OH)CH(OH)CH₂OH (j) CH₃CH₂CH₂O⁻ K⁺

7.27 つぎの化合物名が不適当である理由を説明し,代わって正しい化合物名を示せ。
(a) 2-エチル-1-プロパノール (b) 2,2-ジメチル-3-ブタノール
(c) 1-プロペン-3-オール (d) 2-クロロ-4-ペンタノール
(e) 3,6-ジブロモフェノール

7.28 タイモール (thymol) はタイム (thyme) から得られる油状の抗菌剤である。その IUPAC 名は 2-イソプロピル-5-メチルフェノールである。タイモールの構造式を書け。

アルコールの性質について

7.29 問題 7.25 の (a), (d), (f), (g), (h), (i), (j) のアルコールを第一級,第二級,第三級アルコールに分類せよ。

7.30 つぎの各グループごとに,水への溶解度の大きい順に化合物を並べ,その理由を説明せよ。
(a) エタノール,塩化エチル,1-ヘキサノール,
(b) 1-ペンタノール,1,5-ペンタンジオール,
HOCH₂(CHOH)₃CH₂OH

タイム (thyme, Thymus vulgaris) は抗バクテリア性植物油のタイモール (thymol) から得られる。

アルコールとチオールの酸-塩基反応

7.31 つぎに示す3つのタイプの有機化合物はルイス塩基である。これらが H⁺ と反応するときの反応式を書け。
(a) エーテル,ROR (b) アミン,R₃N (c) ケトン,R₂C=O

7.32 つぎの化合物を酸性度の強い順に並べ,その順位になる理由を説明せよ。
シクロヘキサノール,フェノール,p-ニトロフェノール,2-クロロヘキサノール

7.33 カリウム-t-ブトキシドとカリウムエトキシドとではどちらが強塩基か。(ヒント:表 7.2 の値を使うとよい)

7.34 つぎの反応式を完成させよ。
(a) CH₃CH(OH)CH₂CH₃ + K ⟶   (b) (CH₃)₂CHOH + NaH ⟶

(c) Cl-C₆H₄-OH + NaOH ⟶   (d) シクロペンタノール + NaOH ⟶

(e) CH₃CH=CHCH₂SH + NaOH ⟶

7.35 上記の問題7.34を解いたあと，c，d，eの解答が出発体の酸ならびに生成物の共役酸がもつpK_a値と矛盾していないことを，その理由と共に説明せよ。

アルコールの酸触媒脱水反応

7.36 つぎの化合物を酸触媒を用いて脱水反応させたときに生じるすべての生成物を示せ。2種類以上のアルケンが生成する場合はどちらが主生成物か示すこと。
(a) シクロヘキサノール　　(b) 1-メチルシクロペンタノール
(c) 2-ブタノール　　(d) 2-フェニルエタノール

7.37 式7.19の反応がつぎの反応よりも起こりやすい理由を説明せよ。$(CH_3)_3C-OH \rightleftharpoons (CH_3)_3C^+ + OH^-$ （イオン化を起こす前段階としてプロトン化が必要である理由を説明すればよい）。

7.38 t-ブチルアルコールの脱水反応（式7.21）について反応のエネルギー図を書け。そこでは式7.18〜7.20に示された反応段階を忘れずに示すこと。

7.39 式7.24の反応機構に含まれるすべての反応段階を書き，そこから2つの生成物が誘導されることを示せ。

アルコールからハロゲン化アルキルの生成

7.40 式7.26の反応は式7.28の反応よりも速いが，生成物の収率は低い。すなわち塩化t-ブチルの収率は80％にすぎないが，塩化n-ブチルは100％生成する。式7.26での副生成物とその生成機構を示せ。また式7.28では副生成物が生じない理由についても説明せよ。

7.41 3-ブテン-2-オールを濃塩酸と反応させると，3-クロロ-1-ブテンと1-クロロ-2-ブテンの2つの混合物が生成物として得られる。2つの生成物が得られる理由を説明できる反応機構を書け。

アルコールの反応と合成

7.42 つぎの反応を反応式で示せ。
(a) 2-メチル-2-ブタノール ＋ HCl　　(b) 1-ペンタノール ＋ 金属Na
(c) シクロペンタノール ＋ PBr_3　　(d) 2-フェニルエタノール ＋ $SOCl_2$
(e) 1-メチルシクロペンタノール ＋ 濃硫酸，加熱
(f) エチレングリコール ＋ $HONO_2$　　(g) 1-オクタノール ＋ $HBr + ZnBr_2$
(h) 1-ペンタノール ＋ NaOH水溶液　　(i) 1-ペンタノール ＋ CrO_3, H^+
(j) 2-シクロヘキシルエタノール ＋ PCC

7.43 アルケンの酸触媒水和反応により工業的に製造できる非環状の4炭素アルコール類を示せ（Markovnikov則を忘れないこと）。

7.44 つぎの合成反応を2段階反応として反応式を書いて示せ。
(a) シクロヘキセンからシクロヘキサノン
(b) 1-クロロブタンからブタナール
(c) 1-ブタノールから1-ブタンチオール

アルコール，フェノール，チオールの酸化反応

7.45 シトロネロールはローズ油中に含まれるテルペン（15章参照）類のアルコールである。これをピリジニウムクロロクロマート（PCC）で酸化して得られる生成物はレモン油の成分である。

= 総合問題

シトロネロール の構造: (CH₃)₂C=CHCH₂CH₂C(CH₃)=CHCH₂OH　→PCC

(a) シトロネロールをPCCで酸化して得られる生成物の構造式を書け。

(b) シトロネロールにはアルケン官能基が存在する。シトロネロールをJones試薬 (p.237) で酸化した場合に，アルコールの酸化以外にどのような反応が生じる可能性があるだろうか，答えよ（ヒント：問題7.44）。

7.46 コレステロール（構造はp.243）を $CrO_3 + H^+$ で酸化すると何が得られるか示せ。

7.47 つぎの化合物を酸化して得られるキノンの構造を書け。

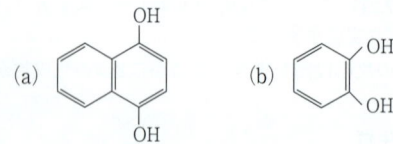

(a) 1,4-ジヒドロキシナフタレン　(b) カテコール（1,2-ベンゼンジオール）

7.48 ジメチルジスルフィド，CH_3S-SCH_3，は雌ハムスターの生殖腺分泌物中に含まれ，雄ハムスターの性誘引物質として働く。メタンチオールからこれを合成する反応式を書け。

7.49 $[(CH_3)_2CHCH_2CH_2S-]_2$ の構造をもったジスルフィドはミンクの臭気分泌物中に含まれる成分である。3-メチル-1-ブタノールを原料としてこのジスルフィドを合成する反応を考えよ。

CHAPTER 8

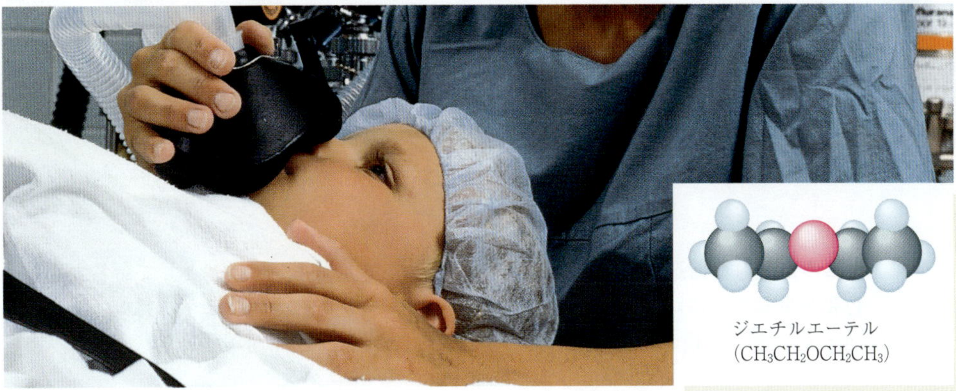

ジエチルエーテル
($CH_3CH_2OCH_2CH_3$)

エーテルとエポキシド

8.1	エーテルの命名法
8.2	エーテルの物理的性質
8.3	エーテルの溶媒としての用途
8.4	Grignard試薬と有機金属化合物
8.5	エーテルのつくり方
8.6	エーテルの開裂
8.7	エポキシド（オキシラン）
8.8	エポキシドの反応
8.9	環状エーテル
A WORD ABOUT ...	
8.6	エーテルと麻酔剤
8.7	マイマイガのエポキシド

　エーテルという名称を聞くと，多くの人は病院のにおいや麻酔剤のエーテルのことを思うだろう。しかし化学で使う**エーテル**（ether）の名称は，1つの酸素原子に有機基が2つ結合した化合物全般の総称であり，麻酔剤のエーテルはその1つにすぎない。エーテルの一般構造式はR－O－R′で示され，RとR′は同じか，または異なる種類の有機基でもよく，アルキル基，アリール基のいずれでもよい。麻酔剤のエーテルはRが2つともエチル基でCH_3CH_2－O－CH_2CH_3の構造をもっている。

　本章ではまずエーテル類の物理的性質ならびに化学的性質について説明する。つぎに炭素-マグネシウム結合をもった有機金属化合物のGrignard試薬がエーテルの溶媒特性を利用してつくられることや，重要な工業原料である3員環エーテルの**エポキシド**（epoxide）などを中心に解説する。

▲ 吸入麻酔剤を吸わせているところ。ジエチルエーテルのほかに最近はハロゲン化エーテル類が，一般的な吸入型麻酔薬として使われている。

8.1 エーテルの命名法

エーテルでは，2つのアルキル基またはアリール基をアルファベット順に並べたあとにエーテルという言葉を続けるのが一般的な命名法である。

$CH_3CH_2-O-CH_3$　　$CH_3CH_2-O-CH_2CH_3$　　$C_6H_5-O-C_6H_5$

エチルメチルエーテル　　ジエチルエーテル　　ジフェニルエーテル
　　　　　　　　　　　（接頭語のジは省略してもよい）

ところが複雑な構造のエーテルでは，−OR 基をアルコキシ置換基として命名する必要が生じてくる。IUPAC 命名法に従って，エーテルを小さなほうのアルコキシ（alkoxy）基で置換された炭化水素として命名した例をつぎに示す。

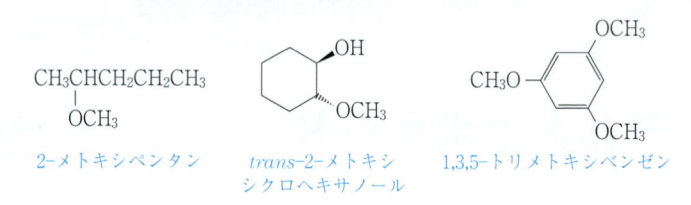

$CH_3CHCH_2CH_2CH_3$
　$|$
　OCH_3

2-メトキシペンタン　　　*trans*-2-メトキシシクロヘキサノール　　1,3,5-トリメトキシベンゼン

例 題 8.1

この構造をもつ化合物に正しく命名せよ。

$CH_3CHCH(CH_3)_2$
　$|$
　OCH_2CH_3

解答

$\overset{1}{C}H_3\overset{2}{C}H\overset{3}{C}H\overset{4}{C}H_3$ （CH₃ が 3 位に結合）
　　$|$
　　OCH_2CH_3

2-エトキシ-3-メチルブタン

問 題 8.1　つぎの化合物の正しい名称を書け。

(a) $(CH_3)_2CHOCH_3$　　(b) $C_6H_5-O-CH_2CH_2CH_3$　　(c) 1-メチル-1-エトキシシクロヘキサン（構造式）

問 題 8.2　つぎの化合物の構造式を書け。

(a) ジシクロプロピルエーテル　　(b) 2-メトキシオクタン

☞ **エーテル**とは，2つの有機基が酸素原子1つで結合した化合物のことである。**エポキシド**とは，3員環の環状エーテルのことである。

8.2 エーテルの物理的性質

エーテルは一般に特有の芳香をもった無色の化合物である。その沸点は同じ炭素数のアルコールに比べると低く，むしろエーテルの酸素原子を－CH_2－で置き換えた形の炭化水素の沸点に近い。表8.1の数値がそれをよく示している。対応するアルコールよりも低い沸点をもつ理由は，エーテルが分子間水素結合を形成できない構造（O－H結合がない）をもつからである。そのために対応するアルコール*よりもはるかに低沸点を有する。

問題 8.3 3-メトキシ-1-プロパノール，1,2-ジメトキシエタン，1,4-ブタンジオールの3つの化合物は互いに構造異性体の関係にある。構造式を書き，沸点の高いほうから順に並べよ。

エーテル分子どうしの間では水素結合は形成できないが，アルコールのように－OH基をもった化合物とエーテルとの間では可能である。

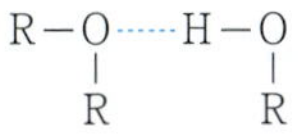

$$\begin{array}{c} R-O\cdots\cdots H-O \\ | \qquad\qquad | \\ R \qquad\qquad R \end{array}$$

だから一般にアルコールとエーテルとはよく溶解する。ジメチルエーテルのような低分子量のエーテルは水にもかなり溶解する。同様にジエチルエーテルもそこそこ水に溶解し，その異性体である1-ブタノールとよく似ている。その理由はどちらも水と水素結合を形成できるからである。またエーテルの密度は一般に水よりも低い。

8.3 エーテルの溶媒としての用途

エーテルは比較的不活性な化合物であり，希薄な酸や塩基，また一般の酸化剤や還元剤とも反応しない。金属ナトリウムとも反応しないのでアルコール類と明確に区別できる。

表 8.1

化合物名	構造式	bp	mol wt	水溶性 (g/100 ml, 20℃)
ブタノール	$CH_3CH_2CH_2CH_2OH$	118℃	74	7.9
ジエチルエーテル	$CH_3CH_2-O-CH_2CH_3$	35℃	74	7.5
ペンタン	$CH_3CH_2-CH_2-CH_2CH_3$	36℃	72	0.03

---

* エーテルはアルカンよりもやや大きな極性をもっているが，エーテル分子間の集合力は主としてvan der waals（ファン・デル・ワールス）求引力である（2.7節参照）。

このようにエーテルは全般的に反応不活性であるのと同時に，たいていの有機化合物を溶解する性質があるので，有機反応用のすぐれた溶媒として使用されている。

天然物から有機化合物を抽出するのに，エーテルを溶媒として用いることが多く，なかでもジエチルエーテルがとくにすぐれている。このエーテルは低沸点であり，抽出物から容易に除去したり蒸留によって回収できる。しかし引火性がきわめて高いので，火気のあるところでは十分に注意して取り扱う必要がある。また長期間空気にさらされたエーテルには，空気酸化反応で生成した有機過酸化物が通常含まれている。

$$CH_3CH_2OCH_2CH_3 + O_2 \longrightarrow \underset{\text{エーテルヒドロペルオキシド}}{CH_3CH_2OCHCH_3 \atop |\atop OOH} \tag{8.1}$$

この過酸化物（ペルオキシド）は爆発しやすいので，エーテルを安全に使用するためにはまえもってこれを除去しておく必要がある。そのための前処理法としては，エーテルを硫酸第一鉄（$FeSO_4$）水溶液と振って過酸化物を還元的に分解する方法などが知られている。

8.4 Grignard試薬と有機金属化合物

エーテルの溶媒和の能力を示すもっともよい例は **Grignard試薬**（Grignard reagent）の調製であろう。この試薬はフランスの有機化学者Victor Grignard［グリニャー（ド）と発音する］によって発見され，有機合成化学においてきわめて有用な試薬として使用されている。Grignardはこの業績により，1912年にノーベル賞を受賞した*

Grignardはマグネシウム箔をハロゲン化アルキルまたはハロゲン化アリールのエーテル溶液中で撹拌すると，発熱反応が起こることを見いだした。そこでは，エーテルに不溶のはずのマグネシウムがハロゲン化合物との反応により消失して，エーテルに溶解したGrignard試薬が生成したのである。

$$R-X + Mg \xrightarrow{\text{乾燥エーテル}} \underset{\text{Grignard試薬}}{R-MgX} \tag{8.2}$$

この反応では，ハロゲン化アルキルの炭素-ハロゲン結合が切断して，アルキル基とハロゲンの二つの基がマグネシウムに結合する。

---

* Grignardがどのようにしてこの試薬を見いだしたか，その詳細はつぎに述べられている。D. Holdson, *Chemistry in Britain*, **1987**, 141〜42。

☞ **Grignard試薬**とは，ハロゲン化アルキルマグネシウムあるいはハロゲン化アリールマグネシウムのことである。

8.4 Grignard試薬と有機金属化合物

　Grignard試薬を調製するときに使用されるエーテルはこの試薬の構造中にはふつう書かれないが，実は重要な役割を果たしている。すなわち，エーテルがもっている酸素原子上の非共有電子対が試薬のマグネシウムに配位して，これを安定化しているのである。

$$\begin{array}{c} R\quad R \\ \diagdown\ddot{\ddot{O}}\diagup \\ R'-Mg-X \\ \diagup\ddot{\ddot{O}}\diagdown \\ R\quad R \end{array}$$ エーテルは一種のルイス塩基として働き，Grignard試薬を安定化している。

　Grignard試薬の調製にはジエチルエーテルのほかに環状エーテルのテトラヒドロフラン（THFと略記，p.264）もしばしば使用される。これらのエーテルは水やアルコールをできるだけ含まず，厳密に乾燥されたものでなければならない。そうでないとGrignard試薬をつくることはきわめて難しい。

　Grignard試薬の命名法をつぎの反応式に示す。

$$CH_3-I + Mg \xrightarrow{エーテル} CH_3MgI \qquad (8.3)$$
ヨウ化メチル　　　　　　　ヨウ化メチルマグネシウム

$$C_6H_5-Br + Mg \xrightarrow{エーテル} C_6H_5-MgBr \qquad (8.4)$$
ブロモベンゼン　　　　　　臭化フェニルマグネシウム
（phenylmagnesium bromide）

　ここで注意すべきことは，有機基とマグネシウムの名称は続けて綴り，ハライドの名称は続けないことを覚えてほしい（訳者注：英語で命名する場合のこと）。

　Grignard試薬は一般に，アルキル基またはアリール基が負電荷をもつカルボアニオン（炭素陰イオンのこと）として，マグネシウムは正電荷を帯びているものとして反応する。

$$\overset{\delta^-}{R}-\overset{\delta^+}{MgX}$$

カルバニオン（carbanion）は強塩基である（きわめて弱い酸である炭化水素の共役塩基だからである）。したがって水のように弱い酸やO–H，S–H，N–H結合をもっている化合物と激しく反応するのも不思議ではない。

$$\overset{\delta^-}{R}-MgX + \overset{\delta^+}{H}-OH \longrightarrow R-H + Mg^{2+}(OH)^-X^- \qquad (8.5)$$
強い塩基　　強い酸　　　　弱い酸　　弱い塩基

☞　**カルバニオン**とは負電荷を帯びた炭素原子をもつアルキルあるいはアリール基のことであり，一般に強塩基である。

試薬調製に用いるエーテルを完全に乾燥させたりアルコールを含まない状態にしておかなければならないのはこのためである。

問題 8.4 つぎの反応の反応式を書け。
(a) ヨウ化メチルマグネシウムと水
(g) 臭化フェニルマグネシウムとメタノール

例題 8.2

$HOCH_2CH_2CH_2Br$ とマグネシウムとから Grignard 試薬はつくれるだろうか。
解答 つくれない。Grignard 試薬がたとえ生成しても，それはただちに OH 基のプロトンによって分解されてしまう。同一分子内に Grignard 基と水酸基とは同時に存在できない。

問題 8.5 $CH_3OCH_2CH_2CH_2Br$ から Grignard 試薬をつくることは可能か，不可能かを説明せよ。

Grignard 試薬と水との反応は有益な反応として応用できる。たとえば重水 (D_2O) を使用すると，ハロゲンに代わり重水素を入れることができる。

$$CH_3-\text{C}_6H_4-Br \xrightarrow[\text{エーテル}]{Mg} CH_3-\text{C}_6H_4-MgBr \xrightarrow{D_2O} CH_3-\text{C}_6H_4-D \qquad (8.6)$$

p-ブロモトルエン　　　臭化 p-トリルマグネシム　　　p-ジューテリオトルエン

この反応は有機化合物に同位体標識をとり入れる方法として有効である。

例題 8.3

$CH_2=CHCH_3$ から CH_3CHDCH_3 をつくる方法を示せ。
解答

$$CH_2=CHCH_3 \xrightarrow{HBr} CH_3CHCH_3 \xrightarrow[\text{エーテル}]{Mg} CH_3CHCH_3 \xrightarrow{D_2O} CH_3CHDCH_3$$
$$\qquad\qquad\qquad\quad |\qquad\qquad\qquad\quad |$$
$$\qquad\qquad\qquad\quad Br\qquad\qquad\qquad MgBr$$

問題 8.6 $(CH_3)_2CHOH$ から CH_3CHDCH_3 をつくる方法を示せ。

Grignard 試薬は炭素–金属結合をもっているので，分類上は**有機金属化合物**（organometallic compound）に属している。有機金属化合物は数多く知られており（式3.53のアセチリドもその1つ），なかでも**有機リチウム化合物**（organolithium compound）は有機合成上とくに有用である。これも Grignard 試薬と同様の方法で調製できる。

☞ **有機金属化合物**とは，炭素–金属結合をもった有機化合物のことである。

$$\text{R-X} + 2\text{Li} \xrightarrow[\text{アルキルリチウム}]{\text{エーテル}} \text{R-Li} + \text{Li}^+\text{X}^- \tag{8.7}$$

問題 8.7 (a) プロピルリチウム (b) 1-ブチンのアセチリド，の2つのつくり方と，その重水（D_2O）との反応を反応式で示せ。

合成反応における有機金属化合物の使用例は，本章の後半部および他章でも説明する。

8.5 エーテルのつくり方

工業的に重要なエーテルはジエチルエーテルであり，これはエタノールと硫酸との反応で製造されている。

$$\underset{\text{エタノール}}{\text{CH}_3\text{CH}_2\text{OH}} + \text{HOCH}_2\text{CH}_3 \xrightarrow[140^\circ\text{C}]{\text{H}_2\text{SO}_4} \underset{\text{ジエチルエーテル}}{\text{CH}_3\text{CH}_2\text{OCH}_2\text{CH}_3} + \text{H}_2\text{O} \tag{8.8}$$

エタノールは硫酸により脱水されてエチレン（式7.17）あるいはジエチルエーテル（式8.8）になるが，それぞれを与える反応条件は異なる。このことは，反応条件を反応式に明記して反応をコントロールすることの大切さを例示している。

問題 8.8 式7.17に示した反応はE2機構で進行する（式7.22ならびに式7.23参照）。それでは式8.8の反応はどのような機構で進行するのか，答えよ。

この反応はほかのエーテル合成にも適用できる。ことに第一級アルコールから対称型エーテルを合成する一般的な方法として使われる。

問題 8.9 1-プロパノールからジプロピルエーテルを合成する反応式を示せ。

無鉛ガソリンのオクタン価を高める添加剤の t-ブチルメチルエーテルと t-ブチルエチルエーテルの工業的製造が最近重要になってきた。その製造法は2-メチルプロペンとメタノールを酸触媒を用いて付加させる反応である。この反応はアルケンへの水の付加反応（3.7 b）に似ている。唯一違うところは，水の代わりにアルコールのメタノールが求核剤として使われている点である。

$$\underset{\text{メタノール}}{\text{CH}_3\text{OH}} + \underset{\text{2-メチルプロペン}}{\text{CH}_2=\text{C}(\text{CH}_3)_2} \xrightarrow{\text{H}^+} \underset{t\text{-ブチルメチルエーテル}}{\text{CH}_3\text{O}-\underset{\underset{\text{CH}_3}{|}}{\overset{\overset{\text{CH}_3}{|}}{\text{C}}}-\text{CH}_3} \tag{8.9}$$

問題 8.10 式8.9の反応機構を段階的に書け（式3.18ならびに式3.20をみよ）。

実験室規模で非対称型のエーテルを合成するのに適した反応は，Williamson 合成法であろう。この名称はこの反応を考案した英国の化学者にちなんでつけられた。この反応は2段階からなり，いずれもすでに学んだものである。1段階目は，アルコールをナトリウムやカリウムのような反応活性の高い金属または金属水素化物（式7.12，7.13参照）と反応させてアルコキシドに変換する。2段階目は，アルコキシドとハロゲン化アルキルとの S_N2 置換反応である（表6.1の第2項参照）。この Williamson 合成法をまとめるとつぎの2つの一般式で表される。

$$2\,ROH + 2\,Na \longrightarrow 2\,RO^-Na^+ + H_2 \tag{8.10}$$

$$RO^-Na^+ + R'-X \longrightarrow ROR' + Na^+X^- \tag{8.11}$$

2段階目の反応が S_N2 反応であるから，ハロゲン化アルキルの R′ 基には第一級アルキル基を用いるのが最適であり，第三級アルキル基は不適当である。

例題 8.4

Williamson 合成法を用いて $CH_3OCH_2CH_2CH_3$ を合成する反応式を書け。

解答　アルコールとハロゲン化アルキルの組み合わせにより，2つの反応が可能である。

$$\underset{CH_3O^-Na^+\ +\ XCH_2CH_2CH_3}{\overset{\uparrow}{CH_3OCH_2CH_2CH_3}} \quad \text{または} \quad \underset{CH_3X\ +\ Na^{+\,-}OCH_2CH_2CH_3}{\overset{\uparrow}{CH_3OCH_2CH_2CH_3}}$$

その反応式はそれぞれ

$$2\,CH_3OH + 2\,Na \longrightarrow 2\,CH_3O^-Na^+ + H_2$$
$$CH_3O^-Na^+ + CH_3CH_2CH_2X \longrightarrow CH_3OCH_2CH_2CH_3 + Na^+X^-$$

あるいは

$$2\,CH_3CH_2CH_2OH + 2\,Na \longrightarrow 2\,CH_3CH_2CH_2O^-Na^+ + H_2$$
$$CH_3CH_2CH_2O^-Na^+ + CH_3X \longrightarrow CH_3CH_2CH_2OCH_3 + Na^+X^-$$

ここでの X は一般に Cl，Br，I である。

問題 8.11

下記のエーテルを Williamson 合成法を用いて合成する反応式を示せ。

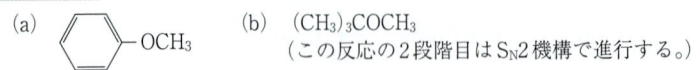

(a) ⌬-OCH_3　　(b) $(CH_3)_3COCH_3$
（この反応の2段階目は S_N2 機構で進行する。）

8.6 エーテルの開裂

エーテルは酸素原子上に非共有電子対をもっているからルイス塩基と考えてよい。このため強いプロトン酸やハロゲン化ホウ素などのルイス酸と反応する。

$$R-\ddot{O}-R' + H^+ \rightleftharpoons R-\overset{H}{\underset{|}{\overset{|}{O}}}-R' \qquad (8.12)$$

$$R-\ddot{O}-R' + Br-\underset{\underset{Br}{|}}{B}-Br \rightleftharpoons R-\overset{+}{\underset{|}{\ddot{O}}}-R' \qquad (8.13)$$
$$\phantom{R-\ddot{O}-R' + Br-B-Br \rightleftharpoons}\ Br-\underset{\underset{Br}{|}}{B}-Br$$

この反応はアルコールと強酸の反応に似ており（式7.18），RおよびR′が第一級または第二級アルキル基の場合は，酸の対イオン（共役塩基）が良好な求核剤（たとえばBr^-やI^-のとき）となってエーテルが開裂する。

$$CH_3CH_2OCH(CH_3)_2 + HI \xrightarrow{\text{加熱}} CH_3CH_2I + HOCH(CH_3)_2 \qquad (8.14)$$
エチルイソプロピル　　　　　　　　　ヨウ化エチル　　イソプロピル
エーテル　　　　　　　　　　　　　　　　　　　　　　アルコール

$$\text{C}_6\text{H}_5-OCH_3 + BBr_3 \xrightarrow[\text{2. H}_2\text{O}]{\text{1. 加熱}} \text{C}_6\text{H}_5-OH + CH_3Br \qquad (8.15)$$
アニソール　　　　　　　　　　　　　フェノール　　　臭化メチル

RまたはR′が第三級アルキル基の場合には，この反応はS_N1（またはE1）機構で進行するので，強い塩基を必要としない。

$$\text{C}_6\text{H}_5-OC(CH_3)_3 \xrightarrow[\text{H}_2\text{O}]{\text{H}^+} \text{C}_6\text{H}_5-OH + (CH_3)_3COH \qquad (8.16)$$
t-ブチルフェニル　　　　　　フェノール　　t-ブチルアルコール
エーテル　　　　　　　　　　　　　　　　（$(CH_3)_2C=CH_2$も生成）

この反応の結果，エーテルの2つのC−O結合のうち1つが切断される。このエーテル開裂反応を複雑な構造をもった天然物エーテルに適用すると，大きな天然物分子を分析しやすい低分子量の断片に切断できることが多く，構造決定の有効な手段となる。

例題 8.5

式8.14の反応機構を段階的に書け。

解答　はじめにエーテルが酸によってプロトン化される。

A WORD ABOUT ...

エーテルと麻酔剤

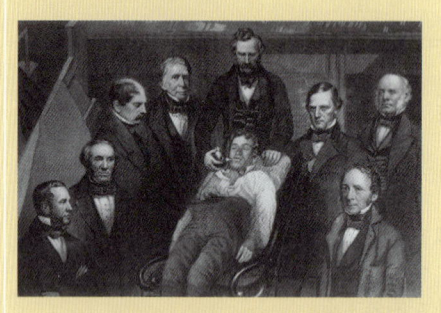

エーテルによる全身麻酔の公開実験を最初に行ったWilliam T.G. Morton博士

1840年代以前は，外科手術の苦痛を和らげるためにありとあらゆる方法が試みられていたが（たとえば窒息法，神経組織の圧迫，麻薬やアルコールの使用など），病気よりも手術のほうが患者にとって大きな苦痛であった。しかし現在の外科手術は手術用麻酔剤の開発によって大きな変革をとげたのである。その緒端は19世紀半ばに行ったいくつかの臨床実験にみられるが，なかでも1846年にボストンの歯科医William T. G. Mortonがエーテルを麻酔剤として使って行われた口腔腫瘍の切除手術は有名である。当時はエーテルのほかに亜酸化窒素やクロロホルムが使われていた。

麻酔には**全身麻酔**（general anesthetics）と局部麻酔の2つがある。全身麻酔の目的は，痛覚まひ，知覚まひ，筋肉し緩，の3つにある。亜酸化窒素やシクロプロパンなどの気体，エーテルなどの揮発性液体は吸入法により，バルビタールのような一般麻酔剤は静脈注射法により使用される。

麻酔剤が中枢神経系にどのような機構で作用するのかまだ完全には解明されていないが，意識を失う機構はいくつか考えられている。たとえば神経細胞膜の性質の変化，ある種の酵素反応の抑制，脂質膜への麻酔剤の溶解，などが原因であるといわれている。

有効な吸入型麻酔剤は，高い揮発性と血液や組織中への適度の溶解性を示すものでなければならない。さらに安定性と低反応性，不燃性，低毒性，効きめの確実性，などの条件も満たし，臭気やおう吐などの作用も可能な限り低いものが望まれる。しかし，これらすべての条件を満足するような麻酔剤はまだ開発されていないのが現状である。**ジエチルエーテル**（diethyl ether）はもっともよく知られている麻酔剤であるが，引火性やおう吐作用，遅効性などの欠点をもっている。しかし効きめは確実で痛覚麻痺と筋肉し緩の目的に適しており，いまでも目的を限って使用されている。現在使用されている麻酔剤のなかでは**ハロタン**（halothane, $CF_3CHBrCl$）がもっとも理想に近い吸入型麻酔剤だと考えられている。**エンフルラン**（enflurane, CHF_2-O-CF_2CHCIF）のようなハロゲン化エーテル類も使用されている。

局部麻酔（local anesthetics）は体の特定部位の痛覚を除くために，皮膚へ塗布したり神経組織近傍に注射して用いられる。このタイプの麻酔剤としてよく知られるプロカイン（商品名；ノボカイン）は芳香族アミノ酸エステルの一種である（p. 436のA Word About「モルヒネと含窒素医薬品」をみよ）。

このような麻酔剤の発達は高度の外科手術を可能にし，現代医学の進歩に大きく貢献しているのである。

$$CH_3CH_2\ddot{O}CH(CH_3)_2 \underset{}{\overset{H^+}{\rightleftharpoons}} CH_3CH_2\overset{\overset{H}{|}}{\underset{|}{O}}CH(CH_3)_2$$
オキソニウムイオン

ここで生成する**オキソニウムイオン**（oxonium ion）は，ヨウ化物イオンのS_N2攻撃を第

8.7 エポキシド（オキシラン）

一級炭素上に受けて切断される（S_N2反応での反応しやすさは第一級炭素＞第二級炭素である）。

$$I^- \ + \ CH_3CH_2\text{-}\overset{+}{O}\overset{H}{\underset{}{}}CH(CH_3)_2 \ \longrightarrow \ CH_3CH_2I \ + \ HOCH(CH_3)_2$$

問題 8.12 式8.16に示すt-ブチルアルコールの生成反応の機構を段階的に書き表せ。そしてフェニル基側あるいはt-ブチル基側のどちらのC－O結合が開裂するのかを示せ。

8.7 エポキシド（オキシラン）

エポキシド（epoxide）（またはオキシランともいう）は酸素1つを含む3員環構造をもった環状エーテルである。

エチレンオキシド　　　　cis-2-ブテンオキシド　　　　trans-2-ブテンオキシド
（オキシラン）　　　（cis-2,3-ジメチルオキシラン）　（trans-2,3-ジメチルオキシラン）
bp 13.5℃　　　　　　　　bp 60℃　　　　　　　　　　bp 54℃

工業的に重要なエポキシドはエチオレンオキシドであろう。これは銀触媒を用いてエチレンを空気酸化する方法により製造されている。

$$CH_2=CH_2 \ + \ O_2 \ \xrightarrow[250℃, \ 加圧]{銀触媒} \ \underset{\text{エチレンオキシド}}{CH_2\text{-}CH_2 \atop \diagdown O \diagup} \qquad (8.17)$$

エチオレンオキシドの年間生産量は米国では3 400万t以上にも達している。そのまま使用される量はわずかであり（穀物倉庫のくん蒸剤など），ほとんどは他の有機製品の製造原料として広い用途に用いられている。その代表的なものがエチレングリコールの製造である。

式8.17の反応はエチレンオキシドの製造だけに有効である。その他のエポキシドをつくるにはアルケンを有機過酸（簡単に過酸とよんでいる）と反応させればよい。

$$\underset{\text{シクロヘキサン}}{\bigcirc} \ + \ \underset{\text{有機過酸}}{R\text{-}\overset{\overset{O}{\|}}{C}\text{-}O\text{-}O\text{-}H} \ \longrightarrow \ \underset{\substack{\text{シクロヘキセン}\\\text{オキシド}}}{\bigcirc\!\!\!-\!\!O} \ + \ \underset{\text{有機酸}}{R\text{-}\overset{\overset{O}{\|}}{C}\text{-}OH} \qquad (8.18)$$

有機過酸は，構造がよく似た過酸化水素H－O－O－Hと同じように良好な酸化剤で

A WORD ABOUT...

マイマイガ (gypsy moth) のエポキシド

昆虫は特有の化学物質を放出し，同じ仲間どうしでさまざまな情報交換を行っている。このような物質を**フェロモン** (pheromone) とよぶが，この言葉はギリシャ語の pherein（運搬すること）と horman（興奮すること）に由来する。放出される量も検知される量もごく微量だが，その生理的効果は強力である。主たるフェロモンの働きは異性誘引と性刺激だが，そのほかにも仲間に危険を知らせる警告フェロモン，雌雄両性をよび集める集合フェロモン，仲間を食糧のある場所へ導く臭跡フェロモンなどがある。

フェロモンは単純な構造をもった化合物であることが多い。たとえばアルコール，エステル，アルデヒド，ケトン，エーテル，エポキシド，炭化水素などの化合物であったり，その混合物である。その例として，家蠅ならびに蚕それぞれの誘引物質である**ムスカルア** (muscalure) と**ボンビコール** (bombykol)

マイマイガのオス（上）とメス（下）

ある。大規模に酸化を行うときは過酢酸を使用するが，実験室規模の反応では m-クロロ過安息香酸（R = m-クロロフェニル基）がよく使用される。

問題 8.13 シクロペンテンと m-クロロ過安息香酸との反応式を書け。

8.8 エポキシドの反応

エポキシドは3員環がひずみをもっているので，ふつうのエーテルと比べるとはるかに高い反応性を示し，開環生成物を生成する。たとえば酸触媒により水と反応してグリコールを与える。

$$\underset{\text{エチレンオキシド}}{\underset{O}{CH_2-CH_2}} + H-OH \xrightarrow{H^+} \underset{\text{エチレングリコール}}{\underset{OH \ \ OH}{CH_2-CH_2}} \tag{8.19}$$

この反応を用いて工業的に生産されているエチレングリコールは，米国だけでも年産約2300万tにも達している。その半分は自動車用不凍液として，残り半分の多

の2つを示す。フェロモンは適度な拡散速度が保てる程度の揮発性をもつ必要がある。また，種保存のためには，他種の昆虫を誘引せず，種の特異性が保てるように種固有の分子構造をもった化合物である必要がある。このため，フェロモン分子中の二重結合やキラル中心の立体異性に特異性をもたせたり，2つ以上の化合物を種固有の一定割合で混合するなどして，特定の情報交換を行っている。

$CH_3(CH_2)_7$ $(CH_2)_{12}CH_3$
C=C
H   H
ムスカルア

$CH_3(CH_2)_2$ H $(CH_2)_8CH_2OH$
           C=C
C=C   H
H   H
    H
ボンビコール

マイマイガ（lymantria dispar）の性誘引物質に **disparlure** とよばれるフェロモンがある。マイマイガの幼虫は春にふ化し，すさまじい食欲で樹木をたちまち丸裸にしてしまうので，森林や果樹園の略奪者ともよばれている。この成虫の未交尾の雌は腹腔突起部に性誘引物質を貯蔵している。この物質を78 000匹から抽出単離して構造解析したところ，cis-エポキシ構造をもったつぎの化合物であることが明らかになった。

$(CH_3)_2CH(CH_2)_4$ $(CH_2)_9CH_3$
              7 8
              O
              H   H

$(7R,8S)-(+)-7,8$-エポキシ-2-メチルオクタデカン
(disparlure)

生理活性を示す異性体はC-7位がR，C-8位がSの絶対立体配置をもっている。この異性体が10^{-10}g/mlというきわめて低濃度で存在するだけでもマイマイガの雄は反応を示すが，その対掌体のエポキシドではその100万倍の高濃度でもまったく効果を示さない。
　このdisparlureは比較的容易に合成できるから，これを利用してマイマイガの雄を誘引捕獲し，繁殖を抑制できる。この手法は殺虫剤の散布法よりも明らかに一歩進んだ害虫防御方法といえよう。

くはDacronなどのポリエステル繊維製造用として使用されているのが現状である。

例題 8.6

式8.19の反応機構を示す反応式を書け。

解答　はじめの反応はエポキシド酸素の可逆的なプロトン化反応である。

$$CH_2-CH_2 + H^+ \rightleftharpoons CH_2-CH_2$$
$$\quad\;\; O \qquad\qquad\qquad\quad O^+$$
$$\qquad\qquad\qquad\qquad\qquad\;\; H$$

2段階目の反応は第一級炭素上への水のS_N2置換反応である。そのあとプロトンが失われてグリコールが生成する（表6.1参照）。

$$H_2\ddot{O}: + CH_2-CH_2 \longrightarrow H-\overset{+}{O}-CH_2-CH_2-OH \rightleftharpoons HO-CH_2CH_2-OH + H^+$$
$$\qquad\qquad\; O \qquad\qquad\qquad\; H$$
$$\qquad\qquad\; H$$

問題 8.14 酸触媒を用いたシクロヘキセンオキシドと水との反応式を示し，生成物の立体化学について説明せよ。

エポキシドには水以外の求核剤も同様に付加する。たとえば，

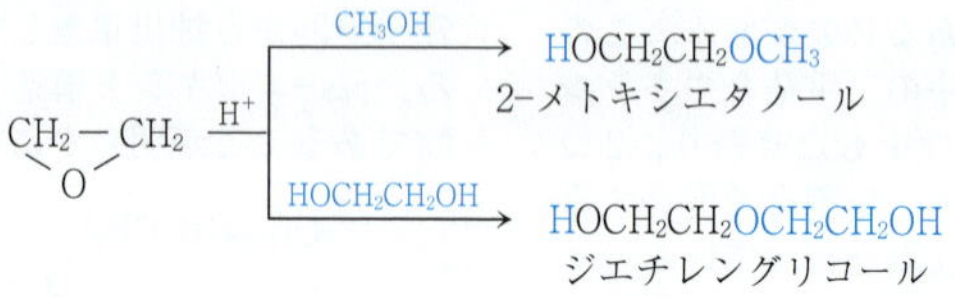

$$CH_2-CH_2 \; (\text{エポキシド}) \xrightarrow{CH_3OH, H^+} HOCH_2CH_2OCH_3 \; (\text{2-メトキシエタノール})$$
$$\xrightarrow{HOCH_2CH_2OH} HOCH_2CH_2OCH_2CH_2OH \; (\text{ジエチレングリコール})$$
(8.20)

2-メトキシエタノールは工業的に製造されている。これはアルコールとエーテルの両方の性質をもち，水と有機溶媒のどちらにも溶解できるので，ジェット燃料に添加してパイプライン中の水分凍結防止の目的に用いられている。ジエチレングリコールはコルクガスケットやタイルの可塑剤に使用されている。

Grignard試薬と有機リチウム化合物は強力な求核剤であり，エチレンオキシド環を開環させることができる。この反応の初期生成物はマグネシウムアルコキシド，またはリチウムアルコキシドだが，これを加水分解すると，はじめの有機金属試薬よりも2炭素多い第一級アルコールを得ることができる。

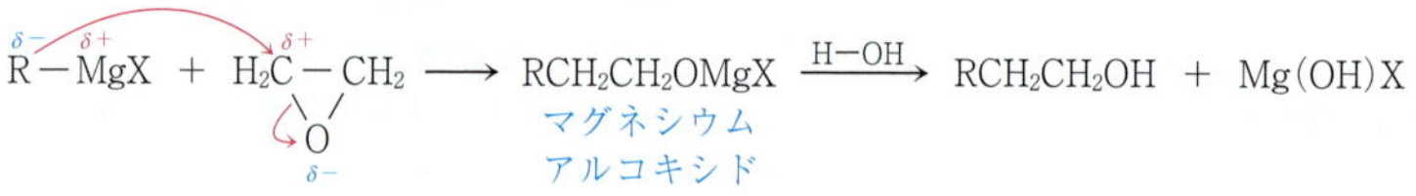

$$R-MgX + H_2C-CH_2(O) \longrightarrow RCH_2CH_2OMgX \xrightarrow{H-OH} RCH_2CH_2OH + Mg(OH)X \quad (8.21)$$
（マグネシウムアルコキシド）

$$R-Li + H_2C-CH_2(O) \longrightarrow RCH_2CH_2OLi \xrightarrow{H-OH} RCH_2CH_2OH + LiOH \quad (8.22)$$
（リチウムアルコキシド）

問題 8.15 エチレンオキシドを用いてつぎの反応を行ったときの反応式を書け。
(a) $CH_3CH_2CH_2MgCl$ と反応させ，そのあと加水分解する。
(b) $H_2C=CHLi$ と反応させ，そのあと加水分解する。
(c) $CH_3\equiv C^-Na^+$ と反応させ，そのあと加水分解する。

8.9 環状エーテル

エポキシ環よりも大きな環をもった環状エーテルが数多く存在する。もっともよく知られているのは5および6員環エーテルであり，たとえばつぎのものがある。

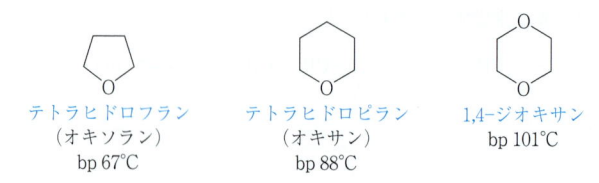

テトラヒドロフラン（オキソラン） bp 67℃

テトラヒドロピラン（オキサン） bp 88℃

1,4-ジオキサン bp 101℃

8.9 環状エーテル

テトラヒドロフラン（tetrahydrofuran；**THF**）はきわめて有用な溶媒であり，たいていの有機化合物を溶解するだけでなく水にも溶解する。テトラヒドロフランはGrignard試薬の溶媒としてもきわめて優れており，ときにはジエチルエーテルよりも優れた溶媒になることもある。テトラヒドロフランの炭素数はジエチルエーテルと同じであるが，固定化された環状構造をもつために4つの炭素原子はうしろに束ねられて酸素原子がむき出しになっており，そのためGrignard試薬のマグネシウムへの配位力は強い。**テトラヒドロピラン**（tetrahydropyran；THP）ならびに**1,4-ジオキサン**（dioxane）も水と有機溶媒のどちらにも溶解する。

近ごろ，大環状構造をもったポリエーテルが各方面で注目を集めている。その例をいくつか示す。

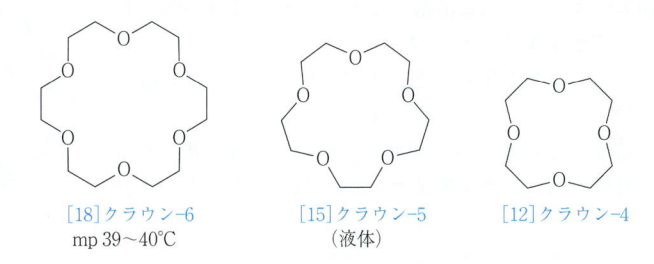

［18］クラウン-6
mp 39～40℃

［15］クラウン-5
（液体）

［12］クラウン-4

これらは王冠（crown）の形をしているので**クラウンエーテル**（crown ether）とよばれている。名称の［ ］内の数字は環の大きさを示し，2番目の数字は酸素原子の数を示している。そして酸素原子は互いに2炭素分だけ隔離されている。

クラウンエーテルは陽イオン（たとえばNa^+，K^+など）とともに錯化合物を形成する独特な性質をもっている。すなわち，環の大きさと陽イオンの大きさの組み合わせが適当であれば，この大員環の内側に陽イオンが選択的に取り込まれるのである。たとえば［18］クラウン-6はK^+イオンと強く結合するが，それよりも小さなNa^+イオン（小さすぎて空孔に不適合）や大きなCs^+イオン（大きすぎてこれも不適合）とは弱く結合するだけである。同様に［15］クラウン-5はNa^+イオンに，［12］クラウン-4はLi^+イオンにもっともよく適合する。このようにクラウンエーテルはイオン性のゲストに対するホストの役割をもっている。

☞ **テトラヒドロフラン（THF），テトラヒドロピラン（THP），1,4-ジオキサン**は重要な環状エーテルである。

☞ **クラウンエーテル**は陽イオン類との錯体形成能力のある王冠形をした大員環ポリエーテルである。

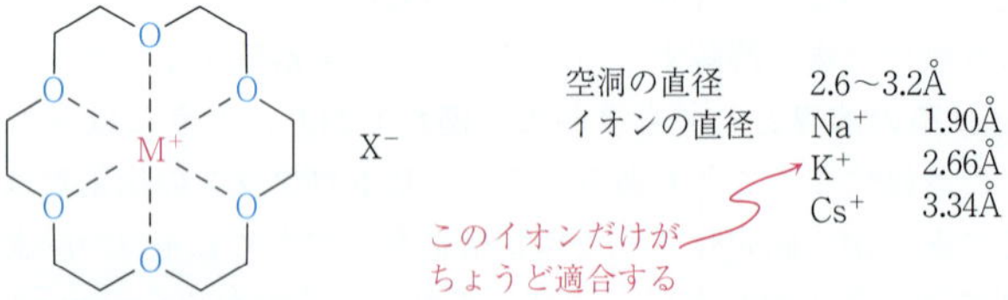

空洞の直径	2.6〜3.2Å
イオンの直径 Na⁺	1.90Å
K⁺	2.66Å
Cs⁺	3.34Å

このイオンだけがちょうど適合する

[18]クラウン-6に捕そくされたM⁺

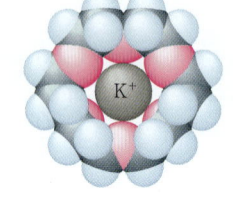

[18]クラウン-6K⁺錯体の分子モデル

　この錯体形成能力は非常に強力であり，クラウンエーテルを適量添付することによりイオン性の化合物を有機溶媒中に溶解できる。たとえば過マンガン酸カリウム（$KMnO_4$）はふつう水に溶解するがベンゼンには不溶である。ところが少量のジシクロヘキシル[18]クラウン-6を添加したベンゼンを用いると，水溶液中の過マンガン酸カリウムでさえベンゼン中に抽出できる。過マンガン酸カリウムが溶解している「パープルベンゼン」は溶媒和されていない遊離の過マンガン酸イオン（MnO_4^-）を含有しており，強力な酸化剤として使用できる*。

　大環状化合物と金属イオンとの選択的結合は，自然界においても重要な働きを発揮していると考えられている。規則正しく空間配置した酸素原子をもつ大環状構造の抗生物質が数多く知られているが，**ノナクチン**（nonavtin）はそのようなものの1つである。これはテトラヒドロフラン環を4つもち，それぞれがエステル結合で架橋された構造をもっている。これは水溶液中でNa⁺よりもK⁺と選択的に結合するので，細胞膜を通してK⁺イオンが選択的に移動するのを助ける働きをもっている。

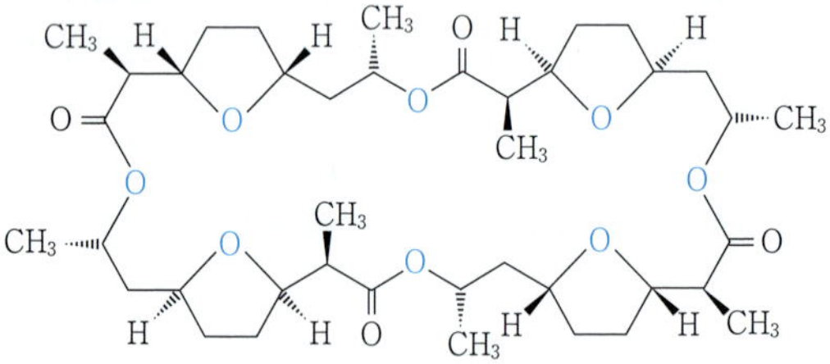

ノナクチン

---

*　クラウンエーテルはデュポン社のCharles J. Pedersenによって発見された。この発見によって，今日の分子認識化学とかホスト・ゲスト化学として知られる新しい研究分野が広がったのである。PedersenとDonald J. Cram（米国），Jean-Marie Lehn（仏）の3名はこの分野の創造的化学を発展させた功績が認められて，1987年にノーベル化学賞を受けた。Pedersenがこの発見について個人的に解説した興味深い記事がある（*Journal of Inclusion Phenomena* **1988**. 6. 337〜50）。また同じ雑誌にCramとLehnの受賞講演も記載されている。

反応のまとめ

1. 有機金属化合物

a. Grignard試薬のつくり方（8.4節）

$$R-X + Mg \xrightarrow{\text{エーテルまたはTHF}} R-MgX$$
$$X = Cl, Br, I$$

b. 有機リチウム試薬のつくり方（8.4節）

$$R-X + 2\,Li \longrightarrow R-Li + LiX$$
$$X = Cl, Br, I$$

c. 有機金属化合物の加水分解によるアルカンのつくり方（8.4節）

$$R-MgX + H_2O \longrightarrow R-H + Mg(OH)X$$
$$R-Li + H_2O \longrightarrow R-H + LiOH$$

---

2. エーテル

a. アルコールの脱水反応によるつくり方（8.5節）

$$2\,R-OH \xrightarrow[\Delta]{H_2SO_4} R-O-R + H_2O$$

b. アルケンとアルコールからのつくり方（8.5節）

$$\mathrm{C=C} \xrightarrow[H^+(\text{触媒として})]{ROH} H-\overset{|}{\underset{|}{C}}-\overset{|}{\underset{|}{C}}-OR$$

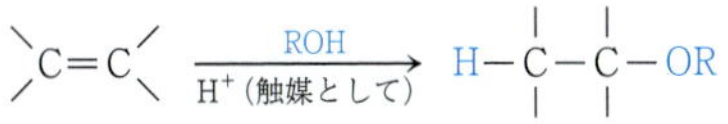

c. アルコールとハロゲン化アルキルからのつくり方（8.5節）

$$2\,ROH + 2\,Na \longrightarrow 2\,RO^- + H_2$$
$$\text{または}\;ROH + NaH \longrightarrow RO^-Na^+ + H_2$$
$$RO^-Na^+ + R-X \longrightarrow RO-R' + Na^+X^-$$
（R′ ＝第一級アルキルのときがもっともよい）

d. ハロゲン化水素による切断反応（8.6節）

$$R-O-R + HX \longrightarrow R-X + R-OH$$

e. 三臭化ホウ素による切断反応（8.6節）

$$R-O-R \xrightarrow[2.\;H_2O]{1.\;BBr_3} RBr + ROH$$

3. エポキシド

a. アルケンからのつくり方（8.7節）

$$\text{C=C} + \text{RCO}_3\text{H} \longrightarrow \overset{\text{O}}{\underset{\text{C-C}}{\triangle}} + \text{RCO}_2\text{H}$$

b. 水またはアルコールとの反応（8.8節）

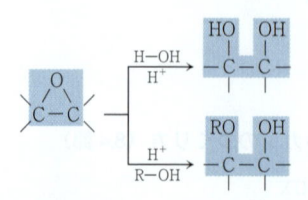

エポキシドに H^+ 存在下で H–OH を加えると HO–C–C–OH、R–OH を加えると RO–C–C–OH が生成する。

c. 有機金属試薬との反応（8.8節）

$$\overset{\text{O}}{\underset{\text{C-C}}{\triangle}} \xrightarrow{\text{RMgX または RLi}} \underset{\text{C-C}}{\overset{\text{R\ \ \ O}^-\text{M}^+}{|\ \ \ |}} \xrightarrow{\text{H}_2\text{O}} \underset{\text{C-C}}{\overset{\text{R\ \ \ OH}}{|\ \ \ |}} + \text{M–OH}$$

$\text{M} = \text{MgX}$ または Li

章末問題

エーテルとエポキシド：構造，命名法，性質

8.16 つぎの化合物の構造式を書け．
- (a) ジプロピルエーテル
- (b) エチルイソプロピルエーテル
- (c) 3-メトキシヘキサン
- (d) アリルプロピルエーテル
- (e) p-ブロモフェニルメチルエーテル
- (f) $trans$-2-エトキシシクロペンタノール
- (g) エチレングリコールジメチルエーテル
- (h) 1-メトキシプロペン
- (i) プロピレンオキシド
- (j) p-エトキシアニソール

8.17 つぎの化合物名を答えよ．
- (a) $(\text{CH}_3)_2\text{CHOCH}(\text{CH}_3)_2$
- (b) $(\text{CH}_3)_2\text{CHCH}_2\text{OCH}_3$
- (c) $\text{CH}_3\text{CH}-\text{CH}_2$ （O で結合した三員環）
- (d) $\text{Br}-\text{C}_6\text{H}_4-\text{OCH}_3$
- (e) $\text{CH}_3\text{CH}_2\text{CH}(\text{OCH}_2\text{CH}_3)\text{CH}_2\text{CH}_3$
- (f) $\text{CH}_3\text{OCH}_2\text{CH}_2\text{OH}$
- (g) 2-メチルテトラヒドロフラン
- (h) $\text{CH}_3\text{OCH}_2\text{CH}_2\text{C}\equiv\text{CH}$

8.18 エーテルとアルコールとは異性体の関係にある。分子式 $C_4H_{10}O$ をもつ異性体の構造をすべて示し，それぞれの化合物名を示せ。

8.19 ほぼ等しい分子量をもった4種類の化合物，1,2-ジメトキシエタン，エチル n-プロピルエーテル，ヘキサン，1-ペンタノールがある。このうちもっとも高沸点のものと，もっとも水に溶解しやすいものを示し，それを選んだ理由を説明せよ。

Grignard試薬の調製法と反応

8.20 つぎの化合物それぞれについて，(1) エーテル中 Mg と反応させる。(2) その結果生じた溶液に D_2O を加える，の2つの反応操作に対応する反応式を書け。
(a) $CH_3CH_2CH_2CH_2Br$ (b) $CH_3OCH_2CH_2CH_2Br$

8.21 ここに示す段階的反応はアニソールを o-t-ブチルアニソールへ変換する反応である。それぞれの反応段階について必要な反応試薬を示せ。また，この全体の変換反応がFriedel-Craftsアルキル化反応を用いた1段階反応では実現できない理由を説明せよ。

エーテルのつくり方

8.22 つぎに示したエーテルを合成する最良の方法を反応式で示せ。
(a) $(CH_3CH_2CH_2CH_2)_2O$ (b) C$_6$H$_5$-OCH$_2$CH$_3$ (c) $CH_3CH_2OC(CH_3)_3$

8.23 ジフェニルエーテルの合成法としてWilliamson合成法が使用できない理由を説明せよ。

8.24 いくつかの企業では，ジメチルエーテル CH_3OCH_3 をクリーンで効率の高いディーゼル燃料の代替物として製造使用することを，現在研究開発中である［*Chemical and Engineering News*, **1995** (May 29), pp. 37-39］。このジメチルエーテルをメタノールから得る反応を示せ。

エーテルと酸あるいは塩基との反応

8.25 エーテル類は常温で濃硫酸に溶解するが，アルカン類は溶解しないので，この違いを利用すれば両者を見分ける簡便な試験法として利用できる。この試験法の化学的根拠を反応式を用いて説明せよ。

8.26 つぎの反応を反応式で示せ。反応が起こらない場合はその旨を記せ。
(a) メチルプロピルエーテル ＋ 過剰量の熱 HBr 水 ⟶
(b) ジブチルエーテル ＋ 沸騰カセイソーダ水溶液 ⟶
(c) エチルエーテル ＋ 冷濃硫酸 ⟶
(d) ジプロピルエーテル ＋ Na ⟶
(e) エチルフェニルエーテル $\xrightarrow{1.\ BBr_3}{2.\ H_2O}$

8.27 ある環状エーテルを過剰量のHBr水と加熱したところ，1,5-ジブロモペンタンが唯一の有機物として得られた。この環状エーテルの構造とHBrとの反応式を書け。

■ ＝総合問題

エポキシドのつくり方と反応

8.28 アルケンの過酸エポキシ化反応とエポキシドの開環反応を組み合わせて，1－ブテンから1,2－ブタンジオールを2段階で合成する反応を考案せよ。

8.29 つぎの化合物とエチレンオキシドとの反応式を書け。
(a) HBr 1モル　(b)　過剰量のHBr　(c)　フェノール　＋　H^+

8.30 エチルセロソルブ（$CH_3CH_2OCH_2CH_2OH$）とエチルカルビトール（$CH_3CH_2OCH_2CH_2OCH_2CH_2OH$）とはラッカーの溶剤として用いられており，エチレンオキシドから工業的に製造される。その製造法を反応式で示せ。

8.31 2－フェニルエタノールはローズ油の芳香をもつ香水成分として使用されている。これをブロモベンゼンとエチレンオキシドからGrignard試薬を利用して合成する反応式を示せ。

8.32 1,1－ジメチルオキシランの過剰量をメタノールに溶解してから少量の酸で処理すると，2－メトキシ－2－メチル－1－プロパノールが生成する（1－メトキシ－2－メチル－2－プロパノールではない）。この結果を説明できる反応機構を示せ。

8.33 アンモニアとエチレンオキシドの反応式を書け。この反応生成物は水溶性の有機塩基であり，工業的にはCO_2を吸収濃縮してドライアイスを製造する目的に使用されている。

8.34 プロピンとエチレンオキシドを炭素源に用いて3－ペンチン－1－オールを合成する反応を設計せよ。

8.35 式8.20の2つの反応を反応機構がわかるように段階的な反応に分けて示せ。

パズル

8.36 つぎの化合物2つずつの組み合わせについて，両者の違いが視覚的に区別できる化学的試験法を示せ。
(a) ジプロピルエーテルとヘキサン
(b) エチルフェニルエーテルとアリルフェニルエーテル
(c) フェノールとアニソール
(d) 1－ブタノールとメチルプロピルエーテル

8.37 分子式$C_4H_{10}O_3$をもち，アルコールとエーテルの両方の性質を示す有機化合物がある。これを過剰量の臭化水素と反応させると1,2－ジブロモエタンのみが生成物として得られた。この化合物の構造式を示せ。

CHAPTER 9

シベトン

アルデヒドとケトン

　有機化学におけるもっとも重要な官能基であるといってもよい**カルボニル基**（carbonyl group）についてこの章で学ぶことにしよう。

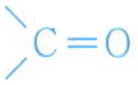

$$\diagup C=O$$

　この官能基はアルデヒド，ケトン，カルボン酸，エステル，その他いくつもの種類の化合物中に存在する。これらの化合物は工業的にもまた生物学的過程においても重要な役割を果たしているものが多い。本章ではアルデヒドとケトンについて述べ，次章ではカルボン酸とその関連化合物について述べる。

　アルデヒド（aldehyde）はカルボニル基に水素が少なくとも1個結合した化合物であり，もう1本の結合にはさらに水素かあるいは有機基が結合している。

▲ ジャコウネコ（*viverra civetta*）は甘い刺激性のケトンである**シベトン**（civetone）の本来の原料である。シベトンは現在では合成的に製造され香料の基本的な成分として使われている。

9.1　アルデヒドとケトンの命名法
9.2　一般的なアルデヒドとケトン
9.3　アルデヒドおよびケトンの合成
9.4　天然に存在するアルデヒドとケトン
9.5　カルボニル基
9.6　カルボニル基に対する求核付加反応；機構的考察
9.7　アルコールの付加；ヘミアセタールおよびアセタールの生成
9.8　水の付加：アルデヒドおよびケトンの水和反応
9.9　Grignard試薬およびアセチリドの付加反応
9.10　シアン化水素の付加：シアノヒドリンの生成
9.11　窒素系の求核試剤の付加反応
9.12　カルボニル化合物の還元反応
9.13　カルボニル化合物の酸化反応
9.14　ケト－エノール互変異性
9.15　α－水素の酸性度；エノラートアニオンについて
9.16　カルボニル化合物における重水素交換反応
9.17　アルドール縮合
9.18　混合アルドール縮合
9.19　アルドール縮合を用いる工業的合成

A WORD ABOUT...
9.3　キノンと爆弾カブトムシ
9.14　互変異性とホトクロミズム

$$-\overset{\overset{O}{\|}}{C}-H \text{ または } -CHO \qquad H-\overset{\overset{O}{\|}}{C}-H \qquad R-\overset{\overset{O}{\|}}{C}-H \qquad Ar-\overset{\overset{O}{\|}}{C}-H$$

アルデヒド基　　　　　　ホルムアルデヒド　　　脂肪族アルデヒド　　　芳香族アルデヒド

ケトン（ketone）ではカルボニル炭素原子に別の炭素原子が2個結合している。

$$R-\overset{\overset{O}{\|}}{C}-R \qquad R-\overset{\overset{O}{\|}}{C}-Ar \qquad Ar-\overset{\overset{O}{\|}}{C}-Ar \qquad \bigcirc\!\!=\!\!O$$

脂肪族ケトン　　　アルキルアリールケトン　　芳香族ケトン　　　環状ケトン

9.1 アルデヒドとケトンの命名法

IUPAC命名法では，アルデヒドを表す語尾はアール（-al）である（これはアルデヒド，aldehyde という単語の最初の音節に由来する）。この命名法の適用例をつぎに示す。

$$H-\overset{\overset{O}{\|}}{C}-H \qquad CH_3-\overset{\overset{O}{\|}}{C}-H \qquad CH_3CH_2-\overset{\overset{O}{\|}}{C}-H \qquad CH_3CH_2CH_2-\overset{\overset{O}{\|}}{C}-H$$

メタナール　　　　エタナール　　　　プロパナール　　　　ブタナール
（ホルムアルデヒド）（アセトアルデヒド）（プロピオンアデヒド）（ブチルアルデヒド）

IUPAC名の下に示してある慣用名は今でもよく用いられるので，覚えておく必要がある。

置換アルデヒドでは，つぎの例に示すようにアルデヒドの炭素から出発して分子鎖に番号をつける。

$$\overset{4}{C}H_3\overset{3}{C}H\overset{2}{C}H_2-\overset{1}{\overset{\overset{O}{\|}}{C}}-H \qquad \overset{4}{C}H_2=\overset{3}{C}H-\overset{2}{C}H_2-\overset{1}{\overset{\overset{O}{\|}}{C}}-H \qquad \overset{3}{C}H_2-\overset{2}{C}H-\overset{1}{\overset{\overset{O}{\|}}{C}}-H$$
$$\quad | \qquad\qquad\qquad\qquad\qquad\qquad\qquad\qquad | \quad |$$
$$\quad CH_3 \qquad\qquad\qquad\qquad\qquad\qquad\qquad\quad OH\ OH$$

3-メチルブタナール　　　　3-ブテナール　　　　2,3-ジヒドロキシプロパナール
　　　　　　　　　　　　　　　　　　　　　　　　　　（グリセルアルデヒド）

あとの2例にみられるように，位置番号をつけたり接尾語を選ぶときにはアルデヒド基は二重結合や水酸基に優先する。環状アルデヒドにはカルボアルデヒド（carbaldehyde）という接尾語を用いる。芳香族アルデヒドは慣用名をもつことが多い。

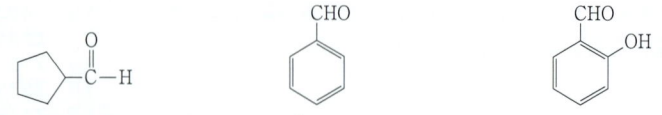

シクロペンタンカルボアルデヒド　　ベンズアルデヒド　　サリチルアルデヒド
（ホルミルシクロペンタン）　（ベンゼンカルボアルデヒド）（2-ヒドロキシベンゼンカルボアルデヒド）

☞ **アルデヒド**のカルボニル炭素には水素が少なくとも1個が結合している。また，**ケトン**のカルボニル炭素には別の炭素原子が2個結合している。

9.2 一般的なアルデヒドとケトン

IUPAC命名法では，ケトンの語尾はオン（-one）である（これはケトン，ketone，という単語の最後の音節に由来する）。分子鎖の番号のつけ方はカルボニル炭素にできるだけ小さな番号がつくようにする。またカルボニル炭素に結合しているアルキル基あるいはアリール基名を並べたあと，ケトンという単語を追加して命名する慣用名が用いられることも多い。その他にも慣用名が使われているものがある。このような名称の例をつぎに示す。

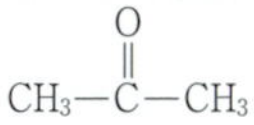

プロパノン
（アセトン）

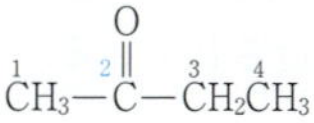

2-ブタノン
（エチルメチルケトン）

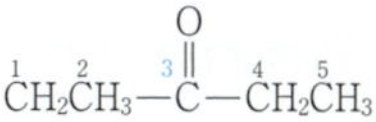

3-ペンタノン
（ジエチルケトン）

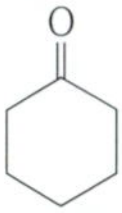

シクロヘキサノン

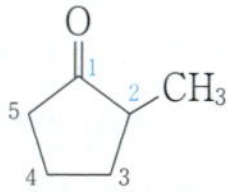

2-メチルシクロペンタノン

3-ブテン-2-オン
（メチルビニルケトン）

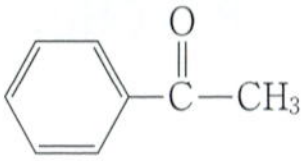

アセトフェノン
（メチルフェニルケトン）

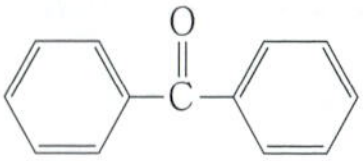

ベンゾフェノン
（ジフェニルケトン）

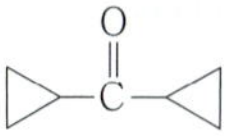

ジシクロプロピルケトン

問題 9.1 上述の命名例を手本にして，つぎの化合物の構造式を書け。
(a) ペンタナール
(b) m-ブロモベンズアルデヒド
(c) 2-ペンタノン
(d) イソプロピルメチルケトン
(e) シクロヘキサンカルボアルデヒド
(f) 3-ペンチン-2-オン

問題 9.2 上述の命名例を手本にして，つぎの化合物の正しい名称を書け。
(a) $(CH_3)_2CHCH_2CH=O$
(b) $CH_3CH=CHCH=O$
(c) 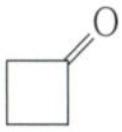
(d) 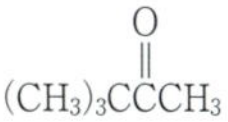 $(CH_3)_3CCCH_3$ (with =O on C)

9.2 一般的なアルデヒドとケトン

ホルムアルデヒド（formaldehyde）はもっとも小さなアルデヒドであり，メタノールの酸化で工業的に大量に製造されている。世界の年産量は360万tにも達している。

$$CH_3OH \xrightarrow[600\sim700℃]{Ag\,触媒} CH_2=O\ +H_2 \quad (9.1)$$

ホルムアルデヒド

ホルムアルデヒドは気体（bp -21 ℃）であるが，重合しやすいためそのままの状態では保存できない*。通常は**ホルマリン**（formalin）とよばれる37％水溶液として供給されている。この状態で消毒液や防腐剤として用いられるが，大部分のホルムアルデヒドはプラスチック，建物の断熱材，合板，ベニヤの製造に使用されている。

アセトアルデヒド（acetaldehyde）は常温近くで沸騰する（bp 20 ℃）。アセトアルデヒドは，パラジウム-銅触媒を用いてエチレンを選択的に直接酸化するWacker法により工業的に製造されている。

$$2\,CH_2=CH_2 + O_2 \xrightarrow[100\sim 300℃]{Pd-Cu} 2\,CH_3CH=O \tag{9.2}$$

アセトアルデヒドの年産量の約半分は酢酸に酸化され，残りは1-ブタノールやその他の工業薬品の製造原料として使用されている。

もっとも小さなケトンである**アセトン**（acetone）もまた大量に年間約180万tも生産されている。一般的な工業的製造法は，プロペンのWacker酸化（式9.2と同様の反応），イソプロピルアルコールの酸化（式7.35，$R=R'=CH_3$），およびイソプロピルベンゼンの酸化（式9.3）である。

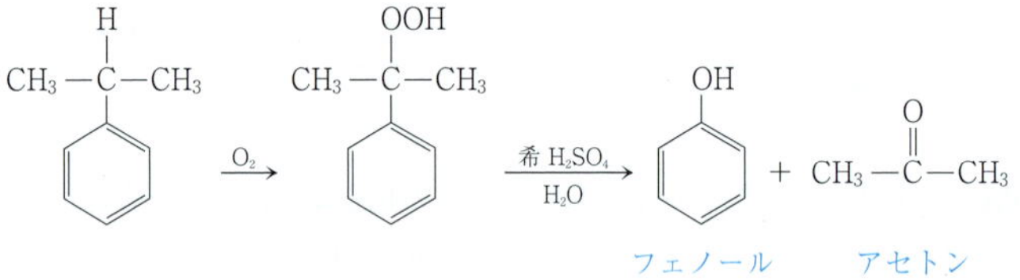

$$(9.3)$$

フェノール　　アセトン

アセトンの約30％はそのまま直接使用される。それはアセトンが完全に水と混じり合うだけでなく，多くの有機物（樹脂，塗料，染料，マニキュアなど）に対する優れた溶媒でもあるからである。残りはエポキシ樹脂の合成原料であるビスフェノール-A（式14.10）など，他の化学薬品の製造に用いられている。

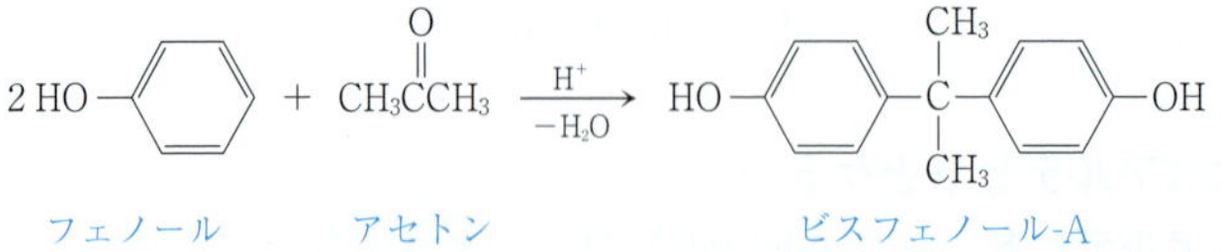

$$2\,HO-C_6H_4-H + CH_3COCH_3 \xrightarrow[-H_2O]{H^+} \text{ビスフェノール-A} \tag{9.4}$$

フェノール　　アセトン　　　　　　ビスフェノール-A

キノン（quinone）は，カルボニル化合物のなかで特徴ある種類のものである。キノンは環状の共役ジケトンであり，もっとも簡単な例が**1,4-ベンゾキノン**（1,4

---

* ホルムアルデヒドから得られる高分子はCH_2と酸素が交互に連結した長鎖であり，$(CH_2O)_n$と表される。高分子に関する議論は14章をみよ。

-benzoquinone）である（式7.44）。すべてのキノンは着色しており，多くは染料として用いられる天然に産出する顔料である。**アリザリン**（arizalin）は橙赤色のキノンであり，アメリカ革命の際に英国軍の赤いコートを染めるのに使われた。**ビタミンK**（Vitamin K）（図9.1）は正常に血液が凝固するために必要なキノンである。

アリザリン
mp 290℃

9.3 アルデヒドおよびケトンの合成

アルデヒドおよびケトンの合成については，これまでの章ですでにいくつか学んだ。そのなかでももっとも有用なのはアルコールの酸化である。

$$\begin{array}{c}\diagdown\\ \diagup\end{array}\!\!C\!\!\begin{array}{c}H\\ OH\end{array}\xrightarrow{\text{酸化剤}}\begin{array}{c}\diagdown\\ \diagup\end{array}\!\!C\!=\!O \tag{9.5}$$

第一級アルコールの酸化ではアルデヒドが，第二級アルコールの酸化ではケトンが得られる。この目的のためにピリジニウムクロロクロマート（PCC）が実験室で一般的に用いられている（7.12節参照）。

問題 9.3 以下の処理をしたときに得られる生成物を書け。
(a) シクロペンタノールをJones試薬で処理
(b) 5-メチル-1-ヘキサノールをピリジニウムクロロクロマート（PCC）で処理

問題 9.4 酸化反応を使ってつぎの化合物を得るのに適した原料アルコールの構造式を書け。
(a) 3-メチルブタナール
(b) 4-t-ブチルシクロヘキサノン

芳香族ケトンをつくるには，芳香族環のFriedel–Crafts反応を使うとよい（式4.15，4.9節参照）。その一例をつぎに示す。

バニラビーンズ
（バニリンの原料）

A WORD ABOUT...

キノンと爆弾カブトムシ
(Bombardier Beetle)

爆弾カブトムシ（Bombardier Beetle）の毒の噴射

　爆弾カブトムシ（Bombardier beetle）は捕食者の攻撃から奇妙な方法で身を守る。それは熱く，有毒な化学物質の混合物を攻撃者に散布する。熱い液は腹部の先端の一対の腺からすばらしい正確さで音を立てながら発射される。散布液の成分は1,4-ベンゾキノン，2-メチル-1,4-ベンゾキノンと熱水であり，酸素によって発射される。この驚くべきそして不快なやり方で捕食者を妨害し，自分が退却するチャンスを作るのだ。爆弾カブトムシはどのようにしてこのすばらしい早業ができるのだろうか。

　それぞれの腹部の腺は2個の連結した小室からできている。内側の小室には1,4-ヒドロキノン，2-メチル-1,4-ヒドロキノンと過酸化水素の水溶液がはいっていて，これが外側の小室にチューブでつながっていて，チューブにある一方向のバルブが閉まっているときは二つの小室の液は混合されず，バルブが開くと内側の小室から外側の小室に向かってのみ液が流れることができる。外側の小室には**ペルオキシダーゼ**（peroxidaze）と**カタラーゼ**（catalase）といわれる酵素の水溶液が入っている。ペルオキシダーゼは過酸化水素とヒドロキノンから**キノン**（quinone）をつくる反応を促進し，一方カタラーゼは過酸化水素を水と酸素に変換する。これらの反応は急速に水を沸騰させるに充分な量の発熱をする。攻撃をうけると，爆弾カブトムシはバルブを開けて内側の小室の溶液を外側の小室に流す。前述の化学反応が起きて，キノンと熱水が酸素の圧力で外側の小室の穴から脈をうちながら放射され，その時にポンと音がでる。

$$\underset{\substack{R=H \quad 1,4\text{-ヒドロキノン}\\ R=CH_3 \quad 2\text{-メチル-1,4-ヒドロキノン}}}{\text{（ヒドロキノン）}} + H_2O_2 \xrightarrow{\text{ペルオキシダーゼ}}$$

$$\underset{\substack{R=H \quad 1,4\text{-ベンゾキノン}\\ R=CH_3 \quad 2\text{-メチル-1,4-ベンゾキノン}}}{\text{（ベンゾキノン）}} + 2 H_2O$$

$$2 H_2O_2 \xrightarrow{\text{触媒}} 2 H_2O + O_2$$

　爆弾カブトムシの有毒液の発射方法は非常に印象的だが，他のカブト虫類やはさみむし，ゴキブリや蜘蛛などの防御的な分泌物としてもキノン類が使われている。さらに，爆弾カブトムシが使っているような二つの小室をもつ腺は防御的な分泌物を出すのに他の器官でも使われている（9.10節）。興味ある読み物として，W. Agosta, *Bombardier Beetles and Fever Trees; A Close-Up Look at Chemical Warfare and Signals in Animals and Plants*, Addison-Wesley (1996). や T. Eisner and J. Meinwald, *Science*, **1966**, *153*, 1341. などがある。

$$\text{ベンゼン} + \underset{\text{塩化ベンゾイル}}{\text{C}_6\text{H}_5\text{COCl}} \xrightarrow{\text{AlCl}_3} \underset{\text{ベンゾフェノン}}{\text{C}_6\text{H}_5\text{COC}_6\text{H}_5} + \text{HCl} \quad (9.6)$$

問題 9.5 つぎの反応式を完成させ，生成物に命名せよ。

$$\text{C}_6\text{H}_6 + \text{CH}_3\text{COCl} \xrightarrow{\text{AlCl}_3}$$

メチルケトンは，酸と第二水銀イオンを触媒に用いた末端アルキンの水和反応で作られる（式3.52参照）。つぎにその一例を示す。

$$\underset{\text{1-オクチン}}{\text{CH}_3(\text{CH}_2)_5\text{C}\equiv\text{CH}} \xrightarrow[\text{Hg}^{2+}]{\text{H}^+, \text{H}_2\text{O}} \underset{\text{2-オクタノン}}{\text{CH}_3(\text{CH}_2)_5\text{COCH}_3} \quad (9.7)$$

問題 9.6 2-ヘプタノン（チョウジ油：香料の一種）をつくる原料となるアルキンは何か答えよ。

9.4 天然に存在するアルデヒドとケトン

アルデヒドとケトンは天然物中にきわめて広く分布している。図1.11および1.12には3つの例が示されているが，図9.1にさらに例を追加しておく。アルデヒドやケトンの多くは心地よい香りをもち，香水や日用品（セッケン，漂白剤，室内香気剤など）に使用されている。ところがこのような香気物質を天然の花や動物分泌腺から入手することはたいへん高くつく。1921年に香水市場で売り出されたシャネルの5番は，合成香料を用いた世界ではじめての香水であった。いまではほとんどの香料が合成品を使っている*。

9.5 カルボニル基

アルデヒドやケトンをはじめとするカルボニル化合物の反応をよく理解するためには，まずカルボニル基の構造と性質を正しく知っておかなければならない。

炭素–酸素二重結合は σ 結合1つと π 結合1つから構成されている（図9.2参照）。炭素原子は sp^2 混成であるので，カルボニル炭素に結合した3個の原子は120°の結合角をもち，同一平面内に存在する。π 結合は炭素上の残りの p 軌道と酸素の p 軌道が重なって形成される。酸素原子上にはまだ非共有電子対が2組存在し，その軌道はカルボニル炭素と，それに結合した原子3個がつくる平面と同一平面内に存在

＊ 今日の香水産業に関する興味深い解説書として，Charies S. Sell著，*Chemistry in Brtain*, **1988**, 791–94 がある。

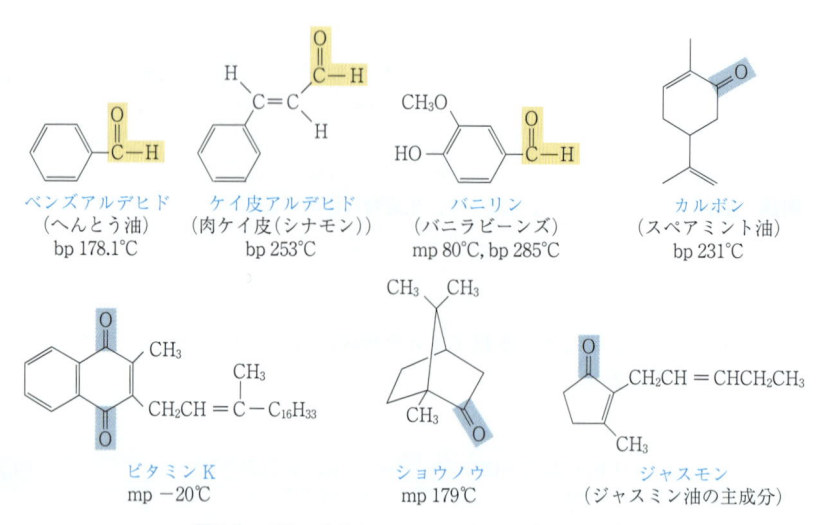

図9.1 天然に存在するアルデヒドおよびケトンの例

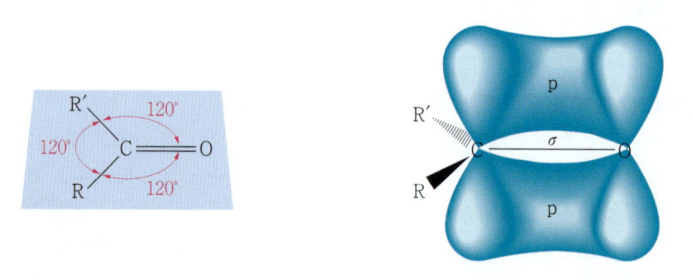

ベンズアルデヒド
（へんとう油）
bp 178.1℃

ケイ皮アルデヒド
（肉ケイ皮（シナモン））
bp 253℃

バニリン
（バニラビーンズ）
mp 80℃, bp 285℃

カルボン
（スペアミント油）
bp 231℃

ビタミンK
mp −20℃

ショウノウ
mp 179℃

ジャスモン
（ジャスミン油の主成分）

図9.2 カルボニル基における結合のようす（本書の説明をあわせて読むこと）

している。C＝O結合距離は1.24Åであり，アルコールやエーテルのC－O結合距離（1.43Å）に比べると短い。

酸素は炭素よりもはるかに電気陰性度が大きい。その結果，C＝O結合の電子は酸素側に引きつけられ，結合は強く分極する。この分極効果はπ電子に対して顕著に現れ，つぎのように表すことができる。

カルボニル基の共鳴構造式　　カルボニル基の分極

この分極の結果，カルボニル化合物の反応ではカルボニル炭素上へ**求核攻撃**（nucleophilic attack）が起こり，そのあと酸素へプロトン付加が起こるタイプの反応が数多く知られている。

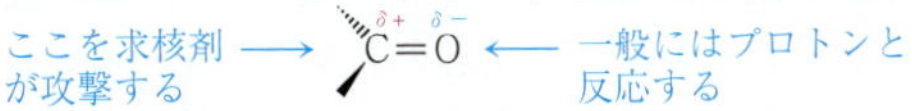

ここを求核剤 → C=O ← 一般にはプロトンと
が攻撃する   反応する

このようにC＝O結合は，ふつう求電子剤が攻撃する分極していないC＝C結合とは，ずいぶん異なっている（3.9節参照）ことがわかるだろう。

C＝O結合の分極は，反応性に対して大きな効果を現すだけでなく，カルボニル化合物の物理的性質にも影響を及ぼしている。たとえば，カルボニル化合物は同程度の分子量をもつ炭化水素と比べて高い沸点をもつが，対応するアルコールよりは沸点が低い。

$CH_3(CH_2)_3CH_3$　　　$CH_3(CH_2)_3CH=O$　　　$CH_3(CH_2)_3CH_2OH$
ペンタン (bp 36℃)　　ペンタナール (bp 75℃)　　ペンタノール (bp 118℃)

これはなぜだろうか。炭化水素分子は一時的に分極できるが，カルボニル化合物の分子は永久分極をしているC＝O基をもち，したがってより強く会合する性質がある。この分子間の求引力は**双極子–双極子相互作用**（dipole-dipole interaction）といわれ，一般にファンデルワールス力（2.7節）よりは強いが，水素結合ほどは強くない（7.4節）。C＝O結合をもつが，O—H結合のないアルデヒドやケトンのようなカルボニル化合物はアルコールとは異なり，水素結合をすることができない。このため，カルボニル化合物は液体から気体に変換されるとき，分子間引力に打ち勝つために，同程度の分子量の炭化水素より多くのエネルギー（熱）を必要とする。しかし，それはアルコールほどではない。

カルボニル基の分極はアルデヒドやケトンの溶解性にも影響を与える。たとえば，低分子量のカルボニル化合物は水溶性である。カルボニル化合物どうしでは水素結合を形成できないが，O－HあるいはN－H結合をもつほかの化合物とは水素結合を形成できる。

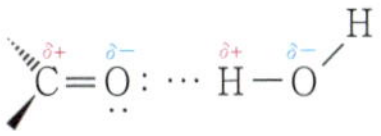

C=O: ⋯ H—O—H

問題 9.7 ベンズアルデヒド（分子量106），ベンジルアルコール（分子量108），およびp-キシレン（分子量106）を，つぎの性質の順番に並べよ。

(a) 沸点の低いものから高いものへ。
(b) 水への溶解度が低いものから高いものへ。

9.6 カルボニル基に対する求核付加反応；機構的考察

炭素–酸素二重結合において炭素原子は部分的に正電荷を帯びているので，求核剤は炭素原子を攻撃する。その結果C＝O結合のπ電子は酸素原子上へ移動し，

☞ **双極子–双極子相互作用**は極性分子間に働く逆向きの極との間の求引的相互作用である。

酸素原子は（大きな電気陰性度をもっているので），この獲得した負電荷を容易に収容することができる。これらの反応をアルコールあるいは水などの水酸基をもった溶媒中で行えば，通常この負電荷にプロトンが付加して反応が完結する。反応全体ではカルボニル基のπ結合に求核剤とプロトンが付加する。

$$\text{Nu}:^- + \underset{\substack{\text{平面三方形の}\\\text{反応基質}}}{\text{C}=\ddot{\text{O}}:} \rightleftharpoons \underset{\substack{\text{正四面体形の}\\\text{中間体}}}{\overset{\text{Nu}}{\underset{}{\text{C}-\ddot{\text{O}}:^-}}} \xrightarrow{\text{H}_2\text{O}} \underset{\substack{\text{正四面体形の}\\\text{生成物}}}{\overset{\text{Nu}}{\underset{}{\text{C}-\ddot{\text{O}}\text{H}}}} \qquad (9.8)$$

アルデヒドやケトンのカルボニル炭素は平面三方形でsp^2混成であるが，反応生成物では正四面体形でsp^3混成となる。カルボニル化合物は酸素原子上に非共有電子対をもつので弱いルイス塩基の性質を示し，プロトンを受け取ることができる。したがって，酸を用いてカルボニル酸素へプロトンを付加することにより，弱い求核剤がカルボニル化合物へ付加する反応を触媒することができる。

$$\text{C}=\text{O}: + \text{H}^+ \longrightarrow \left[\text{C}=\overset{+}{\text{O}}\text{H} \longleftrightarrow \overset{+}{\text{C}}-\ddot{\text{O}}\text{H} \right] \xrightarrow{\text{Nu}^-} \overset{\text{Nu}}{\underset{}{\text{C}-\ddot{\text{O}}\text{H}}} \qquad (9.9)$$

$$\underset{\substack{\text{共鳴安定化した}\\\text{炭素陽イオン}}}{}$$

つまり，プロトンの付加によりカルボニル炭素は炭素陽イオンに変換され，求核剤の攻撃を受けやすくなる。

　求核剤はカルボニル基の炭素に可逆的に付加するものと，非可逆的に付加するものに分類できる。可逆的に付加する求核剤は同時によい脱離基である。言い換えれば，それらは比較的強い酸の共役塩基である。非可逆的に付加する求核剤は弱い脱離基であり，弱酸の共役塩基である。

　一般に，ケトンはアルデヒドよりも求核剤に対する反応性がやや低い。この反応性の差はおもにつぎの2つの理由による。まずは立体的な理由である。ケトン（有機置換基2個をもつ）のカルボニル炭素は，アルデヒドの場合（有機置換基1個と水素1個）よりも混みあっている。そこへ求核付加反応が起こると，これらの置換基は互いにさらに接近することになる。これは，混成がsp^2からsp^3へ変化するので結合角は120°から109.5°に減少するからである（式9.6）。置換基の1つが小さな水素原子であるアルデヒドへの付加のほうが，ケトンよりも生じるひずみが少ない。もう一つは電子的な理由である。すでに炭素陽イオンの安定性に関連して学んだように，アルキル基は水素に比べると電子供与性であるから（5.10節），カルボニル炭素上の部分正電荷を中和することになり，求核剤に対する反応性を減少させる。ケトンにはこのようなアルキル基が2個，アルデヒドには1個だけ結合している。もし置換基が強い電子求引基（たとえばハロゲン）であれば逆の効果が働き，

求核剤に対するカルボニルの反応性は増大する。

次節以降では，カルボニル炭素との間で新たに形成される結合の種類によって，アルデヒドやケトンへの求核付加反応を分類してみよう。酸素系，炭素系，および窒素系の求核剤に分けて，その順に考えてみることにする。

9.7 アルコールの付加；ヘミアセタールおよびアセタールの生成

この節で学ぶ反応はきわめて重要である。それというのも，後で学ぶ炭水化物の化学を理解するためには，これらの反応をあらかじめ学習しておくことが不可欠であるからだ。

アルコールは酸素系の求核剤であり，C＝O結合へ付加してOR基は炭素と結合し，プロトンは酸素に付加する。

$$\text{ROH} + \underset{\substack{\text{アルデヒド}}}{\overset{R'}{\underset{H}{}}\text{C}=\text{O}} \xrightleftharpoons{H^+} \underset{\substack{\text{ヘミアセタール}}}{\overset{RO}{\underset{H}{}}\text{C}-\text{OH}} \tag{9.10}$$

アルコールは弱い求核剤であるから酸触媒がふつう必要である*。生成物は同一炭素原子上にアルコールとエーテルの両官能基をもった**ヘミアセタール**（hemiacetal）である。この付加反応は可逆的である。

ヘミアセタールが生成する反応機構には3段階ある。はじめに，カルボニル酸素が酸触媒によりプロトン化される。続いてアルコールの酸素がカルボニル炭素を攻撃し，この酸素原子上に新たに正電荷が生じるが，引き続いてこの酸素からプロトンが脱離する。各段階は可逆的である。酸−塩基反応で説明すると，各段階の出発物質としての酸は同様な強さの生成物としての酸に変換される（7.5節）。

$$\underset{\text{アルデヒド}}{\overset{R'}{\underset{H}{}}\text{C}=\ddot{\text{O}}:} \xrightleftharpoons[-H^+]{H^+} \underset{\substack{\text{プロトン化された}\\\text{アルデヒド}}}{\overset{R'}{\underset{H}{}}\text{C}=\overset{+}{\text{O}}\text{H}} \xrightleftharpoons[-\text{ROH}]{\text{ROH}} \underset{\substack{\text{プロトン化された}\\\text{ヘミアセタール}}}{\overset{R\overset{+}{\text{O}}\overset{H}{}}{\underset{H}{}}\text{C}-\ddot{\text{O}}\text{H}} \xrightleftharpoons[H^+]{-H^+} \underset{\text{ヘミアセタール}}{\overset{RO}{\underset{H}{}}\text{C}-\ddot{\text{O}}\text{H}} \tag{9.11}$$

問題 9.8 アセトアルデヒドとエタノールとH^+からヘミアセタールが生成する反応式を，反応機構がわかるように段階的に示せ。

---

* 多くの酸触媒が使われているが，実験室でふつうに使われているのは硫酸とp-トルエンスルホン酸である。

☞ **ヘミアセタール**は同一の炭素原子にアルコールとエーテルの2種の官能基をもつ。

過剰のアルコールが存在すると，ヘミアセタールはさらに反応して**アセタール**（acetal）を生成する。

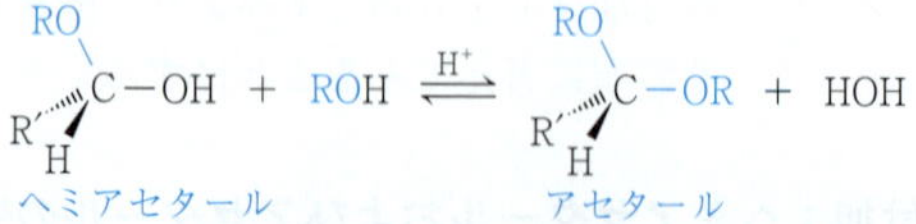

$$\underset{\text{ヘミアセタール}}{\overset{RO}{\underset{H}{\overset{|}{R-C-OH}}}} + ROH \underset{}{\overset{H^+}{\rightleftharpoons}} \underset{\text{アセタール}}{\overset{RO}{\underset{H}{\overset{|}{R-C-OR}}}} + HOH \tag{9.12}$$

すなわちヘミアセタールの水酸基がもう1つのアルコキシル基で置換される。このようにアセタールは同一炭素原子上に2個のエーテル官能基をもっている。

アセタールが生成する反応機構にはつぎの段階が含まれている。

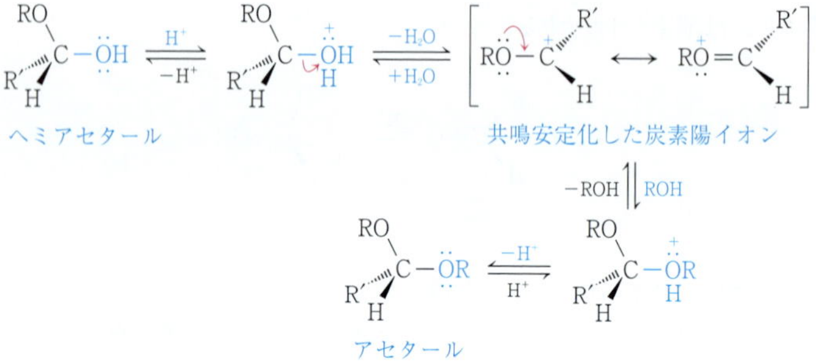

$$\tag{9.13}$$

ヘミアセタールの2個の酸素のどちらか一方がプロトン化される。もし水酸基の酸素がプロトン化されると，水が脱離して共鳴安定化した炭素陽イオンになる。アルコールはふつう溶媒として大過剰に存在するので，この炭素陽イオンと反応して（プロトンが脱離した後）アセタールを与える。この機構は S_N1 反応に似ている。各反応段階は可逆的である。

問題 9.9 過剰のエタノールと H^+ との存在下で，つぎのヘミアセタールの反応式を書け。反応機構がわかるように段階的に示せ。

$$\underset{}{CH_3CHOCH_2CH_3}\overset{OH}{\underset{|}{}}$$

同じ分子内の適切な位置に水酸基をもつアルデヒドは，分子内で水酸基が求核付加反応を行う結果，**環状ヘミアセタール**（cyclic hemiacetal）との平衡が存在する。たとえば，5-ヒドロキシペンタナールは主として環状ヘミアセタールの形で存在している。

☞ **アセタール**は同一の炭素原子に2個のエーテル基をもつ。
☞ **環状ヘミアセタール**では，エーテル基が環を作っている。

9.7 アルコールの付加；ヘミアセタールおよびアセタールの生成

$$\begin{array}{c}\text{}^2CH_2-\overset{O}{\overset{\|}{C}}H\\ \text{}^3CH_2\quad OH\\ \text{}^4CH_2-\text{}^5CH_2\end{array} \rightleftarrows \begin{array}{c}CH_2-\overset{OH}{\overset{|}{C}}H\\ CH_2\quad O\\ CH_2-CH_2\end{array} \text{または} \begin{array}{c}\overset{OH}{\underset{}{}}\\ \bigcirc\end{array} \qquad (9.14)$$

5-ヒドロキシペンタナール　　5-ヒドロキシペンタナールから生じたヘミアセタール
（2-ヒドロキシテトラヒドロピランともいう）

この水酸基は求核剤としてカルボニル炭素と反応できる望ましい位置にあり，つぎのような機構で環化が起こる．

$$\begin{array}{c}CH_2-\overset{O}{\overset{\|}{C}}H\ \ H^+\\ CH_2\quad \ddot{O}H\\ CH_2-CH_2\end{array} \rightleftarrows \begin{array}{c}CH_2-\overset{O-H}{\overset{|}{C}}H\\ CH_2\quad \overset{+}{O}-H\\ CH_2-CH_2\end{array} \rightleftarrows \begin{array}{c}CH_2-\overset{OH}{\overset{|}{C}}H\\ CH_2\quad O\\ CH_2-CH_2\end{array} \qquad (9.15)$$

アルデヒド基から炭素数4個または5個離れた位置にある水酸基は，環状ヘミアセタールを生じやすい．その理由は形成される環が5または6員環になり，ゆがみが小さいためである．16章で学ぶ通り，これらの構造は炭水化物の化学において非常に大切な役割を果たしている．例えば，グルコースは重要な炭水化物であり，環状ヘミアセタールとして存在する．

グルコース　　←ヘミアセタール炭素　　または　　グルコース（β-D-グルコピラノース）　　←ヘミアセタール炭素

ケトンもアセタールを生成する．ここで，つぎの反応に示すようにアルコールとしてグリコールを用いると，生成物は環状構造になる．

$$\begin{array}{c}CH_3\\ \diagdown\\ C=O\\ \diagup\\ CH_3\end{array} + \begin{array}{c}HO-CH_2\\ |\\ HO-CH_2\end{array} \xrightarrow{H^+} \begin{array}{c}CH_3\quad O-CH_2\\ \diagdown\diagup\quad\quad |\\ C\\ \diagup\diagdown\quad\quad |\\ CH_3\quad O-CH_2\end{array} + H_2O \qquad (9.16)$$

アセトン　　エチレングリコール　　アセトン-エチレングリコールアセタール

$$\underset{\text{アルデヒドもしくはケトン}}{\overset{O}{\overset{\|}{R'-C-R''}}} \xrightarrow[H^+]{RO-H} \underset{\text{ヘミアセタール}}{\overset{OH}{\underset{R''}{\overset{|}{R'-C-OR}}}} \xrightarrow[H^+]{RO-H} \underset{\text{アセタール}}{\overset{OR}{\underset{R''}{\overset{|}{R'-C-OR}}}} + HOH \qquad (9.17)$$

以上をまとめると，アルデヒドおよびケトンはアルコールと反応してまずヘミア

セタールを生成し，過剰のアルコールが存在するとさらに反応してアセタールを生成する．

例　題　9.1

ベンズアルデヒドと過剰のメタノールと酸触媒の反応式を書け．

解答

$$\text{C}_6\text{H}_5\text{-CHO} \xrightarrow[\text{H}^+ (\text{触媒})]{\text{CH}_3\text{OH}(\text{過剰})} \text{C}_6\text{H}_5\text{-CH}(\text{OCH}_3)_2 + \text{H}_2\text{O} \quad (9.18)$$

問題　9.10　式9.18の機構を段階的に示せ．

問題　9.11　シクロヘキサノンと以下の化合物との酸触媒反応の式を記せ．
(a) 過剰のエタノール
(b) 過剰のエチレングリコール（$\text{HOCH}_2\text{CH}_2\text{OH}$）

アセタールの生成は一連の平衡（式9.17）を含む可逆反応である．これらの反応はどのようにして進行させられるのだろうか？大過剰のアルコールを用いるのも1つの方法である．もう1つの方法は，正反応の生成物である水を生成するにつれて除去することである*．アセタール生成の逆反応すなわち**アセタールの加水分解**（acetal hydolysis）は水がなければ進行できない．もう一方で，アセタールは酸触媒存在下で過剰の水と処理すると，もとのアルデヒドとアルコールに加水分解される．このどちらの過程でもヘミアセタールが中間体として生成するが，これはR′とR″が単純なアルキル基あるいはアリール基の場合にはふつう単離できない．

例　題　9.2

ベンズアルデヒドジメチルアセタールと酸水溶液との反応式を書け．

解答

$$\text{C}_6\text{H}_5\text{-CH}(\text{OCH}_3)_2 \xrightarrow[\text{H}^+]{\text{H}_2\text{O}} \text{C}_6\text{H}_5\text{-CH=O} + 2\text{CH}_3\text{OH} \quad (9.19)$$

問題　9.12　式9.19の反応機構を段階的に示せ．

アセタールの酸触媒開裂反応は，中間体の炭素陽イオンが共鳴安定化されるために，単純なエーテルの酸触媒開裂反応（8.6節参照）に比べるとはるかに起こりやすい．しかし塩基に対しては，アセタールは通常のエーテルと同様に安定である．

---
*　実験室では，この操作は数種の方法で行われる．反応混合物から水を蒸留するのも一つの方法である．別の方法では，水をモレキュラーシーブで捕捉する．モレキュラーシーブは水を保持するのに必要な大きさと形の空洞をもつ無機物質である．

☞　**アセタールの加水分解**はアセタール生成の逆反応である．

9.8 水の付加；アルデヒドおよびケトンの水和反応

水はアルコールと同様に酸素系の求核剤であり，アルデヒドやケトンに可逆的に付加できる。たとえば，ホルムアルデヒドは水溶液中で主として水和物として存在する。

$$\underset{\text{ホルムアルデヒド}}{\overset{H}{\underset{H}{>}}C=O} + H-OH \rightleftharpoons \underset{\text{ホルムアルデヒド水和物}}{\overset{HO}{\underset{H}{>}}C-OH} \quad (9.20)$$

しかし，他のアルデヒドやケトンでは，たいていの水和物は容易に水を失ってカルボニル化合物を再生するために，水和物を単離することができない。例外としてトリクロロアセトアルデヒド（クロラール）は安定な結晶性の水和物，$CCl_3CH(OH)_2$，を形成する。この**抱水クロラール**（chloral hydrate；クロラール水和物の慣用名）は医学上鎮静剤として用いられ，獣医学においては馬，牛，豚，にわとりなどの催眠剤や麻酔剤として使用されている。Mickey Finnの名称で知られる強烈な飲料はアルコールと抱水クロラールを混合したものである。

問題 9.13 $CH_3CBr_2CH_3$を水酸化ナトリウムで加水分解しても$CH_3C(OH)_2CH_3$は得られず，代わりにアセトンが生成する。この理由を説明せよ。

9.9 Grignard試薬およびアセチリドの付加反応

Grignard試薬はカルボニル化合物に対して炭素系の求核剤として作用する。Grignard試薬のR基がカルボニル炭素に非可逆的に付加して，新しい炭素-炭素結合を形成する。生成物（アルコキシド）が出発物質（Grignard試薬）よりはるかに弱い塩基だから，酸-塩基反応の考えでは，付加反応は有利である。アルコキシドはプロトン化してアルコールになる。

$$>C=O + RMgX \xrightarrow{\text{エーテル}} \underset{\substack{\text{付加中間体}\\(\text{マグネシウム}\\\text{アルコキシド})}}{\overset{R}{>}C-\overset{+}{O}MgX} \xrightarrow[\text{HCl}]{H_2O} \underset{\text{アルコール}}{\overset{R}{>}C-OH} + Mg^{2+}X^-Cl^- \quad (9.21)$$

この反応は，アルデヒドまたはケトンの無水エーテル溶液をゆっくりとGrignard試薬のエーテル溶液に加える手順で行われる。カルボニル化合物をすべて加え終わり，反応が終結してから，生成したマグネシウムアルコキシドを酸水溶液で加水分解する。

Grignard試薬とカルボニル化合物の反応はアルコールを生成するのに有用な反応である。カルボニル化合物の選び方次第で生成するアルコールのタイプが決まる。ホルムアルデヒドからは第一級アルコールが生成する。

$$R-MgX + H-\underset{H}{\overset{O}{\overset{\|}{C}}}-H \longrightarrow R-\underset{H}{\overset{H}{\underset{|}{C}}}-OMgX \xrightarrow{H_2O / H^+} R-\underset{H}{\overset{H}{\underset{|}{C}}}-OH \quad (9.22)$$

ホルムアルデヒド　　　　　　　　　　　　　　　　第一級アルコール

他のアルデヒドは第二級アルコールを生成する。

$$R-MgX + R'-\overset{O}{\overset{\|}{C}}-H \longrightarrow R-\underset{H}{\overset{R'}{\underset{|}{C}}}-OMgX \xrightarrow{H_2O / H^+} R-\underset{H}{\overset{R'}{\underset{|}{C}}}-OH \quad (9.23)$$

アルデヒド　　　　　　　　　　　　　　　　第二級アルコール

ケトンは第三級アルコールを生成する。

$$R-MgX + R'-\overset{O}{\overset{\|}{C}}-R'' \longrightarrow R-\underset{R}{\overset{R'}{\underset{|}{C}}}-OMgX \xrightarrow{H_2O / H^+} R-\underset{R''}{\overset{R'}{\underset{|}{C}}}-OH \quad (9.24)$$

ケトン　　　　　　　　　　　　　　　　第三級アルコール

生成したアルコールにおいて，水酸基が結合している炭素上の1個のR基（黒字）だけがGrignard試薬に由来することに注目してほしい。アルコール骨格の残りの部分はカルボニル化合物に由来する。

例題 9.3

臭化エチルマグネシウムと3-ペンタノンの反応後加水分解して得られる生成物は何か？

解答　3-ペンタノンはケトンである。式9.24を例として考えると，生成物は3-エチル-3-ペンタノールである。

$$\underset{+\ CH_3CH_2MgBr}{CH_3CH_2-\overset{O}{\overset{\|}{C}}-CH_2CH_3} \longrightarrow CH_3CH_2-\underset{CH_2CH_3}{\overset{OMgBr}{\underset{|}{C}}}-CH_2CH_3 \xrightarrow{H_2O / H^+} CH_3CH_2-\underset{CH_2CH_3}{\overset{OH}{\underset{|}{C}}}-CH_2CH_3$$

問題 9.14　以下の反応から得られる生成物を書け

(a) ホルムアルデヒドと臭化プロピルマグネシウムを反応後，加水分解
(b) ペンタナールと臭化エチルマグネシウムを反応後，加水分解

例題 9.4

Grignard試薬とカルボニル化合物から以下のアルコールを合成する方法を示せ。

（ベンゼン環）-CH(OH)CH₃

9.9 Grignard試薬およびアセチリドの付加反応

解答 これは第二級アルコールであるから，用いるカルボニル化合物はアルデヒドでなければならない．一方，メチルあるいはフェニルGrignard試薬のどちらかを使うことができる．

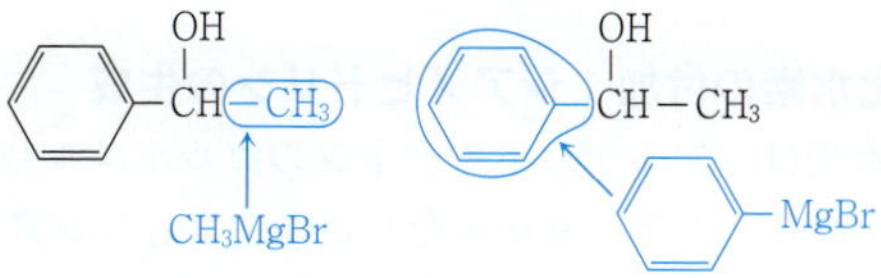

反応は以下の通り

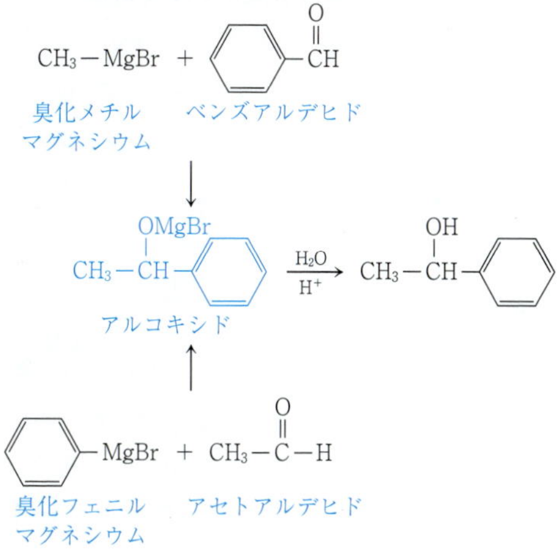

$$CH_3-MgBr + C_6H_5CHO$$
臭化メチル　　　ベンズアルデヒド
マグネシウム

$$\xrightarrow{} CH_3-CH(OMgBr)(C_6H_5) \xrightarrow{H_2O, H^+} CH_3-CH(OH)(C_6H_5)$$ (9.25)
アルコキシド

$$C_6H_5-MgBr + CH_3-CHO$$
臭化フェニル　　アセトアルデヒド
マグネシウム

どの組み合わせを選ぶかは，原料の入手しやすさや値段で決めたり，化学的な理由（たとえば反応性の高いアルデヒドやケトンを選んだほうがよい）で決めることもある．

問題 9.15 Grignard試薬とカルボニル化合物からつぎのアルコールを合成する方法を示せ．

(a) 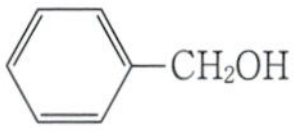 C_6H_5—CH_2OH　　(b) 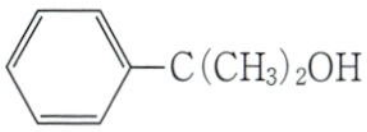 C_6H_5—C(CH_3)_2OH

有機リチウム化合物やアセチリドなどの有機金属試薬も，Grignard試薬と同様にカルボニル化合物と反応する．たとえば

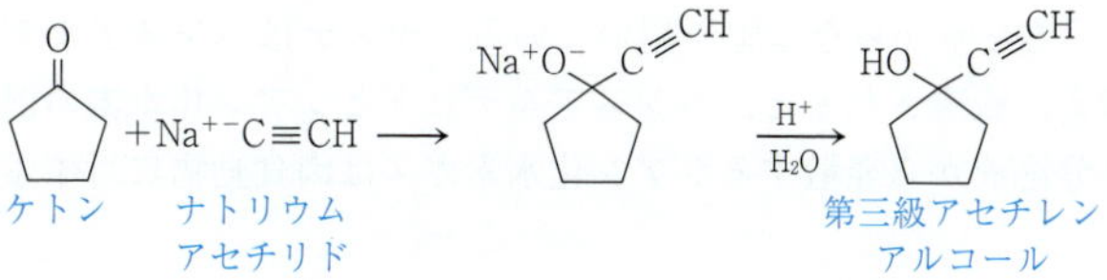

シクロペンタノン + Na$^+$ $^-$C≡CH ⟶ シクロペンチル(O$^-$Na$^+$)(C≡CH) $\xrightarrow{H^+/H_2O}$ シクロペンチル(OH)(C≡CH) (9.26)

ケトン　　ナトリウム　　　　　　　　　　　　第三級アセチレン
　　　　　アセチリド　　　　　　　　　　　　アルコール

問題 9.16 $CH_3C\equiv C^-Na^+$とシクロヘキサノンを反応後H_3O^+で処理して得られる生成物の構造式を書け。

9.10 シアン化水素の付加；シアノヒドリンの生成

シアン化水素は，アルデヒドやケトンのカルボニル基に可逆的に付加して，1個の炭素上に水酸基とシアノ基が結合した構造をもつ**シアノヒドリン**（cyanohydrin）を生成する。この反応には塩基触媒が必要である。

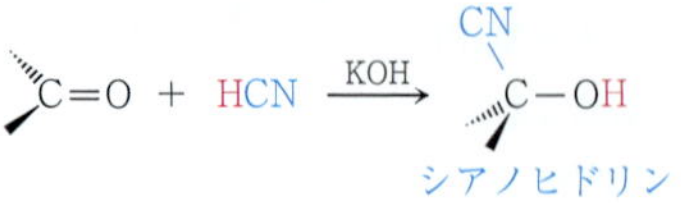

$$\text{\C=O} + HCN \xrightarrow{KOH} \underset{\text{シアノヒドリン}}{\text{\C-OH}(CN)} \tag{9.27}$$

たとえばアセトンはつぎのように反応する。

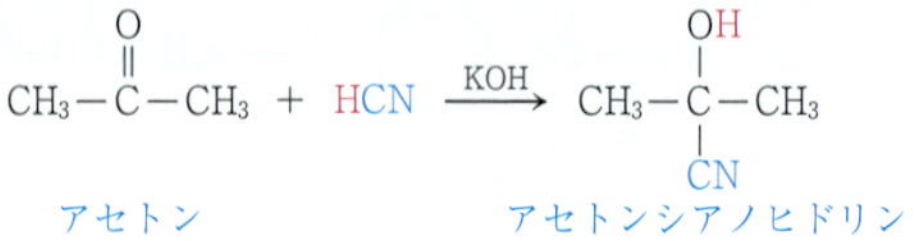

$$\underset{\text{アセトン}}{CH_3-\overset{O}{\underset{\|}{C}}-CH_3} + HCN \xrightarrow{KOH} \underset{\text{アセトンシアノヒドリン}}{CH_3-\underset{CN}{\overset{OH}{\underset{|}{C}}}-CH_3} \tag{9.28}$$

シアン化水素はその炭素上に非共有電子対をもたないので，そのままでは炭素系の求核剤として働くことはできない。しかし，塩基の作用により，シアン化水素はある程度シアン化物イオンに変換され，炭素系の求核剤として反応することになる。

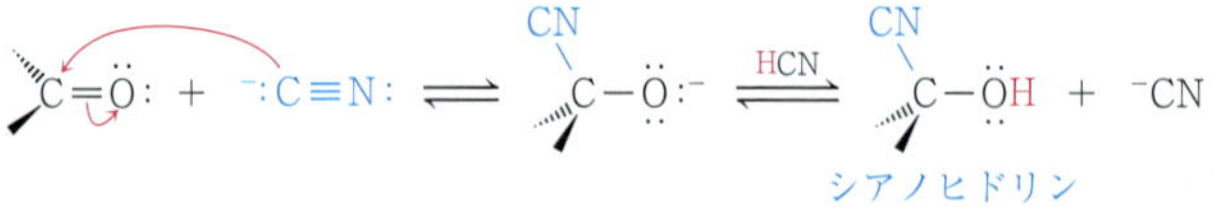

$$\text{\C=\ddot{O}:} + {}^-:C\equiv N: \rightleftharpoons \text{\C-\ddot{O}:}^-(CN) \xrightarrow{HCN} \underset{\text{シアノヒドリン}}{\text{\C-\ddot{O}H}(CN)} + {}^-CN \tag{9.29}$$

問題 9.17 つぎの化合物へのHCNの付加反応式を書け。
(a) アセトアルデヒド　(b) ベンズアルデヒド

シアノヒドリンの化学は*Apheloria corrugata*（ヤスデ）の防御システムにおいて重要な役割を演じている。ヤスデはシアン化水素を含む分泌液を放出するために，爆弾カブトムシ（本章のA Word About「キノンと爆弾カブトムシ」を参照）が使っているような2室からなる腺を用いている。ヤスデはベンズアルデヒドシアノヒドリンを貯え，威嚇されると，ベンズアルデヒドとシアン化水素の混合物に変えて放出する。分泌液から発散するシアン化水素ガスは肉食動物に対する有効な妨害剤となる。

☞ **シアノヒドリン**は同一の炭素上に水酸基とシアノ基をもつ化合物である。

$$\underset{\text{ベンズアルデヒド}\atop\text{シアノヒドリン}}{\text{C}_6\text{H}_5\text{CH(OH)CN}} \xrightarrow{\text{酵素触媒}} \underset{\text{ベンズアルデヒド}}{\text{C}_6\text{H}_5\text{CHO}} + \text{HCN} \qquad (9.30)$$

9.11 窒素系の求核剤の付加反応

アンモニア，アミンおよびこれらに関連した化合物は窒素原子上に非共有電子対をもっており，カルボニル炭素原子に対して窒素系の求核剤として働く．たとえば第一級アミンはつぎのように反応する．

$$\underset{\text{第一級アミン}}{\text{C=O} + \ddot{\text{N}}\text{H}_2-\text{R}} \rightleftharpoons \underset{\text{正四面体形の付加体}}{\left[\text{C}\begin{smallmatrix}\text{OH}\\-\text{NHR}\end{smallmatrix}\right]} \xrightarrow{-\text{HOH}} \underset{\text{イミン}}{\text{C=NR}} \qquad (9.31)$$

はじめに生成する付加物は正四面体形であり，ヘミアセタールに似ているが，ヘミアセタールの2個の酸素のうち1個がNH基で置き換わった構造である．通常この付加物は安定ではなく，水を脱離して炭素－窒素二重結合をもつ化合物を生成する．第一級アミンとの反応生成物は**イミン**（imine）である．イミンはカルボニル化合物に似ているが，酸素がNRで置き換わっている．イミンはある種の生化学反応において重要な中間体であり，たいていの酵素に存在する遊離のアミノ基とカルボニル化合物を結合するためにとくに重要である．

$$\underset{\substack{\text{酵素}\\ \\ \text{基質}}}{\begin{matrix}\text{NH}_2\\ \\ \text{O}\\\parallel\\ \text{C}\end{matrix}} \longrightarrow \underset{\text{酵素-基質}\atop\text{化合物}}{\begin{matrix}\text{N}\\\parallel\\ \text{C}\end{matrix}} + \text{H}_2\text{O} \qquad (9.32)$$

たとえば，レチナール（3章のA Word About「視覚の化学」）はタンパク質のオプシンと上記の反応を行い，ロドプシンを形成する．

問題 9.18 ベンズアルデヒドとアニリン（構造式は$C_6H_5NH_2$）の反応式を書け．

第一級アミンと同様に，$-\text{NH}_2$基をもつ他のアンモニア誘導体もカルボニル化合物と反応する．表9.1にその具体的な反応例をいくつか示してある．窒素上の2個の水素とカルボニル基の酸素はこれらの反応において水として脱離する．

☞ **イミン**は炭素と窒素間に二重結合をもつ化合物である．

表 9.1　カルボニル化合物の窒素誘導体

アンモニア誘導体の構造式	名　称	カルボニル誘導体の構造式	名　称
RNH₂ または ArNH₂	第一級アミン	\>C=NR または \>C=NAr	イミン
NH₂OH	ヒドロキシルアミン	\>C=NOH	オキシム
NH₂NH₂	ヒドラジン	\>C=NNH₂	ヒドラゾン
NH₂NHC₆H₅	フェニルヒドラジン	\>C=NNHC₆H₅	フェニルヒドラゾン
NH₂NHCNH₂ (C=O)	セミカルバジド	\>C=NNHCNH₂ (C=O)	セミカルバゾン

例題 9.5

表9.1を参考にして，ヒドラジンとシクロヘキサノンの反応式を書け。

解答

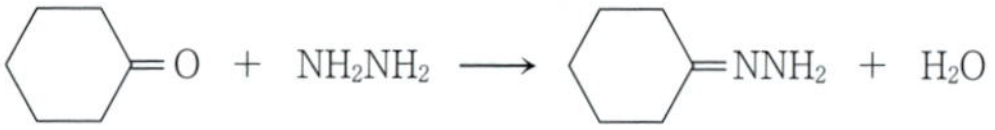

(シクロヘキサノン)=O ＋ NH₂NH₂ ⟶ (シクロヘキシリデン)=NNH₂ ＋ H₂O

生成物はヒドラゾンである。

問題 9.19　表9.1を参考にして，プロパナール（CH₃CH₂CH=O）との反応の反応式を書け。

(a) ヒドロキシルアミン　(b) フェニルヒドラジン　(c) セミカルバジド

9.12　カルボニル化合物の還元反応

アルデヒドおよびケトンは容易に還元されて，それぞれ第一級および第二級アルコールになる。この還元にはいろいろな方法があるが，金属水素化物を用いる方法がもっとも一般的である。

金属水素化物のうちでカルボニル化合物の還元にもっともよく用いられるものは，**水素化アルミニウムリチウム**（1ithium aluminum hydride）（LiAlH₄）と**水素化ホウ素ナトリウム**（sodium borohydride）（NaBH₄）である。金属–水素結合は金属が正に，水素が負に分極している。還元反応では水素陰イオン（ヒドリドイオン，H⁻）がカルボニル炭素を非可逆的に求核攻撃する。

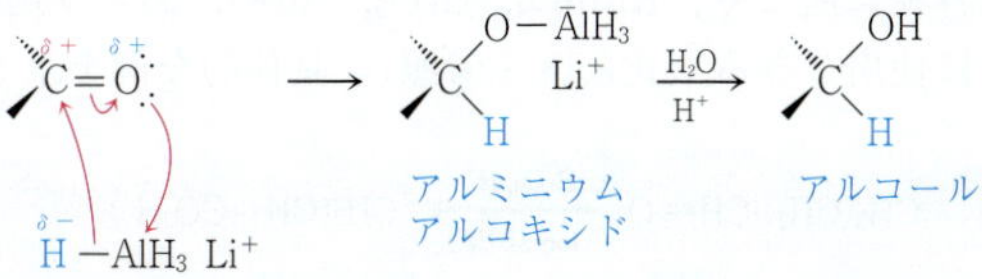

$$\overset{\delta+}{C}=\overset{\delta-}{O} \quad \longrightarrow \quad \overset{O-\bar{A}lH_3}{\underset{H}{C}} Li^+ \quad \xrightarrow{H_2O}_{H^+} \quad \overset{OH}{\underset{H}{C}} \tag{9.33}$$

$$\overset{\delta-}{H}-AlH_3 \ Li^+ \qquad \qquad \text{アルミニウム} \qquad \text{アルコール}$$
$$\text{アルコキシド}$$

はじめに生成したアルミニウムアルコキシドが，つぎに水や酸により加水分解されてアルコールになる。反応全体としては，水素分子が炭素-酸素二重結合に付加した形になる。具体例を示すと

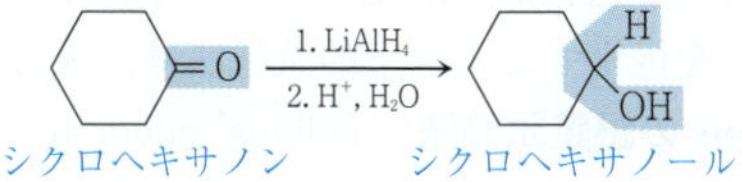

$$\text{シクロヘキサノン} \xrightarrow{\substack{1. \ LiAlH_4 \\ 2. \ H^+, \ H_2O}} \text{シクロヘキサノール} \tag{9.34}$$

問題 9.20 以下のアルコールが水素化アルミニウムリチウムとカルボニル化合物から得られることを示せ。

(a) 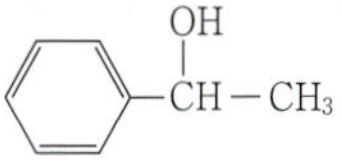 C₆H₅-CH(OH)-CH₃　　(b) $CH_3CH_2CH_2CH_2CH_2OH$

炭素-炭素二重結合は求核剤の攻撃を受けにくいので，金属水素化物を用いる反応では同じ分子中の炭素-炭素二重結合は還元されずに，炭素-酸素二重結合だけが選択的に還元されて対応するアルコールになる。

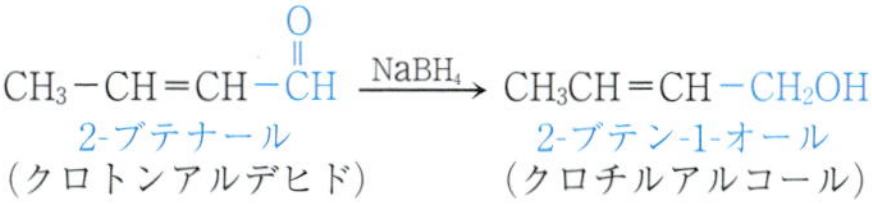

$$CH_3-CH=CH-\overset{O}{\overset{\|}{C}}H \xrightarrow{NaBH_4} CH_3CH=CH-CH_2OH \tag{9.35}$$

2-ブテナール　　　　　　2-ブテン-1-オール
（クロトンアルデヒド）　　（クロチルアルコール）

問題 9.21

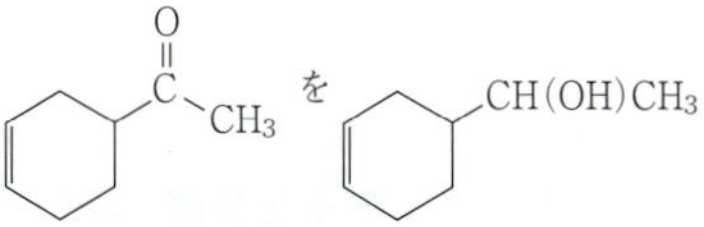

(シクロヘキセニル)-CO-CH₃ を (シクロヘキセニル)-CH(OH)CH₃ に還元する反応を示せ。

9.13　カルボニル化合物の酸化反応

アルデヒドはケトンよりも容易に酸化される。アルデヒドを酸化すると同じ炭素原子数をもったカルボン酸になる。

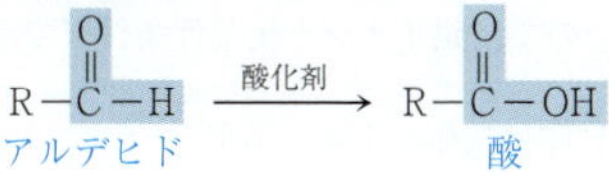

$$R-\overset{O}{\overset{\|}{C}}-H \xrightarrow{\text{酸化剤}} R-\overset{O}{\overset{\|}{C}}-OH \tag{9.36}$$

アルデヒド　　　　　酸

この酸化反応は容易に起こり，$KMnO_4$，CrO_3，Ag_2O，および過酸など数多くの酸化剤がこの目的に使用できる（式8.18を参照）。具体的な例を示そう。

$$CH_3(CH_2)_5CH=O \xrightarrow[\text{(Jones試薬)}]{CrO_3, H^+} CH_3(CH_2)_5CO_2H \quad (9.37)$$

$$\text{(cyclohexenyl-CHO)} \xrightarrow{Ag_2O} \text{(cyclohexenyl-CO}_2\text{H)} \quad (9.38)$$

酸化剤として銀イオンを使用するのは経済的ではないが，これには二重結合を酸化せずにアルデヒド基のみを選択的に酸化するという利点がある（式9.38）。

アルデヒドとケトンを区別する実験室的試験法は，両者の酸化されやすさの差を利用している。**Tollensの銀鏡試験法**（Tollens' silver mirror test）では，銀-アンモニア錯イオンがアルデヒド（ケトンでは不可能）により還元されて，金属銀となる反応を利用している*。この反応式はつぎのように書ける。

$$\underset{\text{アルデヒド}}{RCH=O} + \underset{\substack{\text{銀アンモニア}\\\text{錯イオン}\\\text{(無色)}}}{2\,Ag(NH_3)_2^+} + 3\,OH^- \longrightarrow \underset{\text{酸の陰イオン}}{RC(=O)-O^-} + \underset{\text{銀鏡}}{2\,Ag\downarrow} + 4\,NH_3\uparrow + 2H_2O \quad (9.39)$$

この試験を行うときにきれいなガラス容器を使用すると，金属銀がガラス表面に沈着して鏡を作る。この反応は一般にガラス容器の銀メッキに応用されており，アルデヒドとしては安価なホルムアルデヒドが使用されている。

問題 9.22 ホルムアルデヒドとTollens試薬から銀鏡が生成する反応式を書け。

アルデヒドは酸化されやすいので，保存しておいたアルデヒドには対応するカルボン酸が少量含まれていることが多い。これは空気酸化によるものである。

$$2\,RCHO + O_2 \longrightarrow 2\,RCO_2H \quad (9.40)$$

ケトンも酸化できるが，さらに強い酸化条件が必要である。たとえば，ナイロン製造のための重要な工業化学品である**アジピン酸**（adipic acid）は，シクロヘキサノンの酸化により工業的に製造されている。

---

* 水酸化銀は水に溶けないので，銀イオンを塩基性条件下で溶液にしておくためにアンモニアと錯形成させる必要がある。

☞ ↓印は沈殿の生成を，↑印は気体の生成を示す。

$$\text{酸化によりこの二つのC-C結合のうち，一方が切断される} \quad \underset{\text{シクロヘキサノン}}{\bigcirc\!\!=\!\!O} + HNO_3 \xrightarrow{V_2O_5} \underset{\text{アジピン酸}}{HO-\overset{O}{\overset{\|}{C}}-CH_2CH_2CH_2CH_2-\overset{O}{\overset{\|}{C}}-OH} \quad (9.41)$$

9.14 ケト–エノール互変異性

アルデヒドやケトンは**ケト形**（keto form）と**エノール形**（enol form）とよばれる2種の構造の平衡混合物として存在していることがある。この2種の形ではプロトンと二重結合の位置が異なっている。

$$\underset{\text{ケト形}}{\overset{H}{\underset{|}{C}}-\overset{O}{\overset{\|}{C}}} \rightleftharpoons \underset{\text{エノール形}}{C=C\overset{OH}{}} \quad (9.42)$$

この種の構造異性は**互変異性**（tautomerism；ギリシャ語のtauto（同じ）およびmeros（部分）に由来する）とよばれる。アルデヒドやケトンにおけるこの2種の形は**互変異性体**（tautomer）とよばれる。

例題 9.6

アセトンのケト形とエノール形の構造式を書け。

解答

$$\underset{\text{ケト形}}{CH_3-\overset{O}{\overset{\|}{C}}-CH_3} \qquad \underset{\text{エノール形}}{CH_2=\overset{OH}{\overset{|}{C}}-CH_3}$$

問題 9.23　つぎの化合物のエノール形の構造式を書け。

(a) シクロヘキサノン　　(b) アセトアルデヒド

互変異性体は構造異性体であり，共鳴混成体の1つの共鳴構造ではない。これらは容易に平衡に達し，この事実を表すために平衡反応の符号 $\rightleftharpoons$ を両構造式の間に記す。

カルボニル化合物がエノール形で存在するためには，カルボニル基に隣接する炭素原子上に水素原子が結合している必要がある。この水素は **α-水素**（α-hydrogen）とよばれ，**α-炭素原子**（α-carbon atom；最初のギリシャ文字のα（アルファ）に由来する）に結合している。

☞ **互変異性体**はプロトンと二重結合の位置が異なる構造異性体である。
☞ **α-水素**はカルボニル基に隣接している炭素原子，すなわち**α-炭素**に結合している。

A WORD ABOUT ...

互変異性とホトクロミズム

ホトクロミックサングラス

　互変異性の概念はケト形やエノール形だけでなく，1つの原子や結合が再配列することにより容易に相互変換できる異性体対や異性体群にまで拡張できる。たとえば，イミンとエナミン（不飽和アミン）は，ケト形とエノール形の関係にきわめてよく似た関係にある互変異性体である。

　ある互変異性体の組み合わせにおいて，1つの互変異性体が他の異性体へ光化学的に（つまり光を吸収して）変化することがある。たとえば，ここに示した淡黄色のフェノール-イミンに光をあてると，水素原子が酸素から窒素へ移動し他の結合も再構成される。この光化学反応で生じたケトエナミンを暗所に放置すると，再び安定なフェノール-イミンに戻る。結局，全体として反応は起こっていないようにみえるが，このような一巡の反応にはどのような用途があるのだろうか。

フェノール-イミン
淡黄色
（両方とも芳香族環）

ケト-エナミン
赤色
（片方が芳香族環）

　上の例では，1つの互変異性体は淡黄色で，もう1つは赤色である。この2種の化合物間では可逆的な光化学的変色が起こっていることになり，このような現象は**ホトクロミズム**（photochromism）とよばれる。ホトクロミズムを示す物質には実用面での用途が数多くある。すぐに思いつくのは，太陽光のもとで暗くなるめがねであるが，これにはホトクロミズムを示す物質が含有されている。太陽光が暗くなったり屋内に入ったりすると，この物質は有色構造から無色の構造に戻る。ホトクロミズムを示す物質は，情報の記録や表示板（たとえばデジタル時計など），コンピューターの化学スイッチ，極小写真（マイクロフィルムやマイクロフィッシュなど），突然の閃光からの保護，カモフラージュ用など，数多くの創造的な用途に用いられている。

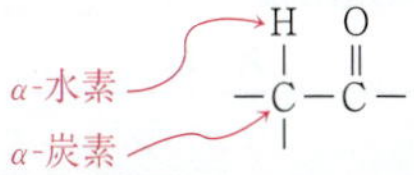

9.15　α-水素の酸性度；エノラートアニオンについて

ほとんどの簡単なアルデヒドやケトンはケト形で存在している。たとえばアセトンの99.9997％はケト形であり，エノール形は0.0003％しか存在しない。ケト形が安定であるおもな理由は，ケト形におけるC＝O結合とC—H結合のエネルギーの和が，エノール形のC＝C結合とO—H結合のエネルギーの和より大きいからである。ところがすでに学んだように，ある種の分子は主としてエノール構造で存在する。フェノールはその例である。この分子では，エノール形よりケト形が有利になるという上述の一般的なエネルギー差よりも，エノール形をとったときに形成される芳香族環による共鳴安定化の寄与のほうが大きいからである。もしケト形をとると芳香族性が壊れてしまうので，エノール形が有利となる。

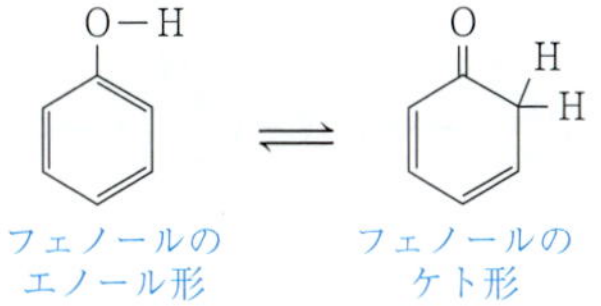

$$\text{フェノールのエノール形} \rightleftharpoons \text{フェノールのケト形} \tag{9.43}$$

α-水素をもたないカルボニル化合物はエノールを形成できないので，ケト形でのみ存在する。例を示すと

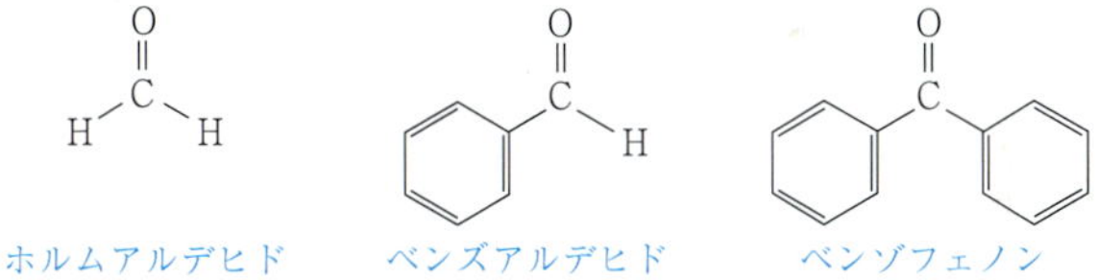

ホルムアルデヒド　　ベンズアルデヒド　　ベンゾフェノン

9.15　α-水素の酸性度；エノラートアニオンについて

カルボニル化合物の α-水素は，通常の炭素原子に結合した水素に比べるとはるかに高い酸性を示す。表9.2には代表的なアルデヒドおよびケトン，そして標準的化合物のpK_a値を示しておく。メチル基の隣にカルボニル基が結合したときの効果は著しく，メチル基水素の酸性度は10^{30}以上も上昇する（アセトアルデヒドあるいはアセトンをプロパンと比較せよ）。実際にこれらの化合物はアルコールの水酸基とほぼ同等の酸性度を示す。その理由は何であろうか？それには2つの理由がある。まず第一に，カルボニル炭素は部分的に正電荷を有している。結合している電子対がカルボニル炭素の方向に，すなわち α-水素から離れた方向に片寄る結果，α-水素はプロトンとして（つまりC—H結合の電子をもたずに）塩基により引き抜かれやすくなる（次頁上図の青い矢印）。

表 9.2　α-水素の酸性度

化合物	名　称	pK_a
$CH_3CH_2CH_3$	プロパン	~50
$CH_3\overset{O}{\overset{\|\|}{C}}CH_3$	アセトン	19
$CH_3\overset{O}{\overset{\|\|}{C}}H$	アセトアルデヒド	17
CH_3CH_2OH	エタノール	16

第二には，α-水素が脱離して生じるアニオンが共鳴により安定化される。

$$\text{塩 基} \longrightarrow H \curvearrowleft \overset{}{C} - \overset{O}{\overset{\|\|}{C}} - R \longrightarrow \left[\overset{\cdot\cdot}{C} - \overset{O}{\overset{\|\|}{C}} - R \longleftrightarrow \overset{}{C} = \overset{\overset{\cdot\cdot}{O}:^-}{\overset{}{C}} - R \right] \tag{9.44}$$

エノラートアニオン（共鳴安定化している）

このアニオンは**エノラートアニオン**（enolate anion）とよばれ，負電荷は α-炭素とカルボニル酸素に分散している。

例 題　9.7

アセトンのエノラートアニオンの構造式を書け。

解答

$$\left[\overset{\cdot\cdot}{CH_2} - \overset{:\overset{\cdot\cdot}{O}:}{\overset{\|\|}{C}} - CH_3 \longleftrightarrow CH_2 = \overset{:\overset{\cdot\cdot}{O}:^-}{\overset{\|}{C}} - CH_3 \right] \text{または} \left[CH_2 = \!\!= \overset{O}{\overset{\|\|}{C}} - CH_3 \right]^-$$

エノラートアニオンは，電子の配置だけが異なる 2 種の共鳴構造式で示される共鳴混成体である。

問題　9.24　つぎの化合物のエノラートアニオンの共鳴構造式を書け。
　(a)　シクロヘキサノン　　(b)　アセトアルデヒド

9.16　カルボニル化合物における重水素交換反応

通常のアルデヒドやケトンに含まれるエノール形の割合はきわめて低いが，その存在は実験的に確かめることができる。たとえば，カルボニル化合物を D_2O や

☞　**エノラートアニオン**はケトンあるいはアルデヒドの α-水素を塩基で解離させると生成する。

9.16 カルボニル化合物における重水素交換反応

CH_3OD などの溶媒中に放置すると，α-水素が重水素で置換される．この交換反応は酸または塩基によって触媒されるが，つぎの例のように α-水素だけが交換する．

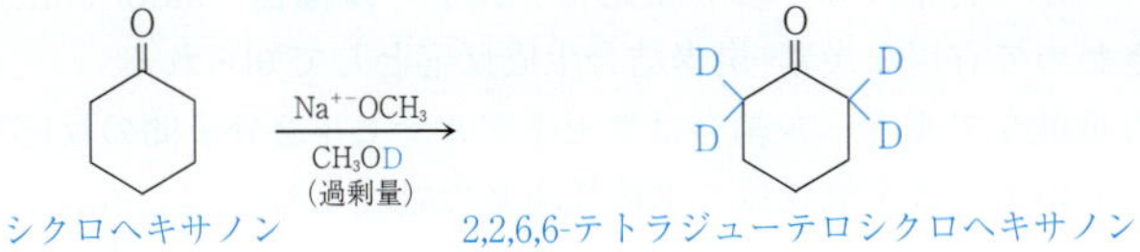

シクロヘキサノン $\xrightarrow[\text{CH}_3\text{OD}(過剰量)]{\text{Na}^+\text{-OCH}_3}$ 2,2,6,6-テトラジューテロシクロヘキサノン　　　　(9.45)

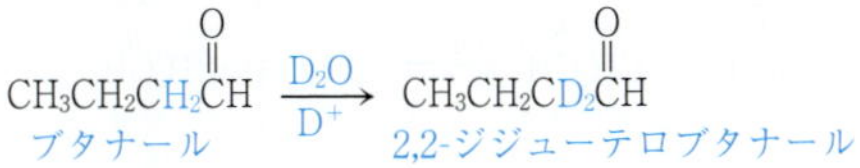

$CH_3CH_2CH_2CHO \xrightarrow[D^+]{D_2O} CH_3CH_2CD_2CHO$　　　　(9.46)
ブタナール　　　　　　　2,2-ジジューテロブタナール

α-水素の塩基触媒交換反応（式9.45）の機構は2段階である．

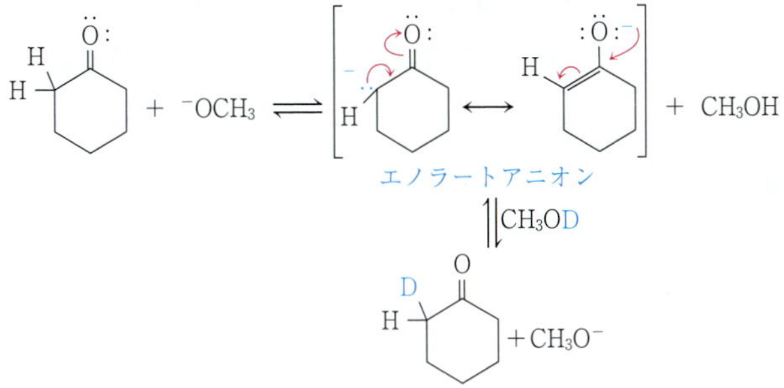

(シクロヘキサノン) $+ \ ^-OCH_3 \rightleftharpoons$ [エノラートアニオン] $+ \ CH_3OH$

$\updownarrow CH_3OD$

(2-D-シクロヘキサノン) $+ CH_3O^-$　　　　(9.47)

塩基（メトキシドイオン）が α-プロトンを引き抜いて，エノラートアニオンを生成する．つぎに CH_3OD によって再プロトン化が行われると，α-水素が重水素と置き換わる．CH_3OD が過剰に存在すれば，α-水素は4個ともすべて交換される．

α-水素の酸触媒交換反応は数段階で進行する（式9.47）．ケト形がはじめにプロトン化され，つぎに α-水素が失われて，エノール型になる．

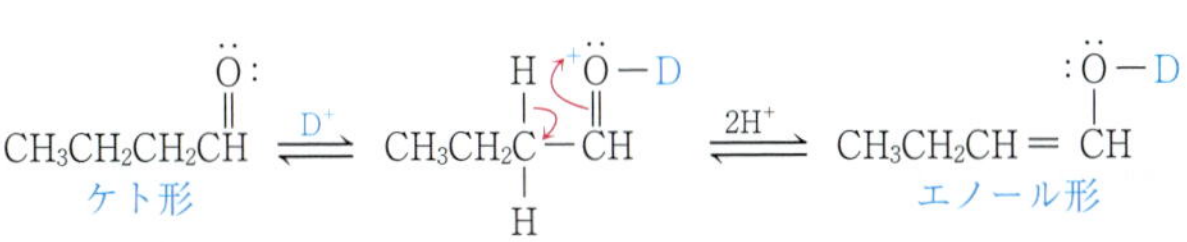

$CH_3CH_2CH_2CHO \xrightleftharpoons{D^+} CH_3CH_2CH_2CH(OD)^+ \xrightleftharpoons{2H^+} CH_3CH_2CH=CH(OD)$　　　　(9.48)
ケト形　　　　　　　　　　　　　　　　　　　　　　　　エノール形

これらの平衡反応の逆反応において，このエノールの α-炭素上へ D^+ が付加する．

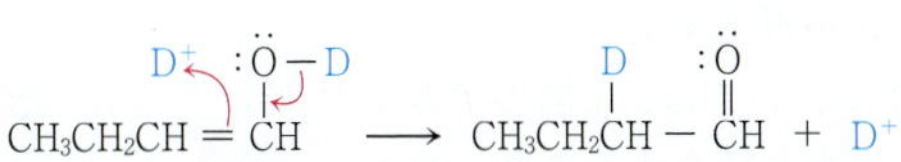

$CH_3CH_2CH=CH(OD) \xrightarrow{D^+} CH_3CH_2CHD-CHO + D^+$　　　　(9.49)

この一連の反応が繰り返し行われる結果，ほかの α-水素も交換される．

問題 9.25 つぎの化合物で，容易に重水素と交換できる水素はどれかを示せ．
(a) 2-エチルシクロペンタノン　　(b) t-ブチルメチルケトン

9.17 アルドール縮合

エノラートアニオンは炭素系の求核剤として働き，別のアルデヒドやケトン分子のカルボニル基へ付加する．この反応は**アルドール縮合**（aldol condensation）とよばれ，きわめて有用な炭素-炭素結合生成反応として知られる．

もっとも単純なアルドール縮合はアセトアルデヒド2分子間の反応であり，アセトアルデヒドの水溶液を触媒量の水溶性塩基で処理すると起こる．

$$\underset{\text{アセトアルデヒド}}{CH_3\overset{O}{\overset{\|}{C}}H} + CH_3\overset{O}{\overset{\|}{C}}H \xrightarrow{OH^-} \underset{\substack{\text{3-ヒドロキシブタナール} \\ \text{（アルドール）}}}{CH_3\overset{OH}{\overset{|}{C}}H-CH_2\overset{O}{\overset{\|}{C}}H} \qquad (9.50)$$

この生成物は**アルドール**（aldol；この名称は生成物がアルデヒドaldehydeでもアルコールalcoholでもあることに由来する）とよばれている．

アセトアルデヒドのアルドール縮合は，つぎの3段階の機構で起こる．

第1段階
$$\overset{\alpha}{CH_3}-\overset{\overset{\ddot{O}:}{\|}}{C}-H + OH^- \rightleftharpoons \underset{\text{エノラートアニオン}}{\overset{-}{C}H_2-\overset{\overset{\ddot{O}:}{\|}}{C}-H} + HOH \qquad (9.51)$$

第2段階
$$CH_3-\overset{\overset{\ddot{O}:}{\|}}{C}H + \underset{\text{求核剤}}{\overset{-}{C}H_2-\overset{\overset{O:}{\|}}{C}H} \rightleftharpoons \underset{\text{アルコキシドイオン}}{CH_3\overset{:\ddot{O}:^-}{\overset{|}{C}}H-CH_2\overset{\overset{\ddot{O}:}{\|}}{C}H} \qquad (9.52)$$

第3段階
$$CH_3\overset{:\ddot{O}:^-}{\overset{|}{C}}H-CH_2\overset{\overset{\ddot{O}:}{\|}}{C}H + HOH \rightleftharpoons \underset{\text{アルドール}}{CH_3\overset{:\ddot{O}H}{\overset{|}{\underset{\alpha}{C}}}H-CH_2\overset{\overset{\ddot{O}:}{\|}}{C}H} + OH^- \qquad (9.53)$$

第1段階では，塩基が α-水素を取り去ってエノラートアニオンが生成する．第2段階では，このアニオンが他のアセトアルデヒド分子のカルボニル炭素に付加し，新しい炭素-炭素結合を作る．通常の塩基ではカルボニル化合物はわずかしかエノラートに変換されないので，この反応系中にはカルボニル化合物の多くはイオン化していないケト形で残っており，この段階が進行する．第3段階では，第2段階で生じたアルコキシドイオンが溶媒からプロトンを受け取り，その結果第1段階で必要な水酸化物イオンが再生する．

アルドール縮合においては，1個のアルデヒド分子の α-炭素が別のアルデヒド分子のカルボニル炭素と結合することになる．

☞ **アルドール縮合**において，エノラートアニオンはアルデヒドあるいはケトンのカルボニル基に付加する．**アルドール**は3-ヒドロキシアルデヒドあるいは3—ヒドロキシケトンである．

$$\text{RCH}_2\text{CHO} + \underset{\alpha}{\text{RCH}_2\text{CHO}} \xrightarrow[\text{H}_2\text{O}]{\text{OH}^-} \text{RCH}_2\text{CH(OH)}-\underset{\underset{\text{R}}{|}}{\overset{\alpha}{\text{CH}}}\text{CHO} \quad (9.54)$$
アルドール

すなわち，アルドールは3-ヒドロキシアルデヒドのことである．求核剤として働くのは常に α-炭素だから，原料のアルデヒドの炭素鎖の長短に関係なく，生成物においてアルデヒド基と水酸基炭素はちょうど1炭素分だけ隔てられた構造をもつことになる．

例題 9.8

プロパナール（CH_3CH_2CHO）を塩基で処理したときに得られるアルドールの構造式を書け．

解答 式9.54のRをCH_3で書き換えた生成物が得られる．

$$CH_3CH_2CH(OH)-\underset{\underset{CH_3}{|}}{CH}CHO$$

問題 9.26 例題9.8で生成物が得られるまでの反応機構を段階的に示せ．

9.18 混合アルドール縮合

あるカルボニル化合物のエノラートアニオンは，反応相手を注意して選べば他のカルボニル炭素に付加できるので，アルドール縮合はきわめて多目的に利用できる有用な反応である．たとえば，アセトアルデヒドとベンズアルデヒドの反応を考えてみよう．塩基で処理すると，アセトアルデヒドだけがエノラートアニオンを形成できる（ベンズアルデヒドはα-水素をもたない）．このアセトアルデヒドのエノラートがベンズアルデヒドのカルボニル基に付加すれば，混合アルドール縮合が起こる．

$$\text{C}_6\text{H}_5\text{CHO} + \underset{\alpha}{\text{CH}_3\text{CHO}} \xrightleftharpoons{\text{OH}^-} \text{C}_6\text{H}_5\text{CH(OH)}-\text{CH}_2\text{CHO} \xrightarrow[-\text{H}_2\text{O}]{\text{加熱}} \text{C}_6\text{H}_5\text{CH=CHCHO} \quad (9.55)$$
混合アルドール　　　　　ケイ皮アルデヒド

この反応例では，生成した混合アルドールを加熱すると脱水が起こり，**ケイ皮アルデヒド**（cinnamaldehyde：シナモンの芳香成分）が得られる．

例題 9.9

アセトンとホルムアルデヒドの反応で得られる混合アルドールの構造式を書け．

解答 2種の反応試薬のうちアセトンだけがα-水素をもっているから，つぎのようになる．

$$\text{H-}\underset{\text{O}}{\overset{\|}{\text{C}}}\text{-H} + \text{CH}_3\underset{\text{O}}{\overset{\|}{\text{C}}}\text{CH}_3 \xrightarrow{\text{塩基}} \text{H-}\underset{\text{H}}{\overset{\text{OH}}{\underset{|}{\overset{|}{\text{C}}}}}\text{-CH}_2\underset{\text{O}}{\overset{\|}{\text{C}}}\text{CH}_3$$

問題 9.27 式9.51から式9.53を手本にして，式9.55の反応機構を段階的に示せ．

問題 9.28 プロパナールとベンズアルデヒドの混合アルドール縮合で得られる生成物の構造式を書け．この混合アルドールを脱水して得られる生成物の構成式を示せ．

9.19 アルドール縮合を用いる工業的合成

アルドールは合成的に有用な化合物である．たとえば，アセトアルデヒドのアルドール縮合によりクロトンアルデヒド，1-ブタノールおよびブタナールが工業的に製造されている．

$$2\,\text{CH}_3\overset{\text{O}}{\overset{\|}{\text{CH}}} \xrightarrow{\text{OH}^-} \text{CH}_3\overset{\text{OH}}{\underset{|}{\text{CH}}}\text{CH}_2\overset{\text{O}}{\overset{\|}{\text{CH}}} \xrightarrow[-\text{H}_2\text{O}]{\text{H}^+} \text{CH}_3\text{CH}=\text{CH}\overset{\text{O}}{\overset{\|}{\text{CH}}} \tag{9.56}$$
アルデヒド　　　　アルドール　　　　　　クロトンアルデヒド

$$\xrightarrow[\text{触媒}]{\text{H}_2} \text{CH}_3\text{CH}_2\text{CH}_2\overset{\text{O}}{\overset{\|}{\text{CH}}} \quad\text{または}\quad \text{CH}_3\text{CH}_2\text{CH}_2\text{CH}_2\text{OH}$$
ブタナール　　　　　　　　1-ブタノール

上式の最終段階の水素化でどちらの生成物が得られるかは，触媒と反応条件に依存している．

ブタナールは防蚊剤「6-12」（2-エチルヘキサン-1,3-ジオール）を合成する出発原料である．第1段階はアルドール縮合であり，第2段階はアルデヒド基の第一級アルコールへの還元である．

$$2\,\text{CH}_3\text{CH}_2\text{CH}_2\overset{\text{O}}{\overset{\|}{\text{CH}}} \xrightarrow{\text{OH}^-} \underset{\underset{\text{CH}_2\text{CH}_3}{|}}{\text{CH}_3\text{CH}_2\text{CH}_2\overset{\text{OH}}{\underset{|}{\text{CH}}}\text{CH}\overset{\text{O}}{\overset{\|}{\text{CH}}}} \xrightarrow{\underset{\text{Ni}}{\text{H}_2}} \underset{\underset{\text{CH}_3}{|}}{\text{CH}_3\text{CH}_2\text{CH}_2\overset{\text{OH}}{\underset{|}{\text{CH}}}\text{CHCH}_2\text{OH}} \tag{9.57}$$
ブタナール　　　　　　ブタナールアルドール　　　　2-エチルヘキサン-1,3-ジオール
　　　　　　　　　　　　　　　　　　　　　　　　　　　　　　　("6-12")

アルドール縮合は自然界においても，炭素骨格を構築する手段（逆アルドール縮合では炭素骨格を切断する）として利用されている．

問題 9.29 2-エチルヘキサノールは，可塑剤や合成潤滑油の製造原料として用いられている．これはブタナールからアルドール縮合生成物を経由して工業的に製造されている．その製造法を考えよ．

反応のまとめ

1. アルデヒドとケトンの合成

a. アルコールの酸化（9.3節）

$$*\text{R}-\text{CH}_2-\text{OH} \xrightarrow{\text{PCC}} \text{R}-\overset{\overset{\text{O}}{\|}}{\text{C}}-\text{H}$$
第一級アルコール　　　アルデヒド

$$\text{R}-\overset{\overset{\text{OH}}{|}}{\text{CH}}-\text{R} \xrightarrow{\text{PCC}} \text{R}-\overset{\overset{\text{O}}{\|}}{\text{C}}-\text{R}$$
第二級アルコール　　　ケトン

b. Friedel-Craftsアシル化（9.3節）

$$\text{C}_6\text{H}_6 + \text{R}-\overset{\overset{\text{O}}{\|}}{\text{C}}-\text{Cl} \xrightarrow{\text{AlCl}_3} \text{Ph}-\overset{\overset{\text{O}}{\|}}{\text{C}}-\text{R}$$

c. アルキンの水和（9.3節）

$$\text{R}-\text{C}\equiv\text{C}-\text{H} \xrightarrow[\text{Hg}^{2+}]{\text{H}_3\text{O}^+} \text{R}-\overset{\overset{\text{O}}{\|}}{\text{C}}-\text{CH}_3$$

---

2. アルデヒドとケトンの反応

a. アセタールの生成と加水分解（9.7節）

$$\text{ROH} + \underset{\text{R}'\quad\text{R}''}{\overset{\overset{\text{O}}{\|}}{\text{C}}} \underset{}{\overset{\text{H}^+}{\rightleftharpoons}} \text{R}'-\overset{\overset{\text{OH}}{|}}{\underset{\underset{\text{OR}}{|}}{\text{C}}}-\text{R}'' \underset{\text{H}^+}{\overset{\text{ROH}}{\rightleftharpoons}} \text{R}'-\overset{\overset{\text{OR}}{|}}{\underset{\underset{\text{OR}}{|}}{\text{C}}}-\text{R}'' + \text{H}_2\text{O}$$

アルコール　カルボニル基　　　　ヘミアセタール　　　　　アセタール

b. Grignard試薬の付加（9.9節）

$$\text{R}'-\text{MgX} + \text{R}-\overset{\overset{\text{O}}{\|}}{\text{C}}-\text{R} \longrightarrow \text{R}-\overset{\overset{\text{OMgX}}{|}}{\underset{\underset{\text{R}'}{|}}{\text{C}}}-\text{R} \xrightarrow{\text{H}_3\text{O}^+} \text{R}-\overset{\overset{\text{OH}}{|}}{\underset{\underset{\text{R}'}{|}}{\text{C}}}-\text{R}$$

ホルムアルデヒドは第一級アルコールを，他のアルデヒドは第二級アルコールを，ケトンは第三級アルコールを生成する。

---

* このまとめのカルボニル化合物すべての合成と反応において，Rはアルキルあるいはアリールのどちらでもよい。

c. シアノヒドリンの生成（9.10節）

$$HC\equiv N + R-\underset{R=H, \text{アルキル基}}{\overset{O}{\underset{\|}{C}}-R} \xrightleftharpoons{NaOH\ 触媒} \underset{\text{シアノヒドリン}}{R-\overset{OH}{\underset{CN}{C}}-R}$$

d. 窒素求核剤の付加（9.11節と表9.1）

$$R'-\ddot{N}H_2 + \underset{R=H, \text{アルキル基}}{R-\overset{O}{\underset{\|}{C}}-R} \longrightarrow R-\overset{N-R'}{\underset{\|}{C}}-R + H_2O$$

R'がアルキル基のとき，生成物はイミンである。

e. アルコールへの還元（9.12節）

$$\underset{R=H, \text{アルキル基}}{R-\overset{O}{\underset{\|}{C}}-R} \xrightarrow[\text{または}\ H_2, 触媒, 加熱]{LiAlH_4\ \text{または}\ NaBH_4} \underset{\text{アルコール}}{R-\overset{OH}{\underset{H}{C}}-R}$$

f. カルボン酸への酸化（9.13節）

$$\underset{\text{アルデヒド}}{R-\overset{O}{\underset{\|}{C}}-H} \xrightarrow[O_2, \text{または}\ Ag^+, NaOH]{CrO_3, H_2SO_4, H_2O\ \text{または}} \underset{\text{カルボン酸}}{R-\overset{O}{\underset{\|}{C}}-OH}$$

g. アルドール縮合（9.17節）

$$2\ RCH_2CH=O \xrightarrow{\text{塩基}} RCH_2CHCH\underset{\text{アルドール}}{\overset{OH}{\underset{R}{C}}CH=O}$$

アルデヒド　　　　　　　アルドール

反応機構のまとめ

求核付加反応（9.6節）

$$\underset{R}{\overset{R}{C}}=\ddot{\ddot{O}}: \xrightarrow{\bar{N}u:} \underset{R}{\overset{R}{\underset{|}{C}}}-\ddot{\ddot{O}}:^- \xrightarrow{H_2O\ \text{または}\ ROH} \underset{R}{\overset{R}{\underset{|}{C}}}-\ddot{O}-H$$

章末問題

アルデヒドとケトンの命名法，構造，および性質

9.30 次の化合物名を書け．

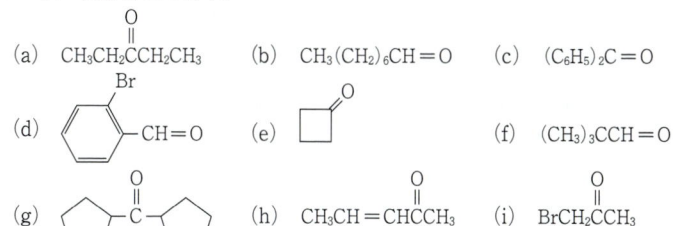

(a) CH₃CH₂CCH₂CH₃ (ケトン基 C=O)
(b) CH₃(CH₂)₆CH=O
(c) (C₆H₅)₂C=O
(d) o-ブロモベンズアルデヒド（BrC₆H₄-CH=O）
(e) シクロブタノン
(f) (CH₃)₃CCH=O
(g) ジシクロペンチルケトン
(h) CH₃CH=CHCCH₃ (α,β-不飽和ケトン)
(i) BrCH₂CCH₃

9.31 つぎの化合物の構造式を書け．
(a) 3-オクタノン
(b) 4-メチルペンタナール
(c) m-クロロベンズアルデヒド
(d) 3-メチルシクロヘキサノン
(e) 2-ペンテナール
(f) ベンジルフェニルケトン
(g) p-ベンゾキノン
(h) p-トルアルデヒド
(i) 2,2-ジブロモヘキサナール
(j) 1-フェニル-2-ブタノン

9.32 つぎの化合物の具体例をそれぞれ1つ示せ．
(a) アセタール (b) ヘミアセタール (c) シアノヒドリン
(d) イミン (e) オキシム (f) フェニルヒドラゾン
(g) エノール (h) α-水素をもたないアルデヒド (i) エノラート
(j) ヒドラゾン

9.33 カルボニル化合物の異性体であるヘプタナール，4-ヘプタノン，2,4-ジメチル-3-ペンタノンの沸点はそれぞれ155℃，144℃，124℃である．この順序を説明せよ．

ケトンとアルデヒドの合成

9.34 つぎの手法を用いて2-ペンタノンを合成する反応式を書け．
(a) アルコールの酸化反応 (b) アルキンの水和反応

9.35 アルコールからペンタナールを合成する反応式を書け．

9.36 Friedel Crafts 反応を用いて，メチル-1-ナフチルケトンを合成する反応式を書け．

アルデヒドとケトンの反応

9.37 p-ブロモベンズアルデヒドがつぎの試薬と反応するときはその反応式を書き，生成物の有機化合物に命名せよ．
(a) Tollens 試薬 (b) ヒドロキシルアミン
(c) CrO₃，H⁺ (d) 臭化エチルマグネシウム，つぎにH₃O⁺
(e) メチルアミン（CH₃NH₂） (f) フェニルヒドラジン
(g) シアニドイオン (h) 過剰のメタノールと乾燥HCl
(i) エチレングリコールとH⁺ (j) 水素化アルミニウムリチウム

◫ =総合問題

9.38 つぎの一対の化合物を区別できる簡単な化学的試験法を示せ．
 (a) ペンタナールと2-ペンタノン
 (b) ベンジルアルコールとベンズアルデヒド
 (c) シクロヘキサノンと2-シクロヘキセノン

9.39 図9.1に示した構造式を用いてつぎの天然物の反応式を書け．
 (a) ケイ皮アルデヒドとTollens試薬
 (b) バニリンとヒドロキシルアミン
 (c) カルボンと水素化ホウ素ナトリウム
 (d) ショウノウと臭化メチルマグネシウム，続いてH_3O^+

9.40 つぎの反応式を完成せよ．
 (a) ブタナール＋過剰のメタノール，$H^+ \longrightarrow$
 (b) $CH_3CH(OCH_3)_2 \ + \ H_2O, \ H^+ \longrightarrow$
 (c) 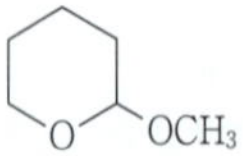 [テトラヒドロピラン-2-イル-OCH₃] $+ \ H_2O, H^+ \longrightarrow$
 (d) 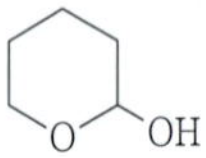 [テトラヒドロピラン-2-オール] $+$ 過剰の$CH_3CH_2OH, H^+ \longrightarrow$

Grignard試薬および他の求核剤との反応

9.41 つぎの化合物を臭化メチルマグネシウムと反応させたあと，酸水溶液で加水分解したときの反応式を書け．
 (a) アセトアルデヒド (b) アセトフェノン
 (c) ホルムアルデヒド (d) シクロペンタノン

9.42 Grignard試薬とアルデヒドまたはケトンを用いて，つぎの化合物を合成する方法を示せ．
 (a) 1-ペンタノール (b) 3-ペンタノール
 (c) 2-メチル-2-ペンタノール (d) 1-シクロペンチルシクロペンタノール
 (e) 1-フェニル-1-プロパノール (f) 3-ブテン-2-オール

9.43 つぎの反応の反応式を完成せよ．
 (a) シクロヘキサノン $+ \ Na^{+\ -}C{\equiv}CH \longrightarrow \xrightarrow[H^+]{H_2O}$
 (b) シクロペンタノン $+ \ HCN \xrightarrow{KOH}$
 (c) 2-ブタノン $+ \ NH_2OH \xrightarrow{H^+}$
 (d) ベンズアルデヒド ＋ ベンジルアミン $\longrightarrow$
 (e) プロパナール ＋ フェニルヒドラジン $\longrightarrow$

酸化と還元

9.44 つぎの反応で得られる生成物の構造式を書け．

(a) 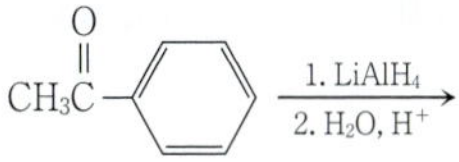 CH₃C(=O)-C₆H₅ 1. LiAlH₄ 2. H₂O, H⁺

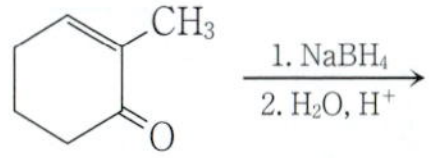

(b) 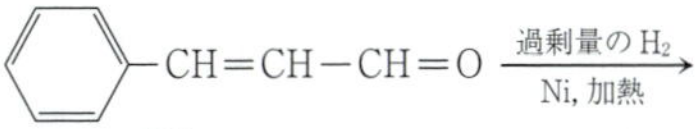 C₆H₅-CH=CH-CH=O 過剰量の H₂ / Ni, 加熱

(c) 2-メチルシクロヘキセノン 1. NaBH₄ 2. H₂O, H⁺

(d) C₆H₅-CH₂CH₂CH=O Jones試薬

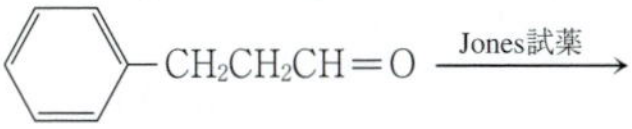

(e) CH₃CH=CHCHO Ag₂O

エノール，エノラートとアルドール反応

9.45 つぎの化合物について，考えられるだけのエノール形の構造式を示せ。
(a) 2-ブタノン　(b) フェニルアセトアルデヒド　(c) 2,4-ペンタンジオン

9.46 生成物の構造を書き，下の反応を完成せよ。

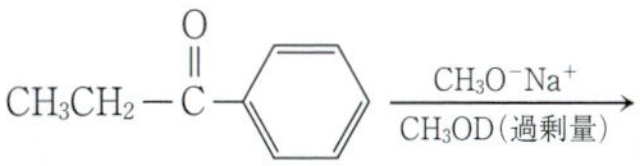

$$CH_3CH_2-C(=O)-C_6H_5 \xrightarrow[CH_3OD(過剰量)]{CH_3O^-Na^+}$$

9.47 つぎの化合物を D_2O 中 NaOD で処理すると，水素がいくつ重水素で置換されるか答えよ。
(a) 3-メチルシクロペンタノン　(b) 3-メチルブタナール

9.48 ブタナールのアルドール縮合の反応機構を段階的に書け。(防蚊剤「6-12」の工業的合成法の最初の段階がこの反応である。式9.57参照)。

9.49 下記の不飽和ジケトンをエタノール中水酸化ナトリウムと処理すると，香料として使用されているジャスミン花の香気成分ジャスモンが生成する。この反応経路について説明せよ。

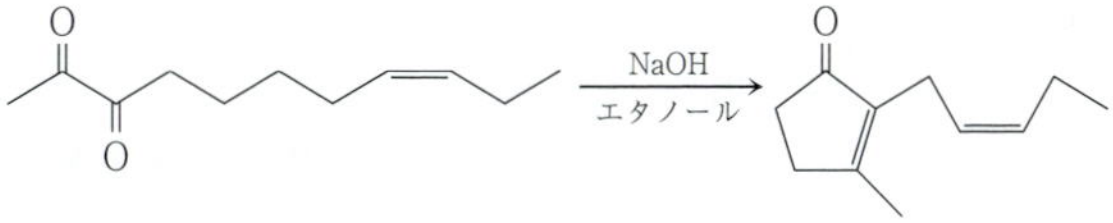

(不飽和ジケトン) $\xrightarrow[エタノール]{NaOH}$ ジャスモン

9.50 香料に使われる百合アルデヒド (lily aldehyde) は混合アルドール縮合から出発して合成される。炭素骨格の組み立て方を示せ。

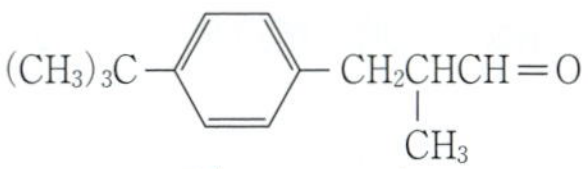

$(CH_3)_3C-C_6H_4-CH_2CH(CH_3)CH=O$
百合アルデヒド

パズル

9.51 アセトンと過剰量のベンズアルデヒドを塩基触媒を用いて反応させると，組成式 $C_{17}H_{14}O$ をもった黄色結晶の生成物が得られる。この化合物の構造を推定し，生成機構を説明せよ。

9.52　Enovid と Norlutin の名称で知られる2種類の経口避妊薬を合成する反応の最終段階が下に示してある。各反応段階において必要な試薬を示し，その反応がどのようなタイプの一般反応に相当するか答えよ。

Enovid　　Norlutin

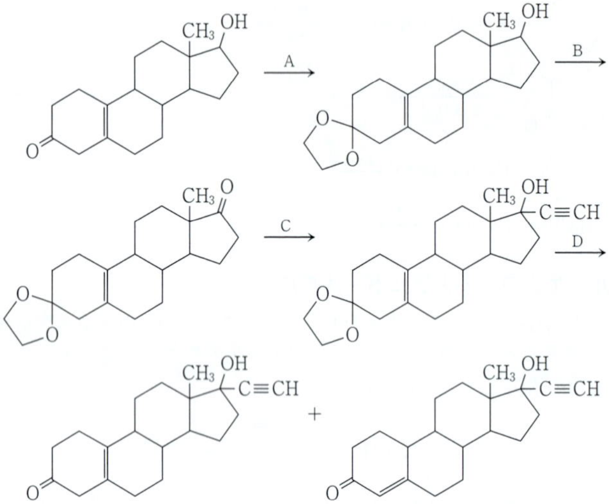

最終生成物において，出発原料のカルボニル基が変化せずにもち越されているにもかかわらず，合成反応段階の最初にこのカルボニル基がまずアセタールに変換されている理由を説明せよ。つぎに Norlutin において，炭素–炭素二重結合がどのようにしてその位置にくるのかを説明せよ。

9.53　ビタミンB_6は酵素（部分構造を下に示す）と反応して α–アミノ酸を α–ケト酸に変換する反応を触媒する補酵素を生成する。

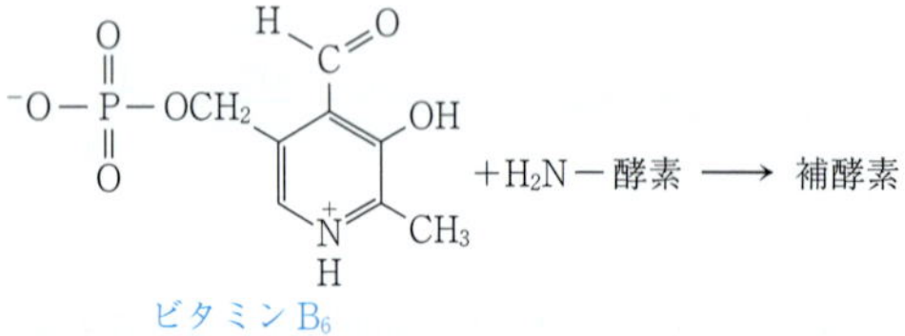

ビタミンB_6

(a)　補酵素の構造を書け。

(b)　α–アミノ酸は下に示す一般的な構造をしている。α–ケト酸の構造を書け。

α–アミノ酸

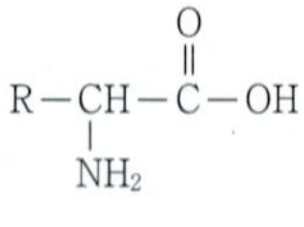

CHAPTER 10

サリチル酸

カルボン酸とその誘導体

有機酸のうちでもっとも代表的なものは**カルボン酸**(carboxylic acid)である。官能基は**カルボキシル基**（carboxyl group）であり，この名称は2つの構成成分であるカルボニル基（carbonyl）と水酸基（hydroxyl）の名称を合わせて縮めたものである。カルボン酸の一般式はつぎのような広がった形や省略した形で書くことができる。

カルボキシル基　　　カルボキシル酸の3通りの表示法　　または　RCOOH　または　RCO₂H

本章ではカルボン酸の構造，酸性度，合成法，反応などについて説明する。またカルボン酸の水酸基が他の官能基（たとえばOR，ハロゲンなど）で置換された構造をもつ**カルボン酸誘導体**（carboxylic acid derivative）とよばれる化合物についても説明しよう。

10.1	カルボン酸の命名法
10.2	カルボン酸の物理的性質
10.3	酸性度および酸性度定数
10.4	カルボン酸が酸性を示す理由
10.5	酸性度に与える構造の影響，誘起効果の適用
10.6	カルボン酸からの塩の形成
10.7	カルボン酸の合成法
10.8	カルボン酸の誘導体
10.9	エステル
10.10	エステルの合成，Fischerのエステル化
10.11	酸触媒エステル化反応の機構；求核的アシル基置換反応
10.12	ラクトン
10.13	エステルのけん化
10.14	エステルの加アンモニア分解
10.15	エステルとGrignard試薬の反応
10.16	エステルの還元
10.17	活性化されたアシル化合物の用途
10.18	酸ハロゲン化物
10.19	酸無水物
10.20	アミド
10.21	カルボン酸誘導体についてのまとめ
10.22	エステルα位の水素とClaisen縮合反応について
A WORD ABOUT ...	
10.19	天然物中に存在にするアシル基活性化としてのチオエステル
10.20	尿素

▲ 白柳（salix alba）の樹皮からサリチル酸は採取され，それからアスピリン（アセチルサリチル酸）がつくられる

10.1 カルボン酸の命名法

カルボン酸は自然界に豊富に存在しているために，もっとも早期から有機化学者によって研究されている化合物の1つである。したがって慣用名をもつカルボン酸が数多く存在しても驚くにはあたらない。これらの慣用名はふつう酸の派生源を示すラテン語またはギリシャ語に由来することが多い。表10.1には炭素数1から10までの直鎖状カルボン酸の慣用名とIUPAC名が挙げてある。

$$\underset{3}{\overset{\beta}{CH_3}}-\underset{2}{\overset{\alpha}{\underset{|}{CH}}}-\underset{1}{CO_2H} \qquad \underset{3}{CH_2}=\underset{2}{CH}\underset{1}{CO_2H} \qquad \underset{4}{\overset{\gamma}{CH_3}}\underset{3}{\overset{\beta}{CH}}\underset{2}{\overset{\alpha}{CH_2}}\underset{1}{CO_2H}$$
$$BrOH$$

2-ブロモプロパン酸　　　　プロペン酸　　　　3-ヒドロキシブタン酸
(α-ブロモプロピオン酸)　　(アクリル酸)　　　(β-ヒドロキシ酪酸)

表 10.1 脂肪族カルボン酸

炭素数	構造式	語源（含有物）	慣用名	IUPAC名
1	HCOOH	蟻（ラテン語, fornica）	ギ酸 (formic acid)	メタン酸 (methanoic acid)
2	CH₃COOH	食酢（ラテン語, acetum）	酢酸 (acetic acid)	エタン酸 (ethanoc acid)
3	CH₃CH₂COOH	ミルク（ギリシャ語, protos pion, 最初の脂肪）	プロピオン酸 (propionic acid)	プロパン酸 (propanoic acid)
4	CH₃(CH₂)₂COOH	バター（ラテン語, butyrum）	酪酸 (butyric acid)	ブタン酸 (butanoic acid)
5	CH₃(CH₂)₃COOH	吉草根（ラテン語, valere, 強く）	吉草酸 (valeric acid)	ペンタン酸 (pentanoic acid)
6	CH₃(CH₂)₄COOH	山羊（ラテン語, caper）	カプロン酸 (caproic acid)	ヘキサン酸 (hexanoic acid)
7	CH₃(CH₂)₅COOH	ぶどうの花（ラテン語, oenanthe）	エナンチン酸 (enanthic acid)	ヘプタン酸 (heptanoic acid)
8	CH₃(CH₂)₆COOH	山羊（ラテン語, caper）	カプリル酸 (caprylic acid)	オクタン酸 (octanoic acid)
9	CH₃(CH₂)₇COOH	てんじくあおい（こうのとりのような形をしたさやをもつ薬草。ギリシャ語, pelargos, こうのとり）	ペラルゴン酸 (pelargonic acid)	ノナン酸 (nonanoic acid)
10	CH₃(CH₂)₈COOH	山羊（ラテン語, caper）	カプリン酸 (capric acid)	デカン酸 (decanoic acid)

☞ **カルボン酸**とは，**カルボキシル基**をもった有機酸のことである。**カルボン酸誘導体**とは酸の-OH基を他の置換基で置き換えた構造をもつもののことである。

10.1 カルボン酸の命名法

　カルボン酸のIUPAC名を書くには，対応するアルカン名の語尾の-eを接尾語-oicに置き換えたあと，-acidをつけ加えればよい。置換カルボン酸の命名法にはつぎの2つがある。IUPAC命名法ではカルボキシル基の炭素からはじまる順番にしたがって分子鎖に番号をつけ，常法にしたがって置換基を位置番号で示す。つぎに慣用名を用いる場合は，α炭素からはじまる順番にしたがってギリシャ文字をつけ，置換基の位置はそのギリシャ文字で示す。この2つの命名法は混同して使用してはならない。命名に際して，カルボキシル基はアルコール，アルデヒド，ケトンなどの官能基に優先する。アルデヒドやケトンが共存する場合は，それらのカルボニル基の位置を示すために，オキソ（oxo-）という接頭語をつぎの例のように使う約束になっている。

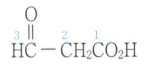

毒蟻の群れ。ギ酸 HCOOH をもっている

$$\overset{3}{\text{HC}}-\overset{2}{\text{CH}_2}\overset{1}{\text{CO}_2\text{H}}$$
（O上に二重結合）

3-オキソプロパン酸
(3-oxopropanoic acid)

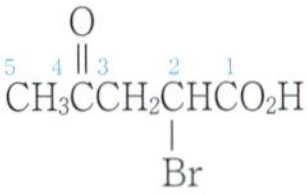

$$\overset{5}{\text{CH}_3}\overset{4}{\text{C}}\overset{3}{\text{CH}_2}\overset{2}{\text{CH}}\overset{1}{\text{CO}_2\text{H}}$$
（4位にO二重結合, 2位にBr）

2-ブロモ-4-オキソペンタン酸
(2-bromo-4-oxopentanoic acid)

栽培植物のヘリオトロープの根にはバレリン酸 $CH_3(CH_2)_3COOH$ が含まれている。

問題 10.1 つぎの名称をもつ化合物の構造式を書け。
(a) 3-ブロモブタン酸
(b) 2-ヒドロキシ-2-メチルプロパン酸
(c) 2-ブチン酸
(d) 5-メチル-6-オキソヘキサン酸

問題 10.2 つぎの化合物のIUPAC名と慣用名を書け。
(a) 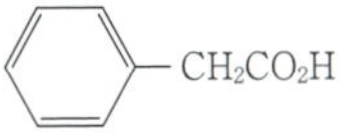 C₆H₅—CH₂CO₂H　(b) Cl₂CHCO₂H
(c) CH₃CH=CHCO₂H　(d) (CH₃)₃CCO₂H

山羊からはカプロン酸，カプリル酸，カプリン酸（$CH_3(CH_2)_nCOOH$，$n=4,6,8$）が採取できる。

　カルボキシル基が環に結合しているときは，骨格のシクロアルカン名にカルボン酸（-carboxylic acid）という語尾を続ければよい。

シクロペンタンカルボン酸　　*trans*-3-クロロシクロブタンカルボン酸

芳香族のカルボン酸は，母体となる芳香族炭化水素名の語幹に該当する接頭語のあとに，接尾語の-oic acid または-ic acid を加えて命名する。

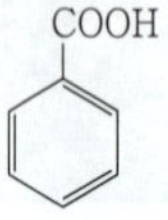

安息香酸
（ベンゼンカルボン酸）

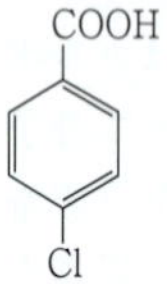

p-クロロ安息香酸
（4-クロロベンゼンカルボン酸）

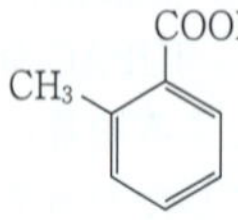

o-トルイル酸
（2-メチルベンゼンカルボン酸）

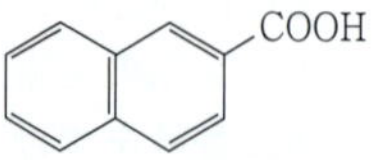

2-ナフトエ酸
（2-ナフタレンカルボン酸）

問題 10.3 つぎの化合物の構造式を書け。
(a) *trans*-4-メチルシクロヘキサンカルボン酸
(b) *m*-ニトロ安息香酸

問題 10.4 つぎの化合物に正しい名称をつけよ。
(a) 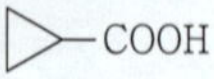 △—COOH (b) 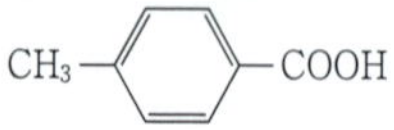 CH₃—⬡—COOH

IUPAC 命名法に従うと，脂肪族ジカルボン酸には二酸（-dioic acid）という接尾語をつけることになっている。

$$HO_2C - \overset{1}{C}H_2\overset{2}{C}H_2 - \overset{3}{C}O_2H \overset{4}{} \qquad HO_2C - C \equiv C - CO_2H$$

ブタン二酸　　　　　　　　　　　ブチン二酸
（butanedioic acid）　　　　　　（butynedioic acid）

天然物中にも数多くのジカルボン酸が存在しており，その産出起源に由来する慣用名でよばれている。表10.2に代表的な脂肪族ジカルボン酸の例をいくつか示しておく*。なかでも，もっともよく知られたものはナイロンの製造原料であるアジピン酸であろう。

マレイン酸**（maleic acid）ならびに**フマル酸**†（fumaric acid）という慣用名でよばれる2種類のブテン二酸は，*cis-trans* 異性の発見に重要な役割を演じたことでも知られている。

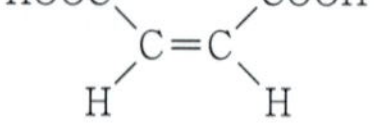

マレイン酸
（*cis*-2-ブテン二酸）
および
フマル酸 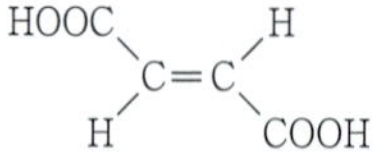
（*trans*-2-ブテン二酸）

＊　この表の英文慣用名を記憶するには，それぞれの最初の文字を順番に並べると "Oh my, such good apple pie" という言葉の各単語の頭文字と同じになると記憶するとよい。
＊＊　ラテン語の malum（りんご）に由来する。同じくりんごに含まれるリンゴ酸（malic acid, または 2-hydroxybutanedioic acid）は加熱するとマレイン酸になる。
†　フマリア科の薬草であるカラクサケマン草（fumitory）に含まれる。

10.1 カルボン酸の命名法

表 10.2 脂肪族カルボン酸

構造式	慣用名	語源	IUPAC 名
HOOC－COOH	シュウ酸	オキザリス属の植物 （たとえばヒメスイバ）	エタン二酸
HOOC－CH$_2$－COOH	マロン酸	リンゴ（ギリシャ語, *malon*）	プロパン二酸
HOOC－(CH$_2$)$_2$－COOH	コハク酸	コハク（ラテン語, *succinum*）	ブタン二酸
HOOC－(CH$_2$)$_3$－COOH	グルタル酸	グルテン	ペンタン二酸
HOOC－(CH$_2$)$_4$－COOH	アジピン酸	脂肪（ラテン語, *adeps*）	ヘキサン二酸
HOOC－(CH$_2$)$_5$－COOH	ピメリン酸	脂肪（ギリシャ語, *pimele*）	ヘプタン二酸

3種類のベンゼンジカルボン酸はそれぞれつぎの慣用名で知られている。

フタル酸　　　イソフタル酸　　　テレフタル酸

これら3種類の酸は，高分子をはじめ数多くの化学製品の製造原料として工業的に重要なものである。

また，R－CO－で示される基については**アシル基**（acyl group）という名称を用いると便利である。特定のアシル基の名称を知りたいときは，対応する酸の語尾-icを-ylにかえればよい。

アシル基　　　ホルミル　　　アセチル
　　　　　　（メタノイル）　（エタノイル）

プロピオニル　　ベンゾイル
（プロパノイル）

問題 10.5 つぎの化合物の構造式を書け。
(a) 4-アセチル安息香酸
(b) 塩化ベンゾイル
(c) 臭化ブタノイル
(d) ホルミルシクロペンタン

ダイオウ（大黄, rhubarb）にはシュウ酸 HOOCCOOH が含まれている。

10.2 カルボン酸の物理的性質

炭素原子数の少ないカルボン酸は，かなり不快な刺激臭をもつ無色の液体である。酢酸は食酢に4～5％含まれ，食酢特有のにおいと風味を与えている。酪酸は腐敗したバターの不快臭のもとであり，山羊酸（表10.1のカプロン酸，カプリル酸，カプリン酸）は山羊のようなにおいがする。表10.3にはいくつかのカルボン酸を選んでその物理的性質を示しておく。

構造式からわかるようにカルボン酸は極性をもった化合物であり，アルコールと同じようにカルボン酸の分子間や他の分子と水素結合を形成する。その結果，カルボン酸の沸点は分子量から予想されるよりもかなり高くなり，対応する分子量のアルコールよりも高い。たとえば，酢酸とプロピルアルコールは分子量（60）は同じであるが，沸点はそれぞれ118℃と97℃である。カルボン酸は水素結合2つで互いにしっかりと結びついた2量体を形成することもわかっている（7.4節参照）。

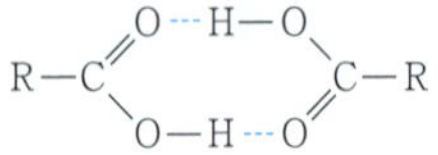

$$R-C\begin{matrix}O\cdots H-O\\O-H\cdots O\end{matrix}C-R$$

同じく水素結合を考えることによって，低分子量のカルボン酸が水溶性であることも説明できる。

10.3 酸性度および酸性度定数

カルボン酸は水中でカルボキシラートアニオン（carboxylate anion）とヒドロニウムイオンに解離する。

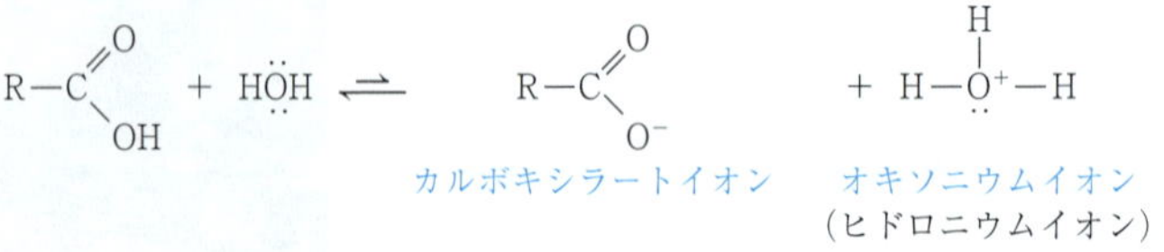

$$R-C\overset{O}{\underset{OH}{}} + H\ddot{O}H \rightleftharpoons R-C\overset{O}{\underset{O^-}{}} + H-\overset{H}{\underset{}{\overset{+}{O}}}-H \quad (10.1)$$

カルボキシラートイオン　　オキソニウムイオン
（ヒドロニウムイオン）

表 10.3 カルボン酸の物理的性質

名　称	bp ℃	mp ℃	溶解度 25℃におけるg/100gH$_2$O
ギ酸	101	8	易容(∞)
酢酸	118	17	
プロパン酸	141	－22	
ブタン酸	164	－8	
ヘキサン酸	205	－1.5	1.0
オクタン酸	240	17	0.06
デカン酸	270	31	0.01
安息香酸	249	122	0.4（ただし95℃で6.8）

10.3 酸性度および酸性度定数

その酸性度定数（acidity constant）K_a は次式で与えられる。

$$K_a = \frac{[\mathrm{RCO_2^-}][\mathrm{H_3O^+}]}{[\mathrm{RCO_2H}]} \tag{10.2}$$

さらに話をすすめる前に，7.5 および 7.6 節をもう一度読みかえしておくことをすすめる。

表 10.4 にはカルボン酸と他の酸の酸性度をいくつかあげてある。この表の数値を比較する場合には，K_a の値が大きいほど，また逆に pK_a の値が小さいほど強い酸であることを忘れないでほしい。

例題 10.1

ギ酸と酢酸を比べて，どちらがどの程度強い酸であるか答えよ。

解答 ギ酸のほうが大きな K_a 値をもつから強い酸である。酸性度の比は

$$\frac{2.1 \times 10^{-4}}{1.8 \times 10^{-5}} = 1.17 \times 10^1 = 11.7$$

すなわち，ギ酸は酢酸よりも 11.7 倍強い酸である。

問題 10.6

表 10.4 の数値を用いて，酢酸とクロロ酢酸を比べると，どちらがどの程度強い酸かを求めよ。

表 10.4　カルボン酸のイオン化定数

名称	構造式	K_a	pK_a
ギ酸	HCOOH	2.1×10^{-4}	3.68
酢酸	CH_3COOH	1.8×10^{-5}	4.74
プロパン酸	CH_3CH_2COOH	1.4×10^{-5}	4.85
ブタン酸	$CH_3CH_2CH_2COOH$	1.6×10^{-5}	4.80
クロロ酢酸	$ClCH_2COOH$	1.5×10^{-3}	2.82
ジクロロ酢酸	$Cl_2CHCOOH$	5.0×10^{-2}	1.30
トリクロロ酢酸	CCl_3COOH	2.0×10^{-1}	0.70
2-クロロブタン酸	$CH_3CH_2CHClCOOH$	1.4×10^{-3}	2.85
3-クロロブタン酸	$CH_3CHClCH_2COOH$	8.9×10^{-5}	4.05
安息香酸	C_6H_5COOH	6.6×10^{-5}	4.18
o-クロロ安息香酸	$o\text{-}Cl\text{-}C_6H_4COOH$	12.5×10^{-4}	2.90
m-クロロ安息香酸	$m\text{-}Cl\text{-}C_6H_4COOH$	1.6×10^{-4}	3.80
p-クロロ安息香酸	$p\text{-}Cl\text{-}C_6H_4COOH$	1.0×10^{-4}	4.00
p-ニトロ安息香酸	$p\text{-}NO_2\text{-}C_6H_4COOH$	4.0×10^{-4}	3.40
フェノール	C_6H_5OH	1.0×10^{-10}	10.00
エタノール	CH_3CH_2OH	1.0×10^{-16}	16.00
水	HOH	1.8×10^{-16}	15.74

表10.4の酸性度の違いを説明するまえに，カルボン酸が酸性を示す構造上の理由を学んでおく必要がある．

10.4 カルボン酸が酸性を示す理由

カルボン酸，アルコール，フェノールの3種類の化合物は，いずれも水酸基からH^+が脱離してイオン化する点で同じようにみえるが，実際にはカルボン酸が他の2つよりもはるかに強い酸性を示すのはなぜであろうか．それには2つの理由がある．その具体的な例を示してみよう．

表10.4から，酢酸はエタノールより約10^{11}倍，つまり1000億倍も強い酸であることがわかる．

$$CH_3CH_2OH \rightleftharpoons \underset{\text{エトキシドイオン}}{CH_3CH_2O^-} + H^+ \qquad K_a = 10^{-16} \qquad (10.3)$$

$$\underset{\text{}}{CH_3\overset{O}{\overset{\|}{C}}-OH} \rightleftharpoons \underset{\text{アセタートイオン}}{CH_3\overset{O}{\overset{\|}{C}}-O^-} + H^+ \qquad K_a = 10^{-5} \qquad (10.4)$$

両者の構造的な唯一のちがいは，エタノールのCH_2基が酢酸ではカルボニル基に置き換わっていることである．すでに9.5節で学んだように，カルボニル基の炭素原子はかなりの正電荷（σ^+）を帯びているため，この電荷はカルボニル基に隣接する酸素原子上に負電荷を置くことを容易にする．すなわち，これはカルボキシル基の水酸基からプロトン（H^+）をイオン化させた構造と一致するのである．

2番目の理由として，エトキシドイオンでは負電荷が1つの酸素原子上だけに局在化しているが，アセタートイオンでは負電荷は共鳴によって非局在化できることがあげられる．

$$\left[CH_3-C\overset{\ddot{O}}{\underset{\ddot{\ddot{O}}^-}{\diagdown}} \longleftrightarrow CH_3-C^+\overset{\ddot{\ddot{O}}^-}{\underset{\ddot{\ddot{O}}^-}{\diagdown}} \longleftrightarrow CH_3-C\overset{\ddot{\ddot{O}}^-}{\underset{\ddot{O}}{\diagdown}} \right] \quad \text{または} \quad \left\{ CH_3-C\overset{O}{\underset{O}{\diagdown\!\!\!\diagup}} \right\}^{-}$$

カルボキシラートイオンにおける共鳴

ここでは負電荷は2つの酸素原子上に等しく分布できるから，カルボキシラートイオンの各酸素原子は負電荷を半分しかもっていない．すなわちアセタートイオンはエトキシドイオンに比べると共鳴安定化している．この安定化があるために，式10.4の平衡は式10.3に比べるとはるかに右側に偏っており，エタノールよりも酢酸からはるかに多くのH^+が遊離する．

この2つの理由により酢酸はエタノールよりも強い酸になるのである．

例 題 10.2

フェノキシドイオンは共鳴安定化している（7.6節参照）。それにもかかわらずフェノールがカルボン酸ほど酸性が強くないのはなぜか，理由を説明せよ。

解答 第一の理由として，フェノールにおいて水酸基が結合する炭素原子（これもsp^2混成したものではあるが）はカルボニル基の炭素ほど正電荷を帯びていないことが挙げられる。第二の理由として，カルボキシラートイオンに比べてフェノキシドイオンにおける電荷の非局在化の程度が，つぎの理由により低いことが挙げられる。すなわち，共鳴の極限構造式が等価ではなく，そのいくつかは酸素上ではなく炭素上に負電荷をもち，これらが芳香族性を壊すことになるからである。

カルボキシラートイオンにおける共鳴の重要性を支持する物理的な証拠もある。ギ酸では2つの炭素-酸素結合は異なる長さをもっている。しかしギ酸ナトリウムではギ酸イオンの2つの炭素-酸素結合の長さは同一であり，通常の炭素-酸素間の二重結合と単結合の中間の値を示す。

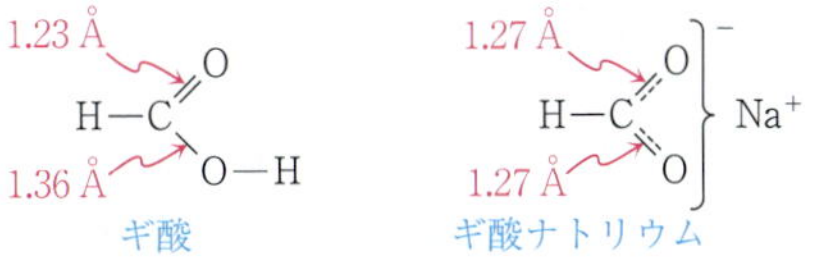

ギ酸：1.23 Å (C=O), 1.36 Å (C–O–H)
ギ酸ナトリウム：1.27 Å, 1.27 Å (Na⁺)

10.5 酸性度に与える構造の影響，誘起効果の適用

表10.4のデータをみると，カルボン酸においても（イオン化する官能基は同じであるのに）カルボキシル基に結合した置換基により酸性度がかなり変化することが示されている。たとえば酢酸をモノ–，ジ–およびトリクロロ酢酸のK_aと比較すると，酸性度が10000倍以上も変化することがわかる。

酸性度に影響を及ぼす要因のうちもっとも重要なものは，カルボキシル基に近接する置換基の誘起効果（inductive effect）である。この効果は，結合を形成する電子対を電気陰性な原子のほうに偏在させ，あるいは電気陽性な原子から遠ざけるように偏在させることで，結合を通した電荷の伝搬を行うものである。したがって電子求引基は酸性度を増大させ，電子供与基は酸性度を減少させる（7.6節参照）。具体的な例として酢酸とその塩素置換体がイオン化して生成するカルボキシラートアニオンを比較してみよう。

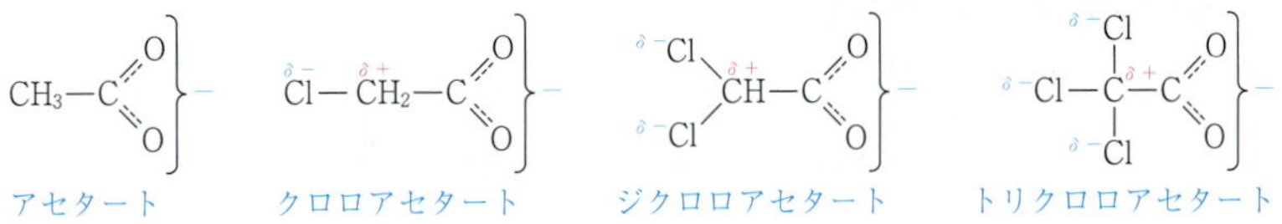

アセタート，クロロアセタート，ジクロロアセタート，トリクロロアセタート

塩素は炭素よりも電気陰性度が大きいので，C－Cl結合は塩素が部分的に負電荷，炭素が部分的に正電荷をもつように分極している。つまり，電子はカルボキシラー

トイオンから塩素の方向に引きつけられる。この効果により負電荷はアセタートイオンだけでなく他の原子上にも広がり，電荷の分散が起こるのでこのイオンは安定化する。塩素原子が数多く結合しているとこの効果はさらに大きくなり，酸はますます強くなる。

例題 10.3

ブタン酸とその2-および3-クロロ置換体の酸性度の順序が表10.4のようになる理由を説明せよ。

解答 2位に塩素が置換すると，誘起効果によってブタン酸の酸性度はかなり増大する。この効果の大きさはクロロ酢酸と酢酸を比較した場合とほぼ同程度である。3位に塩素が置換しても同様の効果があるが，その効果の程度はかなり小さい。その理由は，この場合のC—Cl結合がカルボキシル基からさらに遠い位置にあるからである。誘起効果は距離が長くなると急速に減少する。

問題 10.7 安息香酸とその o-, m-および p-クロロ置換体の酸性度の相対的な大きさについて説明せよ（表10.4参照）。

例題10.1に述べたように，ギ酸は酢酸よりも強い酸である。この事実は CH_3 基がH原子よりも電子供与性（したがって酸性度を低下させる）であることを意味しており，炭素陽イオンの安定性に関する観測結果，すなわち正電荷をもった炭素原子に対してアルキル基は水素よりも有効に電子を供与し，炭素陽イオンを安定化するという事実と一致する（3.10節参照）。

10.6 カルボン酸から塩の形成

カルボン酸は強塩基で処理すると塩を形成する。たとえば

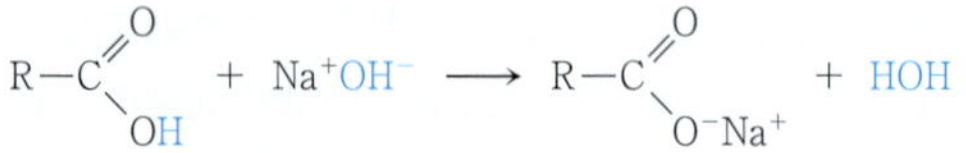

$$R-C{\underset{OH}{\overset{O}{\lVert}}} + Na^+OH^- \longrightarrow R-C{\underset{O^-Na^+}{\overset{O}{\lVert}}} + HOH \tag{10.5}$$

カルボン酸　　強塩基　　　ナトリウム塩　　　水
$pK_a\ 3\sim5$　　　　　　　　（弱塩基）　　$pK_a\ 16$

水を蒸発させると塩が単離される。あとでも学ぶが（15章），カルボン酸塩のなかにはセッケンや洗剤として使用されているものがある。

塩の命名法をつぎに例示する。

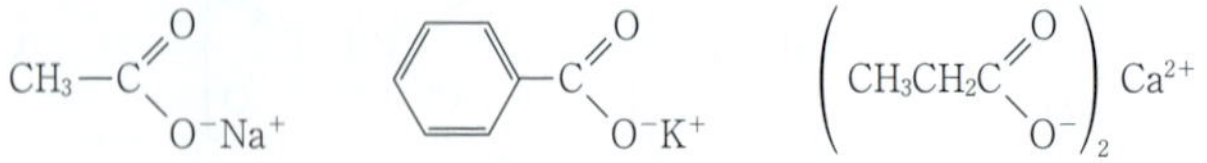

酢酸ナトリウム　　　安息香酸カリウム　　　プロパン酸カルシウム
（エタン酸ナトリウム）

すなわち，英語の命名法でははじめに陽イオンの名前を書き，そのあとに酸の語尾 -ic を -ate にかえたカルボキシラートイオンの名称をおく。日本語の命名法はこの

10.7 カルボン酸の合成法

逆で，はじめにカルボン酸の名前を書き，そのあとに陽イオンの名称をおく。

例 題 10.4
つぎのカルボキシラート塩の名称を書け。

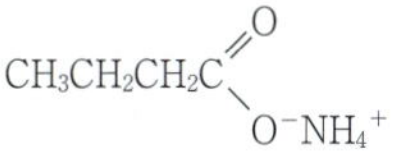

$$CH_3CH_2CH_2C(=O)O^-NH_4^+$$

解答 この塩はブタン酸アンモニウム（ammonium butanoate，IUPAC 名），あるいは酪酸アンモニウム（ammonium butyrate，慣用名）である。

問題 10.8 式 10.5 と同様に，3-ブロモプロパン酸カリウム（potassium 3-bromopropanoate）を対応するカルボン酸から合成する反応式を書け。

10.7 カルボン酸の合成法

有機酸の合成法は数多く知られているが，そのなかでも（1）第一級アルコールまたはアルデヒドの酸化，（2）芳香族環上のアルキル側鎖の酸化，（3）Grignard 試薬と二酸化炭素の反応，（4）シアン化アルキル（ニトリルのこと）の加水分解の4つの反応についてここで紹介しよう。

10.7a 第一級アルコールおよびアルデヒドの酸化

第一級アルコール（式 7.34）やアルデヒド（式 9.36）を酸化すると，カルボン酸が得られることはすでに学んだ。アルコールからアルデヒド，さらにカルボン酸と変化するにつれて C—H 結合が C—O 結合で置換されてゆくので，これらの反応が酸化反応であることは容易にわかる。

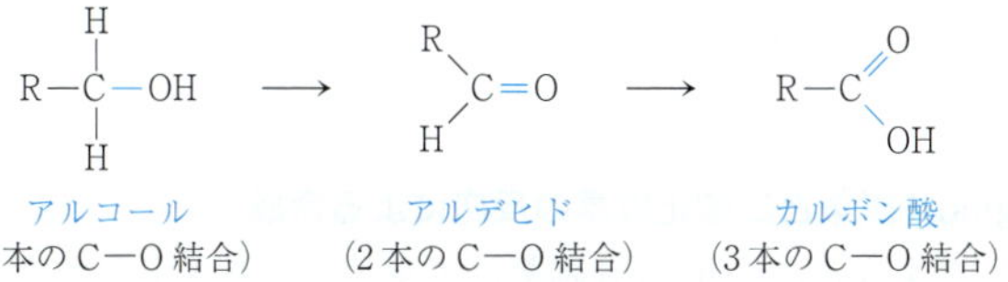

$$R-\underset{H}{\overset{H}{C}}-OH \longrightarrow \underset{H}{\overset{R}{C}}=O \longrightarrow R-C\overset{O}{\underset{OH}{}} \tag{10.6}$$

アルコール　　　アルデヒド　　　カルボン酸
（1本のC—O結合）（2本のC—O結合）（3本のC—O結合）

この目的にもっともよく使われる酸化剤は過マンガン酸カリウム（$KMnO_4$），クロム酸（CrO_3），硝酸などで，アルデヒドの酸化だけに限れば酸化銀（Ag_2O）も用いられる。これらの例は式 7.37，9.37，9.38，9.41 にみることができる。

10.7b 芳香族環上の側鎖の酸化

芳香族のカルボン酸は，芳香族環上のアルキル側鎖の酸化によって合成できる。

$$C_6H_5-CH_3 \xrightarrow[\text{加熱}]{KMnO_4} C_6H_5-C\overset{O}{\underset{OH}{}} \tag{10.7}$$

トルエン　　　　安息香酸

この反応は芳香族環がきわめて高い安定性をもつことを改めて立証している。すなわち，酸化をうけるのはアルカンに似たメチル基であって，芳香族環ではないからである。この反応では酸化剤がベンゼン環に隣接するC—H結合（ベンジル位）を攻撃する。メチル基より長い側鎖もまたカルボキシル基に酸化される。

$$\text{C}_6\text{H}_5\text{-CH}_2\text{CH}_2\text{CH}_3 \xrightarrow[\text{加熱}]{\text{KMnO}_4} \text{C}_6\text{H}_5\text{-CO}_2\text{H} \tag{10.8}$$

ベンジル位にC－H結合が存在しないと，かわりに芳香環が酸化されることになる。

$$(\text{CH}_3)_3\text{C-C}_6\text{H}_5 \xrightarrow[\text{加熱}]{\text{KMnO}_4} (\text{CH}_3)_3\text{CCO}_2\text{H} \tag{10.9}$$

過マンガン酸カリウム以外の酸化剤を使用するこのタイプの酸化反応には，工業的に重要なものがある。たとえばDacron（日本ではテトロンとよばれている）製造に必要な2つの原料物質のうちの1つであるテレフタル酸（terephthalic acid）は，コバルトを酸化触媒とした空気酸化法で合成されている。

$$\text{CH}_3\text{-C}_6\text{H}_4\text{-CH}_3 \xrightarrow[\text{CH}_3\text{CO}_2\text{H}]{\text{O}_2, \text{Co(III)}} \text{HOOC-C}_6\text{H}_4\text{-COOH} \tag{10.10}$$

p-キシレン　　　　　　　　テレフタル酸

可塑剤や樹脂，染料の合成に有用なフタル酸も，o-キシレンまたはナフタレンの酸化によって上と同様の方法で工業的に製造されている。

$$o\text{-(CH}_3)_2\text{C}_6\text{H}_4 \xrightarrow[\text{CH}_3\text{CO}_2\text{H}]{\text{O}_2, \text{Co(III)}} o\text{-(COOH)}_2\text{C}_6\text{H}_4 \tag{10.11}$$

o-キシレン　　　　　　　フタル酸

10.7c　Grignard試薬と二酸化炭素の反応による合成

すでに学んだように，Grignard試薬はアルデヒドやケトンのカルボニル基に付加してアルコールを与える。同様に二酸化炭素のカルボニル基にも付加して中間生成物のカルボキシラート塩を生じ，これを塩酸のような無機酸でプロトン化すればカルボン酸を生成する。

$$\text{R-MgX} + \text{O=C=O} \longrightarrow \text{R-}\underset{\underset{\text{O}}{\|}}{\text{C}}\text{-OMgX} \xrightarrow{\text{HX}} \text{R-}\underset{\underset{\text{O}}{\|}}{\text{C}}\text{-OH} + \text{MgX}_2 \tag{10.12}$$

この反応の収率はよく，実験室で脂肪族や芳香族のカルボン酸を合成するすぐれた方法である。ここで得られるカルボン酸は，Grignard試薬の原料に用いたハロゲ

ン化アルキル，またはハロゲン化アリールよりも炭素数が1つ多くなっていることに注目してほしい。したがって，この反応は炭素鎖を1炭素だけ長くする反応として利用できる。

例題 10.5

$(CH_3)_3CBr$ を $(CH_3)_3CCO_2H$ へ変換する反応について答えよ。

解答 $(CH_3)_3CBr \xrightarrow[\text{エーテル}]{Mg} (CH_3)_3CMgBr \xrightarrow[\text{2. }H_3O^+]{\text{1. }CO_2} (CH_3)_3CCO_2H$

問題 10.9 塩化シクロヘキシルをシクロヘキサンカルボン酸に変換する反応を考えよ。

問題 10.10 1-プロパノールからブタン酸を合成する反応を考えよ。

10.7d 有機シアン化物（ニトリル）の加水分解

有機シアン化物の炭素–窒素三重結合が加水分解されるとカルボン酸になる。この反応には酸または塩基が触媒として必要であり，酸を使用した場合にはシアン化物の窒素原子はアンモニウムイオンに変換される。

$$R-C\equiv N + 2H_2O \xrightarrow{HCl} R-\underset{\text{カルボン酸}}{\overset{\overset{O}{\|}}{C}}-OH + \underset{\text{アンモニウムイオン}}{NH_4^+} + Cl^- \tag{10.13}$$

シアニド，あるいはニトリル

塩基を使用した場合には，窒素原子はアンモニアとなり，有機物の生成物はカルボキシラート塩である。後者をカルボン酸として単離するには中和すればよい。

$$R-C\equiv N + 2H_2O \xrightarrow{NaOH} \underset{\text{カルボキシラート塩}}{R-\overset{\overset{O}{\|}}{C}-O^-Na^+} + \underset{\text{アンモニア}}{NH_3}$$
$$\downarrow H^+$$
$$R-\overset{\overset{O}{\|}}{C}-OH \tag{10.14}$$

原料のシアン化アルキルは対応するハロゲン化アルキル（通常は第一級）をシアン化ナトリウムで S_N2 置換して合成するのが一般的なつくり方である。たとえば，

$$\underset{\substack{\text{臭化プロピル}\\(1\text{-ブロモプロパン})}}{CH_3CH_2CH_2Br} \xrightarrow{NaCN} \underset{\substack{\text{ブチロニトリル}\\(\text{ブタンニトリル})}}{CH_3CH_2CH_2CN} \xrightarrow[H^+]{H_2O} \underset{\substack{\text{酪酸}\\(\text{ブタン酸})}}{CH_3CH_2CH_2CO_2H} + NH_4^+ \tag{10.15}$$

問題 10.11 ブロモベンゼンからニトリルを経由して安息香酸に導く方法がうまくいかない理由を説明せよ。これを説明したあとで，この変換を成功させるためにはどのような反応を用いたらよいかを考えて答えよ。

有機シアン化物の慣用名は，対応するカルボン酸の語尾である-ic または-oic を-onitrile にかえて命名する。つまり，式 10.15 の化合物はブチロニトリル（butyronitrile）である。IUPAC 命名法では，シアノ基を含めた炭素数が同じ炭化水素の名称に接尾語-nitrile を追加する。したがって，式 10.15 の化合物はブタンニトリル（butanenitrile）である。また有機シアン化物をシアン化アルキル（alkyl cyanide）として命名することもある。

例 題 10.6
CH_3CN の命名法を3通りの方法で示せ。
解答 アセトニトリル（acetonitrile；加水分解すると酢酸（acetic acid）を生じるから），エタンニトリル（ethanenitrile；IUPAC 名），シアン化メチル（methyl cyanide）。

シアン化物をハロゲン化アルキルから合成した場合，それを加水分解して得られるカルボン酸は，原料のハロゲン化アルキルよりも炭素原子数が1つ多いことに注目してほしい。これは Grignard 試薬を用いた合成法と類似しており，いずれの方法も炭素鎖を1つ延長する反応として利用されている。

問題 10.12 フェニル酢酸を臭化ベンジルから合成する反応経路が2つ考えられる。それを反応式で示せ。

10.8 カルボン酸の誘導体

カルボン酸誘導体は，カルボキシル基の水酸基部分をほかの置換基で置換した化合物である。これらの誘導体は加水分解すると，すべてもとのカルボン酸にもどることができる。本節以降では，これらの酸誘導体のうち重要なものについての合成法や反応について説明しよう。これらの誘導体の一般構造式をつぎに示す。

$$\underset{\text{エステル}}{R-\overset{\overset{\displaystyle O}{\|}}{C}-OR'} \qquad \underset{\text{ハロゲン化アシル}}{R-\overset{\overset{\displaystyle O}{\|}}{C}-X} \quad \begin{pmatrix} X \text{ は一般的に} \\ Cl \text{ あるいは Br} \end{pmatrix} \qquad \underset{\text{酸無水物}}{R-\overset{\overset{\displaystyle O}{\|}}{C}-O-\overset{\overset{\displaystyle O}{\|}}{C}-R} \qquad \underset{\text{オ一級酸アミド}}{R-\overset{\overset{\displaystyle O}{\|}}{C}-NH_2}$$

自然界にエステルやアミドは広く存在しているが，カルボン酸無水物をみかけることはめずらしい。酸ハロゲン化物に至っては完全に実験室の産物である。

10.9 エステル

エステル（ester）は酸の—OH基を—OR基で置換した誘導体である。エステルの命名法には塩と同様の方法を用いる。すなわち、英語名では最初に—OR基のR部分の名称を書き、つぎに酸の語尾-icを-ateにかえた名称をそのあとに続けることを憶えてほしい。日本語名はこの逆で、はじめにカルボン酸の名前を書き、つぎにR部分の名称を続ける。

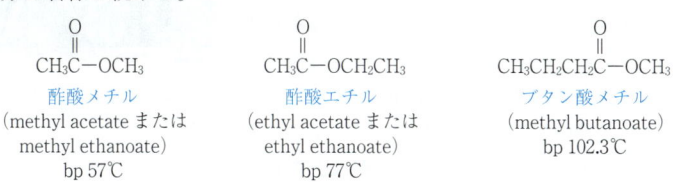

$$CH_3\overset{O}{\overset{\|}{C}}-OCH_3 \qquad CH_3\overset{O}{\overset{\|}{C}}-OCH_2CH_3 \qquad CH_3CH_2CH_2\overset{O}{\overset{\|}{C}}-OCH_3$$

酢酸メチル　　　　　　酢酸エチル　　　　　　ブタン酸メチル
(methyl acetate または　(ethyl acetate または　(methyl butanoate)
methyl ethanoate)　　　ethyl ethanoate)　　　　bp 102.3℃
bp 57℃　　　　　　　　bp 77℃

つぎの例はエステルのRとR′とを変換した一対の異性体だが、名称がまったく異なっていることに注意してほしい。

$$CH_3\overset{O}{\overset{\|}{C}}-O-C_6H_5 \qquad C_6H_5-\overset{O}{\overset{\|}{C}}-OCH_3$$

酢酸フェニル　　　　　安息香酸メチル
(phenyl acetate)　　　(methyl benzoate)
bp 195.7℃　　　　　　bp 196.6℃

さらにエステルの英名は2つの単語からなり、この2つを結んで1つの単語にはしない約束になっている。

例　題　10.7

$CH_3CH_2CO_2CH(CH_3)_2$ に命名せよ。

解答　これに関係する酸は $CH_3CH_2CO_2H$ であるから、解答となる化合物名の末尾はpropanoate（propanoicの-icを-ateに変える）である。酸のHを置換するアルキル基はイソプロピルまたは2-プロピル基だから、正しい解答はプロパン酸イソプロピルまたはプロパン酸2-プロピルとなる。

問題　10.13　つぎの化合物のIUPAC名を書け。

(a)　$H-\overset{O}{\overset{\|}{C}}-OCH_3$　(b)　$CH_3CH_2\overset{O}{\overset{\|}{C}}-O-\triangle$

問題　10.14　つぎの化合物の構造式を書け。

(a)　エタン酸-3-ペンチル
(b)　2-メチルプロパン酸エチル

☞　カルボン酸エステル（単に**エステル**ともいう）とは酸の-OH基を-OR基で置き換えたカルボン酸誘導体のことである。

エステルは一般によい香りがする物質であり，数多くの果実や花の芳香や香気のもとになっている。よく知られているものをいくつか挙げると，酢酸ペンチル（バナナ），酢酸オクチル（オレンジ），ブタン酸エチル（パイナップル），ブタン酸ペンチル（アンズ）などがある。しかし天然物の香気成分はきわめて複雑なものが多い。たとえば，西洋ナシの1種であるバートレットナシの揮発成分は53種類以上のエステルを含んでいることが確認されている。このように，エステルの混合物は香水や人工香料と

象の雌はエステルの (Z)-7-ドデセン-1-イルアセタートを発散して雄を誘引する。

しても用いられている。また低分子量のエステルのあるものは昆虫や動物の信号物質として働いている。たとえば，雌の象は酢酸(Z)-7-ドデセン-1-イルを発散させて雄を誘引する。これと同じエステルは，多くの蛾の種類においても性誘引物質として働いている。

10.10 エステルの合成，Fischerのエステル化

カルボン酸とアルコールを酸触媒（一般にはHClかH_2SO_4）存在下で加熱すると，エステルと水が生成し，原料との間に平衡反応が成立する。

$$\underset{\text{カルボン酸}}{R-\underset{\underset{O}{\|}}{C}-OH} + \underset{\text{アルコール}}{HO-R'} \xrightleftharpoons{H^+} \underset{\text{エステル}}{R-\underset{\underset{O}{\|}}{C}-OR'} + H_2O \tag{10.16}$$

この反応方法は19世紀の有機化学者 Emil Fischer（p.178）が開発したものであり，その名にちなんで **Fischerのエステル化反応**（Fischer esterification）とよばれている。この反応は平衡反応であるが，この平衡を移動させる手段はいくつかある。たとえば，アルコールかカルボン酸のいずれか値段の安いほうを大過剰に用いるとか，生成するエステルや水を反応系から（たとえば蒸留により）取り除けば，反応は右側へ進行する。

問題 10.15 式10.16を参考にして，ブタン酸ブチルを対応する酸とアルコールから合成する反応式を書け。

10.11 酸触媒エステル化反応の機構；求核的アシル基置換反応

Fischerのエステル化反応を考えてみると，生成物の水分子が酸のOHとアルコールのHとから生成するのか（式10.16の色付で示した部分），それとも酸のHと

☞ **Fischerのエステル化反応** とは，酸触媒を用いたカルボン酸とアルコールの間の縮合反応のことである。

10.11 酸触媒エステル化反応の機構；求核的アシル基置換反応

アルコールのOHとから生成するのか，という反応機構上の単純な疑問が浮かんでくる．この疑問は小さなことのように思うかもしれないが，実はこれを解き明かすことで，酸やエステルおよびその誘導体の化学的性質を理解するかぎが発見できる．

この疑問は同位体標識法を利用して解き明かされている．たとえば，安息香酸と^{18}O同位体存在比の高いメタノールとのFischerエステル化を行ったところ，^{18}O同位体で標識された安息香酸メチルが得られた＊．

$$\text{C}_6\text{H}_5\text{-C(=O)-OH} + \text{H}^{18}\text{OCH}_3 \xrightleftharpoons{\text{H}^+} \text{C}_6\text{H}_5\text{-C(=O)-}^{18}\text{OCH}_3 + \text{HOH} \quad (10.17)$$

安息香酸メチル

さらに，生成した水に^{18}Oはまったく含まれていなかったので，酸の―OH基とアルコールのHとを使って水が形成されたことが明らかとなった．言い換えると，Fischerのエステル化反応ではアルコールの－OR基がカルボン酸の－OH基を置換していることになる．

この実験事実はどのように説明できるのであろうか．この結果に矛盾しない反応機構をつぎに示す（アルコールの酸素だけを青字で示し，反応の道すじが追跡できるようにしてある）．

$$\begin{array}{c}
\text{R-C(=O)-OH} \xrightleftharpoons{\text{H}^+}_{①} \text{R-C(}^+\text{OH)-OH} \xrightleftharpoons{②}_{\text{求核的付加}} \text{R-C(OH)(OH)(OR')} \xrightleftharpoons{-\text{H}^+}_{③} \boxed{\text{R-C(OH)(OH)(OR')}} \\
\xrightleftharpoons{④}_{\text{H}^+} \\
\text{R-C(=O)-OR'} \xrightleftharpoons{-\text{H}^+}_{⑥} \text{R-C(}^+\text{OH)(OR')} \xrightleftharpoons{-\text{H}_2\text{O}}_{⑤} \text{R-C(OH)(OR')-O(H)(H)}
\end{array} \quad (10.18)$$

脱離段階

実際よりも複雑にみえるこの反応式を1段階ずつ区切って考えてみよう．

第1段階　カルボン酸のカルボニル基のプロトン化が可逆的に起こる．式9.8のアルデヒドやケトンの場合と同様に，プロトン化によってカルボキシル基の炭素原子上の正電荷が増加し，炭素上への求核攻撃が起こりやすくなる（式9.9に示してあるように，アルデヒドやケトンについても同様の効果がある）．

第2段階　この段階が重要である．プロトン化されたカルボン酸のカルボニル

＊ ^{18}Oはふつうの^{16}Oの原子核をさらに中性子2つが加わった原子である．したがって^{16}Oより2質量分重い酸素同位体である．^{18}Oと^{16}Oとは質量スペクトル分析法を用いて区別できる（12章参照）．

基へアルコールが求核剤として攻撃する反応であり，この段階で新たな炭素–酸素結合（エステル結合）が形成される。

第3および第4段階 これらの段階は酸素にプロトンが付加したり脱離したりする平衡反応である。この酸–塩基平衡は可逆的で速く，酸素を含む化合物の酸性溶液中では常に起こる平衡である。第4段階での2つの水酸基は等価であり，どちらにプロトン化が起こってもかまわない。

第5段階 ここでは炭素–酸素結合が開裂して水が脱離する。これが起こるためには水酸基をプロトン化して脱離能を高めておく必要がある（この段階は第2段階の逆反応に相当する）。

第6段階 ここでは脱プロトン化によってエステルが生成し，酸触媒が再生する。（これは第1段階の逆反応といえる）。

式10.18からこの反応機構の特徴をさらに知ることができる。この反応はカルボン酸が出発物質であり，カルボキシル基の炭素は平面三角形でsp^2混成しているが，最終生成物のエステルでもエステル炭素は平面三角形でsp^2混成している。ところがこの反応は**正四面体構造**（tetrahedral）をもった中性の反応中間体（式10.18の四角で囲んだものと，式10.19の色付で示したもの）を経由して進行し，炭素原子には4つの置換基が結合してsp^3混成している。式10.18のプロトン移動段階をすべて省略すると，この特徴に焦点を合わせたつぎの反応式が得られる。

$$\text{R-}\underset{sp^2}{\overset{\overset{\displaystyle O}{\|}}{C}}\text{-OH} + \text{R'OH} \rightleftarrows \text{R-}\underset{\underset{sp^3}{R'O}}{\overset{\overset{\displaystyle OH}{|}}{C}}\text{-OH} \rightleftarrows \text{R-}\underset{sp^2}{\overset{\overset{\displaystyle O}{\|}}{C}}\text{-OR'} + \text{HOH} \qquad (10.19)$$

したがって，反応全体としては酸の−OH基をアルコールの−OR'基が置換した結果になっている。このために本反応は**求核的アシル置換反応**（nucleophilic acyl substitution）とよばれている。しかし，この反応は実際には1段階の置換反応ではなく，求核付加に続いて脱離が起こる2段階反応であることを上述の反応機構式10.18で示した。10.14節以降でこの付加・脱離機構が不飽和炭素原子上での求核置換反応の一般的な機構であることを示そう。

問題 10.16 式10.18を参考にして，エタノールと酢酸から酸触媒を用いて酢酸エチルを合成するときの反応機構を段階的に書け。アメリカではこの方法で酢酸エチルが年間約5万トン工業的に生産されている。そのおもな用途は塗料用溶剤であり，マニキュアや各種の接着剤の溶媒としても用いられている。

☞ **四面体構造**の中間体はsp^3混成の炭素原子をもっている。
☞ **求核的アシル基置換反応**とは，カルボン酸の−OH基を他の置換基で置き換える反応のことである。

10.12 ラクトン

ヒドロキシカルボン酸（hydroxy acid）はエステルの形成に必要な2つの官能基をもっている。分子鎖を折り曲げてこの2つの官能基を接近させることができれば，互いに反応して**ラクトン**（lactone）とよばれる**環状エステル**（cyclic ester）が生成する。その例を示そう。

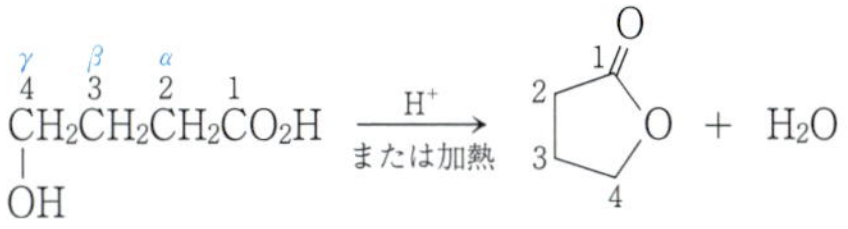

$$\underset{\text{OH}}{\underset{4}{\text{CH}_2}\underset{3}{\text{CH}_2}\underset{2}{\text{CH}_2}\underset{1}{\text{CO}_2\text{H}}} \xrightarrow[\text{または加熱}]{\text{H}^+} \quad \gamma\text{-ブチロラクトン} + \text{H}_2\text{O} \tag{10.20}$$

一般的なラクトンは5または6員環のものが多く，それより小さなものや大きなものも知られている。天然物から得られる6員環ラクトンの例を2つ示すが，その1つである**クマリン**（coumarin）は刈り入れたばかりの干し草のかぐわしい匂いのもとであり，**ネペタラクトン**（nepatalactone）はネコを興奮させるマタタビに含まれている。**エリスロマイシン**（erythromycin）は巨大環をもつラクトンの一種であり，抗生物質として広く使用されている*。

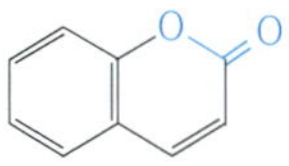

クマリン 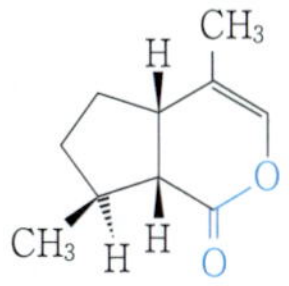　　　　ネペタラクトン 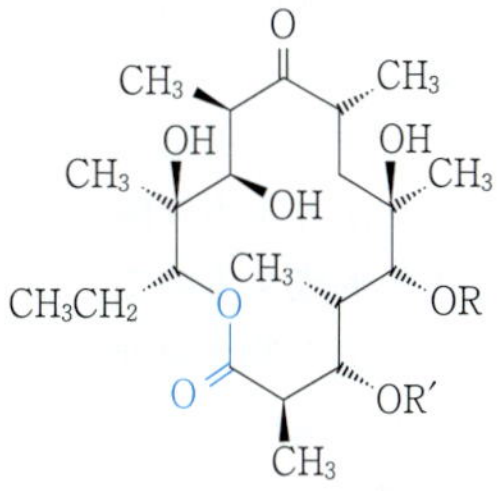　　　　エリスロマイシン

問題　10.17　式10.20に示した酸触媒反応について，反応機構を段階的に分けて説明せよ。

10.13 エステルのけん化

エステルは塩基触媒を用いて加水分解される。この反応は**けん化**（saponification：ラテン語のsapon，セッケンに由来する）とよばれている。その理由は脂肪を原料とするセッケンの製造において同様の反応が用いられているからである（15章参照）。この反応は一般式でつぎのように示される。

---

*　エリスロマイシンの構造中に示されているRとR′基は炭水化物置換基の単位である。（16章参照）。

☞　**ヒドロキシカルボン酸**には水酸基とカルボキシル基が存在する。
☞　**ラクトン**とは**環状のエステル**のことである。
☞　**けん化**とは塩基を用いたカルボン酸エステルの加水分解反応のことである。

$$R-\underset{OR'}{\underset{\|}{C}}-O + Na^+OH^- \xrightarrow[H_2O]{加熱} R-\underset{O^-Na^+}{\underset{\|}{C}}-O + R'OH \qquad (10.21)$$

エステル　　アルカリ　　　カルボン酸塩　アルコール

この反応は，求核的アシル置換反応のもう1つの例であって，エステルのカルボニル炭素上へ強力な求核剤である水酸化物イオンが求核攻撃する反応段階がそこに含まれている。

$$HO^- + R-\underset{OR'}{\underset{\|}{C}}-O \rightleftharpoons R-\underset{OH}{\underset{|}{C}}-OR' \quad 四面体構造の中間体$$

$$\updownarrow$$

$$R-\underset{\|}{\underset{O}{C}}-O-H + {:}\bar{O}R' \longrightarrow R-\underset{\|}{\underset{O}{C}}-O^- + R'OH \qquad (10.22)$$

強酸　　　　　強塩基　　　　弱塩基　　　強酸
(pK_a 5)　　　　　　　　　　　　　　　　　(pK_a 16)

ここでも主要な反応段階はカルボニル基への求核付加である。原料と生成物のカルボニル炭素は平面三方形であるが，反応は四面体形の中間体を経由して進行する。ただし，このけん化反応は可逆ではない。その理由は最終段階で強塩基性のアルコキシドイオンがカルボン酸からプロトンを奪って，カルボキシラートイオンとアルコール分子を形成するので，反応は前方向にしか進行しない。

けん化は，天然物から単離されたような未知のエステルの構造決定を行う際に，エステルをその構成成分のカルボン酸とアルコールに切断する手段としてとくに有用である。

問題 10.18 式10.21と同じように安息香酸メチルのけん化反応式を書け。

10.14　エステルの加アンモニア分解

エステルはアンモニアと反応してアミドに変換される。

$$R-\underset{OR'}{\underset{\|}{C}}-O + \ddot{N}H_3 \longrightarrow R-\underset{NH_2}{\underset{\|}{C}}-O + R'OH \qquad (10.23)$$

エステル　　　　　　　　　　アミド

たとえばつぎの反応がある。

$$Ph-\underset{OCH_3}{\underset{\|}{C}}-O + \ddot{N}H_3 \xrightarrow{エーテル} Ph-\underset{NH_2}{\underset{\|}{C}}-O + CH_3OH \qquad (10.24)$$

安息香酸メチル　　　　　　　　　ベンズアミド

この反応機構はけん化反応にきわめてよく似ている。それはアンモニアの窒素原子上の非共有電子対が，エステルのカルボニル基を求核的に攻撃して反応がはじまるからである。

問題 10.19 式10.22を参考にして，式10.24の反応機構を段階的に示せ。（HO^- の代わりに NH_3 を求核剤として用いる）。

10.15 エステルと Grignard 試薬の反応

エステルは Grignard 試薬2当量と反応して第三級アルコールになる。この反応はエステルのカルボニル基への Grignard 試薬の求核攻撃によって進行し，最初の生成物はケトンであるが，これがさらに反応して第三級アルコールを与える。

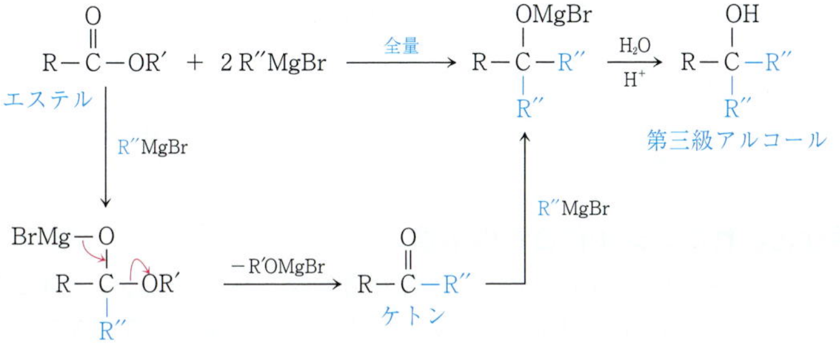

$$\text{R–C(=O)–OR'} + 2\text{R''MgBr} \xrightarrow{\text{全量}} \text{R–C(OMgBr)(R'')–R''} \xrightarrow[H^+]{H_2O} \text{R–C(OH)(R'')–R''} \quad (10.25)$$

この方法は第三級アルコールのなかでも，水酸基が結合した炭素上のアルキル置換基3つのうち2つ以上が同じであるものを合成する目的に有効である。

問題 10.20 式10.25を参考にして，つぎの反応によって得られる第三級アルコールの構造式を書け。

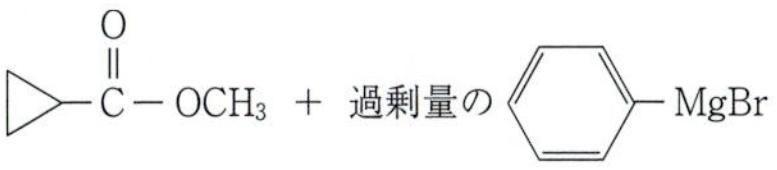

$$\triangle\text{–C(=O)–OCH}_3 + \text{過剰量の} \bigcirc\text{–MgBr}$$

10.16 エステルの還元

エステルは水素化アルミニウムリチウムによって還元されアルコールになる。

$$\text{R–C(=O)–OR'} \xrightarrow[\text{エーテル}]{LiAlH_4} \text{RCH}_2\text{OH} + \text{R'OH} \quad (10.26)$$

エステル　　　　第一級アルコール

この反応機構はアルデヒドやケトンのヒドリド還元（式9.33）に似ている。

$$\underset{\text{エステル}}{\text{R}-\overset{\overset{\text{O}}{\|}}{\text{C}}-\text{OR}'} \xrightarrow{\text{H}-\bar{\text{A}}\text{lH}_3} \text{R}-\overset{\overset{\text{O}-\bar{\text{A}}\text{lH}_3}{|}}{\underset{\text{H}}{\text{C}}}-\text{OR}' \xrightarrow{-\bar{\text{A}}\text{lH}_3(\text{OR}')} \underset{\text{アルデヒド}}{\text{R}-\overset{\overset{\text{O}}{\|}}{\text{C}}-\text{H}} \xrightarrow{\text{H}-\bar{\text{A}}\text{lH}_2(\text{OR}')} \quad (10.27)$$

$$\text{R}-\overset{\overset{\text{O}-\bar{\text{A}}\text{lH}_2(\text{OR}')}{|}}{\underset{\text{H}}{\text{C}}}-\text{H} \xrightarrow[\text{H}^+]{\text{H}_2\text{O}} \underset{\text{第一級アルコール}}{\text{RCH}_2\text{OH} + \text{R}'\text{OH}}$$

中間生成物のアルデヒドはふつう単離できず，さらに水素化物と反応してアルコールまで変換される。

この反応ではふつう同じ分子内に存在するC＝C結合を還元することなく，エステルのカルボニル基だけを還元できる。その例を示そう。

$$\underset{\text{2-ブテン酸エチル}}{\text{CH}_3\text{CH}=\text{CHC}-\text{OCH}_2\text{CH}_3} \xrightarrow[\text{2. H}_2\text{O, H}^+]{\text{1. LiAlH}_4} \underset{\text{2-ブテン-1-オール}}{\text{CH}_3\text{CH}=\text{CHCH}_2\text{OH}} + \text{CH}_3\text{CH}_2\text{OH} \quad (10.28)$$

10.17 活性化されたアシル化合物の用途

カルボン酸，エステルおよびその関連化合物のほとんどの反応は，はじめにカルボニル炭素上への求核攻撃が起こっている。たとえばFischerのエステル化，エステルのけん化および加アンモニア分解，エステルとGrignard試薬または水素化アルミニウムリチウムとの第1段階目の反応などにその例をみてきた。これらの反応はすべてつぎに示す1つの反応式にまとめることができる。

$$\underset{sp^2}{\overset{\text{R}}{\underset{\text{L}}{\text{C}}}=\ddot{\text{O}}:} + :\text{Nu}^- \underset{}{\overset{①}{\rightleftharpoons}} \underset{\text{正四面体形の中間体}}{\overset{:\ddot{\text{O}}:^-}{\underset{\text{L}}{\overset{|}{\text{R}-\text{C}-\text{Nu}}}}} \overset{②}{\rightleftharpoons} \underset{sp^2}{\overset{\text{R}}{\underset{\text{Nu}}{\text{C}}}=\ddot{\text{O}}:} + :\text{L}^- \quad (10.29)$$

最初は平面三方形であったカルボニル炭素が求核剤Nu：の攻撃を受けて，四面体形の中間体（tetrahedral intermediate）を形成する（第1段階）。脱離基Lが外れて平面三方形の炭素原子をもったカルボニル基が再成する（第2段階）。この結果，LをNuで置換したことになる。

生化学者は式10.29をいささか異なった観点から，つまりこの反応全体を**アシル基移動反応**（acyl transfer）として眺めている。アシル基（R－CO－）が出発物質中のLから生成物中のNuへ移動する反応として受けとめるのである。

☞ **アシル基移動反応**とは，アシル基がその結合していた脱離基を切り離し，別の求核剤へ移動して再び結合する反応のことである。

反応の受けとめ方はともかくとして，脱離基Lの性質が上式2つの反応段階の速度に影響を及ぼすことがこの反応の重要な特徴である。脱離基Lの電子求引性が増大すると求核的アシル置換反応における2つの反応段階の速度は増大する。すなわち，第1段階ではLが電気陰性になるほど，カルボニル炭素がより正の電荷を帯びるために求核攻撃を受けやすくなり，第2段階でもLの電気陰性度が大きくなると，脱離能力が高まるので反応が進みやすい。

一般にエステルはアルデヒドやケトンよりも求核剤に対する反応性が低い。それは，エステルではカルボニル炭素上の正電荷が酸素原子上に非局在化できるからである。

$$
\left[\begin{array}{c} R \\ R' \end{array} C=\ddot{O}: \longleftrightarrow \begin{array}{c} R \\ R' \end{array} \overset{+}{C}-\ddot{\ddot{O}}:^{-} \right] \qquad \left[\begin{array}{c} R \\ R'\ddot{O} \end{array} C=\ddot{O}: \longleftrightarrow \begin{array}{c} R \\ R'\ddot{O} \end{array} \overset{+}{C}-\ddot{\ddot{O}}:^{-} \longleftrightarrow \begin{array}{c} R \\ R'\overset{+}{\ddot{O}} \end{array} C-\ddot{\ddot{O}}:^{-} \right]
$$

カルボニル炭素は部分的に正電荷をもつ　　　　　正電荷は酸素原子上に非局在化できる

アルデヒドおよびケトンにおける共鳴　　　　　エステルにおける共鳴

その結果，エステルではアルデヒドやケトンよりもカルボニル炭素の部分正電荷密度が低くなり，求核攻撃を受けにくくなる。

つぎにカルボキシル基を修飾して，求核剤に対する反応性を高める方法をいくつか説明することにしよう。

10.18　酸ハロゲン化物

ハロゲン化アシル（acyl halide）はカルボン酸誘導体のなかでもっとも反応性が高いものの1つであり，そのうちもっとも一般的で廉価なものは酸塩化物である。これはふつうカルボン酸と塩化チオニルまたは五塩化リンとの反応で合成できる（7.10節と比較せよ）。

$$\text{R-C(=O)OH} + \text{SOCl}_2 \longrightarrow \text{R-C(=O)Cl} + \text{HCl}\uparrow + \text{SO}_2\uparrow \tag{10.30}$$

塩化チオニル

$$\text{R-C(=O)OH} + \text{PCl}_5 \longrightarrow \text{R-C(=O)Cl} + \text{HCl} + \text{POCl}_3 \tag{10.31}$$

五塩化リン　　　　　　　　　　　　　　　　　　オキシ塩化リン

問題 10.21 式10.30を参考にして塩化ベンゾイルの合成法を反応式で書け。

☞　**ハロゲン化アシル**とは，カルボン酸の−OH基がハロゲン原子で置きかわったカルボン酸誘導体のことである。

ハロゲン化アシルはほとんどの求核剤とすみやかに反応する。たとえば水分と急速に反応して加水分解される。

$$\text{CH}_3-\underset{\substack{\|\\ \text{O}}}{\text{C}}-\text{Cl} + \text{HOH} \xrightarrow{\text{はやい}} \text{CH}_3-\underset{\substack{\|\\ \text{O}}}{\text{C}}-\text{OH} + \text{HCl} \tag{10.32}$$
　　　塩化アセチル　　　　　　　　　　酢酸　　（発煙）

このために酸ハロゲン化物には刺激臭があり，塩化ベンゾイルなどは催涙性である。

問題 10.22 酸ハロゲン化物が鼻腔を刺激する理由を説明せよ。

ハロゲン化アシルはアルコールともすみやかに反応してエステルを生成する。

$$\text{C}_6\text{H}_5-\underset{\substack{\|\\ \text{O}}}{\text{C}}-\text{Cl} + \text{CH}_3\text{OH} \xrightarrow{\text{室温}} \text{C}_6\text{H}_5-\underset{\substack{\|\\ \text{O}}}{\text{C}}-\text{OCH}_3 + \text{HCl} \tag{10.33}$$
　　　塩化ベンゾイル　　　　　　　　　　　安息香酸メチル

実際に実験室でエステルを合成するもっとも一般的な方法は，酸をいったんハロゲン化アシルに変えてからアルコールと反応させる方法である。2段階の反応操作が必要ではあるが（Fischerのエステル化の反応操作は1段階である），この方法は原料の酸またはアルコールが高価な場合に有用である（Fischerのエステル化反応は平衡反応であり，反応原料の1つをふつう大過剰に用いる必要があることを思い出してほしい）。

ハロゲン化アシルはアンモニアともすみやかに反応してアミドを生成する。

$$\text{CH}_3\underset{\substack{\|\\ \text{O}}}{\text{C}}-\text{Cl} + 2\text{NH}_3 \longrightarrow \text{CH}_3\underset{\substack{\|\\ \text{O}}}{\text{C}}-\text{NH}_2 + \text{NH}_4^+\text{Cl}^- \tag{10.34}$$
　　　塩化アセチル　　　　　　　　　アセトアミド

この反応はエステルの加アンモニア分解よりはるかに速い。しかしアミドをつくるときは発生する塩化水素を中和しなければならないので，アンモニアが合計2当量必要であることに注意してほしい。

例題 10.8

塩化アシルがエステルよりも求核剤に対する反応性が高い理由を説明せよ。

解答 電気陰性度の大きさはCl＞ORだから，酸ハロゲン化物のカルボニル炭素はエステルの場合よりも正電荷を帯びており，求核剤に対する反応性が高い。またCl$^-$はRO$^-$よりもよい脱離基（弱い求核剤）である。

ハロゲン化アシルを用いた芳香族環のFriedel-Craftsアシル化は，芳香族ケトン

類の合成法として利用されている（4.9d節参照）。

問題 10.23 トルエンとブタン酸を原料に用いて4-メチルフェニルプロピルケトンを合成する方法を考えよ。

10.19 酸 無 水 物

酸無水物（acid anhydride）はカルボキシル基2つから水を取り去って互いに結合させたものである。

$$R-\underset{\underset{\text{2分子のカルボン酸}}{}}{\overset{O}{\underset{\|}{C}}-OH} + HO-\overset{O}{\underset{\|}{C}}-R \xrightarrow{-H_2O} R-\underset{\underset{\text{1分子の酸無水物}}{}}{\overset{O}{\underset{\|}{C}}-O-\overset{O}{\underset{\|}{C}}-R}$$

脂肪族の酸無水物のうち，もっとも代表的なものは無水酢酸（acetic anhydride, $R=CH_3$）である。年間約100万トンが生産され，おもにアルコールと反応させて酢酸エステルの製造に使用されている。もっともよく知られた用途は酢酸セルロースの合成とアスピリンの合成であろう。

酸無水物の命名法は，対応するカルボン酸名のまえに"無水"をつける（英名ではacidの代わりにanhydrideをつける）。

$$CH_3-\overset{O}{\underset{\|}{C}}-O-\overset{O}{\underset{\|}{C}}-CH_3$$
エタン酸無水物あるいは無水酢酸

問題 10.24 つぎの化合物の構造式を書け。
(a) プロパン酸無水物　　(b) 安息香酸無水物

適当な距離を隔てて2つのカルボキシル基をもつジカルボン酸は，加熱すると脱水して5員環または6員環構造をもった環状の酸無水物を与える。その例を示す。

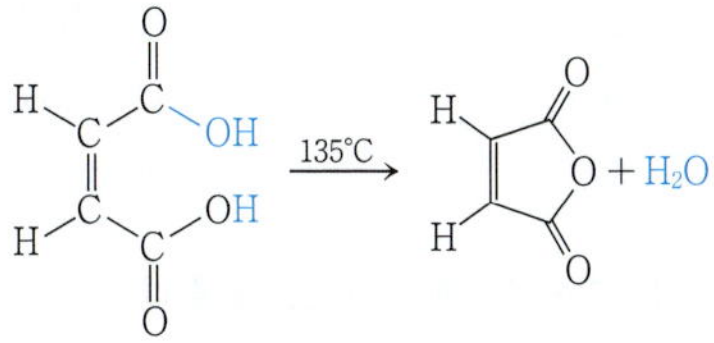

マレイン酸 →(135°C) 無水マレイン酸 + H₂O (10.35)

問題 10.25 つぎの反応式の反応生成物を書き，それに命名せよ。

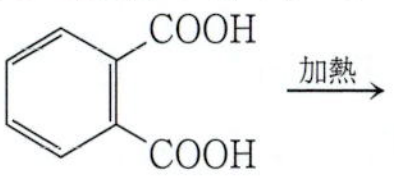

o-C₆H₄(COOH)₂ →(加熱)

☞ **酸無水物**とは，2分子のカルボン酸が縮合して生じるカルボン酸誘導体のことである。

問題 10.26 フマル酸（p.310）を加熱すると環状の酸無水物が生じるだろうか？説明せよ。

酸無水物は塩酸化物とカルボキシラート塩の求核的アシル基置換反応によっても合成できる。この反応を利用すれば2種類の異なるカルボン酸から**混合酸無水物**（mixed anhydride）を合成することができる。

$$\text{CH}_3\text{CH}_2\text{CH}_2-\overset{\overset{O}{\|}}{C}-\text{Cl} + \text{Na}^+\,{}^-\text{O}-\overset{\overset{O}{\|}}{C}-\text{CH}_3 \longrightarrow$$

$$\text{CH}_3\text{CH}_2\text{CH}_2-\overset{\overset{O}{\|}}{C}-\text{O}-\overset{\overset{O}{\|}}{C}-\text{CH}_3 + \text{NaCl} \tag{10.36}$$

ブタン酸エタン酸無水物

酸無水物は求核的アシル基置換反応を行う。求核剤に対する反応性はエステルよりも高いが，酸ハロゲン化物よりは低い。無水酢酸の代表的なアシル化反応をつぎに示す。

$$\text{CH}_3-\overset{\overset{O}{\|}}{C}-\text{O}-\overset{\overset{O}{\|}}{C}-\text{CH}_3 \begin{array}{l} \xrightarrow{\text{HO}-\text{H}} \text{CH}_3\overset{\overset{O}{\|}}{C}-\text{OH} + \text{CH}_3\overset{\overset{O}{\|}}{C}-\text{OH} \\ \text{酸} \\ \xrightarrow{\text{RO}-\text{H}} \text{CH}_3\overset{\overset{O}{\|}}{C}-\text{OR} + \text{CH}_3\overset{\overset{O}{\|}}{C}-\text{OH} \\ \text{エステル} \\ \xrightarrow{\text{NH}_2-\text{H}} \text{CH}_3\overset{\overset{O}{\|}}{C}-\text{NH}_2 + \text{CH}_3\overset{\overset{O}{\|}}{C}-\text{OH} \\ \text{アミド} \end{array} \tag{10.37}$$

無水酢酸
bp 139.5°C

酸無水物を加水分解すると酸にもどる。アルコールと反応させるとエステルになり，またアンモニアとの反応ではアミドになり，いずれの場合もカルボン酸が1当量生成してくる。

問題 10.27 無水酢酸と1-ブタノールの反応式を書け。

問題 10.28 無水マレイン酸とつぎの化合物との反応式を書け。
(a) 水　　(b) 1-ブタノール　　(c) アンモニア

酢酸と**サリチル酸**（salicylic acid, o-ヒドロキシ安息香酸）との反応は**アスピリン**（aspirin）の合成に利用されている。この反応ではフェノール性の水酸基が

☞ **混合酸無水物**は2つの異なるカルボン酸からつくられる。

A WORD ABOUT...

天然物中に存在するアシル基活性化基としてのチオエステル

アシル基移動は多くの生化学的過程で重要な役割を演じている。しかし，酸ハロゲン化物や酸無水物は細胞の構成成分となるには，あまりにも反応性に富みすぎている。つまり，水で迅速に加水分解されるので細胞液と共存できない。一方，一般のエステルは体温では求核剤との反応がきわめて遅く，アシル基移動を有効に行うことができない。そこで細胞中でアシル基を活性化するために他のタイプのアシル基が進化してきた。そのなかでもっとも重要なものが**補酵素A** (coenzyme A) である（記号Aはこの酵素の機能の1つであるアセチル化を表す）。補酵素Aは複雑な構造をもったチオールであり（図10.1），通常は **CoA-SH** という記号を用いて略記する。その構造はアデノシン二リン酸（ADP），パントテン酸（ビタミンの1種），および2-アミノエタンチオールの3つの部分から構成されているが，補酵素Aにもっとも重要な機能を与えているのはチオール基である。

補酵素Aはチオエステルを形成し，このチオエステル (thioester) が細胞中での活性なアシル基移動剤となる。補酵素Aが形成するチオエステルのうちでも，**アセチル補酵素A** (acetyl coenzyme A, アセチルCoA) とよばれてつぎの構造式で略記されるアセチルエステルがもっとも重要である。

$$CH_3\overset{O}{\underset{\|}{C}}-S-CoA$$

アセチルCoAは，数多くの求核剤と反応してアセチル基を移動させる。

$$CH_3\overset{O}{\underset{\|}{C}}-S-CoA + Nu^- \xrightarrow[\text{酵素}]{H_2O} CH_3\overset{O}{\underset{\|}{C}}-Nu + CoA-SH$$

アセチル-CoA

この反応は一般に酵素の介在で促進され，通常の細胞温度で迅速に進行する。

チオエステルが通常のエステルよりもアシル基移動反応剤としてすぐれている1つの理由に，アルコールとチオールの酸性度の違いがある（7.16節参照）。チオールはアルコールより100万倍も強い酸であるから，その共役塩基の⁻SRは⁻ORより100万倍も弱い塩基ということになる。したがって求核置換反応では，チオエステルの—SR基は通常のエステルの—OR基よりはるかに良好な脱離基として働く。チオエステル類は細胞液中で簡単に加水分解してしまうほどではないが，単純なエステルよりも明らかに反応性に富んでいる。自然界はこの事実をたくみに利用しているのである。

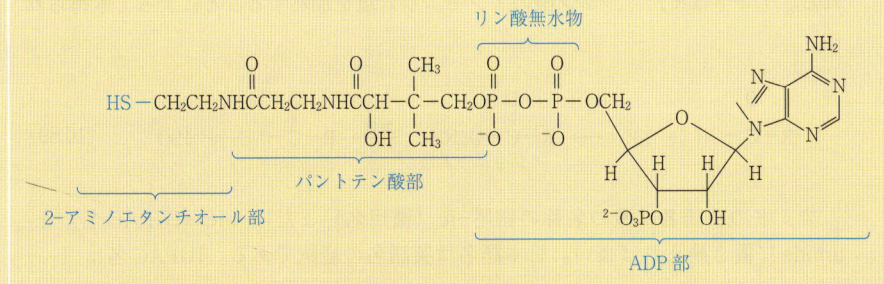

図10.1 補酵素A

アセチル化される（酢酸エステルとなる）。

　米国におけるアスピリンの年産量は2万5千トンにも達しているが，これは標準規格品である5グレイン（325 mg）錠の500億粒以上にも相当する量である。アスピリンの用途は広く，鎮痛剤や下熱剤としてそのまま用いたり，または他の医薬と混合して使用される。しかし，アスピリンといえどもまったく無害というわけではない。反復して使用すると胃腸出血を起こし，一度に10から20 gも服用すると死亡することがある。

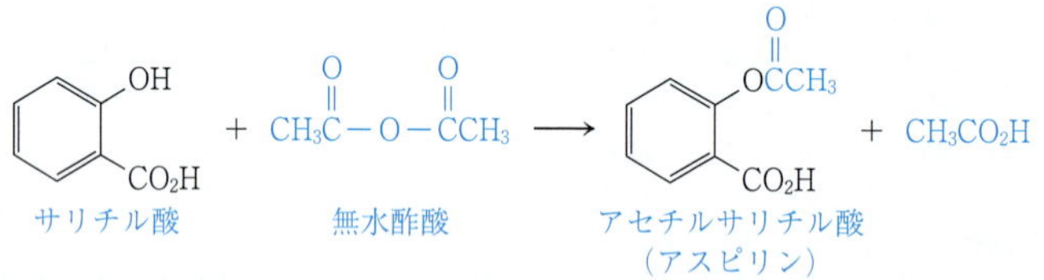

$$\text{サリチル酸} + \text{無水酢酸} \longrightarrow \text{アセチルサリチル酸（アスピリン）} + CH_3CO_2H \tag{10.38}$$

> **問題 10.29** サリチル酸メチルは冬緑油の主成分である。おもな用途はガムやキャンデーの香料，塗布剤などであり，皮膚に穏やかな刺激を与えると筋肉炎の痛みをやわらげる効能を示す。そこで，サリチル酸とメタノールとからサリチル酸メチルが作られる反応の機構を説明せよ。

10.20 アミド

　アミド（amide）は一般のカルボン酸誘導体のなかではもっとも反応性が低い。その結果，この官能基をもった化合物は自然界に広く存在している。もっとも重要なアミドはタンパク質であるが，これについては17章で詳しく説明するので，ここではアミドの基本的な性質について説明する。

　一般式 $RCONH_2$ で表される第一級アミドは，アンモニアをエステル（式10.23）や酸ハロゲン化物（式10.34），あるいは酸無水物（式10.37）と反応させて合成される。アミドはまたカルボン酸のアンモニウム塩を加熱することによっても得られる。

$$R-\underset{O}{\overset{\|}{C}}-OH + NH_3 \longrightarrow \underset{\text{アンモニウム塩}}{R-\underset{O}{\overset{\|}{C}}-O^-NH_4^+} \xrightarrow{\text{加熱}} \underset{\text{アミド}}{R-\underset{O}{\overset{\|}{C}}-NH_2} + H_2O \tag{10.39}$$

　アミドの英語名は酸の名称の語尾-ic（慣用名）または-oic（IUPAC名）を-amideに置き換えればよい。日本語名は英語名の音訳である。IUPAC名は（　）

☞ あるアルコールが酢酸エステルを形成することを，アルコールが**アセチル化**された，という。
☞ **アミド**とは，カルボン酸の-OH基が-NH_2，-NHR，-NR_2基で置きかわったカルボン酸誘導体のことである。

10.20 アミド

内に示しておく。

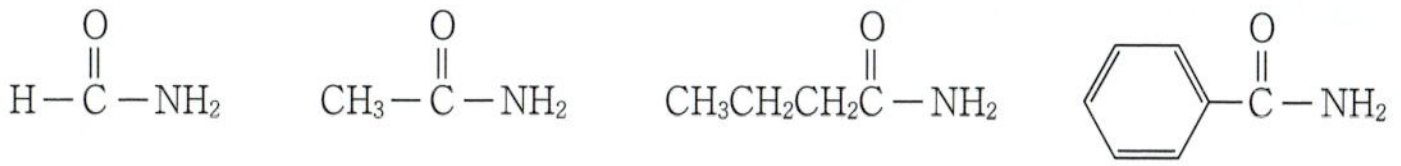

ホルムアミド	アセトアミド	ブタンアミド	安息香酸アミド
H–CO–NH$_2$	CH$_3$–CO–NH$_2$	CH$_3$CH$_2$CO–NH$_2$	C$_6$H$_5$–CO–NH$_2$
(メタンアミド)	(エタンアミド)		(ベンゼンカルボキサミド)

問題 10.30

(a) (CH$_3$)$_2$CHCONH$_2$ に命名せよ。
(b) 1-メチルシクロブタンカルボキサミドの構造式を書け。

上記はいずれも第一級アミドの例であった。この第一級アミド以外にも、窒素原子上の水素を1または2つの有機基で置換した第二級、第三級アミドも知られており、これらについては次章で述べる。

アミドは平面構造をもっている。炭素–窒素結合は一般に単結合として書かれるが、実際にはこの結合軸のまわりの回転はかなり束縛されている。その理由はアミドにおけるつぎのような共鳴の寄与がきわめて重要だからである。

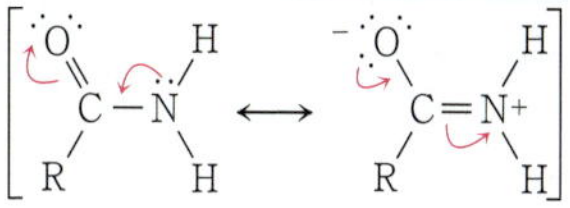

$$\begin{bmatrix} \overset{\cdot\cdot}{\underset{R}{O}} \quad H \\ C-N \\ \quad\quad H \end{bmatrix} \longleftrightarrow \begin{bmatrix} \overset{-}{O} \quad H \\ C=N^+ \\ R \quad\quad H \end{bmatrix}$$

アミドの共鳴

この両性イオン構造の寄与が大きいので、炭素–窒素結合はかなり二重結合に似た挙動を示す。その結果、このNとCさらにそれぞれに結合する2つずつの原子は同一平面内に存在することになり、C—N結合の軸回りの回転は束縛される。実際にアミドのC—N結合の長さは1.32Åしかなく、一般の炭素–窒素単結合 (約1.47Å) よりもはるかに短い。

両性イオンの極限構造式から明らかなように、アミドはかなり高い極性を示すので容易に水素結合を形成できる。

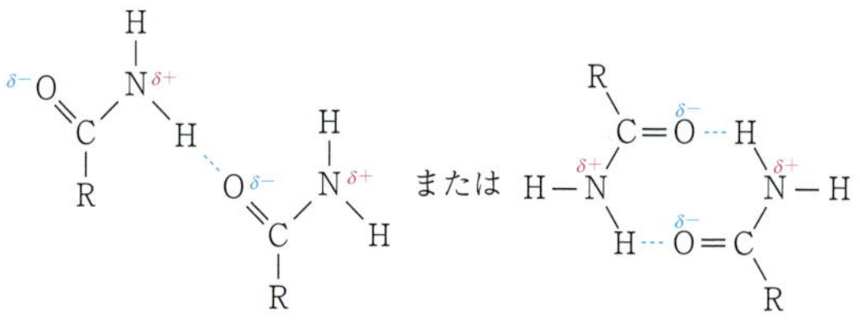

したがって、分子量から予想されるよりもはるかに高い沸点をもつが、窒素上にアルキル基を置換すると、つぎの2組の化合物の例にみられるように水素結合をつく

A WORD ABOUT ...

尿素

尿素は炭酸のジアミドであり，いささか特殊なアミドである。

$$\underset{\text{炭酸}}{HO-\overset{\overset{O}{\|}}{C}-OH} \qquad \underset{\substack{\text{尿素} \\ \text{mp } 133°C}}{H_2N-\overset{\overset{O}{\|}}{C}-NH_2}$$

尿素は無色，水溶性で結晶性の固体であり，タンパク質代謝の正常な最終生成物である。平均的な大人で1日に約30gの尿素を尿中に排泄している。

尿素は年間約90万t以上がアンモニアと二酸化炭素の反応で製造され，おもに肥料（重量比で40％の窒素を含む）として使用されている。

$$CO_2 + 2NH_3 \xrightarrow[\text{加圧}]{150\sim200°C} H_2N-\overset{\overset{O}{\|}}{C}-NH_2 + H_2O$$

尿素はまた医薬やプラスチックの原料にもなる。

尿素はタンパク質代謝の最終生成物である。

りにくくなり，沸点や融点は低くなる。

$$\underset{\substack{\text{ホルムアミド} \\ \text{bp } 210°C \\ \text{mp } 2.5°C}}{H-\overset{\overset{O}{\|}}{C}-NH_2} \qquad \underset{\substack{N,N\text{-ジメチルホルムアミド} \\ 153°C \\ -60.5°C}}{H-\overset{\overset{O}{\|}}{C}-N(CH_3)_2} \qquad \underset{\substack{\text{アセトアミド} \\ 222°C \\ 81°C}}{CH_3-\overset{\overset{O}{\|}}{C}-NH_2} \qquad \underset{\substack{N,N\text{-ジメチルアセトアミド} \\ 165°C \\ -20°C}}{CH_3-\overset{\overset{O}{\|}}{C}-N(CH_3)_2}$$

問題 10.31 アセトアミドは水素結合を形成できるが，N,N-ジメチルアセトアミドは形成できない理由を説明せよ。

ほかのカルボン酸誘導体と同じようにアミドは求核剤と反応する。たとえば水で加水分解される。

$$\underset{\text{アミド}}{R-\overset{\overset{O}{\|}}{C}-NH_2} + H-OH \xrightarrow[OH^-]{H^+\text{または}} \underset{\text{カルボン酸}}{R-\overset{\overset{O}{\|}}{C}-OH} + NH_3 \qquad (10.40)$$

しかしその速度は遅く，通常は長時間の加熱と酸や塩基触媒を必要とする。

問題 10.32 式10.40を手本としてアセトアミドの加水分解の反応式を書け。

アミドは水素化アルミニウムリチウムで還元するとアミンになる。

$$\underset{\text{アミド}}{R-\underset{\underset{O}{\|}}{C}-NH_2} \xrightarrow[\text{エーテル}]{LiAlH_4} \underset{\text{アミン}}{RCH_2NH_2} \quad (10.41)$$

この反応は次章で説明する第一級アミンの上手なつくり方になっている。

問題 10.33 式10.41をモデルとして，アセトアミドの$LiAlH_4$による還元反応式を書け。

問題 10.34 安息香酸から出発してベンジルアミン（$C_6H_5-CH_2NH_2$）をつくる反応を段階的に示せ。

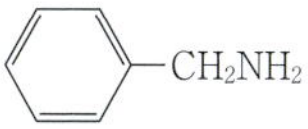

10.21 カルボン酸誘導体についてのまとめ

本章ではずいぶん多くの反応を学んだが，これらは意外にも表10.5のように1つの表にまとめることができる。

表の左側には，求核剤に対する反応性の減少順に4つのタイプの酸誘導体が示されている。上の行には代表的な求核剤が3つ示されている。注目してほしいのは，それぞれの縦の欄に示された生成物が，左欄に示された原料の酸誘導体の種類を問わず同じものになることである。たとえば，原料にハロゲン化アシル，酸無水物，エステル，アミドのいずれを用いても，**加水分解反応**（hydrolysis）の生成物は同じカルボン酸である。同様に，**加アルコール分解反応**（alcoholysis）では同じエステルが生成し，**加アンモニア分解反応**（ammonolysis）では同じアミドが生成する。もう1つ注目してほしいことは，この表を水平方向に眺めるとわかるように，ある酸誘導体から生じる2番目の生成物は，求核剤の種類に関係なく通常同じであることだ。たとえば，エステルRCO_2R''は加水分解，加アルコール分解のいずれの反応においても2番目の生成物は同じアルコール$R''-OH$である。

表10.5のすべての反応は，式10.29に示すように求核剤が酸誘導体のカルボニル炭素を攻撃することにより開始される。事実，10.10節から10.19節の間で説明したほとんどの反応は，これと同じ機構で起こっている。この考えはしばしば新しい反応を予見する際に役立つことが多い。

たとえば，エステルとGrignard試薬の反応では（10.16節参照），Grignard試薬がエステルのカルボニル基へ求核攻撃して反応が開始される。そこで，すべてのカルボン酸誘導体が求核攻撃を受けやすいという事実を念頭に置けば，ハロゲン化ア

表 10.5　カルボン酸誘導体と二，三の求核剤との反応

酸誘導体	求核剤		
	HOH（加水分解）	R'OH（加アルコール分解）	NH_3（加アンモニア分解）
R—C(=O)—Cl ハロゲン化アシル	R—C(=O)—OH + HCl	R—C(=O)—OR' + HCl	R—C(=O)—NH_2 + $NH_4^+Cl^-$
R—C(=O)—O—C(=O)—R 酸無水物	2 R—C(=O)—OH	R—C(=O)—OR' + RCO_2H	R—C(=O)—NH_2 + RCO_2H
R—C(=O)—O—R'' エステル	R—C(=O)—OH + R''OH	R—C(=O)—OR' + R''OH （エステル交換）	R—C(=O)—NH_2 + R''OH
R—C(=O)—NH_2 アミド	R—C(=O)—OH + NH_3	——	——
おもな有機生成物	酸	エステル	アミド

(反応性減少 ↓)

シルと Grignard 試薬とが反応して第三級アルコールを生成することはつぎのように理解できる。最初の反応ではつぎのようにケトンが生成する。

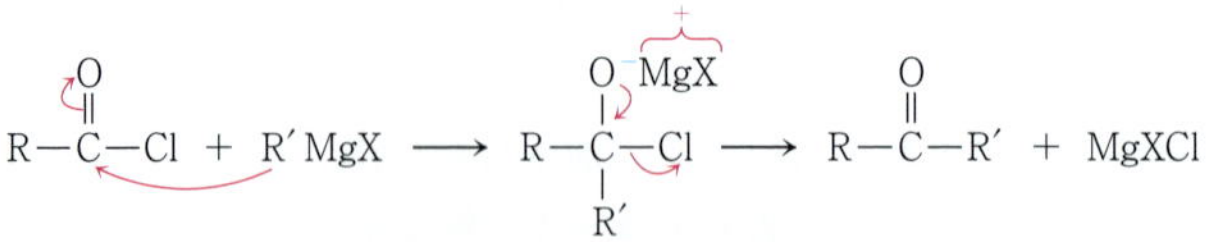

$$\text{R—C(=O)—Cl} + \text{R'MgX} \longrightarrow \text{R—C(OMgX)(R')—Cl} \longrightarrow \text{R—C(=O)—R'} + \text{MgXCl} \quad (10.42)$$

生成物のケトンを単離できる場合もあるが，通常はこれがさらに 2 番目の Grignard 試薬と反応して第三級アルコールを与える。

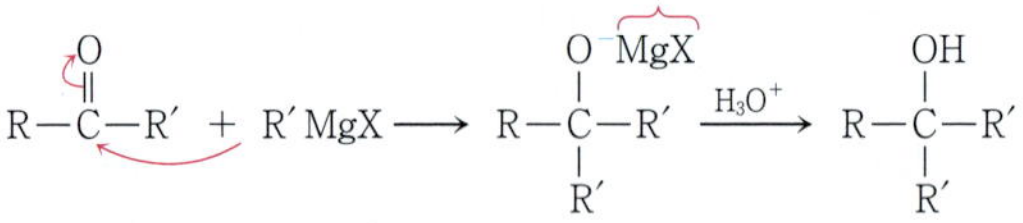

$$\text{R—C(=O)—R'} + \text{R'MgX} \longrightarrow \text{R—C(OMgX)(R')—R'} \xrightarrow{H_3O^+} \text{R—C(OH)(R')—R'} \quad (10.43)$$

問題 10.35　水素化リチウムトリ-t-ブトキシアルミニウム，$Li^+ \; ^-Al[OC(CH_3)_3]_3H$，のような金属水素化物は，塩化アシルと反応してアルデヒドを与える。式 10.27 を参考にして，この試薬と塩化ベンゾイルとの反応式を示し，反応の機構を説明せよ（水素化リチウムトリ-t-ブトキシアルミニウムは単純にヒドリドイオン H^- の供給源として考えよ）。

10.22 エステルα位の水素とClaisen縮合反応について

本節では,アルデヒドやケトンのアルドール縮合反応(9.17節参照)によく似たエステルの重要な反応について解説しよう。この反応ではエステルの α-水素が重要な役割を果たしている(p.295参照)。

エステルの α-水素はカルボニル基に隣接しているために弱い酸性($pK_a \sim 23$)を示すので,強塩基により引き抜かれて**エステルエノラート**(ester enolate)を生成する。

$$\begin{array}{c}\text{H} \\ |\\ -\text{C}-\text{C} \\ |\quad\;\;\backslash \\ \quad\;\;\text{OR}\end{array} \underset{}{\overset{\text{塩基}}{\rightleftarrows}} \left[\begin{array}{c} \ddot{\text{O}}: \\ \|\\ -\overset{|}{\text{C}}-\text{C} \\ \quad\;\;\backslash \\ \quad\;\;\text{OR}\end{array} \longleftrightarrow \begin{array}{c} :\ddot{\text{O}}:^- \\ |\\ -\text{C}=\text{C} \\ |\quad\;\;\backslash \\ \quad\;\;\text{OR}\end{array}\right] \tag{10.44}$$

エステルエノラートの共鳴構造式

この目的に使用される代表的な強塩基にはナトリウムアルコキシドや水素化ナトリウムなどがある。エステルエノラートはいったん生成すると炭素型の求核剤として働くので,もう1分子のエステルのカルボニル基に付加反応を起こす。この反応は**Claisen(クライゼン)縮合反応**(Claisen condensation)とよばれ,**β−ケトエステル**(β-keto ester)の合成法として利用されている。そこで酢酸エチルを例にとって反応の仕組みを考えてみることにする。

エタノール中で酢酸エチルをナトリウムエトキシドと反応させると,β-ケトエステルの1種である**アセト酢酸エチル**(ethly acetoacetate)が得られる。

$$\underset{\text{酢酸エチル}}{\text{CH}_3\text{C}(=\text{O})-\text{OCH}_2\text{CH}_3} + \underset{\text{酢酸エチル}}{\text{H}-\overset{\alpha}{\text{CH}}_2-\text{C}(=\text{O})-\text{OCH}_2\text{CH}_3} \xrightarrow[\substack{\text{エタノール中} \\ 2.\ \text{H}_3\text{O}^+}]{1.\ \text{NaOCH}_2\text{CH}_3}$$

$$\underset{\substack{\text{アセト酢酸エチル} \\ (3-\text{オキソブタン酸エチル})}}{\text{CH}_3\text{C}(=\text{O})-\text{CH}_2-\text{C}(=\text{O})-\text{OCH}_2\text{CH}_3} + \text{CH}_3\text{CH}_2\text{OH} \tag{10.45}$$

このClaisen縮合反応は3段階反応として進行する。

第1段階 $\text{CH}_3\text{C}(=\text{O})-\text{OCH}_2\text{CH}_3 + \underset{\text{ナトリウムエトキシド}}{\text{Na}^+{}^-\text{OCH}_2\text{CH}_3} \rightleftarrows$

$$\underset{\text{エステルエノラート}}{\text{Na}^+{}^-\text{CH}_2\text{COCH}_2\text{CH}_3} + \text{CH}_3\text{CH}_2\text{OH} \tag{10.46}$$

☞ **エステルエノラート**とは,エステルの α 位にある水素を H^+ として除去して生成するアニオンのことである。

第 2 段階

$$CH_3C(=O)-OCH_2CH_3 + {}^-CH_2COCH_2CH_3 \rightleftharpoons$$

$$\underset{\underset{O}{\overset{\|}{CH_2C-OCH_2CH_3}}}{\overset{O^-}{\underset{|}{CH_3C-OCH_2CH_3}}} \rightleftharpoons CH_3CCH_2COCH_2CH_3 + {}^-OCH_2CH_3 \quad (10.47)$$

第 3 段階

$$CH_3CCH_2COCH_2CH_3 + {}^-OCH_2CH_3 \longrightarrow$$

$$CH_3C\!=\!\!CH\!=\!\!COCH_2CH_3 + CH_3CH_2OH \quad (10.48)$$

β-ケトエステルの
エノラートイオン

1段階目では塩基（ナトリウムエトキシド）がエステルの α -水素を奪ってエステルエノラートが生成する。2段階目ではこのエステルエノラートが求核剤として働き, 2番目のエステル分子のカルボニル基に付加してエトキシドイオンを置換する。この反応段階は式10.29の反応機構に従って四面体の中間体を経由して進行する。これらの2つの反応はいずれも完全に可逆的な反応である。

　3段階目の反応は, 生成物の β -ケトエステルがエノラートアニオンに変換される反応であって, 1, 2段階目の平衡反応を生成物側に進行させる働きをもつ。すなわち, アセト酢酸エチルのメチレン水素（CH_2）はカルボニル基2つにはさまれていて, 通常のエステルの α -位の水素と比べてはるかに強い酸性を示すので（pK_a 12）, 塩基のエトキシドイオンにより容易にプロトンとして奪われ, 共鳴安定化した β -ケトエノラートイオン, すなわち負電荷が2つのカルボニル酸素原子上に非局在化したイオンを生成する。

$$\left[\underset{CH_3}{\overset{O^-}{\|}}C\!=\!\!CH\!-\!\!\underset{}{\overset{O}{\|}}C\!-\!OCH_2CH_3 \leftrightarrow \underset{CH_3}{\overset{O}{\|}}C\!-\!CH\!-\!\underset{}{\overset{O}{\|}}C\!-\!OCH_2CH_3 \leftrightarrow \underset{CH_3}{\overset{O}{\|}}C\!-\!CH\!=\!\!\underset{}{\overset{O^-}{\|}}C\!-\!OCH_2CH_3 \right]$$

アセト酢酸エチルのエノラートアニオンの共鳴構造式

　このClaisen縮合を終了させるには, 反応溶液を酸性にしてエノラートイオンからその β -ケトエステルを再生すればよい。

10.22 エステル α 位の水素と Claisen 縮合反応について

例 題 10.9

プロパン酸エチルに Claisen 縮合反応を行って得られる生成物を答えよ。

$$CH_3CH_2\overset{O}{\overset{\|}{C}}-OCH_2CH_3$$

解答 生成物はつぎのものである。

$$CH_3CH_2\overset{O}{\overset{\|}{\underset{\beta}{C}}}-\underset{\underset{CH_3}{|}}{\overset{\alpha}{CH}}-\overset{O}{\overset{\|}{C}}OCH_2CH_3$$

1つのエステル分子の α-炭素が2番目のエステル分子のカルボニル炭素上の −OR 基を置換して結合する。したがって，生成物は常に β-ケトエステルである。

問題 10.36 式 10.46 から式 10.48 をモデルに用いて，プロパン酸エチルの Claisen 縮合の反応機構を段階的に書いて説明せよ。

アルドール縮合反応と同様に Claisen 縮合反応は炭素-炭素結合を新たに形成する反応手段として役に立つ。それは，生成物の β-ケトエステルが種々の有用な化合物へ容易に変換できるからである。その例として酢酸エチルからブタン酸エチルへの変換反応を示しておこう。

$$2\ CH_3\overset{O}{\overset{\|}{C}}-OCH_2CH_3 \xrightarrow[NaOCH_2CH_3]{\text{Claisen縮合反応}} CH_3\overset{O}{\overset{\|}{C}}CH_2\overset{O}{\overset{\|}{C}}OCH_2CH_3 \xrightarrow{NaBH_4} CH_3\overset{OH}{\overset{|}{C}}HCH_2\overset{O}{\overset{\|}{C}}OCH_2CH_3$$

酢酸エチル　　　　　　　　　　　　　　　　　アセト酢酸エチル　　　　　　3-ヒドロキシブタン酸エチル

(10.49)

$$\xrightarrow[-H_2O]{H^-} CH_3CH=CH\overset{O}{\overset{\|}{C}}OCH_2CH_3 \xrightarrow[Pt]{H_2} CH_3CH_2CH_2\overset{O}{\overset{\|}{C}}OCH_2CH_3$$

2-ブテン酸エチル　　　　　　ブタン酸エチル

この方法を利用すれば，酢酸エステルの炭素鎖を2炭素分だけ長くできる。自然界においても，油脂の主成分である長鎖カルボン酸が，多様な酵素の触媒作用を利用した類似の反応によってつくり出されているのである。

反応のまとめ

1. カルボン酸のつくり方

a. アルコールまたはアルデヒドからつくる（10.7節）

$$RCH_2OH \xrightarrow{CrO_3, H_2SO_4, H_2O} RCO_2H \xleftarrow[\text{または}O_2, \text{または}Ag^+]{CrO_3, H_2SO_4, H_2O} RCH=O$$

b. アルキルベンゼンからつくる（10.7節）

$$ArCH_3 \xrightarrow[\text{または}O_2, Co^{+3}]{KMnO_4} ArCO_2H$$

c. Grignard試薬からつくる（10.7節）

$$RMgX + CO_2 \longrightarrow RCO_2MgX \xrightarrow{H_3O^+} RCO_2H$$

d. ニトリルからつくる（10.7節）

$$RC\equiv N + 2H_2O \xrightarrow{H^+\text{または}HO^-} RCO_2H + NH_3$$

---

2. カルボン酸の反応

a. 酸–塩基反応（10.4ならびに10.12節）

$$RCO_2H \rightleftarrows RCO_2^- + H^+ \quad \text{（イオン化）}$$
$$RCO_2H + NaOH \longrightarrow RCO_2^-Na^+ + H_2O \quad \text{（塩の形成）}$$

b. エステルの形成（10.10ならびに10.12節）

$$RCO_2H + R'OH \xrightarrow{H^+} RCO_2R' + H_2O$$

c. 酸塩化物の形成（10.18節）

$$RCO_2H + SOCl_2 \longrightarrow RCOCl + HCl + SO_2$$
$$RCO_2H + PCl_5 \longrightarrow RCOCl + HCl + POCl_3$$

d. 酸無水物の形成（10.19節）

$$R-\underset{\underset{O}{\|}}{C}-Cl + Na^+ {}^-O-\underset{\underset{O}{\|}}{C}-R' \longrightarrow R-\underset{\underset{O}{\|}}{C}-O-\underset{\underset{O}{\|}}{C}-R' + NaCl$$

反応のまとめ

e. アミドの形成（10.20 節）

$$RCO_2^- NH_4^+ \xrightarrow{加熱} RCONH_2 + H_2O$$

エステル，酸塩化物，酸無水物との反応については 10.21 節も参照せよ。

---

3. カルボン酸誘導体の反応

a. エステルのけん化（10.13 節）

$$RCO_2R' + NaOH \longrightarrow RCO_2^- Na^+ + R'OH$$

b. エステルの加アンモニア分解反応（10.14 節）

$$RCO_2R' + NH_3 \longrightarrow RCONH_2 + R'OH$$

c. エステルと Grignard 試薬の反応（10.15 節）

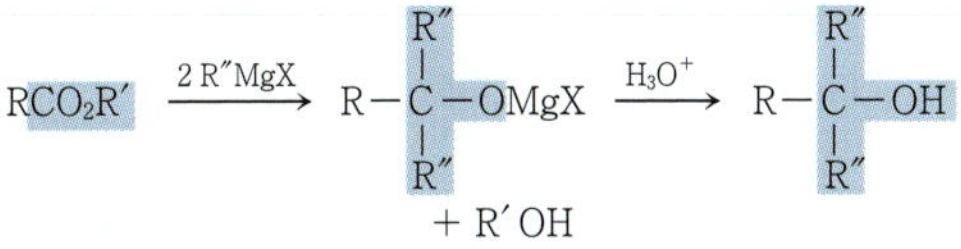

$$RCO_2R' \xrightarrow{2\,R''MgX} \underset{+\ R'OH}{R-\underset{R''}{\overset{R''}{C}}-OMgX} \xrightarrow{H_3O^+} R-\underset{R''}{\overset{R''}{C}}-OH$$

d. エステルの還元反応（10.16 節）

$$RCO_2R' + LiAlH_4 \longrightarrow RCH_2OH + R'OH$$

e. 酸塩化物および酸無水物への求核的アシル基置換反応（10.18 ならびに 10.16 節）

$$RCONH_2 + H_2O \xrightarrow{H^+\text{または}HO^-} RCO_2H + NH_3$$

f. アミドの加水分解反応（10.20 節）

$$RCONH_2 + H_2O \xrightarrow{H^+\text{または}HO^-} RCO_2H + NH_3$$

g. アミドの還元反応（10.20 節）

$$RCONH_2 \xrightarrow{LiAlH_4} RCH_2NH_2$$

h. Claisen 縮合反応（10.22 節）

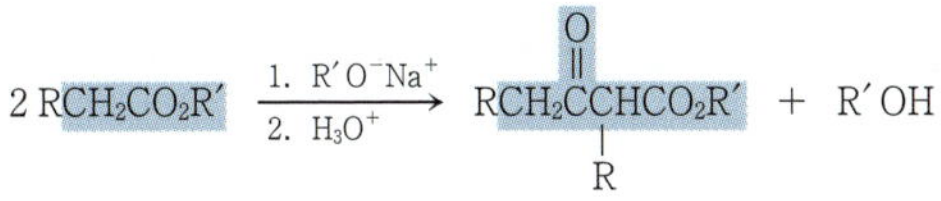

$$2\,RCH_2CO_2R' \xrightarrow[2.\ H_3O^+]{1.\ R'O^-Na^+} RCH_2\overset{O}{\underset{}{\overset{\|}{C}}}\underset{R}{CH}CO_2R' + R'OH$$

反応機構のまとめ

アシル基への求核的置換反応（10.11 ならびに 10.17 節）

$$\text{Nu:}^- + \underset{L}{\overset{R}{\diagdown}}C=O \longrightarrow \left[\underset{L}{\overset{R}{\underset{\diagdown}{\diagup}}}\overset{Nu}{\underset{\diagdown}{C}}-\overset{..}{\underset{..}{O}}:^- \right] \longrightarrow \underset{Nu}{\overset{R}{\diagdown}}C=O + L:^-$$

章末問題

カルボン酸の命名法と構造

10.37 つぎの酸の構造式を書け。
- (a) 4-メチルペンタン酸　(b) 2,2-ジクロロブタン酸　(c) 3-ヒドロキシヘキサン酸
- (d) p-トルイル酸　(e) シクロブタンカルボン酸　(f) 2-プロパノイル安息香酸
- (g) フェニル酢酸　(h) 1-ナフトエ酸　(i) 2,3-ジメチル-3-ブテン酸
- (j) 3-オキソブタン酸　(k) 2,2-ジメチルブタン二酸

10.38 つぎの酸を命名せよ。

(a) $(CH_3)_2CHCH_2CH_2COOH$　(b) $CH_3CHClCH(CH_3)COOH$　(c) 4-ニトロ安息香酸構造 (O_2N-C$_6$H$_4$-COOH)

(d) シクロヘキシル-COOH　(e) $CH_2=CHCOOH$　(f) $CH_3CH(C_6H_5)COOH$

(g) CH_3CF_2COOH　(h) $HC\equiv CCH_2CO_2H$

10.39 イブプロフェン（ibuprofen）はリュウマチ性痛風などの持病に使われる抗炎症剤だがその化学名は 2-（p-イソブチルフェニル）プロパン酸である。その構造式を書け。

カルボン酸の合成と性質

10.40 つぎの化合物のうちで沸点が高いほうはどれか答えよ。またその理由を説明せよ。
- (a) CH_3CH_2COOH　または　$CH_3CH_2CH_2CH_2OH$
- (b) $CH_3CH_2CH_2CH_2COOH$　または　$(CH_3)_3CCOOH$

10.41 つぎの2種類の酸のうちどちらが強い酸か答えよ。またその理由を説明せよ。
- (a) $ClCH_2CO_2H$　と　$BrCH_2CO_2H$
- (b) $o\text{-}BrC_6H_4CO_2H$　と　$m\text{-}BrC_6H_4CO_2H$
- (c) CCl_3CO_2H　と　CF_3CO_2H
- (d) $C_6H_5CO_2H$　と　$p\text{-}CH_3OC_6H_4CO_2H$
- (e) $ClCH_2CH_2CO_2H$　と　$CH_3CHClCO_2H$

10.42 つぎの中和反応を反応式で書け。
- (a) クロロ酢酸と水酸化カリウム　(b) デカン酸と水酸化カルシウム

=総合問題

章末問題

10.43 つぎの化合物を左側に示した原料から合成する反応式を書け。
(a) $CH_3CH_2CH_2CH_2OH$ から $CH_3CH_2CH_2CO_2H$
(b) $CH_3CH_2CH_2OH$ から $CH_3CH_2CH_2CO_2H$ (二つの反応が考えられる)
(c) Cl–C$_6$H$_4$–CH$_3$ から Cl–C$_6$H$_4$–CO$_2$H
(d) シクロヘキサン から シクロヘキシル–CO$_2$H
(e) CH_2—CH_2 (2通り) から $CH_3OCH_2CO_2H$ (エポキシド)
(f) C$_6$H$_5$–Br から C$_6$H$_5$–CO$_2$H

10.44 $(CH_3)_3CBr$ から $(CH_3)_3CCO_2H$ を合成するには，Grignard法（例題10.5）がニトリルを経由する方法よりもはるかにすぐれている．なぜか説明せよ．

カルボン酸誘導体の命名法と構造

10.45 つぎの化合物の構造式を書け．
(a) 2-クロロブタン酸ナトリウム　(b) 酢酸カルシウム
(c) 酢酸イソプロピル　(d) ギ酸エチル
(e) 安息香酸フェニル　(f) ベンゾニトリル
(g) プロパン酸無水物　(h) o-トルアミド
(i) 塩化2-クロロブタノイル　(j) 3-ホルミルシクロペンタンカルボン酸
(k) α-メチル-γ-ブチロラクトン

10.46 つぎの化合物に命名せよ．
(a) Br–C$_6$H$_4$–COO$^-$NH$_4^+$　(b) $[CH_3(CH_2)_2CO_2^-]_2Ca^{2+}$
(c) $(CH_3)_2CHCOOC_6H_5$　(d) $CF_3CO_2CH_3$
(e) $HCONH_2$　(f) $CH_3(CH_2)_2-\overset{O}{\overset{\|}{C}}-O-\overset{O}{\overset{\|}{C}}-(CH_2)_2CH_3$

10.47 象の雌が発散するフェロモンの酢酸 (Z)-7-ドデセン-1-イルの構造式を書け (p.322参照)．

エステル類の合成と反応

10.48 Fischerのエステル化反応を用いて安息香酸をメタノールでエステル化する反応の各反応段階を書け（必要なら式10.18を参考にせよ）．

10.49 ペンタン酸とエタノールのFischerエステル化反応の反応式を書け．

10.50 安息香酸エチルとつぎの化合物の反応式を書け．
(a) 水酸化ナトリウムの熱水溶液
(b) アンモニア（加熱）
(c) 臭化n-プロピルマグネシウム（2当量），続いてH_3O^+
(d) 水素化アルミニウムリチウム（2当量），続いてH_3O^+

10.51 つぎの反応の機構を段階的に示せ．
(a) $CH_3CH_2CO_2CH_3$ のけん化
(b) $CH_3CH_2CO_2CH_3$ の加アンモニア分解

10.52 つぎの化合物を合成するために必要なGrignard試薬とエステルとを示せ。

(a) $CH_3CH_2-\underset{\underset{C_6H_5}{|}}{\overset{\overset{OH}{|}}{C}}-CH_2CH_3$ 　　(b) $CH_3CH_2CH_2C(C_6H_5)_2OH$

カルボン酸誘導体の反応

10.53 求核剤に対するつぎの反応性の相違を説明せよ。
(a) エステルはケトンよりも反応性が低い
(b) 塩化ベンゾイルは塩化シクロヘキサンカルボニルよりも反応性が低い

10.54 つぎの反応式を書け。
(a) プロパン酸塩化物の加水分解
(b) 塩化ベンゾイルとメタノールの反応
(c) 無水酢酸による1-ペンタノールのエステル化
(d) ブタン酸臭化物の加アンモニア分解
(e) 2-メチルプロパン酸塩化物　＋　エチルベンゼン　＋　$AlCl_3$
(f) コハク酸　＋　加熱（235℃）
(g) 無水フタル酸　＋　メタノール（1当量）　＋　H^+
(h) 無水フタル酸　＋　メタノール（過剰量）　＋　H^+
(i) アジピン酸塩化物　＋　アンモニア（過剰量）

10.55 つぎの反応の生成物は何か答えよ。
(a) $CH_3CH_2CH_2CO_2H\ +\ PCl_5\ \longrightarrow$
(b) $CH_3(CH_2)_6CO_2H\ +\ SOCl_2\ \longrightarrow$
(c) (o-ジメチルベンゼン) $+\ KMnO_4\ \longrightarrow$
(d) (C$_6$H$_5$)—$CO_2^-NH_4^+\ \xrightarrow{加熱}$
(e) $CH_3(CH_2)_5CONH_2\ +\ LiAlH_4\ \longrightarrow$
(f) (シクロペンチル)—$CO_2CH_2CH_3\ +\ LiAlH_4\ \longrightarrow$

10.56 求核剤に対するケトンとエステルの相対反応性の違いを念頭に置いて，つぎの反応式に示された生成物2つのうち，どちらが正しいかを答えよ。

$CH_3\overset{\overset{O}{\|}}{C}CH_2CH_2CO_2CH_3\ \xrightarrow{NaBH_4}\ CH_3\overset{\overset{O}{\|}}{C}CH_2CH_2CH_2OH$ または $CH_3\overset{\overset{OH}{|}}{C}HCH_2CH_2CO_2CH_3$

10.57 マンデル酸は$C_6H_5CH(OH)COOH$という化学式をもち，苦扁桃（ドイツ語でマンデルという）から単離できる。この化合物は泌尿器系伝染病の治療薬として用いられることもある。ベンズアルデヒドからシアンヒドリンを中間に経由して，このマンデル酸を2段階で合成する方法を示せ。

Claisen 縮合反応

10.58 フェニル酢酸エチルの Claisen 縮合反応で得られる生成物の構造式を書き，これが生成する反応機構を段階的に説明せよ。

10.59 アジピン酸ジエチルをナトリウムエトキシドと加熱すると，分子内 Claisen 縮合生成物を与える。

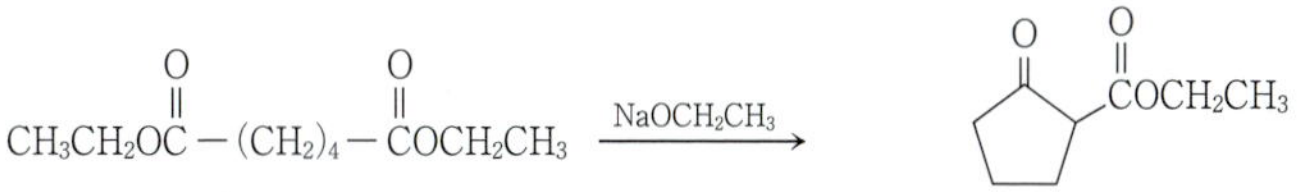

$$CH_3CH_2OC(=O)-(CH_2)_4-C(=O)OCH_2CH_3 \xrightarrow{NaOCH_2CH_3} \text{2-オキソシクロペンタンカルボン酸エチル}$$

アジピン酸ジエチル　　　　　　　　　　2-オキソシクロペンタンカルボン酸エチル

この反応機構を考えて段階的に説明せよ。

10.60 混合アルドール縮合反応 (9.19 節参照) が起こるように，混合 Claisen 縮合反応も起こる。それなら，安息香酸エチルと酢酸エチルの混合物をエタノール中でナトリウムエトキシドと加熱して得られる生成物はなにか，その構造式を書け。さらに，その生成反応の機構についても説明せよ。

その他の問題

10.61 プロパンアミドの構造を示すために必要な共鳴極限構造式を2つ書き，どの原子が同一平面内にあるかを示せ。

10.62 またたびの主成分ネペタラクトン (p.325) に関するつぎの質問に答えよ。
 (a) この構造がイソプレン単位2つから構成されていることを点線で囲んで示せ。
 (b) 不斉中心を丸で囲み，その立体配置 (R または S) を示せ。

10.63 マレイン酸を少量の濃塩酸と加熱すると，徐々にフマル酸へと異性化する。この異性化の反応機構を説明せよ。

10.64 下に示すラクトンは"ワインラクトン"とよばれる甘くてココナツのような香りのする化合物であり，最近，白ワインから単離された。この化合物には不斉中心がいくつ存在するのか答えよ。またそれぞれの不斉中心の立体配置 (R または S) についても答えよ。

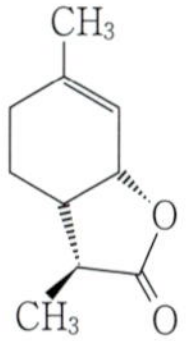

CHAPTER 11

アミンとそれに関連した窒素化合物

ここまで基本的な官能基について解説してきたが，本章では最後に残されたアミン類について説明する。**アミン** (amine) はアンモニアの有機化合物誘導体であり，アンモニアの水素原子を1つから3つ有機性置換基で置き換えたものである。アンモニアと同様にアミンは塩基であり，天然物のなかでアミンはもっとも一般的な有機塩基である。本章ではまずはじめにいくつかの簡単なアミンの構造，製造法，化学的性質，工業的用途などについて述べる。そのあと章末にかけて，重要な生理活性や工業的用途をもった天然アミンならびに合成アミンとそれらの誘導体について学ぶことにする。

11.1 アミンの分類と構造
11.2 アミンの命名法
11.3 アミンの物理的性質と分子間相互作用
11.4 アミンのつくり方；アンモニアおよびアミンのアルキル化
11.5 アミンのつくり方；ニトロ化合物の還元
11.6 アミンの塩基性
11.7 アミンとアミドの塩基性の比較
11.8 アミンと強酸との反応；アミン塩の生成
11.9 光学分割試薬としてのキラルなアミン
11.10 酸誘導体を用いたアミンのアシル化反応
11.11 第四級アンモニウム化合物
11.12 芳香族ジアゾニウム化合物
11.13 ジアゾカップリングとアゾ染料

A WORD ABOUT...
11.8 アルカロイドと吹矢毒蛙のはなし

▲ キノコのamanita muscariaには天然物の第四級アンモニウム塩である劇毒物（＋)-ムスカリンが含まれている（問題5.48, p.192参照）。

11.1 アミンの分類と構造

アンモニアとアミンが似ていることは，つぎの構造式をみれば明らかである。

$$H-\underset{H}{\underset{|}{N}}-H \qquad R-\underset{H}{\underset{|}{N}}-H \qquad R-\underset{H}{\underset{|}{N}}-R \qquad R-\underset{R}{\underset{|}{N}}-R$$

アンモニア　　　第一級アミン　　　第二級アミン　　　第三級アミン

このように，窒素原子上に有機基がいくつ結合しているかによって，アミン類は**第一級**（primary）**アミン**，**第二級**（secondary）**アミン**，**第三級**（tertiary）**アミン**の3種類に分類される。R基はアルキル基，アリール基のどちらでもよく，2つ以上のR基が1つの窒素原子に結合する場合は，すべてが同じ種類のものでも別々のものでもかまわない。さらに，あとでも述べるが，第二級または第三級アミンのなかにはアミノ基の窒素原子が環を構成している場合もある。

問題 11.1　つぎのアミン類を第一級，第二級，第三級アミンに分類せよ。

(a) $(CH_3)_3CNH_2$　　(b) ピロリジン　　(c) CH_3-C₆H₄-NH_2　　(d) $(CH_3)_2N$-C₆H₅

アミンの窒素原子の原子価は3であり，さらに非共有電子対を1つもっている。このように窒素の原子軌道はsp^3混成しており，電子構造は全体としてほぼ正四面体に近いピラミッド型である。そのようすは図11.1に示したトリメチルアミンの

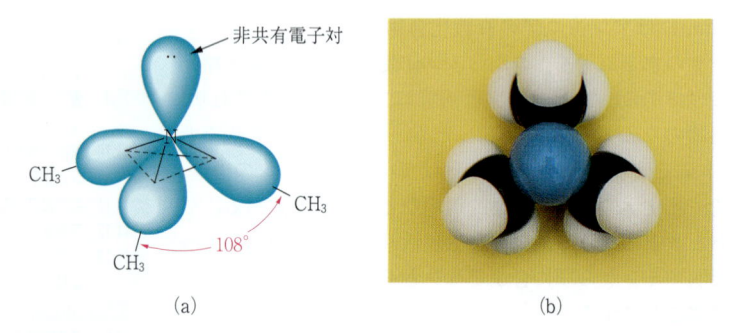

図11.1 アミン類はトリメチルアミンのモデル（a）にみられるように，ピラミッド構造をしている。右の空間充てん型分子モデル（b）は左のものを真上から眺めたものであり，中央にある球は非共有電子対の入った軌道を表している。

☞　**アミン**はアンモニアからつくられる有機塩基である。

☞　**第一級アミン**は窒素原子に有機基が1つ結合したもの，**第二級アミン**は2つ結合したもの，**第三級アミン**は3つ結合したものである。

例からもよくわかる。この構造をみると，もし第三級アミンの窒素上の3つの置換基がそれぞれ異なる種類のものであればこのアミンはキラルな分子になるから，2つの光学対掌体に分割できるはずである。たしかにこの考え方は原理的には正しいが，実際には2つの対掌体は室温で（あるいはそれよりも低温で）きわめて迅速に「強風下のコウモリ傘（umbrella-in-the-wind）」のように相互変換を行っているのである。

$$
\underset{R^1}{\overset{\ddot{N}}{\underset{R^2}{\diagup}}}R^3 \rightleftharpoons \left[R^1 - \underset{R^2}{\overset{R^3}{N}} \right] \rightleftharpoons \underset{R^1}{\overset{R^3}{\underset{}{N}}}R^2 \tag{11.1}
$$

平面状の遷移状態

11.2 アミンの命名法

単純な形をしたアミンは，窒素原子に結合したアルキル基の名称のあとに接尾語，アミンをつけて命名する。

$CH_3CH_2NH_2$　　　$(CH_3CH_2)_2NH$　　　$(CH_3CH_2)_3N$
エチルアミン　　　ジエチルアミン　　　トリエチルアミン
（第一級アミン）　（第二級アミン）　（第三級アミン）

IUPAC命名法では，**アミノ基**（amino group）すなわち $-NH_2$ 基を置換基とみなしてつぎの例のように命名することもある。

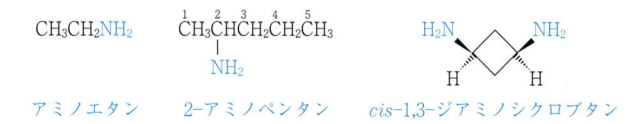

$\overset{1}{C}H_3\overset{2}{C}H_2NH_2$　　　$\overset{1}{C}H_3\overset{2}{C}H\overset{3}{C}H_2\overset{4}{C}H_2\overset{5}{C}H_3$　　　（cis-1,3-ジアミノシクロブタン構造）
　　　　　　　　　　　　　　$|$
　　　　　　　　　　　　　　NH_2
アミノエタン　　　2-アミノペンタン　　　*cis*-1,3-ジアミノシクロブタン

この命名法に従うと，第二級および第三級アミンは，もっとも長い炭素鎖の上に残りの炭素鎖をアミノ基につけた接頭語をのせて，つぎのように命名される。

$CH_3NH\overset{1}{C}H_2\overset{2}{C}H_2\overset{3}{C}H_3$　　$CH_3N-\overset{1}{C}H_2\overset{2}{C}H_2\overset{3}{C}H_3$　　（ジメチルアミノシクロヘキサン構造）
　　　　　　　　　　　　　　　$|$
　　　　　　　　　　　　　　CH_2CH_3
1-メチルアミノプロパン　1-エチルメチルアミノプロパン　ジメチルアミノシクロヘキサン

最近，Chemical Abstracts（CA）はアミンの合理的で簡単な命名法として，アミンを**アルカンアミン**（alkan amine）として命名する方法を使いはじめた。たとえば，

☞　Chemical Abstract命名法に従うと，アミンは**アルカンアミン**となる。

CH₃CH₂CH₂NH₂　　CH₃CHCH₃　　　CH₃CHCH₂CH₂CH₃
　　　　　　　　　　｜　　　　　　　　｜
　　　　　　　　　　NH₂　　　　　　　NHCH₃
プロパンアミン　　2-プロパンアミン　　N-メチル-2-ペンタンアミン

例題 11.1

[シクロヘキシル]—N(CH₃)₂ を Chemical Abstracts の方法に従って命名せよ。

解答　窒素に結合したもっとも大きなアルキル基を化合物の基幹名に用いる。答えは N,N-ジメチルシクロヘキサンアミン（N,N-dimethylcyclohexanamine）である。

問題 11.2

CH₃CH₂CHCH₂CH₃ を CA命名法に従って命名せよ。
　　　｜
　　　N(CH₃)₂

ほかにも官能基がある化合物の場合はアミノ基を置換基とみなして命名する。たとえば，

　　NH₂　　　　　　　　　　　O
　　｜　　　　　　　　　　　　‖
CH₃CHCH₂CO₂H　　　H₂NCH₂CH₂CCH₂CH₃　　　CH₃NHCH₂CH₂OH
 4   3   2   1　　　　　1   2   3 4   5　　　　　　　　2   1
3-アミノブタン酸　　　1-アミノ-3-ペンタノン　　　2-メチルアミノエタノール

芳香族アミンはアニリンの誘導体として命名される。CA命名法ではアニリンはベンゼンアミンである。このような命名の例をつぎに示しておこう。

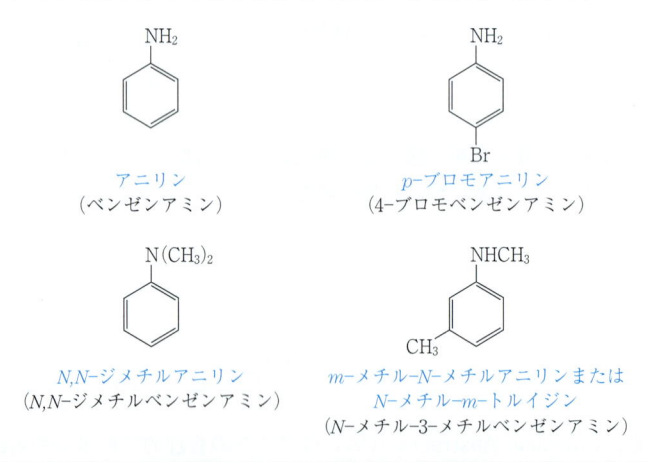

　　　NH₂　　　　　　　　　　　NH₂
　　　｜　　　　　　　　　　　　｜
　　[ベンゼン]　　　　　　　　　[ベンゼン]
　　　　　　　　　　　　　　　　｜
　　　　　　　　　　　　　　　　Br

　アニリン　　　　　　　　　　p-ブロモアニリン
（ベンゼンアミン）　　　　（4-ブロモベンゼンアミン）

　　N(CH₃)₂　　　　　　　　　NHCH₃
　　｜　　　　　　　　　　　　｜
　[ベンゼン]　　　　　　　　　[ベンゼン]
　　　　　　　　　　　　　　　｜
　　　　　　　　　　　　　　 CH₃

N,N-ジメチルアニリン　　　m-メチル-N-メチルアニリンまたは
（N,N-ジメチルベンゼンアミン）　　N-メチル-m-トルイジン
　　　　　　　　　　　　　（N-メチル-3-メチルベンゼンアミン）

例題 11.2

つぎの化合物に命名せよ。
(a)　(CH₃)₂CHCH₂NH₂　　(b)　CH₃NHCH₂CH₃

11.3 アミンの物理的性質と分子間相互作用

(c) 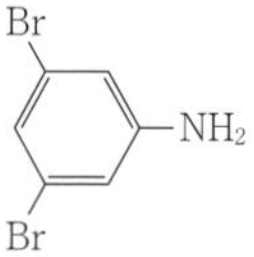 3,5-ジブロモアニリン構造 (d) 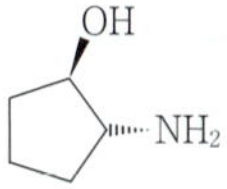 trans-2-アミノシクロペンタノール構造

解答
- (a) イソブチルアミン（慣用名），1-アミノ-2-メチルプロパン（IUPAC），2-メチルプロパンアミン（CA）
- (b) エチルメチルアミン（慣用名），メチルアミノエタン（IUPAC），N-メチルエタンアミン（CA）
- (c) 3,5-ジブロモアニリン（慣用名とIUPAC），3,5-ジブロモベンゼンアミン（CA）
- (d) *trans*-2-アミノシクロペンタノール（この命名だけ）

問題 11.3 つぎの化合物に命名せよ。
(a) $(CH_3)_3CNH_2$ (b) $H_2NCH_2CH_2OH$ (c)  O_2N-C₆H₄-NH_2（パラ置換）

問題 11.4 つぎの構造式を書け。
(a) ジプロピルアミン (b) 3-アミノヘキサン (c) 2,4,6-トリメチルアニリン
(d) N,N-ジエチル-2-ペンタンアミン

11.3 アミンの物理的性質と分子間相互作用

代表的なアミンの沸点を表11.1に示す。メチルアミンとエチルアミンは沸点が室温より低く気体だが，炭素原子を3つ以上もつ第一アミンは液体である。第一級アミンの沸点は同程度の分子量をもつアルカンと比べるとはるかに高い沸点をもつが，対応するアルコールのメタノールやエタノールと比べると（表11.2参照）かなり低い。このことから，第一級および第二級アミンでは分子間のN–H⋯N水素結合は重要であり，対応する分子量のアルカンよりも沸点を上昇させているが，

表 11.1 代表的なアミンの沸点

化合物名	構造式	bp, °C
アンモニア	NH_3	−33.4
メチルアミン	CH_3NH_2	−6.3
ジメチルアミン	$(CH_3)_2NH$	7.4
トリメチルアミン	$(CH_3)_3N$	2.9
エチルアミン	$CH_3CH_2NH_2$	16.6
n-プロピルアミン	$CH_3CH_2CH_2NH_2$	48.7
ブチルアミン	$CH_3CH_2CH_2CH_2NH_2$	77.8
アニリン	$C_6H_5NH_2$	184.0

表 11.2 アルカンとアミンとアルコールの沸点の比較[a]

アルカン	CH_3CH_3 (30)	$CH_3CH_2CH_3$ (44)
	bp $-88.6℃$	bp $-42.1℃$
アミン	CH_3NH_2 (31)	$CH_3CH_2NH_2$ (45)
	bp $-6.3℃$	bp $+16.6℃$
アルコール	CH_3OH (32)	CH_3CH_2OH (46)
	bp $+65.0℃$	bp $+78.5℃$

a) 分子量は（ ）内に示してある。

その効果はアルコールの分子間 O－H⋯O 水素結合ほどは強くないと結論できる（7.4節参照）。その理由は窒素の電気陰性度が酸素よりも小さいからである。

問題 11.5 第三級アミン $(CH_3)_3N$ の沸点が，その異性体である第一級アミン $CH_3CH_2CH_2NH_2$ に比べてかなり低い理由を説明せよ。

第一級から第三級アミンまで，すべてが水の OH 基と水素結合（O－H⋯N）を形成できる。また同様に，第一級および第二級アミンの N－H は水の酸素原子と水素結合（N－H⋯O）を形成できる。炭素数5〜6までの単純アミンはほとんどが水に対して高い溶解性を示す。

さて，はじめにアミンのつくり方を説明しよう。

11.4 アミンのつくり方：アンモニアおよびアミンのアルキル化

アンモニアとハロゲン化アルキルを反応させると，2段階の反応を経由してアミンが生成する。そのはじめの段階は求核置換反応（S_N2）である。

$$H_3N: + R-X \longrightarrow R-\overset{+}{N}H_3 \ X^- \quad (11.2)$$

アンモニア　　ハロゲン化アルキル　　　アンモニウム

遊離のアミンはこのアンモニウム塩を強塩基と処理すれば得られる。

$$R-\overset{+}{N}H_3X^- + NaOH \longrightarrow RNH_2 + H_2O + Na^+X^- \quad (11.3)$$

第一級アミン

第一級，第二級，第三級アミンはいずれも同様にアルキル化できる。

$$RNH_2 + R-X \longrightarrow R_2\overset{+}{N}H_2X^- \xrightarrow{NaOH} R_2NH \quad (11.4)$$

第一級アミン　　　　　　　　　　　　　　　第二級アミン

$$R_2NH + R-X \longrightarrow R_3\overset{+}{N}HX^- \xrightarrow{NaOH} R_3N \quad (11.5)$$

第二級アミン　　　　　　　　　　　　　　第三級アミン

11.4 アミンのつくり方：アンモニアおよびアミンのアルキル化

$$R_3N + R-X \longrightarrow R_4N^+ X^- \tag{11.6}$$

第三級アミン　　　　　　　　第四級アンモニウム塩

ところが残念なことに，これらの反応の生成物はしばしば混合物になってしまう。その理由は，出発体のアンモニアまたはアミンとS_N2反応で生成するアルキルアンモニウムイオンとが次式に示すような平衡反応を形成するからである。

$$NH_3 + R\overset{+}{N}H_3X^- \rightleftharpoons NH_4^+X^- + RNH_2 \tag{11.7}$$

したがって，アンモニアとハロゲン化アルキルの反応（式11.2）では，まず第一級アミンが生成するが（式11.7），これらはさらにアルキル化されて第二級アミンを生成する（式11.4）。このようにつぎつぎとアルキル化が進行するので，反応剤の混合比を調節して欲しいアミンを収率よく得るように工夫しなければならない。たとえば，アンモニアを大過剰に使用すると第一級アミンが主生成物として得られる。

芳香族アミンはしばしば選択性高くアルキル化される。

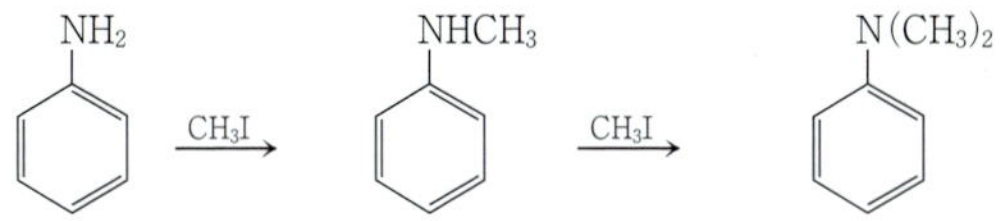

$$\text{アニリン} \xrightarrow{CH_3I} N\text{-メチルアニリン} \xrightarrow{CH_3I} N,N\text{-ジメチルアニリン} \tag{11.8}$$

同様のアルキル化反応は分子内でも進行し，つぎに示すようなニコチン合成の最後の反応段階はその一例である。

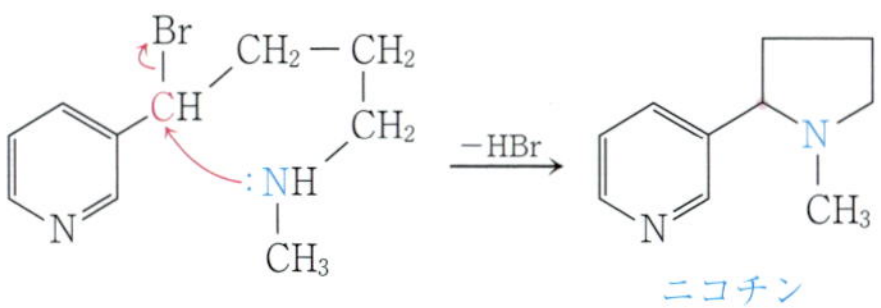

$$\tag{11.9}$$

（ニコチン）

例題 11.3

ベンジルアミン C₆H₅—CH₂NH₂ を合成する反応式を書け。

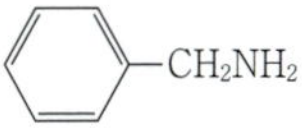

解答 C₆H₅—CH₂X + 2NH₃ ⟶ C₆H₅—CH₂NH₂ + NH₄⁺X⁻ （X=Cl, Br, または I）

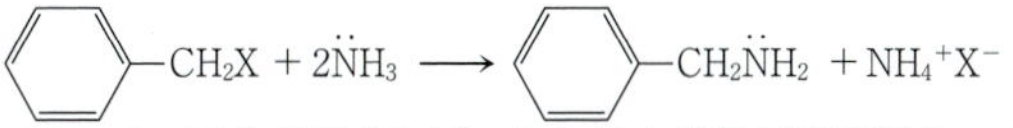

大過剰のアンモニアを使用すれば，これ以上置換反応が進むのを抑制できる。

問題 11.6 つぎの反応で得られる生成物を答えよ。
(a) $CH_3CH_2CH_2CH_2Br + 2NH_3 \longrightarrow$
(b) $CH_3CH_2I + 2(CH_3CH_2)_2NH \longrightarrow$
(c) $(CH_3)_3N + CH_3I \longrightarrow$
(d) $CH_3CH_2CH_2NH_2 + $ C$_6$H$_5$–CH$_2$Br $\longrightarrow$

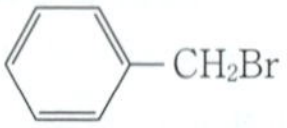

問題 11.7 アニリンからエチルフェニルアミン C$_6$H$_5$–NHCH$_2$CH$_3$ を合成する反応式を示せ。

11.5 アミンのつくり方；ニトロ化合物の還元

アミンの窒素原子上の結合はN−HかN−Cのいずれかである。したがってアンモニアやアミンの窒素原子は還元型の性質をもっている。そこで，酸化型の窒素原子をもつ有機化合物を適切な還元剤を用いて還元すると，容易にアミンが得られるのは当然であろう。このタイプのアミン合成法の例をとりあげて説明しよう。

芳香族第一級アミンを合成する最良の方法は，対応するニトロ化合物の還元反応である。原料のニトロ化合物は求電子的な芳香族ニトロ化反応で容易に得られ，このニトロ基は水素を用いた触媒反応あるいは還元剤を用いた化学量論的な反応で，きわめて容易に還元できる。

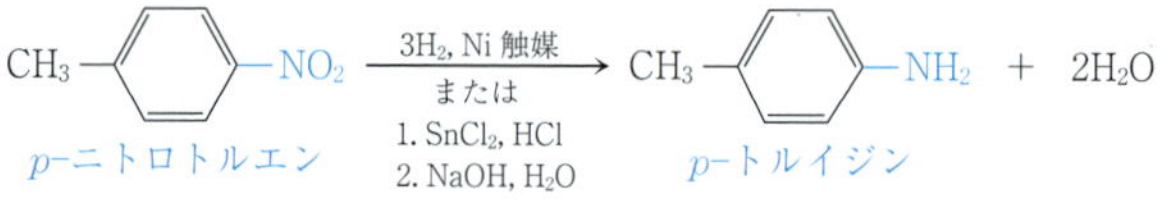

$$CH_3\text{-}C_6H_4\text{-}NO_2 \xrightarrow[\substack{1.\ SnCl_2,\ HCl \\ 2.\ NaOH,\ H_2O}]{3H_2,\ Ni\ 触媒\ または} CH_3\text{-}C_6H_4\text{-}NH_2 + 2H_2O \qquad (11.10)$$

p-ニトロトルエン　　　　　　　　　　　p-トルイジン

例題 11.4

クロロベンゼンからp-クロロアニリン 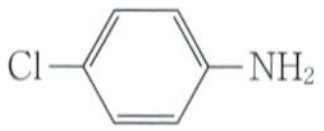 Cl–C$_6$H$_4$–NH$_2$ を合成する方法を考えよ。

解答 Cl基はo,p-配向性だから，クロロベンゼンをニトロ化すると主生成物はp-クロロニトロベンゼンである。これをさらに還元すればよい。

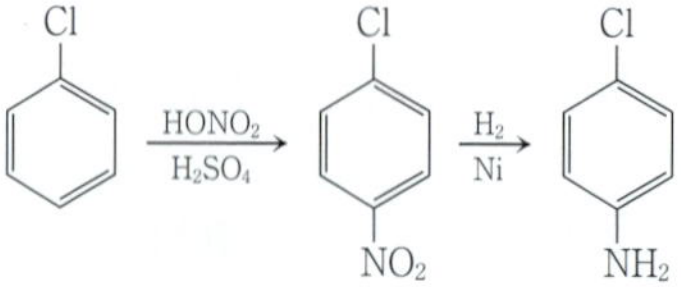

C$_6$H$_5$Cl $\xrightarrow{\text{HONO}_2 / \text{H}_2\text{SO}_4}$ p-Cl-C$_6$H$_4$-NO$_2$ $\xrightarrow{\text{H}_2 / \text{Ni}}$ p-Cl-C$_6$H$_4$-NH$_2$

問題 11.8 トルエンから H$_2$N–C$_6$H$_3$(CH$_3$)(NH$_2$) を得る合成法を答えよ。

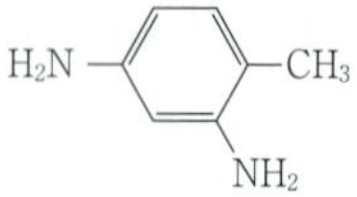

11.5 アミンのつくり方：ニトロ化合物の還元

前章（式10.41）で説明したように，アミドは水素化アルミニウムリチウムによりアミンに還元される。

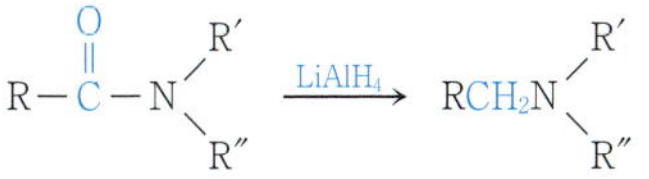

$$R-\underset{\underset{R''}{|}}{\overset{\overset{O}{\|}}{C}}-N-R' \xrightarrow{LiAlH_4} RCH_2\underset{\underset{R''}{|}}{N}-R' \quad (\text{R'とR''はHまたは有機基}) \quad (11.11)$$

この式のR′やR″の構造によって第一級，第二級，第三級アミンが合成できる。

例 題 11.5

つぎの反応式を完成させよ。

$$CH_3\overset{\overset{O}{\|}}{C}NHCH_2CH_3 \xrightarrow{LiAlH_4}$$

解答 C=O基がCH_2に還元される。したがって，生成物は第二級アミンの$CH_3CH_2NHCH_2CH_3$である。

問題 11.9 $CH_3CH_2N(CH_3)_2$をアミドから合成する反応を示せ。

ニトリル（シアニド）を還元すると第一級アミンが得られる。

$$R-C\equiv N \xrightarrow[\text{または}H_2,\ Ni]{LiAlH_4} RCH_2NH_2 \quad (11.12)$$

例 題 11.6

つぎの反応式を完成させよ。

$$NCCH_2CH_2CH_2CH_2CN \xrightarrow[\text{Ni 触媒}]{\text{過剰量の}H_2}$$

解答 2つのCN基が還元される。生成物の$H_2N-(CH_2)_6-NH_2$，すなわち1,6-ジアミノヘキサンはナイロン（p.445）の製造原料となる2つの化合物のうちの1つである。

問題 11.10 ⌬—CH_2Br から ⌬—$CH_2CH_2NH_2$ を合成する反応を考察せよ。

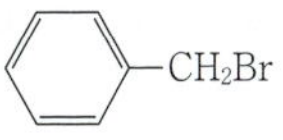

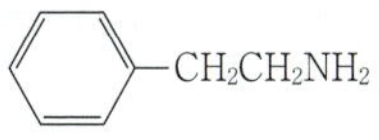

アルデヒドやケトンをアンモニアや第一級，第二級アミンと**還元的アミノ化**（reductive amination）を行えば，それぞれから第一級，第二級，第三級アミンが得られる。この目的のために実験室でもっともよく使われる還元剤は，金属水素化物の

☞ アルデヒドとケトンは，$NaBH_3(CN)$の存在下にアミンと反応させると**還元的アミノ化**反応を行う。

水素化シアノホウ素ナトリウム，NaBH₃(CN) である。

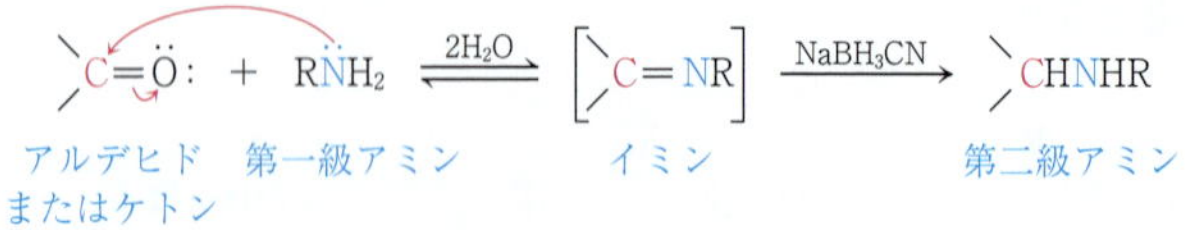

$$\text{C=O: + RNH}_2 \xrightleftharpoons{2H_2O} [\text{C=NR}] \xrightarrow{NaBH_3CN} \text{CHNHR} \qquad (11.13)$$

アルデヒド　第一級アミン　　　イミン　　　　　　　第二級アミン
またはケトン

この反応ではまずカルボニル基への求核攻撃が起こってイミンが生じる（これはアンモニアや第一級アミンとの反応の場合である。式9.31と比較せよ），また第二級アミンとの反応ではイミニウムイオンが生成する。そのあと還元剤がC=N結合を還元する。

問題 11.11　式11.13を参考にして，3-アミノペンタンを3-ペンタノンから合成する反応を工夫せよ。

さて，ここまでアミン合成法をいくつか学んだので，つぎにアミンの性質について説明しよう。

11.6　アミンの塩基性

窒素原子上に存在する非共有電子対がアミンの化学的性質を支配している。この電子対が存在するので，アミンは塩基性であるとともに求核性も示す。

アミンを水に溶解すると塩基性を示す理由は次式に示されている。

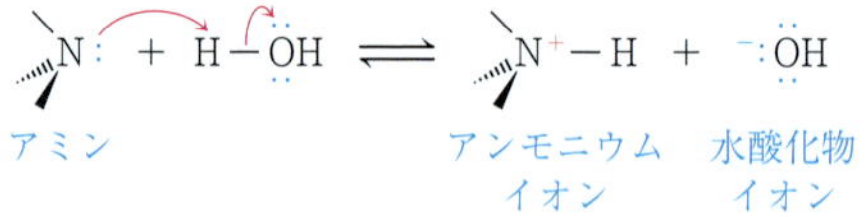

$$\text{N: + H-OH} \rightleftharpoons \text{N}^+\text{-H + :OH}^- \qquad (11.14)$$

アミン　　　　　　　　　アンモニウム　水酸化物
　　　　　　　　　　　　イオン　　　　イオン

例題 11.7

エチルアミンを水に溶解すると塩基性を示す。その理由がわかるように反応式を書け。

解答

$$\text{CH}_3\text{CH}_2\text{NH}_2 + \text{H}_2\text{O} \rightleftharpoons \text{CH}_3\text{CH}_2\overset{+}{\text{N}}\text{H}_3 + \text{OH}^-$$

エチルアミン　　　　　　エチルアンモニウム
　　　　　　　　　　　　イオン

アミンは水よりもはるかに塩基性である。そのためにアミンは水からプロトンを受け取って水酸化物イオンを生じるので，水溶液は塩基性を示す。

問題 11.12　水溶液中におけるトリエチルアミンの解離平衡式を書け。

11.6 アミンの塩基性

アミンとそのアンモニウムイオン（式11.14）は塩基とその共役酸の関係にある。たとえばRNH_3^+は第一級アミンRNH_2の共役酸である。異なるアミンの塩基性を比較したいときは，塩基性のかわりにアミンの共役酸の酸性度定数（pK_a）を比較するのが便利である。式11.15は第一級アルキルアミンのアンモニウムイオンの酸性度を求める式を示したものである。

$$\overset{+}{R N H_3} + H_2O \rightleftharpoons RNH_2 + H_3O^+ \tag{11.15}$$

共役酸　　　　　　　塩基

$$K_a = \frac{[RNH_2][H_3O^+]}{[RNH_3^+]}$$

ここでK_aが大きい（またはpK_a値が小さい）ほどRNH_3^+は強い酸であり，また塩基としてのRNH_2は弱い塩基になる。

例題 11.8

NH_4^+と$CH_3NH_3^+$のpK_a値は9.30と10.64である。この値に基づいてNH_3とCH_3NH_2のどちらが強い塩基かを答えよ。

解答　NH_4^+のほうが低いpK_a値をもつから強い酸である。したがってNH_3が弱い塩基でありCH_3NH_2は強い塩基である。

表11.3にはいくつかのアミンの塩基性が示してある。アルキルアミンはアンモニアより約10倍も塩基性が高い。ここではアルキル基が水素よりも電子供与性で

表 11.3　アミンの塩基性に対応するアンモニウムイオンをpK_a値として表したもの

名称	構造式		アンモニウムイオンのpK_a値
	アミン	アンモニウムイオン	
アンモニア	NH_3	NH_4^+	9.30
メチルアミン	CH_3NH_2	$CH_3NH_3^+$	10.64
ジメチルアミン	$(CH_3)_2NH$	$(CH_3)_2NH_2^+$	10.71
トリメチルアミン	$(CH_3)_3N$	$(CH_3)_3NH^+$	9.77
エチルアミン	$CH_3CH_2NH_2$	$CH_3CH_2NH_3^+$	10.67
プロピルアミン	$CH_3CH_2CH_2NH_2$	$CH_3CH_2CH_2NH_3^+$	10.58
アニリン	$C_6H_5NH_2$	$C_6H_5NH_3^+$	4.62
N-メチルアニリン	$C_6H_5NHCH_3$	$C_6H_5NH_2(CH_3)^+$	4.85
N,N-ジメチルアニリン	$C_6H_5N(CH_3)_2$	$C_6H_5NH(CH_3)_2^+$	5.04
p-クロロアニリン	p-$ClC_6H_4NH_2$	p-$ClC_6H_4NH_3^+$	3.98

あること $R \to \overset{H}{\underset{H}{N}}$ を思い出してほしい。この電子供与基の効果はアミンにおけるよりもアンモニウムイオン（陽電荷を帯びている）を安定化するのに効果的である（式11.14）。すなわちアンモニウムイオンではその酸性を低下させ，アミンでは塩基性を増大させることにつながっている。このように電子供与性の置換基はアミンの塩基性を高め，電子求引基は塩基性を低下させる。

問題 11.13 $ClCH_2CH_2NH_2$ は $CH_3CH_2NH_2$ よりも強い塩基か，それとも弱い塩基かを説明せよ。

芳香族アミンは脂肪族アミンやアンモニアと比べるとはるかに弱い塩基である。たとえばアニリンはシクロヘキシルアミンよりも100万分の1の弱い塩基性しか示さない。

対応するアンモニウムイオンの pK_a 値

アニリン 4.62　　シクロヘキシルアミン 9.8

このように大きな差が生じるのは，アニリンでは窒素上の非共有電子対が共鳴により非局在化できるのに比べて，シクロヘキシルアミンではそれが不可能だからである。

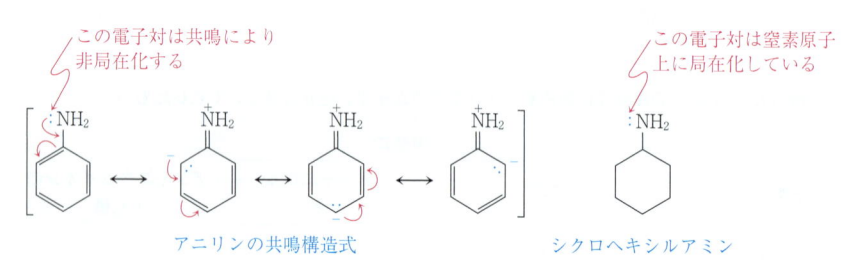

アニリンの共鳴構造式　　シクロヘキシルアミン

この電子対は共鳴により非局在化する

この電子対は窒素原子上に局在化している

このように，アニリンではプロトン化されない構造が共鳴安定化しているため（シクロヘキシルアミンと比べてのこと），式11.15の平衡が右に移行する結果になる。言い換えると，アニリンの非共有電子対は非局在化しているために，シクロヘキシルアミンの電子対と比べるとプロトンへの電子供与能力が低いことになる。

問題 11.14 表11.3の下4つのアミンについて塩基性を比較して，この塩基性の順番が成り立つ理由を説明せよ。

問題 11.15 アニリン，p-ニトロアニリン，p-トルイジンの3つのアミンを塩基性の大きい順に並べよ。

11.7 アミンとアミドの塩基性の比較

アミンとアミドのいずれにも非共有電子対をもった窒素原子が組み込まれている。ところがこの2つの塩基性には大きな差があり，アミンの水溶液は塩基性を示すがアミドの水溶液はまったく中性である。なぜこのような差が生じるのだろうか？

その答えは，つぎの図の第一級アミンと第一級アミドの比較にみられるように，これらの構造のなかに見いだすことができる。

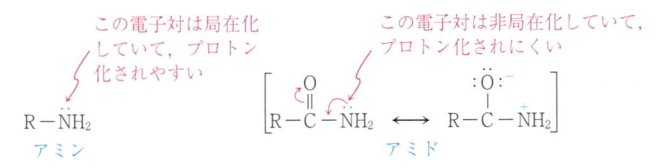

この電子対は局在化していて，プロトン化されやすい　　　この電子対は非局在化していて，プロトン化されにくい

R—N̈H₂　　　　　[R—C(=O)—N̈H₂ ⟷ R—C(—Ö:⁻)=NH₂]

アミン　　　　　　　　　　　アミド

アミンでは非共有電子対は主として窒素原子上に局在化している。ところがアミドではこの電子対はカルボニル基にも非局在化している。この非局在化の効果はアミンとアミドの pK_a を対比すれば明らかである。すなわち，アミンの共役酸の pK_a 値に比べてアミドの共役酸の pK_a 値は小さいのである。その例をつぎに示す。

CH₃CH₂N⁺H₃　　　　CH₃CN⁺H₂ (=Ö—H)

エチルアミン　　　　アセトアミド
の共役酸　　　　　　の共役酸

pK_a値　　10.67　　　　　−0.6

ここで注目してほしいのは，アミドでのプロトン化は窒素原子上ではなくカルボニル基の酸素原子上に起こることである。その理由は，この酸素上へのプロトン化だけが共鳴安定化したカチオンを生じるからである。

第一級，第二級アミンまたアミドにも N—H 結合があるから，これが必要に応じて酸（プロトン供与源）として働くように思えるかもしれない。

$$R-\ddot{N}H_2 \rightleftharpoons R-\ddot{N}H^- + H^+ \quad K_a \cong 10^{-40} \quad (11.16)$$

ところが第一級アミンは極端に弱い酸であってアルコールよりも弱く，pK_a 値はアルコールの16に比べて約40である。この違いを生じるおもな理由は，窒素の電気陰性度が酸素に比べてはるかに小さく，その原子上の負電荷を安定化できないからであると考えられている。

一方，アミドはアミンよりはるかに強酸であり，pK_a 値（約15）はアルコールの値に匹敵する。

$$R-\underset{\|}{\overset{O}{C}}-NH_2 \rightleftharpoons [R-\underset{\|}{\overset{\ddot{O}:}{C}}-\ddot{N}H \leftrightarrow R-\underset{\ddot{O}:^-}{\overset{}{C}}=NH] + H^+ \quad K_a \cong 10^{-15} \quad (11.17)$$

アミダートアニオン

その理由の1つは**アミダートアニオン**（amidate anion）の負電荷が共鳴安定化していることにある。もう1つの理由はアミドの窒素原子が部分的に陽電荷（p. 335 参照）を帯びているから，そこに結合している陽電荷を帯びたプロトンを放出しやすくなっているからである。

ここで説明したアミンとアミドのちがいは重要であり，記憶しておいてほしい。ここには大切な化学原理が含まれているだけでなく，あとで学習するペプチドやタンパク質などの天然物の化学を理解する上で役立つからである。

問題 11.16 つぎの化合物を（a）塩基性の大きい順に，また（b）酸性の大きい順に並べよ。

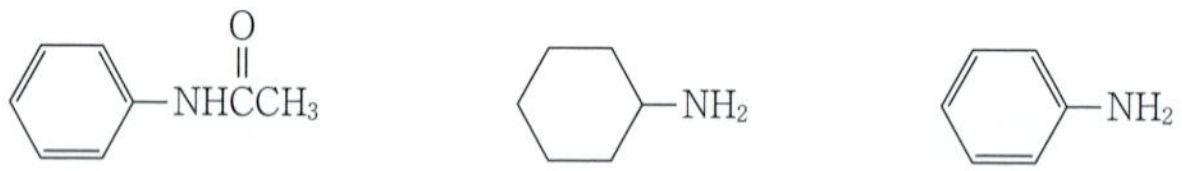

アセトアニリド　　　シクロヘキシルアミン　　　アニリン

11.8　アミンと強酸との反応；アミン塩の生成

アミンは塩基だから強酸と反応すると**アルキルアンモニウム塩**（alkylammonium salt）を生成する。第一級アミンと HCl との反応例をつぎに示す。

$$R-\ddot{N}H_2 + HCl \longrightarrow R\overset{+}{N}H_3 \ Cl^- \tag{11.18}$$

第一級アミン　　　　　　　　塩化アルキルアンモニウム

例題 11.9

つぎの酸–塩基反応式を完成し，生成物に命名せよ。
(a) $CH_3CH_2NH_2 + HI \longrightarrow$　　(b) $(CH_3)_3N + HBr \longrightarrow$

解答

(a) $CH_3CH_2\ddot{N}H_2 + HI \longrightarrow CH_3CH_2\overset{+}{N}H_3 \ I^-$

　　エチルアミン　　　　　　　ヨウ化エチルアンモニウム

(b) $CH_3-\ddot{N}-CH_3 + HBr \longrightarrow CH_3-\overset{+}{N}H-CH_3 \ Br^-$
　　　　｜　　　　　　　　　　　　　　　｜
　　　 CH_3　　　　　　　　　　　　　 CH_3

　　トリメチルアミン　　　　　臭化トリメチルアンモニウム

問題 11.17 つぎの反応式を完成し，生成物に命名せよ。

☞　**アミダートアニオン**はアミド窒素上からの脱プロトン化により生成する。
☞　アルキルアミンが強酸と反応すると**アルキルアンモニウム塩**が生成する。

11.8 アミンと強酸との反応；アミン塩の生成

$$\text{C}_6\text{H}_5\text{-NH}_2 + \text{HCl} \longrightarrow$$

この反応（式11.18）を利用すると，非水溶性の中性物質または酸性物質と混合しているアミン類が効率よく抽出分離できる。たとえば，式11.10のアミン製造反応が何かの理由で不完全にしか進行しなかった場合を考えてみよう。その p-トルイジンと p-ニトロトルエンの混合物からアミンを分離する行程がつぎの図に示されている。

p-トルイジン bp 200°C + p-ニトロトルエン bp 238°C →(塩酸水とエーテルとでよく振る)→

エーテル層：p-ニトロトルエン（エーテルを蒸発させて除くと得られる）

水層：アミン塩 $\text{Ar-NH}_3^+ \text{Cl}^-$ →(NaOH, H_2O)→ 遊離のアミン Ar-NH_2 + Na^+Cl^- + H_2O

(11.19)

まず，水に不溶の上記2成分からなる混合物をエーテルのような低沸点非極性の溶媒に溶解する。これを塩酸水と振るとアミンは反応してイオン性の高い塩を形成し，水層に溶解する。その一方で，ニトロ化合物はHClと反応しないのでエーテル層に残ったままである。つぎに2つの層を分液して，エーテル層からはエーテルを蒸発させて除くだけでニトロ化合物が得られる。一方，水層にはNaOHなどの強塩基を加えてアルカリ性にするとアミン塩が水に不溶のアミンに戻り，純粋な状態で単離できる。

ツノザメ

数多く存在する天然物アミン塩や合成アミン塩は生物学的に興味深い。例えば，近年ツノザメから単離された抗菌性ステロイド（ステロイドについては15章を参照）や，"ice"または"meth"*の名で知られる習慣性の有害な興奮剤の（＋）-メタアンフェタミン塩酸塩などがある。

---

* スクアラミンおよび"ice"についてさらに知りたければ，つぎの文献を読むとよい。R. Stone, *Science* **1993**, *259*, 1125；A, K, Cho, *Science* **1990**, *249*, 631.

A WORD ABOUT ...

アルカロイドと吹矢毒蛙のはなし

アルカロイド（alkaloid）とは植物あるいは動物起源の塩基性含窒素化合物のことをいい、しばしば顕著な薬理的効果を示す複雑な構造をもっている。すでに本章で述べたタバコから得られるニコチンやサメから得られるスクアラミンを脱プロトン化したアミンはアルカロイドの例である。さらに13章でもいくつかの例を述べることになろう。

アルカロイドを多産する生物の1つに、コスタリカ、パナマ、エクアドル、コロンビアに生息する小型で色彩鮮やかな両生類の吹矢毒蛙（dart-poison frog）がいる。このカエルの強烈な色彩は、かれらを捕食しようとする敵に対して"イヤな思いをさせるぞ"との警告の役割を果たしている。その根拠は皮膚表面の分泌腺から分泌されるアルカロイド毒にある。この分泌物は極めて毒性が高いので、その地域では狩猟目的の吹矢毒として用いてきた。dart-poison frogの名称はそれに由来する。

米国連邦保健局（NIH）の研究者はこの皮膚分泌物に含まれる数多くの化合物を単離して、マススペクトルとNMRスペクトルを用いて構造を解明した。200種類ちかくの異なるアルカロイドの構造が解明されたが、その中でもっとも毒性の高いものはバトラコトキシン（batrachotoxin）であり、これは一種のステロイド型アルカロイドである。そのほかにもヒストリオニコトキシン（histrionicotoxin）やプミリオトキシンB（pumiliotoxin B）などがある。

このカエルはこれらの化合物をナノグラムの量でしか生産しないので、その構造確認や薬理効果の研究に必要な量を確保するため

吹矢毒蛙（dart-poison forg）

スクアラミン（squalamine）

メタムフェタミン塩酸塩
（methamphetamine hydrochloride）

11.9 光学分割試薬としてのキラルなアミン

アミンは有機酸とも塩を形成する。この性質を利用すれば対掌体混合物の酸を光学分割できる（5.12節参照）。たとえば、(S)-フェニルエチルアミンのようなキラルなアミンとの反応を利用すれば、(R)-と(S)-乳酸の混合物からそれぞれの対掌

11.9 光学分割試薬としてのキラルなアミン

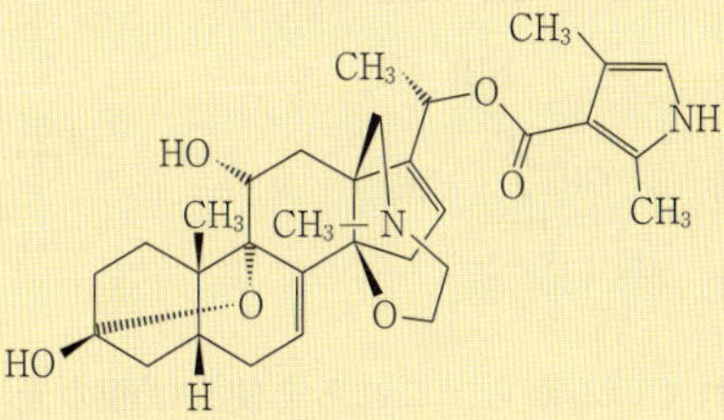

バトラコトキシン
(batrachotoxin)

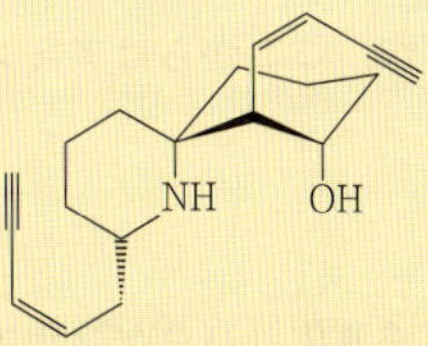

ヒストリオニコトキシン
(histrionicotoxin)

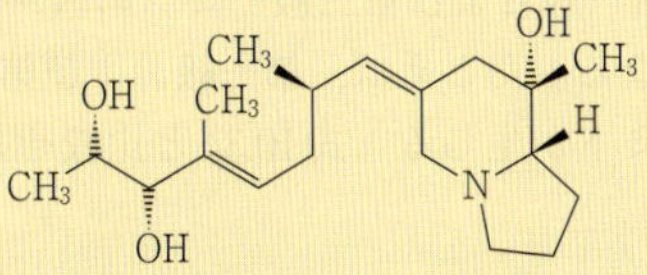

プミリオトキシン B
(pumiliotoxin B)

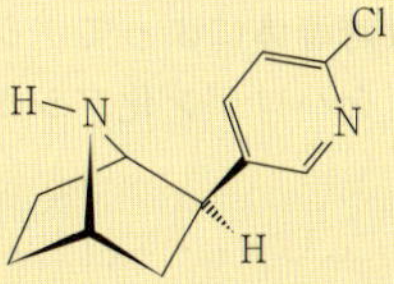

エピバチジン (epibatidine)

に，実験室で合成が行われた。その結果判明したことは，これらの毒物のほとんどは神経系に作用して細胞膜のイオン透過機能に影響を与えていることである。そこでこの性質を活用して神経科学の分野での研究手段としてこれらの化合物は利用されている。

1992年にはモルヒネよりもはるかに高い鎮痛作用をもつアルカロイドがエクアドルに生息するカエルのepibatidineから得られた。この単純な構造をもつアルカロイドはおそらく新種の鎮痛薬を開発するリード化合物になるだろうと期待されている。このように，epibatidineあるいはそれに類似の合成化合物は結果的に新種の鎮痛薬の開発につながるかもしれない。epibatidineはすでに酒石酸塩として生理学の研究目的に市販されている。このように天然物化学分野の興味深い研究は，「大は小からもたらされる」という言葉を確信させてくれる。

体を純粋に分割ことができる（式11.20）。

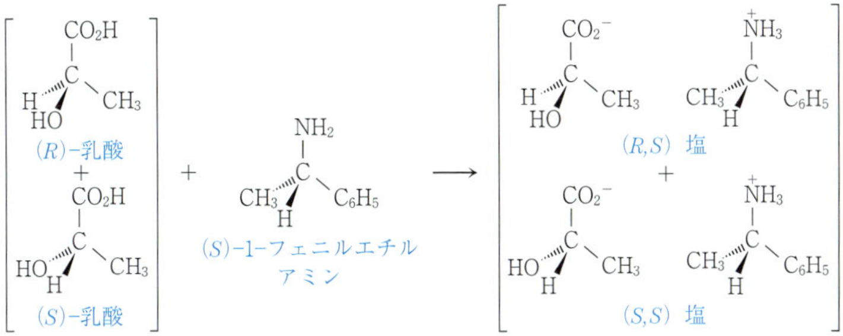

$$\begin{bmatrix} (R)\text{-乳酸} \\ + \\ (S)\text{-乳酸} \end{bmatrix} + (S)\text{-1-フェニルエチルアミン} \longrightarrow (R,S)\text{塩} + (S,S)\text{塩} \quad (11.20)$$

この反応で生じた2種類の塩はジアステレオマーであり，もはやエナンチオマー（対掌体）ではないので，通常の分別結晶化などの手法を用いて分離できる。分離したあと，それぞれの塩をHClのような強酸で処理すると対応する乳酸の対掌体

が遊離酸として得られる．キラルなアミン塩は，回収したあと水酸化ナトリウムと処理してアミンを遊離させ，再使用する（式11.19の最終段階に同じ）．

$$(R,S) \text{塩} + HCl \longrightarrow \underset{(R)\text{-乳酸}}{\text{HO-C(H)(CH}_3)\text{-CO}_2\text{H}} + \underset{\text{塩化}(S)\text{-1-フェニルエチルアンモニウム}}{\text{CH}_3\text{-C(H)(C}_6\text{H}_5)\text{-NH}_3^+ \text{Cl}^-} \quad (11.21)$$

キラルなアミンは天然物から数多く得られているから，これらを使えば酸の光学分割ができる．これとは逆に，キラルな酸を用いればアミンの対掌体混合物が光学分割できることになる．

ここまではアミンが塩基として働く反応を学んだが，ここからはアミンが求核剤として働く反応を説明しよう．

11.10 酸誘導体を用いたアミンのアシル化反応

アミンは窒素系の求核剤であるから，カルボン酸誘導体（ハロゲン化アシル，酸無水物，エステルなど）のカルボニル基に対して求核置換反応を行う（10.11節参照）．この反応をアミンのほうからみると，第一級および第二級アミンのN-H結合が酸誘導体によってアシル化される反応になる．たとえば，第一級および第二級アミンをハロゲン化アシルと反応させるとアミドが生じる（式10.34と比較せよ）．

$$\underset{\text{ハロゲン化アシル}}{\text{R-CO-Cl}} + \underset{\text{第一級アミン}}{\text{H}_2\text{N-R}'} \longrightarrow \underset{\text{第二級アミド}}{\text{R-CO-NHR}'} + HCl \quad (11.22)$$

$$\underset{\text{ハロゲン化アシル}}{\text{R-CO-Cl}} + \underset{\text{第二級アミン}}{\text{HN(R')(R'')}} \longrightarrow \underset{\text{第三級アミド}}{\text{R-CO-N(R')(R'')}} + HCl \quad (11.23)$$

アミンが安価な場合は2当量のアミンを使い，1当量はアミドの形成に，もう1当量はHClの中和に用いる．あるいはアミン以外の安価な塩基をHClの中和の目的に加えることもできる．そのような塩基としては水酸化ナトリウム（とくにRが芳香族の場合に使われる）や第三級アミンがあるが，後者はN-H結合をもたないのでアシル化されることなくHClを中和できる．

例題 11.10

式10.29を参考にして式11.22の反応機構を段階的に書け．

11.10 酸誘導体を用いたアミンのアシル化反応

$$R-\underset{\substack{\|\\O}}{C}-Cl + H_2NR' \longrightarrow R-\underset{\substack{|\\H-N^+-R'\\|\\H}}{\overset{:\ddot{O}:^-}{\underset{|}{C}}}-Cl \xrightarrow{-Cl^-}$$

$$R-\underset{\substack{\|\\O}}{C}-\underset{\substack{|\\H}}{\ddot{N}}-R' \xleftarrow{-H^+} R-\underset{\substack{\|\\O}}{C}-\underset{\substack{|\\H}}{\overset{H}{N^+}}-R' \quad \xleftarrow{H_2NR'}$$

アミド

解答 最初の段階はカルボニル基への求核付加反応である。ここからHClが脱離して置換反応が完成する。

アミンのアシル化反応は実用面でも利用されている。その一例に虫よけ薬 [Off]（商品名）の製造があり，これは塩化 m-トルイルとジエチルアミンとから得られるアミドである。

$$\underset{\text{塩化 }m\text{-トルイル}}{\underset{\substack{\|\\O}}{\overset{CH_3}{\bigcirc}}-C-Cl} + \underset{\text{ジエチルアミン}}{(CH_3CH_2)_2NH} \xrightarrow{NaOH} \underset{\substack{N,N\text{-ジエチル-}m\text{-トルアミド}\\(\text{防虫剤「Off」})}}{\underset{\substack{\|\\O}}{\overset{CH_3}{\bigcirc}}-C-N(CH_2CH_3)_2} + Na^+Cl^- + H_2O \quad (11.24)$$

問題 11.18 虫よけ薬 [Off] の合成反応（式11.24）について反応機構を段階的に書け。

解熱剤として使用されているアセトアニリドはアニリンと無水酢酸とから得られるアミドである。

$$\underset{\text{酸無水物}}{\underset{\substack{\|\\O}}{CH_3C}\underset{\substack{\|\\O}}{OCCH_3}} + \underset{\text{アニリン}}{H_2N-\bigcirc} \longrightarrow \underset{\text{アセトアニリド}}{\underset{\substack{\|\\O}}{CH_3C}-NH-\bigcirc} + CH_3CO_2H \quad (11.25)$$

問題 11.19 アニリンと無水酢酸とからアセトアニリドを合成する反応の機構を段階的に書け（式11.25）。

問題 11.20 つぎの反応式を完成させよ。

$$\underset{\substack{\|\\O}}{CH_3C}-O-\underset{\substack{\|\\O}}{CCH_3} + HN\bigcirc \longrightarrow$$

11.11 第四級アンモニウム化合物

第一級または第二級ハロゲン化アルキルと第三級アミンとを反応させるとS_N2機構で反応が起こり，**第四級アンモニウム塩**（quaternary ammonium salt）（式11.6）が生成する。

$$(CH_3CH_2)_3N: + CH_2-Cl \longrightarrow (CH_3CH_2)_3\overset{+}{N}CH_2-+ Cl^- \qquad (11.26)$$

トリエチルアミン　　塩化ベンジル　　　　塩化ベンジルトリエチルアンモニウム

第四級アンモニウム化合物のなかには，生体内反応においても重要な役割を果たしているものがある。もっともよく知られているものに，ある種のリン脂質（15.6節参照）に含まれている**コリン**（choline）がある。

$$CH_3-\underset{CH_3}{\overset{CH_3}{\underset{|}{\overset{|}{N^+}}}}-CH_2CH_2OH \quad OH^- \qquad CH_3-\underset{CH_3}{\overset{CH_3}{\underset{|}{\overset{|}{N^+}}}}-CH_2CH_2-O-\overset{O}{\overset{\|}{C}}-CH_3 \quad OH^-$$

　　　コリン　　　　　　　　　　　　　　アセチルコリン

コリンは単なる代謝過程の中間体としてだけでなく，神経組織における刺激の伝達に不可欠な**アセチルコリン**（acetylcholine）の前駆体としても重要な物質である。

11.12 芳香族ジアゾニウム化合物

芳香族第一級アミンを亜硝酸と0℃で反応させると，**アリールジアゾニウムイオン**（aryldiazonium ion）の水溶液が得られる。この反応を**ジアゾ化反応**（diazotization）とよぶ。

$$\text{Ph}-NH_2 + HONO + H^+Cl^- \xrightarrow[\text{水溶液}]{0\sim5℃} \text{Ph}-N_2^+Cl^- + 2H_2O \qquad (11.27)$$

アニリン　　　　亜硝酸　　　　　　　　　　塩化ベンゼンジアゾニウム

ジアゾニウム化合物はきわめて重要な合成中間体であるが，その反応を説明するまえに式11.27に含まれる反応段階を詳細に理解しておく必要がある。まずは亜硝酸の構造を調べてみよう。

亜硝酸（nitrous acid）は常温でかなり分解する。そのために使用する直前に氷

☞ **第四級アンモニウム塩**では，アンモニウムイオンの4つの水素原子すべてが有機基によって置換されている。

☞ **コリン**と**アセチルコリン**は生化学反応において重要な役割を果たしている第四級アンモニウムイオンである。

☞ **ジアゾ化反応**条件下で芳香族第一級アミンは亜硝酸と反応して**アリールジアゾニウムイオン**を形成する。

11.12 芳香族ジアゾニウム化合物

冷した亜硝酸ナトリウム水溶液に強酸を加えて調製するが，この亜硝酸水溶液は氷冷した状態では比較的安定している。

$$Na^+NO_2^- + H^+Cl^- \xrightarrow{0\sim5℃} H-\ddot{O}-\ddot{N}=O + Na^+Cl^- \quad (11.28)$$

亜硝酸ナトリウム　　　　　　　　　亜硝酸

亜硝酸の反応における反応活性種はNO^+，つまり**ニトロソニウムイオン**（nitrosonium ion）であり，つぎの反応によって発生する（式4.21と比較せよ）。

$$H\ddot{O}-\ddot{N}=O + H^+ \rightleftharpoons H\overset{+}{O}-\ddot{N}=O \rightleftharpoons H_2O + :\overset{+}{N}=O: \quad (11.29)$$
$$\text{ニトロソニウム}$$
$$\text{イオン}$$

ところでアミンと亜硝酸の2つの窒素原子はどのように結合してジアゾニウムイオン（diazonium ion）を形成するのだろうか。その答はジアゾ化反応（式11.27）の最初の段階にあり，アミンがニトロソニウムイオンを攻撃してプロトンが脱離する。

$$ArNH_2 + :\overset{+}{N}=O: \longrightarrow Ar\overset{H}{\underset{H}{N^+}}-N=O: \rightleftharpoons Ar\overset{H}{N}-N=O: + H^+ \quad (11.30)$$
$$\text{第一級ニトロサミン}$$

ここで生じたニトロサミンへプロトン化が起こり，引き続き脱水反応が起こって芳香族ジアゾニウムイオンが得られる。

$$Ar\overset{H}{N}-N=O: + H^+ \longrightarrow Ar\overset{H}{N}=N-OH \xrightarrow{-H_2O} Ar\overset{+}{N}\equiv N: \quad (11.31)$$
$$\text{アリールジアゾ}$$
$$\text{ニウムイオン}$$

ここで注目してほしいのは，この最終生成物にはもはや$N-H$結合が存在しないことである。すなわちアミノ基の2つの水素原子が式11.30と式11.31の反応で失われるから，第一級アミンだけがジアゾ化できることになる。（第二級および第三級アミンも亜硝酸と反応するが，これらの反応は合成上あまり重要でないから省略する。）

アリールジアゾニウムイオンの溶液は比較的安定であって0℃で数時間保存できる。これが合成上重要である理由は，**ジアゾニオ基**（diazonio group），$-N_2^+$**基**が求核剤で置換できるうえに，脱離基が窒素ガスだからである。

$$Ar-\overset{+}{N}\equiv N: + Nu:^- \longrightarrow Ar-Nu + N_2 \quad (11.32)$$

有用な反応の代表例を式11.33に示す。どれをみても求核剤がベンゼン環上のジアゾニオ基が結合していた位置に入ることが示されている。

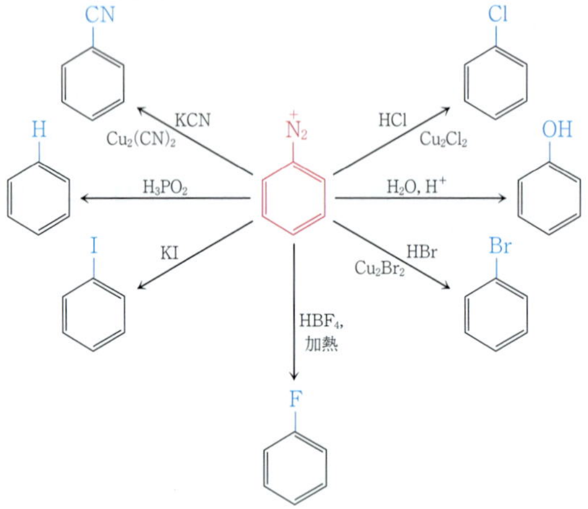

$$\text{(11.33)}$$

　ジアゾニウム化合物を塩化アリール，臭化アリール，シアン化アリールに変換する反応として，対応する銅塩を用いる **Sandmeyer**（ザンドマイヤー）**反応**がよく知られている。CN基は容易にCOOH基に変換できるから（式10.13），この反応は芳香族カルボン酸を合成する手法として利用できる。求核剤にKIを用いると，直接的な求電子置換反応では合成が困難なヨウ化アリールが得られる。同様に，直接的な求電子フッ素置換反応では合成が難しい芳香族フッ素化合物が，対応するジアゾニウム化合物と四フッ化ホウ素酸（HBF_4）との反応で合成できる。

　ジアゾニウム化合物を熱い酸水溶液に加えれば，フェノール類も合成できる。水酸基を芳香環上に直接導入できる反応はそれほど多くないので，この反応は貴重である。

　もう一つの合成的な利用法として，ニトロ基やアミノ基の配向性を利用して置換反応を行ったあと，これらの置換基を芳香環から取り除く方法がある。この目的にはジアゾ化のあと**次亜リン酸**（hypophosphorous acid，H_3PO_2）を還元剤に用いて脱離させる反応が用いられる。

　ここに，合成において利用できるジアゾニウム化合物の反応をいくつか示してみよう。

例題 11.11

　ニトロベンゼンからm-ジブロモベンゼンを合成する反応経路を示せ。

☞ **Sandmeyer反応**では，ジアゾニウムイオンは第2銅塩と反応して塩化アリール，臭化アリール，シアン化アリールを生成する。

☞ ジアゾニオ基は**次亜リン酸**を使って還元するとHに置換される。

11.13 ジアゾカップリングとアゾ染料

解答

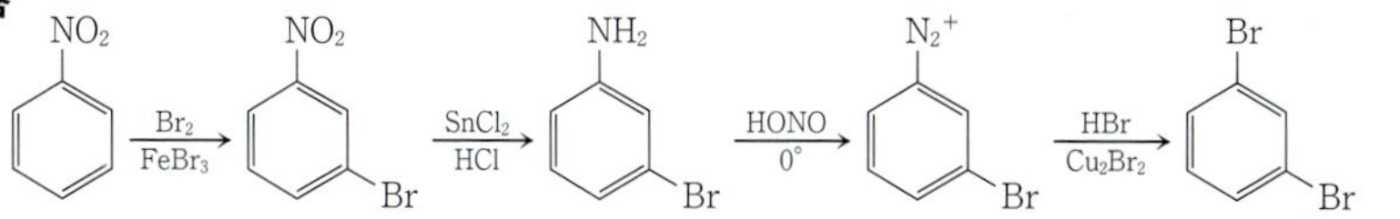

注目してほしいのは、1段目の反応でニトロ基の m-配向性効果を利用していることである。ブロモベンゼンを単に臭素化して目的物を得ようとしても、Br基は o-, p-配向性 (4.11節) なので目的物は得られない。

例　題　11.12

o-トルエン酸（o-メチル安息香酸）を o-トルイジン（o-メチルアニリン）から合成する反応を示せ。

解答

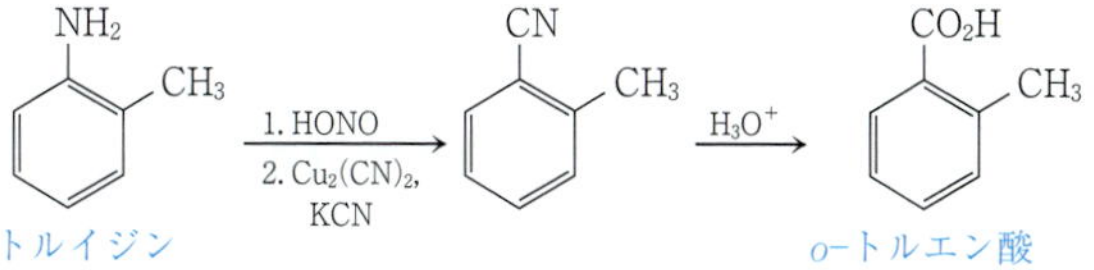

例　題　11.13

アニリンから 1,3,5-トリブロモベンゼンを得る反応ルートを考案せよ。

解答　はじめに臭素置換する。アミノ基は o, p-配向性であるから、ベンゼン環を活性化している。そのあとアミノ基をジアゾ化反応と還元反応で除去する。

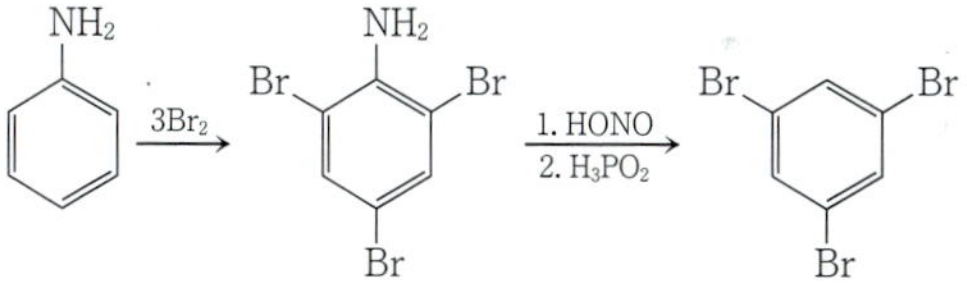

問題　11.21　ジアゾニウムイオンを中間体に経由するつぎの合成反応を考察せよ。
(a)　ベンゼンから m-ブロモクロロベンゼンを合成する。
(b)　m-ニトロアニリンから m-ニトロフェノールを合成する。
(c)　トルエンから 2,4-ジフルオロトルエンを合成する。
(d)　p-トルイジンから 3,5-ジブロモトルエンを合成する。

11.13　ジアゾカップリングとアゾ染料

アリールジアゾニウムイオンは正電荷を帯びているので、求電子剤の一種である。しかしながら、その正電荷は共鳴により非局在化しているので、弱い求電子剤でもある。

例題 11.14

ベンゼンジアゾニウムイオンにおいて，ベンゼン環からもっとも遠い位置にある窒素が求電子剤として反応する理由が理解できるように共鳴構造式を書け．

解答

$$\left[\text{C}_6\text{H}_5-\overset{+}{\text{N}}=\text{N}: \longleftrightarrow \text{C}_6\text{H}_5-\text{N}=\overset{+}{\text{N}}: \right]$$

右側の極限構造式では右端の窒素原子は6電子しかもたないので，求電子剤となる．

問題 11.22

ベンゼンジアゾニウムイオンの正電荷が，ベンゼン環のオルト，p-位の炭素上にも非局在化しているようすを示す共鳴構造を書け（注意：これらの共鳴構造には正電荷が2つと負電荷が1つ存在する）．

アリールジアゾニウムイオンは，強く活性化された芳香族環（フェノールや芳香族アミンの芳香族環）と反応して**アゾ化合物**（azo compound）を生成する．たとえば，

$$\text{C}_6\text{H}_5-\overset{+}{\text{N}}\equiv\text{N}: + \text{C}_6\text{H}_5-\text{OH} \xrightarrow{\text{OH}^-}$$

ベンゼンジアゾ　　フェノール
ニウムイオン

$$\text{C}_6\text{H}_5-\text{N}=\text{N}-\text{C}_6\text{H}_4-\text{OH} + \text{H}_2\text{O} \quad (11.34)$$

p-ヒドロキシアゾベンゼン
黄色葉状晶，mp 155〜157℃

ジアゾニウムイオンがもっていた2つの窒素原子が，生成物中にもち込まれていることに注目してほしい．このタイプの求電子芳香族置換反応は，生成物の構造をみると2つの芳香族環がアゾ基−N=N−で結ばれているので，**ジアゾカップリング**（diazo coupling）ともよばれる．ふつうは p-位でのカップリングが優先するが（式11.34），p-位に置換基がある場合は o-位でカップリングが起こる．アゾ化合物はすべて着色しており，その中には繊維用染料やカラー写真用色素として製造され使用されているものが数

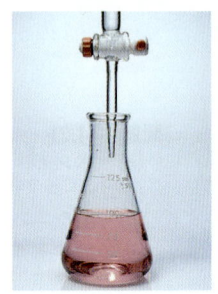

メチルオレンジ指示薬
塩基性溶液　（写真上）
酸性溶液　　（写真下）

☞ **アゾ化合物**はアゾ基−N=N−をもっている．
☞ **ジアゾカップリング**は求電子芳香族置換反応の一つであり，フェノールや芳香族アミンがアリールジアゾニウム求電子剤と反応してアゾ化合物を生成する．

例題 11.15

式 11.34 の反応機構を段階的に書け。

解答 この反応は芳香族の求電子置換反応であり，フェノールが解離して生じたフェノキシドイオンがジアゾニウムイオンを攻撃する。

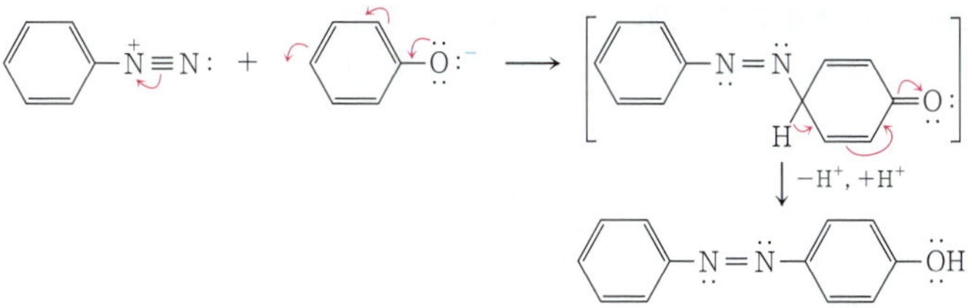

問題 11.23

メチルオレンジは酸–塩基滴定に用いる指示薬である（pH 4.5 以上では黄橙色，pH 3 以下では赤色を呈す）。これを p-アミノベンゼンスルホン酸（スルファニル酸）と N,N-ジメチルアニリンとから合成する方法を示せ。

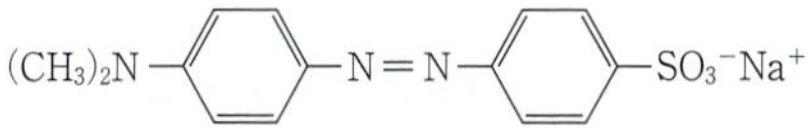

$(CH_3)_2N\text{―}\phenyl\text{―}N=N\text{―}\phenyl\text{―}SO_3^-Na^+$

メチルオレンジ

この章で，諸君は有機化合物の主な官能基に関する学習をほぼ終えたことになる。これでやっと表紙の内側の表に書かれたすべての構造式が身近に感じられるようになったことと思う。そこで次章では，有機分子の構造を迅速に決定するための手法について説明しよう。そのあと数章をさいて，工業的あるいは生化学的分野における有機化学の大切な応用について解説することにする。

---

* ジアゾ複写機に関する興味ある書物としては，B. Oster by, *J, Chem, Ed*, **1989**, *66*, 1206-1208 がある。

反応のまとめ

1. アンモニアまたはアミンのアルキル化によるアミン類のつくり方（11.4節）

$$R-X + 2NH_3 \longrightarrow R-NH_2 + NH_4^+X^-$$

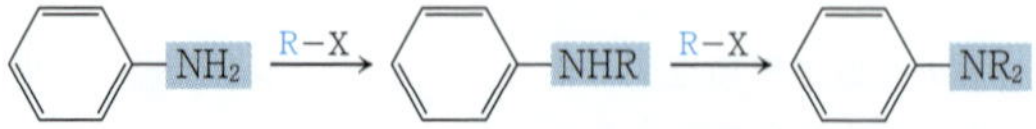

$$\text{C}_6\text{H}_5-NH_2 \xrightarrow{R-X} \text{C}_6\text{H}_5-NHR \xrightarrow{R-X} \text{C}_6\text{H}_5-NR_2$$

2. 還元反応によるアミン類のつくり方（11.5節）

a. ニトロ基の触媒または化学量論的な還元によるつくり方

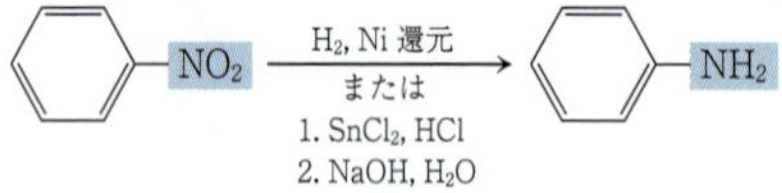

$$\text{C}_6\text{H}_5-NO_2 \xrightarrow[\substack{\text{または}\\ \text{1. SnCl}_2\text{, HCl}\\ \text{2. NaOH, H}_2\text{O}}]{H_2,\ Ni\ 還元} \text{C}_6\text{H}_5-NH_2$$

b. アミドまたはニトリルのヒドリド還元によるつくり方

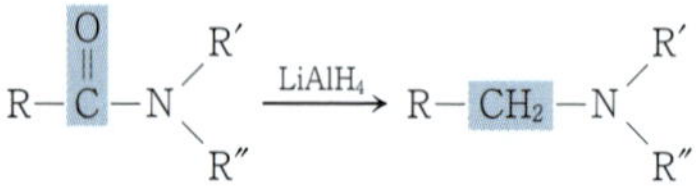

$$R-\underset{\underset{\displaystyle R''}{\|}}{\overset{\overset{\displaystyle O}{\|}}{C}}-N\!\!\begin{array}{c}R'\\ \\R''\end{array} \xrightarrow{LiAlH_4} R-CH_2-N\!\!\begin{array}{c}R'\\ \\R''\end{array}$$

$$R-C\equiv N: \xrightarrow{LiAlH_4} R-CH_2-NH_2$$

c. アルデヒドまたはケトンの還元的アミノ化反応

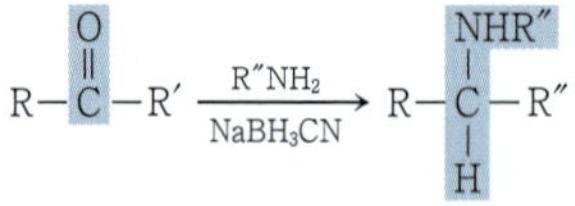

$$R-\overset{\overset{\displaystyle O}{\|}}{C}-R' \xrightarrow[NaBH_3CN]{R''NH_2} R-\underset{\underset{\displaystyle H}{|}}{\overset{\overset{\displaystyle NHR''}{|}}{C}}-R'$$

3. 塩基としてのアミン（11.6および11.8節）

$$R-NH_2 + H-OH \longrightarrow R-\overset{+}{N}H_3 + {}^-OH$$

$$R-NH_2 + H-Cl \longrightarrow R-\overset{+}{N}H_3 + Cl^-$$

4. 求核剤としてのアミン

a. アミンのアシル化反応：第一級および第二級アミンから第二級および第三級アミドのつくり方（11.10節）

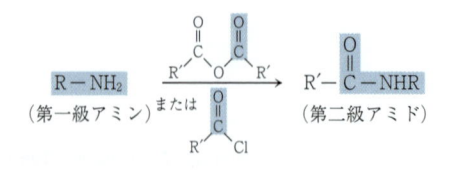

$$\underset{\text{(第一級アミン)}}{R-NH_2} \xrightarrow[\substack{\text{または}\\ R'-\overset{\overset{\displaystyle O}{\|}}{C}-Cl}]{R'-\overset{\overset{\displaystyle O}{\|}}{C}-O-\overset{\overset{\displaystyle O}{\|}}{C}-R'} \underset{\text{(第二級アミド)}}{R'-\overset{\overset{\displaystyle O}{\|}}{C}-NHR}$$

R_2NH (第二級アミン) $\xrightarrow[\text{または}]{\underset{R}{\overset{O}{\underset{\|}{C}}}\underset{Cl}{}, \underset{R'}{\overset{O}{\underset{\|}{C}}}-O-\underset{R'}{\overset{O}{\underset{\|}{C}}}}$ $R'-\underset{\|}{\overset{O}{C}}-NR_2$ (第三級アミド)

b. アミンのアルキル化反応：第四級アンモニウム塩のつくり方（11.11節）

$R_3N + R'X \longrightarrow R_3\overset{+}{N}-R' X^-$

5. 芳香族ジアゾニウム塩：その生成と反応（11.12 および 11.13 節）

a. アニリンと亜硝酸からのつくり方（11.12節）

$Ar\,NH_2 + HONO \xrightarrow{HX} Ar\,N_2^+ X^-$ （アリールジアゾニウム塩）

b. ジアゾニウム塩から置換ベンゼンをつくる反応（11.12節）

$Ar\,N_2^+ + H_2O \xrightarrow{加熱} Ar\,OH + N_2 + H^+$ （フェノール類）

$Ar\,N_2^+ + HX \xrightarrow{Cu_2X_2} Ar\,X \quad (X = Cl, Br)$

$Ar\,N_2^+ + KI \longrightarrow Ar\,I$

$Ar\,N_2^+ + KCN \xrightarrow{Cu_2(CN)_2} Ar\,CN$

$Ar\,N_2^+ + HBF_4 \longrightarrow Ar\,F$

$Ar\,N_2^+ + H_3PO_2 \longrightarrow Ar\,H$

c. ジアゾカップリング（11.13節）

$ArN_2^+X^- +$ (フェノール) $\longrightarrow$ (4-ヒドロキシアゾベンゼン, $N=N-Ar$) $+ HX$ （アゾ化合物）

反応機構のまとめ

ジアゾ化反応（11.12節）

$\left[\underset{H}{\overset{Ar}{\underset{}{}}}\ddot{N}-N=\ddot{O}:\right] \rightleftharpoons Ar-\ddot{N}=N-\ddot{O}-H \xrightarrow{H^+}$

$Ar-\ddot{N}=N-\overset{+}{\ddot{O}}-H \longrightarrow Ar-\overset{+}{N}\equiv N: + H_2O$
$\phantom{Ar-\ddot{N}=N-\overset{+}{\ddot{O}}}|$
$\phantom{Ar-\ddot{N}=N-\overset{+}{\ddot{O}}-}H$

章末問題

アミンの命名法と構造

11.24 つぎの化合物の代表的なもの1つを示せ。
(a) 第一級アミン (b) 環状第三級アミン (c) 芳香族第三級アミン
(d) 第四級アンモニウム塩 (e) アリールジアゾニウム塩 (f) アゾ化合物
(g) 第一級アミド

11.25 つぎの化合物の構造式を示せ。
(a) m-ブロモアニリン (b) sec-ブチルアミン
(c) 2-アミノペンタン (d) ジメチルプロピルアミン
(e) N-メチルベンジルアミン (f) 1,3-ジアミノプロパン
(g) N,N-ジエチルアミノシクロヘキサン (h) 臭化テトラエチルアンモニウム
(i) トリフェニルアミン (j) o-トルイジン
(k) 3-メチル-2-ブタンアミン (l) N,N-ジメチル-3-ペンタンアミン

11.26 つぎの化合物の正しい名称を書け。

(a) Cl—⟨benzene⟩—NH$_2$　(b) CH$_3$NHCH$_2$CH$_2$CH$_3$　(c) (CH$_3$CH$_2$)$_2$NCH$_3$

(d) (CH$_3$)$_4$N$^+$Cl$^-$　(e) CH$_3$CH(OH)CH(NH$_2$)CH$_3$　(h) H$_3$C-⟨benzene⟩-NHCH$_3$

(f) cyclohexanone with NH$_2$　(g) Cl—⟨benzene⟩—N$_2^+$Cl$^-$

(i) cyclopentyl—NH$_2$　(j) H$_2$N(CH$_2$)$_6$NH$_2$

11.27 分子式 $C_4H_{11}N$ をもつアミンは8つ存在する。それぞれについて構造式，化合物名，第一級〜第三級アミンの分類を示せ。

アミンと第四級アンモニウム塩の性質

11.28 いずれもよく似た分子量をもつにもかかわらず，イソブタン（2-メチルプロパン，bp -10.2 ℃）とトリメチルアミン（bp 2.9 ℃）の沸点の差は，ブタン（bp -0.5 ℃）とプロピルアミン（bp 48.7 ℃）の沸点の差よりはるかに小さい。その理由を説明せよ。

11.29 ほぼ等しい分子量をもつつぎの化合物を，沸点の高いものから順に並べかえよ。
1-アミノブタン，1-ブタノール，メチルプロピルエーテル，ペンタン

11.30 つぎの組合せでどちらが強い塩基か，理由をあげて説明せよ。
(a) アニリンとp-シアノアニリン
(b) アニリンとジフェニルアミン

11.31 p-トルイジン，p-メチルフェノール，p-キシレンの混合物から各成分を分離する方法を，式11.19と同様の図式を用いて示せ。

□ = 総合問題

p-トルイジン 　　p-メチルフェノール 　　p-キシレン

11.32 p-ニトロアニリンの共鳴混成体における重要な極限構造式を書け。

11.33 化合物AはそのR-およびS-対掌体に分割できるが，化合物Bはできないという。その理由を説明せよ。

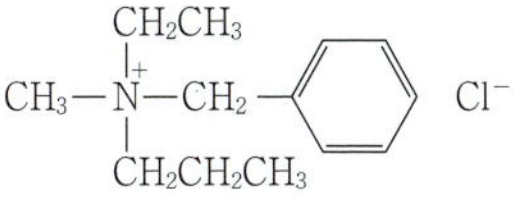

化合物A 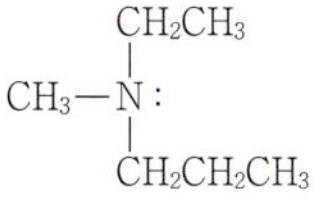　　　化合物B

11.34 化合物A（問題11.33）の4つの置換基の間における優先順位を答え，そのR-異性体についてくさび形表示法を用いて立体構造を書け。

アミンのつくり方と反応

11.35 つぎの合成法を反応式で示せ。
(a) アニリンからN,N-ジメチルアニリン
(b) ベンゼンからm-ブロモアニリン
(c) ベンゼンからp-ブロモアニリン
(d) 1-ブロモブタンから1-アミノヘキサン

11.36 つぎの反応式を完成せよ。

(a) 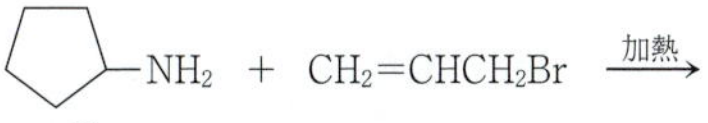 シクロペンチル-NH$_2$ + CH$_2$=CHCH$_2$Br $\xrightarrow{\text{加熱}}$

(b) CH$_3$CCl + H$_2$NCH$_2$CH$_2$CH(CH$_3$)$_2$ ⟶ A $\xrightarrow{\text{LiAlH}_4}$ B

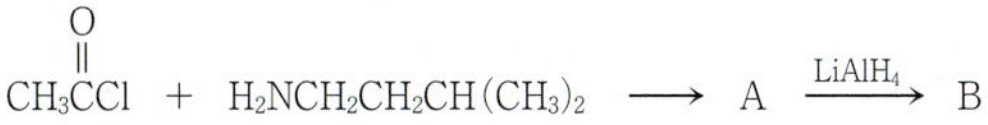

(c) 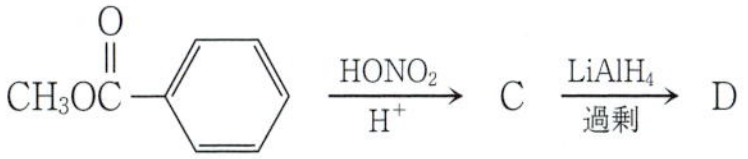 CH$_3$OC-（フェニル） $\xrightarrow[\text{H}^+]{\text{HONO}_2}$ C $\xrightarrow[\text{過剰}]{\text{LiAlH}_4}$ D

(d) （フェニル）-CH$_2$Br $\xrightarrow{\text{NaCN}}$ E $\xrightarrow{\text{LiAlH}_4}$ F $\xrightarrow{(\text{CH}_3\text{CO})_2\text{O}}$ G

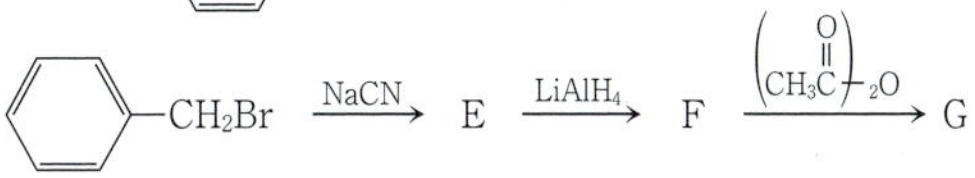

(e) シクロヘキサノン=O + (CH$_3$)$_2$CHNH$_2$ $\xrightarrow{\text{NaBH}_3\text{CN}}$ H

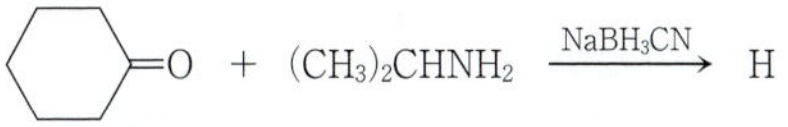

11.37 つぎの反応を反応式で示せ。
(a) m-トルイジンと塩酸
(b) トリエチルアミンと硫酸
(c) 塩化ジメチルアンモニウムと水酸化ナトリウム
(d) N,N-ジメチルアニリンとヨウ化メチル
(e) シクロペンチルアミンと無水酢酸

11.38 つぎの反応の機構を段階的に示せ。また，この反応で大過剰の無水酢酸を使用しても，アミン窒素上の水素は1つしかアセチル基で置換できない理由を説明せよ。

$$CH_3CH_2NH_2 + CH_3\overset{O}{\underset{\|}{C}}O\overset{O}{\underset{\|}{C}}CH_3 \longrightarrow CH_3CH_2NH\overset{O}{\underset{\|}{C}}CH_3 + CH_3COOH$$

アミン化学の合成化学的および生化学的応用

11.39 アダマンタジン塩酸塩（商標名はSYMMETREL）はウイルス性呼吸器疾患である流感の治療に用いられている。これを炭化水素のアダマンタンから合成する方法を考えよ。

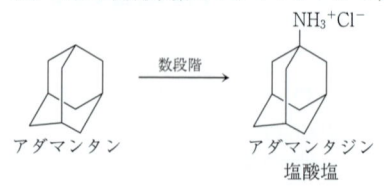

アダマンタン　→（数段階）→　アダマンタジン塩酸塩（$NH_3^+Cl^-$）

11.40 (a) 1-フェニル-2-プロパノン（フェニルアセトン）とメチルアミンを炭素源に用いて，メタアンフェタミン塩酸塩 (p. 365) の合成法の概略を考案せよ。(b) その合成法で得られる生成物は光学活性か，それともラセミ体か，その理由とともに説明せよ。

11.41 コリン（11.11節参照）はトリメチルアミンと酸化エチレンの反応で作られる。その反応式を機構がわかるように書け。

11.42 アセチルコリン（11.11節参照）は神経細胞内で合成される化合物である。そこではアセチル–CoA (p. 368) 参照）とコリンの反応に酵素のコリンアセチルトランスフェラーゼが触媒として働いて生合成されている。アセチルコリンには式 $CH_3\overset{O}{\underset{\|}{C}}-S-CoA$ を用いてこの反応式を書け。

11.43 臭化デカメトニウムは外科手術において筋肉弛緩剤として使用される。その作用機構は，神経伝達に不可欠な酵素のアセチルコリンエステラーゼがアセチルコリン (p. 336) を分解する段階を妨害するところにある。この臭化デカメトニウムをアミンとハロゲン化アルキルから合成する方法を示せ。

臭化デカメトニウム

アリールジアゾニウムイオンのつくり方と反応

11.44 脂肪族第一級アミン RNH_2 は第一級アリールアミン $ArNH_2$ と同様に亜硝酸と反応してジアゾニウムイオンを生成する。ところがアルキルジアゾニウムイオン RN_2^+ はアリールジアゾニウムイオン ArN_2^+ に比べるとはるかに不安定で，0°Cにおいても容易に窒素を脱離する。この違いを説明せよ。

11.45 CH_3—〈benzene〉—$N_2^+HSO_4^-$ とつぎの化合物との反応式を書け。

(a) KCNとシアン化銅(I)　　　(b) 酸水溶液中で加熱　(c) HClと塩化銅(I)
(d) ヨウ化カリウム　　　　　(e) p-メチルフェノールとOH^-
(f) N,N-ジメチルアニリンと塩基　(g) 次亜リン酸　　(h) フッ化ホウ素と加熱

11.46 ジアゾニウム塩を使ってつぎの合成を行う反応式を示せ。
(a) p-クロロアニリンからp-クロロ安息香酸
(b) ベンゼンからm-ヨードクロロベンゼン
(c) ベンゼンからm-ヨードアセトフェノン
(d) トルエンから3-シアノ-4-メチルベンゼンスルホン酸

11.47 コンゴーレッドは木綿の直接染料である。これをベンジジンと1-アミノナフタレン-4-スルホン酸から合成したい。反応式を考えよ。

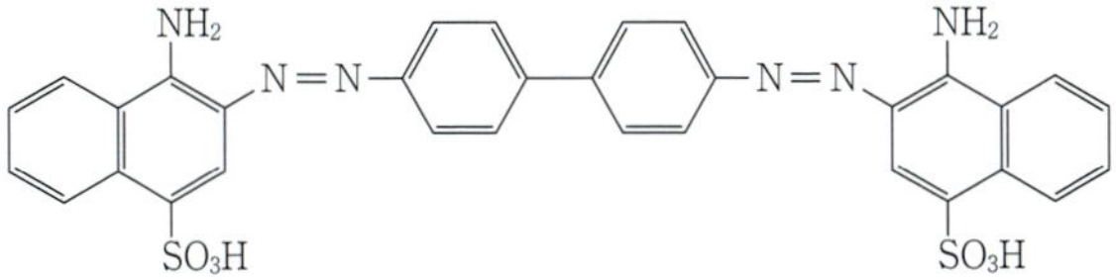

コンゴーレッド

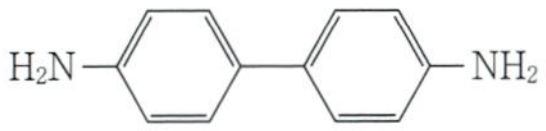

ベンジジン 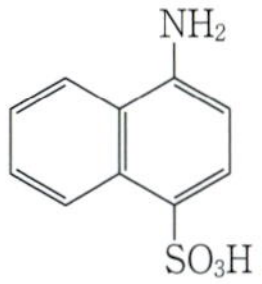　　　1-アミノナフタレン-4-スルホン酸

11.48 サンセットイエローはイースター祭に使われる卵の着色に用いられる食品着色剤である。この着色剤をアゾカップリング反応を用いて合成する反応式を書け。

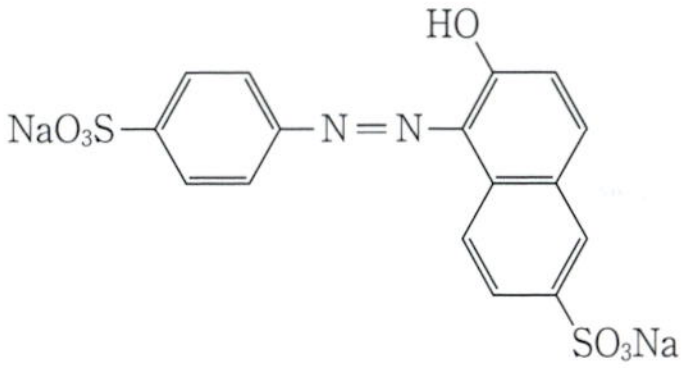

サンセットイエロー

CHAPTER 12

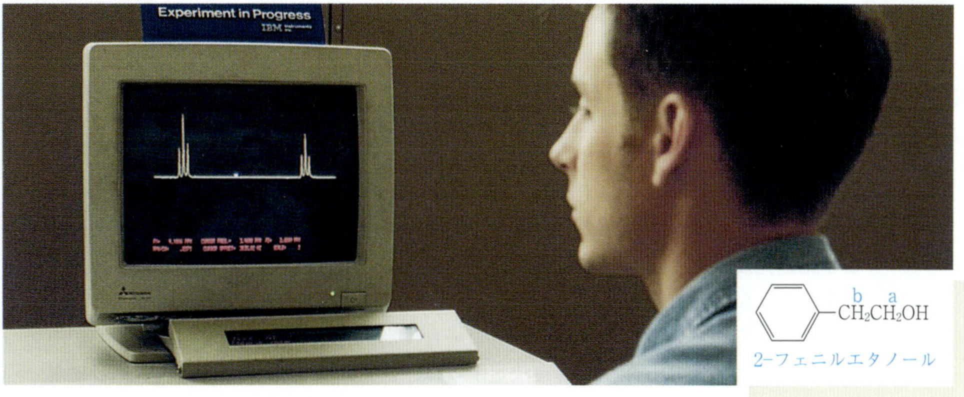

2-フェニルエタノール

スペクトル分光法による分子構造の決定

12.1 分光法の理論
12.2 核磁気共鳴スペクトル(NMR)
12.3 ^{13}C NMRスペクトル
12.4 赤外スペクトル
12.5 可視スペクトルと紫外スペクトル
12.6 マススペクトル

A WORD ABOUT...
12.3 生化学と医学におけるNMR

　初期のころの有機化学の研究においては，新化合物の構造を決定することは大変な仕事であった。もちろん初期の頃の方法とは元素分析のことである。それぞれの元素が含まれる割合を知ることによって実験式が求められ，この実験式あるいはその倍数が分子式となった。この元素分析法は試料化合物の純度を知る上で，今でも重要な基準となっている。

　ところで，原子の並び方や官能基の種類，炭素骨格のかたちが直鎖状か環状構造なのか，枝分かれの有無とその位置，ベンゼン環の存在などを知るにはどうしたらよいのだろうか。初期の頃は，このような疑問の解明方法はすべて化学的な手法に頼っていた。たとえば，オゾン分解法や加水分解法などを用いて，複雑な分子を構造決定が容易な単純な分子に変換していた。官能基の同定にはさまざまな化

▲ 2-フェニルエタノールの^{1}H-NMRの一部分。2つの3重線は分子中の異なる2種類のメチレン水素を示す。（a＝左側の3重線，b＝右側の3重線）

学テストが応用され，不飽和結合には臭素付加反応や過マンガン酸塩テスト，アルデヒド基にはTollens銀鏡試験法が，アミンのクラスを見分けるにはHinsbergテストなどが用いられていた。

ともかく官能基がわかれば，内容のわかっている反応を用いて，1段階か数段階かけてその未知化合物を構造既知の化合物に導くことで構造を決定していた。たとえば，未知化合物のアルデヒドが既知化合物のカルボン酸と同じアルキル基Rをもっているのではないかと推定された場合は，このアルデヒドを酸化すればよかった（式12.1）。その結果，得られたカルボン酸の物理的性質（bp, mp, キラルな分子なら比旋光度など）ならびに化学反応性が既知のものと一致すれば，この2種類のR基が同じものであることはほぼ確実であり，このような方法でアルデヒドの構造は解明されていた。もし一致しなかった場合は別の構造決定手段を考える必要があった。なんといっても究極の構造決定手段は，構造がすでにわかっている化合物から出発して，これに素性がわかっている反応を行い，この未知化合物の推定構造を別途に合成して，比較対照する方法であろう。こうした努力が積み重ねられた結果，構造が判明した莫大な数の化合物データが蓄積されてきたのである。

$$\text{RCH} = \text{O} \xrightarrow{\text{KMnO}_4} \text{RCO}_2\text{H} \tag{12.1}$$

この構造決定方法は数週間から数カ月，ときには数年もかかることがあったが，現在でも必要に応じて利用されている。ところが1940年代以降になって，多様な分光学が急速に発達してきた。そのおかげで，分子構造を決定する困難はかなり克服できるようになった。現在ではいろいろな自動測定式の分光装置が開発され，分子のさまざまなスペクトルがただボタンを押しさえすれば自動的に測定できるまでに至っている。さらにこれらのスペクトルを正しく解析すると，分子構造に関してきわめて多くの情報が入手できるようになった。

分光学的手法には多くの長所がある。まず測定試料の量がごく少量ですみ，必要ならその試料を測定終了後に回収できることが挙げられる。また測定は迅速に行えて，数分間で終了するものも多い。さらに化学反応を用いた分析法よりも分子構造に関する数多くの情報がスペクトルから得られる。

本章では，現在使われているおもな分光学的手法について説明し，分子構造の決定方法としてこれらがどのように利用されているかを調べてみよう。

12.1 分光法の理論

式12.2で示される理論式は，光の**エネルギー E**（ほかの放射線でも同じである）とその**振動数** ν（ニューと発音する）との関係を示したものである。

$$E = h\nu \tag{12.2}$$

☞ $E = h\nu$。光エネルギーはその**振動数** ν に比例する。

12.1 分光法の理論

この式は光の振動数とエネルギーとの間に直接的関係が成り立つことを示している。つまり振動数が高いほどエネルギーは大きくなる。ここで用いる比例定数 **_h_** は **Planck 定数**（Planck's constant）*として知られるものである。ところで，光の振動数と波長とは反比例する関係にあるので，上式はまた

$$E = hc/\lambda , \quad \nu = c/\lambda \tag{12.3}$$

と表せる。ここで λ （ギリシャ語のラムダ）は光の**波長**（wave length）であり c は光速度である。この式は光の波長が短いほどエネルギーが大きくなることを示している。

分子がもつエネルギーにはさまざまなエネルギー準位がある。たとえば分子内の結合はすべて伸縮や曲げ，回転の運動を行っており，電子は1つの軌道から他の軌道へ移動できる。このような分子のさまざまな動きは量子化されている。すなわち，化学結合はいくつかの限られた振動数で（言い換えれば，振動数とエネルギーとは比例するから，いくつかの限られたエネルギー準位で）伸縮や曲げ，回転の運動を行っていて，これらの過程はすべて量子化されている。すなわち化学結合はある一定の振動値（またはエネルギー値：両者は比例する値）をもって伸縮や変角運動を行っているのである。したがって，電子は明確に定義されたエネルギーをもつ軌道間を移動することになる。われわれが様々な分光法を用いて測定しているのは，実はこのエネルギー差（または振動数の差）なのである。

分光学の基礎理論はふつうきわめて単純であり，その様子が図12.1に示してある。あるエネルギー準位（たとえば E_1 とする）に存在する分子に放射線を照射したとしよう。照射した放射線は分子を通過して検出器に到達するが，届いた放射線量は分子が放射線を吸収しない限り光源から放射された量に等しいはずである（図12.1の上の部分）。ところが，ある波数の放射線が分子のもつ1つのエネルギー遷移，たとえば E_1 から E_2 への遷移にちょうど一致すると，放射線は分子に吸収されて検出器には届かなくなる（図12.1の下の部分）。したがってスペクトルとは，入力エネルギーを徐々に変化させたときに検出器が受けるエネルギー量（または放射線量）を記録したものにほかならない。

吸収されるエネルギー量はエネルギー遷移の種類によっても異なるので，それを測定するためにはちょうどそれに適した振動数をもつ放射線を使う必要がある。本章では，このエネルギー遷移の種類が異なる3つのスペクトルについてまず説明する。つまり，核磁気共鳴（NMR），赤外（IR），紫外・可視（UV-vis）分光法の3つである。表12.1にはこれらの電磁波スペクトルの種類と，それぞれの分光法のエネルギー遷移が観測できる領域とが示されている。まず，NMR分光学と，きわ

---

* ドイツの物理学者 Max Planck が，彼の提唱した量子論にもとづき，1900年にこの定数をとり入れたのでこの名称がつけられた。

☞ $E = hc/\lambda$。光エネルギーはその**波長** λ に反比例する。

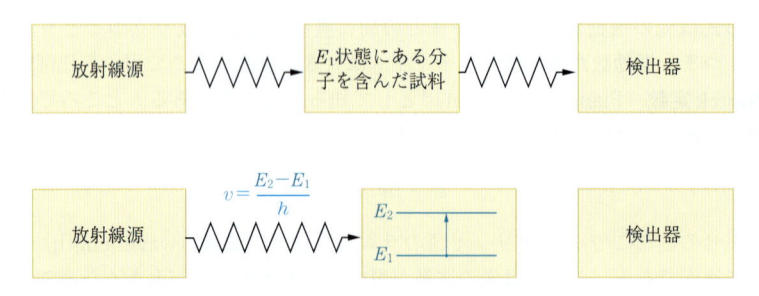

図 12.1 放射線の振動数が試料分子の2つエネルギー状態のエネルギー差に一致するときだけ吸収されそれ，以外のときはそのまま試料を通過する。

表 12.1 スペクトルの種類と電磁波スペクトル

スペクトルの種類	放射線波	波数（ヘルツ）	スペクトル領域 波長（メートル）	エネルギー（kcal/mol）	遷移の種類
核磁気共鳴スペクトル	ラジオ波	$60 \sim 600 \times 10^6$（測定装置の磁場強度により変わる）	$5 \sim 0.5$	$6 \sim 60 \times 10^{-6}$	核スピン
赤外スペクトル	赤外光	$0.2 \sim 1.2 \times 10^{14}$	$15.0 \sim 2.5 \times 10^{-6}$	$2 \sim 12$	分子振動
可視-赤外スペクトル（電子スペクトル）	可視光または紫外光	$0.375 \sim 1.5 \times 10^{15}$	$8 - 2 \times 10^{-7}$	$37 \sim 150$	電子状態

めてわずかなエネルギーしか必要としないその核スピン遷移について学ぶことからはじめよう。

12.2 核磁気共鳴スペクトル（NMR）

有機化合物の構造決定法としてNMRスペクトルほど著しく貢献した分光法はほかにあるまい。NMR分光装置は1950年代後半には一般に入手できるようになり，それ以来，有機化学を研究するものにとってなくてはならないものになった。ここではまずその理論を簡単に説明し，つづいてNMRスペクトルから実際に得られる情報について学ぶことにしよう。

原子核のあるものは，あたかもコマが回転するように回転運動（スピン運動）している。原子核は陽電荷をもっているから回転すると磁場を作り出すことになり，この回転する原子核はあたかも微小な磁石のような働きをする。このような挙動を示す原子核のうちで，有機化学にもっとも重要なものが ^1H（ふつうの水素のこと。水素核であるからプロトンとよぶ）と，炭素原子の同位体のなかで非放射性の ^{13}C

12.2 核磁気共鳴スペクトル（NMR）

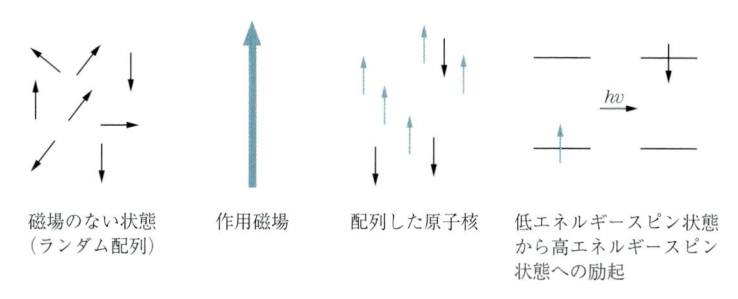

図 12.2 作用磁場に置かれた原子核スピンの配列ならびに低エネルギーから高エネルギーのスピン状態への原子核の励起。

（図中ラベル：磁場のない状態（ランダム配列）／作用磁場／配列した原子核／低エネルギースピン状態から高エネルギースピン状態への励起、$h\nu$）

である。有機化合物の代表的な構成原子である ^{12}C や ^{16}O の原子核はスピンをもたないので NMR スペクトルを示さない。

スピンをもった原子核を強力な磁石の両極間に置くと，原子核は磁場の方向に沿って同じ方向かまたは逆の方向に配列する。磁場と同じ向きに配列した原子核は，逆方向に配列したものよりもわずかではあるが低いスピンエネルギーをもっている（図 12.2 参照）。ここにラジオ波領域のエネルギーを照射すると，原子核が励起されて核スピンが低エネルギー状態から高エネルギー状態へと押し上げられる（これをスピンが反転したともいう）。

この核スピンの 2 つの状態間のエネルギー差は磁場強度（外部磁場ともいう）に依存し，強い磁場に置かれたときほどエネルギー差は大きい。現在使用されている NMR 装置は 1.4 から 14 tesla（T）の磁場強度をもっている（ちなみに，地球の磁場強度はわずか 0.0007 T 程度である）。この磁場の中で，^{1}H の核スピンの 2 つの状態間のエネルギー差は，60 から 600 MHz（メガヘルツ；1 MHz = 10^6 Hz または 10^6 サイクル/秒）のラジオ波（rf）がもつエネルギーに相当する。この 2 つの核スピンのエネルギー差を，化学者に親しみやすい別の単位で表すと $6 \sim 60 \times 10^{-6}$ kcal/mol というきわめて小さな値にすぎないが，現在の科学技術はこのわずかな変化量もきわめて正確に検出することができる。

12.2a　NMR スペクトルの測定

^{1}H NMR スペクトルの測定は一般につぎのように行う。まず，測定したい試料化合物（ふつう数ミリグラム）を ^{1}H 核（プロトンともよぶ）*をもたない不活性な溶媒中に溶解する。このような溶媒には CCl$_4$ や水素を重水素で置換した化合物，たとえば CDCl$_3$（デューテリオクロロホルム）や CD$_3$COCD$_3$（ヘキサデューテリオア

---

* 「プロトン」という用語は NMR スペクトルを論ずるときは「水素」や「^{1}H」と同じ意味に使用される。その水素原子がたとえ共有結合していても（すなわち H^{+}でなくても）この用語は有効であり，厳密には正しくないのだが，いまは一般的用語になっている。

セトン）などがある。さらに少量の内部標準物質をここに加える（これについては次節で述べる）。薄いガラスでできた試料管にこの溶液を入れ，強力な磁石の両極間にセットされているラジオ波（rf）発信コイルの中心にこの試料管を挿入する。すると，水素核は磁場方向に沿って平行および逆平行の2方向に並ぶ。そこへrfコイルからラジオ波（rf）を発振し，そのエネルギーを連続的に変化させながら照射すると，これが二つのスピン状態間のエネルギー差とちょうど等しくなったときにエネルギーの吸収が起こる。この時を原子核がrfと共鳴しているというので，**核磁気共鳴**（nuclear magnetic resonance）の名称はここからきている。測定試料が吸収したエネルギー量をrfコイルの周波数に対してプロットすればNMRスペクトルが描かれる。

実際に^{1}H核の共鳴周波数を測定するにあたっては2つの方式がある。なぜ2つあるのか，その理由はマグネットの**磁場強度**（applied magnetic field）と，その磁場によって誘起される核スピンの2つのエネルギー状態の差には直接的関係があるので，磁場強度またはrfのいずれか一方を固定したままで，他方を掃引（変調）することになる。初期の頃のNMR分光装置では，照射するrfを一定の周波数に保ちながら，外部磁場の強度を変化させて掃引して測定していた。したがって，異なる種類の^{1}H核は異なる磁場での共鳴として記録されていた。

現在，使用されているフーリエ変換分光装置（FT NMR）では，外部磁場の強度を一定に保ちながら，rfを短時間のパルスとして照射し，すべての^{1}H核を同時に，それぞれに固有の共鳴周波数（rf）で励起させる。この共鳴励起状態を装置に組み込んだコンピュータがデータとして取り込み，フーリエ変換法とよばれる数学的手法を用いて，それぞれの^{1}H核種ごとの共鳴として区別し分類したあと記録する．このように，掃引するパラメータが磁場か，またはrfによって，スペクトル図ではこのパラメータを左から右へ増大する横軸として描く約束になっている．本書に記載してあるすべての^{1}H NMRスペクトルの外部磁場強度は4.7T，周波数200 MHzにおけるFT NMR法で測定したものである。

12.2b　化学シフトとピーク面積

厳密にいうと，すべてのプロトンが1つのrf振動数でスピン反転を受けるわけではない。それぞれのプロトンはそれがおかれている化学的環境，ことに電子的環境を異にしているからである。このことについてはあとでも述べるが，まずは実際のスペクトルをいくつか眺めてみることにしよう。

図12.3にp-キシレンの^{1}H NMRスペクトルが示してあるが，これは2本のピークだけのきわめて単純なスペクトルである。ピークの位置は基準物質の**テトラメチ**

☞　磁場内で原子核は，特定波数のrfを吸収して低いスピン状態から高いスピン状態へ昇位するときに，**核磁気共鳴**を示す．

☞　NMRスペクトルの記録紙上では，**磁場強度**は左から右へいくほど強くなる．

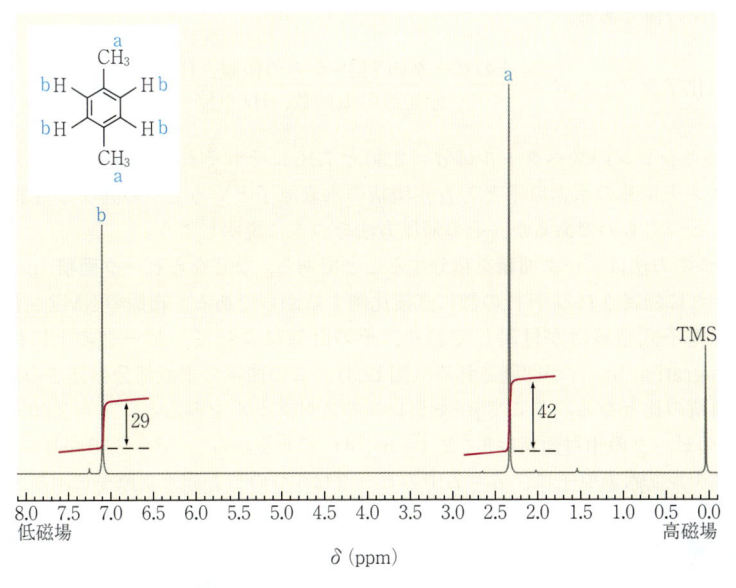

図 12.3 p-キシレンの ^{1}H NMR スペクトル

ルシラン（tetramethylsilane；Si(CH$_3$)$_4$，**TMS** と略記する）のピークからの距離 δ（デルタ）で表す。TMS を基準物質に用いるのはつぎの理由による。(1) TMS の 12 個の水素原子は化学的に等価であり，一本線で現れるので，その鋭い NMR シグナルを基準点として用いると都合がよい。(2) TMS のプロトンはほとんどの有機化合物中のプロトンよりも高磁場に現れるので，基準ピークとして確認しやすい。(3) 不活性でありほとんどの有機化合物と反応しない。さらには低沸点であるから測定終了後は容易に除去できる。

　有機化合物は一般に TMS より低磁場に共鳴ピークを示すから，その位置をプラスの δ 値で示す約束になっている。たとえば $\delta = 1.00$ とは，TMS ピークから 1 ppm だけ低磁場の位置に共鳴ピークが現れることを意味している。つまり 60 MHz（60×10^6 Hz）の rf を照射しながら測定した場合の 1 ppm とは，TMS から 60 Hz（60 MHz の百万分の 1）だけ低磁場側の位置を指す（100 MHz で測定した場合の 1 ppm は，TMS から 100 Hz だけ低磁場側の位置を指す）。したがってプロトンの化学シフトとは，TMS を基準としたプロトン種の δ 値のことである。**化学シフト**（chemical shift）とよばれる理由は，δ 値がその水素原子をとりまく化学的環境の違いにより変化する量だからである。またこの化学シフトは測定装置の違いに

☞ **テトラメチルシラン（TMS）** は ^{1}H NMR スペクトルの化学シフト（ケミカルシフト）を表示するときの標準物質として使用されている。

☞ ^{1}H NMR シグナルの**化学シフト**とは，TMS を基準とした δ（デルタ）値である。

無関係の値である。

$$\text{化学シフト} = \delta = \frac{\text{そのピークのTMSからの距離, Hz単位}}{\text{分光器の振動数, Hz単位}} \text{ppm} \quad (12.4)$$

p-キシレンのスペクトルは$\delta = 2.30$と7.10にそれぞれ1本のピークを示す。これはメチル基の水素原子と芳香族環状の水素原子という2つの異なる性質の^{1}H核にもとづくものであるが，その帰属方法をつぎに説明しよう。

1つの方法はピーク面積を積分することである。なぜなら**ピーク面積**(peak area)はそれに帰属される^{1}H核の数に直接比例するからである。市販のNMR装置にはすべて電子式積算計が付属しており，その計算によって，ピークの上に**積分曲線**(integration line)が印刷される（図12.3）。この曲線の垂直部分の高さの比がピーク面積の比となる。ここでp-キシレンのスペクトルをみると，$\delta = 2.30$と7.10の2つのピークの相対面積は$3:2$（$=6:4$）であるから*，$\delta = 2.30$のピークは6つのメチル基水素原子に，$\delta = 7.10$のピークは4つの芳香族水素原子に帰属できる。

例題 12.1

つぎの化合物のNMRスペクトルでは何本の共鳴ピークが観測できるか答えよ。2本以上のときはその相対面積比についても示せ。

(a) $CH_3-\underset{\underset{CH_3}{|}}{\overset{\overset{CH_3}{|}}{C}}-CH_3$ (b) $CH_3O_2C-\langle\text{ベンゼン環}\rangle-CO_2CH_3$ (para) (c) $BrCH_2-\underset{\underset{CH_3}{|}}{\overset{\overset{CH_3}{|}}{C}}-CH_2Br$

解答

(a) 12個の^{1}H核はすべて等価であり，1本のピークとして現れる。

(b) 芳香族の^{1}H核4つはすべて等しく，エステル基上のメチル基水素原子6つも等しい。結局2本のピークが$4:6$（または$2:3$）の面積比で現れる。

(c) CH_3-Cと$Br-CH_2-$の2種類の水素原子が存在し，2本のピークが面積比$6:4$（または$3:2$）で現れる。

問題 12.1

つぎの化合物群のなかでNMRスペクトルが1本だけのピークを示すものはどれか答えよ。

(a) CH_3OCH_3 (b) （五角形：シクロペンタン） (c) $CH_3CH_2\overset{\overset{O}{\|}}{C}Cl$

---

* 得られる相対面積は正確な数値というよりもおよその数値であるから，$1.45:1$または$2.9:2$のような場合は整数比に直して$3:2$としている。

☞ ^{1}H NMRの**ピーク面積**は，そのピークに対応する^{1}H核の数に比例する。そこでのピーク面積比を比較するために面積の**積分曲線**が用いられる。

12.2 核磁気共鳴スペクトル（NMR）

問題 12.2 つぎの化合物のNMRスペクトルはどれも2本以上のピークを示す。それぞれのピークの相対面積比を示せ。

(a) CH_3OH　(b) $CH_3\overset{\overset{O}{\|}}{C}OCH_3$　(c) $CH_3CH_2OCH_2CH_3$

問題 12.3 ^1H NMR装置を用いて1,1-ジクロロエタンと1,2-ジクロロエタンとを区別する方法を答えよ。

NMRピークのもっとも一般的な帰属方法は，既知の標準物質が示す^1H核のδ値と比較することである。たとえばベンゼンは等価の水素原子を6つもち，^1H NMRスペクトルはδ 7.24に1重線（singlet）を示すが，ほかの芳香族化合物でもこの領域にピークが現れる。このことから，芳香環上の水素原子は平均しておよそ$\delta=7$の化学シフト値をもっていると推察できる。同様に，一般的なCH_3-Ar水素原子は$\delta=2.2～2.5$の領域に現れる（図12.3をみよ）。

このように，構造が既知の比較的単純な化合物の^1H NMRスペクトルを数多く測定することにより，さまざまな化学的環境に置かれた^1H核の化学シフト値が求められる。表12.2には代表的な^1H核種についての化学シフト値を示しておく。

表 12.2 代表的なプロトン化学シフト（テトラメチルシラン基準）

^1Hの種類	δ (ppm)	^1Hの種類	δ (ppm)
$C-CH_3$	0.85～0.95	$-CH_2-F$	4.3～4.4
$C-CH_2-C$	1.20～1.35	$-CH_2-Br$	3.4～3.6
		$-CH_2-I$	3.1～3.3
$C-\overset{\overset{C}{\|}}{C}H-C$	1.40～1.65	$CH_2=C$	4.6～5.0
$CH_3-C=C$	1.6～1.9	$-CH=C$	5.2～5.7
CH_3-Ar	2.2～2.5	$Ar-H$	6.6～8.0
$CH_3-\overset{\overset{\|}{C}}{C}=O$	2.1～2.6	$-C\equiv C-H$	2.4～2.7
$CH_3-N\diagdown$	2.1～3.0	$-\overset{\overset{O}{\|}}{C}-OH$	9.5～9.7
CH_3-O-	3.5～3.8	$-\overset{\overset{O}{\|}}{C}-H$	10～13
$-CH_2-Cl$	3.6～3.8	$R-OH$	0.5～5.5
$-CHCl_2$	5.8～5.9	$Ar-OH$	4～8

例題 12.2

表12.2の化学シフト値を用いてつぎの化合物の ^{1}H NMRスペクトルを予想し説明せよ。

(a) $CH_3\overset{\overset{O}{\|}}{C}-OCH_3$ (b) $Cl_2CH-\overset{\overset{CH_3}{|}}{\underset{\underset{CH_3}{|}}{C}}-CH_2Cl$

解答

(a) スペクトルは面積が等しい $\delta = 2.3$（$CH_3\overset{\overset{O}{\|}}{C}-$基の水素原子）と $\delta = 3.5$（$-OCH_3$ 基の水素原子）の2本のピークからなる。

(b) $\delta = 0.9$（メチル基2つ）と $\delta = 3.5$（$-CH_2Cl$ の水素原子）と $\delta = 5.8$（$-CHCl_2$ の水素原子）の3本のピークからなり，面積比は 6：2：1 である。

問題 12.4 つぎの化合物の ^{1}H NMRスペクトルを予想して説明せよ。

(a) $CH_3\overset{\overset{O}{\|}}{C}OCH_3$ (b) $CH_3-C\equiv C-H$

問題 12.5 $(CH_3)_3C\overset{\overset{O}{\|}}{C}OCH_3$ か，または $CH_3-\overset{\overset{O}{\|}}{C}-OC(CH_3)_3$ のどちらかの構造をもつエステルがある。^{1}H NMRスペクトルでは2本のピークが $\delta = 0.9$ と 3.6 に相対面積比 3：1 で現れるという。さてこの化合物はどちらが正しいか。該当しなかったエステルのNMRスペクトルについても推察せよ。

本節のはじめに触れた内容に再びもどり，化学シフトが生じる理由を探ることにする。一つの大切な因子は，問題とする ^{1}H核の近傍にある置換基の電気陰性度（p.10）である。電子求引基はふつう低磁場側化学シフトを生じさせる。その例として表12.2に示してあるつぎの化学シフトを比較してみよう。

	$-CH_3$	$-CH_2Cl$	$-CHCl_2$
δ	~0.9	~3.7	~5.8

運動している電子は ^{1}H核近傍に微少な磁場を作り出すから，その結果として外部磁場からこの ^{1}H核を「遮蔽（shield）」することになる。塩素は電子求引基であるから電子密度を減少させてこの ^{1}H核を「反遮蔽」することになり，その結果 ^{1}H核はさらに低い外部磁場または低い周波数でスピン反転を起こすようになる。そして塩素の数が多いほどこの効果は大きくなる。

例題 12.3

1-ブロモプロパンが示す ^{1}H 核のシグナルそれぞれについて，化学シフト値の大きさの順番を予想せよ．

解答

$$\overset{3}{CH_3}\overset{2}{CH_2}\overset{1}{CH_2}Br$$

電子求引基の Br にもっとも近い C-1 上の水素原子がもっとも低磁場側に現れるだろう．また，この Br からもっとも遠いメチル基の水素原子はもっとも高磁場側に現れるだろう．したがって，その中間の C-2 上の水素原子はこの 2 つの中間に現れるだろう．置換基の誘起効果が距離が離れるにしたがって減少することは，この化学シフト値からも示されている．

$$\delta \quad \underset{CH_3}{1.06} - \underset{CH_2}{1.81} - \underset{CH_2}{3.47} - Br$$

問題 12.6

つぎの化学シフトを比較して説明せよ．

δ	0.23	3.05	2.68	2.16
	CH_4	CH_3Cl	CH_3Br	CH_3I

化学シフト値を決める2番目の因子は π 電子の存在である．多重結合や芳香族環を構成する炭素原子に結合した水素原子は，飽和炭素に結合したものよりふつう低磁場側に現れる．その例として表 12.2 にはつぎの値が示されている．

	C—CH$_2$—C	CH$_2$=C	—CH=C	H—(C$_6$H$_5$)
δ	1.2～1.35	4.6～5.0	5.2～5.7	6.6～8.0

この効果が生じる理由は複雑で簡単には説明できないが，構造決定には大変有効である．

問題 12.7

trans-2,2,5,5-テトラメチル-3-ヘキセンの ^{1}H NMR スペクトルを描いてみよ．

12.2c スピン-スピン分裂

多くの化合物では，そこに存在するさまざまな水素原子に対応するスペクトルは単純な一本の線（**1重線**，singlet）でなく，複雑なピークとなって現れることが多い．そこでこのようなスペクトルを調べることにより，そこから分子構造に関するどのような情報が得られるかを考察してみよう．

図 12.4 にジエチルエーテル $CH_3CH_2OCH_2CH_3$ の ^{1}H NMR スペクトルを示す．表

☞ 隣接位置に ^{1}H をもたない ^{1}H 核は **1重線**を示す．隣接位置に ^{1}H 核が存在すると，^{1}H シグナルの**スピン-スピン分裂**が生じる．

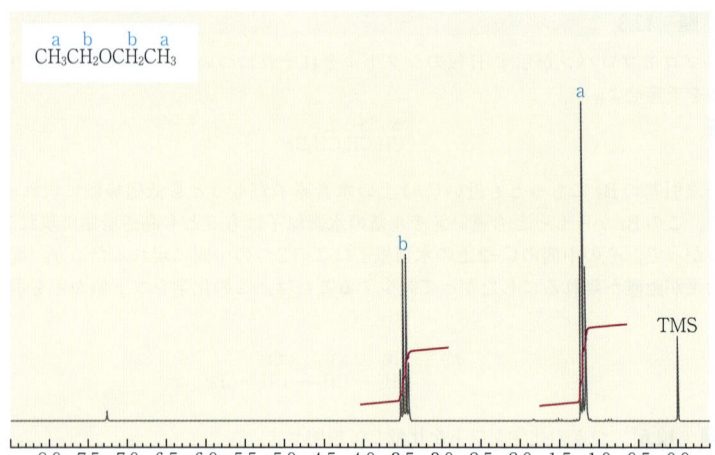

図 12.4 ジエチルエーテルの ^{1}H NMR スペクトル。スピン–スピン分裂が現れている

12.2 から得られる情報だけでジエチルエーテルの ^{1}H NMR スペクトルを予想すれば，$\delta = 0.9$ 付近に CH$_3$ 基の水素原子が 1 本と $\delta = 3.5$ 付近に酸素原子に隣接した CH$_2$ 基の水素原子のシグナルが 1 本，相対強度比 6：4 で現れると思われる．確かに図 12.4 には予想どおりの化学シフトと面積比をもった吸収スペクトルが示されているが，どれも 1 重線でないところは予想とずいぶん異なっている．すなわちメチル基シグナルは面積比 1：2：1 の **3 重線**（triplet）として，メチレン基シグナルは 1：3：3：1 の **4 重線**（quartet）として現れている．ここには**スピン–スピン分裂**（spin–spin splitting）とよばれるものが現れているのだが，実はこのことから分子構造に関する貴重な情報がかなり入手できる．そこでこの現象についてつぎに説明しよう．

分子内のプロトン（^{1}H 核）はどれも微小磁石としての働きをもっているので，^{1}H NMR スペクトルの測定条件下での水素原子は，装置の巨大磁場以外にも分子内の近傍水素原子がもつ微小磁場を同時に「感受」している．ところが近傍水素原子の ^{1}H NMR もほぼ等しい確率で高エネルギーと低エネルギーの 2 つの核スピン状態に分かれているため（ほぼ等しい確率になるのは，すでに学んだように 2 つの核スピン状態間のエネルギー差がきわめて小さいからである），観測中の ^{1}H 核の磁場はこの近傍水素原子の ^{1}H 核の微小磁場によってわずかながら摂動を受けている．

スピン分裂によって現れるスペクトルのパターンは，**$n + 1$ 則**とよばれる方法に

☞ **$n + 1$ 則**：ある ^{1}H 核の隣接位置に異なる化学シフトをもつ n 個の ^{1}H 核があるとき，その NMR シグナルは $n + 1$ 本のピークに分かれる．

より予測することができる．すなわち，ある1つの^{1}H核または複数の等価な^{1}H核が，それとはかなり異なる化学シフト値をもつn個の^{1}H核（n個は等価）に近接して存在すると，そのNMRシグナルは$n+1$本のピークに分裂する．ジエチルエーテルのCH_3基は隣接するCH_2基上に水素原子が2つ存在するから，CH_3基のシグナルは$2+1=3$本のピークに分裂する．同様にCH_2基は隣接するCH_3基上に水素原子が3つ存在するから，$3+1=4$本のピークに分裂する．この$n+1$則が成立する理由と，分裂したピークがすでに述べたような面積比で現れる理由をつぎに考えてみよう．

たとえば，ある^{1}H核のH_aに対してそれとは非等価の1つのH_bが隣接して存在する場合を考えよう．

$$-\overset{|}{\underset{|}{C}}-\overset{|}{\underset{|}{C}}-$$
$$\quad H_a\ H_b$$

H_aシグナルを測定（掃引）するときに，H_bは高低いずれかのスピン状態にある．このスピン状態にある確率がほぼ等しいためにH_aシグナルは2本の等強度のピーク，つまり2重線（doublet）に分裂する．これと同じことがH_bシグナルについてもいえる．

H_aに対してH_bが2つ隣接して存在する場合を考えてみよう．

$$-\overset{|}{\underset{|}{C}}-\overset{H_b}{\underset{|}{\overset{|}{C}}}-$$
$$\quad H_a\ H_b$$

H_aシグナルの測定（掃引）中に2つのH_bは，3種類のエネルギー状態をもっている．

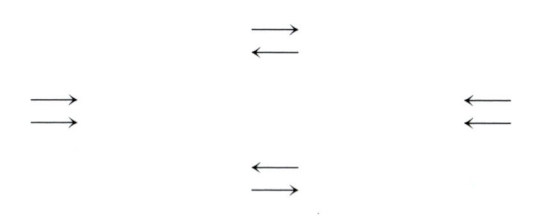

$$\begin{array}{ccc} & \longrightarrow & \\ & \longleftarrow & \\ \longrightarrow & & \longleftarrow \\ \longrightarrow & & \longleftarrow \\ & \longleftarrow & \\ \text{磁場の方向に2つが} & \text{磁場に対して1つは同} & \text{磁場の方向とは逆に} \\ \text{平行に配列した状態} & \text{じ向きに，もう1つは} & \text{2つが配列した状態} \\ & \text{逆向きに配列した状態} & \end{array}$$

すなわち2つとも低エネルギーか，または高エネルギーの状態にある場合と，1つが高エネルギーもう1つが低エネルギー状態にある場合（図に示したように2通りの組み合わせがある）である．このためH_aシグナルは相対面積比$1:2:1$の3重線になる．同じ理由によりH_bシグナルはH_aの2つのスピン状態によって2重線に

なる。

例題 12.4

^{1}H核のH$_a$に隣接して別の^{1}H核のH$_b$が3つ存在するときに，H$_a$のシグナルは面積比1：3：3：1の4重線になる理由を説明せよ。

解答 この^{1}H核系はつぎのように書ける。

$$-\overset{|}{\underset{\underset{H_a}{|}}{C}}-\overset{\overset{H_b}{|}}{\underset{\underset{H_b}{|}}{C}}-H_b \quad \text{または} \quad \diagdown\!\!\text{CH}-\text{CH}_3$$

3つの^{1}H核H$_b$がとれるスピン状態の組み合わせはつぎのようになる。

$$\rightarrow\rightarrow\rightarrow$$

$$\rightarrow\rightarrow\leftarrow \quad \rightarrow\leftarrow\rightarrow \quad \leftarrow\rightarrow\rightarrow$$

$$\leftarrow\leftarrow\rightarrow \quad \leftarrow\rightarrow\leftarrow \quad \rightarrow\leftarrow\leftarrow$$

$$\leftarrow\leftarrow\leftarrow$$

したがって，H$_a$シグナルは面積比1：3：3：1の4本のピーク（4重線，quartet）に分かれる。一方，H$_b$シグナルはH$_a$のスピン状態が$\rightarrow$か$\leftarrow$であるので2重線になる。

問題 12.8

CH$_3$CH$_2$Clの^{1}H NMRスペクトルについて，表12.2の値を利用して予想されるおよその化学シフト（δ値）と分裂パターンとを示せ。

相手のシグナルをたがいに分裂させるような関係にある^{1}H核どうしを，互いに**結合**（couple）しているという。この結合（カップリング）の大きさ，すなわちシグナル分裂の幅をヘルツ数（Hz）で表したものを**スピン結合定数**（coupling constant；記号Jで示す）とよんでいる。代表的な結合定数を表12.3に示す。スピン-スピン分裂は水素原子間の距離が多くの化学結合で隔てられるにつれて急激に減少する。たとえば，隣接炭素上にある水素原子間のスピン結合定数がかなり大きな値（$J=6\sim 8$ Hz）を示すのに対して，さらに隔たった^{1}H核間では互いのスピン感受性が低下して結合定数はきわめて小さくなる（$J=0\sim 1$ Hz）。表12.3には，cis, trans異性体やベンゼン環上の置換位置がスピン結合定数の大小によって判別

☞ 互いにシグナルを分裂し合う関係にあるプロトンを**カップル（結合）**しているという。この**スピン結合定数J**は，ピーク分裂の大きさをHz数で表したものである。

12.2 核磁気共鳴スペクトル（NMR）

表 12.3 代表的なスピン結合定数

グループ	J (Hz)	グループ	J (Hz)
-CH-CH-	6〜8	ベンゼン (H,H)	オルト：6〜10 メ タ：1〜3 パ ラ：0〜1
-CH-CH-CH-	0〜1	$C=C$ (H,R1/R2,H シス型同側)	0〜3
$C=C$ (R2,H / R1,H)	12〜18	$C=C$ (H,H / R1,R2)	6〜12

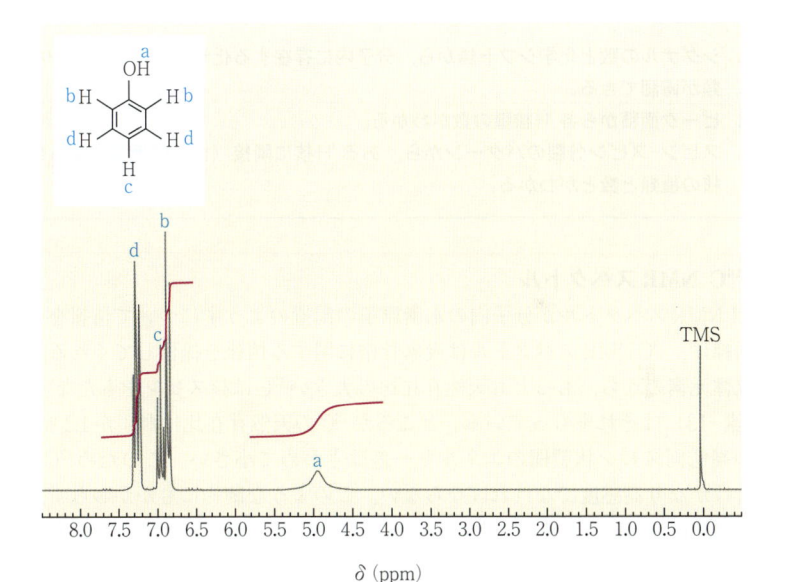

図 12.5 フェノールの ^{1}H NMR スペクトル。芳香族 ^{1}H 核領域（$\delta = 6.8 \sim 7.4$）が複雑になっていることに注目すること。(University Science Books より引用)

できることも示されている。

　化学的に等価な ^{1}H 核どうしはスピン結合しない。たとえば，BrCH$_2$CH$_2$Br の4つの水素原子は1本の鋭い1重線となって現れるだけである。この分子の水素原子は隣接する2つの炭素上に存在するが，まったく等しい化学シフトをもつためにスピン結合を起こさない。

問題 12.9 つぎの化合物の ^{1}H NMR スペクトルのようすを示せ．

(a) ICH$_2$CH$_2$Cl　(b) ClCH$_2$CH$_2$Cl

すべての ^{1}H NMR スペクトルが単純であるわけではなく，さらに複雑な様相を呈することがしばしばある．このような複雑なスペクトルは，隣接水素原子どうしが等価ではないが，類似の化学シフト値をもつ場合によく観測される．一例としてフェノール（図12.5）のスペクトルをみてみよう．ここでの芳香族 ^{1}H 核（$\delta = 6.8 \sim 7.4$）と水酸基の水素原子（$\delta = 4.95$）とは容易に判別できるが，芳香族水素原子が示す複雑な**多重線**（multiplet）の分裂パターンは $n+1$ 則だけで解析できるものではない．このようなスペクトルは別途にコンピュータプログラムを用いて完全に解析することができる．

以上をまとめると，^{1}H NMR から得られる化学物構造に関する情報はつぎのようになる．

> 1. シグナルの数と化学シフト値から，分子内に存在する化学的に非等価な ^{1}H 核の種類が確認できる．
> 2. ピーク面積から各 ^{1}H 核種の数がわかる．
> 3. スピン-スピン分裂のパターンから，ある ^{1}H 核に隣接（または近接）する他の ^{1}H 核の種類と数とがわかる．

12.3　^{13}C NMR スペクトル

^{1}H NMR スペクトルが分子内の水素原子の配置のようすについて情報を与えるのと同様に，^{13}C NMR スペクトルは炭素骨格に関する情報を提供してくれる．炭素の同位体元素のうち，もっとも天然存在比の大きい ^{12}C は核スピンをもたないが，^{13}C（炭素-13）はそれをもっている．ところが ^{13}C の天然存在比はわずか 1.1 % であり，その高低両スピン状態間のエネルギー差はきわめて小さい．このため ^{13}C NMR 分光計はかなり高感度でなければならない．このような制約にもかかわらず，現在の高磁場 FT-NMR 分光装置はきわめて高感度になっており，^{13}C NMR 分光法はいまでは日常的な手法となっている．

^{13}C スペクトルが ^{1}H スペクトルと異なる点がいくつかある．まず ^{13}C の化学シフトの領域が ^{1}H 核よりもはるかに幅広いことが挙げられる．^{13}C 化学シフトは ^{1}H の場合と同じように TMS（4つのメチル基炭素は等価であるから鋭いシグナルを示す）を基準物質に用いて測定し，δ 単位で表される．一般に ^{13}C 化学シフトが出現する領域は TMS の ^{13}C よりも低磁場側であり，$\delta = 0 \sim 200$ ppm の間の値を示す（これに対して ^{1}H NMR の δ はふつう $0 \sim 10$ ppm 程度ではるかに狭い範囲にある）．このように ^{13}C スペクトルは化学シフトの範囲が広いので，^{1}H スペクトルよりも一般に解析しやすい．

12.3 ^{13}C NMRスペクトル

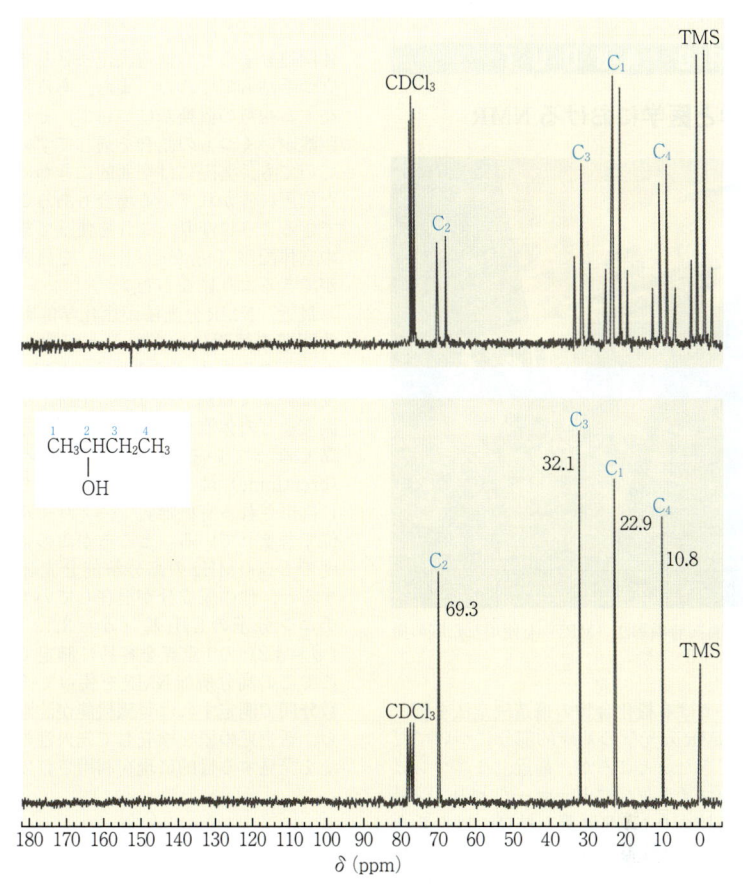

図 12.6 2-ブタノールの^{13}C NMRスペクトル。上は^{13}C–^{1}Hカップリングを残したもの，下はそれを消したものである。δ値は下のスペクトルに示してある。溶媒にCDCl$_3$を使用。(University Science Booksより引用)

^{13}Cは天然存在比が低いために，同一分子内で2つが隣接して存在する確率はきわめて小さい。このため^{13}C–^{13}Cスピン結合は通常は観測されず，^{13}Cスペクトルは単純になる。しかし^{13}C–^{1}H間のスピン–スピン分裂は観測される。このスピン分裂を示したものと消去したもの，いずれのスペクトルも目的に応じて測定できるようになっている。図12.6には2-ブタノールの^{13}C NMRスペクトルについて^{13}C–^{1}Hスピン分裂を示したものと消去したものの両方が描かれている。^{13}C–^{1}Hスピン分裂を消去したスペクトル（**プロトン-デカップル**したスペクトルとよばれる）

☞ **プロトン-デカップル**した^{13}C NMRスペクトルは，異なるタイプの炭素原子ごとに単一の一重線を示す。

A WORD ABOUT...

生化学と医学におけるNMR

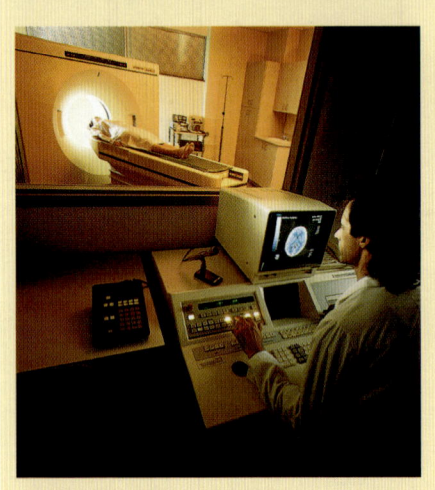

核磁気共鳴断層撮影法（MRI）を使用した脳の撮影風景

ここまでは有機化合物の構造決定法を例にとってNMR分光学の基礎的部分についてだけ述べてきた。ところが，最近，ミニコンピュータやマイクロプロセッサーなどのコンピューター技術をNMR装置と結びつけた新たな先端的NMR技術の分野が急速に開発されてきた*。その1つに，-180から$+200\,°C$の温度範囲でスペクトル測定が可能になったことにより，単結合まわりの回転速度，シクロヘキサンの椅子型立体配座の反転速度，アミン窒素の反転速度，フリーラジカルの反応速度，などが測定できるようになったことが挙げられる。さらには分子内のすべての^{13}Cスペクトルを測定するだけでなく，CH_3基（またはCH_2やCH基）だけに限定したスペクトルが別個に測定できるという，複雑な生体関連分子などの構造決定法として大変役に立つ手法もでてきた。また，ある分子内に存在する複数の置換基について，それらの間の距離がいくつもの結合を通してずいぶん離れていても，実際には空間的にきわめて接近した位置に置かれている場合もあることが観察できるようになり，これを使って複雑な分子の立体配座（conformation）を研究することができるようになった。

最近，NMR分光法が生化学的および医学的問題の解明に役立つことが認識されてきた。その例をあげてみよう。NMR装置の感度はいまでは尿，血小板，精液，脳脊髄液，涙液などの体液をそのまま分析できるまでに高くなっている。たとえば**クレアチニン**（creatinine）はタンパク質が代謝されて尿中に排出される有機物質で，ミリモル濃度の単位で含まれている。ところがこのような低濃度でも500 MHzの高分解能分光装置で測定すると，他の尿成分が混在していてもクレアチニン分子のCH_3基（$\delta = 3.1$）とCH_2基（$\delta = 4.2$）の1重線を容易に測定できる。そこでこの高分解能NMRを使ってその濃度を数分間で測定すれば腎臓機能が診断できるから，新生児の尿を検査して先天性の代謝疾患症を発見する目的に現在利用されている。

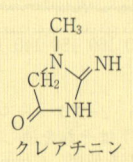

クレアチニン

---

* これらのすばらしい技術に関する解説書としてつぎの文献がある。Lambert, J. B., Shurvell, H. F., Linhtner, D. A., Cooks, R. G. *Introduction to Organic Spectroscopy*, Macmillan, New York, 1987. Macmillan, New York, 1987.

体液の測定から有益な医学的情報が入手できる他の例として，血漿中の低密度および高密度リポ蛋白をモニターして心臓疾患を予知・予防する利用法がある。また精液を測定して無生殖疾患を検査したり，神経科医は幼児の脳脊髄液のNMRスペクトルを検査して脳疾患の発生を予防することもできる*。

スピンをもっている他の原子核の中には，生化学的に重要な^{31}P, ^{23}Na, ^{19}Fがある。そこで，ヒトの身体や動物組織中のこれらの異なる核種のNMRを測定する装置も考案されている。たとえば，ヒトの上腕部筋肉中の^{31}Pスペクトルを運動の前後と運動中に測定すれば，筋肉細胞中のリン含有物質の変化をモニターできるから，正常の人におけるアデノシン三リン酸エステル（ATP），ホスホクレアチン，無機リン酸塩などの濃度変化を筋肉異常患者のものと比較して，疾患の状態を把握するとともに治療方法を工夫できる**。

局部（topical）NMR この測定法は磁石に被検体を近づけるのではなく，被検体に磁石を近づけるものである。磁石を使ったあるタイプの検出装置を被検体の表面に置くと，被検体の表面近くのスピン原子が共鳴を起こし，生体内分子の^{1}H, ^{13}C, ^{31}PについてのNMRスペクトルが得られる。この技術を用いる例として，代謝過程における種々の医薬品の効果をモニターする利用法がある。

核磁気共鳴断層撮影法（MRI） この手法は1980年代の半ばから病院で診断用に用いられはじめた新しい技術である。この手法はからだの内部の全体像を知る目的に使用され，X線に比べていくつかの長所をもっている。その1つは，放射線障害を起こさず無害である点にある。もう1つは，X線では測定がきわめて困難であった軟組織についての良好な像が得られることである。ところでその原理はどのようなものだろうか。

ヒトの身体の大部分は水でできている。そこで一般的なMRIは人体組織中のこの水の^{1}Hスペクトルを像形成の材料に利用しているのである（^{31}Pも使用できる）。ヒトの頭部を収容できる直径約25 cmの空間をもったものや，からだ全体を収容できる空間をもったものなど，かなり大きな磁石を使用した装置である。ここで使われる磁石は分子構造解析用の高分解能NMRほど均一でなくてもよいので，このように大きな磁石の製造が可能なのである。この像形成には均一磁場ではなく傾斜磁場が必要であり，幸運にも使用する磁場強度は化学実験用のNMR装置よりもずっと低いものでよい。もし大型磁石が必要なら大変高価な装置になってしまう。

MRIのおもな用途はいうまでもなく医療診断用であるが，それ以外にも食品科学の分野において収穫時期や貯蔵状態，出荷時期を判断する目的に，農業においては種子発芽時期の研究，建築業では木材中の水分濃度と分布分析など，数多くの分野に応用されている***。

核磁気共鳴法は物理学者が発見し，化学者が発展させ，いまでは生物学や他分野の研究者も利用している。しかしこのような人類への貢献は当初は予見されていなかった。これもまた，目先の利用だけにとらわれずに，基礎研究への投資を続ける人智の大切さを示す好例であろう。

解説書としてはつぎの文献がある。
* Brown J. C. C., Sadler, P. J.," NMR Spectroscopy of Body Fluids", *Chemistry in Britain*, **1988**, 1021〜24.
** Radda, G. K., "The Use of NMR Spectroscopy for the Understanding of Disease", *Science* **1986**, *233*, 64045.
*** Morris, P. G. *"Nuclear Magnetic Resonance in Medicine and Biology"*, Clarendon Press, Oxford, England, **1986**.

は4種類の炭素に対応する4本の鋭い1重線を示し，水酸基が置換した炭素はもっとも低磁場（$\delta = 69.3$）に現れ，2つのメチル基炭素も明確に区別できる（$\delta = 10.8$と22.9）。$^{13}C - ^{1}H$スピン分裂を残したスペクトルには$n + 1$則が適用でき，どの炭素もそれに直結した^{1}H核によって分裂をうける。すなわち，2つのメチル基のシグナルはいずれも4重線になり（水素が3つ存在するから$n + 1 = 4$），CH_2炭素は3重線，CH炭素は2重線になっている。

例題 12.5

CH_3CH_2OHの^{13}C NMRスペクトルのパターンを説明せよ。

解答 $^{13}C - ^{1}H$スピン結合を消去したスペクトルは，この分子には非等価の炭素が2種類あるので1重線を2本示す（実際には$\delta = 18.2$と57.8に現れる）。$^{13}C - ^{1}H$スピン結合のあるスペクトルは$\delta = 18.2$に4重線，$\delta = 57.8$に3重線のシグナルを示す。

問題 12.10 CH_3CH_2Clの^{1}H NMRスペクトルについて，表12.2の値を利用して予想されるおよその化学シフト（δ値）と分裂パターンとを示せ。

問題 12.11 つぎの化合物のプロトン-デカップルした^{13}C NMRにおいて何本のピークが観測できるか答えよ。

(a) 2-メチル-2-プロパ (b) シクロペンタノン
(c) 2-メチル-1-プロパノール (c) cis-1,3-ジメチルシクロペンタン

12.4 赤外スペクトル

NMR分光法が分子構造を決定するための強力な手法であることに疑いはないが，この方法は他の分光法から得られる分子構造に関する情報によって補われながら利用されることが多い。その分光法の中でも重要なものは**赤外分光法**（infrared spectroscopy）である。

赤外スペクトルは一般に**波数**（wavenumber）で，すなわち1センチメートルあたりの波の数で表される。一般的な赤外分光器は約700から5 000 cm^{-1}の波数領域を測定するが，この波数はおよそ2～12 kcal/molのエネルギーに相当する（表12.1）。このエネルギー量は結合の振動（結合の伸縮あるいは変角運動）に影響を与えることはできるが，結合を開裂できるエネルギーには遠く及ばない。ここでいう結合の振動運動をCH_2基を例にとって図12.7に示す。

共有結合は結合のタイプごとに異なるが，それに固有の狭い振動数の範囲内で伸縮運動している。したがって，赤外スペクトルは分子中に存在する結合の種類を知る目的にとくに役立つものである。表12.4は有機分子でよくみられるタイプの結

☞ **赤外分光法**は，その分子中に存在する化学結合の種類を決定するのに利用される。
☞ 赤外スペクトルの**波数**は，センチメートルあたりの波数として定義される。

合について，その伸縮振動数の領域を示したものである。

　赤外スペクトルでは1つの分析試料が数分間で測定できる。少量の試料化合物を赤外分光計にセットすると，分光計は決められた振動数領域の赤外光を自動的に掃

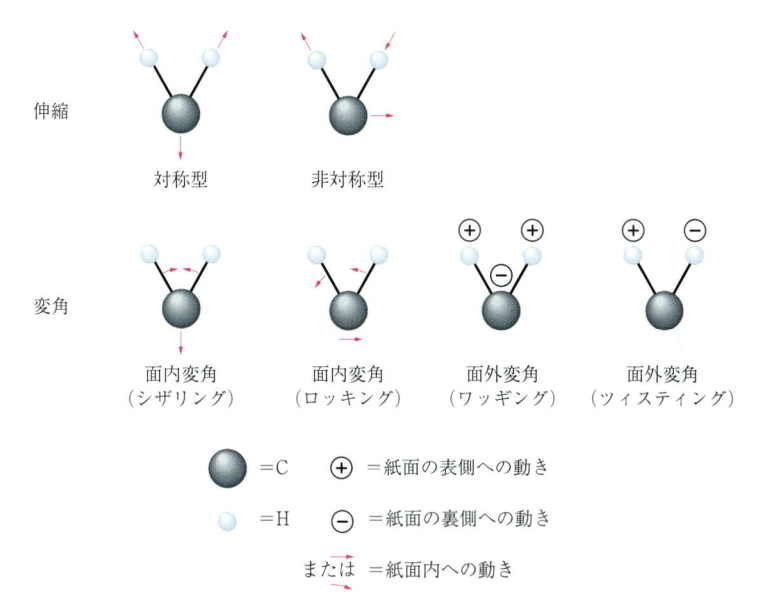

伸縮
　対称型　　非対称型

変角
　面内変角　　面内変角　　面外変角　　面外変角
　（シザリング）（ロッキング）（ワッギング）（ツイスティング）

●　＝C　　⊕＝紙面の表側への動き
○　＝H　　⊖＝紙面の裏側への動き
　　　　　　または →＝紙面内への動き

図 12.7　赤外領域のエネルギーを必要とするCH_2基の伸縮ならびに変角運動。

表 12.4　主な官能基の赤外伸縮振動波数

結合の種類	結合	化合物	波数領域 （cm^{-1}）
水素との単結合	C—H	アルカン	2 850～3 000
	＝C—H	アルン，芳香族化合物	3 030～3 140
	≡C—H	アルキン	3 300
	O—H	アルコール，フェノール	3 500～3 700（遊離型）
			3 200～3 500（水素結合型）
	O—H	カルボン酸	2 500～3 000
	N—H	アミン	3 200～3 600
	S—H	チオール	2 550～2 600
二重結合	C＝C	アルケン	1 600～1 680
	C＝N	イミン，オキシム	1 500～1 650
	C＝O	アルデヒド，ケトン，エステル，カルボン酸	1 650～1 780
三重結合	C≡C	アルキン	2 100～2 260
	C≡N	ニトリル	2 200～2 400

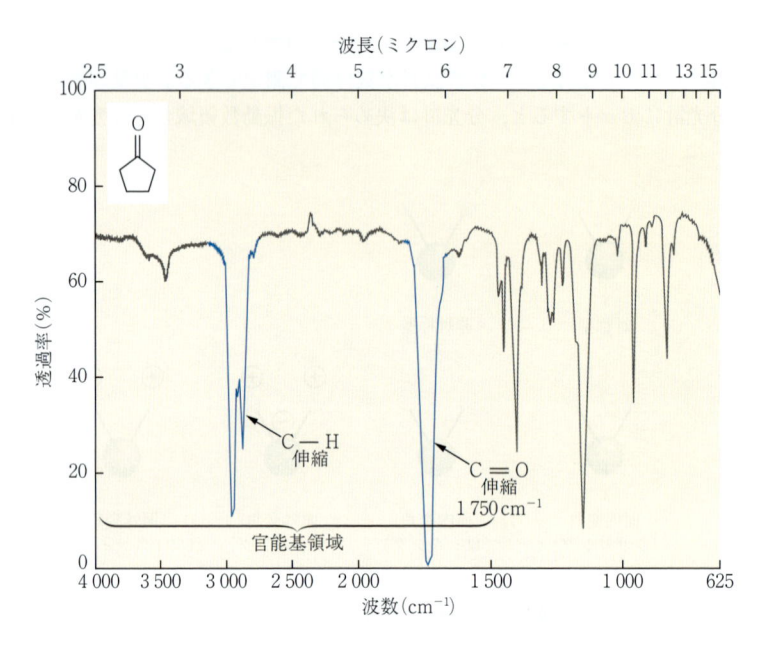

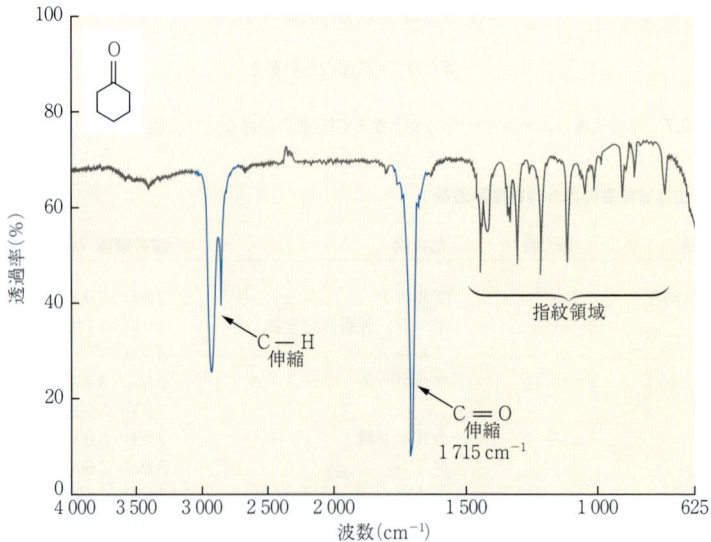

図12.8 よく似た2つのケトンの赤外スペクトル。官能基吸収領域での吸収はよく似ているが指紋領域の吸収は異なっていることに注目してほしい。

12.4 赤外スペクトル

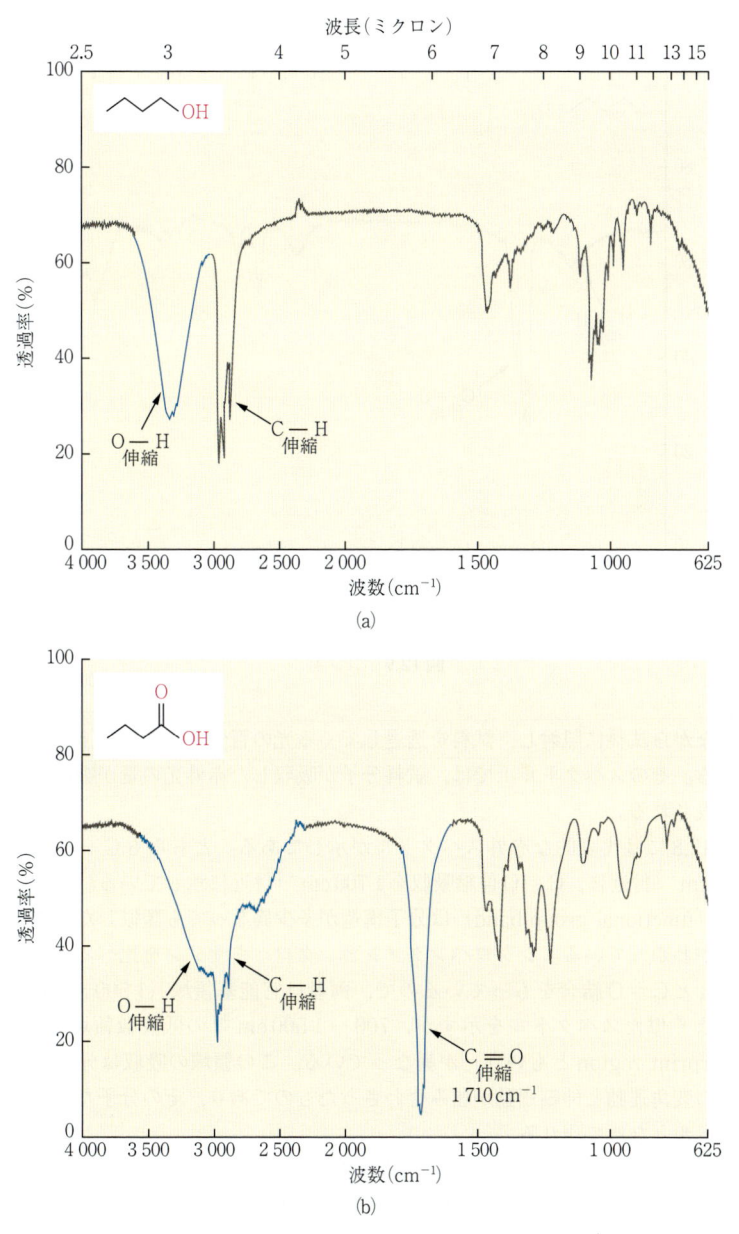

図 12.9 (a) 1-ブタノール，(b) 酪酸，(c) 1-ブタンアミン（次頁の図）の赤外スペクトル。代表的な官能基であるアルコール，カルボン酸，アミンの官能基吸収領域が示されている。

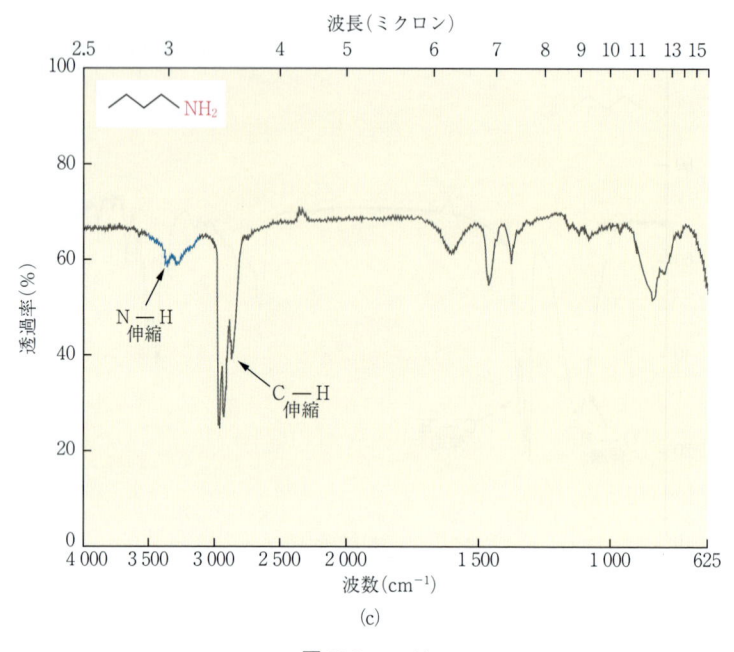

図 12.9 つづき

引しながら試料に照射し，試料を透過してくる光の百分率を記録紙上に自動的に記録する．そのスペクトル上では，試料分子が吸収した赤外光の量が吸収帯の谷となって表される．

図12.8には代表的な赤外スペクトルが示してある．どちらもC－H伸縮吸収を3000 cm^{-1}付近に，C＝O伸縮吸収を1700 cm^{-1}付近に示している．一般に**官能基吸収**（functional group band）は分子構造が多少異なっても類似の領域に現れることがわかっている．シクロペンタノンとシクロヘキサノンを比べると，いずれもC－HとC＝O結合をもっているので，両者は官能基領域（1500～4000 cm^{-1}）ではよく似たスペクトルを示すが，700～1500 cm^{-1}の低波数領域（**指紋領域**，fingerprint region ともいう）が異なっている．この領域の吸収は分子を構成する原子の変角運動と伸縮運動が組み合わさったものであり，その分子だけに固有のスペクトルとなって現れる．

図12.9に，代表的なアルコール，カルボン酸，アミン類の官能基吸収として，1－ブタノール，ブタン酸，1－ブタンアミンの赤外スペクトルを示した．ここでも指

☞ ある特定官能基に該当する**官能基吸収**は，赤外スペクトルの類似の領域に現れる．
☞ 赤外スペクトルの**指紋領域**の吸収ピークは，その分子固有のものである．

紋領域に注目すると，3つの化合物はいずれもブタンを母体とするにもかかわらず，それぞれが独特のパターンを示している。

例題 12.6

赤外スペクトル法を用いて，たがいに構造異性体の関係にあるベンジルアルコールとアニソールとを素早く見分ける方法を答えよ。

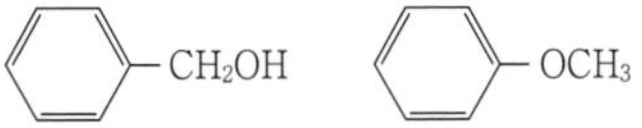

ベンジルアルコール　　アニソール

解答　ベンジルアルコールの赤外スペクトルはO－H伸縮領域（$3200 \sim 3700 \, \text{cm}^{-1}$）に吸収を示す。一方，アニソールのスペクトルはこの波数領域に吸収をもたない。

問題 12.12

赤外スペクトルを使って，異性体関係にある1-ヘキシンと1,3-ヘキサジエンとを見分ける方法を答えよ。

> 以上をまとめると，分子中にどのような種類の結合が存在するかは官能基領域の赤外スペクトルから読みとり，2つの試料物質が同一のものかどうかの判別には指紋領域のスペクトルを比較すればよいことになる。

12.5　可視スペクトルと紫外スペクトル

分光法で用いられる可視領域という用語は，人間の眼で感知できる光の波長領域の意味であり，一般に $400 \sim 800$ **ナノメーター**（nm；$1 \, \text{nm} = 10^{-9} \, \text{m}$）の波長をもった光に相当する。紫外領域の光はそれよりも短い波長の光で $200 \sim 400 \, \text{nm}$ の波長をもっている（前述の赤外光はこれとは逆に $2500 \, \text{nm}$ よりも長波長の光である）。可視（VIS）スペクトルと紫外（UV）スペクトルに限っては，いまだに**ミリミクロン**（$m\mu = 1 \, \text{nm}$）またはオングストローム（angstrom；$10 \, \text{Å} = \text{nm}$）という波長単位もしばしば用いられる。これらの波長単位の比較を表12.5にまとめて示す。

表 12.5　可視・紫外スペクトルの波長領域

可視スペクトル（VIS）	$400 \sim 800 \, \text{nm}$（または $m\mu$）	$4000 \sim 8000 \, \text{Å}$
紫外スペクトル（UV）	$200 \sim 400 \, \text{nm}$（または $m\mu$）	$2000 \sim 4000 \, \text{Å}$

☞　1 ナノメーター（nm）＝ 10^{-9} メーター。1 ミリミクロン（$m\mu$）＝ 1 nm。
　　10 オングストローム（Å）＝ 1 nm。

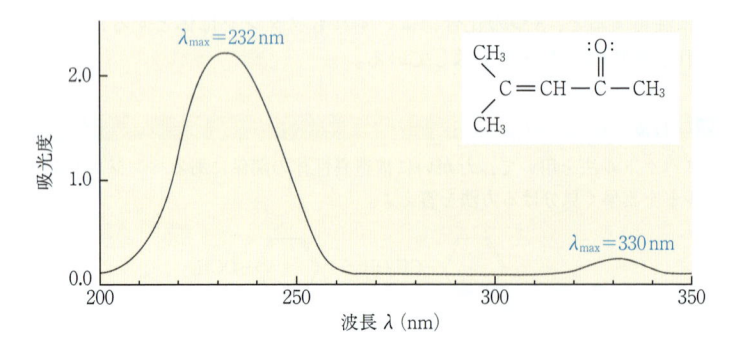

図12.10 4-メチル-3-ペンテン-2-オンの吸収スペクトル

紫外領域の光がもつエネルギーはおよそ75～150 kcal/mol, 可視領域の光は37～75 kcal/molに相当する（表12.1）。いずれも赤外領域の光のエネルギー（2～12 kcal/mol）に比べるとはるかに大きいことがわかる。これらのエネルギー量は，電子によって満たされた分子軌道から，それよりも高エネルギー準位にある空の分子軌道へ電子が移動するのに十分な量である。このような電子の跳躍のことを**電子遷移**（electronic transition）とよんでいる。

図12.10に代表的な紫外吸収スペクトルを示す。赤外スペクトルとは異なり，**紫外・可視スペクトル**（visible-ultraviolet spectra）はかなり幅広い形で現れ，ピークの数は一般に少ない。ピークの位置はその極大点の波長をもって示すことになっている。図12.10には共役不飽和ケトンのスペクトルを示してあるが，強い吸収極大点が $\lambda = 232$ nmに１つ，それよりもはるかに弱い吸収極大点が $\lambda = 330$ nmに１つ現れている。短波長側にある吸収はπ電子の遷移に対応しており，一方，弱い吸光度をもつ吸収はカルボニル基の酸素原子上にある非共有電子対の遷移に対応している。

吸収の強さは定量的に示すことができる。吸収強度はある１つの分子構造に固有の値であるが，測定器の光路内に存在する分子の数にも比例する。そこで，試料へ入射する光の強さと透過して出てくる光の強さの比を対数で表示した**吸光度**（A, absorbance）とよばれるもので吸収強度を表すことになっている。これは次式で示される。

$$A = \varepsilon c l \quad \text{(Beerの法則)} \quad (12.5)$$

ここで ε は**モル吸光度**（molar absorptivity；**分子吸光係数**，extinction coefficient ともいう）とよばれる定数，c は溶液濃度をモル/リットルで表したもの，l は光が

☞ **紫外・可視スペクトル**は，充填分子軌道から，それより高エネルギーの空分子軌道への**電子遷移**を記録するものである。

☞ 試料分子の**吸光度**（A）は，その分子構造の特徴と光を吸収する分子の数とに依存する。

透過する試料の厚さをcm単位で表したものである。εの大きさはその化合物の分子構造に特有の定数である。たとえば，図12.10の不飽和ケトンのスペクトルでは，それぞれの吸収帯のεは$\lambda_{max} = 232\,\mathrm{nm}$（$\varepsilon = 12\,600$）と$\lambda_{max} = 330\,\mathrm{nm}$（$\varepsilon = 78$）の2つである。

例　題　12.7

紫外吸収スペクトルの測定において，試料濃度を2倍にするとAおよびεの値はどのように変化するか説明せよ。

解答　吸光度Aはcに1次比例するのでAの値は2倍になる。しかしεは分子構造固有の値であるから濃度とは無関係に一定である。

問題　12.13　化合物 $(CH_3)_2C=CH-\overset{\overset{O}{\|}}{C}-CH_3$，（図12.10のスペクトル）を溶解した溶液を1cmの試料セルに入れて紫外吸収スペクトルを測定したところ，$\lambda_{max} = 232\,\mathrm{nm}$に吸光度$A = 2.2$のピークが観測された。この化合物の前述した$\varepsilon$値を用いて，この溶液の濃度を計算せよ。

紫外–可視スペクトルは共役結合を検出するのに便利である。一般に二重結合をもたないか，もっていても1つだけの分子は200〜800nmの紫外・可視領域の光を吸収しない。しかし，共役系はこの領域で光を吸収し，共役の程度が大きいほど吸収極大点の波長は長くなる。その例を示そう。

$CH_2=CH-CH=CH_2$　　　$CH_2=CH-CH=CH-CH=CH_2$
$\lambda_{max}=220\,\mathrm{nm}$　　　　　$\lambda_{max}=257\,\mathrm{nm}$
（$\varepsilon=20\,900$）　　　　　（$\varepsilon=35\,000$）

$CH_2=CH-CH=CH-CH=CH-CH=CH_2$
$\lambda_{max}=287\,\mathrm{nm}$
（$\varepsilon=52\,000$）

$\lambda_{max}=255\,\mathrm{nm}$　　　$\lambda_{max}=314\,\mathrm{nm}$　　　$\lambda_{max}=380\,\mathrm{nm}$
（$\varepsilon=215$）　　　　　（$\varepsilon=289$）　　　　　（$\varepsilon=9\,000$）

$\lambda_{max}=480\,\mathrm{nm}$：黄色の化合物
（$\varepsilon=12\,500$）

問題 12.14 つぎの2つの芳香族化合物のうち，より長波長の光を吸収するのはどちらか答えよ。

問題 12.15 ナフタレンは無色だが，その異性体のアズレンは青色を呈す。どちらが低エネルギーのπ電子遷移をもっているのか答えよ。

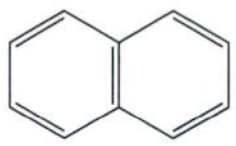

ナフタレン 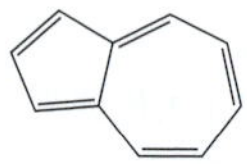　　アズレン

12.6　マススペクトル

　本章でここまでに学んできたスペクトルと比べて，マススペクトルが異なる点は，分子があるエネルギー状態からほかのエネルギー状態へ励起するエネルギー遷移現象を利用した分光法ではないことである。とはいえ，このマススペクトルも容易に測定することができ，分子構造の決定法として有効に利用されている。

　マススペクトロメーター（質量分析計）では分子をイオンにかえ，生じたイオン種を質量対電荷比（m/z）にしたがって分離して，それぞれのイオンの量比を測定することができる。この測定法では，きわめて微量の検体試料を高真空下のイオン化室に入れて気化させ，ただちに高エネルギーの電子線を照射する。この電子攻撃により分子Mから1電子がはじき出され，陽電荷をもった**カチオンラジカル**（cation radical）の**分子イオン $M^{+\cdot}$**（molecular ion, **親イオン**（parent ion）ともよぶ）が生成する。

$$M + e^- \longrightarrow M^{+\cdot} + 2e^- \tag{12.6}$$
分子イオン

たとえばメタノールからはつぎのように分子イオンが生成する。

$$e^- + CH_3\ddot{O}H \longrightarrow [CH_3OH]^+ + 2e^- \tag{12.7}$$
メタノールの分子イオン
($m/z=32$)

　生成した分子イオンの流れを，強力な磁石で作られた磁場に通すとその流れが屈折する。この屈折の程度がイオン質量によって異なるので，m/z 値が区別できる。ところで $M^{+\cdot}$ はもとの分子Mとまったく等しい質量をもっているから（はじき出

☞　マススペクトルにおいて**分子イオン**または**親イオン**とよばれるものは，それに対応する中性分子と質量数が同じで電子数が1つだけ少ない**カチオンラジカル**のことである。

された電子の質量はイオン分子の質量に比べると無視できる），結果的には質量分析計で分子量が測定できることになる。

マススペクトルでは分子量よりも1ないし2質量単位だけ大きいピークがしばしば観察される。これは何であろうか。ここで炭素同位体の^{13}Cが^{12}Cよりも1質量単位だけ重く，天然存在比が1.1%であることを思い出してほしい。これが$(M + 1)^{+ \cdot}$ピークの出現理由である。$M^{+ \cdot}$ピークに対するこのピークの強度比（百分率）は，およそ1.1にその分子を構成する炭素数を乗じた値になる（なぜなら，その分子内に1つの^{13}Cを見いだす確率は炭素数に比例するからである）。

問題　12.16　あるアルカンの$M^{+ \cdot}$ピークは$m/z = 114$に現れる。この化合物の分子式を示せ。また，115/114の相対強度を算出せよ。

^{13}C以外の同位体ピークもたいへん役に立つ。たとえば，塩素原子は^{35}Cl（75%）と^{37}Cl（25%）の混合物であり，臭素は^{79}Brと^{81}Brのほぼ50：50の混合物である。したがって，モノクロロアルカンの親ピークは3：1の強度比で2質量単位だけ離れた2つのピークを示し，モノブロモアルカンの親ピークは1：1の強度比で2質量単位だけ離れた2つのピークを示すことになる。これらの同位体ピークを利用すればつぎの例題のように分子構造に関する情報を得ることができる。

例　題　12.8

$m/z = 136$と138に等しい強度の親イオンのピーク2つを示すブロモアルカンがある。この分子式を推定せよ。

解答　この分子にはBrが1つだけ存在する（臭素を2つもつような分子量ではない）。136から79を差し引くか，または138から81を差し引くと質量57が得られ，これが炭素と水素を合計した質量に相当する。57を炭素の質量12で割ると4が得られ，残り9が水素である。したがって，分子式はC_4H_9Brである。

問題　12.17　C，H，Clだけで構成されるある化合物のマススペクトルは親イオンピークを$m/z = 74$と76に3：1の強度比で示すという。この化合物の構造を推定せよ。

分子を衝撃する電子線が十分高いエネルギーをもっていると，分子イオンのM^+のみならず**娘イオン**（daughter ion）とよばれる断片（フラグメント）も生成してくる。つまり，はじめに発生したイオンが開裂して小さなフラグメントになり，その一部がイオン化してスペクトロメーターによってm/zの大きさの順に並べられる。たとえば，メタノールのマススペクトルで一番大きなピークは$M^{+ \cdot} - 1$に相当する$m/z = 31$であり，これは分子イオンから水素原子が失われて生じたものである。

☞　親イオンが開裂して生じる小さな断片の**娘イオン**は，その分子構造に特有の開裂パターンを示す。

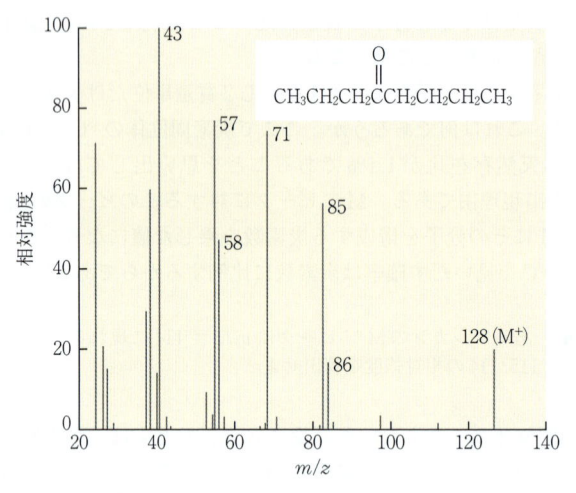

図12.11 4-オクタノンのマススペクトル

$$
\begin{array}{c}
\text{H} \\
\text{H}-\overset{|}{\underset{|}{\text{C}}}-\overset{+}{\underset{..}{\text{O}}}-\text{H} \\
\text{H} \\
m/z=32
\end{array}
\longrightarrow
\begin{array}{c}
\text{H}-\overset{|}{\text{C}}=\overset{+}{\underset{..}{\text{O}}}-\text{H} + \text{H}\cdot \\
\text{H} \\
m/z=31
\end{array}
\qquad (12.8)
$$

　この娘イオンはホルムアルデヒドがプロトン化された形と同じであり，一種の共鳴安定化された炭素陽イオンである。

　このように，マススペクトルは多様な m/z 値と多様な強度をもった一群のシグナルから構成されることになる。観測されるイオンのほとんどは1価（$z=1$）であるから，質量 m は容易に求められる。図12.11には典型的なケトンである4-オクタノンのマススペクトルを，質量分析計のコンピューター記録装置に描かせたものが示してある。このスペクトルの $m/z=128$ のピークに注目すると，これは最大質量のピークで，ケトンの分子量に対応している。これ以外にも娘イオンピークがいくつか観測できる。たとえば $m/z=85$ と 71 とは，それぞれ $C_4H_9CO^+$ と $C_3H_7CO^+$ の質量に相当する。この結果から，この分子イオンが起こしやすい開裂の様式は，カルボニル基に接続した炭素-炭素結合の開裂であることがわかる。イオンが開裂していく行程は，もとのイオンの構造によって決まるから，マススペクトルのフラグメントを解析することにより分子構造に関する貴重な情報が得られる。

12.6 マススペクトル   411

例 題 12.9

図12.11のマススペクトルで最大強度のピーク（基準ピーク（base peak）とよばれる）は $m/z = 43$ のものである。このイオンの生成機構を考察せよ。

解答 このピークは $C_3H_7^+$ の m/z に対応し，娘イオン $C_3H_7CO^+$ から一酸化炭素が脱離して $C_3H_7^+$ 生成することを示している。同様のイオン開裂は $C_4H_9CO^+$ でも起こるはずであり，たしかに $m/z = 57$ の強いピークの存在がそれを裏付けている。この開裂の様子をイオン種間の系統図（family tree）としてまとめるとつぎのようになる。

$$\begin{array}{c} & \xrightarrow{-C_3H_7\cdot} & C_4H_9CO^+ & \xrightarrow{-CO} & C_4H_9^+ \\ & & (85) & & (57) \\ C_8H_{16}CO^{+\cdot} & & & & \\ M^+\ (85) & & & & \\ & \xrightarrow{-C_4H_9\cdot} & C_3H_7CO^+ & \xrightarrow{-CO} & C_3H_7^+ \\ & & (71) & & (43) \end{array}$$

問題 12.18 図12.11のマススペクトルと比べて，4-ヘプタノンのマススペクトルが似ている点と異なる点を説明せよ。

最近になるまで，タンパク質のような巨大な生体分子は質量分析計（MS）で測定することは不可能であった。その理由はこのような分子は極性が高くて不揮発性であり，気体の分子イオンへ変換することが困難であったからである。だが，最近

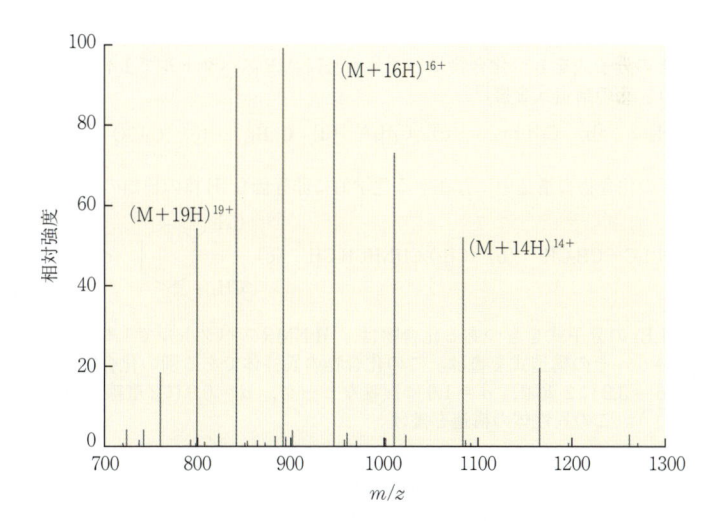

図 12.12 ヒトーヘモグロビン α 鎖のESI-MSスペクトル。(*Jounal of Chemical Education, 73*, No. 4 pp. A82-A88（**1996**）から転載)

この問題は **MALDI法**（matrix-assisted laser desorption ionization）や **ESI法**（electron-spray ionization）などの最新手法の開発によって解決された。MALDI-MS法では単一の陽電荷を帯びた分子イオンしか生成しないので，この分子イオンのm/z比は母体分子の分子量を意味することになる。

ESI-MS法で生成する分子イオンは，母体分子へプロトン（H^+）が付加したものであって，普通は2価以上の陽電荷を帯びている。したがって，ここで生じるイオンは小さなm/z比（質量対電荷比）を示し，マススペクトルはm/zが小さくなるほど感度が高くなるから有利である。このESI-MS法では同一分子から異なる電荷数をもつ分子イオンが生成する（ヒトヘモグロビンのα-鎖のESI-MSスペクトル，図12.12参照）*。この手法はタンパク質，DNA，合成高分子，フラーレンなどの広範囲な巨大分子の研究に利用されている。さらには非共有結合した錯体分子からも安定なイオンを生成するから，DNA-医薬の相互作用や生化学的に重要な錯体の研究にもこの手法が応用されている。

以上，本章で学んだ4種類のスペクトルは，いまではさまざまな研究の場で日常的に用いられている。最新の装置を使用すれば，これらのスペクトルは試料準備時間も含めて数分から1時間程度で測定できる。したがって，得られたスペクトルの解析のために測定時間よりも多少長い時間がかかるだろうが，熟練した研究者の手にかかれば，比較的短時間で複雑な分子構造をスペクトルだけで決定できることが多い。

章 末 問 題

^{1}H NMRスペクトル

12.19 つぎの分子式をもつ化合物はいずれも^{1}H NMRスペクトルで1本のピークしか示さないという。その構造式を書け。

(a) C_5H_{10} (b) $C_3H_6Br_2$ (c) C_4H_6 (d) $C_{12}H_{18}$ (e) C_2H_6O (f) C_5H_{12}

12.20 つぎの化合物の構造中に存在する化学的に非等価な^{1}H核の種類の数を示せ。

(a) $(CH_3)_3C-CH_2CH_3$ (b) $(CH_3)_2CHNHCH_2CH_3$ (c) [1,2-ジメチルシクロヘキセン] (d) $H_3C-CH-CH_3$ | OH

12.21 C_4H_9Brの分子式をもつある化合物は，^{1}H NMRスペクトルで1本の鋭いピークだけを示すという。その構造式を書け。この化合物の異性体である別の化合物の^{1}H NMRスペクトルは$\delta=3.2$に2重線，$\delta=1.9$に複雑なピーク，$\delta=0.9$に2重線を面積比2：1：6で示すという。この異性体の構造を書け。

---

* 分子量はイオンピークとの数学的関係より決まる。ESI-MSのさらに詳しい内容については次の文献をみよ。Hofstadler, S.A.; Bakhtiar, R.; and Smith, R.D., "Erectrospray Ionization Mass Spectrometry," *J. Chem. Educ.* **1996**, *73*, A82-A88

☞ **MALDI**と**ESI**の2つは，大きな生体分子の分析に適した最新の質量分析技術である。

章末問題

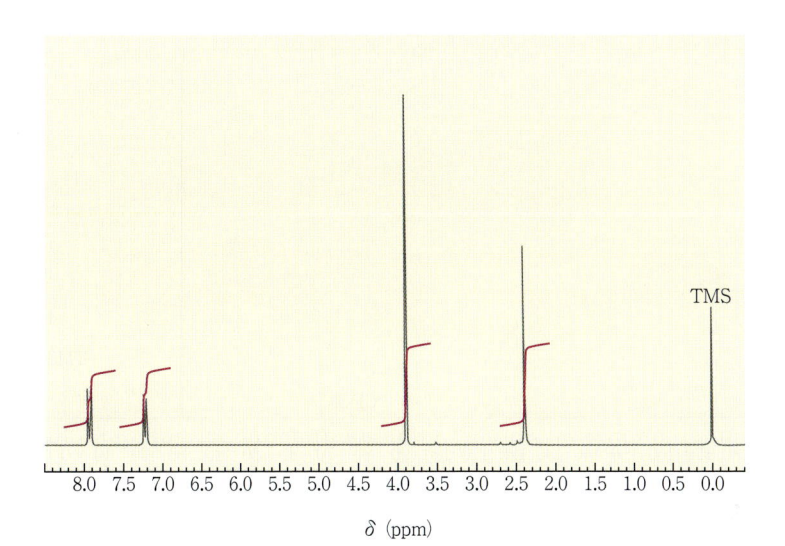

図 12.13 p-トルエン酸メチルの ^{1}H NMR スペクトル

12.22 2,2-ジメチルプロパンならびにTMSの ^{1}H核の化学シフトはそれぞれ0.95と0.0である。この数値に注目して炭素とケイ素の電気陰性度の相対的な差異について説明せよ。

12.23 つぎの化合物のそれぞれの組み合わせについて，両者を ^{1}H NMR スペクトルで識別する方法を説明せよ。

(a) CH_3CCl_3 および $CH_2ClCHCl_2$　　(b) $CH_3CH_2CH_2OH$ および $(CH_3)_2CHOH$

(c) $CH_3-\overset{O}{\underset{\|}{C}}-OCH_3$ および $H-\overset{O}{\underset{\|}{C}}-OCH_2CH_3$

(d) C$_6$H$_5$-CH$_2$-CH=O および C$_6$H$_5$-$\overset{O}{\underset{\|}{C}}$-CH$_3$

12.24 p-トルエン酸メチルの ^{1}H NMR スペクトルを図12.13に示す。この化合物の構造を書き，どの水素原子がどのピークに対応するかを示せ（表12.2を参照のこと）。

12.25 つぎの化合物それぞれについて，表12.2の数値を参考にしながら予想される ^{1}H NMR スペクトルを書け。また，スピン分裂のようすも示すこと。

(a) $CH_3CH_2-\overset{O}{\underset{\|}{C}}-H$　　(b) $(CH_3)_2CHOCH(CH_3)_2$

(c) $Cl_2C=CHCH_3$　　(d) CH_3O-C$_6$H$_4$$-OCH_3$

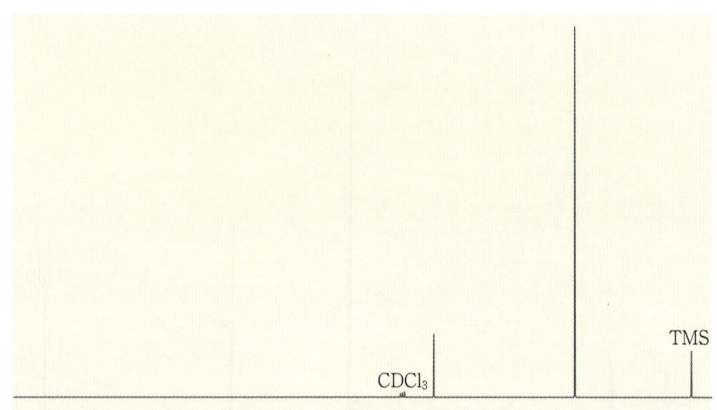

図 12.14 ^{13}C NMR スペクトル

^{13}C NMR スペクトル

12.26 トルイル酸のメチルエステルであることはわかっているが，2つの置換基（$-CH_3$ と $-COOCH_3$）の位置が不明の化合物がある．^{13}C NMR スペクトルは7本のピークを示すという．さて，どの異性体かを答えよ．また，^{1}H NMR スペクトルはどのようになるか書いてみよ．

12.27 C_4H_9OH の分子式をもつ4つの異性体アルコールの構造式を書け．(a) そのなかでどれが図 12.14 の ^{13}C NMR スペクトルをもっているのか，理由とともに答えよ．(b) 4つのなかの2つは，デカップルしたときに同じピーク数（4つ）の ^{13}C スペクトルを示す．その構造式を示せ．また，その2つを区別するのに ^{13}C－^{1}H カップしたスペクトルをどのように利用すればよいのか答えよ．

赤外分光スペクトル

12.28 分子式 C_3H_6O で示される化合物がある．これは赤外スペクトルで 3500 および 1720 cm^{-1} 領域に吸収をもたない．このデータにもとづき除外できる分子構造はなにか答えよ．さらにこの化合物の構造を推定し，その根拠を説明せよ．

12.29 表 12.4 を使って，アルカン，アルケン，アルキンのもつ C－H 結合の伸びやすさの順序を，理由の説明とともに示せ．

12.30 エタノールの四塩化炭素希薄溶液は 3580 cm^{-1} に鋭い赤外吸収を示す．エタノールの濃度を高くしてゆくと，新たに幅広い吸収が 3250～3350 cm^{-1} に現れる．最後には鋭い吸収が姿を消して幅広い吸収にとって代わられる．この現象を説明せよ．

12.31 図 12.15，12.16，12.17，12.18 は4つの化合物，ヘキサン酸，1-ペンタノール，シクロヘキサン，3-ペンタノンの赤外スペクトルである．それぞれのスペクトルはどの化合物に該当するのか，同定に用いた吸収帯の説明とともに答えよ．

＝総合問題

章末問題

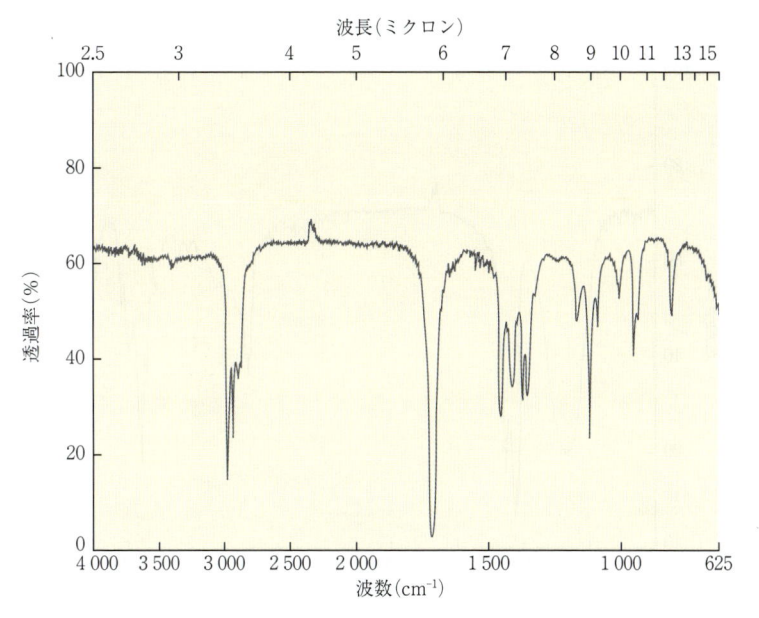

図 12.15

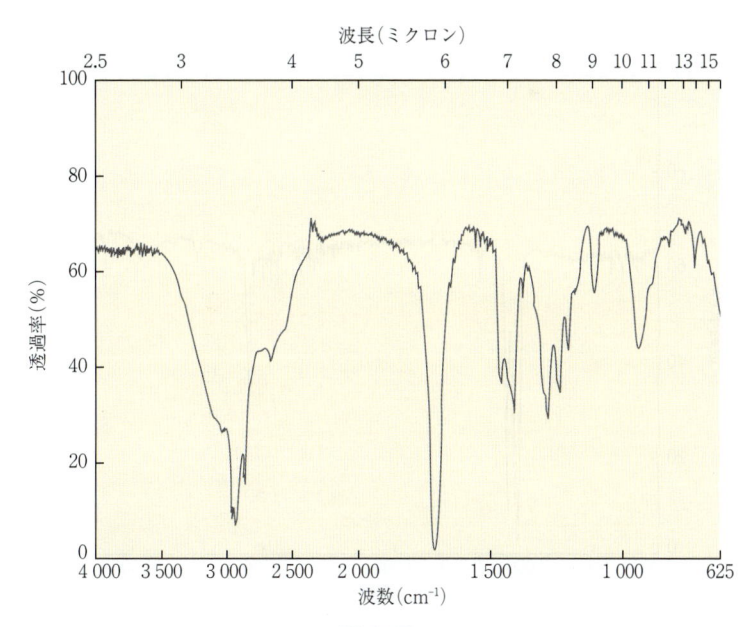

図 12.16

416   12 スペクトル分光法による分子構造の決定

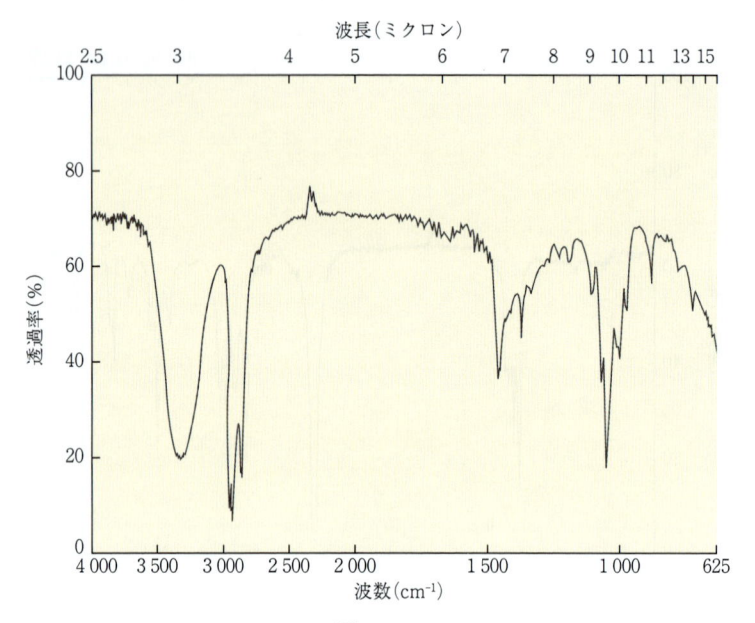

図 12.17

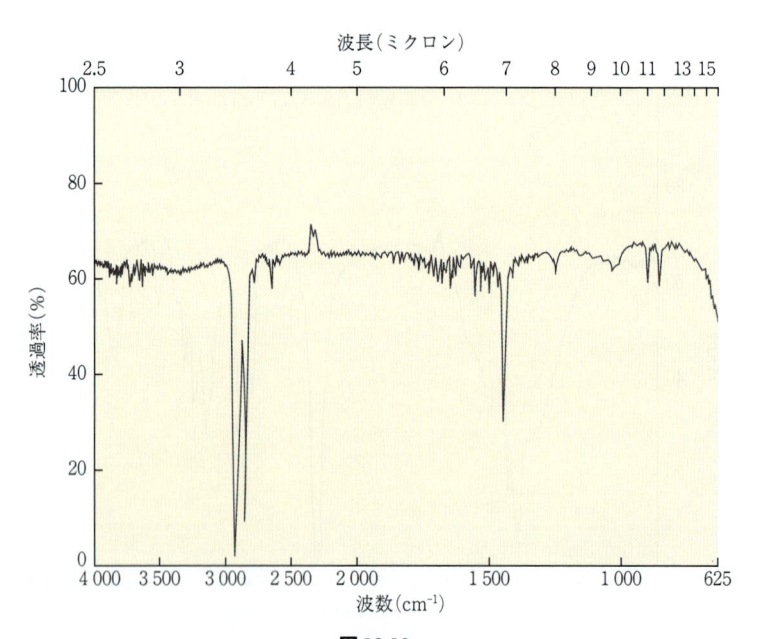

図 12.18

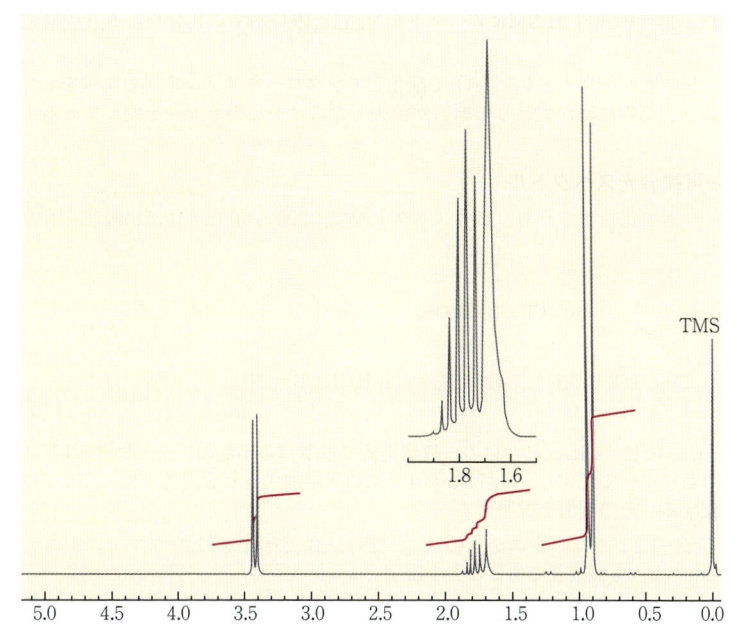

図12.19 化合物Aの ^{1}H NMRスペクトル（問題12.36）

12.32 つぎの化合物の赤外スペクトルで似ている点はどこか，また相異点であるとすればどこか，答えよ．

$$CH_3CCH_2CH_2CH_2OH \quad および \quad CH_3CH_2CCH_2C_2H_5OH$$
(O二重結合)

12.33 つぎに示す一対となった異性体を赤外スペクトル法を使って区別せよ．

(a) $CH_3CCH_2CH_3$ および $CH_3CH(OH)CH=CH_2$

(b) Ph-$CH(CH_3)CHO$ および Ph-$CH=CHOCH_3$

(c) $(CH_3CH_2)_3N$ および $(CH_3CH_2)_2NH$

12.34 分子式 $C_5H_{10}O$ で示される化合物がある．これは $1725\,cm^{-1}$ に強い赤外吸収をもち，NMRスペクトルでは面積比2：3で $\delta=2.7$ に4重線，$\delta=0.9$ に3重線を示す．構造を示せ．

12.35 分子式 $C_5H_{10}O_2$ をもったある化合物は $1745\,cm^{-1}$ に強い赤外吸収を示し，^{1}H NMRスペクトルは $\delta=4.15$ に4重線と $\delta=1.20$ に3重線を面積比2：3で示すという．この化合物の構造式を書け．

12.36 $C_5H_{10}O$ の化学式をもった化合物AはPCC（7.12節参照）で酸化すると C_4H_8O の化学式をもつ化合物Bになる．このBはTollens試薬に陽性を示し，$1725\,cm^{-1}$ に強いIR吸収

をもつ．化合物Aの^{1}H NMRスペクトルを図12.19に示す．化合物AとBの構造式を答えよ．

12.37 シクロヘキサノールをCrO_3で酸化してシクロヘキサノンを得る実験をしていると仮定しよう．この反応が完結して原料が消失したことを赤外分光法を使って知る方法を答えよ．

紫外-可視分光スペクトル

12.38 つぎの化合物のうち，紫外スペクトルで，200〜400 nm領域に吸収をもたないものを示せ．

(a) ベンゼン   (b) $CH_3CH_2CH_2OH$ (c) シクロヘキサン   (d) メチレンシクロペンテン

(e) $CH_3CH_2OCH_2CH_3$ (f) $CH_2=CHCH_2CH_2CH=CH_2$

12.39 $CH_3(CH=CH)_nCH=O$の一般構造式で示される不飽和アルデヒドのUVスペクトルはnの数によって変化し，nが1から4まで順次増加するとλ_{max}も220, 270, 312, 343 nmと変化する．その理由を説明せよ．

12.40 cis-1,2 ジフェニルエテンのλ_{max}（280 nm）が$trans$-1,2-ジフェニルエテンのλ_{max}（295 nm）よりも短波長であることを説明せよ．

12.41 ここにシクロヘキサンの試料がある．これはベンゼンの水素添加反応によって製造されたものだから少量のベンゼンを含んでいる．$\lambda=255$ nmにおけるベンゼンのモル吸光度は$\varepsilon=215$であり，シクロヘキサンは吸収をもたない（$\varepsilon=0$）．上記の試料は$\lambda=255$ nmに吸光度$A=0.43$（1.0 cmセルを使用）の吸収を示すという．このシクロヘキサン中に含有されるベンゼンの濃度を計算せよ．

マススペクトル

12.42 エタノールの分子イオンの構造式を電子配置を考慮に入れて書け．

12.43 1-ペンタノールのマススペクトルは$m/e=31$に強い娘イオンのピークを示すという．このピークがどのように生成してくるのか説明せよ．

12.44 分子式$C_5H_{12}O$で示されるアルコールがある．そのマススペクトルでは娘イオンピークが$m/e=59$に現われる．これと異性体関係にあるもう一つのアルコールは$m/e=59$ではなく$m/e=45$に娘イオンピークを示す．この2つのアルコールそれぞれについて考えられる構造を答えよ．さらに，これらの構造を^{1}H NMRおよび^{13}C NMRスペクトルで確認する方法についても説明せよ．

12.45 マススペクトルで親イオンピークが$m/e=102$に現れる炭化水素がある．その^{1}H NMRスペクトルは$\delta=2.7$と7.4に面積比1：5のピークを示すという．構造式を示せ．

CHAPTER 13

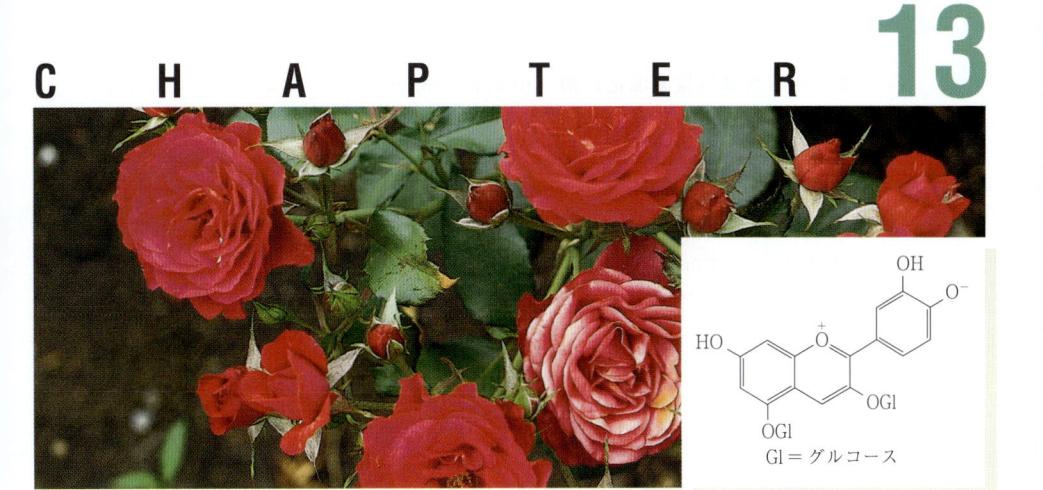

複素環化合物

有機化学者にとっての**ヘテロ原子**（heteroatoms）とは，有機化合物にふつう存在する炭素と水素原子以外の原子を指すことが多い。なかでも酸素，窒素，そして硫黄がもっとも一般的なヘテロ原子である。複素環化合物では環構造中の1つ以上の炭素原子がこれらのヘテロ原子で置き換わっている。

複素環（heterocycle）は有機化合物のなかで最大の化合物群である。天然物や医薬品化合物の構造中にはたいてい複素環が含まれており，化学論文の半数以上はなにがしか複素環に関連したものである。

複素環は非芳香族系と芳香族系の2つのグループに分類できる。これまでにエチレンオキシドをはじめとする環状エーテル（8章），環状アセタール（9章），環状エステル（ラクトンのこと，10章），環状アミン（11章）など非芳香族系のものについてはすでに学んできた。これらは対応する非環状のものとよく似た性質をもっているので，とくに説明は不要であろう。

13.1　ピリジン，その結合様式と塩基性
13.2　ピリジンにおける置換反応
13.3　その他の6員環複素環化合物
13.4　5員環複素環化合物；フラン，ピロール，チオフェン
13.5　フラン，ピロール，チオフェンにおける求電子置換反応
13.6　その他の5員環複素環化合物：アゾール化合物
13.7　縮合環をもった5員環複素環化合物；インドールとプリン

A WORD ABOUT....

13.6　ポルフィリン類のこと：血が赤く草が緑なわけ
13.7　モルヒネをはじめとする含窒素医薬品

▲　アントシアニン（p.427）よりつくられるバラの赤色色素。

重要なのは**芳香族複素環化合物**（aromatic heterocycle）である。そこで本章では，とくにこれに焦点を当てて学ぶこととし，まず重要な6員環複素環芳香族化合物のピリジンから説明をはじめることにする。

13.1 ピリジン，その結合様式と塩基性

ピリジン（pyridine）の構造はベンゼンによく似ているが，ベンゼンのCH単位1つが窒素原子1つで置き換わっている点だけが異なる。

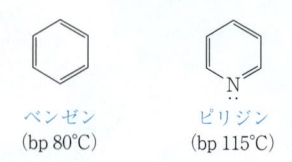

ベンゼン
(bp 80℃)

ピリジン
(bp 115℃)

ベンゼンとピリジンの分子軌道図はよく似ている（4.4節と図4.2参照）。その窒素原子は炭素と同じようにsp^2混成しており，環平面に垂直なp軌道に1電子が収容されている。

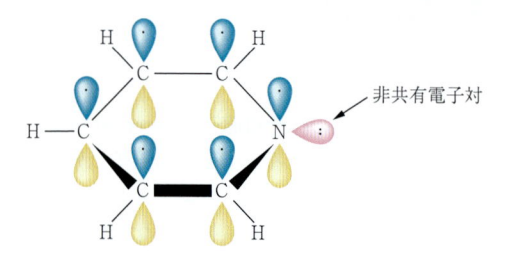

← 非共有電子対

ピリジンの軌道における
電子配置

すなわち窒素原子は，この芳香族環平面の上下に存在する芳香族π電子雲の6電子系に1電子を供出しているのである。一方，窒素上の非共有電子対は，C－H結合と同じように環平面内のsp^2軌道に存在している。

ピリジンはKekulé型構造をもった共鳴混成体である。

結合様式が似ているので形状もベンゼンに似ている。すなわち平面構造をもった正六角形に近い。また芳香族であるから反応性も似ていて，付加反応よりも置換反

☞ **複素環**とは，環状構造の1つ以上の炭素原子が，**ヘテロ原子**（C, H以外の原子のこと）で置き換わった有機化合物のことである。

☞ **ピリジン**はベンゼン環の1つのCH単位が1つのN原子で置き換わったものである。

応を受けやすい。

ところが，ベンゼンの炭素を1つ窒素原子で置き換えているのだから，当然性質も変わる。ピリジンはベンゼンのようにほとんどの有機溶媒に可溶だが，水溶性でもあることが大きく異なる性質である。この違いは水素結合能力の差で説明できる。(2.7節)

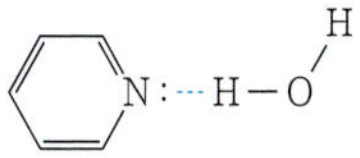

もう1つの説明は，ピリジンがベンゼンよりも高い極性をもつことである。窒素原子は炭素に比べて電子求引性だから，芳香族環の炭素から窒素の方向への電子の偏りが起こり，窒素原子は部分的に負電荷を，環の炭素原子は部分的に陽電荷をもつことになる。

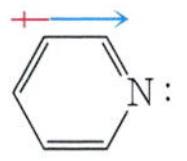

この極性が水のような極性溶媒へのピリジンの溶解性を高める原因になっている。

ピリジンは$pK_a = 5.29$の弱塩基性を示す第三級アミンである。これは脂肪族アミン（$pK_a =$約10，表11.3参照）よりもはるかに弱い塩基であり，その理由は窒素原子の混成の差（ピリジンではsp^2，脂肪族アミンではsp^3）に基づく。すなわち，ピリジン窒素原子の混成軌道がもつs性は脂肪族アミンのそれに比べて大きいので（ピリジンでは$1/3s$，脂肪族アミンでは$1/4s$），ピリジンの非共有電子対は窒素原子核の近くに引き寄せられ，その結果塩基性が低下することを意味している。

ピリジンは強い酸と反応すると**ピリジニウム塩**（pyridinium salt）を形成する。

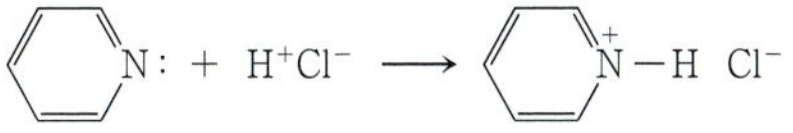

$$\text{Py}:\ +\ H^+Cl^- \longrightarrow \text{Py}^+\!-\!H\ Cl^- \tag{13.1}$$

塩化ピリジニウム
(pyridinium chloride)

この性質を利用して酸を生じるような反応（たとえば，塩化チオニルとアルコールとの反応，式7.31）では，ピリジンは酸の捕そく剤としてよく利用される。

問題 13.1 ピリジンとつぎの化合物との反応を書け。
(a) 冷硫酸　(b) ヨウ化メチル（11.11参照）

13.2　ピリジンにおける置換反応

ピリジンは芳香族であるにもかかわらず，求電子芳香族置換反応を受けにくく，過激な条件下ではじめて反応する。たとえば，ニトロ化反応や臭素化反応には高温

☞　**ピリジニウム塩**はピリジンと強酸との反応で生成する。

と強い酸触媒が必要である。

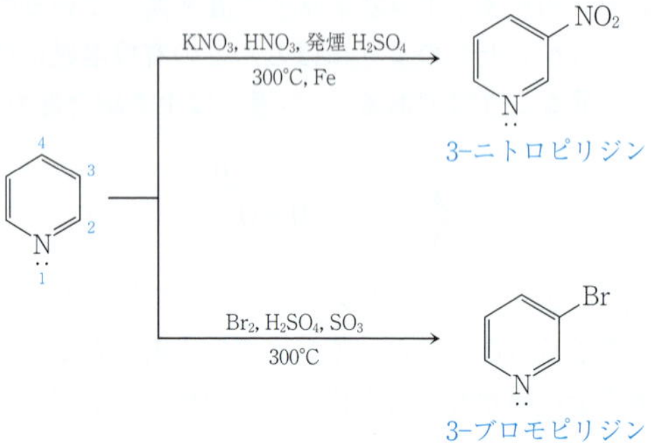

$$
\text{ピリジン} \begin{cases} \xrightarrow[300°C, Fe]{KNO_3, HNO_3, 発煙 H_2SO_4} \text{3-ニトロピリジン} \\ \xrightarrow[300°C]{Br_2, H_2SO_4, SO_3} \text{3-ブロモピリジン} \end{cases} \quad (13.2)
$$

この不活性な性質の第1の原因は，窒素原子が電子求引性であって，芳香族環がわずかに陽電荷を帯びるので，やはりおなじように陽電荷をもつ求電子剤を受け入れにくくなるためと考えられる。第2の原因は，このタイプの反応は酸性条件下で行われるため，ピリジンはプロトン化されてピリジニウムイオンとして存在しており，中性のピリジンに比べるとはるかに求電子剤の攻撃を受けにくいからである。

置換反応が起こる場合は，求電子剤は主としてC-3位を攻撃する。その理由は，この位置への反応で生じるカチオン中間体（4.9節を参照のこと）では，他の位置への反応に比べると，陽電荷が電子不足の窒素原子上に現れないからである（窒素がプロトン化されていればこの効果はさらに著しい）。

例題 13.1

ピリジンのC-3位に対する求電子反応について，中間に介在する共鳴混成体のすべての共鳴構造式を書け。

解答

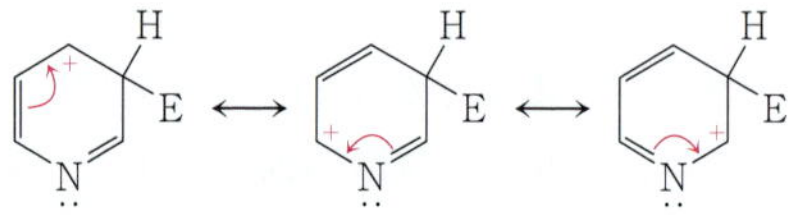

C-3位への求電子攻撃では，生じた"ピリジノニウムイオン"の陽電荷は，C-2, C-4, C-6に非局在化していて窒素上に存在しない。

問題 13.2

例題13.1を，C-2あるいはC-4位に対する求電子置換反応におきかえて説明せよ。その結果を使って，C-3位への置換反応（式13.2）が有利に起こる理由を説明せよ。

求電子置換反応の反応性が低い一方で，ピリジンは**求核置換反応**（nucleophilic

☞ ピリジンの**求核置換反応**では，求核剤が芳香環の上にあるHまたはハロゲンを陰イオンとして置換する。

substitution）を行う．すでに述べたようにピリジンは部分的陽電荷をもっているから，求核剤の攻撃を受けやすいのである．反応例を2つ示しておく．

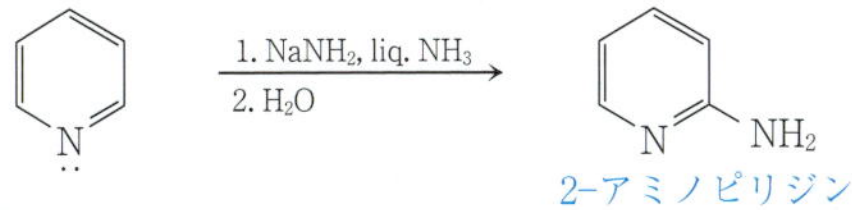

$$\text{ピリジン} \xrightarrow[\text{2. } H_2O]{\text{1. } NaNH_2, \text{ liq. } NH_3} \text{2-アミノピリジン} \tag{13.3}$$

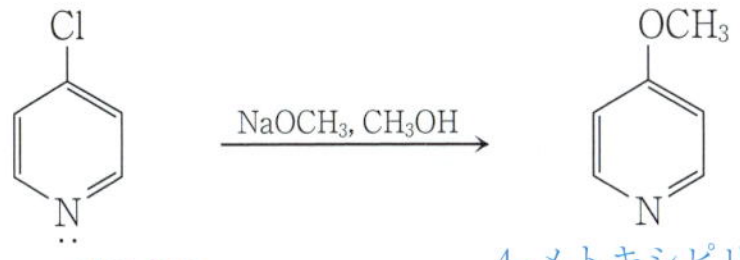

$$\text{4-クロロピリジン} \xrightarrow{NaOCH_3, \, CH_3OH} \text{4-メトキシピリジン} \tag{13.4}$$

例題 13.2

式13.3の反応機構を示せ．

解答 C-2位へアミドイオンが攻撃すると，陰電荷が主として窒素原子上に存在したアニオン中間体が生じる．

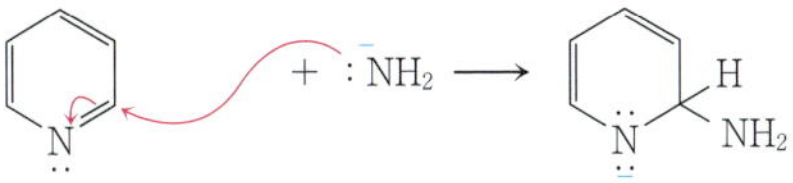

これは，C＝O結合への求核剤の付加反応によく似たC＝N結合への求核付加反応と同じであると考えてよかろう（9.6節参照）．

芳香族性が再獲得できるようにヒドリドイオンが切り離され，このヒドリドイオンはアミノ基を攻撃して水素ガスとアミド型アニオンを生じる（式11.17と比較せよ）．

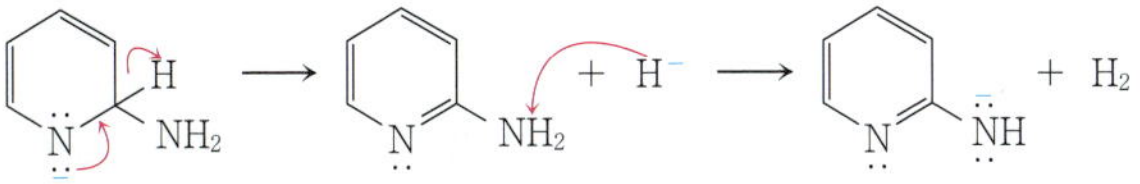

このイオンは最終段階で水によりプロトン化されることになる．

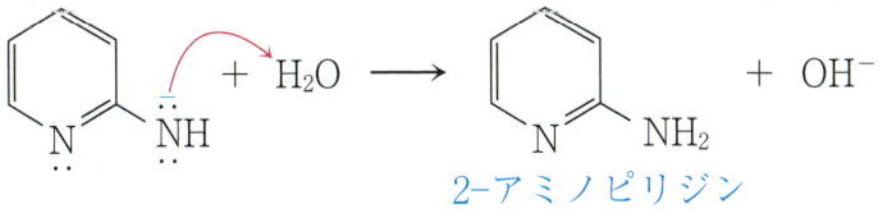

問題 13.3 式13.4の反応機構を書け．

ピリジンやアルキルピリジンはコールタール中に存在している．モノメチルピリジン（**ピコリン**，picolineともよばれる）は側鎖のメチル基が酸化されるとカルボン酸になる（10.7b節参照）．たとえば3-ピコリンからは，ペラグラ病予防のためにヒトの食物中に不可欠であるビタミンの1種の**ニコチン酸**（nicotinic acid または

ニアシン, niacin) が得られる。

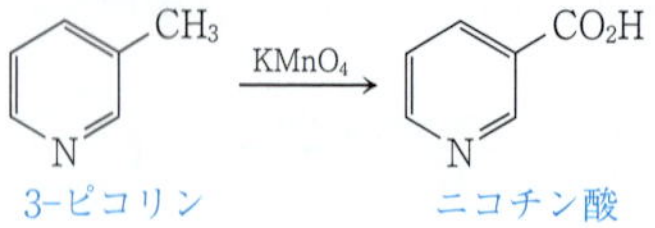

$$\underset{\text{3-ピコリン}}{\text{3-methylpyridine}} \xrightarrow{\text{KMnO}_4} \underset{\text{ニコチン酸}}{\text{nicotinic acid}} \tag{13.5}$$

ピリジンを還元すると，完全に飽和された第二級アミンの**ピペリジン**（piperidine）が得られる。

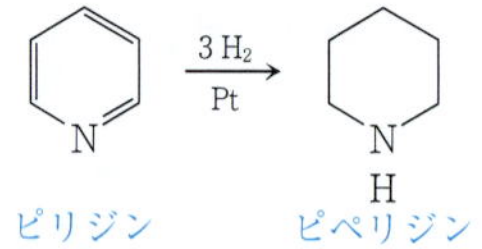

$$\underset{\text{ピリジン}}{\text{pyridine}} \xrightarrow[\text{Pt}]{3\,\text{H}_2} \underset{\text{ピペリジン}}{\text{piperidine}} \tag{13.6}$$

ピリジン環とピペリジン環は天然物中に数多く存在している。その例として，**ニコチン**（nicotine，タバコに含まれるアルカロイドの主成分，農業用殺虫剤でもあってヒト毒性を示す），**ピリドキシン**（pyridoxine，ビタミンB_6，補酵素），**コニイン**（coniine，毒人参の毒素，ソクラテスが飲んだ毒はこれである）がある。

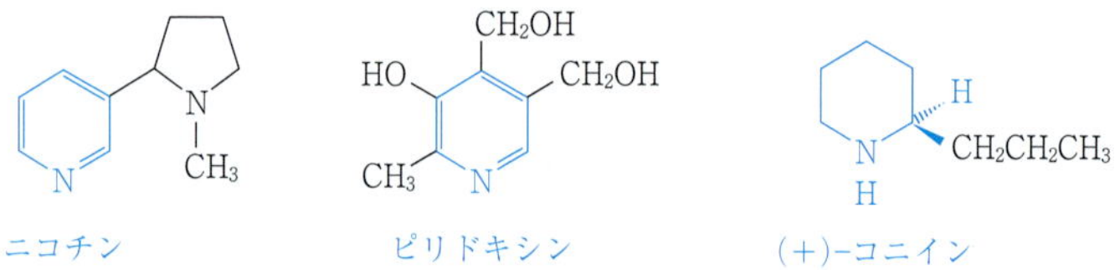

ニコチン　　　ピリドキシン　　　(+)-コニイン

問題 13.4　天然物のコニインは上に示した（+)-異性体である。これの立体配置はRかそれともSか。

問題 13.5　天然のニコチンは(S)-(-)体である。キラル中心の位置を示し，3次元構造を書け。

問題 13.6　ニコチンには2つの窒素原子が存在する。その1つはピリジン環に，もう1つはピロリジン環に存在する。1当量のHClと反応して$C_{10}H_{15}N_2Cl$の組成をもった結晶性の塩を生成する。この塩の構造を書け。ニコチンはまた2等量のHClと反応して，$C_{10}H_{16}N_2Cl_2$の組成をもった結晶性の生成物を与える。この構造式も書け。

13.3　その他の6員環複素環化合物

ピリジン環をベンゼン環と融合させると多環式複素環芳香族化合物が得られる。その中で重要なものはナフタレン（4.13節参照）に似た**キノリン**（quinoline）と**イ**

☞　**キノリン**と**イソキノリン**は，ナフタレンのC1またはC2位の1つのCH単位を1つのN原子で置き換えたナフタレン類似物である。

13.3 その他の6員環複素環化合物

ソキノリン（isoquinoline）であり，これらはナフタレンのC-1またはC-2位をNで置き換えた構造をもつものである。

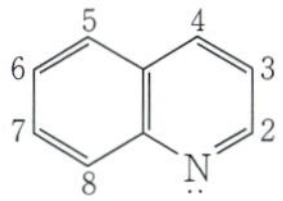

キノリン
bp 237℃

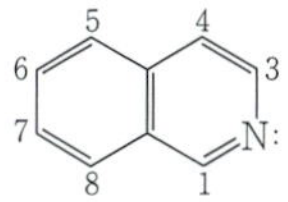

イソキノリン
bp 243℃, mp 26.5℃

これらのアミンにおける求電子置換反応はもっぱら炭素環の上で起こり，求電子剤に対してピリジノイド環がベンゼノイド環よりも不活性であることを示している。

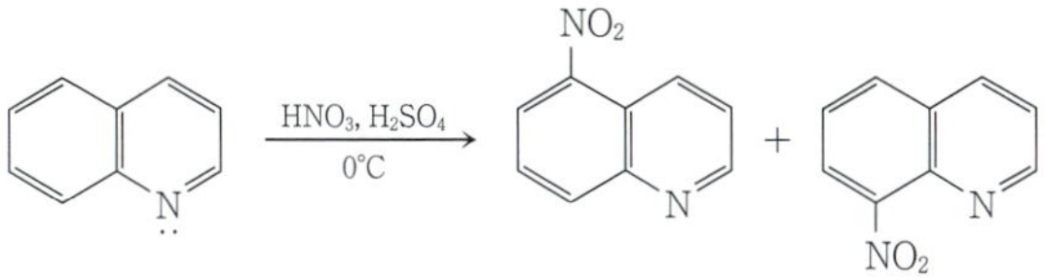

$$\text{キノリン} \xrightarrow[0℃]{HNO_3, H_2SO_4} \text{5-ニトロキノリン} + \text{8-ニトロキノリン} \qquad (13.7)$$

ピリジン環の安定な性質は酸化反応においても示される。たとえば，キノリンを過マンガン酸カリウムで処理するとベンゼノイド環だけが酸化される。

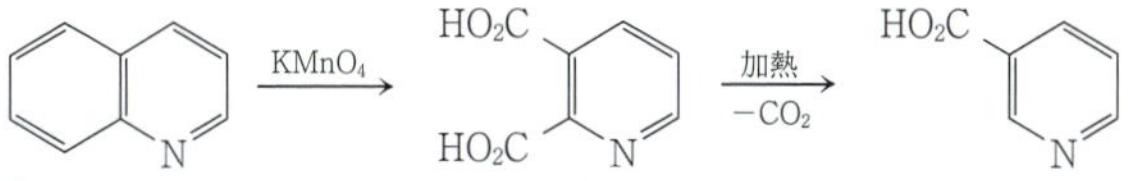

$$\text{キノリン} \xrightarrow{KMnO_4} \text{キノリン酸} \xrightarrow[-CO_2]{加熱} \text{ニコチン酸} \qquad (13.8)$$

キノリンやイソキノリン環は天然物の中に数多く見いだされている。そのよい例はキナの木の樹皮に含まれるマラリヤの特効薬**キニーネ**（quinine）や，アヘンに含まれる筋鎮けい剤の**パパベリン**（papaverine）であろう。

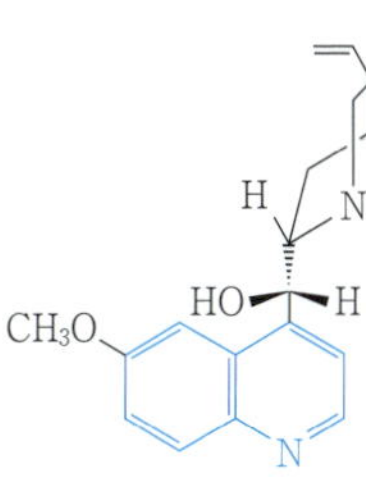

キニーネ 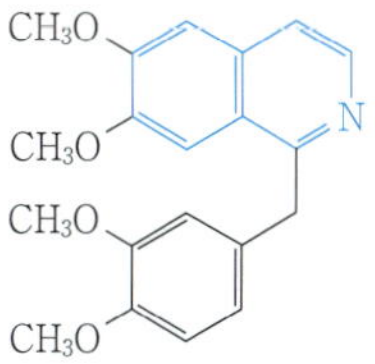　　パパベリン 　　ケシ

さて，ベンゼンのCHを1つNで置きかえるとピリジンになったが，2つをNで置

きかえることは可能だろうか。その答えはイエスであり，実際に3種類の**ジアジン**（diazine）が存在する。

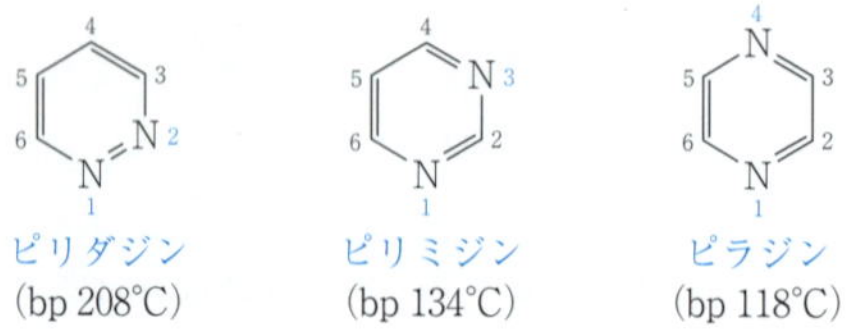

ピリダジン (bp 208℃)　　ピリミジン (bp 134℃)　　ピラジン (bp 118℃)

3つ以上をNで置き換えたなかでも，もっとも重要なものは**ピリミジン**（pyrimidine）であり，これの誘導体である**シトシン**（cytosine），**チミン**（thymine），**ウラシル**（uracil）の3つは核酸のDNAならびにRNAを構成する重要な塩基である。

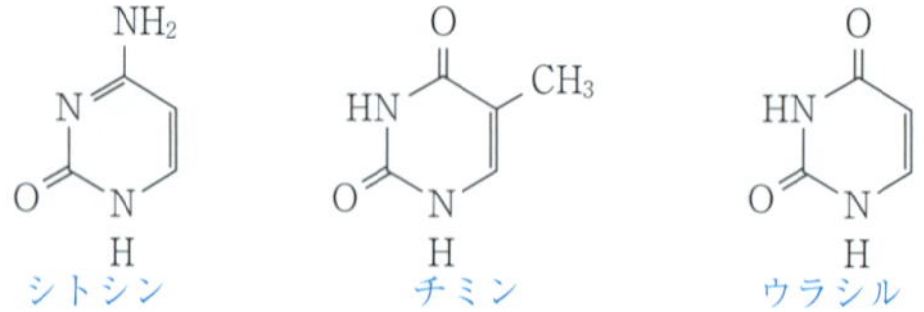

シトシン　　チミン　　ウラシル

トリアジンおよびテトラジンもまた知られているが，ペンタジンやヘキサジン（後者は単一元素のみからできている窒素の同素体であり，複素環とはよべないだろう）は知られていない。

　ナフタレンについても同様に，そのCHが2つ以上窒素で置換された化合物が知られている。ナフタレンのC-1，C-3，C-5，C-8がNで置き換わった構造をもつ**プテリジン環**（pteridine）は，蝶の羽根に含まれる色素の**ザントプテリン**（xanthopterin）や造血ビタミンの**葉酸**（folic acid）など，数多くの天然物分子中にみられる構造である。また，葉酸のプテリジン環のOH基をNH$_2$で置換し，側鎖の最初の窒素上にメチル基を入れた葉酸誘導体は**メソトレキセート**（methotrexate）とよばれるガン化学療法剤として使用されている。

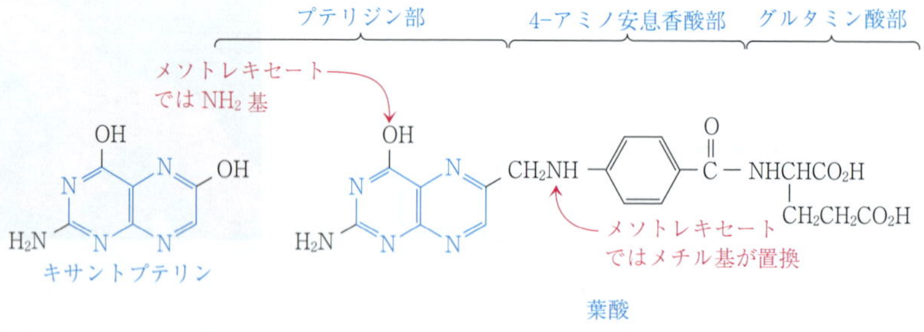

キサントプテリン　　葉酸

☞　**ジアジン**とは2つのN原子をもつ6員環の複素環化合物である。そのうち**ピリミジン**では，この6員環の1と3の位置にN原子が入ったものである。

13.3 その他の6員環複素環化合物

本節の内容をまとめてみよう。ベンゼノイド芳香族のCH基を1つ以上の窒素原子で置き換えた構造をもつ6員環複素環化合物は，これもまた芳香族である。そこでの窒素原子は1電子を供出して6π芳香族系を形成している。またこれらの窒素原子上の非共有電子対は環平面内に存在していて塩基性を示す。窒素原子は電子求引性であるので，これらの複素芳香族環における求電子置換反応では環を不活性化する一方で，求核置換反応では活性化する効果を示す。これらの複素芳香族環の構造は数多くの天然化合物にみられるものである。

ベンゼンのCHを窒素原子で置き換えることができるのなら，酸素原子でも同じように置き換えられるであろうか。その答えはイエスであり，この場合は**ピリリウムイオン**（pyrylium ion）とよばれる芳香族カチオンになる。

ピリリウムイオン

例題 13.3

ピリリウムイオンの結合のようすについて説明せよ。

解答 酸素原子はsp^2混成をしており，5電子しかもたないので形式電荷は+1である。5電子のうちの2つは非共有電子対として環平面内にあるsp^2軌道に収容され，さらに2電子はやはりsp^2混成した2つの隣接炭素原子とのσ結合形成に使われている。そして5番目の電子は環平面に垂直なp軌道内にあり，環炭素上の同じようなp軌道と重なって，ベンゼンのように芳香族6電子系のπ電子雲を環の上下に形成している。

花に含まれる赤や青の色素の多くは**アントシアニン**（anthocyanine）類であり，そこにはピリリウム環が存在している。たとえば赤い薔薇の色素はつぎの構造をもっている。

赤バラの顔料
（Gl ＝ グルコース）

ヤグルマギク

☞ ベンゼン環の1つのCH単位をO原子で置き換えると**ピリリウムイオン**が得られる。

ここに存在するグルコース基は，細胞液の水相に色素を溶解させる役割を果たしている。一方，トウモロコシの花の青色はこの同じ色素が金属イオンのFe^{3+}またはAl^{3+}と錯化したものである。ほかの花の色素も多かれ少なかれよく似た基本構造をもっており，ただ水酸基の数が多かったり少なかったり，位置が異なったりするだけである。

13.4　5員環複素環化合物；フラン，ピロール，チオフェン

さて，つぎは，いささか様子の異なる複素芳香族環の5員環化合物について説明しよう。**フラン** (furan)，**ピロール** (pyrrole)，**チオフェン** (thiophene) はヘテロ原子1つをもった5員環複素環の代表的な化合物である。

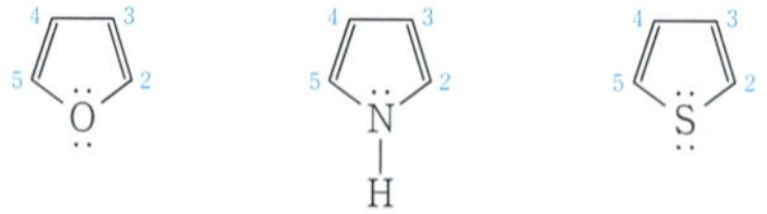

フラン (bp 32℃)　　ピロール (bp 131℃)　　チオフェン (bp 84℃)

これらの構造式上の位置番号はヘテロ原子からはじまり，環にそって順につけられている。

フラン類の工業原料として代表的なものは，オート麦の殻，トウモロコシの穂軸，麦藁などを酸で加熱して得られる**フルフラール** (furfural, 2-フルアルデヒドのこと) である。フランがこれらの天然物から得られる理由は，これらの原料が5炭素糖 (ペントース) のポリマーからできており，酸で処理すると脱水されてフルフラールになるからである。

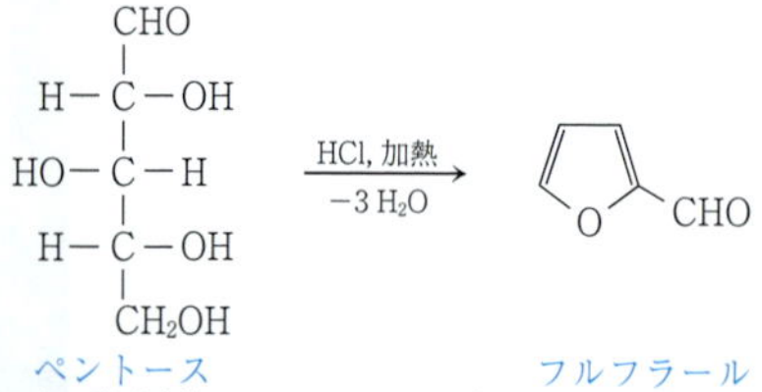

$$\text{ペントース (5-炭素糖)} \xrightarrow[-3H_2O]{HCl, 加熱} \text{フルフラール (2-フラルアルデヒド)} \tag{13.9}$$

ピロールは石炭の乾留や，フランとアンモニアの触媒反応で工業的に製造されている。チオフェンはブタンとブテンの混合物を硫黄と加熱して製造されている。

構造式をみると，これらの複素環化合物はジエンのようにみえるが，実際は芳香族である。これらがベンゼンに似た性質をもっていることは芳香族求電子置換反応を行うことに示されている。これらが芳香族性をもつ理由は，分子の結合の様子を調べてみると理解できる。

13.4 5員環複素環化合物；フラン，ピロール，チオフェン

そのことをフランを例にとりあげて説明しよう。平面五角形をもつこの分子では環を形成する原子はすべてsp^2混成している。

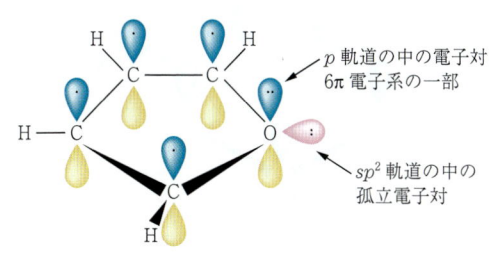

フランの軌道構造

環を構成する原子それぞれは，2つのsp^2軌道を隣接する原子とのσ結合に使用し，炭素原子では，残り1つの環平面内のsp^2軌道を水素原子とのσ結合に使用し，あとの1電子を環平面に垂直なp軌道に収容している。この様子はベンゼンの炭素原子とまったく同じである。酸素原子では，1つの非共有電子対を環平面内にあるsp^2軌道に収容し，さらに2電子を環平面に垂直なp軌道に収容している。この2電子は炭素のp軌道と重なって，ベンゼンのように6π電子雲を環平面の上下に形成している。ピロールやチオフェンの結合様式もフランに類似したものである。

5員環と6員環の複素環芳香族化合物の大きな違いは，6π電子系を形成するために5員環ではヘテロ原子が2電子を供出しているが，6員環では1電子しか供出していないところにある。この差はこれらの化学反応性が大きく異なる結果となって現れる。

この反応性の差を説明する前に，フランの結合状態を別の角度からみてみよう。この複素環は，ヘテロ原子のもつ電子対がすべての環原子上に非局在化した共鳴混成体として書くことができる。

フランの共鳴混成構造

ここで注目してほしいのは，この4つの構造が双極性の構造をもっており，負電荷が環炭素上に置かれていることである。すなわち求電子剤の攻撃を受けやすいことがわかる。

例題 13.4

ピロールはアミンの1種であるにもかかわらずきわめて弱い塩基であり，そのpK_aは-4.4であってピリジン（$pK_a = 5.29$）より10^{10}も弱い。その理由を説明せよ。

解答 ピロールでは窒素上の非共有電子対は芳香族6π電子系の一部として取り込まれている。

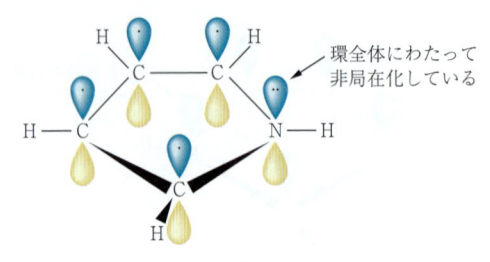

環全体にわたって非局在化している

この窒素がプロトン化されると芳香族性が破壊され，共鳴エネルギーを喪失することになるのできわめて不利である。したがって，ピロールはきわめて弱い塩基であって，強酸中では窒素よりもむしろ環炭素がプロトン化される結果となる。

$$pK_a = -4.4$$

これに比べてピリジンの非共有電子対は芳香族π系の一部を構成していないので，プロトン化できる（式13.1）。

問題 13.7 ピロールは水に溶解しないが，その飽和した型の同族体であるピロリジンは水に完全に溶解する。その理由を説明せよ。

ピロリジン

13.5 フラン，ピロール，チオフェンにおける求電子置換反応

フラン，ピロール，チオフェンの求電子置換反応における反応性はベンゼンよりもかなり高く，もっぱらC-2位で反応する（この位置に置換基が存在するときはC-5位で反応する）。いくつかの反応例をつぎに示そう。

$$\text{ピロール} + HNO_3 \xrightarrow{0℃} \text{2-ニトロピロール} + H_2O \qquad (13.10)$$

$$\text{フラン} + Br_2 \xrightarrow[0℃]{\text{エーテル}} \text{2-ブロモフラン} + HBr \qquad (13.11)$$

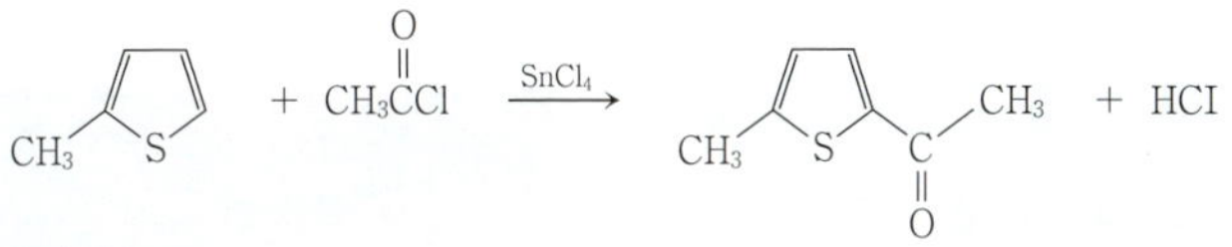

13.6 その他の5員環複素環化合物：アゾール化合物

$$\text{2-メチルチオフェン} + CH_3CCl \xrightarrow{SnCl_4} \text{2-アセチル-5-メチルチオフェン} + HCl \quad (13.12)$$

C-2位が優先的に反応する理由は，つぎの反応中間体の炭素陽イオン共鳴式をみれば理解できる。

C-2位への求電子攻撃 （X = NH, O, S）

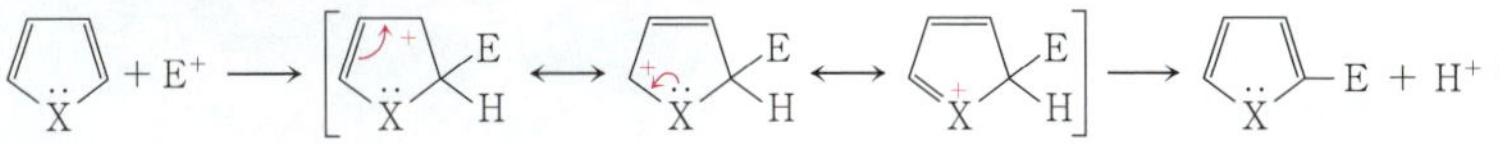

$$\quad (13.13)$$

C-3位への求電子攻撃

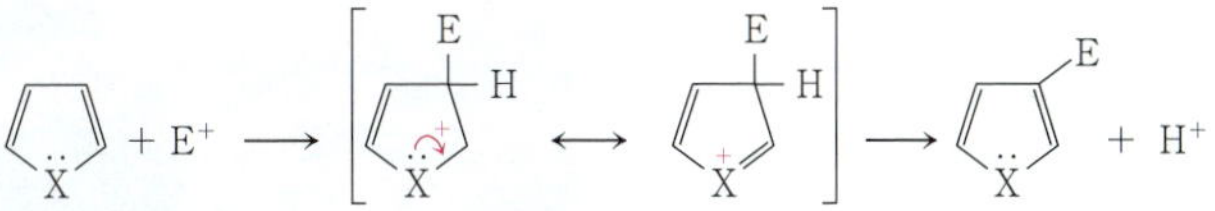

$$\quad (13.14)$$

式13.13の炭素陽イオン中間体では陽電荷が3つの原子上に非局在化できるのに比べて，C-3位への攻撃（式13.14）では2つの原子上にしか非局在化できないので，C-2位への攻撃が優先する。

> **問題 13.8** フランの臭素化反応（式13.11）の機構を段階的に書いて説明せよ。

13.6 その他の5員環複素環化合物：アゾール化合物

5員環複素環化合物には2番目のヘテロ原子を導入できる（さらに3，4番目も導入可能）。その中でもとくに重要なのは2つ目の原子が窒素である**アゾール** (azole) **化合物**であろう。

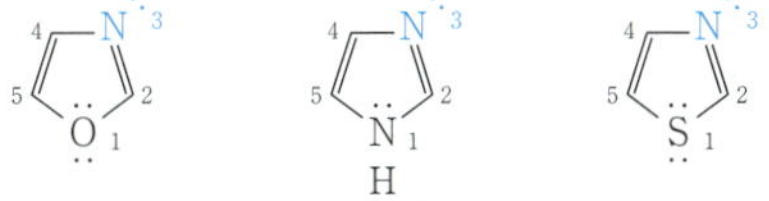

　　　　オキサゾール　　イミダゾール　　チアゾール

2つのヘテロ原子が隣接した同族体も知られている。

ピリジンと同じように，これらも芳香族複素環のCHをNで置き換えて得られたと考えることができる。したがってC-3位に導入した窒素原子上の非共有電子対は，図示したイミダゾールの電子配置図のように，芳香族6π電子系には取り込まれていない。

☞ **アゾール化合物**は5員環の複素環であり，1の位置にOまたはNまたはS原子を，3の位置にN原子を1つもっている。

A WORD ABOUT ...

ポルフィリン類のこと：血が赤く草が緑なわけ

ピロール環は生理学的に重要な色素の構成単位である。**ポルフィリン類**（porphyrin）は4つのピロール環が互いに炭素1つで架橋した構造をもつ大環状化合物である。この分子全体は平面構造をもっていて，下の図に示すように母体**ポルフィン**（porphin）の分子構造中でカラーで印刷された18π電子の共役系を構成している。ポルフィリン類はきわめて安定で強く着色した化合物である。一般には金属イオンと反応して錯体を形成するが，その構造中にはもはや2つのN−H結合の水素は存在せず，4つの窒素原子がそれぞれの電子対を，錯体の中央に位置する金属に供与している形をもっている。

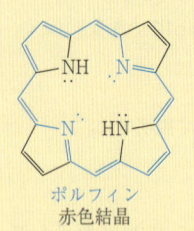

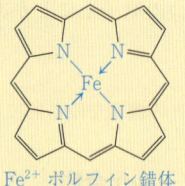

ポルフィン
赤色結晶

Fe^{2+} ポルフィン錯体
褐色の立体晶

緑色の葉緑素がなくなると紅葉が現れる

ポルフィンそれ自身は天然には存在しない。しかしそのピロール環上に様々な側鎖をもったものの中には，自然界に存在して生命維持化合物として重要な役割を果たしているものが数多くある。その好例は，赤血球に存在する鉄-ポルフィリン錯体の**ヘム**（heme）であろう。

ヘムは赤色細胞中で**グロビン**（globin）とよばれるタンパクとの錯体として存在し，この錯体は**ヘモグロビン**（hemoglobin）とよ

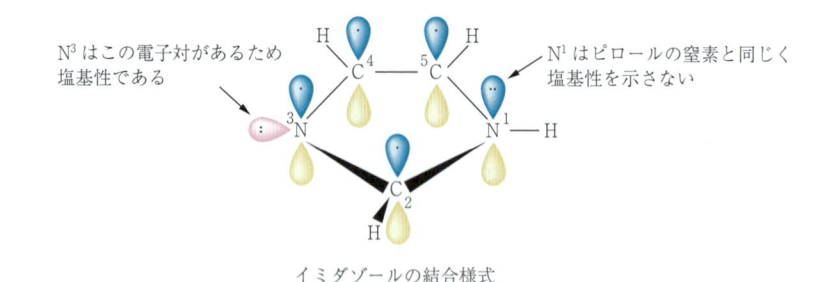

N^3 はこの電子対があるため塩基性である

N^1 はピロールの窒素と同じく塩基性を示さない

イミダゾールの結合様式

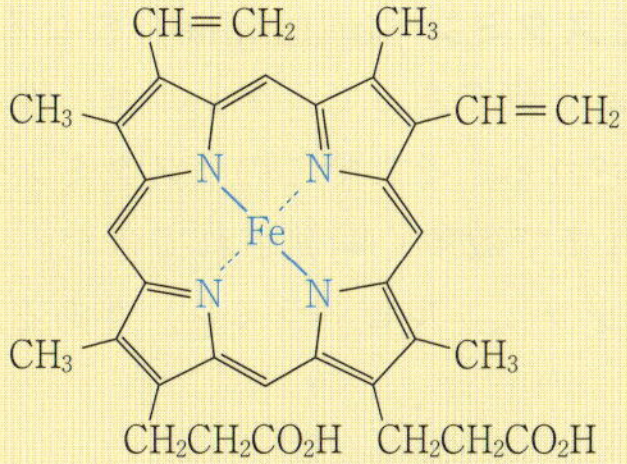

13.6 その他の5員環複素環化合物：アゾール化合物

ヘム（紫の輝きを有する褐色針状結晶）

ばれている。これは分子状酸素と結合して酸素をカラダの必要な部位へ運ぶ役割を担っている。鉄原子は4つのポルフィリン窒素原子と錯化しているが、それでもまだ環平面の上下に2つの配位座を残している。そのうちの1つは、タンパク質中のヒスチジンがもつイミダゾール環によって占められているが、2つ目が酸素分子との可逆的結合に使われることになる。一酸化炭素はこの位置で酸素と同じように結合して、酸素が肺などに運ばれるのを阻止する毒性を示すので、究極的には窒息して死亡する。だが幸運なことに、このCO結合形成は可逆的であるから、一酸化炭素中毒にかかった患者に酸素を早急に供給すれば救えることもある。

ヘムは筋肉中の酸素運搬タンパク質である**ミオグロビン**（mioglobin）とも関係があり、ヘモグロビンと同じような働きを行っている。

植物の緑色はポルフィリン同族体のマグネシウム錯体である**クロロフィル**（chlorophyll）に由来する。この色素は植物によって数は異なるが、細胞中に1つ以上は存在するクロロプラスト中に存在する。クロロフィル a とよばれるものは長鎖アルコールの**フィトール**（phytol）のエステルであり、これによって色素がクロロプラスト中に溶解するのを助けている。

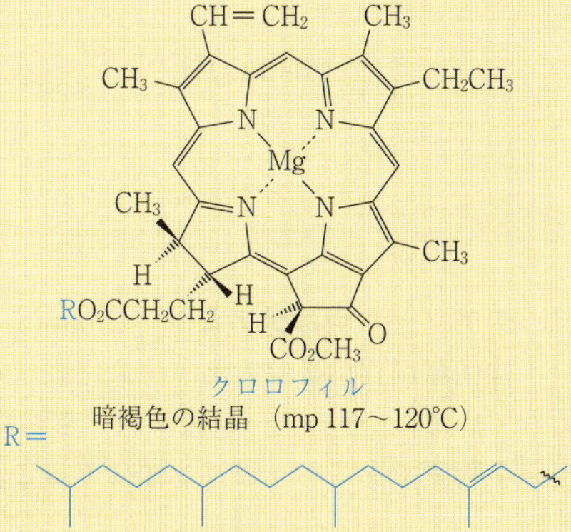

クロロフィル
暗褐色の結晶 (mp 117～120℃)

R＝

クロロフィル b も植物色素であるが、クロロフィル a と異なる点は、環上のメチル基1つをアルデヒド基で置換している構造にある。光合成の機構（植物を使って CO_2 と H_2O を炭水化物へ変換すること）はきわめて複雑であって、数多くの反応段階を経由して進行しているが、その最初の段階はクロロフィルが光を吸収して、化学エネルギーに変換するところにある。このように、クロロフィルは太陽エネルギー変換器であるともいえよう。

その結果N-3は塩基性を示しプロトン化を受けやすい。さらにイミダゾールでは、プロトン化で生じるイミダゾリウムイオンの陽電荷が2つの窒素上に非局在化できるので、ピリジンよりも強い塩基性を示す（pK_a = 7.0，ピリジンのpK_a は5.2）。

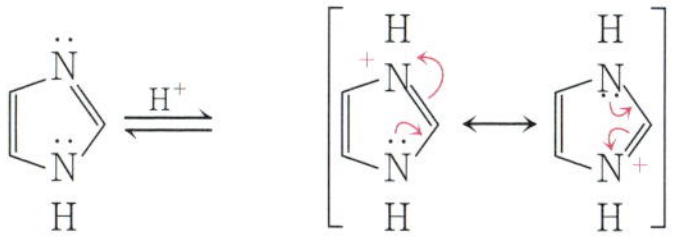

(13.15)

イミダゾリウムイオンの共鳴構造

このような環系は天然物中にも存在している。たとえば、イミダゾール骨格はア

ミノ酸の**ヒスチジン**（histidine）に存在し，数多くの酵素反応において重要な役割を果たしている。ヒスチジンが脱炭酸すると**ヒスタミン**（histamine）になるが，これは体組織中にタンパク質と結合して存在する毒素であって，アレルギー性過敏症（たとえば花粉症など）や炎症によって放出される。そこでこのヒスタミン効果を防ぐ**抗ヒスタミン剤**（antihistamine）がこれまで数多く開発されてきた。よく知られたものの1つに**ベナドリル**（benadryl）（ジフェニルヒドラミン）がある。

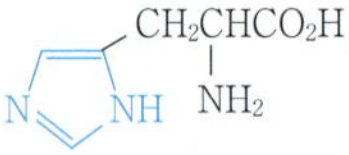

ヒスチジン 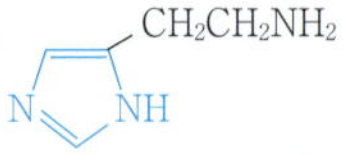　　　ヒスタミン 　　　ベナドリル（抗ヒスタミン）

チアゾール環は**チアミン**（thiamin, ビタミンB_1）に含まれている。このビタミンは代謝過程に必要であり生命活動に不可欠な補酵素である（ピリミジン環も含まれている）。チアゾール環が還元された形のテトラヒドロチアゾール環は，主要な抗生物質であるペニシリン類にみることができる。

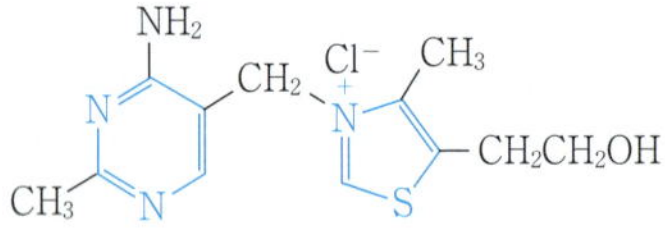

チアミン（ビタミンB_1）

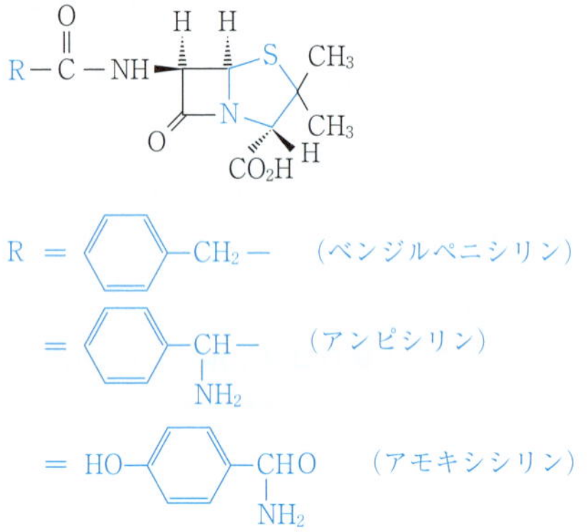

R = （ベンジルペニシリン）

= （アンピシリン）

= （アモキシシリン）

13.7　縮合環をもった5員環複素環化合物；インドールとプリン

　5員環複素環化合物の二重結合にはさらに芳香族環または複素芳香族環を縮合できる。たとえば，**インドール**（indole）はピロールのC2－C3結合にベンゼンを縮合した構造をもっている。

☞　**抗ヒスタミン剤**とは，毒物**ヒスタミン**の効果と拮抗する化合物である。
☞　ピロールのC2－C3結合にベンゼン環が縮合した構造をもつ**インドール**環の構造は，天然物の構造中に数多く見出されている。

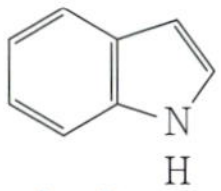

13.7 縮合環をもった5員環複素環化合物；インドールとプリン

インドール

インドール環は重要な天然化合物に数多くみられるものだが，これはタンパク質を構成するアミノ酸の1つである**トリプトファン**（tryptophan）から生合成される。インドール自身やその3-メチル誘導体の**スカトール**（skatole）はタンパク質の分解過程で生成する化合物である。

トリプトファンが脱炭酸すると**トリプタミン**（tryptamine）が生成する。脳や神経系に好ましい作用を示す物質のなかにはこの骨格をもったものがいくつか存在する。たとえば**セロトニン**（serotonin）があるが，これは中枢神経系における神経伝達物質や血管収縮剤としての活性を示すものである。

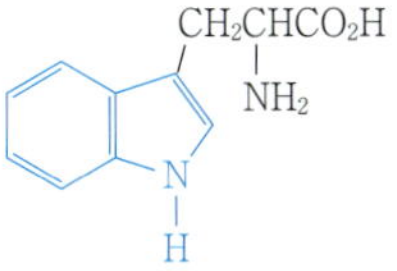

トリプトファン 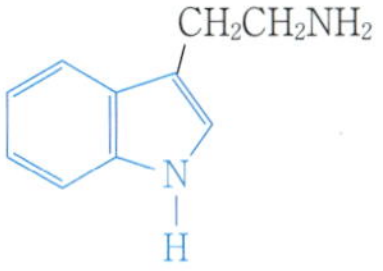　　　トリプタミン 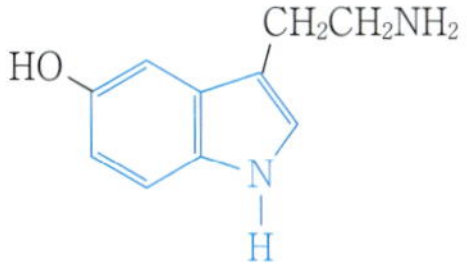　　　セロトニン

トリプタミン骨格は姿を変えて数多くの複雑な分子中に存在している。**レセルピン**（recerpine）はヒマラヤの低山麓に自生するインド蛇木（rauwolfia serpintina）の根に含まれる物質で，数世紀にわたり医薬として用いられてきた。これは血圧を下げる働きをもつことから，精神分裂症の患者が治療を受ける際の鎮静剤として使用されている。**リゼルギン酸**（lysergic acid）はライ麦などの穀物に繁殖する麦角菌に含まれる成分である。そのカルボキシル基をジエチルアミド基に変換するだけで，きわめて強力な幻覚剤として知られるLSDになる。

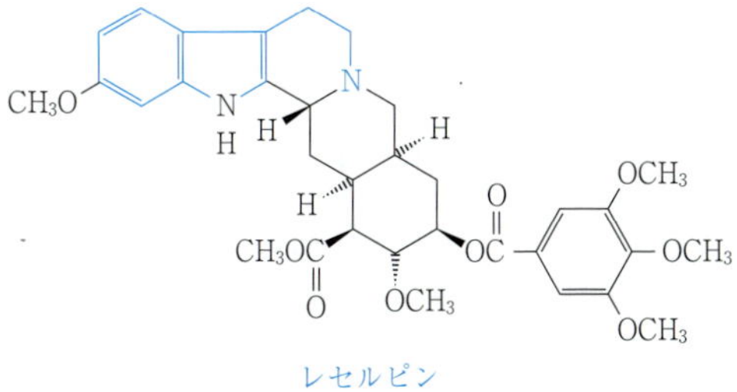

レセルピン 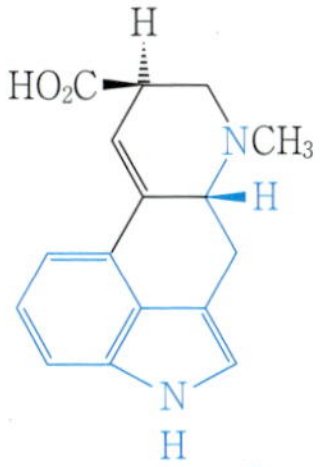　　　リゼルギン酸

A WORD ABOUT ...

モルヒネをはじめとする含窒素医薬品

　ギリシャの神々の中の夢の神 Morpheus にちなんだ名称をもつ**モルヒネ**（morphine）は，アヘンの主要なアルカロイド成分である。

　アヘンはケシ科の papaver somniferum の未成熟な果皮から浸出する液体を乾燥させたもので，その医薬としての効能は古代からよく知られていた。しかしモルヒネが純粋な状態ではじめて分離できたのは 1805 年であり，構造の解明には 1925 年，全合成には 1952 年にはじめて成功している。

　肉体的苦痛は医学上のもっとも重要な問題であり，痛みの緩和は昔から医学の大きな課題である。モルヒネは患者が意識を失わずに苦痛を軽減できる鎮痛剤（analgesic）である。かつてはアメリカの南北戦争で，ちょうどそのころ皮下注射器が発明されたこととあいまって，戦傷兵の全身の苦痛を和らげるために使用された。ところがこれには重大な副作用，ことに習慣性の問題がある。また吐き気，血圧降下，さらに幼児や衰弱した患者にとっては命とりにもなりかねない呼吸速度の低下などの副作用がある。

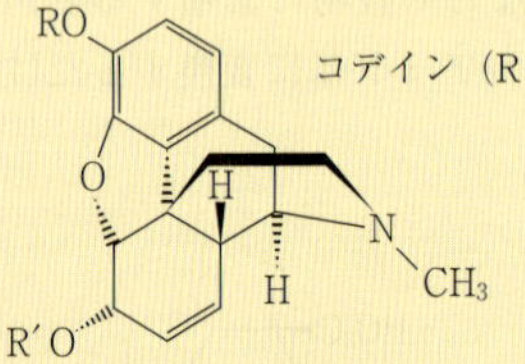

　そこでモルヒネの構造を少し変えて，モルヒネの長所をもちながら副作用の少ないモルヒネをつくる試みが行われてきた。モルヒネを無水酢酸でアセチル化するとジアセチル体の**ヘロイン**（heroin）が得られるが，これはモルヒネに比べると呼吸機能低下の副作用がはるかに小さく鎮痛剤に適している。ところが習慣性がかなり強くなり麻薬問題の中心的物質でもある。モルヒネの水酸基を 1 つだけメチル化した構造をもつ**コデイン**（codeine）は，咳止め薬としての効能があるが，鎮痛剤としてはモルヒネの 10 分の 1 以下の効きめしかないのが残念である。

　モルヒネの分子構造のいろいろな部分を真似た化合物が数多く合成され，その鎮痛剤としての効能が調べられた。そのうち代表的なもの 3 つをつぎに示す。どの構造をみても青線で印刷した部分がモルヒネの構造に似ていることに気がつくだろう。

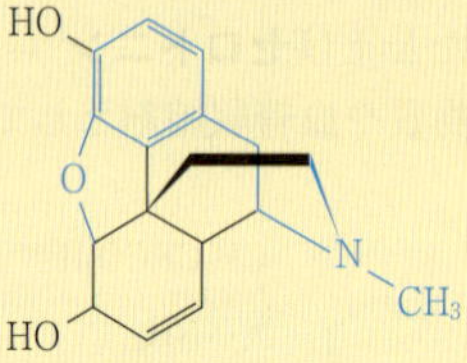

モルヒネ（モルフィン）

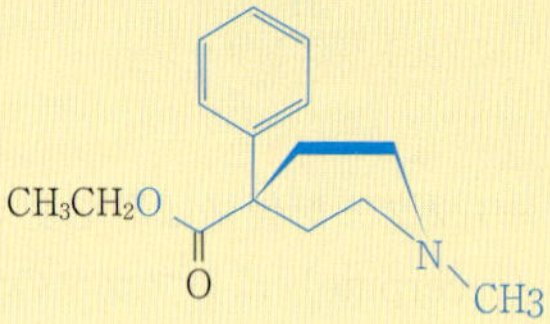

デメロール（メペリジン）

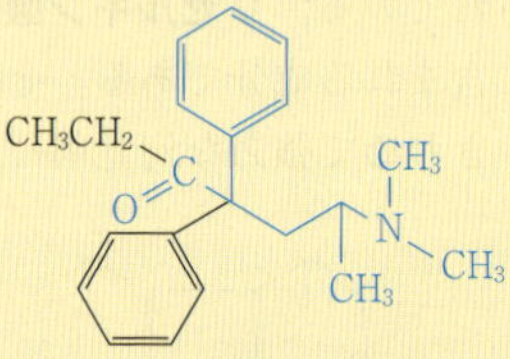

メタドン

モルヒネ　(R=R′=H)
ヘロイン　(R=R′=−CCH₃)
　　　　　　　　　　 ‖
　　　　　　　　　　 O
コデイン　(R=CH₃, R′=H)

　デメロール（demerol）はモルヒネよりも単純な構造をもった有効な鎮痛剤である。ここで注目すべきは，モルヒネと同じようにピペリジン環をもつことである。**メタドン**（methadone）はモルヒネと同じような窒素原子をもってはいるが，もはや複素環化合物ではない。これは第 2 次大戦中にモルヒネ製

13.7 縮合環をもった5員環複素環化合物：インドールとプリン

造の資源が枯渇したために，ドイツで作られ使用された鎮痛剤である。大戦後も麻薬常習患者の治療目的にヘロイン代用薬として使用されたが，これにも習慣性の副作用がある。このように理想の鎮痛剤探しの研究は現在でも続けられている。

手術や負傷につきものの苦痛は局部麻酔薬で処理することが多いが，これらの多くは含窒素化合物である。コカの木(erythrozylum coca)に含まれるアルカロイドの**コカイン**(cocaine)は古くからこの目的に用いられたものの1つである。これは血管を収縮させるので，無血手術の目的に用いられたが，やはり習慣性などの好ましくない副作用があった。現在では（医用以外の違法目的に使用するものはいつの時代でもいるのだが）これに代わって**プロカイン**(procaine)塩酸塩（Novocainなど）が使用されている。

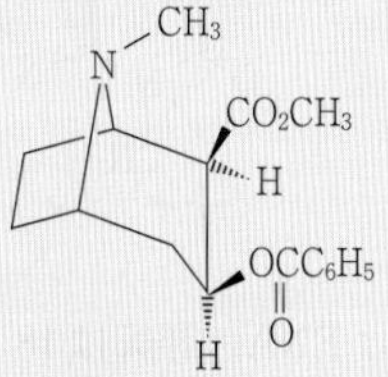

コカイン
mp 98°C

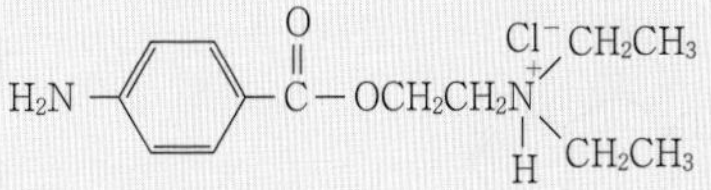

プロカイン塩酸塩
(mp 153～156°C)

プロカインは低毒性で殺菌作用があり，また合成が容易で，コカインよりも短い理想的な作用時間をもっている。通常は神経組織に注射して局部麻酔の目的に用いられる。その生理的機能はアセチルコリン（11.12節参照）による神経刺激伝達を防げることにある。プロカイン塩酸塩は歯科や獣医学も含めた広い医療分野で，少なくとも27以上の異なる医薬名のもとに現在使用されている。

さらに単純な構造をもった**ベンゾカイン**(benzocaine)（p-アミノ安息香酸エチル）は火傷や虫刺されや切り傷用軟膏に使われる弱い局部麻酔薬である。プロカインとベンゾカインがいずれもp-アミノ安息香酸のエステルであることは注目に値する。

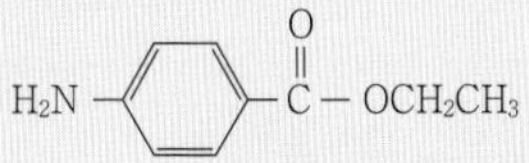

ベンゾカイン
(mp 88～90°C)

モルヒネよりも100倍も効果が大きく，非常に短い時間に効く**フェンタニル**(fentanyl)は，現代医学におけるきわめて重要な麻酔薬である。米国では手術の70％でこれを使用している。

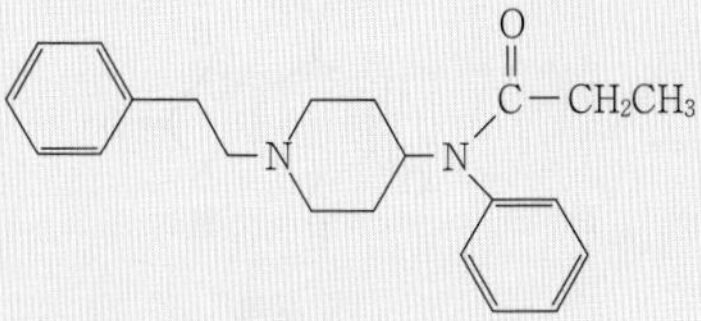

フェンタニル

苦痛にもいろいろなタイプがあるが，適度の効き目をもった精神安定剤（トランキライザー）も治療目的に使用されている。この目的の処方せんにはたいてい7員環ヘテロ環をもった**リブリウム**(librium)，**バリウム**(valium)が入っており，この2つは現代精神医学における代表的な治療薬である。

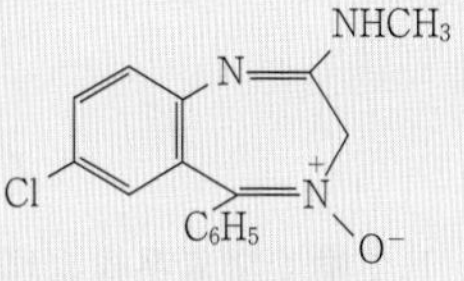

リブリウム

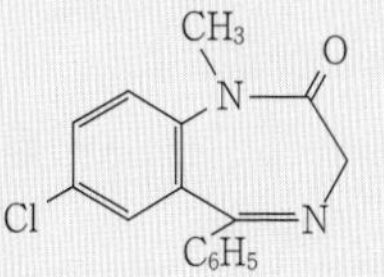

バリウム

プリン類（purine）は生化学的に重要なもう1つの縮合環系の複素環化合物であり，イミダゾールとピリミジンとが縮合した分子構造をもっている。

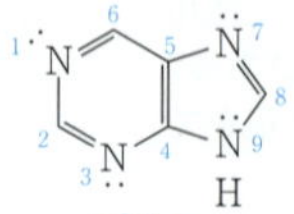

プリン
(mp 217℃)

尿酸（uric acid）はすべての肉食動物の尿中に含まれ，鳥類や爬虫類の排泄物にも含まれる窒素代謝産物である。痛風の名で知られる病気は，尿酸塩の尿酸ナトリウムが関節や腱に沈着するために起きる疾病である。**カフェイン**（caffeine）はコーヒー，紅茶，コーラ系飲料に含まれ，ココアに含まれる**テオブロミン**（theobromine）もまたプリンの一種である。

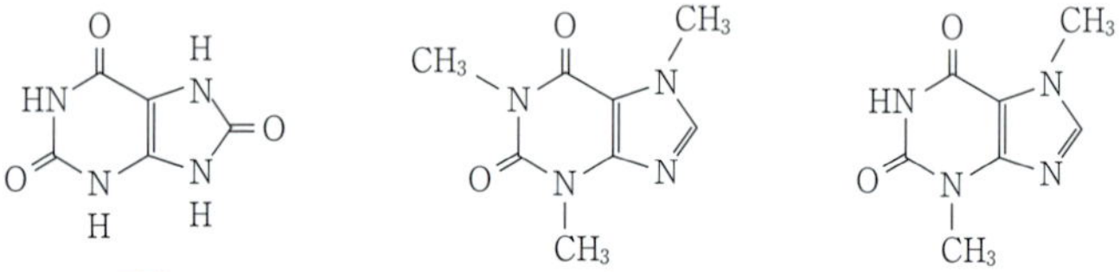

尿酸　　　カフェイン　　　テオブロミン

天然物中でもっとも重要なプリン類は，核酸（DNAとRNA，詳細は18章参照）を構成する窒素塩基のうち，**アデニン**（adenine）と**グアニン**（guanine）の2つであろう。

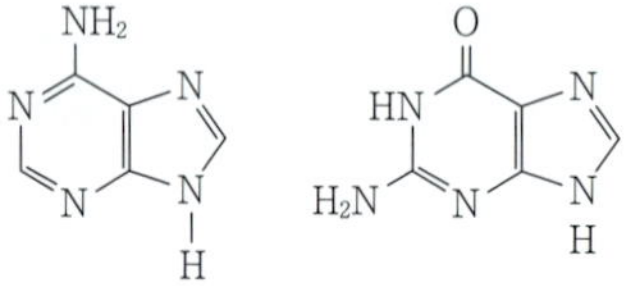

アデニン　　　グアニン

医薬として働く窒素系複素環化合物はきわめて多いが，その主役の1つにモルヒネがある。

☞　**プリン類**はピリミジン環がイミダゾール環に縮合した構造をもっている。

反応のまとめ

1. ピリジンおよび類似の6員環芳香族複素環化合物の反応

a. プロトン化 (13.1節)

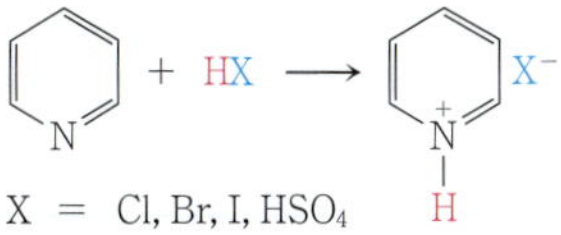

ピリジン + HX ⟶ ピリジニウム X^-

$X = Cl, Br, I, HSO_4$

b. 求電子芳香族置換反応 (13.2節)

ピリジン + E^+ ⟶ 3-E-ピリジン + H^+

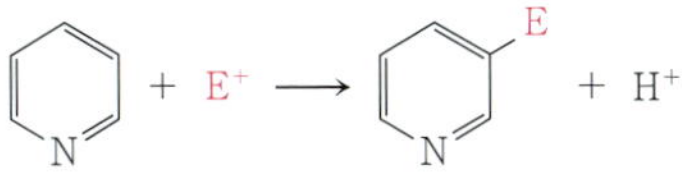

c. 求核芳香族置換反応 (13.2節)

ピリジン + Nu–金属 ⟶ 2-Nu-ピリジン + 金属–H

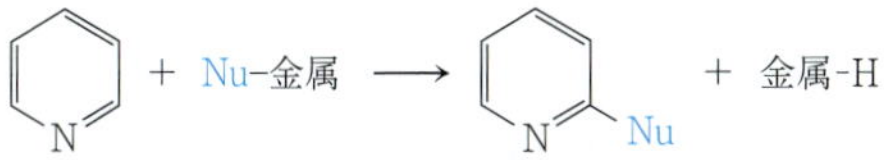

例：Nu–金属 = H_2N–Na, Ph–Li

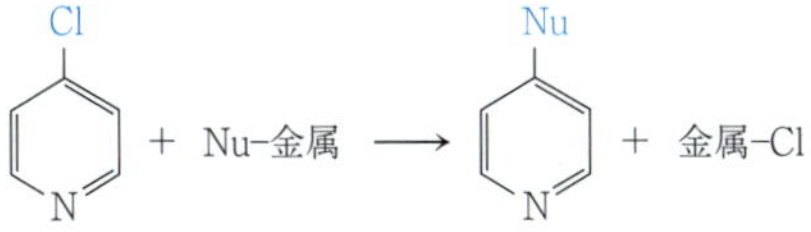

4-クロロピリジン + Nu–金属 ⟶ 4-Nu-ピリジン + 金属–Cl

例：Nu–金属 = CH_3O–Na

d. アルキル側鎖の酸化反応 (13.2節)

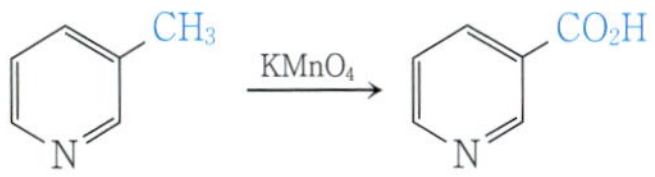

3-メチルピリジン $\xrightarrow{KMnO_4}$ 3-CO_2H-ピリジン

e. 芳香環の還元反応 (13.2節)

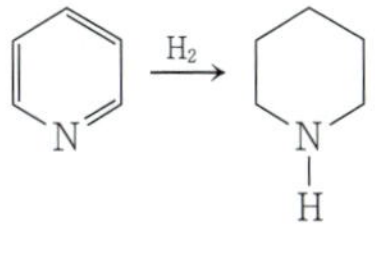

ピリジン $\xrightarrow{H_2}$ ピペリジン

2. 5員環芳香族複素環化合物で起こる求電子芳香族置換反応 (13.5節)

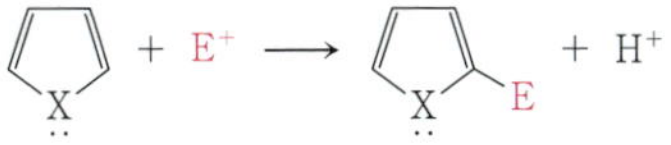

5員環 + E^+ ⟶ 2-E-5員環 + H^+

$X = O, S, N–H$

反応機構のまとめ

1. ピリジンの求電子芳香族置換反応（13.2節）

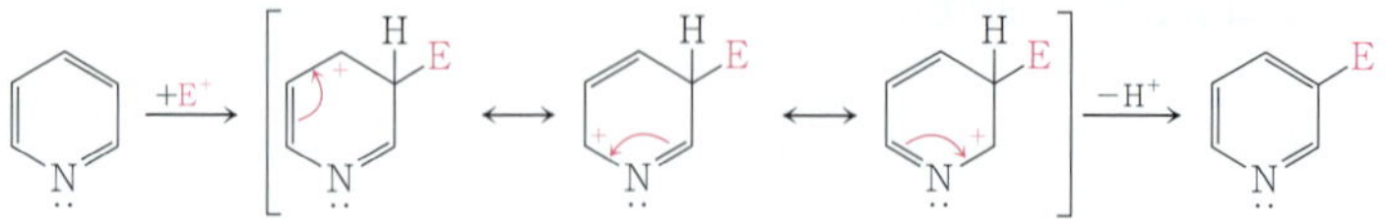

2. 置換ピリジンの求核芳香族置換反応（13.2節）

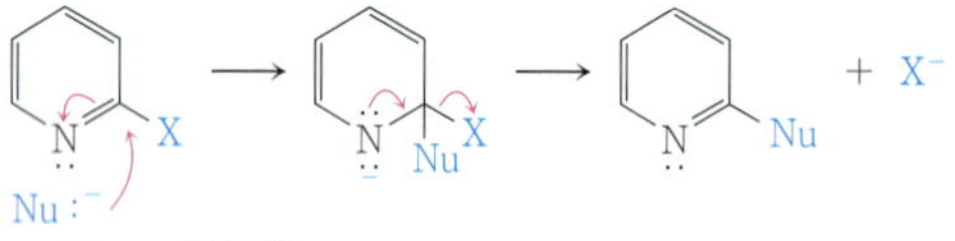

X ＝ 脱離基

3. 5員環複素環での求電子芳香族置換反応（13.2節）

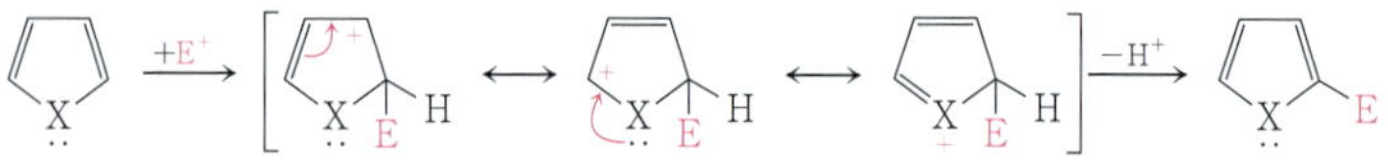

X ＝ O:, S:, N−H

章末問題

ピリジンとそれに関連する6員環複素環化合物の反応

13.9 ピリジンでは，p.420の共鳴混成体に書かれたKekulé型構造のほかに，それほど重要でないが3つの双極性共鳴構造式を書くことができる。その構造式を書け。この共鳴構造式から，ピリジンの求電子剤に対する反応性がベンゼンよりも低いことと，反応が起こる場合は3-位で反応する理由を説明せよ。

13.10 ピリジンのニトロ化には300℃という高温が必要だが（式13.2），2,6-ジメチルピリジンは100℃で容易にニトロ化される。この反応式を書き，ピリジンよりも低温で反応する理由を説明せよ。

13.11 ピリジンはフェニルリチウムと容易に反応して2-フェニルピリジンを高収率で与える。この反応式と反応機構を書け。

13.12 ニコチンを$KMnO_4$で酸化するとニコチン酸を与える。この反応式を書け。

13.13 コニイン（2-プロピルピペリジン）とつぎの試薬との反応式を書け。
 (a) 塩化水素酸 (b) ヨウ化メチル（1当量） (c) ヨウ化メチル（2当量）
 (d) 無水酢酸 (e) 塩化ベンゼンスルホニル

章末問題

13.14 キノリンのニトロ化反応（式13.7）が主としてC-5とC-8位に起こる理由を説明せよ。

13.15 つぎの反応に関する反応式を書け。
(a) キノリン ＋ HCl　(b) イソキノリンのニトロ化
(c) キノリン ＋ NaNH$_2$　(d) イソキノリン ＋ フェニルリチウム
(e) イソキノリン ＋ CH$_3$I

5員環複素環化合物の性質と反応

13.16 つぎの反応式を書け。
(a) ピペリジン ＋ 無水酢酸　(b) ピロリジン ＋ HCl
(c) ピリミジン ＋ HBr　(d) キノリン ＋ CH$_3$I
(e) チオフェン ＋ HNO$_3$　(f) フラン ＋ 塩化アセチル ＋ AlCl$_3$

13.17 フルフラール（2-フルアルデヒド）をつぎの誘導体に変換する反応式を書け。
(a) 2-フリルメタノール　(b) 2-フロン酸

13.18 ピロールにおける求電子置換反応はC-2位に起こるが，インドールではC-3位に起こる。その理由を説明せよ。

13.19 イミダゾールの結合様式を参考にして，オキサゾール（13.6節）の結合の様子を示す分子軌道図を書け。

複素環化合物の構造，命名法ならびに性質

13.20 本書中の母体化合物の構造を参考にして，つぎの化合物の構造式を書け。
(a) 3-ブロモチオフェン　(b) 2,5-ジメチルピロール
(c) 5-ヒドロキシインドール　(d) 4-ヒドロキシイソキノリン
(e) 5-ヒドロキシキノリン　(f) 2-メチルイミダゾール
(g) 4-ピリジンカルボン酸（イソニコチン酸）　(h) 臭化3-ブロモピリジニウム
(i) 4-メチルピリミジン　(j) 2,5-ジエチルフラン

13.21 コデインの水酸基をもった炭素の立体配置（RかS）を答えよ。

13.22 モルヒネの水への溶解性はわずか0.2 g/Lだが，モルヒネ塩酸塩のそれは57 g/Lである。これを参考にして，ケシからモルヒネを分離精製する方法を反応式を用いて示せ。

13.23 ベンジルペニシリン（p.434）の不斉中心がどこにあるかを示し，それぞれの不斉中心の絶対配置（RまたはS）を答えよ。

ヒドロキシピリジンならびにヒドロキシピリミジンとそれに関連する複素環化合物

13.24 ほとんどエノール型で存在するフェノールとは異なり，2-ヒドロキシピリジンは主としてケト型で存在するという。その構造を書き，フェノールとの違いを説明せよ。

13.25 RNA塩基のウラシルはピリミジン塩基であり，通常はケト型で書かれている（p.426参照）。そのエノール型の互変異性体は，それ以外のピリミジン類とは違って求電子置換反応をうける。
(a) ウラシルのエノール型互変異性体の構造式を書け。
(b) ウラシルをHNO$_3$でニトロ化して得られる生成物の構造式を書け。このウラシル環

= 総合問題

のどの位置をニトロニウムイオンは攻撃するのか説明せよ（4章参照のこと）。

13.26 尿酸（p.438）には水素原子が4つ存在する。このなかでどれがもっとも高い酸性を示すか，その理由と共に答えよ。

パ ズ ル

13.27 ベナドリル（benadryl）は次の反応式にしたがってジフェニルメタンから2段階で合成される。

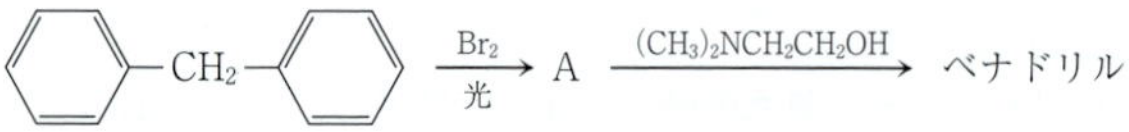

$$\text{C}_6\text{H}_5-\text{CH}_2-\text{C}_6\text{H}_5 \xrightarrow[\text{光}]{\text{Br}_2} \text{A} \xrightarrow{(\text{CH}_3)_2\text{NCH}_2\text{CH}_2\text{OH}} \text{ベナドリル}$$

(a) Aの構造を書け。
(b) この反応の2段目に必要なアミノアルコールを，エチレンオキシドから合成する経路を示せ。
(c) この反応の2つの反応段階における反応機構を示せ。

CHAPTER 14

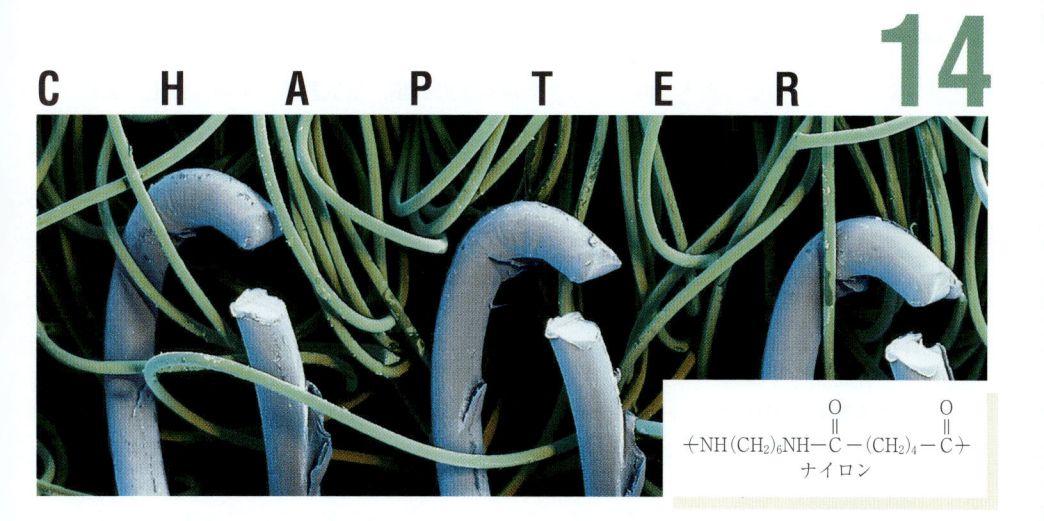

$$+NH(CH_2)_6NH-\overset{O}{\overset{\|}{C}}-(CH_2)_4-\overset{O}{\overset{\|}{C}}+$$
ナイロン

合成高分子

14.1 高分子の分類
14.2 ラジカル連鎖重合
14.3 カチオン連鎖重合
14.4 アニオン連鎖重合
14.5 立体規則性ポリマー；Ziegler–Natta重合
14.6 ジエンポリマー：天然ゴムと合成ゴム
14.7 共重合体
14.8 逐次重合；ポリエステルとナイロン
14.9 ポリウレタンならびにその他の逐次生長ポリマー

A WORD ABOUT ...
14.8 分解性ポリマー
14.9 新しいポリアミドのアラミドについて

ポリマー（polymer：重合体）または**高分子**（macromolecule）とよばれるものは，**モノマー**（monomer：単量体）とよばれる小さな単位を，いくつも繰り返し結合した巨大な分子のことをいう。ポリマーには**天然物**（natural）と**合成物**（synthetic）とがある。重要な天然物ポリマーには炭水化物（デンプン，セルロース），タンパク質，そして核酸（DNA, RNA）がある。これらの**生体高分子**（biopolymer）については，本書の最後の3つの章で学ぶことになるが，本章ではもっとも大切な合成ポリマーのいくつかに焦点を当ててみよう。

よく知られた名称をもつ合成高分子には，ポリエチレン，テフロン，ポリスチレン，ナイロン，ポリエステル，サラン，ポリウレタンなどがある。その他にも多数あって，すべてを合わせると米国だけで年間700億ポンド（約3千3百万トン）を生産している。合成高分子がすべての合成有機物質のなかで，一番私達の日常生活に深く関係している

▲ ジッパーや靴紐の代わりとなって使われているマジックテープ・ファスナーは，ナイロン製のフックとループの組み合わせである。

ことは疑いのない真実である。たとえば私達の衣類，電気器具，車両，住宅，包装品，玩具，塗料，合板，繊維強化板，タイヤなどの主原料は合成高分子であり，日々これらを使用せずに現代生活を送ることは不可能である。だが，これらはすべて1世紀前にはまったく知られていなかった物質である。私達が現在享受している生活水準は，有機合成化学工業の生産物なしには手に入れることが不可能であったといってよい。

14.1 高分子の分類

合成高分子はつくり方によって，2つのおもなグループに分類できる。その1つは**連鎖生長ポリマー**（chain-growth polymer；または**重付加型ポリマー**, addition polymer）とよばれ，モノマー単位が他のモノマーに繰り返し付加してできあがるものである。このモノマーは一般にアルケンであって，これから数多くの大切な連鎖生長ポリマーが作られている*。この重合反応には触媒または開始剤が必要で，これが炭素・炭素二重結合に付加して活性中間体を生じる。この中間体が2番目のモノマー分子の二重結合に付加して新たな中間体を生じる。この反応工程は最終的にある形で反応が停止するまで連続して進行し，ポリマー鎖が形成される。したがって，連鎖生長ポリマーはモノマー単位に含まれる原子をすべてポリマー中に保持することになる。この連鎖生長ポリマーのもっともよい例はポリエチレンである

$$n\,CH_2=CH_2 \xrightarrow[\text{開始剤}]{\text{重合}} +CH_2-CH_2+_n \tag{14.1}$$

エチレン　　　　　　　　ポリエチレン

逐次生長ポリマー（step-growth polymer；または**重縮合ポリマー**, condensation polymer）とよばれるものは，ふつう2つの異なる官能基間の反応で形成されるものであり，そこでは水のように小さな分子が失われる。したがって，逐次生長ポリマーはモノマー単位に存在した原子を必ずしも含まないことになり，その部分は小さな脱離分子となって失われる。ここで使用されるモノマー単位は一般に二官能性あるいは多官能性であって，ポリマー分子鎖中ではモノマー単位が交互に存在することになる。逐次生長ポリマーの好例はポリアミドのナイロン（nylon）であろう。これは1,6-ジアミノヘキサン（ヘキサメチレンジアミン）とヘキサンジオン酸（アジピン酸）とから製造されている。

---

* その他にもホルムアルデヒドやエポキシドは，大切な連鎖生長ポリマーのモノマーとして使われている。

☞ **ポリマー**とは，**モノマー**とよばれる単位が繰り返し結合してつくられた**高分子**のことである。
☞ **連鎖生長ポリマー**（または**重付加ポリマー**）とは，同一の**モノマー**を付加させて作られる。
☞ **逐次生長ポリマー**（または**重縮合ポリマー**）とは，2つの異なる官能基を反応させて，その結果，小分子を脱離させて作られる。

$$H_2N(CH_2)_6NH_2 + HOOC(CH_2)_4COOH \xrightarrow{200\sim300{}^\circ C}$$
1,6-ジアミノヘキサン　　ヘキサンジオン酸
（ヘキサメチレンジアミン）　（アジピン酸）

$$[NH(CH_2)_6NHCO(CH_2)_4CO]_n + 2n\ H-OH \qquad (14.2)$$
ナイロン，ポリアミドの一種　　　　　　（H_2O）

　これら2つのタイプの合成高分子のつくり方をさらに詳細に説明することにしよう。

14.2 ラジカル連鎖重合

　3.16節でポリエチレンについて説明したように，ラジカル連鎖機構は連鎖生長ポリマーの特長であり，その全反応式はつぎのように表される。ここでのLは適当な置換基を示している。

$$CH_2=CHL \xrightarrow{\text{ラジカル開始剤}} -CH_2CH(L)-(CH_2CH(L))_n-CH_2CH(L)- \qquad (14.3)$$
ビニルモノマー　　　　　ビニル（または連鎖生長）ポリマー

　表14.1には工業製品としてよく知られる連鎖生長ポリマーとその用途がまとめて示されている。

　ラジカル連鎖重合にはラジカル開始剤が必要であり，**過酸化ベンゾイル**（benzoyl peroxide）はその1つである。これは約80℃で分解してベンゾイルオキシラジカルを発生する。それ自身が，あるいはそこから二酸化炭素が放出されて生じるフェニルラジカルが，重合の連鎖を開始する。

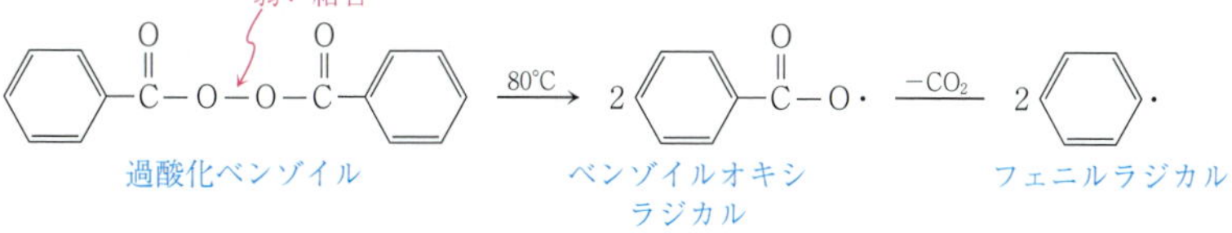

$$Ph-CO-O-O-CO-Ph \xrightarrow{80{}^\circ C} 2\ Ph-CO-O\cdot \xrightarrow{-CO_2} 2\ Ph\cdot \qquad (14.4)$$
過酸化ベンゾイル　　　　ベンゾイルオキシ　　　　フェニルラジカル
（弱い結合）　　　　　　　ラジカル

　簡略して示すために今後は開始剤ラジカルを記号 In・ で表すことにしよう。
　開始剤ラジカルはビニルモノマーの炭素–炭素二重結合に付加して炭素ラジカルを生じる。

開始反応　　$\text{In}\cdot + CH_2=CHL \longrightarrow \text{In}-CH_2-\dot{C}HL \qquad (14.5)$
　　　　　　　　　　モノマー　　　　　炭素ラジカル

　経験的に，開始剤はモノマー二重結合のもっとも置換基の少ない炭素の＝CH_2基に

表 14.1　遊離基重合によって工業的に作られる連鎖生長（ビニル）ポリマー

モノマー名称	構造式	ポリマー	用途
エチレン （エテン）	$CH_2=CH_2$	ポリエチレン	薄板とフィルム，吹き込み成形容器，射出成形，がん具および日用雑貨，針金やケーブルの被膜，貨物輸送用容器
プロピレン （プロペン）	$CH_2=CHCH_3$	ポリプロピレン	屋内–屋外カーペット等の繊維製品，乗用車・トラック部品，包装品，がん具，日曜雑貨
スチレン	$CH_2=CH-C_6H_5$ 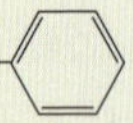	ポリスチレン	包装用，容器用，がん具，レクリエーション用具，装置部品，食料品の使い捨て包装と容器，断熱剤
アクリロニトリル （プロペンニトリル）	$CH_2=CHCN$	ポリアクリロニトリル （オーロン，アクリラン）	セーター等の衣料品
酢酸ビニル （エタン酸エテニル）	$CH_2=CH-OCCH_3$ 　　　　　$\overset{\text{O}}{\|}$	ポリ酢酸ビニル	接着剤およびラテックス塗料
メタクリル酸メチル （2-メチルプロパン酸メチル）	$CH_2=C(CH_3)-OCCH_3$ 　　　　　　　　$\overset{\text{O}}{\|}$	ポリメタクリル酸メチル （プレシグラス，ルーサイト）	明るく，透明で，丈夫でなければならない製品に使用
塩化ビニル （クロロエテン）	$CH_2=CHCl$	ポリ塩化ビニル (PVC)	プラスチックパイプとその付属品，フィルム，薄板，床タイル，レコード，被覆膜
テトラフルオロエチレン （テトラフルオロエテン）	$CF_2=CF_2$	ポリテトラフルオロエチレン （テフロン）	調理用具のコーティング，電気絶縁体，高輝度放電ランプ用レンズ

　付加することがわかっている。その結果，置換基が結合した炭素上にラジカルを生じることになる。この選択性が生じる理由は2つ考えられる。(1) 末端ビニル炭素は立体的に混み合っておらず，攻撃を受けやすいこと。(2) 置換基Lは隣接する位置のラジカルを共鳴安定化することが多いこと。
　開始反応で生成した炭素ラジカルはさらに1分子のモノマーに付加し，そこで生じた付加物ラジカルがさらにもう1分子のモノマーに付加する，というように連続して付加反応が進行していく。

14.2 ラジカル連鎖重合

生長反応

$$\text{InCH}_2\dot{\text{C}}\text{H} \xrightarrow{\text{CH}_2=\text{CHL}} \text{InCH}_2\text{CHCH}_2\dot{\text{C}}\text{H} \xrightarrow{\text{CH}_2=\text{CHL}}$$
$$\underset{\text{L}}{|} \qquad \underset{\text{L} \quad \text{L}}{| \quad |}$$

$$\text{InCH}_2\text{CHCH}_2\text{CHCH}_2\dot{\text{C}}\text{H} \longrightarrow さらに繰り返し生長する \quad (14.6)$$
$$\underset{\text{L} \quad \text{L} \quad \text{L}}{| \quad | \quad |}$$

ポリマー連鎖生長

式14.6の連鎖生長段階は式14.5の開始反応と同じように起こるので，モノマー単位は頭-尾（head-to-tail）型で結合し，その結果，置換基は主鎖上で炭素1つおきに存在することになる．

問題 14.1 ポリスチレンでは，分子鎖は規則正しく頭-尾配列で生長するが，その理由は中間体ラジカルが共鳴安定化できるからである．中間体ラジカルの構造を書き，共鳴安定化できる様子を示せ．

連鎖生長は数百から数千のモノマー単位が結合するまで進行するが，どこまで進行するかはつぎの理由で決められる．たとえば，反応条件（温度，圧力，溶媒の種類，モノマーと触媒の濃度など），モノマー上の置換基Lの性質，生長連鎖を停止する競争的な副反応などである．この連鎖停止反応として一般に知られているものには，**ラジカル再結合反応**（radical coupling）と**ラジカル不均化反応**（radical disproportionation）がある．

停止反応

$$2 \sim\sim\text{CH}_2\dot{\text{C}}\text{H} \xrightarrow[\text{カップリング}]{\text{ラジカル}} \sim\sim\text{CH}_2\overset{頭-頭}{\text{CH}-\text{CHCH}_2}\sim\sim \quad (14.7)$$
$$\underset{\text{L}}{|} \qquad\qquad \underset{\text{L} \quad \text{L}}{| \quad |}$$

$$2 \sim\sim\text{CH}_2\dot{\text{C}}\text{H} \xrightarrow[\text{不均化反応}]{\text{ラジカル}} \sim\sim\text{CH}_2\text{CH}_2 + \sim\sim\text{CH}=\text{CHL} \quad (14.8)$$
$$\underset{\text{L}}{|} \qquad\qquad \underset{\text{L}}{|} \qquad \text{アルケン}$$
$$\qquad\qquad\qquad\qquad \text{アルカン}$$

式14.7のラジカル再結合反応が起こると，2つのモノマーが頭-頭（head-to-head）結合することになる．式14.8のラジカル不均化反応が起こると，あるラジカルが他のラジカル分子のラジカル中心に隣接する位置から水素を引き抜き，その結果，飽和ならびに不飽和ポリマーが生成する．

例題 14.1

連鎖生長反応と停止反応とを区別できる特徴は何かを説明せよ．

- ☞ 主要な連鎖停止反応は**ラジカル再結合反応**と**ラジカル不均化反応**の2つである．
- ☞ 式14.7～14.11で使っている構造式末端の〜結合は，ポリマー分子鎖が連続していることを示している．

解答 生長反応では，1つのラジカルが消費されると代わって新たなラジカルが生成する。言い換えると，生長反応を表す反応式の左辺と右辺ではラジカルの数が等しいことになる。ところが停止反応では，ラジカルが消費されても新たなラジカルは生じてこない。したがって連鎖生長は停止してしまう。

もし式14.5から式14.8に従ってすべてのラジカル重合が進行するなら，ラジカル連鎖で生成してくるポリマーはすべて直線状にならなければならない。ところが実際は物理的測定を行ってみると，ラジカル重合したビニルポリマーの多くは枝分かれした構造をもっていることが知られており，上の4つの重合反応式以外に何かが抜けていることになる。

ここで抜けているのは**連鎖移動反応**（chain-transfer reaction）である。すなわち，生長中のラジカルが他のポリマー鎖から水素原子を引き抜く反応である。

$$\text{連鎖移動反応} \quad \sim\!\!CH_2\dot{C}H\!\!\sim \ + \ \sim\!\!CH_2CH\!\!\sim \ \longrightarrow \ \sim\!\!CH_2CH_2\!\!\sim \ + \ \sim\!\!CH_2\dot{C}\!\!\sim \qquad (14.9)$$
$$\quad\quad\quad\quad\quad\quad\quad \underset{L}{|} \quad\quad\quad \underset{L}{|} \quad\quad\quad\quad\quad\quad\quad \underset{L}{|} \quad\quad\quad \underset{L}{|}$$

この反応では，1つのラジカル連鎖は停止することになるが，それに代わってポリマー末端ではないどこかの位置でラジカル連鎖が開始されるので，この位置から重合反応が再び開始されればポリマー鎖の枝分かれが生じてくる。

$$\sim\!\!CH_2\dot{C}\!\!\sim \ \xrightarrow{CH_2=CHL} \ \sim\!\!CH_2\underset{\underset{L}{|}}{\overset{\overset{CH_2CH\cdot}{|}}{C}}\!\!\sim \qquad (14.10)$$

式14.9の分子鎖中に生じたラジカル　　　分岐点

連鎖移動とラジカル不均化反応とは，いずれも水素引き抜き反応であるという点でよく似ている。

ある特定のポリマー鎖にどれだけ分岐があるのかは，連鎖生長と連鎖移動の二つの反応の相対速度に依存している。もしラジカル付加速度が水素引き抜き速度に比べてきわめて速ければ，ポリマーは主として直鎖状になるだろうし，もし連鎖移動速度が付加速度の1/10であるとすると，そのポリマー構造では直鎖状に結合したモノマー10分子につき1本の分岐が生じることになろう。

連鎖移動反応はポリマーの分子量を調節する目的にも利用できる。たとえば，チオールのような試薬は引き抜かれやすい水素原子をもっているので，これが連鎖移動反応に関与して生じるRS・ラジカルは，二重結合に付加できるほどの反応性をもっておらず，二量化してジスルフィドになってしまう。

☞　**連鎖移動反応**は1つの連鎖反応を停止できても，別の高分子鎖上に枝分かれした連鎖を生み出すことになる。

14.2 ラジカル連鎖重合

$$\sim\!\!CH_2\dot{C}H + RSH \xrightarrow{\text{水素引き抜き}} \sim\!\!CH_2CH_2 + RS\cdot \longrightarrow RSSR \quad (14.11)$$
（L）　　チオール　　　　　　　　（L）　　二重結合に付加しない；かわりに二量化する

したがってチオールは連鎖停止剤になり，重合反応に少量加えることでポリマー鎖の長さを調節できることになる。

ラジカル連鎖重合はきわめて速い反応であり，ふつう1秒以内にモノマー単位が1000も重合してしまうほどである。そのポリマー中には開始剤ラジカル基を1つ，または2つ含んでいるが，それはポリマー全体からみるとわずかな部分でしかないので，ポリマーの性質は使用するモノマーによってほとんど決まってしまう。

ここでラジカル生長ポリマーの代表的なものであるポリスチレンとポリ塩化ビニルの2つについて説明しよう。

スチレン（styrene）は過酸化ベンゾイルで容易に重合し，100万から300万の分子量をもったポリエスチレンが得られる（すなわち $n = 10\,000 \sim 30\,000$）。

$$CH_2=CH-C_6H_5 \xrightarrow{\text{過酸化ベンゾイル}} (CH_2-CH(C_6H_5))_n \quad (14.12)$$
　　スチレン　　　　　　　　　　　　　　　　　　　　ポリスチレン

ポリスチレンは非晶性で熱可塑性のポリマーである。**非晶質**（amorphous）とは，ポリマー鎖がばらばらに不規則に配列していて，結晶のように規則的には配列していない状態をいう。**熱可塑性**（thermoplastic）とは，加熱するとポリマーが溶解あるいは軟化し，冷却すると再び固化する性質のことをいう。ポリスチレンは射出成形法により家具の部品，玩具，ラジオやテレビの外枠，ビンやジャー，多様な容器類の製造に使われている。**スタイロフォーム**（styrofoam）はペンタンのような低沸点炭化水素を含んだ状態で製造される。このポリマーを加熱するとペンタンが蒸発して気泡を生じ，これがポリマーを膨らますのである。これらのフォーム類は断熱材，梱包剤，熱い飲物用のカップ，卵容器など，数えきれないほどの用途に用いられている。米国でのポリスチレンの年産量は250万トンにも達している。

ポリスチレンは多様な誘導体へと修飾することができる。たとえば，少量の p-ジビニルベンゼンをモノマー中に含ませて**架橋結合**（cross-linking）させることにより不溶化できる。

☞　**非晶質**のポリマー分子鎖は不規則にならんでいる。**熱可塑性**ポリマーは加熱すると溶融し，冷却すると再び硬化するから再生成が可能である。ポリマー分子鎖を**架橋**すればポリマーをさらに硬くできる。

$$\text{スチレン（大部分）} + \text{p-ジビニルベンゼン（0.1〜1\%）} \xrightarrow{\text{過酸化ベンゾイル}} \text{架橋結合したポリスチレン} \qquad (14.13)$$

ここで生じるポリマーは通常のポリスチレンに比べてはるかに固く，有機溶媒に難溶性である。この架橋ポリマーをスルホン化すると，水の軟水化に用いられているイオン交換樹脂が得られ，この樹脂に硬水を通すと，Ca^{2+}やMg^{2+}などのイオンがNa^+イオンと交換されるのである。

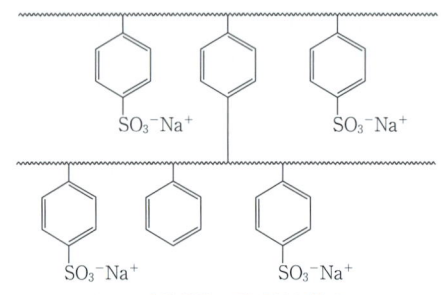

イオン交換樹脂の模式的な構造図

問題 14.2 ポリスチレンをスルホン化すると，反応が上のイオン交換樹脂の構造に書かれている位置に起こる理由を説明せよ。

ポリ塩化ビニル (poly(vinyl chloride), PVC) はつぎの一般式で表され，頭–尾構造をもっている。

$$\mathrm{-(CH_2CH)_{\mathit{n}}-}$$
$$\mathrm{\ \ \ \ \ \ \ \ \ \ |}$$
$$\mathrm{\ \ \ \ \ \ \ \ \ Cl}$$

ポリ塩化ビニル（PVC）

PVCは固いポリマーだが，**可塑剤**（plasticizer）を加えて軟化できる。可塑剤には，ふつうポリマー分子鎖間の潤滑剤として働くことができる低分子量のエステルなどが使用されている。その一例がつぎに示すフタル酸ジ（2-エチルヘキシル）である。

☞ 低分子量エステルなどの**可塑剤**は硬いポリマーを軟らかくするためのポリマー分子鎖間の潤滑剤として働く。

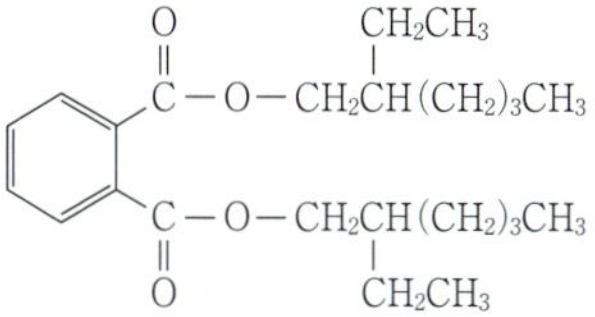

14.3 カチオン連鎖重合

$$\text{フタル酸ジ(2-エチルヘキシル)}$$
(可塑剤)

問題 14.3 フタル酸ジ(2-エチルヘキシル)は2-エチル-1-ヘキサノール(問題9.29参照)と無水フタル酸(問題10.26参照)とからつくられる。この反応式を書け。

ポリ塩化ビニルは床タイル,ビニル性室内装飾品(類似皮革製品),プラスチックパイプ類,押出成形プラスチック容器などの製造材料として用いられており,米国での年間生産量は500万トン以上である。

問題 14.4 つぎのポリマーについて,モノマー3単位分の部分構造式を書け。
(a) ポリプロピレン　　　(b) ポリ酢酸ビニル
(c) ポリメタクリル酸メチル　(d) ポリアクリロニトリル

問題 14.5 モノマー3単位分の表示方法を用いて,つぎの反応式を書け。
(a) ポリスチレンと $Cl_2 + FeCl_3$ の反応
(b) ポリ酢酸ビニルと熱い水酸化ナトリウム水溶液との反応

14.3　カチオン連鎖重合

ビニル化合物のいくつかは,ラジカルよりもむしろカチオン中間体を経由して重合を行う。その好例はイソブチレン(2-メチルプロペン)であり,これはFriedel-Crafts触媒により第三級炭素陽イオン中間体を経由して重合する。

開始反応

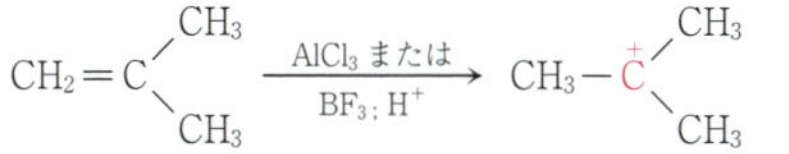

$$CH_2=C(CH_3)_2 \xrightarrow{AlCl_3 \text{または} BF_3; H^+} CH_3-C^+(CH_3)_2 \tag{14.14}$$

イソブチレン　　　　第三級炭素陽イオン

生長反応

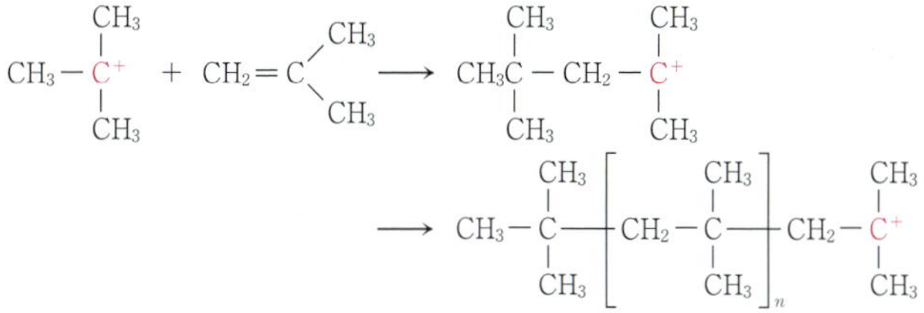

$$CH_3-C^+(CH_3)_2 + CH_2=C(CH_3)_2 \longrightarrow CH_3C(CH_3)_2-CH_2-C^+(CH_3)_2$$

$$\longrightarrow CH_3-C(CH_3)_2-[CH_2-C(CH_3)_2]_n-CH_2-C^+(CH_3)_2 \tag{14.15}$$

停止反応

$$(CH_3)_3C\left[CH_2-\underset{CH_3}{\overset{CH_3}{C}}\right]_n CH_2-\underset{CH_3}{\overset{CH_3}{C^+}} \xrightarrow{-H^+} (CH_3)_3C\left[CH_2-\underset{CH_3}{\overset{CH_3}{C}}\right]_n CH_2-C\underset{CH_3}{\overset{CH_2}{\diagup}} \quad (14.16)$$

ポリイソブチレン

開始反応では $tert$-ブチルカチオン（式14.14）が生じ，これが生長段階で二重結合末端の CH_2 炭素にMarkovnikov則に従った付加反応を行って，別の第三級炭素陽イオンを生成し，これがさらに同様の反応を続けて行うのである（式14.15）。この連鎖反応の停止反応は，陽電荷をもった炭素の隣接位置からプロトンが失われるものである（式14.16）。

この方法で製造されたポリイソブチレン（$n=$約50）は潤滑油への添加剤，感圧テープ，剥ぎ取り可能ラベルの接着剤などに使用されている。さらに高分子量のものはトラックタイヤ，自転車タイヤの内部チューブの原料となっている。

14.4 アニオン連鎖重合

電子求引性置換基をもつアルケンは炭素陰イオン（カルボアニオン）中間体を経由して重合できる。ここではアルキルリチウムのような有機金属化合物が触媒として用いられる。

開始反応　　$CH_2=CHL + RLi \longrightarrow RCH_2\overset{..}{C}HLi^+ \quad$ (14.17)
|
L

生長反応　　$RCH_2\overset{..}{C}H\ Li^+ \xrightarrow{CH_2=CHL} RCH_2CHCH_2\overset{..}{C}H\ Li^+ \quad$ (14.18)
|　　　　　　　　　　|　　|
L　　　　　　　　　　L　　L
さらにくり返し成長する

二重結合にアニオン触媒が付加すると炭素陰イオン中間体が生じ（式14.17），ここで生じた陰電荷は置換基Lによって共鳴安定化される。このタイプの置換基Lとしてはシアノ基，カルボメトキシ基，フェニル基，ビニル基などが知られている。

例題 14.2

アクリロニトリル（$CH_2=CHCN$）のアニオン重合で生じる炭素陰イオン中間体を書き，これが共鳴安定化している様子を示せ。

解答

$$\left[\begin{array}{c} H \\ | \\ \sim CH_2-C:^- \\ | \\ C \\ ||| \\ N \end{array} \longleftrightarrow \begin{array}{c} H \\ | \\ \sim CH_2-C \\ || \\ C \\ || \\ N:^- \end{array}\right]$$

14.5 立体規則性ポリマー；Ziegler-Natta重合

問題 14.6 メタクリル酸メチル（表14.1）は n-ブチルリチウムを用いて $-78°C$ で重合する。式14.17と14.18をモデルにしてその反応機構を書け。また，中間体カルボアニオンが共鳴安定化している様子も示すこと。

アニオン重合は，重合反応混合物にプロトン源（水やアルコール）を加えて停止させる。

問題 14.7 エチレンオキシドは塩基触媒により重合して水溶性ワックスのカーボワックスを生じる。この重合反応の機構を説明せよ。

$$CH_2-CH_2 \xrightarrow{OH^-} -OCH_2CH_2{\color{white}-}[OCH_2CH_2]_n OCH_2CH_2-$$
$$\underset{O}{\diagdown\diagup}$$

エチレンオキシド カーボワックス

14.5 立体規則性ポリマー；Ziegler-Natta重合

一置換ビニル化合物が重合すると，ポリマー鎖状の炭素原子は1つ置きにキラル中心となる。

$$CH_2=CH \longrightarrow -CH_2-\overset{*}{C}H-CH_2-\overset{*}{C}H-CH_2-\overset{*}{C}H- \quad (14.19)$$
$$\quad\quad | \qquad\qquad\quad | \qquad\qquad | \qquad\qquad |$$
$$\quad\quad L \qquad\qquad\quad L \qquad\qquad L \qquad\qquad L$$

すなわち，＊印のついた炭素原子は4つの異なる置換基を連結しているから不斉中心である。したがって，つぎのように立体構造が異なる3種類のポリマーが存在することになる。

アタクティック（atactic）：不斉炭素の立体配置がランダムなもの。
アイソタクティック（isotactic）：不斉炭素がすべて同一の立体配置をもつもの。
シンジオタクティック（syndiotactic）：不斉炭素の立体配置が交互に変化しているもの。

アタクティックなポリマーは**非立体規則的**（stereorandom）であり，アイソタクティックならびにシンジオタクティックなポリマーはいずれも**立体規則的**（stereoregular）である。これら3種類のポリマーは，たとえ同じモノマーから作られていても，物理的性質は異なることになる。

例題 14.3

アイソタクティックなポリプロピレン分子鎖の部分構造を書け。

解答 式14.19の置換基Lはポリプロピレンの場合には $-CH_3$ 基である。そのポリマー主鎖をジグザグ型に伸ばして描くと，メチル基は全て紙平面の同じ面にならぶ配置をもつ

☞ **アタクティック**（ランダムな立体配置をもつ）なポリマーは**非立体規則的**とよぶ。一方，**アイソタクティック**（同じ立体配置をもつ）あるいは**シンジオタクティック**（交互の立体配置をもつ）なポリマーは**立体規則的**とよぶ。

ことになる．

$$\sim CH_2-\overset{H}{\underset{CH_3}{C}}-CH_2-\overset{H}{\underset{CH_3}{C}}-CH_2-\overset{H}{\underset{CH_3}{C}}-CH_2-\overset{H}{\underset{CH_3}{C}}\sim$$

問題 14.8 上述の定義に基づき，次のポリマー分子鎖の部分構造を書け．
(a) シンジオタクティックなポリプロピレン
(b) アタクティックなポリプロピレン

立体規則性はポリマーにある種の望ましい性質を与えることになる．ラジカル重合が一般にはアタクティックなポリマーしか与えないことが知られていたので，1950年代にZieglerとNatta*は，有機金属化合物の混合物を触媒に用いて立体規則性ポリマーを作り出した．この発見は高分子化学における画期的なことであった．その触媒系の一例はトリエチルアルミニウム（またはトリアルキルアルミニウム）と四塩化チタンの混合物であり，この触媒を使うと，プロピレンから98％以上アイソタクティックなポリプロピレンが得られる．

Ziegler-Natta（チーグラー・ナッタ）触媒を用いる重合機構はいささか複雑である．連鎖生長反応においてカギとなる反応は，アルキル-チタン結合の形成と，その金属上の空いている配位座へのモノマーの配位結合であることが分かっている．ここで配位したモノマーが炭素-金属結合へ挿入し，さらに同様の反応が引き続き進行する．

$$\sim \underset{R}{CHCH_2}-Ti \xrightarrow[\text{配位ステップ}]{CH=CH_2} \sim \underset{R}{CHCH_2}-Ti \xleftarrow{\underset{|}{\overset{R}{CH=CH_2}}} \xrightarrow{\text{挿入ステップ}} \sim \underset{R}{CHCH_2}\underset{R}{CHCH_2}-Ti \sim$$
さらに繰り返し成長する

(14.20)

チタン原子にはさまざまな配位子が結合しており，これによって配位と挿入とが立体規則的に起こり，アイソタクティックあるいはシンジオタクティックなポリマーのいずれかが生成してくる．ポリプロピレンの工業的製造方法はすべてZiegler-Natta触媒を用いて行われている．そこで得られる結晶性の**立体規則性アイソタクティックポリマー**は，乗用車の内装やバッテリーケース，包装材料（たとえば積み重ねポテトチップの容器など），家具類（たとえば積み上げ収納型プラスチック製椅子）などに使用されている．さらに，繊維に紡がれて船舶や港湾用の海上浮遊ロープ，人工芝，絨毯の裏地などの製造原料になっている．

ラジカル重合で得られるポリエチレンがかなり枝分かれした分子鎖をもつのに比

---

* このKarl Ziegler（ドイツ）とGiulio Natta（イタリア）の二人の発見に対して，1963年のノーベル化学賞が授与された．

14.6 ジエンポリマー：天然ゴムと合成ゴム

べて，Ziegler–Natta 触媒法で得られるポリエチレンは直鎖構造をもつ．この直鎖状ポリエチレンは枝分かれしたものに比べるとはるかに結晶性で，高密度，高引っ張り強度，高硬度をもっている．その用途は洗濯機用漂白剤や洗剤の薄壁容器，台所用撹拌ボウルや冷蔵庫用保存容器，おもちゃなどの家庭用品，射出成形プラスチックパイプや導水管，電線管などである．

14.6 ジエンポリマー：天然ゴムと合成ゴム

天然ゴム（natural rubber）は不飽和結合をもった炭化水素のポリマーである．工業的にはゴムの木から得られるミルク状の樹液（ラテックス）を原料として製造される．このラテックスを空気を遮断して加熱すると，不飽和炭化水素の**イソプレン**（isoprene）のみが生成物として得られることから，その化学構造が決定されたのである．

$$\text{天然ゴム} \xrightarrow{\text{加熱}} \mathrm{CH_2\!=\!\underset{\underset{\text{イソプレン}}{CH_3}}{C}\!-\!CH\!=\!CH_2} \tag{14.21}$$

（2-メチル-1,3-ブタジエン）

天然ゴムとほぼ同じものが，イソプレンをトリエチルアルミニウム $(CH_3CH_2)_3Al$ と四塩化チタン $TiCl_4$ の混合物などの Ziegler–Natta 触媒を使った重合で合成できる．この重合反応でイソプレン分子は互いに**頭-尾型**（head-to-tail）の **1,4-付加反応**（1,4-addition）を行う．

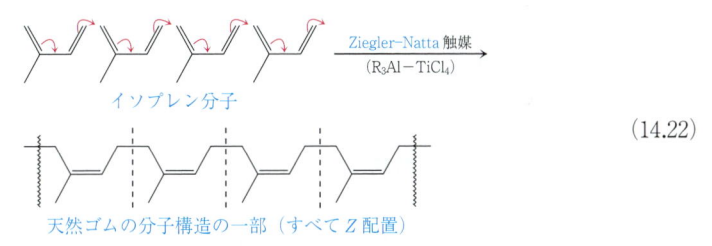

イソプレン分子 $\xrightarrow{\text{Ziegler–Natta 触媒} \atop (R_3Al-TiCl_4)}$ 天然ゴムの分子構造の一部（すべて Z 配置） (14.22)

天然ゴムの二重結合は共役せずに離れた位置に存在し，互いに単結合3本で隔てられている．またその二重結合は cis 構造をもっている．

問題 14.9 グタペルカ（gutta-percha）も特殊な形態をもつ天然ゴムの一種である．これもイソプレンの 1,4-ポリマーだが E 型の二重結合をもっている．このグタペルカについてモノマー3単位分の部分構造を書け．

産地や製造工程によって多少異なるとはいえ，天然ゴムは一般に100万を越える分子量をもっている．すなわちゴム1分子が約15 000のイソプレンモノマーに相当

☞　式14.22中の点線はイソプレン特有の単位を示している．

する。栽培したゴムの木から得られるものには，ポリイソプレンのほかに 2.5〜3.5% のタンパク質と 2.5〜3.2% の油脂，0.1〜1.2% の水分とごく少量の無機塩とが含まれている。

　天然ゴムは優れた性質を数多くもっているが，望ましくない性質もある。初期の頃の天然ゴム製品には粘り気や臭気があり，暖かくなると軟化し寒くなると固化する欠点があった。これらの欠点の多くは，Charles Goodyear（チャールズ・グッドイヤー）が発明した**加硫法**（vulcanization），すなわちゴムを硫黄と加熱してポリマー鎖を架橋する手法により解決された。この架橋はゴムの強度を高めるだけでなく，ポリマー鎖が伸張したあと元の形にもどる一種の記憶構造としても働いているのである。

天然ゴムのラテックスはゴムの木から採取される

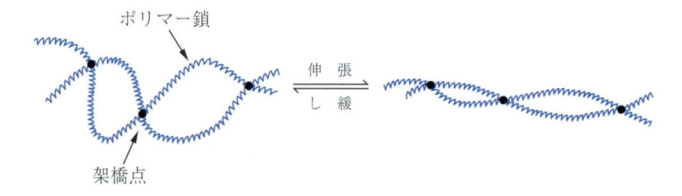

　このような改良法が見いだされたにもかかわらず，欠点はまだ残っていた。たとえば，しばらく前までは，自動車にガソリンを入れるたびにタイヤチューブの空気圧を検査するのが普通であった。それは当時のタイヤチューブがそれほど密ではなかったからである。したがって，天然ゴムに似た優れた性質をもちながらも，化学的には異なる性質をもった**合成ゴム**（synthetic rubber）を開発する必要があった。

　重合すると**エラストマー**（elastomer）（ゴムのような物質のこと）になるモノマーやモノマー混合物は，現在では数多く知られている。工業的にもっとも大規模に製造されている合成ゴムは，スチレン 25% と 1,3-ブタジエン 75% から作られる共重合体であり，SBR（styrene-butadiene rubber）とよばれている。

$$n\,CH_2=CHC_6H_5 + 3n\,CH_2=CH-CH=CH_2 \xrightarrow{\text{ラジカル開始剤}}$$

（14.23）

SBR

☞　**加硫法**とは，ゴムをイオウと混合して加熱することにより架橋させる工程をいう。
☞　**エラストマー**とはゴム状のポリマーのことである。

その構造をここに示すが，ブタジエンのうち約20%は1,4-ではなく1,2-付加で重合している。また，天然ゴムとは違って，このポリマー中の二重結合はEの立体構造をもっている。ここに書かれた構造中の点線は，ポリマーを構成するモノマー単位を区切って示している。SBRのほぼ3分の2はタイヤの製造に使用され，年間製造量は天然ゴムの2倍近くに達している。

問題 14.10 つぎの重合様式に従って，ポリ(1,3-ブタジエン)の部分構造をモノマー3単位分について書け。
(a) 1,4付加で二重結合はZ
(b) 1,4付加で二重結合はE
(c) 中央の単位については1,2-付加，両側の単位については1,4-付加，二重結合はZ

14.7　共重合体

ここまで説明してきたポリマーのほとんどは，単一のモノマーから作られる単独重合体（**ホモポリマー**，homopolymer）であった。このような連鎖重合は，合成ゴムSBRの例に示されるように，モノマーの混合物を原料として使用する共重合体（**コポリマー**，copolymer）の合成へと拡大することによって，その用途を広げてきた。図14.1には，単独重合体や共重合体が作られる様式をモノマーの並べ方で示してある。ここに書かれた共重合体では2つの異なるモノマー（AとB）しか用いていないが，理論的には組み合わせるモノマーの種類と数に制限はない。

共重合体の主鎖を構成するモノマーの並び方を左右する因子はいくつかある。その主たるものは，2つのモノマーの相対反応性である。例として，モノマーAとBの1：1混合物をラジカル連鎖重合機構で重合させたと仮定しよう。ここではつぎの3つの可能性が考えられる。

1　ラジカルA・はモノマーBとの反応は速いがモノマーAとの反応は遅く，ラジカルB・はモノマーAとの反応は速いがモノマーBとの反応は遅い。この場合

ホモポリマー

```
                    AA
                    |
 ─AAAAA─     ─AAAAA─      ─AAAAA─
                    |
                    AA─        ─AAAAA─
   直線形         分岐形         架橋形
```

コポリマー

```
                                                  ─AAAAAAA─
                                                       |
 ─ABABAB─   ─AABABBA─   ─AAAAABBBB─            ─BBB    BBB─
   交互形       ランダム形       ブロック形              グラフト形
```

図14.1　ポリマー中のモノマー単位の配列様式

☞　**ホモポリマー**は1種類のモノマーだけでできている。一方，**コポリマー**は2種類あるいはそれ以上の異なるモノマーでできている。

は生じる共重合体は交互共重合体-ABABAB-となる。この配列をとる共重合体の数は多いが，すべてが完全な交互型であるとは限らない。

2 モノマーAとBのいずれもラジカルに対する反応性が等しく，また容易に反応する。この場合は，ランダム共重合体-AABABBA-となる。

3 どのようなラジカルに対してもモノマーAがBよりはるかに反応性に富んでいる。このような場合はまずAだけが消費されて，そのあとゆっくりBが重合する。その結果，2つの単独重合体ブロックの$-(A)_n-$と$-(B)_m-$が混合した構造が得られる。

問題 14.11 1,1-ジクロロエテンと塩化ビニルとからサランとよばれる共重合体が得られる。このポリマー鎖ではモノマー単位は交互に結合している。このポリマーを構成する分子鎖の部分構造式をモノマー4単位分だけについて書け。

ブロックならびにグラフト共重合体（block copolymer, graft copolymer）は特殊な手法を用いて作られる。まずはじめにモノマーAの重合反応を開始したあとBを加え，またAを加える，という方法を繰り返すと，AのブロックのつぎにBのブロック，そして再びAというように，交互に繰り返すブロック共重合体が得られる。このタイプのポリマー合成は，明白な停止反応をもたないアニオン重合においてとくに有効である。

グラフトポリマーは，単独重合体中に存在する官能基を利用してつくられる。たとえば，ポリ-1,3-ブタジエンのようにポリマー中に二重結合が存在する場合には，ラジカル開始剤R・と2番目のモノマー（たとえばスチレン）をそこに加えることにより，ポリブタジエン主鎖にポリスチレン鎖を接ぎ木したポリマーが得られる。ここに示したグラフトポリマーは靴のゴム底材料として使われている。

$$\begin{array}{c} RR\\ ||\\ -CH_2CHCHCH_2CH_2CH=CHCH_2CH_2CHCHCH_2-\\ ||\\ CH_2CHCH_2CH-CH_2CHCH_2CH-\\ ||||\\ PhPhPhPh \end{array}$$

ポリスチレングラフトをもつポリ-1,3-ブタジエン

14.8 逐次重合；ポリエステルとナイロン

逐次重合ポリマーは，少なくとも2つ以上の官能基をもったモノマー間の反応で作られる。その反応の一般式はつぎのように表される。

$$A\sim\!\!\!\sim\!\!A + B\sim\!\!\!\sim\!\!B \longrightarrow -A\sim\!\!\!\sim\!\!A-B\sim\!\!\!\sim\!\!B-A\sim\!\!\!\sim\!\!A-B\sim\!\!\!\sim\!\!B- \tag{14.24}$$

☞ **ブロック共重合ポリマー**は，異なるモノマーのそれぞれが重合してつくるポリマー集合体（ブロックとよぶ）を交互に結合させたものである。**グラフト共重合ポリマー**は，二重結合をもつホモポリマー分子鎖に，2番目のモノマーを付加させて生成させたものである。

ここでA〰AとB〰Bは，互いに反応できる官能基AまたはBをそれぞれ同一分子内に2つもった二官能性分子を表している。例をあげると，AがOH基でBがCOOH基なら，A〰AはジオールでB〰Bはジカルボン酸となり，〰A－B〰はエステル結合となるから得られるポリマーは**ポリエステル**（polyester）である。

連鎖生長ポリマーがモノマー1単位ずつ生長していくのと異なり，逐次生長ポリマーはポリマー分子間の反応も含めて，いくつかの異なるタイプの反応を経由して生長する。このことを理解するために一例を用いて説明しよう。

ジオールとジカルボン酸とからポリエステルができる反応を考えてみる。はじめの反応ではエステルが生じ，その一端にはアルコール，他端にはカルボン酸が残っている（式14.25）。

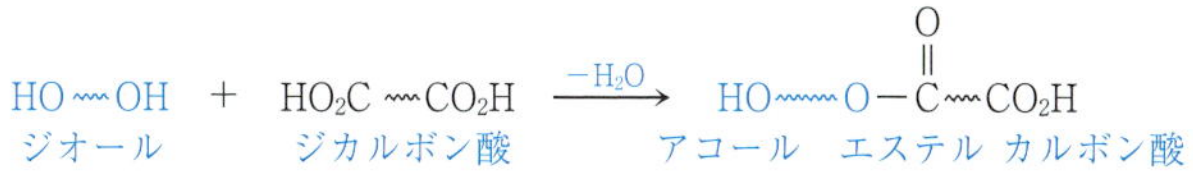

HO〰OH
ジオール
+
HO₂C〰CO₂H
ジカルボン酸
−H₂O
HO〰O−C(=O)〰CO₂H
アコール
エステル
カルボン酸

(14.25)

ここで生じたアルコール・エステル・酸の3つの官能基をもった分子は，つぎの反応段階でジオールとジカルボン酸，さらにはそれ自身に類似のもう1つの三官能性分子と反応することになる。

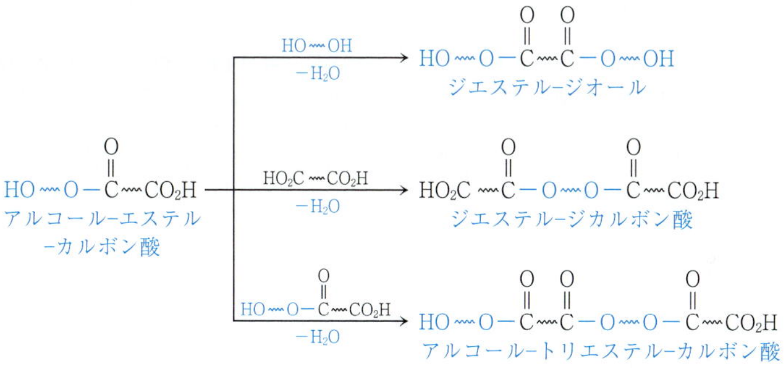

HO〰O−C(=O)〰CO₂H
アルコール−エステル
−カルボン酸
HO〰OH
−H₂O
HO〰O−C(=O)〰C(=O)−O〰OH
ジエステル−ジオール
HO₂C〰CO₂H
−H₂O
HO₂C〰C(=O)−O〰O−C(=O)〰CO₂H
ジエステル−ジカルボン酸
HO〰O−C(=O)〰CO₂H
−H₂O
HO〰O−C(=O)〰C(=O)−O〰O−C(=O)〰CO₂H
アルコール−トリエステル−カルボン酸

(14.26)

ここに示した3つの反応はそれぞれ異なる内容をもっている。はじめの2つの反応では生成物はモノマー3分子で構成されているが，3つ目の反応ではモノマー2分子でできた部分が結合して，一気にモノマー4分子の生成物が得られる。これらの反応における−OH基や−COOH基の反応性にはふつうそれほど大差はないから，この3つの反応は優劣つけがたく，その反応速度は主として反応に関わる基質の濃度に依存することになる。

問題 14.12 式14.26でのジエステルジオールとジエステルジカルボン酸がさらに反応した場合，生成物中にはモノマー単位がいくつ含まれるであろうか。その構造式を書け。

☞ **ポリエステル**は，ジカルボン酸とジオールの2つのモノマーからつくられる逐次重合ポリマーである。

A WORD ABOUT ...

分解性ポリマー

私達の日常生活を支えるものとして広範囲に使用されるようになったプラスチックは、それに伴い環境汚染問題をもたらしている。プラスチックを使用したあと、どう扱ったらよいのだろうか。焼却処理法はその1つの解決法であろうが、それに伴い有害物質が環境中に放散されるおそれがある。他の方法として循環利用法がある。たとえばポリ（エチレンテレフタレート）（PET）は清涼飲料容器として広く使われているが、これは繊維に再生されてカーペットや家具用詰物として使われている。また高密度ポリエチレン（HDPE）で作られた牛乳容器はプラスチック木材をはじめとする多くの用途に利用されている。

第3の解決法は、使用した後に自然環境中で分解するポリマーを開発することである。この解決法には困難な問題がある。それはプラスチックの耐久性への期待に反するからである。つまり、製造されたときから分解がはじまるようでは役に立たないのではないかという疑問である。とはいえ、何種類かの**分解性ポリマー**（degradable polymer）が開発されて市場に出るようになった。たとえば、エチレンを一酸化炭素の存在下に重合させると、カルボニル基を含んだポリエチレンに似たポリマーが製造できる。これを使用してゴミ袋や飲料缶パック用のプラスチックリングをつくると、廃棄された場合にもポリマー中のカルボニル基が紫外光に反応して分解が起こるのである。

R = Me　ポリ(3-ヒドロキシ酪酸)
R = Et　ポリ(3-ヒドロキシバレリン酸)

ε-カプロラクトン　　乳酸

最近、プラスチック容器の製造を目的とした天然物からのバイオポリマー開発が行われている。**ポリ（ヒドロキシアルカン酸）**(poly (hydroxal kanoate))であるポリ(3-ヒドロキシ酪酸)（PHB）やポリ(3-ヒドロキシバレリン酸)（PHV）は、ある種の微生物が生産する天然物のポリエステルである。PHBの性

理論的には、ジオールとジカルボン酸とを精密に1等量ずつ使用すると1つの巨大なポリエステル分子が形成できるはずだが、実際にはそうならない。その理由は、平均100以上のモノマー単位からなるポリマーを形成するためには、反応は99％以上進行しなければならないからである。したがって、このタイプの重合に用いる原料は純度がきわめて高いこと、モノマーのモル比が正確に制御されていること、重合反応で小さな分子が脱離してくる場合は、蒸留などの方法を用いてそれを除き、反応完結までもって行くこと、などが必要とされる。

問題 14.13　ジカルボン酸を大過剰量のジオールと反応させると、どのような生成物が得られるか、またジオールと大過剰量のジカルボン酸との反応ではどうなるか説明せよ。この2つの反応は、逐次重合におけるモノマー比が1：1からずれた場合に起こりうる2つの極端な反応例を示していることになる。

ポリエステルの種類は数多くあるが、その中でもテレフタル酸とエチレングリコ

質はポリプロピレン（PP）によく似ており、またPHB-PHV共重合体（商品名はBIOPOL）は最近プラスチック製のシャンプー容器に用いられるようになった。このPHB-PHVは生分解性である。これは自然界でもつくられているポリマーなので，環境中に廃棄されても土壌中の微生物が生み出す酵素により分解されて姿を消してしまう。その他にもε-カプロラクトンや乳酸を原料として製造されるポリエステルが分解性ポリマーとして知られ，工業化されている。このような生分解性プラスチックの用途がどこまで拡がるのかはしばらく眺めてみる必要があるが，その開発研究は現在の環境問題への私達の取り組みと大いに関係がある*。

（訳者注）生分解性ポリマーは特殊な働きをもつ興味深いポリマーである。だが注意しなければならないのは，プラスチックとして日常生活で大量に使用されるようになると，使い捨て時代の悪夢が逆戻りしてくることになる。自然環境が廃棄したプラスチックで汚染されるのは分解されないプラスチックのせいではなく，人間の生活スタイルの問題だということを認識すれば，汎用プラスチックとしての生分解性ポリマーは不要であることに気づく。人間の怠け心と環境へのわがままを

許す技術とならないように心すべきであろう。これに関してはつぎの書物がある。奥彬「持続可能な社会のための化学」"岩波現代化学入門"，18巻，10章，岩波書店（2001）

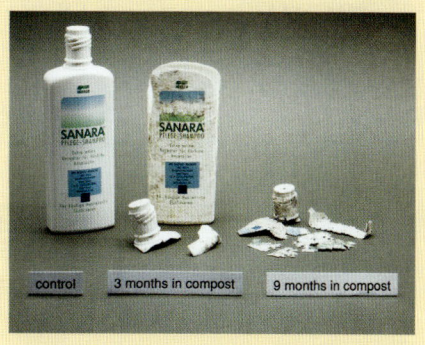

BIOPOLで作られたシャンプー容器の0, 3, 9ヶ月後の様子。ラベルが印刷された部分がゆっくりと分解しているのがわかる。

---

* 詳細はつぎの書物に解説されている。(1) J. D. Evans, S. K. Sikdar, *Chemtech* **1990**, 38. (2) D. Seebach, *Angew. Chem., Int. Ed. Engl.* **1993**, *32*, 477.

ールから作られるポリエステルのポリエチレンテレフタレート（PET，米国では**ダクロン**（Dacron）がもっともよく知られている。

ポリエステルのダクロン，ポリ（エチレンテレフタラート）

ここでの n の値は約 100 ± 20 である。このポリエステルで紡がれた繊維はシワになりにくく，織物材料に適している。

同じポリエステルで作られた強靭なフィルムの**マイラー**（Mylar）は，透明さ，

☞ **ダクロン**（日本ではテトロンとよばれていた。＊訳者注）はテレフタル酸とエチレングリコールからつくられ，繊維用に使用されている。
☞ **マイラー**は同じポリエステルからつくられた強力なフィルムである。

強度, 安定性に優れており, 芸術作品や歴史的に価値ある書物の長期保存目的に使用されている。また, ポリエステルは引っ張り強度がとくに優れているので, 記録用磁気テープの原料として広く使用されている。ちなみに米国におけるポリエステルの年産量は180万トン以上に達している。

問題 14.14 コーデル (Kodel) とよばれるポリエステルはつぎの構造をもっている。この製造に必要な2つのモノマーを示せ。

$$\left[\begin{array}{c}O\\\|\\C\end{array}\!\!-\!\!\bigcirc\!\!-\!\!\begin{array}{c}O\\\|\\C\end{array}\!\!-\!\!O\!\!-\!\!CH_2\!\!-\!\!\bigcirc\!\!-\!\!CH_2\!\!-\!\!O\right]_n$$

ナイロン（nylon）はポリアミド型の逐次生長ポリマーである。**ナイロン-6,6**（nylon-6,6）は, それぞれ炭素原子6つからなるジアミンとジカルボン酸の両モノマーからつくられるのでこの名称をもつが, その構造式は式14.2に示されている。このポリマーは1933年にDu Pont社のWallace H. Carothersによってはじめて作られ, それから5年して工業化に成功した*。これらのモノマー2つを混合するとはじめにポリ塩が形成され, これを加熱すると脱水が起こりポリアミドになる。これを溶融して成形品としたり, あるいは繊維に紡糸する。

2番目に製造量の多いナイロンは, **カプロラクタム**（caprolactam）から製造される**ナイロン-6**（nylon-6）である。

$$\underset{\text{カプロラクタム}}{\begin{array}{c}O\\\|\\CH_2\!\!-\!\!C\\CH_2\quad\quad NH\\CH_2\quad\quad CH_2\\CH_2\!\!-\!\!CH_2\end{array}}\xrightarrow{250\text{—}270^\circ C}\underset{\text{ナイロン-6}}{\left[NHCH_2CH_2CH_2CH_2CH_2\overset{O}{\overset{\|}{C}}\right]_n}\quad (14.27)$$

ラクタム（lactam）とは環状アミドのことである（10.12節のラクトンと対比せよ）。カプロラクタムを加熱すると7員環が開いてアミノ基が生成し, これが2番目のラクタム分子のカルボニル基と反応する。そこからまたアミノ基が生成し, つぎの分子と反応する。このようにつぎつぎと反応が進行し, ポリアミドが生成してくる。

ナイロンはきわめて用途の広いポリマーであり, 繊細な感触の薄手の衣類にも, カーペットのように耐久性のある織物にも加工でき, さらには自動車の成形部品や

---

* ナイロンの発見, 一風変わったその名称の由来, 性質と多様な用途など, ナイロンに関して書かれた解説書として, つぎの2つがある。1. George B. Kauffman, *J. Chem. Education*, **1988**, *65*, 803〜8； 2. Matthew E. Hermes,「ナイロンの発明者ウォーレス・カローザス, その生涯」, 1996, アメリカ化学会。

☞ **ナイロン**はジカルボン酸とジアミンからつくられる逐次重合ポリマーのポリアミドである。
☞ **ラクタム**は環状アミドのことである。

ファスナーのように強靱さを要求される製品にも使用されている。米国でのナイロン繊維の年産量は90万tにも達している。

14.9　ポリウレタンならびにその他の逐次生長ポリマー

ウレタン（urethane, **カルバメート**（carbamate）ともよばれる）はエステルとアミドが同じカルボニル基上に同居する官能基 RNHCOR′ のことである。ウレタンは一般的にはイソシアネートとアルコールとからつくられる。

$$R-N=C=O + R'OH \longrightarrow RNHCOR' \tag{14.28}$$
イソシアナート　　アルコール　　　ウレタン

この反応はカルボニル基に対する求核付加反応の一つの例である（9.7ならびに10.12節と比べること）。

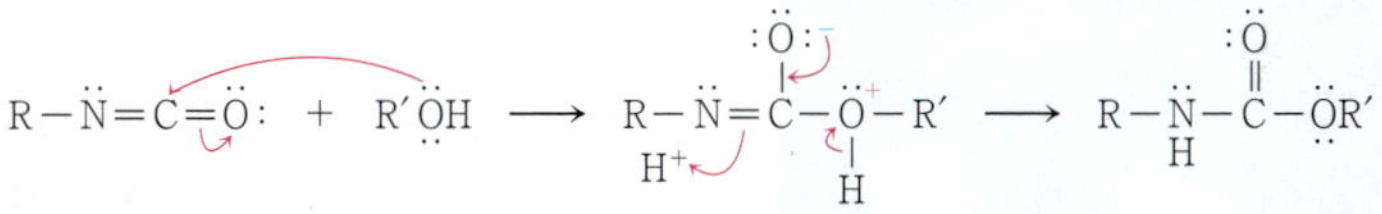

$$R-N=C=O: + R'OH \longrightarrow R-N=C-O-R' \longrightarrow R-N-C-OR' \tag{14.29}$$

問題 14.15　生分解性の高性能殺虫剤として知られる Sevin は，1-ナフチル-N-メチルカルバメートのことであり，メチルイソシアネートと1-ナフトールからつくられる。式14.28を参考にしてその合成反応式を示せ。

ポリウレタン（polyurethan）はジイソシアネートとジオールからつくられる。工業的にもっとも重要な製品は，2,4-トリレンジイソシアネート（TDI）とエチレングリコールから作られるポリウレタンであろう（14.29式）。

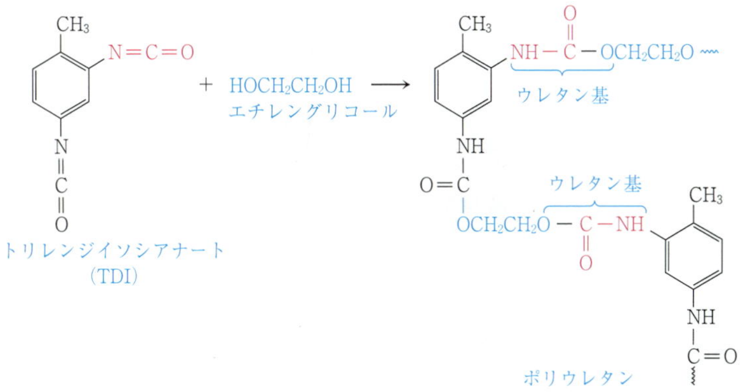

$$\text{(14.30)}$$

トリレンジイソシアナート（TDI）　＋　HOCH₂CH₂OH（エチレングリコール）　→　ウレタン基／ポリウレタン

☞　**ウレタン**（または**カルバメート**）では1つのカルボニル基上にエステルとアミドの2つの官能基が存在する。**ポリウレタン**はジイソシアネートとジオールとからつくられる逐次生長ポリマーである。

A WORD ABOUT...

新しいポリアミドのアラミドについて

消防服として使われている耐熱性のノメックス(Nomex)。

　アラミド(aramid)の名称をもつ芳香族ポリアミドは耐熱性と耐燃性にすぐれ，さらに際立った強度を示すので，その生産量は現在急速に増加しつつある。もっとも有名なのは**ケブラー**(Kevlar：図14.2)である。芳香族環が主骨格となっているこのタイプのポリアミドはナイロンよりもはるかに強靱である。たとえば，ケブラーの繊維は同じ重量のスチール繊維に比べると5倍も強いので，ラジアルタイヤ用のタイヤコードとしてスチールに代わって使用されるようになった。またケブラーは防弾チョッキのような軽量護身着に使用され，短銃の発砲，猟銃弾，刃物から身を守る目的に使用されている。

　ノメックス(Nomex)はケブラーに似た分子構造をもつポリアミドだが，p-型の結合ではなくm-型の結合から構成されている。これは火炎を浴びても融解せずに炭化するので，耐熱性繊維として消防服からカーレーサーのユニフォームまで広い用途をもち，また難燃性建材としても使われている。ノメックスを使ったハニカム構造材料は，軍事用をはじめ商用ジェット航空機やヘリコプター，さらにはスペースシャトルの内装や外装材にも採用されている。たとえば，ボーイング747の機体表面の25 000平方フィート近くはノメックスを使った材料で作られているという。また強靱性と軽量という特徴を生かし，ノメックスとケブラーはボート建造材料としても一般的になりつつある。ケブラーについての解説論文にはつぎのものがある。D. Tanner, J. A. Fitzgerald, B. R. Phillips, *Angewandte Chemie International Edition in English, Advanced Materials* **1989**, *28*, 649～54

$$H_2N-\bigcirc-NH_2 + Cl-\overset{O}{\underset{\|}{C}}-\bigcirc-\overset{O}{\underset{\|}{C}}-Cl \xrightarrow{塩基} \left(HN-\bigcirc-NH-\overset{O}{\underset{\|}{C}}-\bigcirc-\overset{O}{\underset{\|}{C}} \right)_n$$

フェニレンジアミン　　テレフタル酸ジクロリド　　　　　　　　　　　ケブラー

図 14.2　ケブラーの合成反応

　この反応は重合工程で小分子が脱離してこないので，一般的な逐次重合とはいささか異なるが，2つの異なる二官能性モノマーを用いるという点では，一般の逐次重合と同類である。

問題 14.16　式14.30に示したポリウレタン構造の波線部分に，モノマー単位をもう1つずつ結合させた部分構造式を書け。

14.9 ポリウレタンならびにその他の逐次生長ポリマー

式14.30の反応でポリウレタンは製造できるが，ウレタンフォームはつくれない。フォームをつくるには少量の水を存在させて重合を行う必要がある。この水は原料あるいは重合中のポリマー鎖にあるイソシアネート基と反応して**カルバミン酸**（carbamic acid）を生じ，この酸がただちに二酸化炭素を脱離してポリマーフォームに必要な気泡を形成する。

$$\sim\!\!\!N=C=O\ +\ HOH\ \longrightarrow\ \sim\!\!\!NHCOH\ \longrightarrow\ \sim\!\!\!NH_2\ +\ CO_2\uparrow \quad (14.31)$$
イソシアナート　水　　　　　カルバミン酸　　　アミン

フォームの密度に影響を与える炭酸ガスの発生量は水の添加量によって調節できる。さらにここで生じるアミンもイソシアネートと反応して尿素結合を作り，ポリマー鎖を形成することになる。

$$\sim\!\!\!N=C=O\ +\ H_2N\!\!\!\sim\ \longrightarrow\ \sim\!\!\!NHCNH\!\!\!\sim \quad (14.32)$$
イソシアナート　アミン　　　　尿素結合

ポリウレタンの用途はきわめて広い。比較的架橋度の低いポリマーは海水着用の引伸性繊維（Spandexなど）として使用され，ポリウレタンフォームは家具，マットレス，自動車用シート，断熱材などに使用されている。架橋型ポリウレタンはペンキやワニスの強靱な表面被覆材でもあり，Jarvik–7型人工心臓の主材料もこのポリウレタンである。

ホルムアルデヒドの反応を活用した逐次生長ポリマーがいくつも工業的に製造されている。歴史上の最初の合成ポリマーである**ベークライト**（Bakelite）は1907年にLeo Baekelandが発明した。フェノールとホルムアルデヒドからつくられるこのポリマーは高度に架橋した構造をもち，フェノール性水酸基のo-およびp-位置がメチレン基によって結合している。

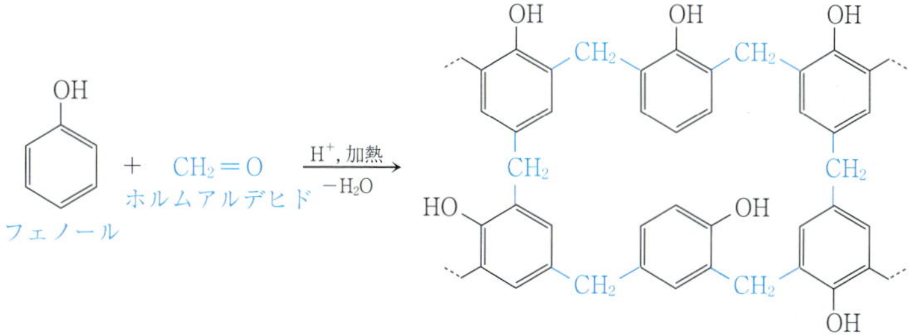

$$\text{フェノール} + CH_2=O \xrightarrow[-H_2O]{H^+,\ 加熱} \text{ベークライトの部分構造} \quad (14.33)$$

ベークライトは**熱硬化性樹脂**（thermosetting polymer）である。加熱すると架

☞ **熱硬化性樹脂**は加熱により架橋を生じて不可逆的な硬化を生じる。

橋が進行し，硬くて非溶融性の物質となる。この反応工程は非可逆だから，いったん硬化するともはやポリマーは溶融しない。ベークライトの用途は電気製品の取っ手などの成形プラスチック部品や，ミサイル弾頭など耐高温性能を必要とする軽量材料としての利用である。

尿素とホルムアルデヒドからも工業的に重要な樹脂が作られている。

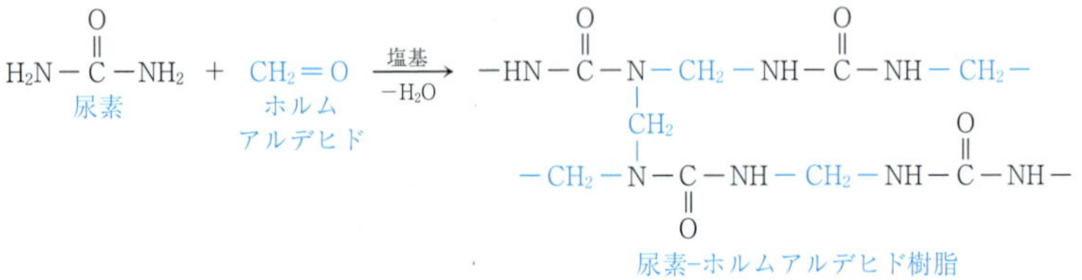

$$H_2N-\overset{O}{\underset{\|}{C}}-NH_2 + CH_2=O \xrightarrow[-H_2O]{塩基} -HN-\overset{O}{\underset{\|}{C}}-N-CH_2-NH-\overset{O}{\underset{\|}{C}}-NH-CH_2- \quad (14.34)$$

（尿素）（ホルムアルデヒド）

尿素-ホルムアルデヒド樹脂

この樹脂は成形品（電気部品や台所用品など），薄層材，合板やチップボード用の接着剤，フォーム材などに使用されている。

エポキシ樹脂（epoxy resin）は逐次生長ポリマーの主要な1種であり，接着剤として金属やガラス，セラミックスの接合に使用されている。この樹脂は安定で，固さや柔軟性にも優れているので塗料用にも使用されている。エポキシ樹脂のおもな工業原料はエピクロロヒドリンとビスフェノールAである（式9.4）。この2つを塩基触媒を使って混合すると重合反応が起こり，式14.35のように直鎖状のエポキシ樹脂が生成してくる。この高分子鎖にはエポキシ基や水酸基が残っているので，これを利用してさらに分子鎖のあいだに架橋を行えば，ポリマーの分子量をさらに増大できる。この性質はとくに表面塗装のような目的に利用されている。

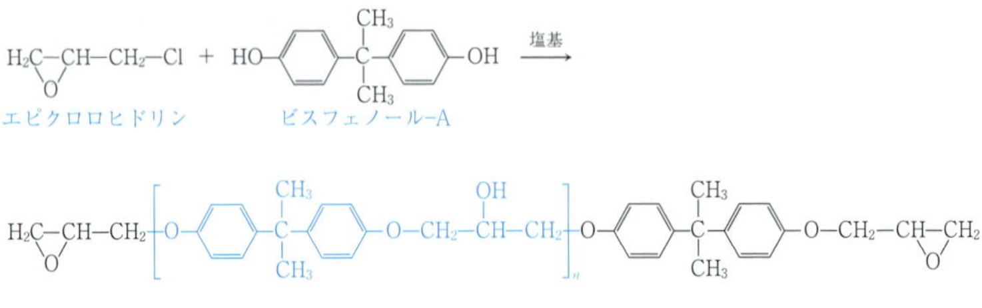

（エピクロロヒドリン）（ビスフェノール-A）

(14.35)

以上，この章では高分子の化学について簡単に触れたが，この学問分野は広く，着実に発展しており，今後の諸君の生活の中に新しいタイプのポリマーがいくつも姿を現すことは間違いない*。

---

* 詳しくはつぎの書物に述べられている。(1) Alper J.; and Nelson, G. L., *Polymeric Materials: Chemistry for the Futuer* (American Chemical Society, 1989) (2) Munk P., *Introduction to Macromolecular Science* (John Wiley, 1989).

反応のまとめ

1. 連鎖生長重合（14.2–14.7 節）

a. フリーラジカル連鎖生長重合（14.2 節）

$$CH_2=CH-L \xrightarrow{\text{フリーラジカル重合開始剤}} -(CH_2-CHL)_n-$$

L＝H，アルキル，アリール，電子供与基（OAc），電子求引基（CN）

b. カチオン連鎖生長重合

$$CH_2=CH-L \xrightarrow{\text{カチオン重合開始剤}} -(CH_2-CHL)_n-$$

L＝炭素陽イオンを安定化できる置換基（アルキル基，Ph 基）

c. アニオン連鎖生長重合（14.4 節）

$$CH_2=CH-L \xrightarrow{\text{アニオン重合開始剤}} -(CH_2-CHL)_n-$$

L＝炭素陰イオンを安定化できる置換基（CN, Ph）

d. Ziegler–Natta 重合反応（14.5 および 14.6 節）

$$CH_2=CH-CH_3 \xrightarrow{\underset{TiCl_4}{Et_3Al}} -(CH_2-CH(CH_3))_n-$$

アイソタクティック

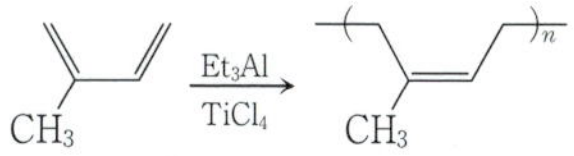

$$CH_2=C(CH_3)-CH=CH_2 \xrightarrow{\underset{TiCl_4}{Et_3Al}} \text{ポリイソプレン}$$

すべて Z 配置

---

2. 逐次生長重合（14.8 および 14.9 節）

a. ダクロン（ポリエステル）の製造（14.8 節）

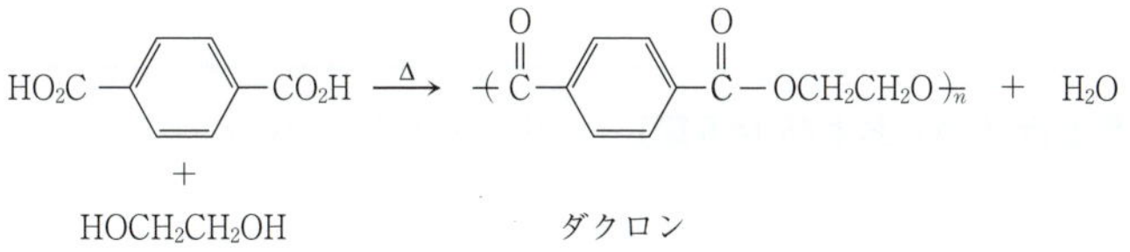

$$HO_2C-C_6H_4-CO_2H + HOCH_2CH_2OH \xrightarrow{\Delta} -(CO-C_6H_4-CO-OCH_2CH_2O)_n- + H_2O$$

ダクロン

b. ナイロンの製造（14.1 および 14.8 節）

$$HOC(CH_2)_4COH + H_2N(CH_2)_6NH_2 \xrightarrow{\Delta} -(C(CH_2)_4CNH(CH_2)_6NH)_n- + H_2O$$

ナイロン-6,6

反応機構のまとめ

1. フリーラジカル連鎖生長重合（14.2節）

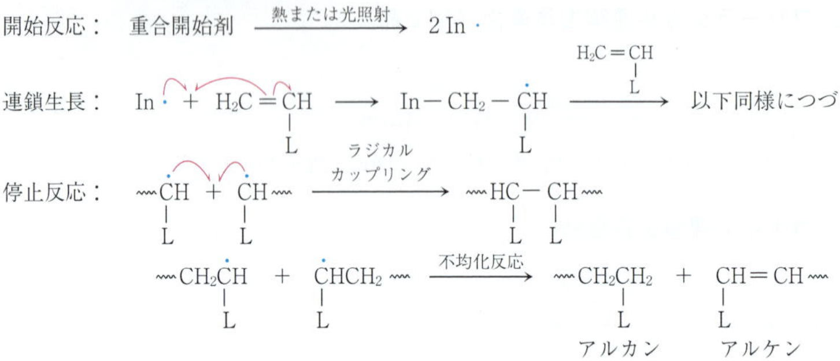

開始反応： 重合開始剤 $\xrightarrow{\text{熱または光照射}}$ 2 In·

連鎖生長： In· + H₂C=CH(L) ⟶ In−CH₂−CH(L)· $\xrightarrow{H_2C=CH(L)}$ 以下同様につづく

停止反応： ~CH(L)· + ·CH(L)~ $\xrightarrow{\text{ラジカルカップリング}}$ ~HC(L)−CH(L)~

~CH₂CH(L)· + ·CHCH₂(L)~ $\xrightarrow{\text{不均化反応}}$ ~CH₂CH₂(L) + CH=CH(L)~
　　　　　　　　　　　　　　　　　　　　　　　　　アルカン　　　アルケン

---

2. 連鎖移動反応（水素引き抜き）（14.2節）

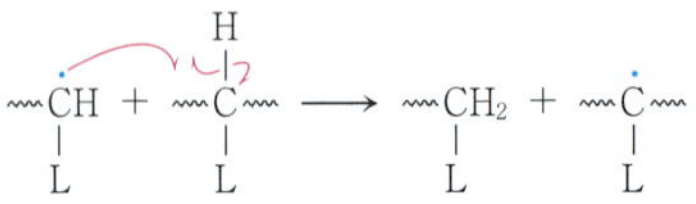

~CH(L)· + H−C(L)~ ⟶ ~CH₂(L) + ·C(L)~

---

3. カチオン連鎖生長重合（14.3節）

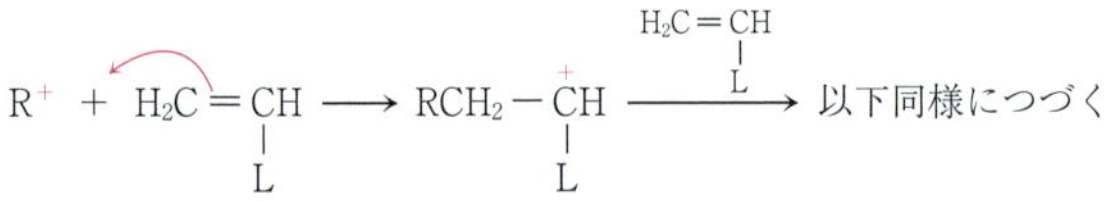

R⁺ + H₂C=CH(L) ⟶ RCH₂−CH(L)⁺ $\xrightarrow{H_2C=CH(L)}$ 以下同様につづく

---

4. アニオン連鎖生長重合（14.4節）

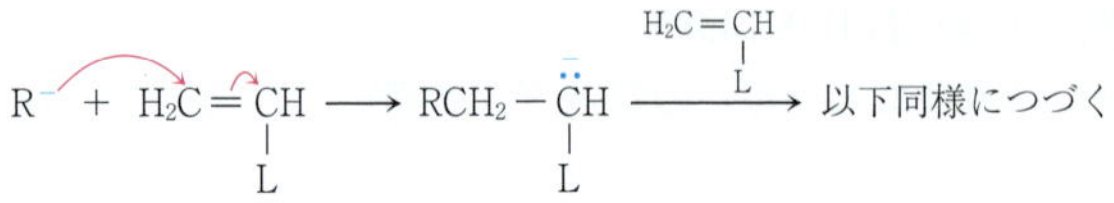

R⁻ + H₂C=CH(L) ⟶ RCH₂−CH(L)⁻ $\xrightarrow{H_2C=CH(L)}$ 以下同様につづく

---

5. 逐次生長重合（14.8および14.9節）（ポリエステルを例にとって示す）

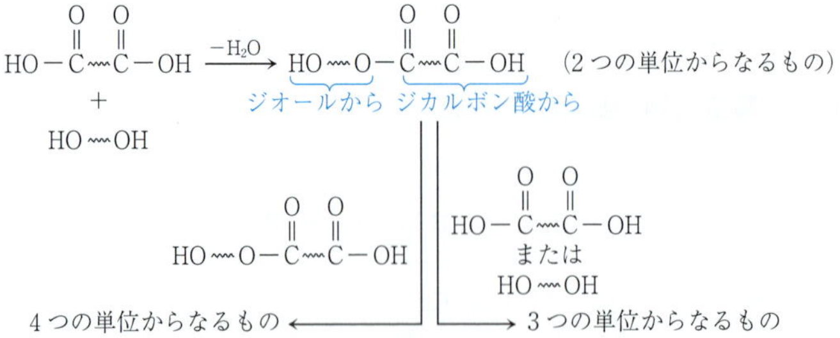

HO−C(=O)~C(=O)−OH + HO~OH $\xrightarrow{-H_2O}$ HO~O−C(=O)~C(=O)−OH　（2つの単位からなるもの）
　　　　　　　　　　　　　　　　　　　　　　　　　ジオールから　ジカルボン酸から

↓

HO~O−C(=O)~C(=O)−OH　　　　　　HO−C(=O)~C(=O)−OH
　　　　　　　　　　　　　　　　　　　または
　　　　　　　　　　　　　　　　　　HO~OH

4つの単位からなるもの ⟵　　　⟶ 3つの単位からなるもの

章末問題

定　義

14.17 つぎの用語の定義を述べ，例を1つずつあげよ。
 (a) 単独重合体　　　 (b) 共重合体　　　 (c) 連鎖重合
 (d) 架橋ポリマー　　 (e) 熱可塑性樹脂　 (f) 熱硬化性樹脂
 (g) アイソタクチック (h) アタクチック　 (i) 連鎖移動

連鎖生長ポリマー

14.18 塩化ビニルのラジカル連鎖重合反応に含まれるすべての反応段階を示せ。

14.19 ポリビニルアルコールの分子鎖構造を書け。このポリマーは対応するモノマーの重合では得られない。その理由を説明せよ。このポリマーはポリ酢酸ビニルの重合から作られるという（問題14.5（b）参照）。

14.20 プロピレンはラジカル開始剤を用いても重合できるが，この手法ではプロピレンモノマーのメチル基から連鎖移動が起こりやすく連鎖が短くなるので，得られるポリマーの分子量は決して高くならない。この連鎖移動がなぜ起こりやすいのか説明せよ。

14.21 プロペンの酸触媒重合反応で得られる"プロピレン4量体"について，考えられる構造式を書け。

14.22 プロピレンオキシドはアニオン連鎖重合でポリエーテルを生成する。このポリエーテルの構造式を書き，重合反応機構を説明せよ。

14.23 瞬間接着剤は α-シアノアクリル酸メチル（2-シアノプロペン酸メチル）のことであって，使用する際のごく少量の水分または塩基の存在によって重合して接着剤として働く。このポリマーの繰り返し部分構造を書け。また，このモノマーがアニオン重合しやすい理由を説明せよ。

14.24 スチレンとメタクリル酸メチルから得られる交互共重合体の分子鎖部分の構造を書け。

天然ゴムと合成ゴム

14.25 アイソタクチック，シンジオタクチック，ならびにアタクチックなポリスチレンについて，モノマー6単位分の部分構造式を書け。

14.26 イソブチレンはアイソタクチック，シンジオタクチック，あるいはアタクチックなポリマーと重合できるであろうか，説明せよ。

14.27 ラジカル重合とZiegler–Natta触媒重合とで得られたポリエチレンの構造は，どのように異なるのか説明せよ。

14.28 天然ゴムをオゾン分解するとレブリンアルデヒド，$CH_3CCH_2CH_2CH=O$ を与える。
$$\underset{O}{\overset{\|}{}}$$
この反応結果と天然ゴムの構造（式14.22）とがどのように関係しているのかを説明せよ。

14.29 合成ゴムSBR（式14.23）の製造に利用されている1,3-ブタジエンとスチレンとのラジカル共重合反応について，重合反応機構がわかるように各反応段階を書け。

14.30 ネオプレン（neoprene）は50年以上も昔にDu Pont社で発明された合成ゴムである。その用途は工業用ホースや駆動ベルト，窓枠ガスケット，靴底，梱包材料など広範囲にわたっている。ネオプレンは2-クロロ-1,3-ブタジエンのポリマーである。1,4-付加重合だけを考えて，得られるポリマー連鎖の繰り返し部分構造を書け。

逐次生長ポリマー

14.31 つぎに示した逐次重合で得られるポリマーの繰り返し部分構造を書け。

(a) $\text{Cl}-\overset{\overset{\text{O}}{\|}}{\text{C}}(\text{CH}_2)_8\overset{\overset{\text{O}}{\|}}{\text{C}}-\text{Cl} \; + \; \text{H}_2\text{N}(\text{CH}_2)_6\text{NH}_2$

(b) $\text{O}=\text{C}=\text{N}-\bigcirc-\text{CH}_2-\bigcirc-\text{N}=\text{C}=\text{O} \; + \; \text{HOCH}_2\text{CH}_2\text{OH} \longrightarrow$

(c) $\text{CH}_3\text{O}\overset{\overset{\text{O}}{\|}}{\text{C}}(\text{CH}_2)_4\overset{\overset{\text{O}}{\|}}{\text{C}}\text{OCH}_3 \; + \; \text{HOCH}_2\text{CH}_2\text{OH} \xrightarrow{\text{H}^+}$

14.32 レキサン (Lexan) は成形品の原料として使われる強靭なポリカーボネートであり，炭酸ジフェニルまたはホスゲンとビスフェノールAとから作られる。このポリマーの繰り返し部分構造を書け。

炭酸ジフェニル　　ビスフェノール A

14.33 ホルムアルデヒドは水溶液中で重合しパラホルムアルデヒド，$\text{HO}-(\text{CH}_2\text{O})_n-\text{H}$，になる。ところが，高分子量のものが得られるにもかかわらず，このポリマーは容易に解重合してしまう。しかし，このポリマーを酢酸無水物と処理して得られるもの（Delrinの名称をもつポリマー）はもはや解重合しない。ここに述べられている化学反応を説明せよ。

14.34 フタル酸無水物とグリセロールの重合反応では，グリプタ樹脂とよばれる架橋したポリエステルが得られる。その部分構造を架橋部分を含めて書け。

14.35 式14.34に示す尿素・ホルムアルデヒド樹脂の生成反応について，反応機構を書け。

14.36 式14.32を参考にして，ホルムアルデヒドとp-メチルフェノールとから得られるポリマーの部分構造を書け。

パズル

14.37 工業的なポリマー合成には，モノマーを大規模で安価に作る必要がある。ナイロン-6,6の原料の1つであるヘキサメチレンジアミンの工業的製造法の1つに，1,3-ブタジエンへの塩素の1,4-付加反応にはじまるものがある。このあとに続く反応を考えて説明せよ。

14.38 メタクリル酸メチル（2-メチルプロペン酸メチル）は，アセトンシアンヒドリン（9.11節参照）とメタノールと硫酸から製造する。この反応には加メタノール分解と脱水反応とが含まれているという。この2つの反応について反応機構がわかるように反応式を書け。

14.39 ポリ（エチレンナフタレート）（PENと略記）はポリ（エチレンテレフタレート）（PETと略記，p.461）に比べて剛直な構造をもっている。この剛直性はPENに一層の強度と耐熱性を与えるので，食品包装に適しているといわれる。このPENはエチレングリコールとナフタレン-2,6-ジカルボン酸ジメチルエステルとから製造されている。そこで，PENの繰り返し単位構造を書き，PENがPETよりも剛直性に優れている理由を説明せよ。

=総合問題

CHAPTER 15

$$\begin{array}{l} \overset{O}{} \\ CH_2OC(CH_2)_{16}CH_3 \\ \overset{O}{} \\ CHOC(CH_2)_{16}CH_3 \\ \overset{O}{} \\ CH_2OC(CH_2)_{16}CH_3 \end{array}$$

脂質と洗剤

15.1 脂肪と油脂：グリセリン三エステル類
15.2 植物油の水素添加
15.3 脂肪および油脂のけん化；セッケンの製造
15.4 セッケンの働き
15.5 合成洗剤
15.6 リン脂質
15.7 プロスタグランジン，ロイコトリエン，リポキシン
15.8 ワックス
15.9 テルペンとステロイド

A WORD ABOUT ...
15.5 市販の洗剤について
15.8 プロスタグランジン，アスピリンと痛み

脂質（lipid，ギリシャ語の油脂liposに由来する言葉）とは，溶解性に基づいて分類された植物や動物の一つの構成成分として定義されている。そのおもな特徴は，水に溶解しないが，エーテルのような非極性有機溶媒に溶解することである。したがって，脂質は細胞や生体組織から有機溶媒を用いて抽出できる。この溶解性に関する性質は，ほかの主要な生体物質である炭水化物，タンパク質，核酸がふつう有機溶媒に不溶であることと対比して，きわだった特徴である。

溶解性が似ているとはいえ，脂質類の化学構造は千差万別である。エステルもあれば炭化水素もあり，また環状構造をもっているかと思えば非環状のものや多環状のものもある。本章では，それぞれのタイプについて解説しよう。

15.1 脂肪と油脂；グリセリン三エステル類

脂肪と油脂は日常身近な物質である。脂肪の例はバター，

▲ ココア豆から採取されるココアバターには多量の三ステアリン酸グリセリル（トリステアリン）が含まれている。これは牛脂に含まれている脂肪成分でもある。

表 15.1 脂肪から得られる代表的なカルボン酸

	名称	炭素数	構造式	mp, °C
飽和カルボン酸	ラウリン酸 (lauric)	12	$CH_3(CH_2)_{10}COOH$	44
	ミリスチン酸 (myristic)	14	$CH_3(CH_2)_{12}COOH$	58
	パルミチン酸 (palmitic)	16	$CH_3(CH_2)_{14}COOH$	63
	ステアリン酸 (stearic)	18	$CH_3(CH_2)_{16}COOH$	70
	アラキン酸 (arachic)	20	$CH_3(CH_2)_{18}COOH$	77
不飽和カルボン酸	オレイン酸 (oleic)	18	$CH_3(CH_2)_7CH=CH(CH_2)_7COOH$ (cis)	13
	リノール酸 (linoleic)	18	$CH_3(CH_2)_4CH=CHCH_2CH=CH(CH_2)_7COOH$ (cis, cis)	−5
	リノレン酸 (linolenic)	18	$CH_3CH_2CH=CHCH_2CH=CHCH_2CH=CH(CH_2)_7COOH$ (すべて cis)	−11

ラード, 肉の脂身などであり, 油脂はおもに植物性で, コーン油, 綿実油, オリーブ油, ピーナッツ油, 大豆油など多くのものがある. 脂肪は固体, 油脂は液体という違いはあっても有機物質としての基本的な構造に差はない. どちらもグリセリン (グリセロールのこと) の三エステルであって, **トリグリセリド** (triglyceride) とよばれる物質である. この**脂肪** (fat) や**油脂** (oil) をエステルのけん化と同じようにアルカリと煮沸し, 反応混合物を酸性にするとグリセリンと**脂肪酸** (fatty acid) の混合物が得られる. この反応をけん化 (saponification) とよぶ (10.13節).

$$\begin{array}{c} CH_2-O-\overset{O}{\underset{\|}{C}}-R \\ CH-O-\overset{O}{\underset{\|}{C}}-R' \\ CH_2-O-\overset{O}{\underset{\|}{C}}-R'' \end{array} \xrightarrow[\text{2. H}^+]{\text{1. NaOH, H}_2\text{O 加熱}} \begin{array}{c} CH_2OH \\ CHOH \\ CH_2OH \end{array} + \begin{array}{c} HOCR \\ HOCR' \\ HOCR'' \end{array} \quad (15.1)$$

トリグリセリド(脂肪または油脂)　　グリセリン　3当量の脂肪酸

この方法で製造されている飽和および不飽和脂肪酸を表15.1に示す. 例外もあるが, 一般的な脂肪酸は直鎖状で偶数の炭素原子から構成されている. 二重結合がある場合は, その立体配置はふつう cis (または Z) であり, 非共役型である.

例 題 15.1

リノール酸にある二重結合の立体化学がわかるように構造式を書け.

解答 2つの二重結合の立体配置は Z 配置である. 分子全体の望ましい立体配座は, そ

☞ **脂質**は水に不溶の物質だが非極性の有機溶媒には可溶である.
☞ **脂肪**と**油脂**はグリセリンの三エステルである**トリグリセリド**である. **脂肪酸**は脂肪や油脂のけん化で得られる酸のことである.

15.1 脂肪と油脂；グリセリン三エステル類

れぞれのC–C単結合が交差型（staggered）の立体配座をとりながら一直線に延びた構造である。

$$\text{CH}_3\text{–}(CH_2)_n\text{–}CH=CH\text{–}CH_2\text{–}CH=CH\text{–}(CH_2)_n\text{–}COOH$$

問題 15.1 リノレン酸（linolenic acid）の構造を書け。

トリグリセリドには2つのタイプがある。その1つは3つの脂肪酸がすべて同じものである**単純トリグリセリド**（simple triglyceride）であり，もう1つは**混合トリグリセリド**（mixed triglyceride）である。

$$\begin{array}{l}
\text{CH}_2\text{OC(CH}_2)_{16}\text{CH}_3 \\
\quad\ \ \ \| \\
\quad\ \ \ \text{O} \\
\text{CHOC(CH}_2)_{16}\text{CH}_3 \\
\quad\ \ \ \| \\
\quad\ \ \ \text{O} \\
\text{CH}_2\text{OC(CH}_2)_{16}\text{CH}_3
\end{array}$$

単純トリグリセリド
（三ステアリン酸グリセリル
もしくはトリステアリン）

$$\begin{array}{l}
\text{CH}_2\text{–OC(CH}_2)_{14}\text{CH}_3 \quad \text{パルミチン酸のエステル}\\
\text{CH–OC(CH}_2)_{16}\text{CH}_3 \quad \text{ステアリン酸のエステル}\\
\text{CH}_2\text{–OC(CH}_2)_7\text{CH=CH(CH}_2)_7\text{CH}_3 \quad \text{オレイン酸のエステル}
\end{array}$$

混合トリグリセリド
（パルミチン酸ステアリン酸
オレイン酸グリセリル）

例題 15.2

上述の混合トリグリセリドの異性体であるステアリン酸パルミチン酸オレイン酸グリセリル（glyceryl stearopalmitooleate）の構造を書け。

解答

$$\begin{array}{l}
\text{CH}_2\text{–O–C–(CH}_2)_{16}\text{CH}_3 \quad \text{ステアリン酸のエステル}\\
\text{CH–O–C–(CH}_2)_{14}\text{CH}_3 \quad \text{パルミチン酸のエステル}\\
\text{CH}_2\text{–O–C–(CH}_2)_7\text{CH=CH(CH}_2)_7\text{CH}_3 \quad \text{オレイン酸のエステル}
\end{array}$$

上述のパルミチン酸ステアリン酸オレイン酸グリセリルが，このステアリン酸パルミチン酸オレイン酸グリセリルと同じけん化生成物を与えることに注目すること。

問題 15.2 つぎの構造式を書け。
(a) 三ミリスチン酸グリセリル
(b) パルミチン酸オレイン酸ステアリン酸グリセリル

問題 15.3 上問15.2のトリグリセリドのけん化で得られる加水分解生成物を答えよ。

ふつうの脂肪や油脂は単一のトリグリセリドだけで構成されていることはまれで，いろいろなトリグリセリドの混合物として産出する。このため脂肪や油脂の構成成分を示す方法として，それを加水分解して得られる脂肪酸の種類と組成を百分

表 15.2 脂肪と油の脂肪酸組成（概数）

原　料	飽和酸（％）					不飽和酸（％）	
	C_{10} それ以下	C_{12} ラウリン酸	C_{14} ミリスチン酸	C_{16} パルミチン酸	C_{18} ステアリン酸	C_{18} オレイン酸	C_{18} リノール酸
動物性脂肪							
バター	64	3	12	28	10	26	2
ラード	—	—	1	28	14	46	5
牛脂	—	0.2	3	28	24	40	2
ヒト	—	1	3	25	8	46	10
植物油							
オリーブ	—	—	1	5	2	83	7
パーム	—	—	2	43	2	43	8
コーン	—	—	1	10	2	40	40
ピーナッツ	—	—	—	8	4	60	25

率で示すことが多い（表15.2）。脂肪や油脂の中には1つか2つの脂肪酸が主成分で，その他の酸はわずかしか含まないものがある。たとえばオリーブ油は83％のオレイン酸，ヤシ油には43％ずつのパルミチン酸とオレイン酸，そして少量のステアリン酸とリノール酸が含まれている。これとは対照的に，バターの脂肪を加水分解すると14種類以上の脂肪酸が得られ，炭素数9以下の酸が9％も含有されているが，これなどは例外的である。

問題 15.4 表15.2のデータを用いて，飽和酸と不飽和酸の割合が脂肪と油では一般にどのような割合になっているのかを説明せよ。

トリグリセリドのあるものが固体（脂肪）だったり，または液体（油脂）だったりする理由は，分子構造の違いで説明できるのだろうか。この差異は油脂の組成を見比べると明らかになる。すなわち，油脂は脂肪よりも多量の不飽和脂肪酸を含有している。たとえば，たいていの植物油（コーン油や大豆油など）が加水分解すると80％もの不飽和酸を与えるのに比べて，脂肪（牛脂など）ではこの値がずっと低く50％そこそこである。表15.1をみると明らかなように，不飽和脂肪酸の融点は飽和の酸に比べて一般にかなり低い。例として，二重結合が1つあるかないかの差だけのステアリン酸とオレイン酸を比べると，その差は明瞭である。同様にトリグリセリドでもエステルの脂肪酸中の二重結合数が増すほど融点は低くなる。

このように，飽和，不飽和の違いが融点に影響する理由は，空間充てん型の分子モデルを組み立ててみるとはっきりする。図15.1は全飽和形トリグリセリドの分子モデルである。そこでは，長い飽和炭素鎖が完全に伸びた交差型（staggered）立体配座をもっていることに注目してほしい。この炭素鎖は分子全体が結晶のように規則正しく，空間を充てんしているので，室温で固体になりやすい。

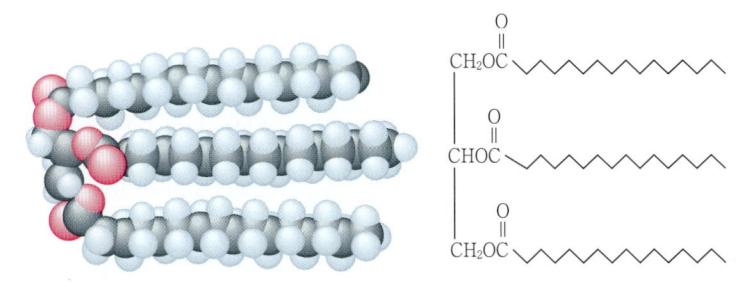

図 15.1 三パルミチン酸グリセリルの空間充てん型分子モデルと構造式

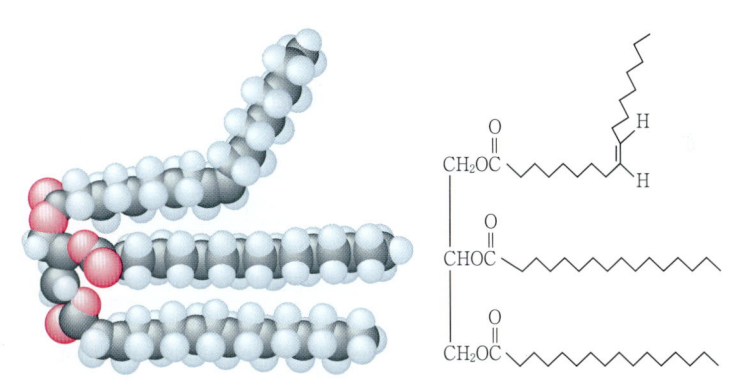

図 15.2 二パルミチン酸オレイン酸グリセリルの空間充てん型分子モデルと構造式

炭素鎖の1つに二重結合を1つだけ入れた結果が図15.2に示してある。みて明らかなように，3本の鎖（さらには分子がいくつか集合した状態）は，結晶のようにはきちんと配列することができない。したがってこの物質は液体のままである。二重結合の数がさらに増えると構造の不規則性が増すから，融点はさらに低下する。

15.2　植物油の水素添加

不飽和数の高い植物油を Crisco（食品用固体油脂の商品名）などの植物性脂肪へ変換するためには，すべての二重結合またはその一部分を接触的に水素添加する方法が用いられる。この工程は**硬化**（hardening）とよばれ，三オレイン酸グリセリルを水素添加して三ステアリン酸グリセリルへ変換するつぎの反応はその一例である。

☞　**硬化**とは油脂の二重結合を水素化して脂肪に変換するプロセスのことである。**マーガリン**は油脂水素化によりつくられている。

$$\begin{array}{c} \text{CH}_2\text{OC(CH}_2)_7\text{CH}=\text{CH(CH}_2)_7\text{CH}_3 \\ | \\ \text{CHOC(CH}_2)_7\text{CH}=\text{CH(CH}_2)_7\text{CH}_3 \\ | \\ \text{CH}_2\text{OC(CH}_2)_7\text{CH}=\text{CH(CH}_2)_7\text{CH}_3 \end{array} \xrightarrow[\text{Ni 触媒, 加熱}]{3\,\text{H}_2} \begin{array}{c} \text{CH}_2\text{OC(CH}_2)_{16}\text{CH}_3 \\ | \\ \text{CHOC(CH}_2)_{16}\text{CH}_3 \\ | \\ \text{CH}_2\text{OC(CH}_2)_{16}\text{CH}_3 \end{array} \quad (15.2)$$

三オレイン酸グリセリル
（トリオレイン）
(mp −17℃)　　　　　三ステアリン酸グリセリル
（トリステアリン）
(mp 55℃)

マーガリン（margarine）は，綿実油，大豆油，ピーナツ油，コーン油などをちょうどバター程度の固さになるまで水素添加したものに牛乳や着色剤を加えて練り，バターのような香りと外観をもたせた食品である．

15.3 脂肪および油脂のけん化；セッケンの製造

脂肪や油脂をアルカリとともに加熱すると，エステル結合が切れてグリセリンと脂肪酸塩が生成する（10.13節参照）．例として三パルミチン酸グリセリルのけん化をつぎに示す．

$$\begin{array}{c} \text{CH}_2\text{OC(CH}_2)_{14}\text{CH}_3 \\ | \\ \text{CHOC(CH}_2)_{14}\text{CH}_3 \\ | \\ \text{CH}_2\text{OC(CH}_2)_{14}\text{CH}_3 \end{array} + 3\,\text{Na}^+\text{OH}^- \xrightarrow{\text{加熱}} \begin{array}{c} \text{CH}_2\text{OH} \\ | \\ \text{CHOH} \\ | \\ \text{CH}_2\text{OH} \end{array} + 3\,\text{CH}_3(\text{CH}_2)_{14}\text{CO}_2^-\,\text{Na}^+ \quad (15.3)$$

三パルミチン酸グリセリル
（トリパルミチン）
（やし油から得られる）　　　グリセリン　　　パルミチン酸ナトリウム
（セッケンの一種）

この長鎖脂肪酸のアルカリ塩（ふつうはナトリウム塩）が**セッケン**（soap）である．

動物性の脂肪（たとえば山羊の脂）を木灰（アルカリ性物質）と煮てセッケンをつくる技術は，もっとも古い化学製品製造法の1つであった．セッケンは古代ケルト人やローマ人によって2300年以上も昔から製造されていた．しかし16, 17世紀においてもセッケンはヨーロッパ中部では貴重品であり，おもな用途は薬としてであった．1672年の古文書には，ドイツの貴族階級の女性にその恋人がイタリア製のセッケンを贈物として届けるときに，その使用法が書かれた説明書をつけなければならなかったと記録されている．しかし，19世紀になるとセッケンは急速に普及し，ドイツの有機化学者Justus von Liebigはセッケン消費量がその国の富と文明の尺度になるとまで述べている．現在，世界のセッケン年産量（合成洗剤を含まない）は600万tをはるかに越えている．

☞　**セッケン**とは長鎖脂肪酸の塩のことである．

セッケン製造法にはバッチ法と連続法とがある。バッチ法では，無蓋の反応器の中で脂肪または油脂をやや過剰量のアルカリ（NaOH）とともに加熱する。けん化が終了したあと食塩を加えると，セッケンが厚い層の凝固物として分離してくる。残った水槽には食塩，グリセリン，過剰のアルカリが含まれているからこれを分離し，蒸留してグリセリンを回収する。粗セッケンの凝固物にはまだ食塩やアルカリ，グリセリンが不純物として少量含まれているので，水と煮沸してから食塩で再沈殿させる操作を数回繰り返して純粋にする。最終工程では多量の水と煮沸して放置し，セッケンだけでできた上層を得る。このセッケンはそのまま廉価な工業用セッケンとして市場に出せるが，砂や軽石の粉とまぜて磨き粉にしたり，さらに加工して化粧セッケンや粉セッケン，薬用セッケンや香料入りセッケン，洗濯機用セッケン，液体セッケンなどになる。

現在ではもっとも一般的製造法である連続法は，脂肪または油脂を高温高圧下で触媒（ふつう亜鉛セッケン）と水だけで加水分解する製法である。この方法では，大きな反応器の一端から脂肪または油脂と水とを連続的に仕込み，生成物の脂肪酸とグリセリンはただちに蒸留によってとり出される。この脂肪酸を適切な量のアルカリで中和してセッケンが製造される。

15.4 セッケンの働き

衣類や身体に付着した汚れはほとんどが油の薄膜であるから，この油膜を除くことが汚れを洗い落とすことになる。セッケン分子は一端に強い極性の，あるいはイオン性の置換基をもった1本の長い炭素鎖からできている（図15.3）。この炭素鎖は**親油性**（lipophilic，油脂類になじみやすく溶解性があること）であり，末端の極性基は**親水性**（hydrophilic，水になじみやすく溶解性があること）である。別の言い方をすれば，セッケン分子は異なる性格をもった精神分裂症患者のようなものである。つぎにこのセッケンを水に加えたときに起こる現象を眺めてみよう。

セッケンと水とを振ってできるセッケン水はコロイド状の分散液であり，真の溶液ではない。このセッケン水には**ミセル**（micelle）とよばれるセッケン分子の集合体が含まれている。ミセルでは，非極性すなわち親油性の炭素鎖がミセルの中心方向に向って配列し，極性すなわち親水性の分子末端はミセルの表面に並んで水に

$$CH_3CH_2CH_2CH_2CH_2CH_2CH_2CH_2CH_2CH_2CH_2CH_2CH_2CH_2CH_2CH_2C\begin{matrix}=O\\O^-Na^+\end{matrix}$$

非極性，親油性　　　　　　　　　　　　　　　　　極性，親水性

図15.3 セッケンのステアリン酸ナトリウム

☞　セッケン分子は水中で**ミセル**とよばれる小球状の集合体を形成する。そこでは極性の**親水性**基末端が水相側を向き，非極性の**親油性**末端が球の内側を向いた構造をもっている。

○ セッケン分子　⊕ ナトリウムイオン

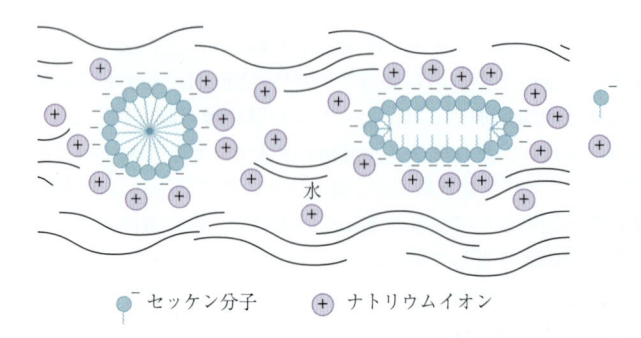

図15.4　水に溶解するとセッケン分子はミセルを形成する

○ セッケン分子　⊕ ナトリウムイオン

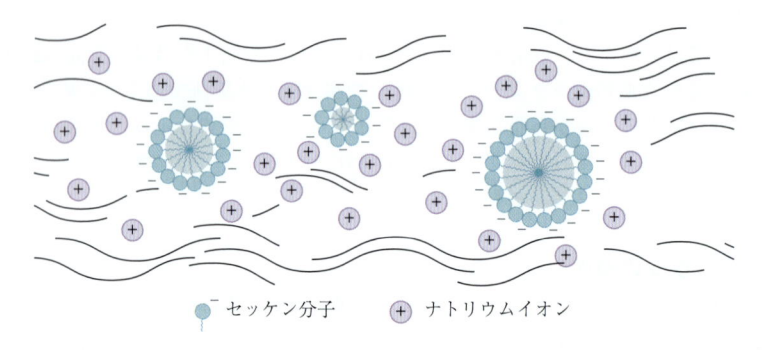

図15.5　セッケン分子によって油滴（淡い青色で示す）が乳化されるようすを示したもの

接している（図15.4）。したがってセッケンではミセル表面は負に帯電し，正に帯電したナトリウムイオンはミセル近傍に存在している。

　汚れを除く際は，セッケン分子が油やグリースの小さな粒子をとり囲んで乳化してしまう。そのようすを詳しく眺めてみると，セッケン分子の親油性末端が油滴中に入りこみ，親水性末端は油滴から外の水相へ突き出た形をしている。この乳化粒子の表面は負に帯電しているために反発しあって会合しにくいから，乳化粒子は水中で安定化することになる。そのようすが図15.5に描かれている。

　セッケン水のもう1つの特徴は，表面張力がきわめて低いことであり，このためにセッケン溶液はふつうの水と比べてはるかに強力な濡れの働きを発揮する。この性質をもっているのでセッケンは**界面活性剤**（surfactant）とよばれる物質に属している。このように乳化力と表面作用の2つが同時に働くので，汚れやグリースや油滴が固体表面から引き離されて乳化され，容易に洗い落とされる。合成洗剤の洗浄作用も同様である。

☞　**界面活性剤**には極性部分と非極性とが含まれているので，異なる物質が接触する界面においてその働きを発揮することになる。

15.5 合成洗剤

合成洗剤（synthetic detergent，**syndet** ともいう）の世界年産量は数年前にセッケンの年産量を越えた。この傾向はしばらく続きそうである。その理由は，ふつうの非改良型セッケンにはいくつか問題点があるので，それに代わってそのような欠点の少ない合成洗剤の需要が急増してきたためである。第一の問題点は，セッケンは弱酸のアルカリ塩であるから，水中で部分的に加水分解して弱いアルカリ性を示すことにある。

$$\underset{\text{セッケン}}{R-\overset{\overset{O}{\|}}{C}-O^+Na^-} + H-OH \rightleftharpoons R-\overset{\overset{O}{\|}}{C}-OH + \underset{\text{アルカリ}}{Na^+OH^-} \tag{15.4}$$

ある種類の繊維にとってアルカリは有害である。そうかといって低pH（すなわち酸性）に調節した水溶液中では，ふつうのセッケンは長鎖カルボン酸となって分離析出してしまうためにその機能を発揮できない。たとえば，代表的なセッケンのステアリン酸ナトリウムは，酸性水溶液中では分解してステアリン酸になってしまう。

$$\underset{\substack{\text{ステアリン酸ナトリウム}\\(\text{水に可溶})}}{C_{17}H_{35}C\overset{O}{\underset{O^-Na^+}{\diagup}}} + H^+Cl^- \longrightarrow \underset{\substack{\text{ステアリン酸}\\(\text{水に不溶})}}{C_{17}H_{35}C\overset{O}{\underset{OH}{\diagup}}}\downarrow + Na^+Cl^- \tag{15.5}$$

第二の問題点は，カルシウム，マグネシウム，鉄などのイオンが硬水中に含まれると，これらと反応して水に不溶の塩をつくってしまうことである。

$$2\underset{\substack{\text{ステアリン酸ナトリウム}\\(\text{水に可溶})}}{C_{17}H_{35}C\overset{O}{\underset{O^+Na^-}{\diagup}}} + Ca^{2+} \longrightarrow \underset{\substack{\text{ステアリン酸カルシウム}\\(\text{水に不溶})}}{(C_{17}H_{35}COO^-)_2Ca^{2+}}\downarrow + 2Na^+ \tag{15.6}$$

これが浴室のタイルを汚す原因になり，衣類や毛髪の表面に薄膜となって付着すると，色調をぼかす原因にもなる。

これらの問題を軽減し解決する手段はいくつかある。まずは水の軟水化が考えられる。すなわち浄水場または各家庭において，カルシウムやマグネシウムなどの妨害イオンを除去すればよい。ふつうは軟水化の処理過程でこれらの妨害イオンはナトリウムイオンで置き換えられる。しかしこの処理水を飲用に供する場合は，ナトリウム摂取量を制限しなければならない高年齢者にとって，健康上の問題が生じることに注意しなければならない。

☞ **syndet** または**合成洗剤**とよばれるものは，硬水中で働いて中性の溶液を生み出せるセッケン類似の分子のことである。

リン酸塩をセッケンに添加するのも有効な手段である。リン酸塩は金属イオンと反応して水に溶解する錯体を形成するので，セッケンが金属イオンと反応して不溶性の塩を形成することを防げる。ところが，このリン酸塩がこれまであまりにも多量に使用されてきたために環境問題が生じてしまった。合成洗剤中のリン酸塩は最終的には湖沼や河川に流入するが，これが植物の栄養分となってその成育を強く促進するために，水中の溶存酸素が植物によって急速に消費され魚類の死滅につながるからである。したがって，リン酸塩は現在でも合成洗剤に混合されてはいるが，その添加量は害を及ぼさない程度に法律で規制されている。

セッケンの問題点を解決するもう1つの方法は，さらに洗浄効果が高い洗剤を設計することであろう。このような洗剤分子で考慮すべきことは，必ず長鎖の親油性分子鎖と，極性またはイオン性の親水基をもたせることである。ただし，この極性基は硬水中のイオン類と不溶性の塩を形成しないこと，水の酸性度を変化させないことなどの要件を満たさなければならない。そしてセッケンのカルボキシラート末端基をこのような極性基で置き換えてやればよい。

最初の合成洗剤は硫酸モノアルキルエステルナトリウム塩であった。その製造に必要な長鎖アルコールは油脂の**水素化分解**（hydrogenolysis）により製造された。たとえば，三ラウリン酸グリセリルを還元すると，1-ドデカノール（油脂の酸部分に由来するもの）とグリセリンの混合物が得られる。グリセリンが水溶性であるのに対して，長鎖アルコールは非水溶性だから，水素添加で得られた2つの生成物の分離は容易である。この長鎖アルコールを硫酸と反応させて硫酸モノアルキルエステルに変換し，続いてアルカリで中和すれば目的物が得られる。

$$\begin{array}{c}CH_3(CH_2)_{10}C(=O)-OCH_2 \\ CH_3(CH_2)_{10}C(=O)-OCH \\ CH_3(CH_2)_{10}C(=O)-OCH_2\end{array} + 6H_2 \xrightarrow[\text{加熱，加圧化}]{\text{亜クロム酸銅}} 3\ CH_3(CH_2)_{10}CH_2OH + \begin{array}{c}HOCH_2\\HOCH\\HOCH_2\end{array} \quad (15.7)$$

三ラウリン酸グリセリル　　　　　　　　　　　　1-ドデカノール（ラウリルアルコール）　グリセリン

$$CH_3(CH_2)_{10}CH_2OH + HOSO_2OH \longrightarrow CH_3(CH_2)_{10}CH_2OSO_2OH + H_2O$$

ラウリルアルコール　　硫酸　　　　　　硫酸水素ラウリル

$$\xrightarrow{NaOH} \underbrace{CH_3CH_2CH_2CH_2CH_2CH_2CH_2CH_2CH_2CH_2CH_2CH_2}_{\text{親油性基}}-\underbrace{O-S(=O)(=O)-O^-Na^+}_{\text{極性の親水性基}} + H_2O \quad (15.8)$$

ラウリル硫酸ナトリウム

☞　長鎖脂肪族アルコールは脂肪の還元的加水分解または**水素化分解**反応により製造される。

15.5 合成洗剤

ラウリル硫酸ナトリウムは優れた界面活性剤である。これは強酸のナトリウム塩であるので，その水溶液はほとんど中性であり，そのカルシウム塩やマグネシウム塩は水中で析出しないので，軟水だけでなく硬水中でも使用できるという特長がある。ところがその供給が需要に追いつかなくなり，代わってほかの合成洗剤を開発する必要が生じてきた。

現在もっとも多く使用されている合成洗剤は，直鎖状のアルキルベンゼンスルホン酸塩である。その製造法は式15.9に示すように3段階からなる。まず炭素数10〜14の直鎖状アルケンとベンゼンとを，Friedel-Crafts触媒（$AlCl_3$またはHF）存在下に反応させてアルキルベンゼンをつくる。つぎにスルホン化を行い，アルカリで中和すると目的のアルキルベンゼンスルホン酸塩が得られる。

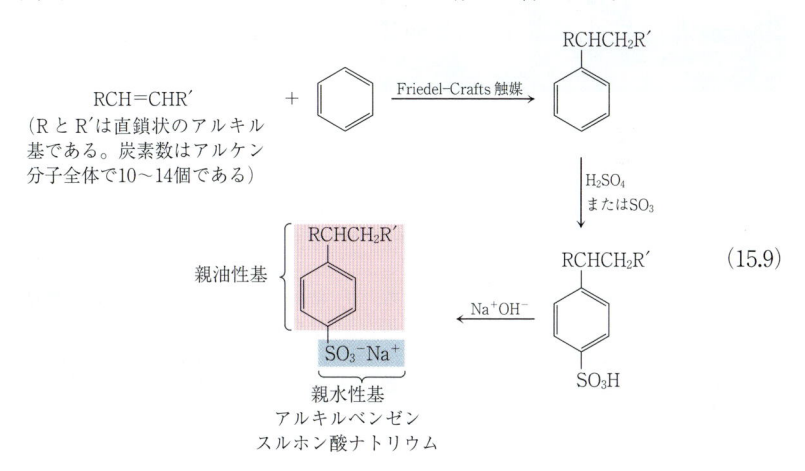

$$\text{(15.9)}$$

RCH=CHR′
（RとR′は直鎖状のアルキル基である。炭素数はアルケン分子全体で10〜14個である）

＋ ベンゼン → (Friedel-Crafts触媒) RCHCH$_2$R′−C$_6$H$_5$
→ (H_2SO_4またはSO$_3$) RCHCH$_2$R′−C$_6$H$_4$−SO$_3$H
→ (Na^+OH^-) RCHCH$_2$R′−C$_6$H$_4$−SO$_3^-Na^+$

親油性基：RCHCH$_2$R′−環
親水性基：$SO_3^-Na^+$
アルキルベンゼンスルホン酸ナトリウム

この洗剤のアルキル鎖は，分岐のない直鎖状であることが大切な条件である。その理由は，初期に製造されたアルキルベンゼンスルホン酸塩は枝分かれのあるアルキル基をもっていたために，生物分解できなかったことによる。

ここまで説明してきたセッケンと合成洗剤は陰イオン性洗剤であった。これは，親油性の分子鎖末端に負電荷の極性基が結合した構造をもつものである。ところがほかにも陽イオン性，中性，さらには両性の洗剤が存在し，それぞれは分子中に陽電荷，中性，そして双極性の極性部分をもっている。その例を示そう。

陽イオン性洗剤 $[R-N^+(CH_3)_3]Cl^-$ （$R=C_{16\sim18}$）

中性洗剤 $R-C_6H_4-O(CH_2CH_2O)_nH$ （$R=C_{8\sim12}$；$n=5\sim10$）

両性洗剤 $R-N^+(CH_3)_2-CH_2CO_2^-$ （$R=C_{12\sim18}$）

これらすべての洗剤に共通する基本条件は，油や油滴に溶解できる適当な長さの炭

A WORD ABOUT ...

市販の洗剤について

さまざまな市販の洗剤

適切な洗剤を設計して製造することは高度の技術を要するプロセスである。特定の用途や日常生活における洗剤への需要はますます増えつつあるとはいえ、ある1つの洗剤がすべての用途に適していることはまずない。ちなみに家庭用洗剤の一覧表をつくってみると、衣服の洗濯、皿洗い、床掃除、自動車用洗剤、身体用(洗顔、風呂、頭髪シャンプー)など、特定用途のために開発されたものが数えてみると半ダースは下らない。

さて、ここまでは界面活性を示す一般的な化合物(界面活性剤)の構造式について説明してきた。ここで学んだことは、洗剤とは親油性部分と極性部分からなる有機分子であり、その働きは油やグリースを乳化して分散させ、水の表面張力を低下させて衣類や皿などの表面を濡れやすくさせることにあった。市販されている洗剤に界面活性剤の占める割合は大きいが、洗剤には実際の用途に合わせてビルダー、漂白剤、繊維柔軟剤、酵素、汚れ再付着防止剤、光学的白度増加剤などが混合されているのである。

ビルダー(builder)は、おそらく市販洗剤の2番目に重要な成分といえよう。これは硬水の原因となるカルシウムやマグネシウムイオンを、洗濯用の水から除去するために加えられている。その働きは、これらのイオンをキレート化(錯塩の形成)したり、ナトリウムイオンと交換することにある。また pH を高めて油分の乳化を助け、pH 変化を防止する緩衝剤の働きもある。もっとも一般的に使用されているビルダーは**三ポリリン酸ナトリウム**(sodium tripolyphosphate, $5Na^+$ $P_3O_{10}^{5-}$)であるが、排出するリン酸塩は環境汚染物質に指定されているので、使用量は法律で制限されている。これに代わって最近、

化水素鎖でできた親油性部分と、水になじむためのミセル表面をつくり出せる極性部分とをもつことである。

例題 15.3

上述の陽イオン性洗剤($R = C_{16}$)の合成法を設計せよ。

解答

$$CH_3(CH_2)_{14}CH_2Cl + (CH_3)_3N: \longrightarrow \left[CH_3(CH_2)_{14}CH_2 - \overset{\overset{CH_3}{|}}{\underset{\underset{CH_3}{|}}{N^+}} - CH_3 \;\; Cl^- \right]$$

この反応は S_N2 反応である。(表6.1 の第三級アミンならびに式11.6 と 11.26 を参考にすること)。

問題 15.5

p-オクチルフェノールとエチレンオキシドを原料として、上の例題に示した中性洗剤($R = C_8$, $n = 5$)の合成法を設計せよ(8.8節を参考にすること)。

クエン酸ナトリウム，炭酸ナトリウム，ケイ酸ナトリウムなどがビルダーとして使用されるようになった。ゼオライト（アルミン酸ケイ酸ナトリウム）もとくにカルシウムイオンに対するイオン交換剤として用いられている。

漂白剤（bleach）のなかでは，塩素系（次亜塩素酸塩）のものがこれまで単独に使用されたり，洗剤中に混合した形で使用されてきた。塩素は酸化剤として働くが，塩素が残留すると臭う問題があったので，これに代わって過ホウ酸ナトリウム（$NaBO_3$）などの過酸化物が用いられるようになった。過ホウ酸ナトリウムは加水分解されると過酸化水素を生じ，これが漂白作用を行うのである。

繊維柔軟剤（fabric softener）は，衣類に柔らかな感触を与える陽イオン性界面活性剤である。これは洗濯機用の洗剤に混合したり，洗濯物に別途加えて用いられる。

酵素（enzyme）は洗剤中に加えて衣類の特定の汚れを落とす目的に用いられる。プロテアーゼはタンパク質起因の汚れを加水分解し，アミラーゼはデンプン起因の汚れを水溶性物質に変換して，洗濯で容易に洗い落とす働きをもっている。

再付着防止剤（antiredeposition ageut）は洗濯機用洗剤に添加して，土などの汚れが衣類に再付着するのを防止する化合物である。よく知られたものは，セルロースのエーテルやエステルである。

光学的白度増加剤（optical brightener）は一種の有機色素であって，紫外光を吸収して青色の蛍光を発する化合物である。この働きで白い衣類が黄ばんでみえるのを防止できる。19世紀中ごろからすでに，ウルトラマリーンのような青色色素の青さがこの目的に用いられており，現在でもまだ使用されている。洗剤の設計要素として採用される白度増加剤は，ふつう芳香族か複素芳香族アミンが多い。

このような洗剤構成要素に加えて，最近は帯電防止剤（帯電による繊維の絡みを防止する陽イオン性界面活性剤）や向湿剤（低溶解性の界面活性剤などが溶液状態を保てるように液体洗剤に加えるもの）もある。さらに当然のことだが，香料や香水，不活性な充てん剤や改質剤も加えられることが多い。

諸君が洗濯したり，風呂に入って洗髪するときは，使用している商品の複雑さや多様さを考えてみてほしい。それは単なるセッケンではないのである。

問題 15.6 求核剤である $CH_3(CH_2)_{10}CH_2N(CH_3)_2$ と適当なハロゲン化物との S_N2 置換反応を用いて，上に述べた両性洗剤の合成法を設計せよ。

15.6 リン脂質

リン脂質（phospholipid）は細胞膜構成物質のほぼ40％を占め，残り60％はタンパク質である。リン脂質の構造は脂肪や油脂に似ているが，後者のエステル基3つのうちの1つがホスファチジルアミン（phosphatidylamine）（次ページのものはホスファチジルエチルアミン）で置換された形をもっている。リン脂質は細胞膜中で2層に並んでおり，図15.6に示すように2本の炭化水素鎖は内側を向き，ホスファチジルアミンの極性基末端が膜表面を構成している。細胞膜は細胞の内側や外側への物質拡散を制御する重要な生物学的役割を担っているのである。

☞ **リン脂質**とは脂肪とよく似ているが，異なる点はエステル基の1つがホスファチジルアミンで置き換わっている。また，リン脂質は**2層**となって細胞膜を形成している。

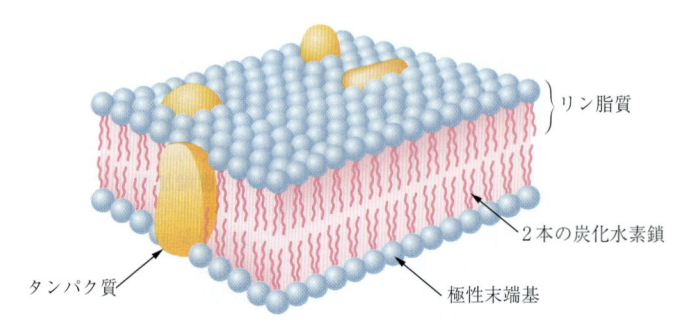

図 15.6 二層構造をもつ細胞膜の模式図

$$\begin{array}{l}
\text{CH}_3\text{CH}_2\text{CH}_2\text{CH}_2\text{CH}_2\text{CH}_2\text{CH}_2\text{CH}_2\text{CH}_2\text{CH}_2\text{CH}_2\text{CH}_2\text{CH}_2\text{CH}_2\text{CH}_2\overset{\text{O}}{\underset{\|}{\text{C}}}-\text{O}-\text{CH}_2 \\
\text{CH}_3\text{CH}_2\text{CH}_2\text{CH}_2\text{CH}_2\text{CH}_2\text{CH}_2\text{CH}_2\text{CH}_2\text{CH}_2\text{CH}_2\text{CH}_2\text{CH}_2\text{CH}_2\text{CH}_2\overset{\text{O}}{\underset{\|}{\text{C}}}-\text{O}-\text{CH} \\
\hspace{10em} \text{CH}_2-\text{O}-\overset{\text{O}^-}{\underset{\underset{\text{O}}{\|}}{\text{P}}}-\text{OCH}_2\text{NH}_3^+
\end{array}$$

　　　　　　　　非極性尾部　　　　　　　　　　　　　リン脂質部　　　　　　極性頭部

　リン脂質の脂肪酸部分は通常パルミトイル，ステアロイル，あるいはオレオイル基である．上図に示した構造式は**セファリン** (cephalin) のものだが，その窒素上にある3つの水素がメチル基で置き換わったものは**レシチン** (lecithin) である．これら2種類のリン脂質はヒトの体に広く分布し，とくに脳や神経細胞に多い．

　リン脂質は**2層** (bilayer) となって細胞膜を形成している（図15.6）．そこでは非極性尾部を構成する2本の炭化水素鎖が膜の内側を向き，極性頭部を構成するホスファチジルアミン基は膜表面を形成している．この細胞膜は，それを通って物質が出入りする機能を調節する生理学的に重要な役割をもっている．

15.7　プロスタグランジン，ロイコトリエン，リポキシン

　プロスタグランジン類は不飽和脂肪酸と深い関係にある一群の化合物である．プロスタグランジンは1930年代に発見され，ヒトの精液内に子宮筋のような平滑筋を刺激して収縮させる働きのある物質が存在することがわかった．それは前立腺 (prostate gland) から分泌されるものだと思われていたので，**プロスタグランジン** (prostaglandin) と名づけられた．現在ではプロスタグランジン類が人体組織中に広く分布し，ごく微量でも生理活性を発揮して，脂肪代謝，心拍速度，血圧等に多

☞　**プロスタグランジン**は20の炭素原子からできた不飽和脂肪酸の**アラキドン酸**から生合成される．

様な生理効果を及ぼすことがわかっている。プロスタグランジン類は20の炭素原子から構成されており，ヒトの体内において炭素20の不飽和脂肪酸である**アラキドン酸**（arachidonic acid）の酸化と環化反応によってつくられている。この反応ではアラキドン酸のC-8位からC-12位までが環化してシクロペンタン環を形成し，酸素官能基（カルボニルまたは水酸基）は常にC-9位に存在する。それに加えていくつかの二重結合や水酸基が構造中に存在している。

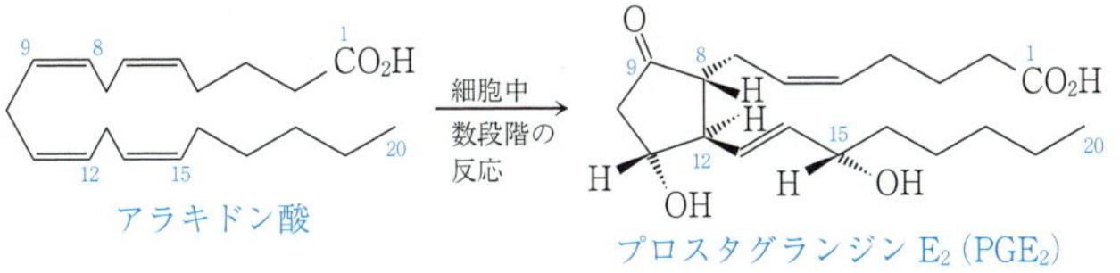

$$\text{アラキドン酸} \xrightarrow[\text{反応}]{\text{細胞中}\\ \text{数段階の}} \text{プロスタグランジン } E_2 \text{ (PGE}_2\text{)} \tag{15.10}$$

プロスタグランジンは医学界に大きな刺激と関心をよび起こしている。その使途と効能は喘息やリューマチ性関節炎，消化性潰瘍などの治療，高血圧症の抑制，血圧ならびに代謝系の調節，陣痛の促進と治療目的の流産などの炎症性疾患である。

アラキドン酸を酵素酸化すると，C-5位置またはC-5とC-15の両位置が酸化された生成物の**ロイコトリエン**（leukotriene）または**リポキシン**（lipoxin）の2種類の非環状化合物がそれぞれ得られる。

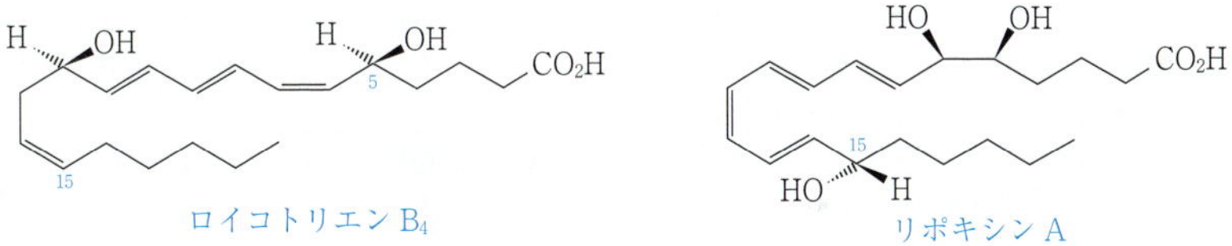

ロイコトリエン B_4 　　　　リポキシン A

これら2種類の化合物は，炎症や免疫反応に重要な細胞応答性を調節するものであり，今日の医学の重要な研究対象となっている。

15.8　ワックス

ワックス（wax）は脂肪や油脂とは異なり，単純なモノエステルの構造をもっている。このモノエステルの酸とアルコール部分は，どちらも長い飽和炭素鎖からできている。

$$\text{CH}_3(\text{CH}_2)_{13}\text{CH}_2\overset{\overset{\text{O}}{\|}}{\text{C}}-\text{O}(\text{CH}_2)_{15}\text{CH}_3$$
パルミチン酸セチル
（鯨ロウ，マッコウ鯨油の油脂成分）

$$\text{C}_{25-27}\text{H}_{51-55}\overset{\overset{\text{O}}{\|}}{\text{C}}-\text{OC}_{30-32}\text{H}_{61-65}$$
ミツロウの成分

☞　**ロイコトリエン**および**リポキシン**はプロスタグランジンが開環した化合物である。
☞　**ワックス**は脂肪酸のモノエステルである。

A WORD ABOUT...

プロスタグランジン，アスピリンと痛み

アスピリン（Aspirin）は世界でもっとも広く使われている鎮痛薬であり*，これまで100年間以上にもわたって歯痛や頭痛，神経痛その他の痛みの治療に使用されてきた。ところが，このアスピリン鎮痛作用の機構が解明されたのはつい最近のことである。そして興味あることに，その働きがプロスタグランジンの生合成に直接かかわっていることがわかってきた。

アスピリン
（アセチルサリチル酸）

プロスタグランジンは細胞中で一連の酵素触媒反応によってつくられる。一番大切な生合成段階は，アラキドン酸と酸素との反応によって，過酸化物の官能基をもったプロスタグランジンのPGG_2が生成するところである（式15.10）。この反応段階ではシクロオキシゲナーゼとよばれる酵素の働きによって，アラキドン酸の9-および11-位の炭素が酸素と結合し，8-および12-位の炭素が互いに結合してプロスタグランジン特有のシクロペンタン環が形成される。いったんPGG_2が生成すると，ひき続いてPGH_2に還元され，さらに続いてPGE_2（式15.10）や他のプロスタグランジン骨格に変換されてゆく。

このようにして生合成されたプロスタグランジン類は，ヒトの生命活動において消化や血液循環，さらには生殖の制御という重要な役割を担っている。また最近判明したことだが，細胞が傷つくと，そこでプロスタグランジンがつくられて放出されるので，炎症と痛みが発生してくる。ここにアスピリンとの関係が生じるのである。

1969年にロンドンの王立外科大学のJohn Vane博士は，傷を受けた人体組織からのプロスタグランジン生成がアスピリンによって抑制されることを発見した。その結果としてわかったことは，この現象はアラキドン酸をPGG_2に酸化する酵素のシクロオキシゲナーゼにアスピリンが結合して生じるということ

---

* 鎮痛薬に関するもう1つのA Word About「モルヒネと含窒素医薬品」（13章）も読むこと。

植物ワックスのなかには炭化水素だけでできたものも含まれている（2.7節参照）。ワックス類は脂肪に比べると一般にもろくて硬く，潤滑性に欠ける。そのおもな用途はつや出し，化粧品，軟膏などの医薬用材料であり，さらにロウソクやレコード盤にも使用されていた。自然界においては，乾燥地帯に生息する植物の葉や幹を被覆して，水分の蒸発を防いでいる。また，体積に比べて広い表面積をもつ昆虫類も，同じように天然の保護ワックスによって覆われていることが多い。

15.9 テルペンとステロイド

多くの植物や花類に含まれる**精油類**（essential oil）は，これらの植物を水蒸気蒸留して得られる。そこから分離された非水溶性の油は，その植物特有の香りをもっている（ローズ油，ゲラニウム油など）。これらの油から単離される化合物はふつう5の倍数の炭素原子（5, 10, 15など）からなり，**テルペン類**（terpene）とよ

☞ テルペン類は5炭素単位である**イソプレン**が複素結合してできた化合物である。

である。その結果プロスタグランジンの生成が止まるので，炎症や痛みが軽減されることになる。このように酵素の触媒的な働きを抑制する化合物は酵素禁止剤とよばれる。今日では特定の酵素の禁止剤を見いだして合成する研究は，新薬の発見において大切な役割を果たしている。

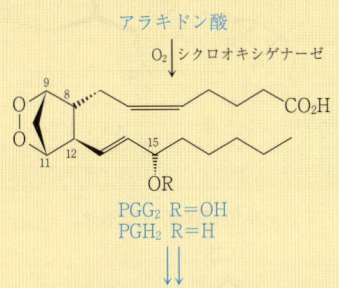

アラキドン酸
O_2 ↓ シクロオキシゲナーゼ

PGG$_2$ R=OH
PGH$_2$ R=H

PGE$_2$ と他のプロスタグランジン類

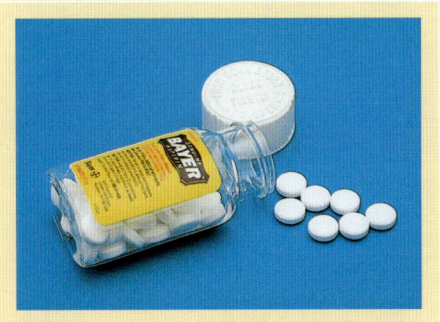

世界でもっとも広く使われている鎮痛剤であるアスピリン

アスピリン服用の副作用の1つとして胃壁にただれが生じることがあるが，これもまたプロスタグランジン合成の阻害が原因で生じる。さらにわかったことは，PGE$_2$ は胃壁細胞を刺激して保護粘液膜の形成を助け，胃酸の濃度を調節しているために，PGE$_2$ が生成しないと塩酸の生産量が増大してしまう。このようにアスピリンを経口服用すると，PGE$_2$ の分泌が抑えられて胃がむかつく理由が明らかになった。だからといってアスピリンの有効性が失われたわけではなく，ほかの数多くの特効薬と同じように，適正な服用量を守る限りきわめて有効であることにかわりはない[†]。

[†] 1982年のノーベル医学・生理学賞は，このアスピリンの作用とプロスタグランジンの生合成に関する John Vane, Bengt Somuelson, Sune Bergstrom の研究に対して贈られている。

ばれている（そのいくつかについては p.242 の A Word About「生化学的に重要なアルコールとフェノール」で述べた）。これらは植物内で酢酸エステルを原料として，重要な生化学中間体の**ピロリン酸イソペンテニル**（isopentenyl pyrophosphate）を経由して生合成される。ここで，4炭素鎖に C-2 位の1炭素枝を加えた合計5炭素からなる鎖のことを，**イソプレン**単位（isoprene unit）とよんでいる。

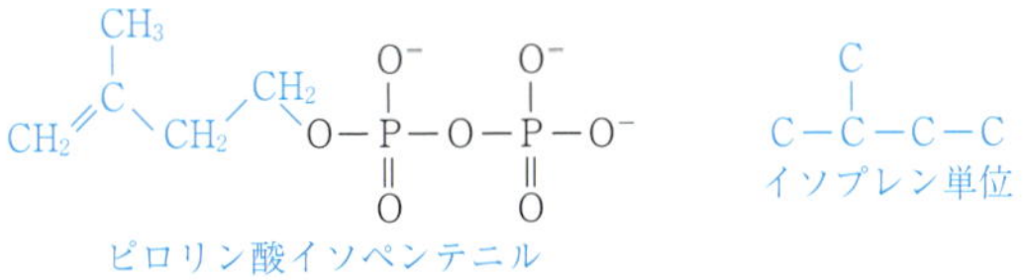

ピロリン酸イソペンテニル

イソプレン単位

たいていのテルペン構造はこのイソプレン単位に分解できる。テルペン類にはさまざまな官能基（C=C，OH，C=O など）が構造中に組み込まれており，環状構造のものもあれば非環状のものもあり，さまざまである。

1つのイソプレン単位だけからなる化合物は天然物中にはまれだが，2つのイソ

プレン単位（C_{10}）からなる**モノテルペン**（monoterpene）はふつうにみられる。その例としてゲラニオール（p.242），シトロネラール（citronellal），ミルセン（myrcene）（以上は非環状構造のもの），メントール（menthol）とβ-ピネン（pinene）（いずれも環状構造のもの）が挙げられよう。

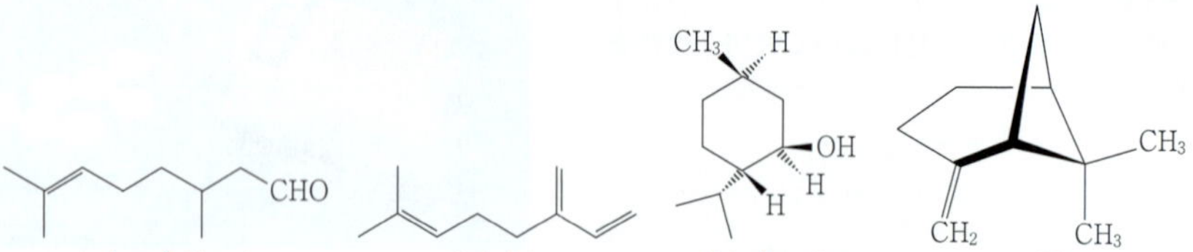

シトロネラール
（レモン油）

ミルセン
（月桂樹の葉）

メントール
（ペパーミント油）

β-ピネン
（テレピン）

例題 15.4

シトロネラールならびにメントールの構造をイソプレン単位に区切って示せ。

解答

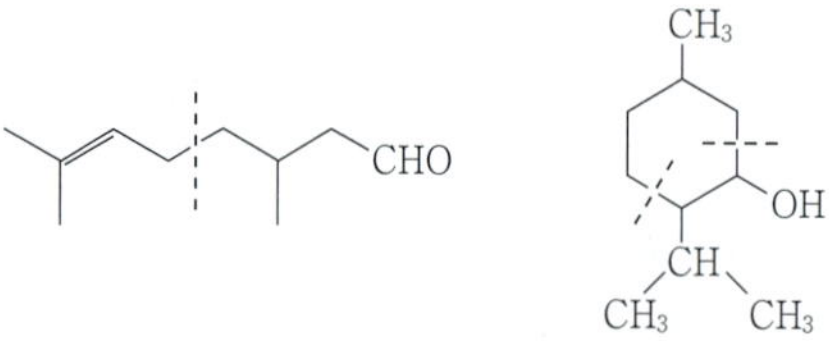

これら2つの構造は，いずれも点線で示すように2つのイソプレン単位に区切られる。

問題 15.7 上の例題15.4に示した方法以外に，メントールをイソプレン単位に区切るもう1つの方法がある。それを示せ。いずれにおいてもイソプレン単位がhead-to-tail型に結合している。

ここまですでに，**セスキテルペン**（sesquiterpene, C_{15}，ファルネソール，p.242），**ジテルペン**（diterpene, C_{20}，レチナール，p.88），**トリテルペン**（triterpene, C_{30}，スクアレン，p.242），そしてさらには**テトラテルペン**（C_{40}，β-カロチン，p.88）について解説してきた。

問題 15.8 ファルネソール，レチナール，スクアレン，β-カロチンの構造式を書き，それぞれをイソプレン単位に区切る方法を示せ。

ステロイド（steroid）は脂質の重要な構成成分である。これらはテルペンと同様の生合成経路を経て作られ，テルペンとは大変関係が深い。たとえば非環状のト

☞ **モノテルペン**はイソプレン単位2つでできている。**セスキテルペン，ジテルペン，トリテルペン，テトラテルペン**はイソプレン単位がそれぞれ3, 4, 6, 8つでできている。
☞ **ステロイド**類は非環状トリテルペンのスクアレンから生合成される4環式の脂質である。

15.9 テルペンとステロイド

リテルペンであるスクアレンは，まことに驚くべき反応過程を経由して立体特異的に4環式ステロイドの**ラノステロール**（lanosterol）に変換され，さらに引き続きこれを原料として他のステロイド類が合成されている。

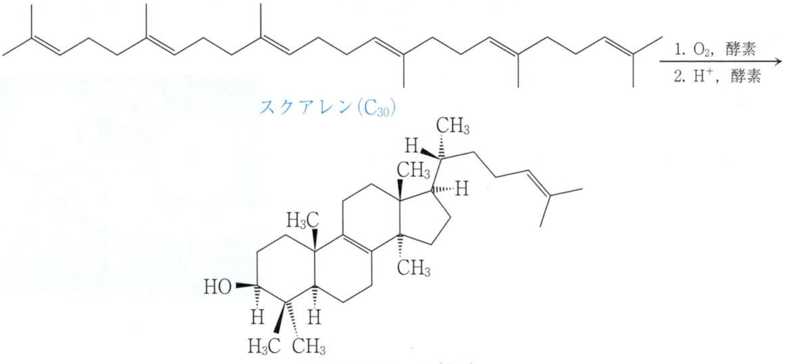

$$\text{スクアレン}(C_{30}) \xrightarrow[\text{2. H}^+,\text{ 酵素}]{\text{1. O}_2,\text{ 酵素}} \text{ラノステロール}(C_{30}) \tag{15.11}$$

問題 15.9 スクアレンには不斉中心がいくつ存在するか答えよ。またラノステロールについて答えよ。

ステロイド類の構造的特徴は4つの環が縮合していることにある。A, B, Cの3つの環は6員環，D環は5員環であり，これらの環どうしは通常 *trans* 配置の結合によって縮合している。

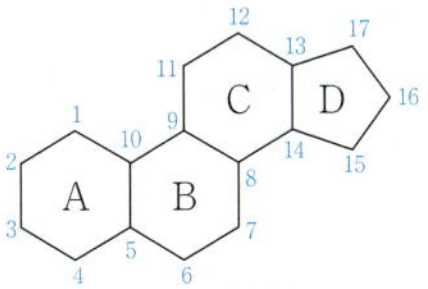

ステロイド環と位置番号 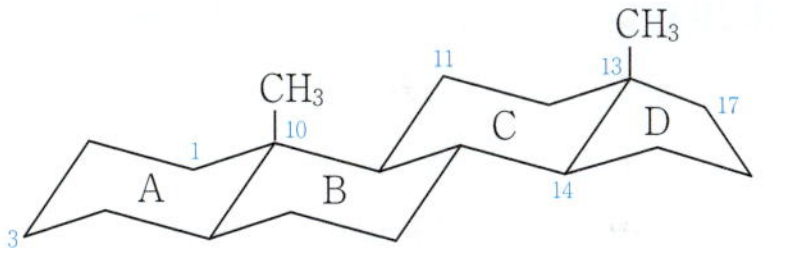　　いす型シクロヘキサン環でできたステロイドの形

ほとんどのステロイドの6員環は若干の例外を除いて芳香族環ではない。そして一般にC-10およびC-13位にはメチル基（angular（かどの意味）メチル基とよばれる）をC-17位には側鎖をもっている。具体的な例としては，**コレステロール**（cholesterol）がもっともよく知られている。これは，27個の炭素から構成されており，ラノステロールから3炭素分を除去する生化学反応を通して生合成されている。

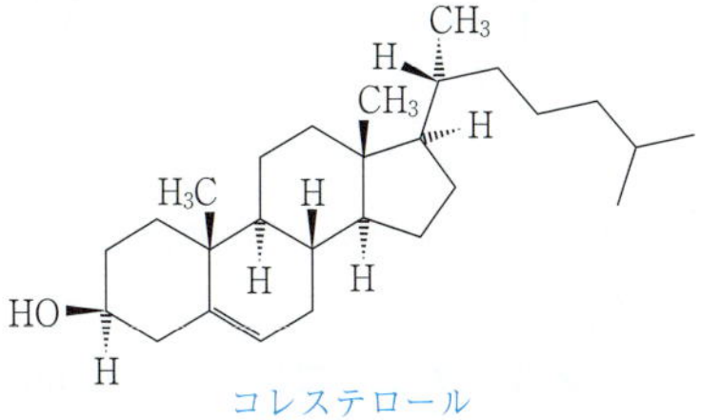

コレステロール

コレステロールはすべての動物の細胞中に存在するが，主として脳や脊髄に濃縮されている。これはまた胆石の主成分でもある。平均的な人間1人に存在するコレステロールの量は200gにも達する。血清中のコレステロール量と冠状動脈疾患との間には関連があって，その濃度が200 mg/dl以下なら正常で，280 mg/dl以上なら危険値であるといわれている。

その他のステロイドも動物生体組織中に広く存在し，大切な生化学的役割を果たしている。たとえば，**コール酸**（cholic acid）は輸胆管中で作られ，多様なアミド塩の形で存在している。これらの塩は極性部分（親水性）と大きな炭化水素部分（親油性）からなり，乳化剤として働き，脂肪が腸管から吸収されるのを助けている。すなわち生化学的なセッケンとして働いているのである。

胆石の主成分はコレステロールである。

$$Z = OH \quad コール酸$$

$$Z = NHCH_2CH_2\overset{O}{\underset{O}{S}}-O^-Na^+ \quad 胆汁塩$$

性ホルモン（sex hormone）は生殖腺（卵巣と精巣）で作られ，生殖生理と2次性徴とを制御している化合物である。おもな女性ホルモンには2つの種類がある。まず，エストロゲン類（estrogen）のなかでもっとも分泌量の多い**エストラジオール**（estradiol）は，月経周期の生理的変化や女性2次性徴の発育に欠かせないものである。つぎに**プロゲステロン**（progesterone）は，受精卵が子宮壁に着床するために必要な女性ホルモンであるが，同時に妊娠中の排卵を抑えて妊娠を持続させる働きをもつ。したがってこれは流産防止の治療薬として使用されている。その構造はエストラジオールなどのエストロゲン類とは異なり，A環は芳香族環ではない。

エストラジオール　　プロゲステロン

ところが興味あることに，ピル（pill）と呼ばれている経口避妊薬はプロゲステロンに似た構造をもつ化合物である。その一例として，受精を阻害するアセチレン型アルコール基をもった**ノルエチンドロン**（norethindrone）がある。その一方で，

15.9 テルペンとステロイド

プロゲステロンによく似た **RU 486** は人工流産薬の働きを示す．これは受精卵の着床を防止し，プロスタグランジンと一緒に服用すれば妊娠初期の9週間以内ならきわめて効果的に，それも外科的手術よりも安全に妊娠を中絶できる．この医薬品はフランスで発明され，アメリカ合衆国で主として使用されている．

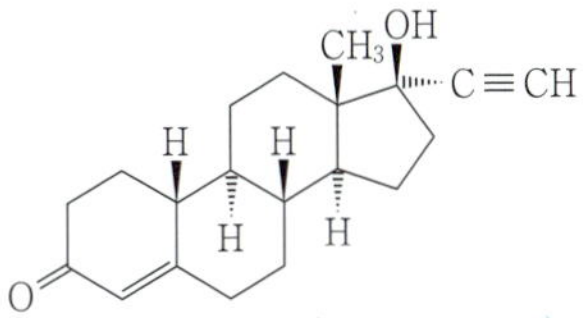

ノルエチンドロン（ノルルーチン） 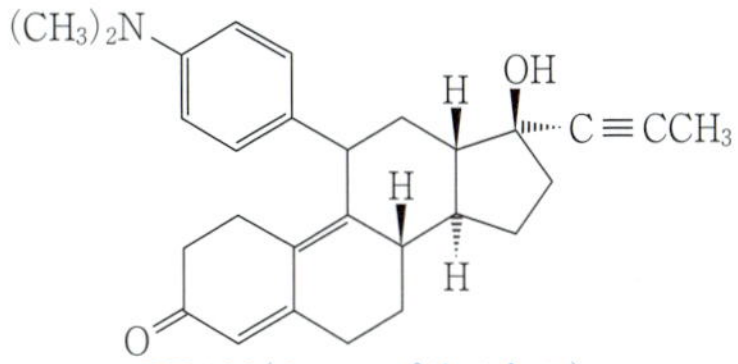　　　　RU 486（ミフェプリストン）

男性に特有の男性ホルモンは**アンドロゲン**（androgen）とよばれ，男性生殖器の発育や体毛，男性的音声，男性的筋肉構成などの2次性徴を制御している．ここで重要なアンドロゲンとして，**テストステロン**（testosterone）と**アンドロステロン**（androsterone）の2つをとり挙げてみよう．

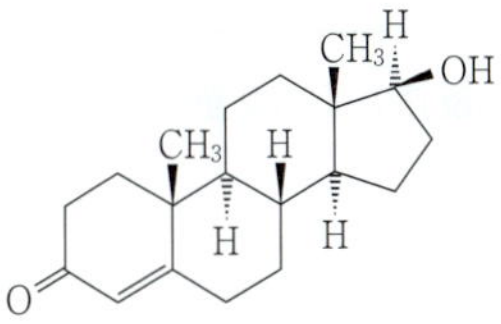

テストステロン 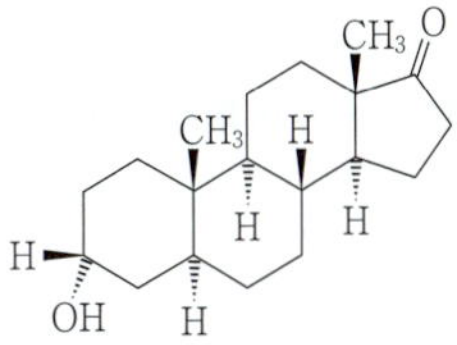　　　　アンドロステロン

テストステロンは**アナボリック**（anabolic，筋肉増強）ステロイドである．医薬品のなかには手術，飢餓，外傷などの回復期にある筋肉の萎縮防止目的に投与されるものがある．ところが，健康な運動選手や競走馬の筋力増強，耐久力強化の目的にこのような医薬品が不法に投与されたことがこれまでにあった．しかしこれを多量に服用すると，肝臓腫瘍や性器機能不全など致命的な副作用を生じる恐れがある．

男性ホルモンのテストステロンと女性ホルモンのプロゲステロンとの構造上異なる点は，D環のC-17上の置換基が水酸基かアセチル基かの違いだけである．このように構造中のわずかな変化だけで生理活性に著しい変化が現れることは，生化学反応そのものがきわめて特異的，選択的であることを証明している．

テストステロンやプロゲステロンとよく似た構造のステロイドとして**コルチゾン**（cortisone）があり，これは関節炎の治療薬として用いられている＊．

＊　コルチゾンの安価な合成法はアメリカの化学者 Percy Julian（1899-1975）によって開発された．Julian はさらに大豆油から性ホルモン類を合成する経済的な方法を見いだし，緑内症治療薬のフィソスティグミン（非芳香族系の含窒素複素環化合物）をはじめて全合成した．Julian の略歴と米国で彼が受けた人種差別の苦しみは，つぎの記事に書かれている．*Chemical and Engineering News*, 2月1日号, **1993**, p.9

コルチゾン

反応のまとめ

1. トリグリセリド（グリセリン三エステル）のけん化反応（15.1 および 15.3 節）

$$\begin{array}{c} H_2C-O-\overset{O}{\underset{\|}{C}}-R \\ HC-O-\overset{O}{\underset{\|}{C}}-R \\ H_2C-O-\overset{O}{\underset{\|}{C}}-R \end{array} + 3\,NaOH \longrightarrow \begin{array}{c} H_2C-OH \\ HC-OH \\ H_2C-OH \end{array} + 3\,Na^+\,{}^-O-\overset{O}{\underset{\|}{C}}-R$$

2. トリグリセリドの水素添加反応（硬化反応）（15.2 節）

$$\begin{array}{c} H_2C-O-\overset{O}{\underset{\|}{C}}-(CH_2)_n CH=CH(CH_2)_m CH_3 \\ HC-O-\overset{O}{\underset{\|}{C}}-(CH_2)_n CH=CH(CH_2)_m CH_3 \\ H_2C-O-\overset{O}{\underset{\|}{C}}-(CH_2)_n CH=CH(CH_2)_m CH_3 \end{array} \xrightarrow[\text{加熱}]{3\,H_2 \atop \text{Ni 触媒}} \begin{array}{c} H_2C-O-\overset{O}{\underset{\|}{C}}-(CH_2)_n CH_2CH_2(CH_2)_m CH_3 \\ HC-O-\overset{O}{\underset{\|}{C}}-(CH_2)_n CH_2CH_2(CH_2)_m CH_3 \\ H_2C-O-\overset{O}{\underset{\|}{C}}-(CH_2)_n CH_2CH_2(CH_2)_m CH_3 \end{array}$$

3. トリグリセリドの水素化分解反応（15.5 節）

$$\begin{array}{c} H_2C-O-\overset{O}{\underset{\|}{C}}-R \\ HC-O-\overset{O}{\underset{\|}{C}}-R \\ H_2C-O-\overset{O}{\underset{\|}{C}}-R \end{array} \xrightarrow[\text{亜クロム酸銅触媒}]{6\,H_2} \begin{array}{c} H_2C-OH \\ HC-OH \\ H_2C-OH \end{array} + 3\,HOH_2C-R$$

章 末 問 題

命名法と構造

15.10 表15.1を参考にして，つぎの構造式を書け．
- (a) パルミチン酸カリウム
- (b) オレイン酸マグネシウム
- (c) 三ラウリン酸グリセリル
- (d) 酪酸パルミチン酸オレイン酸グリセリル
- (e) ミリスチン酸リノレイル
- (f) アラキン酸メチル

15.11 つぎの物質の一般構造式を書け．
- (a) 脂肪
- (b) 植物油
- (c) ワックス
- (d) ふつうのセッケン
- (e) 合成洗剤
- (f) ステロイド
- (e) リン脂質
- (f) テルペン
- (f) イソプレン単位

脂肪，セッケン，脂肪酸

15.12 三リノレン酸グリセリルに関するつぎの3つの反応を反応式で書け．
- (a) けん化 (b) 水素添加 (c) 水素化分解

15.13 ヒマシ油をけん化すると12-ヒドロキシオレイン酸ともよばれるリシノール酸が，グリセリンとともに得られる（80〜90％）．このリシノール酸の構造式を書け．

15.14 つぎの反応式をを書け．

(a) $C_{15}H_{31}\overset{O}{\overset{\|}{C}}O^-Na^+ + HCl \longrightarrow$ (b) $C_{15}H_{31}\overset{O}{\overset{\|}{C}}O^-Na^+ + Mg^{2+} \longrightarrow$

15.15 1-デセンとベンゼンを原料とするアルキルベンゼンスルホン酸塩型の合成洗剤の製法を反応式で示せ（式15.9参照）．

合成洗剤

15.16 食器洗い用の液体洗剤などに用いられている合成洗剤の1つに，$CH_3(CH_2)_{11}(OCH_2CH_2)_3OSO_3Na$ の構造をもったものがある．これを $CH_3(CH_2)_{10}CH_2OH$ とエチレンオキシドから合成する反応を，反応式で段階的に示せ．

15.17 合成洗剤として望ましい性質とはなにか，箇条書きで示せ．

15.18 陽イオン性界面活性剤と陰イオン性界面活性剤をほぼ等量混合した市販の洗剤があると仮定し，この洗剤にはどのような問題点があるのか，よく考えて説明せよ．

脂質の立体化学

15.19 ビート夜盗虫の毛虫がトウモロコシの若木を食害するときに，この虫は傷ついた葉にボリシチン（volicitin）を分泌する．するとこれに葉が反応して揮発性のテルペンとインドールの混合物を発散して，毛虫の天敵である寄生生物のハチを呼び寄せるのである．（詳細については以下の文献を読むとよい．E.E. Farmer, "New Fatty Acid-Based Signals: A Lesson from the Plant World" *Science*, May 9, **1997**, p.912.）

🔗 =総合問題

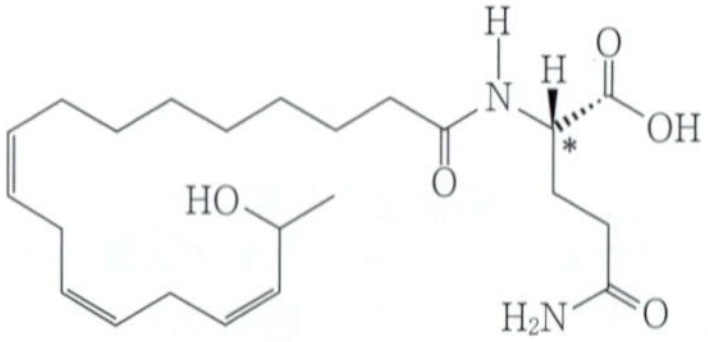

ボリシチン

(a) このアミドの一種であるボリシチンは，ある種の脂肪酸とアミノ酸のグルタミンとからつくられている（表17.1）。このボリシチンをつくっている脂肪酸は何か，またその二重結合の立体配置（Z または E）は何か答えよ。
(b) ＊印をつけた不斉中心の立体配置（R または S）は何か答えよ。

15.20 アラキドン酸の構造中にある二重結合それぞれについて，その立体配置（Z または E）を示せ。式15.10の構造を参照せよ。

15.21 プロスタグランジン E_2（p.485）の構造に関するつぎの問に答えよ。
(a) 不斉中心はいくつ存在するか？
(b) それぞれの立体配置（R または S）は？
(c) 2本の側鎖に存在する二重結合の立体配置（Z または E）は？
(d) この2本の側鎖は互いに cis または trans いずれの関係にあるのか？

ワックス

15.22 マッコウ鯨からとれる鯨ロウの主成分であるパルミチン酸セチルのけん化反応式を書け。

15.23 脂肪や油は濃アルカリ水溶液中で煮沸すると溶解するが，ワックスは溶解しない。この違いを説明せよ。

テルペン

15.24 (a) ミルセン，ならびに (b) β-ピネン（p.488）それぞれの構造式を，イソプレン単位に区切って示せ。

15.25 問題15.8の解答にみられるように，ファルネソールとレチナールのイソプレン単位はすべて頭-尾（head-to-tail）結合様式をもっている。ところが，スクワレンや β-カロチンではすべてがその配列にはなっていない。この2つの構造中のどこで頭-尾結合様式が崩れているのかを示せ。さらにこのことが，これら2つのテルペンの生合成経路に関して何を意味するのかについても考えよ。

ステロイド

15.26 つぎの反応の生成物を答えよ（出発原料の構造はテキスト中に記載してある）。
(a) エストラジオール＋無水酢酸 (b) テストステロン＋LiAlH$_4$
(c) コレステロール＋過酢酸 (d) アンドロステロン＋クロム酸

15.27 コレステロールは堅い縮合環構造をもっており（p.489），リン脂質の二分子膜中に存在し（図15.6），細胞膜に強く付着している。このコレステロールには極性と非極性の両方の置換基が存在する。そこで分子間の非結合性相互作用（2.7節）の考えをとり入れて，脂質2分子膜中においてコレステロール分子がどのように配向しているか，その様子を書いてみよ。

CHAPTER 16

β-D-フルクトフラノース

炭水化物

16.1 定義と分類
16.2 単糖類
16.3 単糖のキラリティ；Fischer 投影式と D, L-糖
16.4 単糖の環状ヘミアセタール構造
16.5 アノマー炭素と変旋光
16.6 ピラノース構造とフラノース構造
16.7 ピラノース立体配座
16.8 単糖類のエステルとエーテル
16.9 単糖の還元反応
16.10 単糖の酸化反応
16.11 単糖からのグリコシドの生成
16.12 二糖類
16.13 多糖類
16.14 糖のリン酸エステル
16.15 デオキシ糖
16.16 アミノ糖
16.17 アスコルビン酸（ビタミンC）

A WORD ABOUT...

16.12 甘さと甘味料
16.13 炭水化物からつくられる油脂代替物

炭水化物は動植物の生命活動に広くかかわりあっている天然物質である。植物は光合成により大気中の二酸化炭素を炭水化物に変換しているが，その代表的な生産物がセルロース，デンプン，糖類である。セルロースは植物の堅固な細胞壁や木質組織などを形作る構造材料として働く成分である。デンプンは炭水化物を貯蔵して，あとで食糧やエネルギー源として用いる形態のものである。またサトウキビやテンサイなどの栽培植物は砂糖として使われるスクロース（ショ糖）を生産している。グルコースは血液中に欠くことのできない成分である。またリボースと 2-デオキシリボースの 2 つの糖も遺伝子物質の RNA と DNA のための必須物質である。ほかにも数多くの炭水化物が補酵素や抗生物質，軟骨組織，甲殻類の皮殻，バクテリアの細胞壁，哺乳動物の細胞膜などを形作る重要な成分として機能している。

本章ではまず炭水化物の構造を学習し，続いていくつかの主要な炭水化物についてその反応を説明する。

▲ フルクトースは果糖ともよばれ，スクロース（砂糖）よりも 50％甘味が強く，蜂蜜に含まれる糖の主成分である。

16.1 定義と分類

炭水化物（carbohydrate）という学術用語は，これらの化合物の分子式が炭素の水和物としての分子式 $C_n(H_2O)_m$ で表示できるものが多いことに由来している。たとえばグルコースは $C_6H_{12}O_6$ の分子式をもっているが，これは $C_6(H_2O)_6$ というようにも表現できる。このような分子式の表記法は炭水化物の化学を学ぶうえではあまり役にたたないが，それでもこの古い名称がいまだに使われている。

現在の定義によれば，**炭水化物**とはポリヒドロキシアルデヒドまたはポリヒドロキシケトンの構造をもったもの，または加水分解によりこれらの化合物を与える物質のことである。したがって炭水化物の化学といえば，2種類の官能基，すなわち水酸基とカルボニル基を同一分子内にもつ化合物の化学，ということになる。

炭水化物は構造によって**単糖**（monosaccharide），**オリゴ糖**（oligosaccharide），**多糖**（polysaccharide）の3つに分類される。**糖類**（saccharide）という言葉はラテン語の saccharum（糖）に由来し，単純な構造をもった炭水化物が一般に甘味を呈することが多いのでこの名称がある。このように分類された3種類の炭水化物は加水分解を中間に介して互いに関連をもっている。

$$\text{多 糖} \xrightarrow[H^+]{H_2O} \text{オリゴ糖} \xrightarrow[H^+]{H_2O} \text{単 糖} \tag{16.1}$$

たとえば，多糖のデンプンを加水分解するとまずマルトースになり，引き続き加水分解するとグルコースになる事実がこれをよく説明している。

$$\underset{\substack{\text{デンプン}\\(\text{多糖類の一種})}}{[C_{12}H_{20}O_{10}]_n} \xrightarrow[H^+]{nH_2O} \underset{\substack{\text{マルトース}\\(\text{二糖類の一種})}}{nC_{12}H_{22}O_{11}} \xrightarrow[H^+]{nH_2O} \underset{\substack{\text{グルコース}\\(\text{単糖類の一種})}}{2nC_6H_{12}O_6} \tag{16.2}$$

単糖または単純糖とよばれるものは，それ以上加水分解されない炭水化物のことである。多糖類はきわめて数多くの，ときには数百から数千もの単糖単位で構成され，例外もあるが同じ単糖単位だけで構成されているものが多い。たとえばデンプンとセルロースは代表的な多糖であるが，どちらもグルコース単位だけがつながった構造をもっている。オリゴ糖類（オリゴはギリシャ語のoligos；二，三の意味）は一般に二，三の単糖単位がつながったものであり，結合している単糖単位の数によって**二糖**（disaccharide），**三糖**（trisaccharide）などとよばれることもある。この場合，構成成分の単糖はすべて同一のこともあり，また異なることもある。た

☞ **炭水化物**とは，ポリヒドロキシアルデヒドやポリヒドロキシケトン，あるいは加水分解によってこれらのものを生じる物質のことを指す。炭水化物分子中に存在する主要な官能基は水酸基，カルボニル基である。

☞ **単糖**（もっとも小さな糖単位のこと）はもうそれ以上は加水分解できない。**オリゴ糖**とは単糖単位が二，三結合したものであり，**多糖**とは多数の単糖単位が結合したものである。

とえばマルトースはグルコース単位2つからなる二糖だが，スクロース（ショ糖）はグルコースとフルクトースという2つの異なる単糖が結合したものである。

次節では単糖類の構造について説明しよう。そのあとで単糖が結合してオリゴ糖や多糖がつくられるようすを学ぶことにする。

16.2 単糖類

単糖類はそれを構成する炭素数により**トリオース**（triose），**テトロース**（tetrose），**ペントース**（pentose），**ヘキソース**（hexose）などに分類されるが，またカルボニル基の種類によってアルデヒドの場合は**アルドース**（aldose），ケトンの場合は**ケトース**（ketose）というように分類されることもある。

トリオースに属するものは**グリセルアルデヒド**（glyceraldehyde）と**ジヒドロキシアセトン**（dihydroxyacetone）の2つだけである。どちらも水酸基を2つとカルボニル基を1つもっている。

$$
\begin{array}{ccc}
^1\text{CH}=\text{O} & ^1\text{CH}_2\text{OH} & \text{CH}_2\text{OH} \\
| & | & | \\
^2\text{CHOH} & ^2\text{C}=\text{O} & \text{CHOH} \\
| & | & | \\
^3\text{CH}_2\text{OH} & ^3\text{CH}_2\text{OH} & \text{CH}_2\text{OH} \\
\text{グリセルアルデヒド} & \text{ジヒドロキシアセトン} & \text{グリセリン} \\
\text{（アルドース）} & \text{（ケトース）} &
\end{array}
$$

グリセルアルデヒドはもっとも小さいアルドース，ジヒドロキシアセトンはもっとも小さいケトースである。どちらもグリセリンの1つの水酸基をカルボニル基で置き換えた構造をもっている。

その他のアルドースやケトースは，グリセルアルデヒドまたはジヒドロキシアセトンに水酸基をもった炭素原子を1つずつ加えて誘導できる。アルドースでは分子鎖にアルデヒド炭素から順次番号をつけることになっている。ケトースでは，カル

$$
\begin{array}{cccccccc}
^1\text{CH}=\text{O} & ^1\text{CH}=\text{O} & ^1\text{CH}=\text{O} & ^1\text{CH}_2\text{OH} & ^1\text{CH}_2\text{OH} & ^1\text{CH}_2\text{OH} \\
^2\text{CHOH} & ^2\text{CHOH} & ^2\text{CHOH} & ^2\text{C}=\text{O} & ^2\text{C}=\text{O} & ^2\text{C}=\text{O} \\
^3\text{CHOH} & ^3\text{CHOH} & ^3\text{CHOH} & ^3\text{CHOH} & ^3\text{CHOH} & ^3\text{CHOH} \\
^4\text{CH}_2\text{OH} & ^4\text{CHOH} & ^4\text{CHOH} & ^4\text{CH}_2\text{OH} & ^4\text{CHOH} & ^4\text{CHOH} \\
 & ^5\text{CH}_2\text{OH} & ^5\text{CHOH} & & ^5\text{CH}_2\text{OH} & ^5\text{CHOH} \\
 & & ^6\text{CH}_2\text{OH} & & & ^6\text{CH}_2\text{OH} \\
\text{テトロース} & \text{ペントース} & \text{ヘキソース} & \text{テトロース} & \text{ペントース} & \text{ヘキソース} \\
& \text{アルドース類} & & & \text{ケトース類} &
\end{array}
$$

☞ **アルドース**と**ケトース**はそれぞれアルデヒドまたはケトンの官能基をもっている。**トリオース**は炭素原子3つをもつもの，**テトロース**は4つ，などである。

ボニル炭素がC-2位置にあるものが大部分である。

16.3 単糖のキラリティ；Fischer投影式と D, L-糖

もっとも単純なアルドースであるグリセルアルデヒドの構造をみると，不斉な炭素原子がC-2位置に存在する。したがって2つの光学対掌体が存在することになり，そのうち右旋性の異性体は R 絶対配置をもっている。

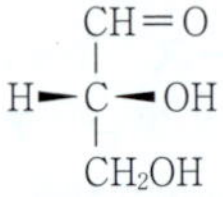

$$
\begin{array}{cc}
\text{CH=O} & \text{CH=O} \\
\text{H—C—OH} & \text{HO—C—H} \\
\text{CH}_2\text{OH} & \text{CH}_2\text{OH}
\end{array}
$$

R-(+)-グリセルアルデヒド　　　S-(−)-グリセルアルデヒド
$[\alpha]_D^{25}$ 18.7 (c = 2, H$_2$O中)　　　$[\alpha]_D^{25}$ 28.7 (c = 2, H$_2$O中)

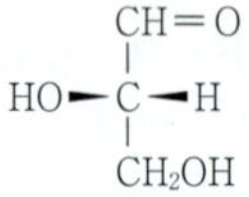

Emil Fischer は炭水化物の立体構造を解明したが，同時に今日 Fischer 投影式とよばれている構造式も考案した。この投影式については本書の5.7節から5.9節にかけてもう一度復習するとよい。この投影式に示された水平線は紙面から表側，すなわち観察者のほうに向いて出ている置換基を示し，垂直線は逆に紙面の裏側へ出ている置換基を示す。したがって R-(+)-グリセルアルデヒドはつぎのように表示され，不斉中心は2本の直線の交点として示される。

R-(+)-グリセルアルデヒド　　　R-(+)-グリセルアルデヒドのFischer投影式

Fischerはまた，R, S命名法よりも優先する立体化学の命名法を考案し，それはいまでも糖やアミノ酸でよく使われている。Fischer投影式で表したとき，水酸基が右に書かれる (+)-グリセルアルデヒドの立体配置は小さな大文字 "D" をつけて表し，その対掌体の水酸基が左に書かれるものは L-(−)-グリセルアルデヒドと定義した。そこでは酸化度がもっとも高い炭素 (CHO) を一番上に書く約束になっている。

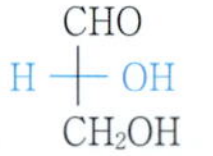

D-(+)-グリセルアルデヒド 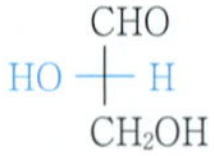　　　L-(−)-グリセルアルデヒド

この命名法はほかの単糖にも適用できる。すなわちアルデヒドまたはケトン基からいちばん遠くにある不斉な炭素原子が，D-グリセルアルデヒドと同じ立体配置 (OH基が右側にくるもの) をもつとき，その化合物は D-単糖であり，L-グリセル

16.3 単糖のキラリティ；Fischer投影式とD，L-糖

アルデヒドと同じ立体配置（OH基が左側にくるもの）をもつときはL-単糖である，と定義することになっている。

```
    CH=O           CH=O          CH₂OH         CH₂OH
    |              |             |             |
   (CHOH)n        (CHOH)n        C=O           C=O
    |              |             |             |
  H—⊢—OH       HO—⊢—H          (CHOH)n       (CHOH)n
    |              |             |             |
   CH₂OH          CH₂OH        H—⊢—OH       HO—⊢—H
                                 |             |
                                CH₂OH         CH₂OH
  D-アルドース    L-アルドース    D-ケトース    L-ケトース
```

図16.1にはヘキソースまでのD-アルドースすべてをFischer投影式で示してある。D-グリセルアルデヒドを出発点として，CHOH単位が1つずつ分子鎖で増加してゆくようすが示されている。その結果，新しく不斉な炭素原子になった炭素は黒色で印刷しておいた。この炭素上の水酸基は，Fischer投影式で左または右（すなわちSまたはRの絶対立体配置に対応する）いずれの配置もとることができる。

例題 16.1

図16.1を参考にしてL-エリトロースのFischer投影式を書け。

解答 L-エリトロースはD-エリトロースの対掌体であるから，そのFischer投影式はつぎのようになる。

```
      CH=O
   HO—⊢—H
   HO—⊢—H
      CH₂OH
```

例題 16.2

D-エリトロースのFischer投影式を3次元表示法による構造式に書き換えよ。

```
      CH=O              CH=O
   H—⊢—OH           H►C◄OH
   H—⊢—OH    ≡     H►C◄OH
      CH₂OH             CH₂OH
   D-エリトロース
```

解答 このFischer投影式を書きなおすと，まずはつぎのようになる。

```
    H  OH                H  OH            HO  H  OH
     \ /                  \ | /              \ | /
      C                    C              HOCH₂  CHO
      |CHO                 |CHO
      C                    CHO
     / \                  CH₂OH
    H   OH
    CH₂OH
   木びき台形           Newman投影式        くさび形
```

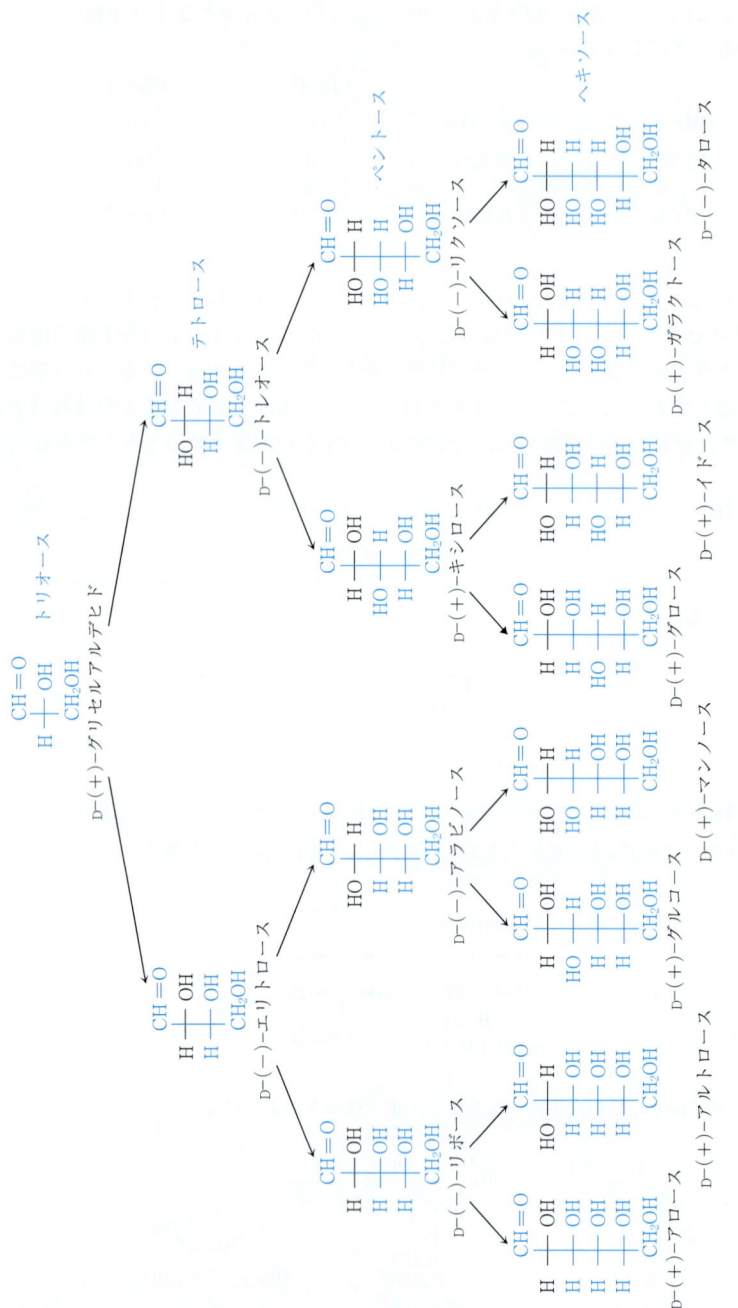

図 16.1 6炭素までのD-アルドース類の系図をFischer投影法で示したもの

16.3 単糖のキラリティ；Fischer 投影式と D, L-糖

つぎに中央の C–C 結合にそって分子を回転させると，重なり型とは異なる立体的に有利なねじれ型（staggered）立体配座へ変換できる。

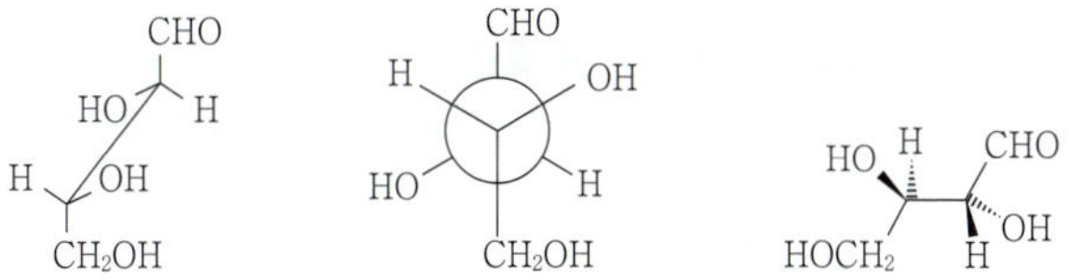

分子模型を使えばこのような表示方法の変換は容易に理解できよう。

問題 16.1 図 16.1 を参考にしてつぎの化合物の Fischer 投影式を書け。
(a) L-トレオース　(b) L-グルコース

問題 16.2 D-トレオースの Fischer 投影式を 3 次元表示法に書き改めよ。

問題 16.3 D-アルドヘプトースの異性体構造はいくつ考えられるか答えよ。

図 16.1 に描かれた糖の構造式のなかで，水平方向に並べて描かれている同じ炭素数の糖は互いにどのような関係にあるのだろうか。たとえば D-(−)-エリトロースと D-(−)-トレオースとを比較してみると，両方とも C-3 位（OH 基が右に描かれているから D）の立体配置は同じだが，C-2 位の配置は逆になっている。したがって両者は立体異性体の関係にあるが鏡像体（対掌体）の関係にはない。言い換えると，両者はジアステレオマーの関係にある（5.8 節参照）。同じように眺めてみると，この表には 4 つの D-ペントースのジアステレオマーと 8 つの D-ヘキソースのジアステレオマーが描かれていることになる。

エピマー（epimer）という用語は不斉中心の立体配置が 1 つだけ逆の関係になっている 1 対の立体異性体を示すときに用いる。たとえば D-(−)-エリトロースと D-(−)-トレオースはジアステレオマーの関係にあるだけでなく，互いにエピマーの関係にもある。同様に，D-グルコースと D-マンノースとは 2 位の炭素（C-2 位）に関してエピマーであり，D-グルコースと D-ガラクトースも 4 位の炭素（C-4 位）に関してエピマーである。どのエピマー対でも 1 つの不斉炭素原子を除いて，あとはすべて同じ立体配置をもっている。

問題 16.4 D-ペントース類のうち，C-3 位に関してエピマーの関係にあるものはどれか。

ここで注意すべきことは，立体配置と旋光度の符号のあいだに直接的な関係がな

☞ **エピマー**とは不斉中心の立体配置が 1 つだけ異なる 1 対のジアステレオマーのことをいう。

いことである。図16.1に示してある糖はすべてD-糖であって，なかには右旋性（＋）のものもあるが，残りは左旋性（−）である。

16.4　単糖の環状ヘミアセタール構造

これまで述べてきた単糖類の構造は，単糖が示す化学的性質となんら矛盾するところはないが，理解しやすいように少し単純に書きすぎていたところがあった。もうそろそろ正しい構造について学ぶ必要があろう。

すでに学んだように（9.7節参照），アルコールとアルデヒドは反応してヘミアセタールを作る。そこで，水酸基とカルボニル基とが分子内の適切な位置に配置されている分子（単糖類がこれに相当する）では，このアセタール化が容易に起こる（式9.14と9.15）。その結果，単糖は主として環状ヘミアセタールとして存在し，これまで示してきたような非環状のケト型やアルデヒド型では存在しない。

一例としてD-グルコースを考えてみよう。はじめに，C-5位のOH基がカルボニル基と結合できる距離内（式9.14）にくるようにFischer投影式を書き直してみよう。その方法は図16.2に示すように，まずくさび線を用いた3次元表示に変換し，つぎに両端を回してC-1とC-6とが接近するように曲げる。最後にC-4−C-5結合のまわりを回転させ，C-5位の水酸基がC-1位のカルボニル炭素を求核攻撃

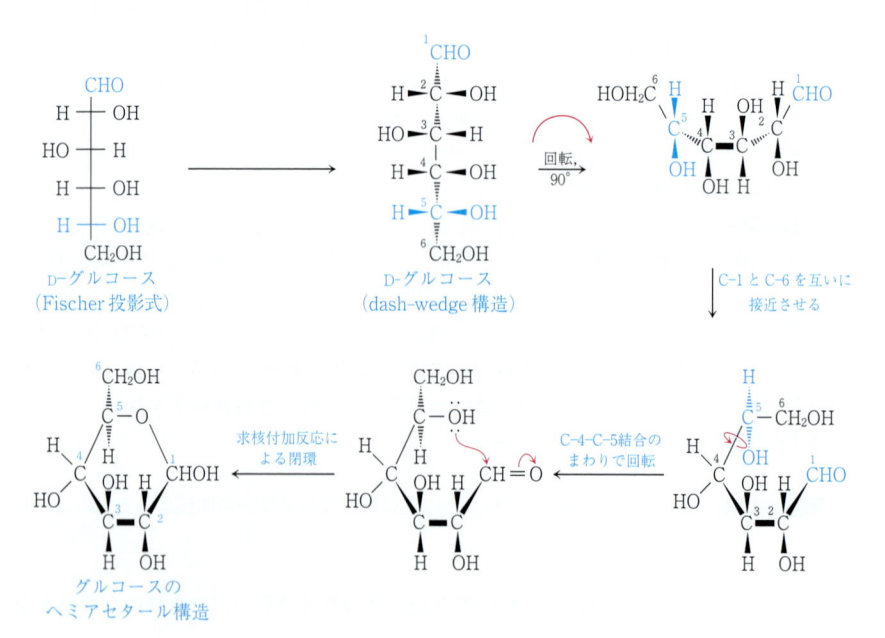

図16.2　Fisher投影式を使ってD-グルコースのC-5位にある水酸基がヘミアセタール型に環化するようすをわかりやすく書いた図

16.4 単糖の環状ヘミアセタール構造

できる位置にもってくる。そこで反応が起こり，図の左下に示された環状ヘミアセタール構造になる。

英国人の炭水化物化学者であるWalter N. Haworth（1937年ノーベル賞受賞者）は，糖の環状構造を表す大変便利な方法を考案した。この**Haworth投影式**（Haworth projection）では環構造を平面として表現し，それを側面から眺めたように書き，環内の酸素原子を右上に置く。分子を構成する炭素は環の右側C–1からはじまって時計回りに並べる。環に結合した置換基は環平面の上面と下面に書く。例として，D-グルコース（図16.2）のHaworth構造式の書き方を示しておこう。

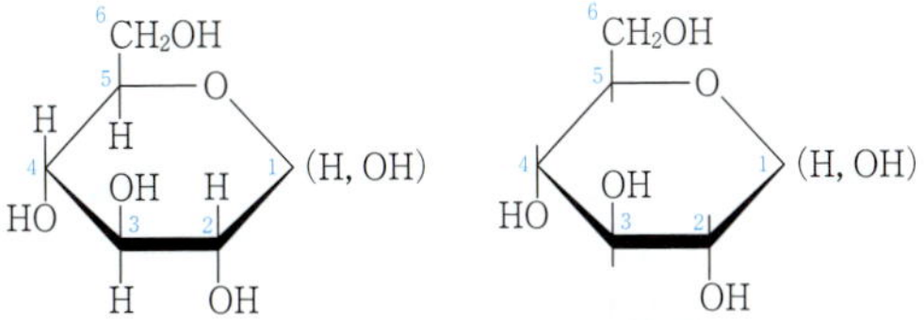

D-グルコースのHaworth投影式

右側に示されている図のように，環上にある水素は見る者の注意が水酸基に注がれるようにしばしば省略される。

Fischer式とHaworth式の間の相互変換において，Fischer式で右側にくる水酸基はHaworth式では下側に書かれ，逆にFischer式の左側にくるものはHaworth式では上側に書かれる。またHaworth式ではD-糖の末端–CH_2OH基は上側に書かれ，L-糖では下側に書かれる。

例題 16.3

D-マンノースの環状構造のHaworth構造式を書け。

解答 図16.1をみると，D-マンノースはD-グルコースとC-2位の立体配置が違うだけであることに注目しよう。Fischer式では，C-2位の水酸基は左側にあるからHaworth式では上側に書かなければならない。さもなければ構造はD-グルコースと同じになってしまう。

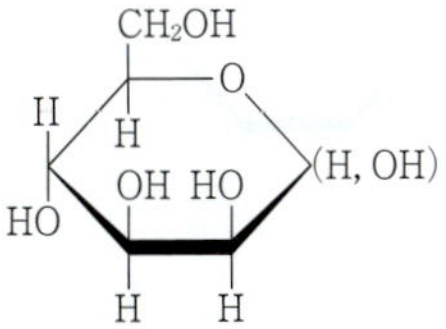

D-マンノース

☞ **Haworth投影式**においては，炭水化物の環構造をまず平面として書き，つぎに読者に近いほうの環の縁を太く書く。炭素番号のふりかたは右端のC–1からはじまり右まわりで順につけてゆく。

問題 16.5 D-ガラクトースの6員環構造のHaworth投影式を書け。

D-グルコースのヘミアセタール構造に関して，3つの重要な特徴に注目しよう。まずその環が炭素5つと酸素1つでできた複素環であることが挙げられる。C-1からC-5までは環を構成するが，C-6（CH$_2$OH基）は環に結合した置換基である。2番目に，C-1に特徴があることが挙げられる。すなわちC-1はヘミアセタール炭素であって，アルコールとエーテル炭素の性格を同時に備えている（水酸基をもち，C-5位とエーテル結合で結ばれている）。これに比べて他の炭素はすべて官能基を1つだけもち，C-2，C-3，C-4は第二級アルコール，C-6は第一級アルコール，C-5はエーテル炭素である。これらの官能基の多様性がD-グルコースの多彩な化学反応性となって現れてくる。3番目に，環状ヘミアセタール構造のC-1が不斉炭素であることが挙げられる。そこには4つの異なる置換基（H，OH，OC-5，C-2）が結合しているので，RとSの2つの立体配置が存在する。そこでこの3番目の特徴についてもっと詳しく説明しよう。

16.5　アノマー炭素と変旋光

グルコースの非環状アルデヒド構造におけるC-1位炭素原子はキラルではないが，環状構造になるとキラルになるので，この新たな不斉中心の立体配置にもとづいて2つのヘミアセタールが生じてくる。この新たに不斉中心を形成するヘミアセタール炭素のことを**アノマー炭素**（anomeric carbon）とよぶ。また，この炭素の立体配置だけが逆の関係にある2種類の環状単糖のことを**アノマー**（anomer）とよんでいる（一種のエピマーである）。このアノマーには，C-1位の水酸基の立体配置の違いによりαとβの2つの形がある。D-シリーズの単糖類においては3次元表示法で表すとα形のOH基は下向きに，β形のOH基は上向きに配置されることになる（式16.3参照）。

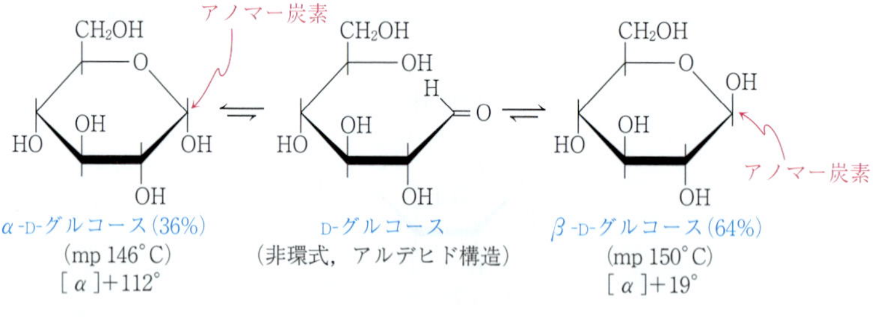

α-D-グルコース(36%)　　D-グルコース　　β-D-グルコース(64%)
(mp 146°C)　　（非環式，アルデヒド構造）　　(mp 150°C)
[α]+112°　　　　　　　　　　　　　　　　　　[α]+19°

(16.3)

☞　環状単糖構造におけるヘミアセタール炭素は**アノマー炭素**である。このアノマー炭素の立体配置だけが異なる2つの炭水化物は互いに**アノマー**である。

αならびにβ形のD-グルコースの不斉中心は，アノマー炭素C-1を除いてあとはすべて同じ立体配置をもっている。

単糖が主として環状ヘミアセタール構造で存在することは，つぎのような物理的手法をつかって直接証明できる。たとえば，D-グルコースをメタノールから再結晶するとα形のヘミアセタールが純粋に得られる。これに対して，酢酸から再結晶するとβ形が得られることもわかっている。このαとβは互いにジアステレオマーの関係にあるから，式16.3の構造に付記してあるように，融点や比旋光度などの物性は異なる値を示す。

D-グルコースのαおよびβ形は水溶液中で相互に変換する。たとえば，α-D-グルコースの結晶を水に溶解すると比旋光度は，はじめの値 $+112°$ からしだいに減少し，$+52°$ で平衡に達する。一方，純粋なβ形の結晶を用いても比旋光度は当初の $+19°$ からしだいに変化して，同じく $+52°$ の平衡値に達する。このように旋光度が変化する現象のことを**変旋光**（mutarotation）とよぶ。この現象は式16.3の平衡式を用いて説明できる。ここで，ヘミアセタールの形成が可逆平衡過程であることを思い出してほしい（9.7節参照）。すなわち，どちらのヘミアセタール体から出発しても，環はいったん直鎖状アルデヒドに開環し，これが再環化するときにαとβ形の2つを生じる。そして最終的には平衡混合物になる。

D-グルコースの水溶液は平衡点では35.5%のα形と64.5%のβ形からできており，開環アルデヒド形はわずか0.003%含まれているにすぎない。

例 題 16.4

水溶液中で平衡状態にあるD-グルコースのα形とβ形の分布率は，純粋なαとβ形の比旋光度ならびに平衡溶液の比旋光度を用いて算出できることを示せ。

解答 平衡溶液の比旋光度は $+52°$，純粋なα形およびβ形ではそれぞれ $+112°$ と $+19°$ である。平衡点でαとβ以外の構造をもった異性体が存在しないと仮定すれば，これらの数値をつぎのようにグラフ上に表示できる。

```
   +112°            +52°       +19°
  ─────────────────────────────────
   100% α            平衡       100% β
```

したがって平衡点におけるβ形の百分率は

$$\frac{112-52}{112-19} \times 100 = \frac{60}{93} \times 100 = 64.5\%$$

α形の百分率は $100 - 64.5 = 35.5\%$

16.6 ピラノース構造とフラノース構造

単糖では一般に6員環構造が安定である。これは**ピラン**（pyran）とよばれる6

☞ アノマー間の相互変換が溶液中で生じることによる旋光度の変化のことを**変旋光**という。

員環の含酸素ヘテロ環化合物にちなんで**ピラノース**（pyranose）とよばれている。したがって，たとえば式16.3の左側の構造は**α-D-グルコピラノース**（glucopyranose）とよぶのが正しく，名称の語尾部分は環の大きさを示している。

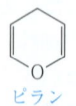

ピラン

ピラノースはC-5位の水酸基がカルボニル基と反応して形成されるものである。これとは異なりいくつかの糖ではC-4位の水酸基が反応することがある。この環状ヘミアセタールは5員環をもち，5員環の含酸素ヘテロ環化合物である**フラン**（furan）にちなんで**フラノース**（furanose）とよばれる。

フラン

たとえば，D-グルコースはC-4位の水酸基がアルデヒド炭素を攻撃して，主として2つのフラノース型（C-1位が α 形ならびに β 形）として存在している。

$$\text{D-グルコース} \rightleftharpoons \alpha\text{-ならびに}\beta\text{-D-グルコフラノース} \tag{16.4}$$

グルコースのフラノース構造は実際には1％以下しか存在しないが，他の単糖類では主要な構造である。たとえばケトースの一種である**D-フルクトース**（fructose）は水溶液中でおもに2つのフラノース形で存在する。このようにC-2位のカルボニル炭素とC-5位の水酸基をもった炭素とが環化して，フラノース環を生成していることがわかる。

$$\alpha\text{-D-フルクトフラノース（C-2位のOH基は下向き）} \rightleftharpoons \text{D-フルクトース（非環状ケト型）} \rightleftharpoons \beta\text{-D-フルクトフラノース（C-2位のOH基は上向き）} \tag{16.5}$$

☞ 環状構造をもった単糖類のうち5員環のものを**フラノース**，6員環のものを**ピラノース**とよぶ。

問題 16.6 D-グルコフラノース（式16.4）のα およびβ 型についてHaworth投影式を書け。

問題 16.7 D-エリトロースはピラノース構造が形成できず，フラノース構造をとるという。その理由を説明し，α-D-エリトロフラノースの構造式を書け。

16.7 ピラノースの立体配座

　Haworth投影式ではピラノース環を平面として示すが，実際にはシクロヘキサンと同じようにピラノース環はいす型コンフォメーションをとりやすい（2.9節参照）。そこで式16.3をさらに正確に書き直すと式16.6となる。

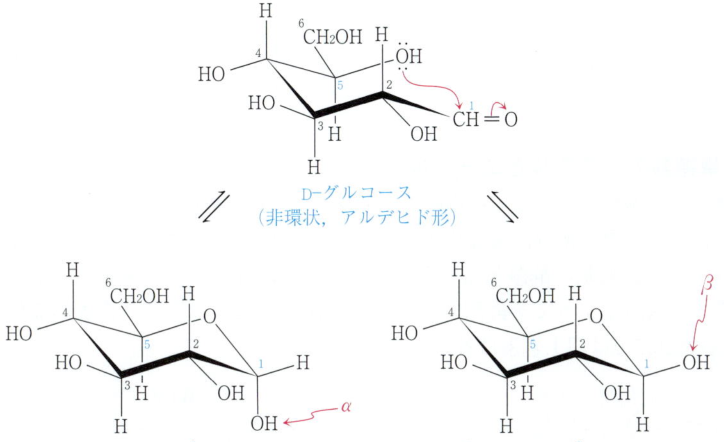

$$\tag{16.6}$$

　この表示法を用いると，D-グルコースの環内炭素上の大きな置換基はすべてエクアトリアル位をとることが示され，このことから，グルコースが自然界でもっとも多い単糖であることは偶然ではないと理解できる。ただ唯一の例外はアノマー炭素C-1であって，水酸基にはアキシアル位（α アノマー）またはエクアトリアル位（β アノマー）の両方が存在する。そこでもまた式16.3の平衡状態でβ 形が優先する理由が説明できよう。

例題 16.5

　α-D-マンノピラノースのもっとも安定ないす型立体配座を書け。

　解答　例題16.3を参照して，D-マンノースがD-グルコースと違うのはC-2位だけであることを思い出してほしい。そこで式16.6の左側の環状構造式を利用してつぎのように書くことができる。

α-D-マンノピラノース

（このOH基はアキシアル位）

問題 16.8 D-ガラクトースがD-グルコースと異なるのは，C-4位の立体配置だけである。β-D-ガラクトピラノースのもっとも安定ないす型配置の構造式を書け。

ここまで単糖類の構造について説明してきたので，つぎにこれらの一般的な化学反応を説明しよう。

16.8 単糖類のエステルとエーテル

単糖類は水酸基をもっているので，アルコール特有の反応を行うことは別に不思議ではない。たとえば，酸塩化物や酸無水物と反応してエステルになる。β-D-グルコースを過剰量の酢酸無水物と反応させて，C-1アノマー炭素の水酸基を含めた5つの水酸基すべてを酢酸エステルに変換する反応は，その代表的な例である（反応式16.7では環上水素は省略してある）。

$$\beta\text{-D-グルコピラノース} \xrightarrow[\text{ピリジン, 0°C}]{CH_3COCCH_3} \beta\text{-D-グルコピラノースペンタアセテート} \quad (16.7)$$

$$Ac = CH_3\overset{O}{\underset{\|}{C}}-$$

これらの水酸基は，ハロゲン化アルキルと塩基との反応でエーテルに変換できる（8.5節「Williamson 合成」を参照）。糖類は強い塩基に敏感なために，ここでは弱い塩基の酸化銀が用いられている。

$$\alpha\text{-D-グルコピラノース} \xrightarrow[CH_3I]{Ag_2O} \alpha\text{-D-グルコピラノースペンタメチルエーテル} \quad (16.8)$$

糖類は一般に水溶性で有機溶媒には不溶であるが，糖類のエステルやエーテルは

逆に非水溶性で有機溶媒には可溶となる。この溶解性が逆転する特徴を利用して，これらの糖誘導体を精製したり有機反応剤を用いた糖の変換が行われている。

16.9 単糖の還元反応

アルドースとケトースのカルボニル基は各種の還元剤により還元できる。還元生成物の**ポリオール**（polyol）は一般に**アルジトール**（alditol）とよばれる。たとえば，D-グルコースは接触水素添加や水素化ホウ素ナトリウム（$NaBH_4$）を用いた還元でD-グルシトール（glucitol, ソルビトールともよばれる。9.12節参照）になる。

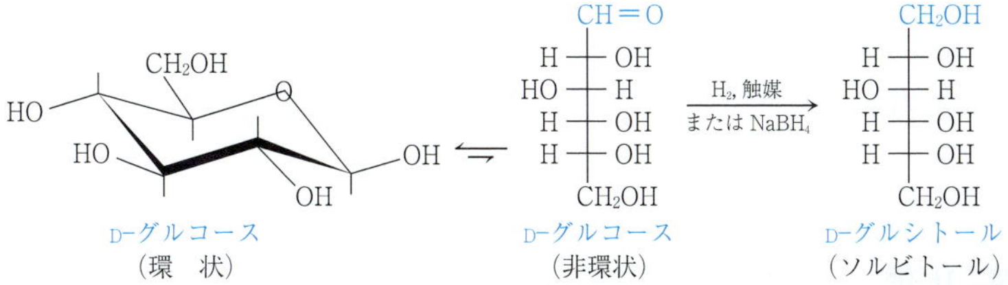

$$
\text{D-グルコース（環状）} \rightleftarrows \text{D-グルコース（非環状）} \xrightarrow{H_2, \text{触媒} \text{ または } NaBH_4} \text{D-グルシトール（ソルビトール）} \quad (16.9)
$$

環状ヘミアセタールとの平衡状態にある少量のアルデヒド型に対して，還元反応が起こる。このアルデヒドが還元されるにつれて平衡は右側に移行し，その結果すべての糖が変換されることになる。この反応で得られるソルビトールは糖尿病患者用の食品甘味剤として使用されている。

問題 16.9 D-マンニトール（mannitol）はオリーブ，玉ネギ，キノコ類などの天然物中に存在するが，これはD-マンノース（図16.1）を$NaBH_4$で還元しても得られる。その構造を示せ。

16.10 単糖の酸化反応

アルドースはおもに環状ヘミアセタール形で存在するとはいえ，少量ながら開環アルデヒド形との平衡関係にあるので，このアルデヒド基が容易にカルボン酸へ酸化されても不思議ではない（9.13節参照）。この酸化生成物が**アルドン酸**（aldonic acid）である。たとえば，D-グルコースは容易に酸化されてD-グルコン酸になる。

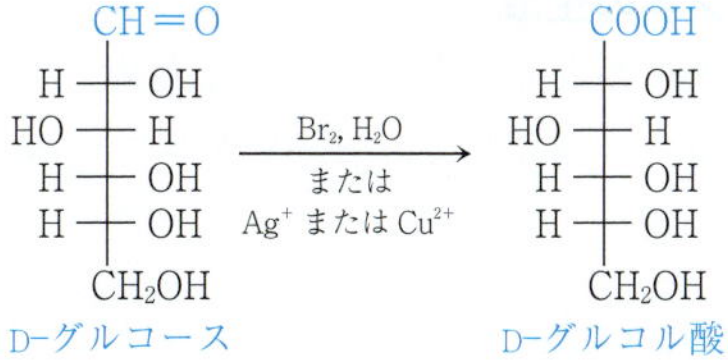

$$
\text{D-グルコース} \xrightarrow[\text{または } Ag^+ \text{ または } Cu^{2+}]{Br_2, H_2O \text{ または}} \text{D-グルコル酸} \quad (16.10)
$$

☞ アルドースまたはケトースのカルボニル基を還元して得られる生成物は直鎖状の**ポリオール**であり，**アルジトール**とよぶ。
☞ アルドースのアルデヒド基を酸化すると**アルドン酸**が生成する。

アルドースの酸化は容易であって，Tollens 試薬（Ag^+ のアンモニア水溶液）や Fehling 試薬（酒石酸イオンと錯化した Cu^{2+}），さらに Benedict 試薬（クエン酸イオンと錯化した Cu^{2+}）のような穏和な酸化剤と反応する．その結果 Tollens 試薬では銀鏡試験となり（9.13節），銅イオン試薬では青色の溶液から酸化銅（I）（Cu_2O）の赤色沈殿が生成する．Ag^+ や Cu^{2+} イオンと反応できる炭水化物は **還元糖**（reducing sugar）とよばれている．それは，金属イオンの還元と同時にアルデヒド基の酸化が生じるからである．ここに述べている試薬類は糖類の還元的性質を実証する目的に使用されている．

$$RCH=O + 2Cu^{2+} + 5OH^- \longrightarrow RCO^- + Cu_2O + 3H_2O \quad (16.11)$$
青色溶液　　　　　　　　　　　　　　赤色沈殿

問題 16.10 D-マンノースを Fehling 試薬（Cu^{2+}）と反応させると D-マンノン酸（mannoic acid）が生成する．この反応式を示せ．

硝酸水溶液のような強い酸化剤を用いると，アルデヒド基と第一級アルコール基の2つが酸化されて **アルダル酸**（aldaric acid）とよばれるジカルボン酸が生成する．たとえば D-グルコースからは D-グルカル酸が得られる．

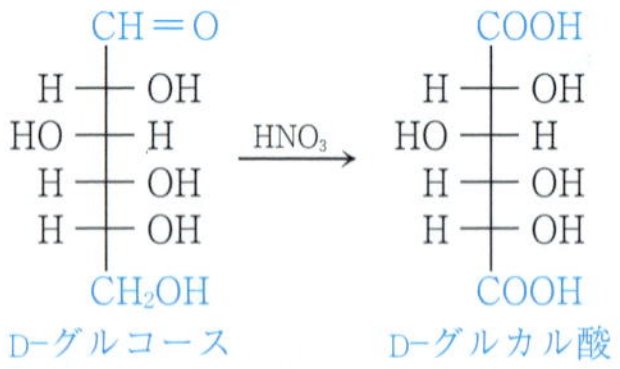

$$(16.12)$$

D-グルコース　　　　D-グルカル酸

問題 16.11 D-マンナル酸（mannaric acid）の構造式を書け．

16.11 単糖からグリコシドの生成

単糖は環状ヘミアセタールとして存在しているため，アルコール1当量と反応してアセタールを生成する．一例として，β-D-グルコースとメタノールの反応をつぎに示す．

☞ Ag^+ や Cu^{2+} を還元して，その結果それ自身は酸化されてしまう反応性をもったアルドースのことを **還元糖** とよぶ．

☞ アルドース類は硝酸水溶液との反応で，**アルダル酸** とよばれるジカルボン酸に酸化される．

16.11 単糖からグリコシドの生成

$$\text{β-D-グルコピラノース} + CH_3OH \xrightarrow{H^+} \text{メチル β-D-グルコピラノシド} + H_2O \quad (16.13)$$
(mp 115〜116℃)

注目すべき点は，アノマー炭素原子上のOH基だけがOR基で置き換わることである．このようにして生成するアセタールのことを**グリコシド**（glycoside；配糖体ともよばれる）とよび，アノマー炭素とOR基との間の結合を**グリコシド結合**（glycosidic acid）とよんでいる．グリコシドの名称は対応する単糖の語尾-e を-ide にかえてよぶことになっている．したがってグルコースからはグルコシド，マンノースからはマンノシドになる．

例題 16.6

エチル α-D-マンノシドのHaworth構造式を書け．

解答

マンノースとグルコースの違いはC-2位の立体配置だけである

問題 16.12
β-D-ガラクトースとメタノールの酸触媒反応を反応式で示せ．

グリコシド生成の反応機構は9.7節の式9.13と同じである．グルコースの6つの酸素原子はいずれも非共有電子対をもっていて塩基性であるから，酸触媒はどの酸素原子もプロトン化できる．しかしながら，C-1位にある水酸基のプロトン化だけは，脱水すると共鳴安定化した炭素陽イオンを与えることができる．この反応機構図の最終反応段階では，6員環炭素陽イオンの上面あるいは下面いずれからもメタノールが攻撃できるから，式に示した β-グリコシドだけでなく α-グリコシドも生成する．

☞ **グリコシド**の構造では，アノマー性水酸基OHはOR基で置換されている．このアノマー炭素とOR基を結ぶ結合は，**グリコシド結合**とよばれる．

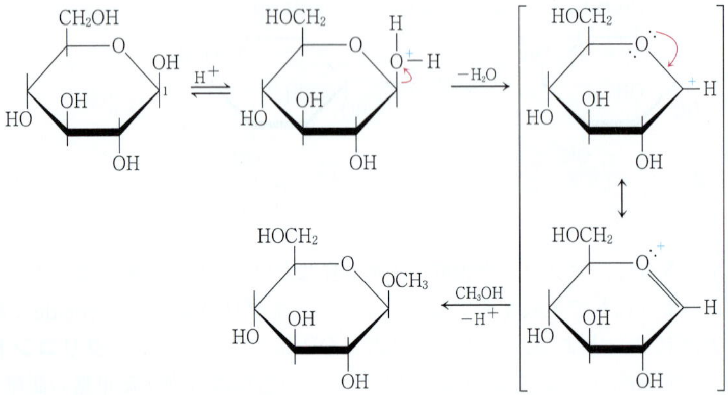

$$(16.14)$$

　天然物中に存在するアルコールやフェノール類は，細胞中で糖類（一般にはグルコースであることが多い）とグリコシド結合した形で存在している．その理由は，ある化合物がそのままでは細胞質に不溶性であってもグリコシドの形に変換されると，糖の構造部分が水酸基を数多くもっているので細胞質中への溶解性が高まるからである．その一例を示すと，昔から解熱剤として知られていて柳の樹皮中に含まれる苦味成分のグリコシドである**サリシン**（salicin）がそれである．

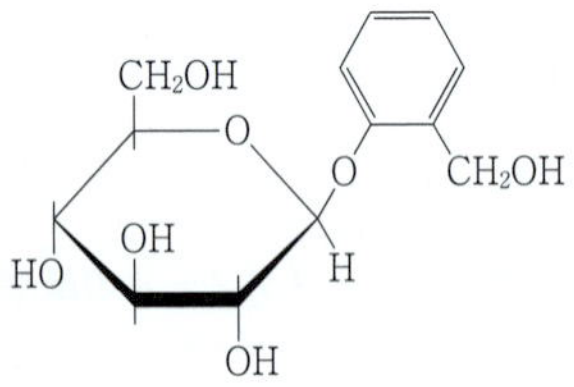

サリシン
サリチルアルコールの β-D-グルコシド

　次節以降では，このグリコシド結合がオリゴ糖や多糖の構造において重要な役割を果たしていることを学ぶことにする．

16.12　二 糖 類

　もっとも一般的なオリゴ糖は**二糖**である．二糖は単糖2つが，1番目の単糖のアノマー炭素と2番目の単糖の水酸基との間でグリコシド結合を形成した構造をもっている．本節では，基本的な4種の二糖についてその構造と性質を説明する．

☞　**二糖類**は単糖単位2つから構成されており，1つの単糖のアノマー炭素と2つの糖の水酸基とがグリコシド結合で結ばれている．

16.12a マルトース

マルトース(maltose)はデンプンを部分的に加水分解すると得られる。このマルトースをさらに加水分解するとD-グルコースだけが得られるので(式16.2参照)、マルトースはグルコース単位2つが結合した構造をもっている。すなわち、左側の糖単位のアノマー炭素が右側の糖単位のC-4位水酸基とアセタール結合した構造である。ここで左側の糖単位のアノマー炭素の立体配置は α である。結晶状態では右側の糖単位のアノマー炭素は β 形の立体配置をもっている。また両単位ともピラノース構造をもっている。

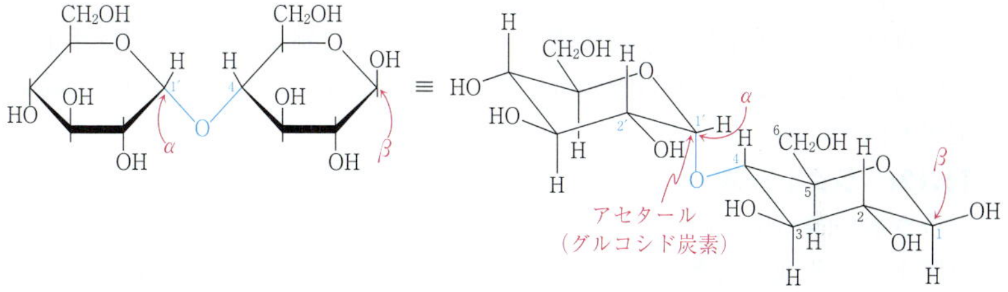

マルトース
4-O-(α-Dグルコピラノシル)-β-D-グルコピラノース

上の構造式に付記してあるマルトースのもう1つの名称は系統的命名法に従ったものであり、構造単位の名称(D-グルコース)、環の大きさ(ピラノース)、アノマー炭素の立体配置(α または β)、グリコシド結合を形成する水酸基の位置(4-位の水酸基の酸素)などがこの名称にもとづいて誤りなく描き出される。

右側のグルコース単位のアノマー炭素がヘミアセタールであることに注目してほしい。このヘミアセタール基も当然のことながら開環アルデヒド形と平衡関係にあるので、マルトースはTollens試薬に対して陽性を呈し、グルコースのアノマー炭素と類似の反応性を示す。

問題 16.13 マルトースの結晶を水に溶解すると、比旋光度ははじめに観測された値から徐々に変化してある平衡値に達するという。なぜか説明せよ。

16.12b セロビオース

セロビオース(cellobiose)はセルロースを部分的に加水分解すると得られる二糖である。さらに加水分解するとD-グルコースだけを生じるから、セロビオースはマルトースの異性体である。マルトースと異なる点は、左側のグルコース単位のC-1位が β 配置をもっていることである。これ以外はすべてマルトースの構造と同じである。

☞ よく知られている二糖として**マルトース**、**セロビオース**、**ラクトース**、**スクロース**がある。

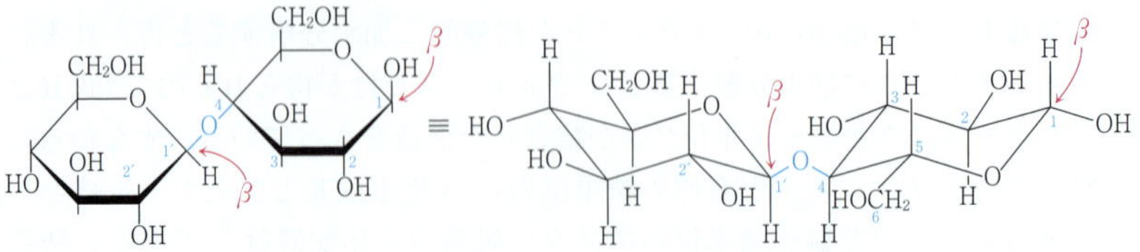

セロビオース
4-O-(β-D-グルコピラノシル)-β-D-グルコピラノース

上に書かれているセロビオースのコンホメーション構造（右側）において注意すべき点は、左側の単位の環内酸素は向こう側に、右側の単位のものは手前に書かれていることである。これはセルロース分子鎖を形成しているグルコース環の実際の配置と同じである。

16.12c ラクトース

ラクトース（lactose）は母乳や牛乳に含まれる大切な糖である（4〜8%含有）。ラクトースを加水分解するとD-ガラクトースとD-グルコースが等量ずつ生成する。ガラクトース単位のアノマー炭素はβ配置をもち、これがグルコース単位のC-4位水酸基とグリコシド結合を形成している。チーズ乳清から工業的に製造されているラクトースの結晶性のα-アノマー（グルコース単位のC-1位に関する立体異性体）をつぎに示す。

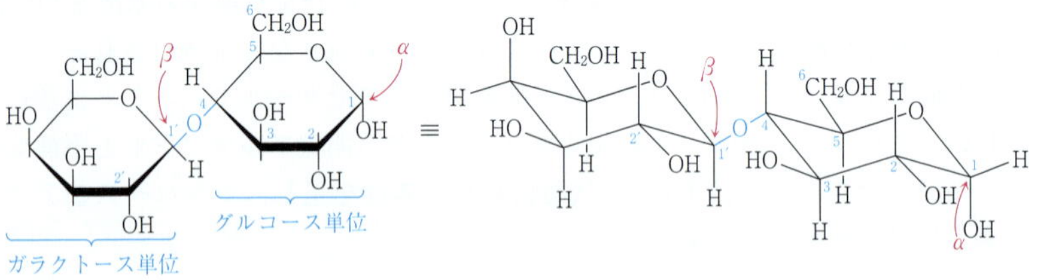

ラクトース
4-O-(β-D-ガラクトピラノシル)-α-D-グルコピラノース

問題 16.14 ラクトースはFehling試薬に対して陽性を示すであろうか、また変旋光を示すであろうか、答えよ。

乳幼児のなかにはgalactosemiaとよばれる先天性の病気をもった子供がいる。これはガラクトースをグルコースへ異性化させる酵素を欠く先天性の病気であり、ミルクを消化吸収できない。このような乳幼児にはミルクを与えないように配慮すれば、ガラクトースが体内に蓄積することを防いで病状は回復する。

16.12d スクロース

二糖類のなかでもっとも重要なものはサトウの**スクロース**（sucrose）（ショ糖）であって、世界で毎年1億トン以上が生産されている。スクロースはすべての光合

16.12 二糖類

成植物中に存在し，その植物のエネルギー源として働いている。これは砂糖キビやテンサイから得られ，その搾り汁の14～20%がスクロースである。

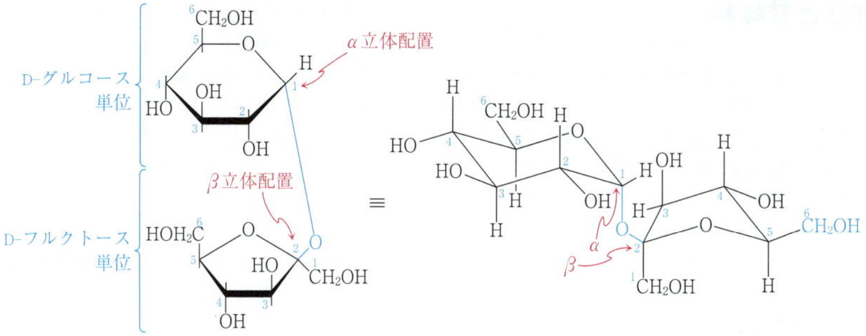

スクロース
α-D-グルコピラノシル-β-D-フルクトフラノシド
（または β-D-フルクトフラノシル-α-D-グルコピラノシド）

スクロースを加水分解すると，D-グルコースとケト糖のD-フルクトースが等量得られる。スクロースでは2つの構成単糖のアノマー炭素どうしがグリコシド結合で結ばれており（グルコース単位のC-1位とフルクトース単位のC-2位とが酸素原子を介して結合している），この点がこれまでの二糖類とは明白に異なっている。もう1つ異なる点はフルクトースがフラノース形をもっていることである。

アノマー炭素どうしがグリコシド結合しているので，どちらの単糖単位にもヘミアセタール基は残っていない。このため，スクロースには開環形との間の平衡は存在せず，変旋光も観察できない。また，遊離のアルデヒド基をもたないので，Fehling試薬やTollens試薬やBenedict試薬を還元しない。したがってスクロースは非還元糖であり，ここまで述べてきた二糖類と単糖類がすべて還元糖であったこととは対照的である。

問題 16.15 β-D-グルコースは還元糖であるが，メチルβ-D-グルコピラノシド（式16.13参照）は還元糖ではない。その理由を説明せよ。

スクロースの旋光度は$[\alpha]=66°$である。これを加水分解してD-グルコースとD-フルクトースの等量混合物にすると，比旋光度は数値のみならず符号も変わって$[\alpha]=-20°$に変化する。その理由はD-グルコースのアノマー平衡混合物（α形とβ形）の旋光度が$+52°$であるのに対して，フルクトースのアノマー平衡混合物が$[\alpha]=-92°$という負の旋光度をもっているからである。初期の頃の炭水化物の研究ではグルコースは**デキストロース**（dextrose；右旋性を示すため），フルクトースは**レブロース**（levulose；左旋性を示すため）とよばれていた。ところがスクロースを加水分解すると旋光度の符号と大きさが変化したので，この加水

A WORD ABOUT ...

甘さと甘味料

甘さは文字どおり味覚の1つである。人によって甘さの感覚はかなり異なるようだが，定量的に甘さを比較することは可能である。たとえば標準砂糖水（例として10％ショ糖水溶液）をつくり，これとほかの砂糖や甘味料を溶かした溶液の甘さとを比較する。もし化合物Xの1％溶液が10％スクロース水溶液と同じ甘さを示せば，このXはスクロースよりも10倍甘いということができる。

D-フルクトースは単糖類の中で一番甘く，スクロースの2倍の甘さをもつ。D-グルコースはスクロースとほぼ同程度の甘さをもつ。これに対してラクトースやガラクトースなどの砂糖類は，スクロースの1％以下の甘さしか示さない。

人工甘味料も数多く知られている。なかでもよく知られているのは**サッカリン**（saccharin）であろう。サッカリンは1879年にJohns Hopkins大学のIra Remsen教授の研究室で，はじめて合成された。その化学構造はどの糖にも似ていないが，甘さはスクロースの約300倍ともいわれている。したがって，サッカリン0.03gはスプーン山盛り1杯のスクロース（10g）の甘さに匹敵する。サッカリンは図16.3に示すようにトルエンから製造される。その甘味はきわめて強いが，カロリー含有量がゼロなので糖尿病患者や糖摂取量を制限しなければならない者，さらには体重を減らしたい人のための砂糖代用物として効果的に用いられている。

1981年になって，米国食品薬物管理局（FDA）は25年ぶりに**アスパルテーム**（aspartame）を新規の人工甘味料として認可した。

サッカリンとアスパルテームを含んだ製品の数々

分解を起こす酵素は**インベルターゼ**（invertase）とよばれ，加水分解で生じてくるグルコースとフルクトースの等量混合物は**反転糖**（invert sugar）ともよばれていた。ミツバチをはじめ多くの昆虫はこのインベルターゼをもっているので，はちみつの主成分は，D-グルコースとD-フルクトース，それに少量の加水分解されていないスクロースである。さらに，蜂蜜にはみつを産出する花の香り成分も当然含まれている。

16.13 多糖類

多糖類は単糖が数多く結合したものであって，多様な鎖長と分子量をもっている。多糖は完全に加水分解すると単一の単糖になるものが多く，この単糖単位が直線状あるいは分岐状に結合して多糖を形成している。ここでは，二，三の重要な多糖を

☞ スクロース（$[\alpha] = +66°$）を**インベルターゼ**酵素で加水分解すると，**反転糖**とよばれるグルコースとフルクトースの混合物（$[\alpha] = -20°$）が生成する。

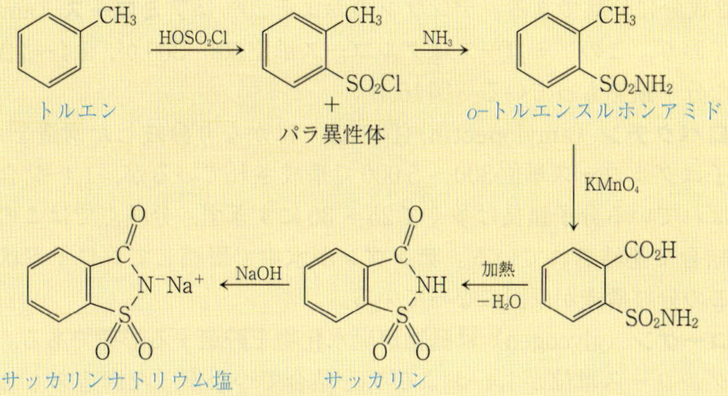

16.13 多糖類

図 16.3 サッカリンの合成

これはスクロースの160倍の甘さをもっている。アスパルテームの化学構造は，タンパク質中に存在するアスパラギン酸とフェニルアラニンの2つのアミノ酸からできたジペプチドのメチルエステルであり，適切な量を使用する限りきわめて安全であると期待されている。アスパルテームは実際にはショ糖と等しいカロリー含量をもっているが，甘味が強いので使用量がきわめて少量ですむため，カロリー量は無視できることになる。

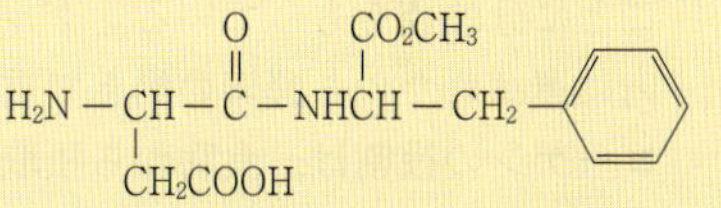

N-L-α-アスパルチル-L-フェニルアラニンのメチルエステル（アスパルテーム）

取りあげて説明しよう。

16.3a デンプンとグリコーゲン

デンプン（starch）は植物のエネルギー貯蔵源として働く炭水化物である。穀類，イモ類，トウモロコシ，米などの主成分はデンプンであり，これは植物がグルコースを貯蔵する形態と考えてよい。

デンプンはおもに1,4-α-グリコシド結合でつながったグルコース単位で作られているので，デンプンを部分的に加水分解するとマルトースを生じ，完全に加水分解するとD-グルコースだけを生じる。しかし，ところどころに1,6-α-グリコシド結合も存在している。

☞ 多糖の**デンプン**は1,4-α-グリコシド結合で結合したグルコース単位から構成されている。**アミロース**は分岐構造のないデンプンであり，それとは対照的に**アミロペクチン**は高度に分岐した構造をもっている。動物中に存在する**グリコーゲン**は，アミロペクチンよりもさらに分岐した構造と高分子量とをもっている。

デンプンは溶解と沈殿の操作を繰り返すことによって，アミロースとアミロペクチンの2成分に分離できる．デンプンのおよそ20％は**アミロース**（amylose）で構成されており，このアミロースはグルコース単位50～300が，1,4-結合で連続的に結ばれた分子鎖をもっている（図16.4）．

アミロペクチン（amylopectin）（図16.5）はかなり分岐した構造をもっている．その分子はグルコース単位300～5000で構成されているが，1,4-結合だけで連続的に結ばれている分子鎖長は多くて25～30にすぎず，分岐点ではこの短い分子鎖が1,6-結合で連結されている．デンプンが水中で膨潤してコロイド状の溶液になるのはこの分岐構造が原因になっている．

グリコーゲン（glycogen）は動物が炭水化物を貯蔵する形態である．デンプンと同様にグルコース単位が1,4-および1,6-結合でつながった構造をもち，その分子量はデンプンよりも大きく，およそ10万のグルコース単位からなる高分子化合物である．その構造はアミロペクチン以上に分岐しており，グルコース単位8～12ごとに分岐点をもっている．グルコースは腸から吸収され，血液によって肝臓や筋肉に運ばれたのち酵素の働きで重合するとグリコーゲンになる．体内におけるグリコーゲンの役割は，食物から摂取した過剰量のグルコースを除去するのと同時に貯蔵し，あとになって細胞がエネルギーを必要とするときは供給源となり，このようにして血液中のグルコース濃度の均衡を保つ働きをもっている．

16.13b　セルロース

セルロース（cellulose）はグルコースが1,4-β-グリコシド結合でつながった分岐のない高分子化合物である．セルロース構造をX線で解析してみると，セロビオース単位が直鎖状につながり，環内の酸素原子がこの紙面の表と裏に交互に配置した構造をもつことがわかっている（図16.6）．この直鎖状分子は平均5000のグルコース単位からできており，さらに隣り合った分子鎖が水酸基間で水素結合して原繊維を形成している．この原繊維の何本かが互いに逆方向を向いて，1本の中心軸のまわりにらせん状に巻きつくことにより，かなりの強度をもったセルロース繊維がつくられる．木材，木綿，麻，亜麻，麦わら，トウモロコシの穂柄などはおもにセルロースでできている．

ヒトや動物は，デンプンやグリコーゲンを消化できるがセルロースは消化できない．このことは生化学反応の特異性を明瞭に示している実によい例である．デンプンとセルロースの唯一の化学的相違点はグリコシド結合の立体化学，正確にいえばグルコース単位のC-1位における立体化学の違いだけである．ヒトの消化器官にはα-グリコシド結合の加水分解を触媒する酵素だけが存在し，β-グリコシド結

☞　**セルロース**は，グルコース単位が1,4-β-グリコシド結合によって多数結合し，枝分かれをもたない高分子である．**酢酸セルロース**では，セルロースの水酸基はアセチル化されており，**硝酸セルロース**では，硝酸エステル化されている．高度に硝酸エステル化されたセルロースの**綿火薬**は爆薬でもある．

16.13 多糖類

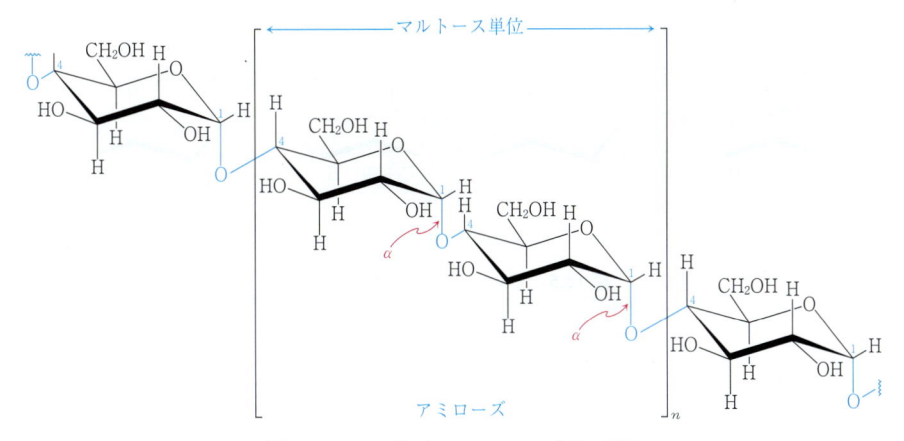

図 16.4 デンプン中のアミロース成分の構造

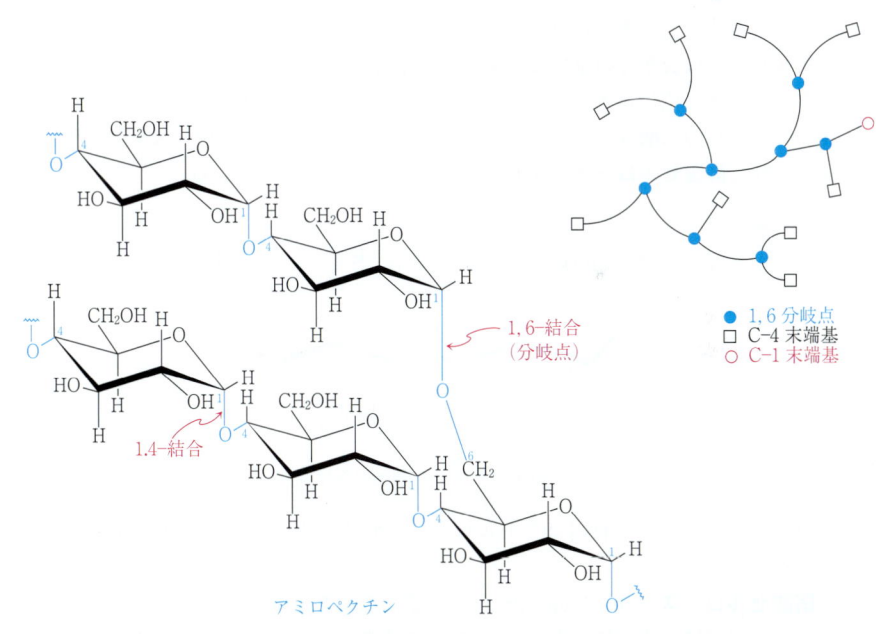

図 16.5 デンプン中のアミロペクチン成分の構造（Perter M. collins and Robert J. Ferrier, *Monosaccharides: Their Chemistry and Their Roles in Natural Products*, p.491. Copyright© 1995by john Wiley & Sons, Ltd.（複写許可））

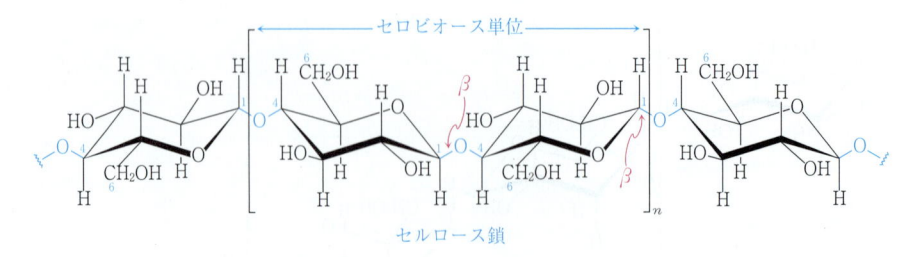

図 16.6 セルロース分子の部分構造。
グルコース単位が β-結合でつながっていることを示している。

合の加水分解に必要な酵素を欠いている。ところがセルロースを分解できる酵素の β-グルコシダーゼをもったバクテリアは数多く存在する。シロアリはこのようなバクテリアの一種を腸管内に宿しているため，木材を主食として繁殖する。牛のような反すう動物は胃の中に消化に必要な微生物を繁殖させているため，草などのセルロース源を消化できるわけである。

セルロースは数多くの重要な工業製品の原料として利用されている。セルロースのグルコース単位には水酸基が3つ残っているから，アルコールと反応する試薬を用いてこれらの水酸基を化学的に変換できる。たとえば，セルロースを無水酢酸と反応させて**酢酸セルロース**（cellulose acetate）が製造されている。

酢酸セルロース分子の1部分

アセテートレイヨンの材料は，セルロース水酸基の約97％をアセチル化したものである。

硝酸セルロース（cellulose nitrate）もまた重要なセルロース製品である。グリセリンと同様に（式7.41参照），セルロースを硝酸と反応させると硝酸エステルが得られるが，そのときにグルコース1単位あたり水酸基がいくつニトロ化されるかによって，硝酸セルロースの性質が変化する。ニトロ化の程度が大きいものは**綿火薬**（guncotton）とよばれ，無煙火薬として使用されている。

16.13 多糖類

A WORD ABOUT...

炭水化物から作られる油脂代替物

油脂代替物を使った商品

好むと好まざるとにかかわらず，私たちはダイエットのために数多くの食品添加物を摂取している。すでに人工甘味料について学んだように（本章のはじめのA Word About「甘さと甘味料」参照），これらの食品代替物は，甘さへの誘惑に伴うカロリー過剰摂取や体重増加といった問題を軽減してくれる。ところで，油脂や脂肪は美味であって炭水化物以上に効果的なエネルギー源であり，単位重量あたり炭水化物の2倍のカロリーをもっているから，これまで人工油脂の研究にかなりの努力が払われてきたのは当然のことであろう。

エステル結合

トリグリセリド
R = 飽和または不飽和の長鎖アルキル基

天然の油脂は多価アルコールのグリセロール三エステルであり，食品に舌触りと香りとを与えてくれる。私達がこれを食すと，エネルギー源が必要な時に代謝されるか，またはエネルギー源の炭水化物が消費しつくされたときのために貯蔵される。この代謝と貯蔵のいずれにおいても，胆のう中に含まれるエステラーゼによるエステル結合の加水分解が起こり，グリセリンと脂肪酸とが生成している。（15章のA Word About「プロスタグランジン，アスピリンそして苦痛」を参照のこと）

人工油脂として使用されているものの1つにスクロースのポリエステルがある。その製造法は，スクロース（砂糖）を綿実油や大豆油などの植物油から得られる脂肪酸誘導体でエステル化する方法である。このタイプのエステルは炭素数6から8個の長さのアシル基をもっており，**Olestra**の名称でよばれている。このOlestraはいまでは数多くの菓子類で油脂の代わりに使われ，またポテトチップのような揚げ物で料理油の代わりに使われている。Olestraはふつうの油脂と似た分子構造をもつポリオールの脂肪酸エステルである。その性質と食感はまさに油脂そのものであるが，分子構造が大きすぎるのでエステラーゼによる加水分解を受けず，貯蔵も代謝も行われない。したがって，消化管を通過するだけでエネルギー源として使用されないのである。

Olestra
$R = C(CH_2)_n CH_3 \quad n = 4\text{-}6$

その他にも炭水化物由来の脂肪酸代替物がオート麦からもつくられている。オート麦の重量の50％をやや下まわる量は繊維状のセルロースに似た多糖であり，これをヒトは消化できない。この繊維のあるものは水溶性であり，他のものは非水溶性である。その両方とも加工すると油脂によく似た食感をもち，ほとんどカロリー値をもたない食品代替物に変換できる。これらは低脂肪チーズや焼き物用に使用されている。解説書：「真の食物のためのフェイク油脂」

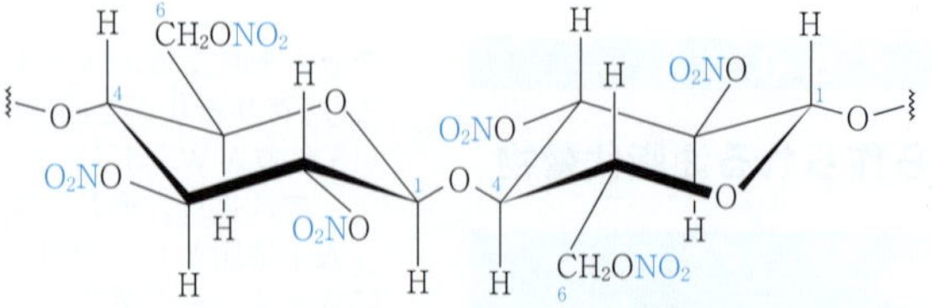

硝酸セルロース分子の1部分

16.13c その他の多糖

キチン質（chitin）は窒素原子をもった多糖の一種であり，甲殻動物の殻や昆虫の甲皮を形作っているものである。その構造はセルロースに似ているが，各グルコース単位のC-2位水酸基がアセチルアミノ基CH_3CONH—で置き換わっている点が異なる。

ペクチン（pectin）は果実やイチゴに含まれる多糖であり，抽出してゼリーの原料に用いられている。これは，D-ガラクトロン酸が1,4-α-グリコシド結合で結ばれた直鎖状の高分子構造をもっている。D-ガラクトロン酸は，D-ガラクトースのC-6位の第一級アルコール基がカルボキシル基で置き換わった構造をもつものである。

多糖にはその他にも，アラビアのりなどの接着剤，軟骨組織の硫酸コンドロイチン，肝臓や心臓に存在する血液凝固防止物質のヘパリン，血しょうの代替物質として使われるデキストランなど，数多くのものが知られている。

糖類の中には，ここまで述べてきた通常のポリヒドロキシアルデヒドやポリヒドロキシケトンのひな形とはいささか異なる構造をもったものも存在する。そこで本章のしめくくりとして，生体内において重要な役割を果たしている変性糖をいくつか取りあげてみよう。

16.14 糖のリン酸エステル

単糖のリン酸エステルはすべての生体細胞内に存在し，炭水化物の代謝過程における中間体として働いている。**糖のリン酸エステル**（sugar phoshate）の代表的なものをつぎに示す。

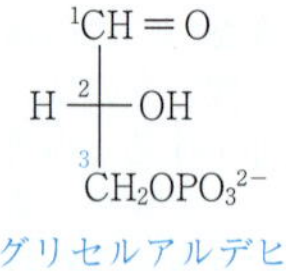

D-グリセルアルデヒド-
3-リン酸エステル

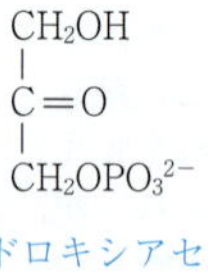

ジヒドロキシアセトン-
リン酸エステル

☞ **キチン**はcrustacean shellや昆虫の甲殻を構成している。**ペクチン**は果物に含まれていて，ゼリー作りに利用されている。

α-D-グルコース-　　　　β-D-リボース-5-リン酸エステル
6-リン酸エステル

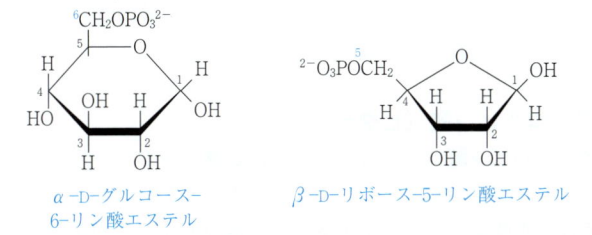

炭素5つからなるペントースの1種であるリボースとその2-デオキシ糖のリン酸エステルは，DNAやRNAなどの核酸構造やその他の重要な生体分子における主要な化合物である（18.12節）。

16.15　デオキシ糖

デオキシ糖（deoxy suger）とは，通常の単糖の1つ以上の水酸基が水素で置換された構造のものをいう。もっとも重要なものがDNAの糖単位である**2-デオキシリボース**（2-deoxyribose）である。これはC-2位の水酸基を欠いており，DNA中ではフラノース型で存在している。

β-D-デオキシリボフラノース
（DNAの糖成分）

ここにはOH基が存在しない

16.16　アミノ糖

アミノ糖（amino sugar）とは，糖の水酸基のどれか1つがアミノ基で置換されたものをいう。天然に存在するアミノ糖は一般に$-NH_2$基がアセチル化された形で存在している。**D-グルコサミン**（D-glucosamine）はもっとも広く分布しているアミノ糖の1つである。

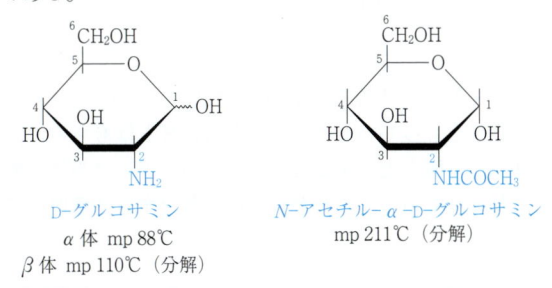

D-グルコサミン　　　　　　N-アセチル-α-D-グルコサミン
α体 mp 88℃　　　　　　　　mp 211℃（分解）
β体 mp 110℃（分解）

☞　**アミノ糖**とは単糖類の1つのOH基がNH_2基で置換されたものである。

D-グルコサミンのN-アセチル化物はキチン質の単糖成分であり，ロブスター，カニ，エビなど甲殻動物の皮殻を形成している。

16.17 アスコルビン酸（ビタミンC）

L-**アスコルビン酸**（L-ascorbic acid，**ビタミンC**）の分子構造は単糖に似ているが，つぎの点が異なっている。すなわち不飽和結合のある5員環ラクトンと，その二重結合に水酸基が2つ存在するのが特徴である。この**エンジオール**（endiol）構造はかなり珍しいものである。

この不斉中心の立体配置はL

酸性のプロトン

L-アスコルビン酸
（ビタミンC）
mp 192℃（分解）
快いピリッとした酸味を有する

空気酸化 →

デヒドロアスコルビン酸

この結合があるために，アスコルビン酸は容易に酸化されてデヒドロアスコルビン酸になる。どちらの形も生理学的にはビタミンとして有効に機能する。

アスコルビン酸はカルボキシル基をもたないのに酸とよばれ，そのpK_a値は4.17である。すなわちC-3位の水酸基のプロトンが酸性を示す。その理由は，C-3位の水酸基がプロトンを放出したあとにカルボキシラートイオンと同程度に共鳴安定化したエノラートイオンが生成するためである。

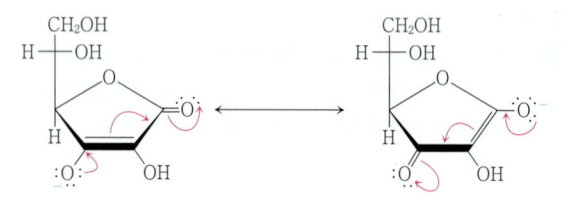

アスコルビン酸陰イオンの共鳴安定化

ヒト，サル，モルモットなどの脊椎動物は，D-グルコースからアスコルビン酸を生合成する酵素をもっていない。そのためにヒトはもちろん，これらの動物の食事にはアスコルビン酸を欠かすことができない。アスコルビン酸はかんきつ類やトマトに多量に含まれている。これが食物中に欠乏すると壊血病にかかり，血管がぜ

☞ **L-アスコルビン酸（ビタミンC）**は**エンジオール基**を含む5員環をもっている。C-3位の水酸基プロトンは酸性を示す。

い弱化して血管出血や歯茎の出血が起こったり，傷の回復力が低下して死に至ることもある。アスコルビン酸はコラーゲン（皮膚，結合組織，けん，軟骨，骨などの構造タンパク質）の合成に必須の物質であると思われている。18世紀ごろのイギリスの船乗り達は，この恐ろしい壊血病にかからないように新鮮なライム（lime，ビタミンC源の1つ）を食べることを義務づけられていたという。そのためにイギリス人のことを「ライミー（limeys）」というニックネームでよぶことがある。

反応のまとめ
1. 単糖類の反応
a. 変旋光（16.5節）

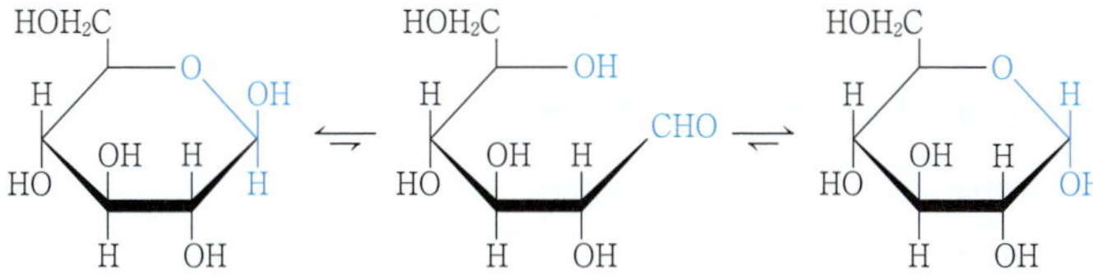

グルコースの β-アノマー
（環状ヘミアセタール）
⇌ 非環状構造（アルデヒド）⇌ グルコースの α-アノマー
（環状ヘミアセタール）

b. エステル化反応（16.8節）

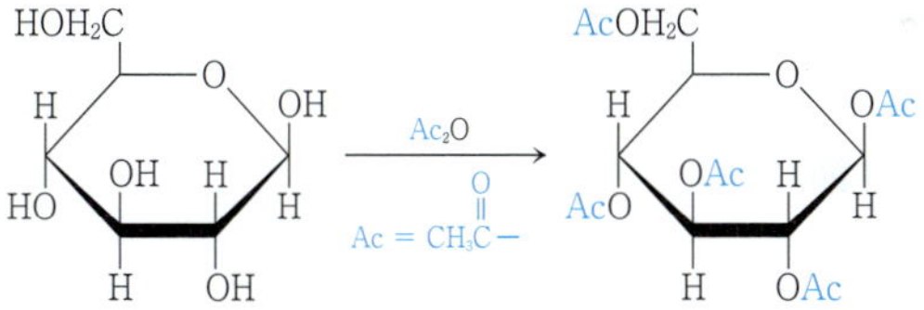

Ac$_2$O
$Ac = CH_3\overset{O}{\underset{\|}{C}}-$

c. エーテル化反応（16.8節）

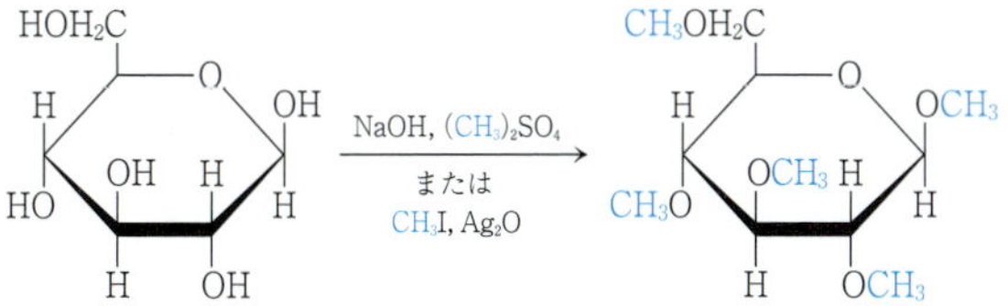

NaOH, $(CH_3)_2SO_4$
または
CH_3I, Ag_2O

d. 還元反応（16.9節）

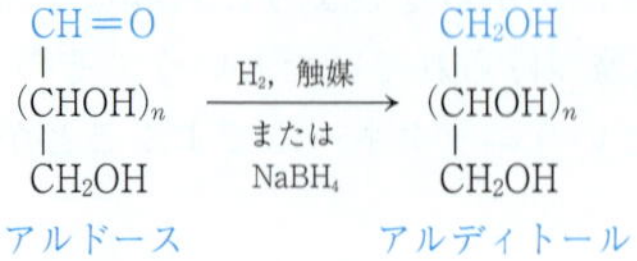

$$\underset{\text{アルドース}}{\begin{array}{c}\text{CH}=\text{O}\\|\\(\text{CHOH})_n\\|\\\text{CH}_2\text{OH}\end{array}} \xrightarrow[\text{NaBH}_4]{\text{H}_2,\ \text{触媒}\atop\text{または}} \underset{\text{アルジトール}}{\begin{array}{c}\text{CH}_2\text{OH}\\|\\(\text{CHOH})_n\\|\\\text{CH}_2\text{OH}\end{array}}$$

e. 酸化反応（16.10節）

$$\underset{\text{アルダル酸}}{\begin{array}{c}\text{CO}_2\text{H}\\|\\(\text{CHOH})_n\\|\\\text{CO}_2\text{H}\end{array}} \xleftarrow{\text{HNO}_3} \underset{\text{アルドース}}{\begin{array}{c}\text{CH}=\text{O}\\|\\(\text{CHOH})_n\\|\\\text{CH}_2\text{OH}\end{array}} \xrightarrow[\text{Ag}^+\text{または Cu}^{2+}]{\text{Br}_2,\ \text{H}_2\text{O}\atop\text{または}} \underset{\text{アルドン酸}}{\begin{array}{c}\text{CO}_2\text{H}\\|\\(\text{CHOH})_n\\|\\\text{CH}_2\text{OH}\end{array}}$$

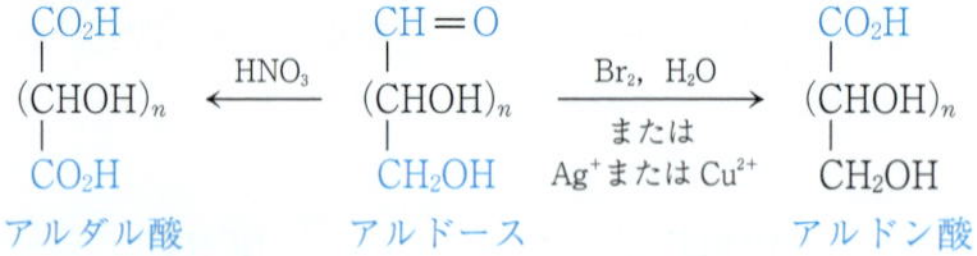

f. グリコシドのつくり方（16.11節）

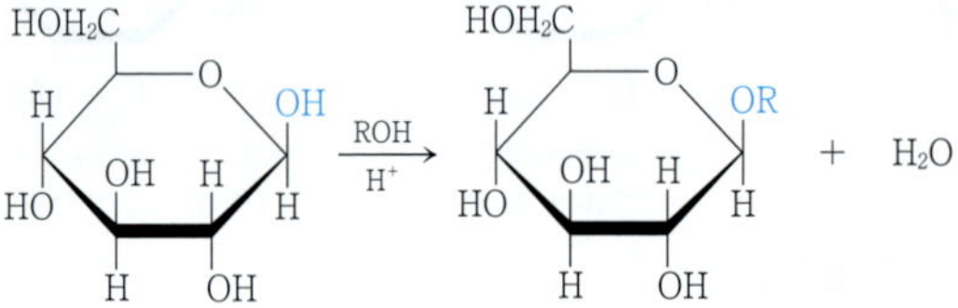

グリコシドの生成

2. 多糖類の加水分解（16.1節）

$$\text{多 糖} \xrightarrow{\text{H}_3\text{O}^+} \text{オリゴ糖} \xrightarrow{\text{H}_3\text{O}^+} \text{単 糖}$$

章末問題

炭水化物の命名法と構造

16.16 つぎの語句の定義を示し，それぞれの具体例を1つ構造式で示せ．
(a) アルドヘキソース (b) ケトペントース (c) 単糖 (d) 二糖
(e) 多糖 (f) フラノース (g) ピラノース (h) グリコシド
(i) アノマー炭素

16.17 D-糖とL-糖の違いを構造式を使って説明せよ．

16.18 D-タロース（図16.1参照）のFischer投影式では，4つの不斉中心水酸基のうち3つは左側にある．それにもかかわらずD-糖とよばれる．その理由を説明せよ．

16.19 D-キシロースとD-リクソースの立体化学的関係を説明するにはどのような化学用語を用いたらよいか答えよ．

単糖類：Fischer投影式とHaworth投影式

16.20 ケトヘキソース類までのD-ケトースについて，図16.1と類似の図を作製せよ．ただしグリセルアルデヒドの代わりにジヒドロキシアセトンを表の頂部に置き，そこからはじめるとよい．

16.21 つぎの化合物のFischer投影式ならびにHaworth投影式を書け．必要があれば図16.1を参考にするとよい．
(a) メチル α-D-グルコピラノシド (b) α-D-グロピラノース
(c) β-D-アラビノフラノース (d) メチル-α-L-グルコピラノシド

16.22 つぎの化合物のFischer投影式を書け．
(a) L-(−)-マンノース (b) L-(+)-フルクトース

16.23 D-リボースは水溶液中で α-ピラノース20％，β-ピラノース56％，α-フラノース6％，β-フラノース18％の平衡混合物を形成している．これらの形すべてについてHaworth投影式を書け．

16.24 β-D-アロースについてFischer投影式，Haworth投影式ならびに立体配座（コンホメーション）構造式を書け．

16.25 D-トレオースはフラノース構造で存在できるがピラノース構造はとれない．その理由を説明し，β-フラノース構造を書け．

16.26 L-エリトロースのFischer投影式ならびにNewman投影式を書け．

16.27 L-フコース（L-fucose）は微生物細胞壁の構成成分である．これはまた6-デオキシ-L-ガラクトースともよばれる．その構造をFischer投影式を用いて書け（16.15節の記述を参考にして）．

アノマーと変旋光

16.28 α-ならびに β-D-グルコースの25℃での水に対する溶解度は，それぞれ82gならびに178g/100mlである．これが等しくならない理由を説明せよ．

🔲 =総合問題

16.29 純粋な α-ならびに β-D-フルクトースの比旋光度はそれぞれ $+21°$ と $-133°$ である。どちらの異性体も水溶液中で変旋光を起こし，比旋光度 $-92°$ の平衡に達するという。他の異性体は存在しないと仮定して，平衡における2つの異性体の存在比率を計算せよ。

16.30 酸触媒 (H^+) を用いた β-D-グルコースの変旋光について，反応機構を段階的に示せ。ただし環状構造の表現には Haworth 投影式を用いること。

16.31 ラクトースは α および β の両形で存在しそれぞれの比旋光度は $+92.6°$ と $+34°$ である。

   (a) α および β の両構造式を書け。

   (b)   どちらの形も水溶液では変旋光を示し $+52°$ の平衡値を示す。平衡状態での両形の百分率を計算せよ。

単糖の反応

16.32 D-エリトロースとD-トレオースはいずれも硝酸酸化すると酒石酸を生ずる。ただし一方からは光学活性な酒石酸が，他方からは光学不活性な酒石酸が生じる。この実験結果をもとにして，エリトロースとトレオースの立体構造を決める方法を説明せよ。

16.33 D-ガラクトン酸ならびにD-ガラクタル酸の構造を書け。

16.34 D-ガラクトースとつぎの試薬との反応生成物を正しく構造式を用いて示せ。
   (a) 臭素水   (b) 硝酸   (c) 水素化ホウ素ナトリウム   (d) 酢酸無水物

16.35 D-フルクトースを $NaBH_4$ で還元するとD-グルシトールとD-マンニトールの混合物になる。この実験結果から，D-フルクトース，D-マンノース，D-グルコースの立体配置を証明できるであろうか。

16.36 D-ガラクトースは不斉中心を5つもっているにもかかわらず，これを硝酸酸化すると光学的に不活性なジカルボン酸（ガラクタル酸または粘液酸（mucic acid）とよばれるもの）が得られる。この酸の構造を示し，光学不活性である理由を説明せよ。

16.37 酸触媒を用いたサリシン (p.512) の加水分解反応式を書け。つぎにその加水分解の反応生成物の1つがアスピリン（式10.38）に似た構造をもっていることに注目してほしい。サリシンの解熱効果の理由はこのあたりにありそうだ。

16.38 D-(+)-グルコース（環状，非環状どちらでも適当と思う構造を用いるとよい）とつぎの試薬との反応式を化学量論的に正しく書け。
   (a) 過剰量の無水酢酸   (b) 臭素水
   (c) 水素ならびに触媒   (d) ヒドロキシルアミン（オキシム生成）
   (e) メタノールと H^+ (f) シアン化水素（シアノヒドリン生成）
   (g) Fehling 試薬

二 糖 類

16.39 つぎの酸性加水分解の反応機構がわかるように反応式を書け。
   (a) マルトースからグルコース
   (b) ラクトースからガラクトースとグルコース
   (c) スクロースからフルクトースとグルコース

16.40 Olestra (p.521 の A word About「炭水化物から得られる油脂代替物」参照) の加水分解で得られる単糖エステル類の構造を示せ。

16.41 マルトースとつぎの試薬との反応式を書け。
   (a) メタノールと H^+ (b) Tollens 試薬   (c) 臭素水   (d) 酢酸無水物

16.42 トレハロース（trehalose）は昆虫の血液中に含まれる主要な炭水化物であり，その構造はつぎのとおりである．

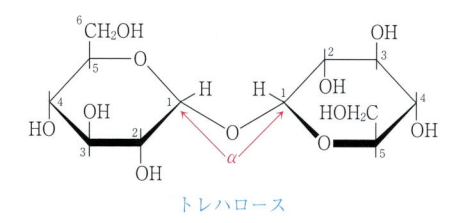

トレハロース

(a) 加水分解生成物を書け．
(b) Fehling試薬に対してトレハロースは陽性または陰性どちらの反応挙動を示すか説明せよ．

16.43 スクロースが非還元糖でマルトースが還元糖である理由を説明せよ．

16.44 スクラロース（sucralose）はスクロースを塩素化して得られる化合物であり，スクロースよりも600倍甘い．これは清涼飲料水のような弱酸性条件下でゆっくりと加水分解する．その加水分解生成物の構造を書け．

スクラロース

16.45 バクテリアの細胞壁を構成する主成分は，N-アセチルグルコサミン（16.16節）のC-1位がN-アセチルムラミン酸のC-4酸素へβ-グリコシド結合で結合した糖である．この二糖の構造を書け．

N-アセチルムラミン酸

多糖類

16.46 16.14 c節の説明をもとにして（a）キチン（b）ペクチンの構造を書け．

16.47 ヘミセルロース（hemicellulose）は植物がつくる非セルロース物質であり，麦わら，木材，その他の繊維組織中に存在している．そのなかでもキシラン（xylan）類はもっともふつうのヘミセルロースであり，1,4-β-結合したD-キシロピラノースで構成されている．このキシランを構成する単位構造を書け．

その他の糖類と甘味料

16.48 ダウノサミンはアミノ酸の1つであって，テトラサイクリン系の制癌剤であるドキソルビシン（別名アドリアマイシン）の構造の1部分を構成している。下に示したHaworth投影式をもとにして，その立体配座構造（いす型）を書け。またダウノサミンはD-糖か，それともL-糖かについても答えよ。

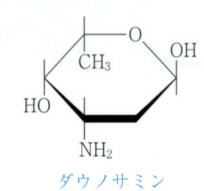

ダウノサミン

16.49 アスコルビン酸が酸として働くとき（C-3位のOH基からプロトンが解離する）に生じるアニオンの共鳴混成体のおもな極限構造式を書け。

16.50 イノシトール（inositol）はヘキサヒドロキシシクロヘキサンであり，6員環の各炭素上に水酸基がある。厳密にいうと炭水化物ではないが，ピラノース糖に似た構造をもち天然物中に存在している。これには異性体が9つ考えられるので（そのすべての存在が知られている），それらをHaworth投影式を用いて書き，その中でキラルな分子構造をもつものを指摘せよ。

16.51 アスパルテーム（p.516 Word Abowt「甘さと甘味料」）では，その2つの不斉中心の立体配置はSである。アスパルテームの立体的な構造を書け。

CHAPTER 17

$$\begin{array}{c} H \\ | \\ H-C-COOH \\ | \\ NH_2 \end{array} \quad \begin{array}{c} H \\ | \\ H_3C-C-COOH \\ | \\ NH_2 \end{array}$$

グリシン　　　　アラニン

アミノ酸，ペプチド，タンパク質

17.1 天然に存在するアミノ酸
17.2 アミノ酸の酸・塩基特性
17.3 酸性基または塩基性基を2つ以上もつアミノ酸の酸・塩基特性
17.4 電気泳動法
17.5 アミノ酸の反応
17.6 ニンヒドリン反応
17.7 ペプチド
17.8 ジスルフィド縮合
17.9 タンパク質
17.10 タンパク質の1次構造
17.11 アミノ酸配列を決定する手順
17.12 ペプチドの合成
17.13 タンパク質の2次構造
17.14 タンパク質の3次構造；繊維状タンパク質と球状タンパク質
17.15 タンパク質の4次構造

A WORD ABOUT . . .
17.1 アミノ酸による年代測定法
17.7 天然物中のペプチド
17.12 タンパク質のアミノ酸配列と進化

　　タンパク質（protein）は，**アミノ酸**（amino acid）単位がアミド結合（ペプチド結合ともいう）でつながった構造をもつ天然の高分子であり，生命体の構造と機能，そして生殖のためのもっとも重要な物質であるといえよう。本章では，はじめにアミノ酸の構造と性質について説明し，つぎにアミノ酸がいくつか結合した**ペプチド**（peptide）について，そして最終的には多数のアミノ酸が結合したタンパク質について，その性質を学ぶことにする。

17.1　天然に存在するアミノ酸

　　タンパク質を加水分解して得られるアミノ酸はすべてα-アミノ酸である。α-アミノ酸とはアミノ基がカルボキシル基の隣の炭素上（α位）に存在するアミノ酸のことである。

▲　無数の数の昆虫や蜘蛛がつくり出す絹糸（silk）は，アミノ酸のグリシンとアラニンが主成分となった繊維状タンパク質のβ-ケラチン（図17.11）の一般名である。

表 17.1 一般アミノ酸の名称と構造式

名称	3文字略号 (等電点) 1文字略号	構造式	R
A. アミノ基を1つ，カルボキシル基を1つもつもの			
1. グリシン (glycine)	Gly (6.0) G	$H-\underset{\underset{NH_2}{\mid}}{CH}-CO_2H$	
2. アラニン (alanine)	Ala (6.0) A	$CH_3-\underset{\underset{NH_2}{\mid}}{CH}-CO_2H$	
3. バリン (valine)	Val (6.0) V	$CH_3\underset{\underset{CH_3}{\mid}}{CH}-\underset{\underset{NH_2}{\mid}}{CH}-CO_2H$	RはHまたはアルキル基
4. ロイシン (leucine)	Leu (6.0) L	$CH_3CHCH_2-\underset{\underset{NH_2}{\mid}}{CH}-CO_2H$ (CH_3)	
5. イソロイシン (isoleucine)	Ile (6.0) I	$CH_3CH_2\underset{\underset{CH_3}{\mid}}{CH}-\underset{\underset{NH_2}{\mid}}{CH}-CO_2H$	
6. セリン (serine)	Ser (5.7) S	$\underset{\underset{OH}{\mid}}{CH_2}-\underset{\underset{NH_2}{\mid}}{CH}-CO_2H$	
7. トレオニン (threonine)	Thr (5.6) T	$CH_3\underset{\underset{OH}{\mid}}{CH}-\underset{\underset{NH_2}{\mid}}{CH}-CO_2H$	Rにアルコール基がある
8. システイン (cysteine)	Cys (5.0) C	$\underset{\underset{SH}{\mid}}{CH_2}-\underset{\underset{NH_2}{\mid}}{CH}-CO_2H$	
9. メチオニン (methionine)	Met (5.7) M	$CH_3S-CH_2CH_2-\underset{\underset{NH_2}{\mid}}{CH}-CO_2H$	硫黄原子を含むアミノ酸
10. プロリン (proline)	Pro (6.3) P	$\begin{array}{c}CH_2-CH-CO_2H\\ \mid\quad\quad\mid\\ CH_2\quad NH\\ \diagdown\quad\diagup\\ CH_2\end{array}$	アミノ基は第二級アミンで環系に含まれている
11. フェニルアラニン (phenylalanine)	Phe (5.5) F	⌬—$CH_2-\underset{\underset{NH_2}{\mid}}{CH}-CO_2H$	アラニンの水素1つが芳香族環またはヘテロ芳香環(インドール)で置き換わっている
12. チロシン (tyrosine)	Tyr (5.7) Y	HO—⌬—$CH_2-\underset{\underset{NH_2}{\mid}}{CH}-CO_2H$	
13. トリプトファン (tryptophan)	Trp (5.9) W	(インドール)—$CH_2-\underset{\underset{NH_2}{\mid}}{CH}-CO_2H$	

☞ **タンパク質**は，カルボン酸の α-炭素にアミノ基をもつ **α-アミノ酸**からつくられる。**ペプチド**は，タンパク質よりも少ない数のアミノ酸からつくられる。

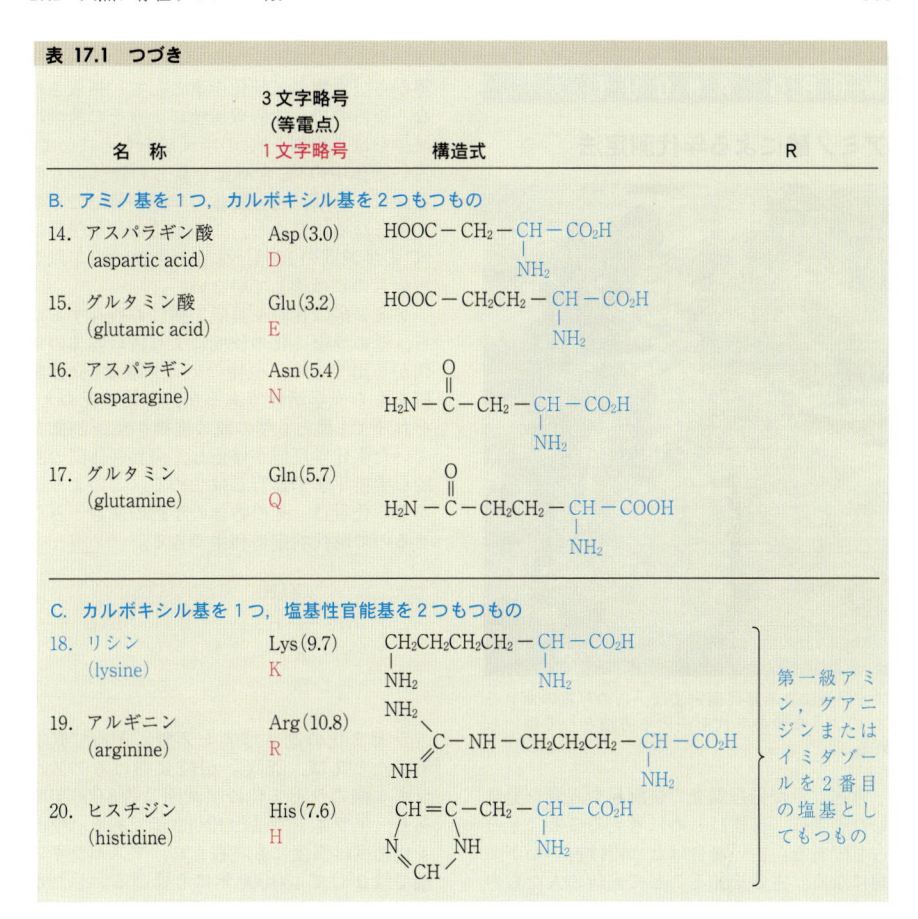

17.1 天然に存在するアミノ酸

表 17.1 つづき

名称	3文字略号 (等電点) 1文字略号	構造式	R
B. アミノ基を1つ，カルボキシル基を2つもつもの			
14. アスパラギン酸 (aspartic acid)	Asp (3.0) D	$HOOC-CH_2-\underset{\underset{NH_2}{\mid}}{CH}-CO_2H$	
15. グルタミン酸 (glutamic acid)	Glu (3.2) E	$HOOC-CH_2CH_2-\underset{\underset{NH_2}{\mid}}{CH}-CO_2H$	
16. アスパラギン (asparagine)	Asn (5.4) N	$H_2N-\underset{\underset{}{\overset{\overset{O}{\|}}{C}}}{}-CH_2-\underset{\underset{NH_2}{\mid}}{CH}-CO_2H$	
17. グルタミン (glutamine)	Gln (5.7) Q	$H_2N-\underset{\underset{}{\overset{\overset{O}{\|}}{C}}}{}-CH_2CH_2-\underset{\underset{NH_2}{\mid}}{CH}-COOH$	
C. カルボキシル基を1つ，塩基性官能基を2つもつもの			
18. リシン (lysine)	Lys (9.7) K	$\underset{\underset{NH_2}{\mid}}{CH_2}CH_2CH_2CH_2-\underset{\underset{NH_2}{\mid}}{CH}-CO_2H$	第一級アミン，グアニジンまたはイミダゾールを2番目の塩基としてもつもの
19. アルギニン (arginine)	Arg (10.8) R	$\underset{\underset{NH}{\|\|}}{\overset{NH_2}{\mid}}{C}-NH-CH_2CH_2CH_2-\underset{\underset{NH_2}{\mid}}{CH}-CO_2H$	
20. ヒスチジン (histidine)	His (7.6) H	$\underset{\underset{\underset{CH}{\diagdown \!\! \diagup}}{N \quad NH}}{CH=C}-CH_2-\underset{\underset{NH_2}{\mid}}{CH}-CO_2H$	

$$R-\overset{\alpha}{\underset{\underset{NH_2}{\mid}}{CH}}-\overset{O}{\underset{}{\overset{\|}{C}}}-OH$$

α-アミノ酸

上の構造式でR＝Hのグリシン（glycine）は例外として，α-アミノ酸のα炭素は不斉炭素原子である．このためグリシン以外のタンパク質から得られるアミノ酸はすべて光学活性であり，さらに図17.1に示すようにグリセルアルデヒドを基準とするL-立体配置をすべてがもっている．炭水化物に用いたFischer投影式がアミノ酸の立体配置を表すのに使用できるのはこの理由による．

表17.1にはタンパク質中に含まれる20種類のα-アミノ酸が示してある．アミノ酸の名称としては一般に慣用名が使われている．さらにペプチドの分子式をアミノ酸単位で書くときは3文字で表示される略号を用い，タンパク質中のアミノ酸配列

A WORD ABOUT...

アミノ酸による年代測定法

アミノ酸による年代測定法は，この写真のマンモスのような骨の年代を決める方法として用いられる。

考古学者が発掘調査で装飾品や人骨を発見したときに，まずはじめに考えることはその古さである。古い場合はどれだけ古いかが問題になる。古さを知ることで当時の人たちの生活様式，他の集団との交易や接触，そこに住んでいた民族の入れ替わりなどの疑問も解明されることが多い。

化学は考古学者のこのような疑問の解明に協力してきた。もっともよく知られた手法に，1947年William F. Libby（1960年ノーベル賞受賞）が提唱した炭素の放射性同位体である炭素14を用いるものがある。^{14}Cは半減期が5730年で崩壊する。この寿命の長さは，生物界において定常状態での^{14}C濃度平衡が確立されるのに十分である。それがどういうことかを具体的に説明してみよう。生きている植物や動物の中の炭素はきわめて微少ながら（約1.2×10^{-10}％）定常的に^{14}Cを含んでいる。これらの生物が死ぬと^{14}Cはもはや自然界から（食物や二酸化炭素として）摂取されなくなるので，放射線崩壊によりその濃度は減少をはじめる。^{14}Cの半減期をもとにして，古い物体中の^{14}C含有量を新しい物体のものと比較すれば，古い物体の年齢が算出できることになる。しかし，この手法の適用限界は^{14}Cの半減期の10倍，すなわち50000年以上古いものには適していない。

アミノ酸は化石や貝殻，歯にも残存するから，そのラセミ化の程度により古い物体の年代が算出できる。生物のアミノ酸はL立体配置をもち光学活性であるが，生物が死ぬと，それまでL型とD型の間の変換平衡を制御していた生化学反応が停止し，両異性体間の熱的な変換平衡が進行しはじめる。このようにラセミ化量は，その物体の年齢の関数とみなせるので時代判定に利用できる。

L-形 ⇌ D-形

ラセミ化の速さはアミノ酸によって異なる。たとえば，25℃，pH7におけるアスパラギン酸のラセミ化の半減期は約3000年であり，アラニンでは約12000年である。ラセミ化速度は温度にも左右され，アスパラギン酸では0℃で430000年にも延びる。したがって，正確な年齢判定にはその物体が貯蔵されていた温度を知る必要がある。都合がよいことに，この温度は一定の気候条件下と一定の深さの地下では長期にわたってほぼ不変と考えられるので，かなり正確に推定できる。

このような推算方法の精度はいくつかの年齢判定法を組み合わせて，互いに修正を行うことで改良できる。このアミノ酸による年代判定法の特徴は，炭素14法にくらべて試料の量がきわめて少なくてすむことである。また，いくつかのアミノ酸を組み合わせればかなり古い年月を推定できるので，炭素14法の測定限度をはるかに越えて10万年から40万年前の氷河時代までも測定できるという特長がある。

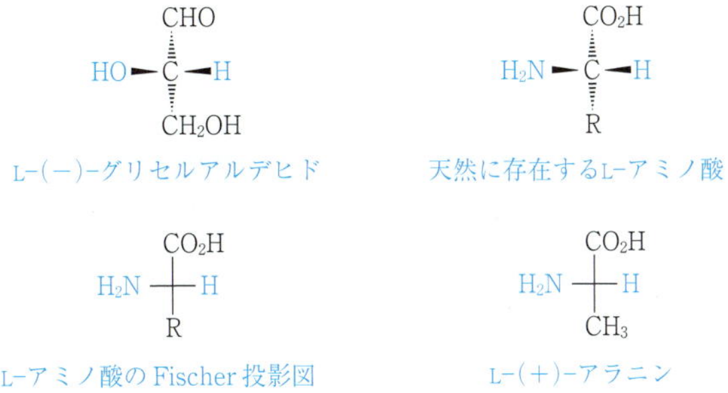

17.2 アミノ酸の酸・塩基特性

```
        CHO                           CO₂H
HO─────C─────H                H₂N─────C─────H
        CH₂OH                         R
 L-(−)-グリセルアルデヒド           天然に存在するL-アミノ酸

        CO₂H                          CO₂H
H₂N─────┼─────H               H₂N─────┼─────H
        R                             CH₃
 L-アミノ酸のFischer投影図         L-(+)-アラニン
```

図 17.1 天然に存在する α-アミノ酸はL-立体配置をもっている。

を書くときには1文字略号を用いる。表17.1には構造が似たアミノ酸をまとめて分類してある。ここに記載したアミノ酸20種類のうち12種類は人体内で合成できるが,残りの8種類は(表では名称が青文字で印刷してある)成人の体内では合成できないので,摂取する食物のタンパク質中に含まれていなければならない。そのためにこの8つは**必須アミノ酸**(essential amino acid)とよばれている。

17.2 アミノ酸の酸・塩基特性

アミノ酸にはカルボン酸とアミンの両方が同じ分子内に存在し,前者は酸性で後者は塩基性である。はたして両官能基はそれぞれ本来の形のままで共存できるのだろうか。表17.1のアミノ酸は,アミノ基とカルボキシル基とが本来の形のままで存在しているように書かれているが,実はこれらは理解しやすいように単純化して示してある。

アミノ基とカルボキシル基とを1つずつもったアミノ酸は,実際は**両性イオン構造**(dipolar ion)*で書くのが正しいのである。

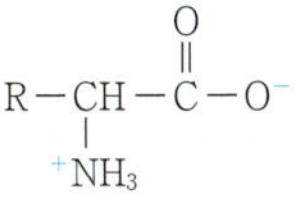

$$\text{R}-\underset{\underset{\text{NH}_3}{|}}{\overset{}{\text{CH}}}-\overset{\overset{\text{O}}{\|}}{\text{C}}-\text{O}^-$$

α-アミノ酸の両性イオン構造

すなわち,アミノ基はプロトン化されてアンモニウムイオンに,カルボキシル基はプロトンを失ってカルボキシラートアニオンになっている。この両性イオン構造をとるためにアミノ酸は塩の性質を示し,その融点は比較的高く(もっとも単純なグリシンでさえ融点は233°Cもある),有機溶媒への溶解度も比較的低い。

---

* このような構造のことをツビッターイオン(zwitterion)ともよんでいる(ドイツ語で二重イオンの意味)。

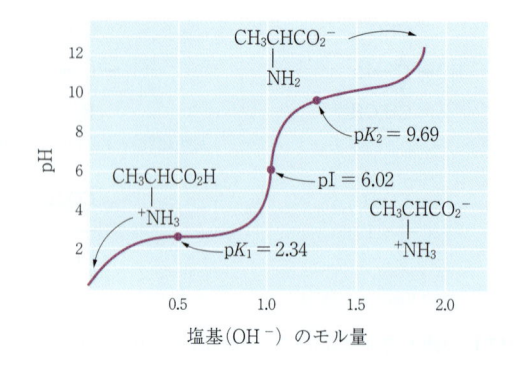

図 17.2 アラニンの滴定曲線
pHによって構造が変化するようすが書かれている。

アミノ酸は両性体（amphoteric）である（p.227）。すなわち酸として働くときは強塩基にプロトンを与え，また塩基として働くときは強酸からプロトンを受けとるというように，2つの異なる挙動を示す。この挙動は平衡式でつぎのように表現できる。

$$\underset{\substack{|\\^+NH_3}}{RCHCO_2H} \underset{H^+}{\overset{OH^-}{\rightleftarrows}} \underset{\substack{|\\^+NH_3}}{RCHCO_2^-} \underset{H^+}{\overset{OH^-}{\rightleftarrows}} \underset{\substack{|\\NH_2}}{RCHCO_2^-} \quad (17.1)$$

低pH領域（酸性）　　　両性イオン構造（中性）　　　高pH領域（塩基性）
でのアミノ酸　　　　　　　　　　　　　　　　　　　　でのアミノ酸

代表的なアミノ酸であるアラニンの滴定曲線が図17.2に示してあるが，このアミノ酸は低pH領域（酸性溶液中）では置換アンモニウムイオンの形で，高pH領域（塩基性溶液中）では置換カルボキシラートイオンの形で，そして中間のpH領域（アラニンの場合pH 6.02）では両性イオンの形で存在する。酸性を示す官能基の形態がpHでどのように変化するかを記憶する簡単な方法は，溶液のpHがその酸性部位のpK_aよりも低いときはプロトンがつき，高いときはプロトンがついてないと覚えることである。

例 題 17.1

アラニン塩酸塩（塩酸中の低pH領域での構造は図17.2の曲線の左隅に示してある）を1当量の水酸化ナトリウムと処理したとき，また2当量の水酸化ナトリウムと処理したときの反応式を書け。

解答
$$\underset{\substack{|\\^+NH_3}}{CH_3CHCO_2H} + Na^+OH^- \longrightarrow \underset{\substack{|\\NH_2}}{CH_3CHCO_2^-}\,Na^+Cl^- + H_2O \quad (17.2)$$

アンモニウム塩　　　　　　　　　　両性イオン

17.2 アミノ酸の酸・塩基特性

$$\text{CH}_3\text{CHCO}_2^- + \text{Na}^+\text{OH}^- \longrightarrow \text{CH}_3\text{CHCO}_2^-\text{Na}^+ + \text{H}_2\text{O} \quad (17.3)$$
$$\overset{|}{{}^+\text{NH}_3} \qquad\qquad\qquad\qquad \overset{|}{\text{NH}_2}$$

両性イオン　　　　　　　　　　　　カルボン酸塩

はじめの1当量の塩基はカルボキシル基からプロトンを奪って両性イオンを生じ，2当量目の塩基はアンモニウムイオンからプロトンを奪ってカルボン酸ナトリウム塩を生じる。

問題 17.1 アラニンのカルボン酸ナトリウム塩を1当量および2当量の塩酸と反応させたとき，そこで何が生じるのかを示す反応式を示せ。

問題 17.2 アラニンのアンモニウム塩型がもつ2つの置換基，$-\overset{+}{\text{N}}\text{H}_3$と$-\text{CO}_2\text{H}$のうち，どちらが強い酸性を示すのか答えよ。

問題 17.3 アラニンのカルボン酸塩型がもつ2つの置換基，$-\text{NH}_2$と$-\text{CO}_2^-$のうち，どちらが強い塩基性を示すのか答えよ。

図17.2と式17.1から，アミノ酸の電荷がpHによって変化することに注目してほしい。すなわちアラニンは低pH領域では正電荷を帯び，高pH領域では負電荷を帯び，中性領域付近では両性イオンの形をとっている点である。このためアミノ酸を電場中におくと，低pH溶液中では陰極（cathode）へ移動し，高pH溶液中では陽極（anode）へ移動する現象が観測される（図17.3）。その中間の**等電点**（isoelectric point, **pI**と略記）とよばれる点ではアミノ酸は両性イオンとなり，電荷は差し引きゼロになるからどちらの電極へも移動しない。表17.1にはアミノ酸の等電点が（　）の中に示してある。

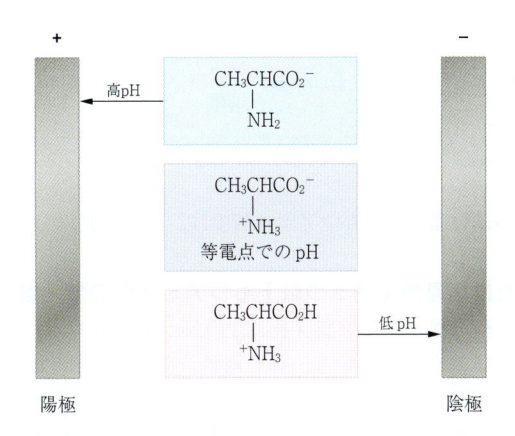

図17.3 電場中でのアミノ酸（たとえばアラニン）の移動はpHに依存する。

☞　アミノ酸の**等電点（pI）**とは，アミノ酸が両性イオン構造をもっていて正味の電荷はゼロになるpHのことである。

例題 17.2

ロイシン (leuchine) について，(a) 等電点，(b) 高pH領域，(c) 低pH領域，それぞれにおける構造を書け。

解答

(a) $(CH_3)_2CHCH_2CHCO_2^-$
　　　　　　　　　|
　　　　　　　$^+NH_3$
　　　両性イオン構造

(b) $(CH_3)_2CHCH_2CHCO_2^-$
　　　　　　　　　|
　　　　　　　NH_2
　　　陰イオン構造

(c) $(CH_3)_2CHCH_2CHCO_2H$
　　　　　　　　　|
　　　　　　　$^+NH_3$
　　　陽イオン構造

はじめの1当量の塩基はカルボキシル基からプロトンを奪って両性イオンを生じ，2当量目の塩基はアンモニウムイオンからプロトンを奪ってカルボン酸ナトリウム塩を生じる。

問題 17.4

つぎの指定されたpH領域において，それぞれのアミノ酸が存在できる構造を書き，さらにそれを電場中に置いた場合に，陽極，陰極のどちらの方向に移動するかを答えよ。

(a) 等電点領域でのメチオニン
(b) 低pH領域でのセリン
(c) 高pH領域でのフェニルアラニン

一般的にいうと，1つのアミノ基と1つのカルボキシル基以外に酸性基や塩基性基をもたないアミノ酸は2つのpK_a値をもっている。1つは，ほぼ2から3の値を示すもので，これはカルボキシル基からのプロトン脱離を，もう1つは，ほぼ9から10の値を示すもので，これはアンモニウムイオンからのプロトン脱離に対応している。等電点はこの2つの値のほぼ中間値，約pH＝6に存在する。

$$\underset{\substack{\text{低pH} \\ \text{正味の電荷　}+1}}{\underset{^+NH_3}{\overset{\overset{\text{Rは中性}}{\curvearrowleft}}{RCHCO_2H}}} \underset{pK_a = 2\text{~}3}{\rightleftarrows} \underset{0}{\underset{^+NH_3}{RCHCO_2^-}} \underset{pK_a = 9\text{~}10}{\rightleftarrows} \underset{\substack{\text{高pH} \\ -1}}{\underset{NH_2}{RCHCO_2^-}} \quad (17.4)$$

酸性基または塩基性基を2つもつアミノ酸では，この挙動はさらに複雑になる。

17.3　酸性基または塩基性基を2つ以上もつアミノ酸の酸・塩基特性

アスパラギン酸とグルタミン酸（表17.1のNo.14と15）は，2つのカルボキシル基と1つのアミノ基をもっている。強い酸性溶液中（低pH領域）では，これら3つの官能基は酸性形（プロトン化形）をもっているが，pHが高くなり溶液の塩基性が強くなるにつれて，これらの官能基は順次プロトンを放出していく。**アスパラギン酸**（aspartic acid）を例にとれば，3つのpK_a値における酸・塩基平衡構造は次式のようになっている。

17.3 酸性基または塩基性基を2つ以上もつアミノ酸の酸・塩基特性

$$HO_2CCH_2CHCO_2H \underset{}{\overset{pK_a = 2.09}{\rightleftarrows}} HO_2CCH_2CHCO_2^- \underset{}{\overset{pK_a = 3.86}{\rightleftarrows}} {}^-O_2CCH_2CHCO_2^- \underset{}{\overset{pK_a = 9.82}{\rightleftarrows}} {}^-O_2CCH_2CHCO_2^-$$
（各構造の下に $^+NH_3$, $^+NH_3$, $^+NH_3$, NH_2）

低 pH ────────────────────────────→ 高 pH

正味の電荷　　+1　　　　0　　　　−1　　　　−2

(17.5)

アスパラギン酸の等電点，すなわちアミノ酸が主として中性の両性イオン型で存在できる pH 値は 2.87 である（通常この pI 値は中性の両性イオン分子の両側に示した pK_a の平均値にほぼ等しい）。

例　題　17.3
酸性形のアスパラギン酸の2つのカルボキシル基のうち，どちらが強い酸性を示すか説明せよ。

解答　式17.5に示されているように，アスパラギン酸の酸性形構造（式の左端のもの）から最初に放出されるプロトンは，−NH_3^+ 基に近いカルボキシル基のものである。その理由はつぎのとおりである。−NH_3^+ 基は正電荷をもっているので電子求引性である。求引性置換基はカルボキシル基の酸性を高めるが，その効果は距離とともに減衰する。また脱プロトンの結果生じる両性イオンの正・負両電荷も近接した位置にあるほうが安定である。

問　題　17.5
式17.5を利用して，アスパラギン酸がもつ置換基のなかでもっとも酸性の低いものはどれか，理由とともに説明せよ。

アミノ基を2つとカルボキシル基を1つもつアミノ酸の場合は挙動が異なる（表17.1, No.18, 19, 20）。リシンを例にとれば，その酸・塩基平衡はつぎのようになる。

$$CH_2(CH_2)_3CHCO_2H \underset{}{\overset{pK_a = 2.18}{\rightleftarrows}} CH_2(CH_2)_3CHCO_2^- \underset{}{\overset{pK_a = 8.95}{\rightleftarrows}} CH_2(CH_2)_3CHCO_2^- \underset{}{\overset{pK_a = 10.53}{\rightleftarrows}} CH_2(CH_2)_3CHCO_2^-$$

低 pH ────────────────────────────→ 高 pH

正味の電荷　　+2　　　　+1　　　　0　　　　−1

(17.6)

このアミノ酸の等電点 pI は pH = 9.74 と比較的高いところにある。

アルギニンとヒスチジンの2番目の塩基性置換基は単純なアミノ基ではなく，それぞれ**グアニジン基**（guanidine）ならびに**イミダゾール基**（imidazole）である。これらのアミノ酸が完全にプロトン化された構造をつぎに示す。

pH 1 でのアルギニン　　　　　　pH 1 でのヒスチジン

表 17.2　3つのタイプのアミノ酸の酸度定数と等電点 (pI)

タイプ		pKa 1	pKa 2	pKa 3	pI
酸性基1つと塩基性基1つ		2.3	9.4	—	6.0
酸性基2つと塩基性基1つ		2.2	4.1	9.8	3.0
酸性基1つと塩基性基2つ	(Lys, Arg)	2.2	9.0	11.5	10.0
	(His)	1.8	6.0	9.2	7.6

問題 17.6　アルギニンは3つのpK_a値を2.17（−COOH基），9.04（−NH_3^+基），12.48（グアニジニウムイオン）にもっている。式17.6にならってそれぞれのpK_aに対応する解離平衡式をかけ。等電点のおよそのpH値も推測し，そこでの両性イオンの構造を書け。

　表17.2はアミノ酸の3つのタイプについて，pK_aのおよその値と等電点をまとめたものである。

17.4　電気泳動法

　17.4から17.6節で，アミノ酸の電荷が溶液のpHによって変化することをみてきた。ところで，アミノ酸やタンパク質を分離する効果的な手法の**電気泳動法**（electrophoresis）は，この電荷の変化を利用している。すなわち，一定のpH値に調整した電場にアミノ酸やタンパク質を置くと，異なる速度で異なる方向へ移動するという性質を利用している。

例題 17.4

　pH 5に調整した電気泳動装置でアラニンを分析にかけた場合，陽極あるいは陰極どちらの方向に移動するのかを答えよ。またアスパラギン酸についても同じ条件下での挙動を答えよ。

解答　pH 5の値はアラニンのpI値（およそ6）よりも低いから，両性イオンはプロトン化されており（陽イオン的），したがって陰極に向かって移動する。一方，pH 5はアスパラギン酸pI（およそ3）よりも高いから，アスパラギン酸は−1イオン（式17.5をみよ）の形で陽極に向かって移動する。したがってこれら2つのアミノ酸混合物はこの手法で容易に分離できる。

問題 17.7　つぎの組み合わせのアミノ酸混合物を電気泳動装置で分離にかけた場合，それぞれのアミノ酸が陽極あるいは陰極どちらの方向に移動するのかを答えよ。

☞　**電気泳動法**はアミノ酸混合物あるいはタンパク質混合物を，それらの電荷の差異を利用して分離する方法である。

(a) pH 7におけるグリシンとリシンの混合物
(b) pH 6におけるフェニルアラニン，ロイシン，プロリンの混合物

17.5 アミノ酸の反応

アミノ酸は酸や塩基としての性質以外にも，カルボキシル基やアミノ基に特有の反応を行う。たとえばカルボキシル基はエステルに，アミノ基はアシル化されてアミドに変換される。

$$\text{R-CH(}^+\text{NH}_3\text{)-CO}_2^- + \text{R'OH} + \text{H}^+ \xrightarrow{\text{加熱}} \text{R-CH(}^+\text{NH}_3\text{)-CO}_2\text{R'} + \text{H}_2\text{O} \quad (17.7)$$

$$\text{R-CH(}^+\text{NH}_3\text{)-CO}_2^- + \text{R'-CO-Cl} \xrightarrow{\text{2 OH}^-} \text{R-CH(NH-CO-R')-CO}_2^- + 2\text{H}_2\text{O} + \text{Cl}^- \quad (17.8)$$

これらの反応は，この2つの官能基を一時的に修飾したり保護する目的に用いられ，とくにアミノ酸を順序正しく結合してペプチドやタンパク質を合成する目的には有効に利用されている。

問題 17.8 式17.7と17.8を参考にしてつぎの反応式を書け。

(a) グルタミン酸 + CH$_3$OH + HCl ⟶
(b) プロリン + 塩化ベンゾイル + NaOH ⟶
(c) フェニルアラニン + 無水酢酸 $\xrightarrow{\text{加熱}}$

17.6 ニンヒドリン反応

ニンヒドリン（ninhydrin）は，アミノ酸の検出と定量を目的として用いられる試薬である。この化合物は環状トリケトン水和物の構造をもっており，アミノ酸と反応して紫色の色素を生成する。この反応機構は複雑なので詳細は省くが，全体の反応はつぎのとおりである。

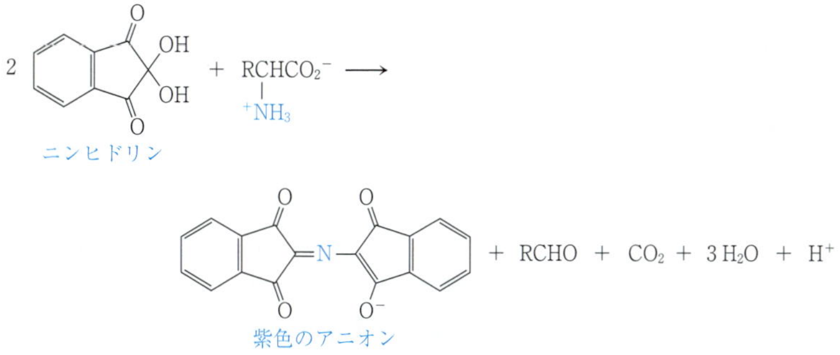

$$2 \text{ ニンヒドリン} + \text{RCH(}^+\text{NH}_3\text{)CO}_2^- \longrightarrow \text{紫色のアニオン} + \text{RCHO} + \text{CO}_2 + 3\text{H}_2\text{O} + \text{H}^+ \quad (17.9)$$

A WORD ABOUT ...

天然物中のペプチド

1つの分子が比較的少ない数のアミノ酸で構成されるペプチドは動植物から数多く分離されており，生理学的に重要な役割を果たしていることが多い。その中から数例を取りあげてみよう。

ブラジキニン（bradykinin）は血しょう中に存在し，血圧調整をつかさどるノナペプチドである。また，脳組織にも神経伝達機構に関与していると思われるペプチドがいくつか存在している。その1つにデカペプチドの**P物質**（substance）があり，これは痛覚刺激伝達物質であると考えられている。ここで注目してほしいのは，C末端アミノ酸であるメチオニンが第1アミドの形で存在していることである。このような構造はペプチド分子鎖では一般的であり，それを示すために分子式の右末端にNH₂を記すことになっている。

Arg—Pro—Pro—Gly—Phe—Ser
Pro—Phe—Arg
ブラジキニン

Arg—Pro—Lys—Pro—Gln—Gln—Phe—Phe
Gly—Leu—Met—NH₂
P物質

オキシトシン（oxytocin）と**バソプレッシン**（vasopressin）は，後部脳下垂体でつくられる環状ノナペプチド構造をもったホルモンである。オキシトシンは子宮収縮と母乳分泌を調整し，分べん機能に関係していると考えられているものである。その構造には2つのシステインが含まれ，これがジスルフィド結合で結ばれていることが特徴的であり，C末端アミノ酸はここでも第一級アミドの形をもっている。バソプレッシンはオキシトシンのIleをPheで，LeuをArgで置き換えただけの構造をもっており，腎臓で水分排泄を調節し，血圧にも影響を与えるペプチドである。多量の尿を排泄する尿崩症（diabetes inspidus）とよばれる病気の原因はバソプレ

```
         Ile—Gln
    Tyr         Asn          NH₂
    Cys         Cys          Gly
     S————S        Pro—Leu
   N-末端      オキシトシン    C-末端
```

注目すべき点は，アミノ酸の窒素原子だけがこの紫色色素の生成に関与しており，残りの部分はアルデヒドや二酸化炭素に分解してしまうことである。この色素は第一級アミノ基の$-NH_2$をもっているα-アミノ酸ならどれからでも生成し，その色濃度は含有α-アミノ酸の濃度の一次に比例する。ただし，プロリンだけは第二級アミノ基をもっているので，この紫色色素を形成せずに別の反応を起こして黄色色素を生成するから，これをプロリン分析に利用している。

問題 17.9 アラニンとニンヒドリンの反応式を書け。

17.7 ペプチド

ペプチドやタンパク質では，あるアミノ酸のカルボキシル基と他のアミノ酸のα-アミノ基とがアミド結合を形成し，これによっていくつかのアミノ酸がつながった構造をもっている。この構造をはじめに提唱したのはEmil Fischerであり，この形のアミド結合を**ペプチド**（peptide）**結合**と名づけた。たとえばアミノ酸（aaと略記する）がこの形で2つ結合した分子は**ジペプチド**（dipeptide）とよばれる。

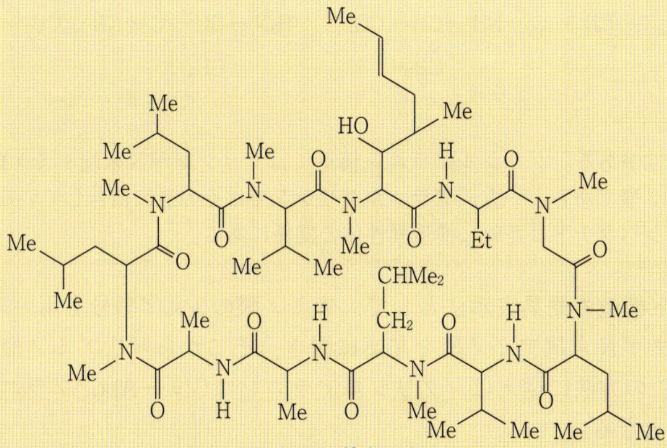

17.7 ペプチド

シクロスポリンA

ッシンの欠乏であり、このホルモンの投与により治療できる。

シクロスポリンA（cyclosporin A）は、カビの *Trichederma polysporum* から分離された環状ペプチドの1つである。その働きは免疫抑制作用であり、臓器移植が行われたあとの拒否症状を抑える目的に用いられる。ここで注目すべきことは、シクロスポリンAには一般的でないアミノ酸が含まれ、また多くのアミド窒素がメチル化されていることである。

現在行われている重要な研究の1つに、生化学的に重要な天然型ペプチドの構造を、アミノ酸の1つを他のもので置き換えたり、側鎖構造を意図的に変化させたり、あるいはペプチド鎖の一部分を非ペプチド性の構造で置き換えて、有効な新しい医薬品を開発する分野がある。

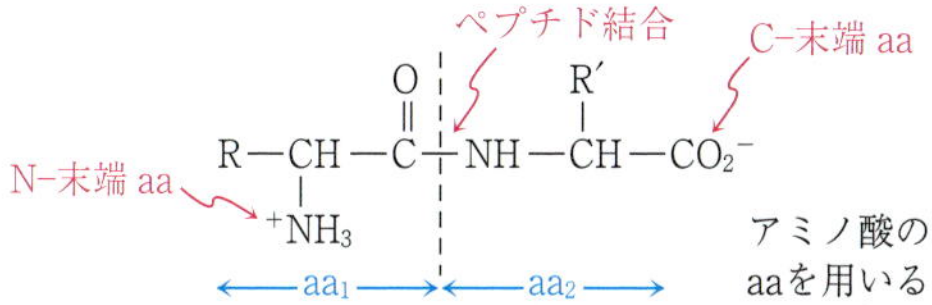

ペプチド結合では上のように遊離の$-NH_3^+$基をもったアミノ酸単位を左側に書き、遊離のCOO^-基をもったアミノ酸単位を右側に書く約束になっている。そして左のアミノ酸を**N末端アミノ酸**（N-terminal amino acid）、右を**C末端アミノ酸**（C-terminal amino acid）とよんでいる。

例 題 17.5

アラニンとグリシンをペプチド結合でつないだジペプチドの構造を書け。

☞ 二つのアミノ酸を結合しているアミド結合のことを**ペプチド結合**という。ペプチド分子には遊離の$^+NH_3$基をもった**N末端アミノ酸**と、遊離のCO_2^-基をもった**C末端アミノ酸**が存在する。

解答

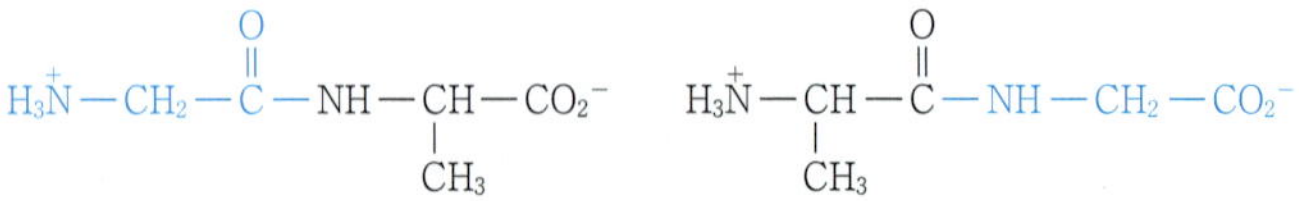

$$H_3\overset{+}{N}-CH_2-\underset{}{\overset{O}{\underset{\|}{C}}}-NH-CH(CH_3)-CO_2^-$$
グリシルアラニン

$$H_3\overset{+}{N}-CH(CH_3)-\underset{}{\overset{O}{\underset{\|}{C}}}-NH-CH_2-CO_2^-$$
アラニルグリシン

2つの可能性がある。グリシルアラニン構造ではグリシンがN末端アミノ酸,アラニンがC末端アミノ酸である。一方,アラニルグリシンではその逆に結合している。したがって,この2つのジペプチドは互いに構造異性体の関係にある。

ペプチド構造の簡易表示法として,アミノ酸の3文字略号を用いる方法がある。そこではまずN末端アミノ酸を左端に置き,そこから順次アミノ酸を略号で続けていく。この方法に従えば,グリシルアラニンはGly − Ala,アラニルグリシンはAla − Glyとなる。

問題 17.10 例題17.5でジペプチドGly − AlaとAla − Glyとは両性イオン型で書かれている。これらの両性イオンが主たる構造になるpHを答えよ。またGly − Alaについて水溶液のpHが3および9のときの構造を書け。

問題 17.11 つぎのジペプチドの両性イオン構造を書け。
(a) バリルアラニン　(b) アラニルバリン

例題 17.6

略号を用いた表示式Gly − Ala − Serで示されるトリペプチドがある。このN末端アミノ酸とC末端アミノ酸とを答えよ。

解答　この表示式では常にN末端アミノ酸を左側に示すから,N末端アミノ酸はグリシン,C末端アミノ酸はセリンである。中間に存在するアラニンのアミノ基とカルボキシル基はいずれもペプチド結合に使われている。

問題 17.12 Gly − Ala − Serの完全な構造式を書け。

問題 17.13 Gly − Ala − Serと構造異性体の関係にあるすべてのトリペプチドを略号表示法で示せ。

ペプチドとタンパク質にみられる構造の複雑さは,まさに驚異的である。たとえば問題17.13は,3種類のアミノ酸から作られるトリペプチドには6つの異なる配列が可能であることを示している。テトラペプチドではその数は24になり,さらにオクタペプチド(8種類のアミノ酸から作られるもの)では40320もの配列様式が可能になる。

特定のペプチドやタンパク質の構造を説明するまえに,構造を複雑にするもう1つの要因があることを知っておこう。

17.8 ジスルフィド結合

　ペプチドやタンパク質に存在するアミノ酸のあいだの共有結合としては，ペプチド結合以外に**ジスルフィド**（disulfide）**結合**があるのみである。これは**システイン**（cysteine）単位どうしの間に形成される結合のことである。チオールが容易に酸化されてジスルフィドになることはわかっているので（式7.48参照），2つのシステイン単位が空間的に接近した位置にあるとジスルフィド結合が生成することは理解できる。2つのシステイン単位が1本のペプチド，またはタンパク質鎖上の離れた位置に存在しているとき，ジスルフィド結合が形成されるとループ（loop）または大員環が生成する。一方，別々のペプチド鎖上にあるシステインが鎖間でジスルフィド結合を形成すると，分子鎖どうしが橋かけされることになる。このような2つの型のジスルフィド結合は数多く見受けられ，またこの結合が穏やかな還元剤で容易に切断されることはすでに学んだ（A Word About「まっすぐな毛髪，カールした毛髪」参照）。

$$
\begin{array}{c}
-\text{NH}-\text{CH}-\overset{\overset{\displaystyle O}{\|}}{\text{C}}- \\
| \\
\text{CH}_2\text{SH} \\
\\
\text{CH}_2\text{SH} \\
| \\
-\text{NH}-\text{CH}-\overset{\overset{\displaystyle O}{\|}}{\text{C}}-
\end{array}
\quad\underset{\text{還 元}}{\overset{\text{酸 化}}{\rightleftharpoons}}\quad
\begin{array}{c}
-\text{NH}-\text{CH}-\overset{\overset{\displaystyle O}{\|}}{\text{C}}- \\
| \\
\text{CH}_2-\text{S} \\
| \\
\text{CH}_2-\text{S} \\
| \\
-\text{NH}-\text{CH}-\overset{\overset{\displaystyle O}{\|}}{\text{C}}-
\end{array}
\quad (17.10)
$$

　二つのシステイン単位　　　　　　—Cys—S—S—Cys—　（ジスルフィド結合）

　ここからあとの本章では，引き続いてペプチドとタンパク質の主要な特性について解説する。そこでは構成アミノ酸の種類と数，構成アミノ酸の配列順序，分子の全体構造の特徴，らせん構造や球形構造や平面構造などの違い，会合性，などに分類してさまざまな面から眺めてみよう。

17.9 タンパク質

　タンパク質は，数多くのアミノ酸が互いにアミド結合（ペプチド結合）によってつながっている生体高分子である。これは生命系における無数といえるほどの生命現象出現の役割を果たしている。あるものは構造組織（筋肉，皮膚，爪，毛髪など）の主成分であり，あるものは生体系の中である分子を移動させるために働いている。さらにあるものは生命を維持するために，必要な数多くの生化学反応における触媒として働いているのである。

　本章ではこれ以降において，ペプチドとタンパク質構造のおもな特徴について述べることにする。まず手はじめに，ペプチドおよびタンパク質の1次構造とよばれているもの，すなわちペプチドあるいはタンパク質分子鎖がいくつのアミノ酸でで

☞　**ジスルフィド結合**とはS—S単結合のことである。タンパク質中ではこの結合によってアミノ酸の**システイン**単位が2つ結ばれる。

きていて，その配列順序はどうなっているのかを学習する．そのあと引き続いて，ペプチドとタンパク質構造の3次元的な様相，つまり一般には2次，3次，4次構造とよばれているものを学習することにする．

17.10　タンパク質の1次構造

タンパク質の基本骨格は，窒素原子1つと炭素原子2つからなるアミノ酸由来の単位鎖の繰り返しである．

$$\cdots-\underset{\underset{H}{|}}{N}-\underset{\underset{H}{|}}{\overset{\overset{H}{|}}{C}}-\underset{}{\overset{\overset{R}{|}}{\overset{|}{C}}=O}-\underset{\underset{H}{|}}{N}-\underset{\underset{H}{|}}{\overset{\overset{H}{|}}{C}}-\overset{\overset{R}{|}}{\overset{|}{C}}=O-\underset{\underset{H}{|}}{N}-\underset{\underset{H}{|}}{\overset{\overset{H}{|}}{C}}-\overset{\overset{R}{|}}{\overset{|}{C}}=O-\cdots$$

タンパク質の分子鎖，アミノ酸がアミド結合でつながっている

ペプチドやタンパク質の構造を書くときにまず知るべきことは，(1) 構成アミノ酸の種類と数，(2) 分子鎖を形成しているアミノ酸の配列順序，の2つである．この情報を入手する方法について本節で簡単に説明する．

17.10a　アミノ酸分析

ペプチドもタンパク質もアミド結合で結ばれたアミノ酸から構成されているので，その構成成分のアミノ酸へ加水分解できる．この加水分解には一般に6規定の塩酸を用いてペプチドまたはタンパク質を110°Cで24時間加熱する反応条件を用いる．得られたアミノ酸混合物を分析する手順は，まずアミノ酸ごとに分離し，つぎにその種類を同定し，さらに定量を行うものである．

現在では**アミノ酸分析計**（amino acid analyzer）とよばれる装置を使用して，この仕事は自動的に行えるようになった．数ミリグラムのペプチドまたはタンパク質を完全に加水分解して得たアミノ酸混合物を，アミノ酸の種類によって異なる吸着性を示す充てん剤を詰めたカラムの頂部に置く．この吸着剤は，ふつうアミノ酸をプロトン化できる程度の強い酸性基をもった不溶性樹脂である．つぎに一定のpH値をもつ緩衝溶液をポンプで加圧しながらカラム内に送り込むと，アミノ酸はその構造の違いと塩基性の差によって異なる速度でカラムを通過して分離される．

カラムから溶出した溶液はただちにニンヒドリン試薬と混合されるので，アミノ酸が分離されて溶出してくる順番に対応して紫色と無色を交互に呈することになる．この着色の強さは，溶出液の容積あたりの関数として自動的に記録される．この結果を既知アミノ酸混合物の分析結果を検量線に用いて対比させると，アミノ酸のピークが現れるまでの時間から種類が同定でき，さらにピーク強度から含有量が定量できる．図17.4には自動アミノ酸分析計を用いて描いた代表的なクロマトグラムを示す．

17.10 タンパク質の1次構造

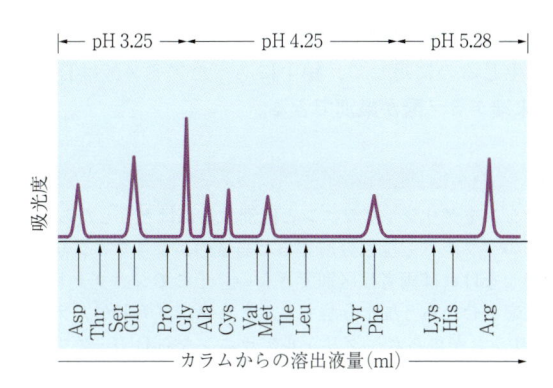

図 17.4 ペプチドの加水分解物中に含まれる種々のアミノ酸は，イオン交換樹脂により分離される。異なるpH値（図の上部に示す）をもった緩衝液を用いてカラムからアミノ酸を溶出させる。既知のアミノ酸混合物から求めた標準溶出図（矢印で示した位置）と比較することにより，アミノ酸を1つずつ同定することができる。それぞれのアミノ酸含有量はピーク面積から算出できる。

問題 17.14 Gly － Ala － Serの完全加水分解で得られる生成物を答えよ。

17.10b 配列決定法

Frederick Sanger*は，ポリペプチド鎖のなかでN末端アミノ酸は遊離のアミノ基をもっているから他のアミノ酸と区別できることに注目して，ペプチドのアミノ酸配列決定法を考案した。彼の方法は，このアミノ基を加水分解に先立ち，あらかじめ特定の試薬と反応させておき，そのあと加水分解して標識（ラベル）がついたN末端アミノ酸を識別するものである。

Sanger試薬（Sanger's reagent）は2,4－ジニトロフルオロベンゼンであり，これはアミノ酸やペプチドがもっている遊離のNH_2基と反応して黄色の2,4－ジニトロフェニル基（DNPと略記する）をつけた誘導体を生成する。

$$2,4\text{－ジニトロフルオロベンゼン} + \text{N-末端アミノ酸} \xrightarrow{\text{隠和な塩基}} \text{N-末端が標識化（ラベル）されたDNP-ペプチド} + F^- \tag{17.11}$$

---

* Frederick Sanger（イギリス，Cambridge大学）は，1958年にアミノ酸配列決定法に関する研究に対して，さらに1980年にはRNAとDNAの塩基配列決定法に関する研究に対して，合わせて2つのノーベル賞を受賞した。

☞ **Sanger試薬**（2,4－ジニトロフルオロベンゼン）はペプチドのN-末端アミノ酸を同定するのに用いられる。

この方法（式17.11）で処理されたペプチドを加水分解すると，N末端アミノ酸はDNP誘導体を生じるのに対して，鎖中にあったアミノ酸はDNPで標識化されていないので，N末端アミノ酸が識別できる。

例題 17.7

アラニルグリシンをグリシルアラニンと区別するにはどうしたらよいかを考えよ。

解答 どちらのペプチドも加水分解すると当量のアラニンとグリシンを生じるので，配列決定法を適用しなければ両者は区別できない。そこでジペプチドを2,4-ジニトロフルオロベンゼンと反応させたあと加水分解する。もしジペプチドがアラニルグリシンならDNP-アラニンとグリシンが得られ，グリシルアラニンならDNP-グリシンとアラニンが得られる。

問題 17.15
例題17.7に述べられている反応の反応式を示せ。

Sangerはこの方法を巧みに利用して，51個のアミノ酸からなるタンパク質ホルモンのインシュリンの全配列を決定した。しかし当然のことだがSangerの方法にはN末端アミノ酸しか確認できないという欠点がある。

ペプチドあるいはタンパク質のアミノ酸配列を決める理想的な方法の1つとして，たとえばペプチド鎖の末端から1回の反応につきアミノ酸1つだけを切り出して同定できる反応はないものだろうか。まさにこれにあてはまる方法がPehr Edman（スウェーデン，Lund大学）によって考案され，これが現在でも広く利用されている。

Edman試薬（Edman's reagent）はフェニルイソチオシアナート$C_6H_5-N=C=S$である。この試薬を用いてN末端アミノ酸を選択的に標識化し，これを選択的に切り出す反応段階を図17.5に示す。

最初の反応では，イソチオシアナートのC=S結合へN末端アミノ酸が求核剤として付加してチオ尿素誘導体が生じる。2番目の反応では，N末端アミノ酸が複素環化合物の1種フェニルチオヒダントインの形で除去されるので，別途合成したこのフェニルチオヒダントインの標準化合物と照合することにより同定確認すればよい。ひきつづいてこの2つの反応を繰り返せば，つぎのアミノ酸が同定できる。この手法は現在自動化されており，最新のアミノ酸配列分析装置を使用すると，ペプチドN末端からはじまる50個のアミノ酸配列を一日で決定することが可能である。しかしEdman法は反応を繰り返すうちに不純物が蓄積してくるため無制限には使用できない。

問題 17.16
Phe-Ala-SerをEdman分解してはじめに得られてくるフェニルヒダント

☞ **Edman試薬**（フェニルイソチオシアナート，$C_6H_5N=C=S$）はN末端アミノ酸と反応して，小さなペプチドを切断する目的に用いられる。

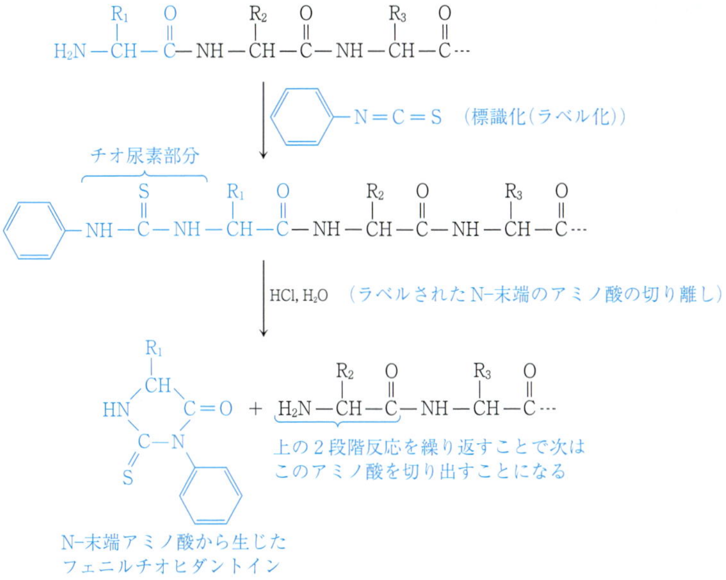

17.10 タンパク質の1次構造

図17.5 Edman法によるペプチドの分解

イン生成物の構造を書け。

17.10c ペプチド結合の選択的開裂

タンパク質が数百ものアミノ酸単位から構成されている場合には，まず分子鎖をいくつかの小さなフラグメントに部分的に加水分解してこれを分離し，そのあと各フラグメントの配列をEdmanの方法で決定するのが最良の方法であろう。いくつかの試薬や酵素が，タンパク質の特定のペプチド結合を切断する目的に用いられている。たとえば酵素の一種トリプシン（腸内消化酵素の一つ）は，ポリペプチド中のアルギニンとリシンのカルボキシル末端のみを選択的に加水分解する。このタイプの試薬はほかにも数多く知られているので，そのうち若干のものを表17.3に示しておこう。

表 17.3 ポリペプチドの特異的開裂試剤

試 薬	開裂位置
トリプシン	Lys, Arg のカルボキシル位置
キモトリプシン	Phe, Tyr, Trp のカルボキシル位置
シアン化臭素(CNBr)	Met のカルボキシル位置
カルボキシペプチダーゼ	C-末端のアミノ酸

例題 17.8

Ala － Gly － Tyr － Trp － Ser － Lys － Gly － Leu － Met － Gly の配列をもったペプチドを，つぎの試薬を用いて加水分解すると得られるフラグメントを，表17.3を参考にしながら答えよ．

(a) トリプシン　(b) キモトリプシン　(c) 臭化シアン

解答

(a) 酵素のトリプシンはリシンのカルボキシル位置でペプチドを切断するから，Ala － Gly － Tyr － Trp － Ser － Lys および Gly － Leu － Met － Gly になる．

(b) 酵素のキモトリプシンはチロシンとトリプトファンのどのカルボキシル位置でもペプチドを切断するから，Ala － Gly － Tyr, Trp および Ser － Lys － Gly － Leu － Met － Gly の3つのフラグメントになる．

(c) 臭化シアンはメチオニンのカルボキシル位置でペプチドを切断するから，C末端のグリシンだけが切り出され，残りは未反応のまま残る．カルボキシペプチダーゼを用いても同じ反応が起こるから，どちらの試薬を用いてもC末端アミノ酸がグリシンであることが確認できる．

問題 17.17

ブラジキニン（簡略式は p.542 の A Word About に示してある）をつぎの酵素を用いて加水分解したときに得られるフラグメントを示せ．

(a) トリプシン　(b) キモトリプシン

ここ15年ほどの間に，本節で述べた方法はさらに改良されて適用の対象が拡張された．その結果，現在ではごく少量の試料が入手できれば，ペプチドやタンパク質の分離と配列の決定は可能となっている．

17.11 アミノ酸配列を決定する手順

30個のアミノ酸単位から構成されるペプチドを例にとって，そのアミノ酸配列の完全解明に至るまでの手順を詳しく説明してみよう．まず，このペプチドを完全に加水分解してアミノ酸分析にかけると，

$$Ala_2 Arg Asn Cys_2 Gln Glu_2 Gly_3 His_2 Leu_4 Lys Phe_3 Pro Ser Thr Tyr_2 Val_3$$

の組成式が得られた．つぎに Sanger 法を用いてN末端アミノ酸が Phe であることが判明した．

分子鎖が長すぎると思われたので，つぎにキモトリプシンを用いてペプチドを消化させることにした（キモトリプシンを選んだ理由は，もとのペプチドに Phe が3つと Tyr が2つ含まれることがわかっているから，間違いなくキモトリプシンで切断できるはずである）．この処理を行ったところ，3つのペプチドのフラグメントに加えて2当量の Phe と1当量の Tyr とが得られた．つぎに，この3つのペプチドそれぞれについて Edman の手法を適用し，つぎのアミノ酸配列をもつことがわかった．

フラグメントA　　Leu － Val － Cys － Gly － Glu － Arg － Gly － Phe

フラグメントB　　Val － Asn － Gln － His － Leu － Cys － Gly － Ser － His －

17.11 アミノ酸配列を決定する手順

$$\text{Leu} - \text{Val} - \text{Glu} - \text{Ala} - \text{Leu} - \text{Tyr}$$

フラグメントC　　$\overset{27}{\text{Thr}} - \overset{28}{\text{Pro}} - \overset{29}{\text{Lys}} - \overset{30}{\text{Ala}}$

以上の結果だけでは全体構造はまだ書けないが，C末端アミノ酸がAlaであり，その後の4つのアミノ酸がフラグメントCに示した配列をもっていることは間違いない。なぜそう断定できるのかというと，Alaはキモトリプシンを用いてもカルボキシル位置で切断されないにもかかわらず，フラグメントCのC末端に存在するからである（これとは対照的に，フラグメントA，BのC末端アミノ酸は，いずれもキモトリプシンでカルボキシル位置で切断できるPheとTyrになっている）。C末端アミノ酸がAlaであることはカルボキシペプチダーゼを用いても確認できる。以上の結果から，まずフラグメントC中のアミノ酸配列について鎖番号の27から30までをつけることができた。

さて，つぎはどうしたらよいのだろう。臭化シアンはこのペプチドにMetが存在しないので役に立たない。しかしLysとArgが存在することに注目して，もとのペプチドに戻ってこれをトリプシンで消化すれば，これらのアミノ酸のカルボキシ位置でペプチドが切断できるはずである。そこでトリプシン処理を行ったところ，Ala（C末端アミノ酸）が得られたが，これはLysのすぐ後ろに結合していることがすでにわかっているので当然の結果である。さらに加えて2つのペプチドが得られた。その1つは比較的短く，Edmanの手法を用いて決定した配列はつぎのとおりである。

フラグメントD　　$\overset{23}{\text{Gly}} - \overset{24}{\text{Phe}} - \overset{25}{\text{Phe}} - \overset{26}{\text{Tyr}} - \overset{27}{\text{Thr}} - \overset{28}{\text{Pro}} - \overset{29}{\text{Lys}}$

このフラグメントDの後ろ3つの配列は，フラグメントCの27,28,29番目のものと重なるので，Dの残りのアミノ酸には26から23までの番号をつけることができる。さて，23と24番目のアミノ酸はフラグメントAの末端だけにみられる配列であるので，もとのペプチドではAとCがつながっていることになる。したがってフラグメントBに残された唯一の場所はAの前だけということになる。しかし，まだPheが1つ残っている（キモトリプシンによる加水分解でフラクションA，B，C以外に2当量のPheと1当量のTyrが得られ，このうちPheの1つとTyrとは25,26番目のアミノ酸であることがわかっている）。ところが，はじめに述べたSangerの方法でN末端アミノ酸がPheであることはすでに判明していた。ここではじめてこのペプチドのアミノ酸配列全体がつぎのように決定できたことになる。

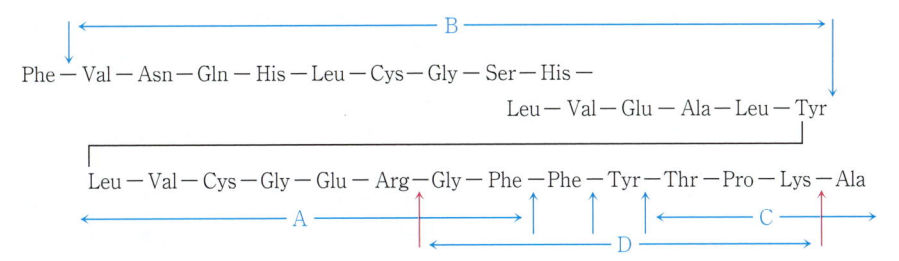

```
                        ←―――――――――――― B ――――――――――――→
Phe―Val―Asn―Gln―His―Leu―Cys―Gly―Ser―His―
                                    Leu―Val―Glu―Ala―Leu―Tyr

Leu―Val―Cys―Gly―Glu―Arg―Gly―Phe―Phe―Tyr―Thr―Pro―Lys―Ala
←――――― A ――――――→     ←――――― D ――――――→ ←―― C ――→
```

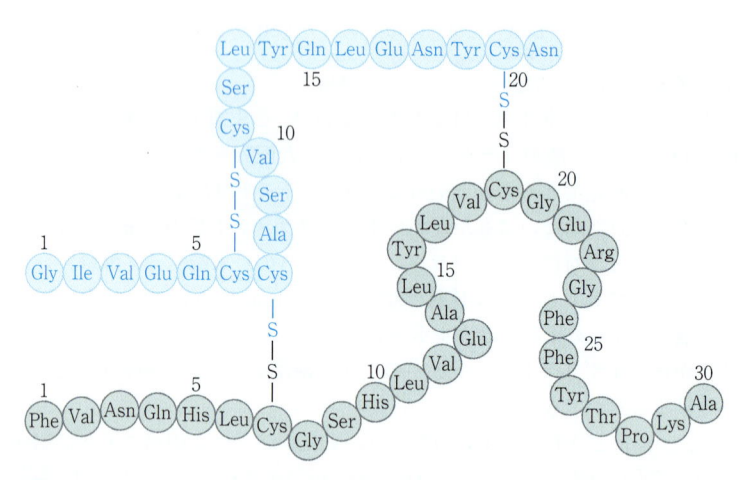

図17.6 牛インシュリンの1次構造。A鎖は青色で示してある。B鎖は緑で囲んだ黒文字で示してある。その構造決定については本書に述べてあるので参照すること。

この図に示した配列で縦の青い矢印はキモトリプシンによる切断位置，黒の矢印はトリプシンによる切断位置を示している。

　タネを明かせば，ここに具体例として取りあげたペプチドは，タンパク質ホルモンの**インシュリン**（insulin）のB鎖である。インシュリンの構造はSangerによってはじめて解明されたが，図17.6に示すように21個のアミノ酸からなるA鎖と30個のアミノ酸からなるB鎖とでできている。このA, B両鎖は2つのジスルフィド結合で結ばれ，A鎖自体も1つのジスルフィド結合による小さなループをもっている。

問題 17.18 インシュリン分子のA，B両方の鎖を化学的に分離するにはどうすればよいか答えよ（ヒント，式7.48参照）。

17.12　ペプチドの合成

　ひとたびペプチドやタンパク質のアミノ酸配列が解明されると，つぎの課題はアミノ酸成分を用いてそれを合成することである。ペプチドを合成したい理由はいくつかある。まず天然のものと合成したペプチドの性質を比較することにより，前者の構造が立証できることがある。つぎにアミノ酸を1つだけ他のアミノ酸で置きかえると，ペプチドやタンパク質の生理学的性質がどう変化するかを知ることができる。このように修飾したタンパク質は疾病の治療やタンパク質の働きを解明する目的に使うことができる。

　アミノ酸を順序よく組み合わせていく手法は数多く開発されているが，いずれも手のこんだ方法である。アミノ酸は二官能性である。したがって，1番目のアミノ

17.12 ペプチドの合成

酸のカルボキシル基を2番目のアミノ酸のアミノ基と結合させるためには，あらかじめ1番目の酸のアミノ基と2番目の酸のカルボキシル基とを「保護」しておく必要がある。

$$\underset{aa_1}{H_2N-\underset{\underset{R_1}{|}}{CH}-CO_2H} \xrightarrow{\text{アミノ基を保護する}} \boxed{P_1}-NH-\underset{\underset{R_1}{|}}{CH}-CO_2H \tag{17.12}$$

$$\underset{aa_2}{H_2N-\underset{\underset{R_2}{|}}{CH}-CO_2H} \xrightarrow{\text{カルボキシル基を保護する}} H_2N-\underset{\underset{R_2}{|}}{CH}-\underset{\underset{O}{\|}}{C}-\boxed{P_2} \tag{17.13}$$

この手法を用いればaa$_1$のカルボキシル基とaa$_2$のアミノ基とを選択的に反応させて両方のアミノ酸の間にペプチド結合を形成できる。

$$\boxed{P_1}-NHCHCO_2H + H_2N-\underset{\underset{R_2}{|}}{CH}-\underset{\underset{O}{\|}}{C}-\boxed{P_2} \xrightarrow{-H_2O}$$

$$\boxed{P_1}-NH\underset{\underset{R_1}{|}}{CH}-\underset{\underset{O}{\|}}{C}-NH-\underset{\underset{R_2}{|}}{CH}-\underset{\underset{O}{\|}}{C}-\boxed{P_2} \tag{17.14}$$

（ペプチド結合／2箇所を保護したジペプチド）

これらの保護基とペプチド結合形成試薬については，本節の後半で説明する予定である。

例題 17.9

aa$_1$とaa$_2$とを保護基なしに結合させるとどうなるか考えてみよ。

解答　どちらのアミノ酸もアミンおよびカルボン酸として反応できるから，生成してくるジペプチドにはaa$_1$－aa$_2$のみならずaa$_2$－aa$_1$, aa$_1$－aa, aa$_2$－aa$_2$も含まれてくる。さらに生成したジペプチドにもアミノ基とカルボキシル基がまだ残っているので，3量体，4量体へとペプチド結合がつぎつぎに延びていく可能性もあり，大変複雑になってしまう。

ペプチド結合がつくられたあと，この結合が切断しない条件下で保護基をはずしてやる必要がある。またはこのペプチドにさらにアミノ酸を連結しなければならない場合には，2つの保護基のうち1つだけを選択的に外してやる必要が生じる。この研究はまことに巧妙かつ根気のいる仕事であるが，Vincent du Vigneaud*を中心

---

*　Vincent du Vigneaud（米国・Cornell大学）はこの研究業績に対して1955年にノーベル化学賞を受けている。

A WORD ABOUT ...

タンパク質アミノ酸配列と進化

タンパク質のアミノ酸配列を決定することはなぜ大切なのか，その理由はいくつか考えられる．第一にタンパク質の働きを分子レベルで理解しなければならない場合には詳細な構造を知っておく必要がある．たとえば，タンパク質がその生物学的な機能を発揮できる基本となっている3次構造を，遺伝情報としてDNAに記憶させているのもアミノ酸配列なのである．

アミノ酸配列を知ることは医学上も大切な意味をもっている．たとえば鎌形赤血球性貧血症のような遺伝性の疾病は，タンパク質のアミノ酸単位がただ1つ変わるだけで起こる．すなわちヘモグロビンβ鎖の6番目にあるグルタミン酸が，バリンで置き換わるために起こるのである．この病例のようにアミノ酸配列を知ることは病理学上重要なことである．これからの遺伝子工学の応用の1つとして，上の例にみられるようなアミノ酸配列の誤りを修正する方法が研究されている．

さらにアミノ酸配列を決定することによって，ヒトの進化を化学的に研究することもできる．動物の進化において共通の祖先から派生してきたものは，互いに類似したアミノ酸配列のタンパク質をもっていると考えられている．その例を示してみよう．

ほとんどの動物の呼吸作用に不可欠な**シトクロムC**（cytochrome C）という酵素は104のアミノ酸単位からできた電子運搬体としての働きを示す球状タンパク質である．これは生物学的酸化・還元過程にかかわっており，シトクロムCはシトクロムレダクターゼとよばれる酵素錯体から1電子を受け取り，シトクロムオキシダーゼとよばれるほかの酵素錯体に運ぶ役割を果たしている．

15億年以上も昔，動物と植物とが進化上の分岐を生じる以前にシトクロムCは進化したと考えられている．それ以来このタンパク質の機能はずっと生き続けてきている．このことは，真核細胞微生物（細胞核をもったもの）から単離されるシトクロムCが，ほかのいかなる生命体のシトクロムオキシダーゼとも試験管内で反応するという事実から証明できる．たとえば，麦芽中のシトクロムCは植物由来の酵素であるにもかかわらず，ヒトのシトクロムCオキシダーゼと反応するし，マグロと光合成バクテリアのような，一見まったく異なる生物から単離されたシトクロムCが，互いにきわめて類似した3次元構造をもっていることなどが挙げられよう．

しかしながら，いろいろな生物から分離したシトクロムCは形状と機能とは類似しているが，アミノ酸配列は少しずつ違っている．たとえばヒトのシトクロムCのアミノ酸配列は，サルと比べると104個のアミノ酸のうちただ1つ異なるだけであるが，進化系統図のうえでヒトとは遠く離れたところにいるイヌのシトクロムCは，ヒトと比べるとアミノ酸単位が11箇所も異なっている．

とする研究者たちは，天然に存在するポリペプチドのオキシトシンとバソプレッシン（p.542）とを，この手法を使ってはじめて合成することに成功した．
　Robert. B. Merrifield＊は画期的なペプチド合成法を1965年に開発した．**固相反**

＊　Robert B. Merrifield（米国・Rockefeller大学）はこの研究業績に対して1984年にノーベル化学賞を受けた．この研究手法はペプチド合成法に革命をもたらしたのみならず，ポリマーに結合させた試薬を用いるという画期的な手法で他の多くの化学分野に強い影響を与えた．この発見に関する解説として，Merrifield自身が記したつぎの論文がある．*Science*, **1986**, *232*, 341. 自伝については *Chemistry in Britain*, **1978**, *816*.

☞　ペプチドはMerrifieldの**固相合成法**を使用して合成できる．この方法では，延長されるペプチド鎖の1つの末端は不活性な不溶性固相にあらかじめ化学結合させておく．

17.12 ペプチドの合成

応（solid-phase technique）を応用したこの方法は，それまで用いられていた長くわずらわしい方法に代わって現在では広く利用されている。Merrifield法の特徴は，ペプチドの一端を不溶性の不活性固体へ化学的に結合させて，そこからペプチド鎖を組み立てていくやり方である。この方法では，過剰に用いた試薬や副生成物は固体を洗浄してろ過するだけで簡単に除去できるので，成長するペプチド鎖を反応の中間段階でいちいち精製する必要がない。そしてペプチド鎖が完全につながってから化学的手法により固相担体から切り離すと，目的のペプチドが得られる。

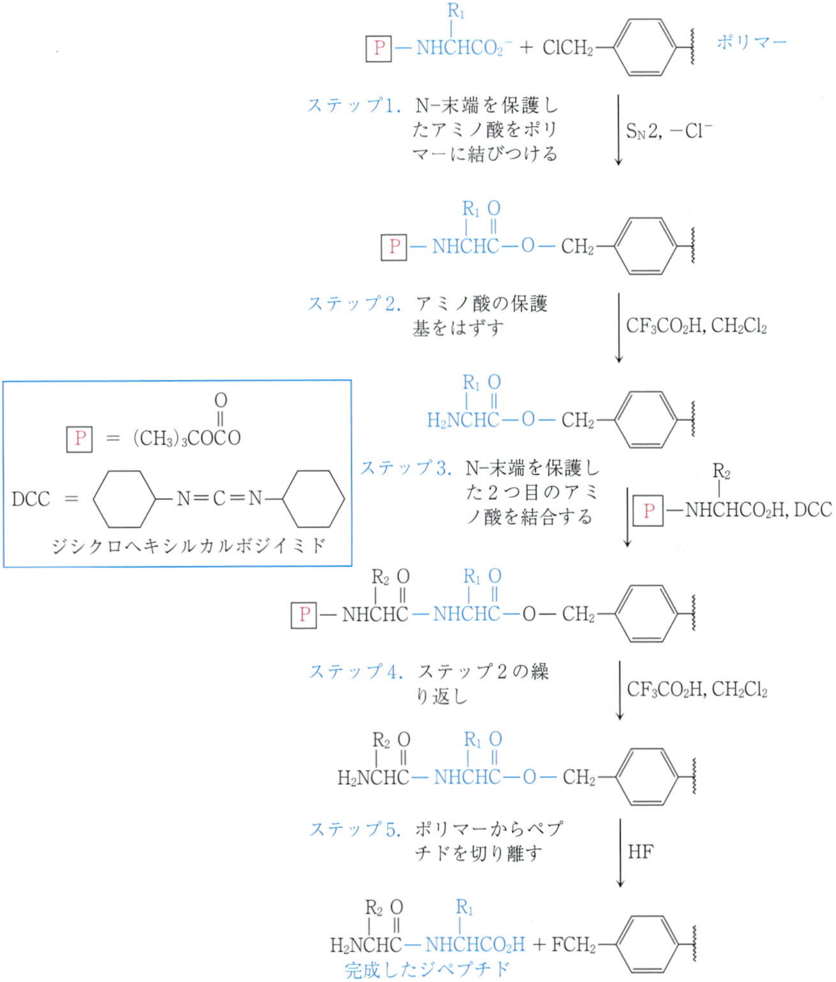

$\boxed{P}$ = $(CH_3)_3COCO-$ (C=Oを含む)

DCC = シクロヘキシル-N=C=N-シクロヘキシル
ジシクロヘキシルカルボジイミド

ステップ1. N-末端を保護したアミノ酸をポリマーに結びつける
$\boxed{P}-NHCHR_1CO_2^- + ClCH_2-\text{(ポリマー)}$
$S_N2, -Cl^-$ →
$\boxed{P}-NHCHR_1C(=O)-O-CH_2-\text{(ポリマー)}$

ステップ2. アミノ酸の保護基をはずす
CF_3CO_2H, CH_2Cl_2 →
$H_2NCHR_1C(=O)-O-CH_2-\text{(ポリマー)}$

ステップ3. N-末端を保護した2つ目のアミノ酸を結合する
$\boxed{P}-NHCHR_2CO_2H, DCC$ →
$\boxed{P}-NHCHR_2C(=O)-NHCHR_1C(=O)-O-CH_2-\text{(ポリマー)}$

ステップ4. ステップ2の繰り返し
CF_3CO_2H, CH_2Cl_2 →
$H_2NCHR_2C(=O)-NHCHR_1C(=O)-O-CH_2-\text{(ポリマー)}$

ステップ5. ポリマーからペプチドを切り離す
HF →
$H_2NCHR_2C(=O)-NHCHR_1CO_2H + FCH_2-\text{(ポリマー)}$
完成したジペプチド

図 17.7 ジペプチドの固相合成

代表的な固相担体として，架橋したポリスチレンの芳香族環をクロロメチル基（$-CH_2Cl$）で部分的（一般には1～10％程度）に置換したものが用いられている。

$$\sim CH_2-CH-CH_2-CH-CH_2-CH-CH_2-CH-CH_2-CH-CH_2-CH\sim$$

（ベンゼン環にCH$_2$Cl基が付いた構造）

このポリマーは塩化ベンジルと同じように反応し，求核置換反応（S_N2）を行う。

図17.7にMerrifieldのペプチド合成法をジペプチド合成を例にとって単位反応ごとに示しておく。ステップ1では，N末端を保護したアミノ酸をまずポリマーと反応させる。ここではカルボキシラートイオンが酸素型求核剤として働き，ポリマーの塩化物イオンを置換してエステル結合を形成する。このポリマーに最初に結合させたアミノ酸は結果的には合成ペプチドのC末端アミノ酸になる。

数多くの保護基が知られているなかで，この固相ペプチド合成法で用いるもっとも一般的なN末端の保護基は***t*-ブトキシカルボニル基**（*t*-butoxycarbonyl；**Boc**と略記する）であり，使用する反応剤はジ-*t*-ブチルジカーボナートである。

$$(CH_3)_3CO-\underset{\underset{O}{\|}}{C}-O-\underset{\underset{O}{\|}}{C}-OC(CH_3)_3 + H_3\overset{+}{N}-\underset{\underset{R}{|}}{CH}-CO_2^- \xrightarrow{\text{塩基}} \underbrace{(CH_3)_3CO-\underset{\underset{O}{\|}}{C}}_{\boxed{P}}-NH-\underset{\underset{R}{|}}{CH}-CO_2H \quad (17.15)$$

ジ-*t*-ブチルジカーボナート

この保護したアミノ酸をポリマーに結合させたあと，緩和な酸性加水分解の条件下でこの保護基を容易に外すことができる（ステップ2）。

$$\text{(Boc保護ジペプチド-ポリマー)} \xrightarrow{\underset{CH_2Cl_2}{CF_3CO_2H}}$$

もとのままのエステル結合

$$CH_3-\underset{\underset{CH_3}{|}}{\overset{\overset{CH_2}{\|}}{C}} + CO_2 + H_2N-\underset{\underset{R_1}{|}}{CH}-\underset{\underset{O}{\|}}{C}-O-CH_2-\text{（ポリマー）} \quad (17.16)$$

2-メチルプロペン　　　　　脱保護したアミノ酸

さらに脱保護したあとの生成物は気体であるから（2-メチルプロペンとCO_2），こ

☞　固相ペプチド合成法でN-末端の保護基としてもっともよく使われているのは***t*-ブトキシカルボニル基**（略して**Boc**）である。

17.12 ペプチドの合成

れらを反応混合物から簡単に除去できるのも長所であろう。さらに，ポリマーと1番目のアミノ酸とを結合しているエステル結合は，この条件下では加水分解されない。

1番目のアミノ酸を結合させたあと，ステップ3ではつぎのアミノ酸を結合させる。ここでは，**ジシクロヘキシルカルボジイミド**（dicyclohexylcarbodiimide；**DCC**と略記する）が縮合試薬として使用される。この試薬はカルボキシル基とアミノ基とを縮合させてペプチド結合の形成を促進するが，DCC試薬自身は反応で生じる水と反応してジシクロヘキシル尿素に変化する。

$$
\begin{array}{c}
\sim\!\!\overset{\text{O}}{\underset{\|}{\text{C}}}\!-\text{OH} \; + \; \text{H}_2\text{N}\!\!\sim \; + \; \text{Cy}\!-\!\text{N}\!=\!\text{C}\!=\!\text{N}\!-\!\text{Cy} \longrightarrow \\
\text{ジシクロヘキシルカルボジイミド} \\
\text{(DCC)} \\
\sim\!\!\underset{\text{ペプチド結合}}{\overset{\text{O}}{\underset{\|}{\text{C}}}\!-\text{NH}\!\sim} \; + \; \underset{\text{ジシクロヘキシル尿素}}{\text{Cy}\!-\!\text{NH}\!-\!\overset{\text{O}}{\underset{\|}{\text{C}}}\!-\!\text{NH}\!-\!\text{Cy}}
\end{array}
\tag{17.17}
$$

ステップ2と3を繰り返すことで，3番目，4番目のアミノ酸もつぎつぎと結合されていく。こうしてすべてのアミノ酸が計画どおりの順番に結合され，最後にアミノ酸のN末端保護基をはずしたあと（図17.7，ステップ4），完成したポリペプチド鎖をポリマーから切り離す。この切り離し試薬には無水フッ化水素を用いる。するとポリペプチドのアミド結合を加水分解することなく，ポリマーとの間のベンジルエステル結合が切断できる（図17.7，ステップ5）。

自動ポリペプチド合成装置

この固相ペプチド合成法は現在では自動化されている。すべての反応はたった1つの反応容器内で行われ，反応試薬と洗浄溶媒とは別の貯蔵容器からポンプで自動的に送り込まれる。24時間を通してプログラムどおりに操作が行われ，1日で8つ以上のアミノ酸をつないでポリペプチドにしてしまう。Merrifieldはこの方法を用いてノナペプチドのブラジキニン（A Word About「天然物中のペプチド」参照）を27時間で合成した。さらに1969年には自動合成装置を使って酵素のリボヌクレアーゼ（124個のアミノ酸から構成されている）を合成したが，これはアミノ酸から人工合成されたはじめての酵素であった。この合成には369の化学反応と11391の操作が必要だったが，わずか6週間で完成することができた。このような自動合成はまだ問題が多少あるとはいうものの，現在ではかなり日常的な作業にまでなっている。

☞ **ジシクロヘキシルカルボジイミド**（**DCC**）はペプチド結合のカルボキシル基とアミノ基とを縮合させる試薬である。

問題 17.19 Merrifield固相合成法を用いてペプチドGly－Ala－Pheを合成する反応式の，全反応ステップを示せ。

ここまでにペプチドやタンパク質の第1次構造の決定方法と合成方法を学んだわけだが，引き続いてタンパク質の構造をさらに詳細に調べてみよう。

17.13　タンパク質の2次構造

タンパク質はアミノ酸が1列に配列した長い分子鎖からできているので，一見その形状は無定形で不確定なもののように想像しがちだが，この予想は正しくはない。いままでに数多くのタンパク質が純粋な結晶の形で単離されており，そのポリマーの形はきわめて明確な形状をもっていることがわかっている。さらに溶液状態においても，その分子鎖はかなり規則性のある形状を保っている。そこで本節ではタンパク質の真の構造を作り上げている特性を探ってみよう。

17.13a　ペプチド結合の平面構造

単純な構造のアミドは平面構造をもっており，そこでのアミドのC－N結合は他のC－N結合よりも短く，結合のまわりの回転が阻害されていることはすでに学んだ（10.20節参照）。この平面性と回転障害は共鳴効果にもとづくものであり，これはペプチド結合においてきわめて重要な意味をもっている。

Linus Paulingを中心とする研究者達は結晶性のペプチドをX線で解析し，ペプチド結合の詳細な構造を決定した。図17.8にその結果を示すが，示されている数値はすべてのペプチドならびにタンパク質にあてはまるものである。このペプチド構造において注目すべき特徴はつぎの点にある。

1　アミド基は平面構造をもっており，カルボニル炭素と窒素およびこの2つの原子に結合した4つの原子は同一の平面内にある。
2　短いC－N結合（1.32Å，ほかのC－N結合は1.47Åと長い）をもっていることと，窒素原子まわりの結合角がいずれも120°であることは，窒素原子が本質的にsp^2混成していることを示し，窒素とカルボニル炭素の間の結合は

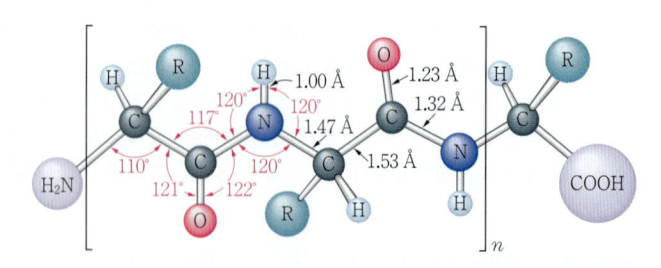

図17.8　ペプチド結合の代表的な結合角と結合長

二重結合に近い性質をもっている。

3 アミド基はそれぞれが平面内にあるとはいえ，隣接したアミド基どうしは必ずしも同一平面内にあるとはかぎらない。その理由は－CHR－基の左右にある2本の単結合まわりの回転が可能だからである。

このようなペプチド結合のかなり固定化された構造と回転障害とにより，タンパク質は特有の形状をもつようになる。

17.13b 水素結合

アミド分子どうしがカルボニル基とN－H基の間で，C＝O…H－N型の分子間水素結合を容易に形成することはすでに学んだ。これと同じ結合がペプチド鎖においても形成され，重要な役割を果たしている。すなわち，同じ分子鎖のなかで，あるペプチド結合のN－H基が離れた位置にある別のペプチド結合のカルボニル基と水素結合することにより，らせん構造が形成される。これとは別に，異なるペプチド分子鎖間でカルボニル基とN－H基とが水素結合して2つの鎖をつなぐこともある。とはいえ，水素結合1つだけではわずか5kcal/mol程度の弱い結合エネルギーしか得られないので，できるだけ数多くの分子鎖内および分子鎖間の水素結合を形成することが，タンパク質構造にとって重要なことなのである．

17.13c α－ヘリックスと折りたたみシート構造

毛髪，羊毛，角（つの），つめなどの構造タンパク質である α－ケラチン（keratin）をX線解析したところ，ある種の構造が5.4Åごとに繰り返し出てくることがわかった。そこでLinus Paulingは，ペプチド結合の平面構造を基本とする分子モデルを組み立てて検討し，X線解析の結果と一致する分子構造を考え出した。彼は，ポリペプチド分子鎖はそれ自体がらせん形に巻きあがり，分子鎖内の水素結合で堅固に固定化されたらせん（ヘリックス）を形成していると考えたのである。**α－ヘリックス**（α-helix）とよばれるこの構造は右巻きであって，5.4Åの距離をもったネジ山（ピッチ），すなわち分子鎖の長さでは3.6個のアミノ酸に相当する長さをもっている

この α－ヘリックスがもつ特徴に注目してほしい。N末端（図17.9に描かれている構造の上部）からはじまり分子鎖中のカルボニル基はいずれもC末端方向を向き，それより下部にあるN－H基と水素結合している。逆に眺めると，N－H結合はすべてN末端方向へ向いていることになる。このように水素結合はすべてヘリックスの長軸に沿ってほぼ平行に配列しており，その数がきわめて多いので（アミノ酸の各単位ごとに存在する）ヘリックス構造はかなり強固なものになっている。さらに，各アミノ酸の置換基Rはすべてヘリックスの外側を向いており，ヘリックスの中心部を複雑にしていないことにも注目すべきである。結局この α－ヘリックスモ

☞ **α－ヘリックス構造**と**折りたたみシート構造**の2つは，タンパク質またはタンパク質部分構造の一般的な2次構造である。

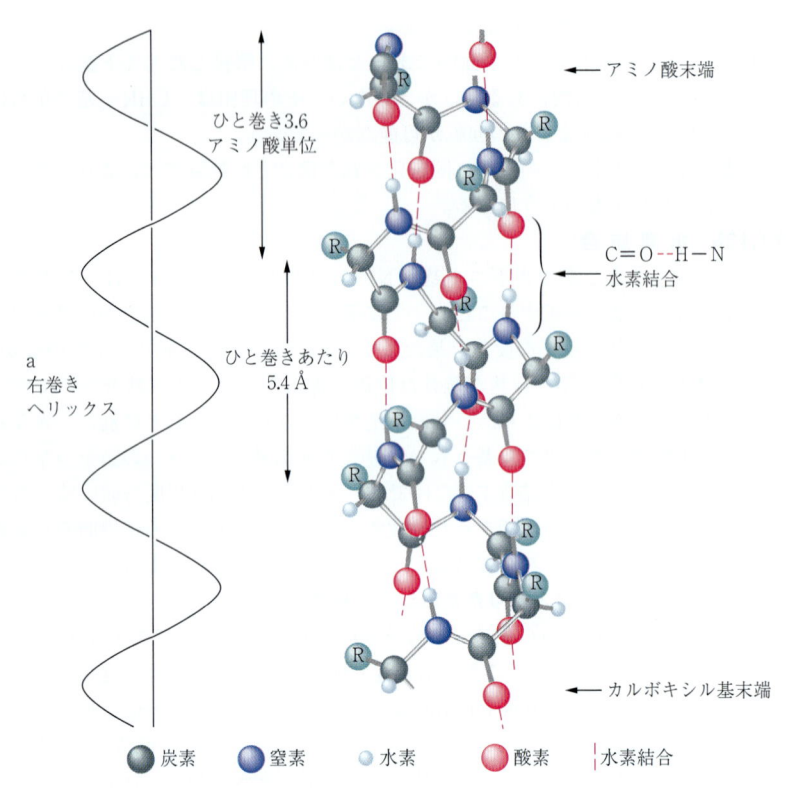

図中ラベル:
- ひと巻き3.6アミノ酸単位
- a 右巻きヘリックス
- ひと巻きあたり 5.4 Å
- アミノ酸末端
- C=O‑‑H‑N 水素結合
- カルボキシル基末端
- 炭素　窒素　水素　酸素　水素結合

図17.9　α-ヘリックスのセグメント。ヘリックス3巻分が示してある。1巻きにアミノ酸3.6単位が含まれる。水素結合は赤の点線で示してある。

デルは，数多くのタンパク質に共通してみられる一般的な折りたたみ構造であることがわかった。図17.10は，有機物質の構造に関して多大な貢献を行ったPauling教授の写真である。

　絹フィブロインから得られる構造タンパク質のβ-ケラチンは，X線構造でα-ケラチンとは異なる反復パターン（7Å）をもつことが判明している。この結果を説明するためにPaulingは**折りたたみシート構造**（pleated sheet）を提唱した（図17.11）。そこでのペプチド鎖は並列にならび，分子鎖間は水素結合で互いに固定化されている。隣接した分子鎖は互いに逆の方角を向いて伸び，分子鎖の繰り返しパターンの長さはα-ヘリックスに比べると伸びていて長く，約7Åである。この構造において，各アミノ酸の置換基Rはシート平面の上下に交互に突き出ていることに注目してほしい。このためR基が大きいと隣接する分子鎖間の立体反発が大きくなるので，折りたたみシート構造は，小さなR基をもつアミノ酸の含有率が高いタンパク質に限って観察されるものである。たとえば，絹フィブロインのβ-ケラチンではアミノ

17.13 タンパク質の2次構造

図 17.10 Linus Pauling（1901–1994）は現在われわれがもっている有機物質の構造に関する数多くの知識に貴重な貢献をした化学者である．彼の業績の中には，共鳴理論や，結合距離と結合エネルギー，タンパク質の構造や免疫作用の機構，などに関する基本的研究が含まれている．彼は1954年にノーベル化学賞，1962年にノーベル平和賞を受賞した．

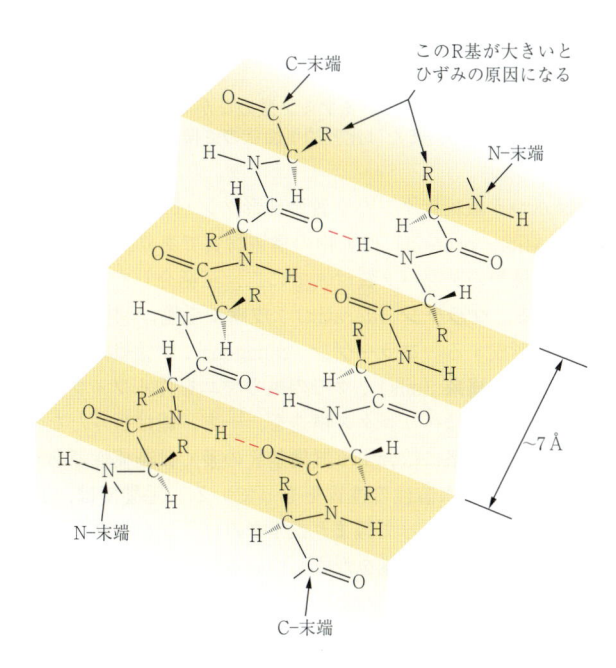

図 17.11 β-ケラチンの折りたたみ構造セグメント．隣接する分子鎖どうしは互いに反対方向に配列し，水素結合（赤の点線で示してある）で結ばれている．R基は分子平面の上と下に突き出ている．

酸の36％はグリシン（R＝H），22％はアラニン（R＝CH₃）である。これに比べて，α-ヘリックス構造ではR基間の立体反発はふつう避けられることから，折りたたみシート構造に比べるとはるかに一般的な構造であるといえる。

17.14 タンパク質の3次構造；繊維状タンパク質と球状タンパク質

馬のひずめのように固い物質，毛髪のように弾力のあるもの，絹のように柔らかなもの，卵白のようにぬるぬるして無定形なもの，軟骨のように不活性なもの，酵素のように反応性に富んだもの，これらのすべてが同じようなアミノ酸とタンパク質という構築単位から形成されていることは，まことに不思議に思われる。この疑問を解くカギはアミノ酸の構造にある。ここまではタンパク質分子の鎖とその形態に焦点を当てて学習してきたが，アミノ酸がもっているさまざまな置換基Rの役割については述べてこなかった。これらの置換基はタンパク質構造にどのような効果をもたらしているのだろうか？

いくつかのアミノ酸は，単純なアルキル基や芳香族環のように，非極性のR基をもっている。そのほかのアミノ酸は，カルボキシラートイオンやアンモニウムイオン，さらには水酸基など，極性のR基をもっている。さらに，特異的な相互作用を示す平面で堅い構造の芳香族環をもったものもある。このようにさまざまに異なるR基が実はタンパク質全体の性状に影響しているのである。

問題 17.20 表17.1に記載されているアミノ酸のなかで，非極性のR置換基をもつもの，極性の高い置換基をもつもの，または比較的平面状の置換基をもつものはどれか答えよ。

タンパク質はふつう繊維状タンパク質と球形タンパク質の2つに大別される。**繊維状タンパク質**（fiber protein）は動物の構造物質であり，その役割のために水に不溶である。この種類のタンパク質はすでに二，三紹介しているが，これらはつぎの3つに分類できる。**ケラチン**（keratin）：皮膚や毛髪，羽根，つめなど，保護を目的とする組織を形成する。**コラーゲン**（collagen）：軟骨組織やけん，血管などの結合組織を形成する。**絹糸**（silk）：クモの巣やマユを作るフィブロインなど。

ケラチンとコラーゲンはヘリックス構造を，一方，絹は折りたたみシート構造をもっている。その分子骨格に結合する置換基Rの多くは非極性であり，そのためにこれらのタンパク質は非水溶性の性質をもっている。毛髪では，3本のα-ヘリックスがジスルフィド結合によって編まれた1本のロープを作り，さらにこのロープの何本かが一束になって毛髪繊維を形成している。さらにつめのような堅い組織のα-ケラチンは，分子鎖中のアミノ酸としてのシステイン含有率が高いことを除けば毛髪とほとんど同じである。ただし，システインの含有率が高いためにジスルフ

☞ **繊維状タンパク質**（**ケラチン**，**コラーゲン**，**絹**を含む）は一般に固い構造をもっていて，水には溶解しない。

17.14 タンパク質の3次構造；繊維状タンパク質と球状タンパク質

ィド架橋結合が多くなり，全体の構造はさらに堅固で柔軟性の低いものになっている。

以上をまとめると，非極性のR基とジスルフィド架橋結合は，ヘリックス構造や平面構造の形態をもつ繊維状タンパク質に堅くて水に不溶な性質を与えていると結論できる。

球状タンパク質（globular protein）は繊維状タンパク質とはきわめて異なっている。まず水溶性であり，名称が示すように球形に近い形をしている。そして一般には，構造的物性よりも生物学的に重要なつぎの4つの機能を発揮しているのである。**酵素**（enzyme）：生物学的触媒，**ホルモン**（hormone）：生物学的作用を調整する化学的前駆体，**運搬タンパク質**（transport protein）：血液中で酵素を運ぶヘモグロビンのように体の一部から他の部分へ小さな分子を運搬，**貯蔵タンパク質**（storage protein）：食品貯蔵庫のようなものであり，例として卵白のオボアルブミンがある。

水溶性の球状タンパク質は，水に不溶の繊維状タンパク質に比べると，極性の高い置換基やイオン性の置換基をもったアミノ酸を比較的多く含有している。酵素などの球状タンパク質が細胞内の水溶液中で働くときは，無極性の疎水性置換基Rは中心方向を向き，極性の高いイオン性置換基Rは外側の水溶液側を向いた構造をとると考えられている。

球状タンパク質の多くはヘリックス構造を基本にもち，それが折りたたまれて全体として球状になっている。ところでプロリンだけは20種の一般アミノ酸の中で唯一，第二級アミノ基をもっているから，ペプチドの1次構造にプロリンが存在すると，水素結合に必要なN－H結合がそこだけ欠落する。

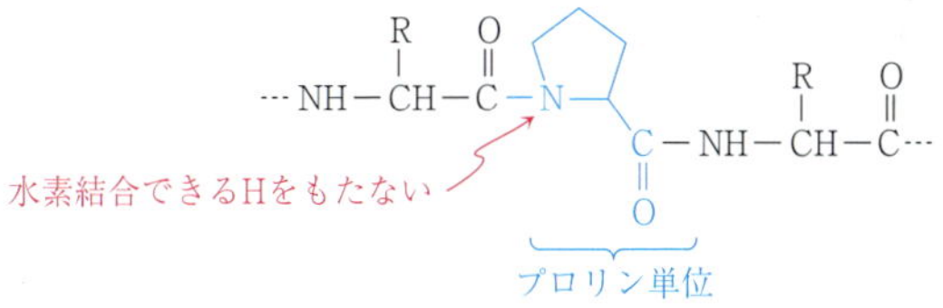

··· NH—CH—C—N　　C—NH—CH—C ···
（水素結合できるHをもたない）　　プロリン単位

このためにプロリン単位の存在は α-ヘリックス構造を乱しやすく，これが存在する部位でタンパク質構造はしばしば折れ曲がっている。

球状タンパク質の代表的な例として，筋肉組織での酸素運搬タンパク質である**ミオグロビン**（myoglobin）を取りあげて，その構造を調べてみよう（図17.12）。これは153個のアミノ酸から構成されているにもかかわらず，かなりまとまった形状をもっており，その内部にはほとんど空間がない。ミオグロビン中のアミノ酸単位のおよそ75％は，主要な8つの右巻き α-ヘリックス部分をつくっている。プロリ

☞ **球状タンパク質**（**酵素**，**ホルモン**，**運搬タンパク質**，**貯蔵タンパク質**など）は一般に球状であり，水溶性の傾向を示す。

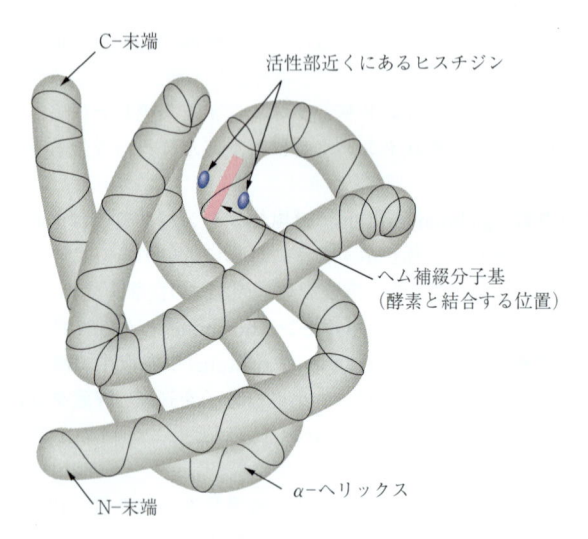

図17.12 ミオグロビンを図的に描いたもの。チューブ状の部分は α-ヘリックス構造であるが、全体の形は球状である。

ン単位は4つあり、いずれも構造の折れ曲がり部位に存在している。さらにこれ以外にも、アミノ酸のR置換基の性質が原因となった折れ曲がりが3ケ所存在する。ミオグロビンの内部はほとんどがロイシン、バリン、フェニルアラニン、メチオニンなどの非極性R置換基をもったアミノ酸で構成されているが、2つのヒスチジンだけは極性基をもつにもかかわらず内側を向いている。そしてこれがミオグロビンの活性部位の役割を果たし、非タンパク質のポルフィリンヘム分子（p.432～433）が酸素と結合するのを助けている。一方、ミオグロビンの外面は強い極性をもったアミノ酸単位（リシン、アルギニン、グルタミン酸など）で構成されている。

以上をまとめると、構成アミノ酸の種類と含有率にみられる特異性が、ペプチドやタンパク質の形状に影響を与えていることがわかった。そこではジスルフィド形成の有無、R置換基の極性の違いと形状、水素結合形成能力の差、などが大切な要因となっている。このようにタンパク質の**3次構造**（tertiary structure）とは、これらの要因が互いに影響しあって決まる3次元的な構造のことである。

17.15 タンパク質の4次構造

高分子量のタンパク質は、いくつかの単位が集合した形で存在することがある。このような集合体のことをタンパク質の**4次構造**（quaternary structure）とよんで

☞ タンパク質中の特定のアミノ酸の含有量によって、タンパク質全体の形状あるいは**3次構造**が影響を受ける。

☞ 高分子量タンパク質のサブユニットで構成される集合体の構造は、タンパク質の**4次構造**とよばれている。

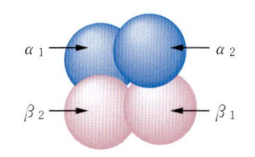

図17.13 4つのヘモグロビン副単位を図形的に描いたもの。

いる。この集合作用の結果，タンパク質表面の非極性部分が隠されて細胞内の水相にさらされないようになる。

赤血球に含まれる酸素運搬タンパク質の**ヘモグロビン**（hemoglobin）はこの集合体のよい例である。これは141個のアミノ酸からなる α 単位が2つと，146個のアミノ酸からなる β 単位が2つ，いずれもほぼ球状に近いもの4つから構成されている。これらは図17.13に示すように集合して正四面体配置を形成している。

このような集合体を形成するタンパク質はほかにもたくさん知られている。その中のあるものは集合状態でのみ活性を示すかと思えば，あるものは集合状態が解けたときにだけ活性を示す。このように4次構造における集合作用もタンパク質の生理活性を制御する機構の1つである。

反応のまとめ

1. アミノ酸の反応

a. 酸–塩基反応（17.2 および 17.3 節）

$$R-\underset{\underset{^+NH_3}{|}}{\overset{\overset{H}{|}}{C}}-CO_2H \underset{H^+}{\overset{HO^-}{\rightleftharpoons}} R-\underset{\underset{^+NH_3}{|}}{\overset{\overset{H}{|}}{C}}-CO_2^- \underset{H^+}{\overset{HO^-}{\rightleftharpoons}} R-\underset{\underset{NH_2}{|}}{\overset{\overset{H}{|}}{C}}-CO_2^-$$

両性イオン

b. エステル反応（17.5 節）

$$R-\underset{\underset{^+NH_3}{|}}{\overset{\overset{H}{|}}{C}}-CO_2^- + R'OH + H^+ \longrightarrow R-\underset{\underset{^+NH_3}{|}}{\overset{\overset{H}{|}}{C}}-CO_2R' + H_2O$$

c. アミドの生成（17.5 節）

$$R-\underset{\underset{^+NH_3}{|}}{\overset{\overset{H}{|}}{C}}-CO_2^- + R'-\underset{\underset{O}{\|}}{C}-Cl \xrightarrow{2\,HO^-} R-\underset{\underset{HN-\underset{\underset{O}{\|}}{C}-R'}{|}}{\overset{\overset{H}{|}}{C}}-CO_2^- + 2\,H_2O + Cl^-$$

d. ニンヒドリン反応（17.6節）

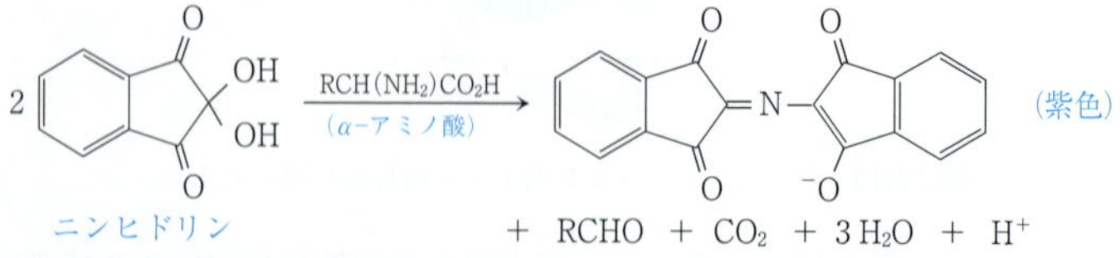

$$2\ \text{(ニンヒドリン)} \xrightarrow{\text{RCH(NH}_2\text{)CO}_2\text{H} \atop (\alpha\text{-アミノ酸})} \text{(紫色生成物)} + \text{RCHO} + CO_2 + 3H_2O + H^+$$

（紫色）

ニンヒドリン

---

2. タンパク質およびペプチドの反応

a. 加水分解反応（17.10節）

$$\text{タンパク質} \xrightarrow[H_2C]{HCl} \text{ペプチド} \xrightarrow[H_2C]{HCl} \alpha\text{-アミノ酸}$$

b. Sanger 試薬
（17.10節；ペプチドまたはタンパク質のN-末端アミノ酸の分析に使用）

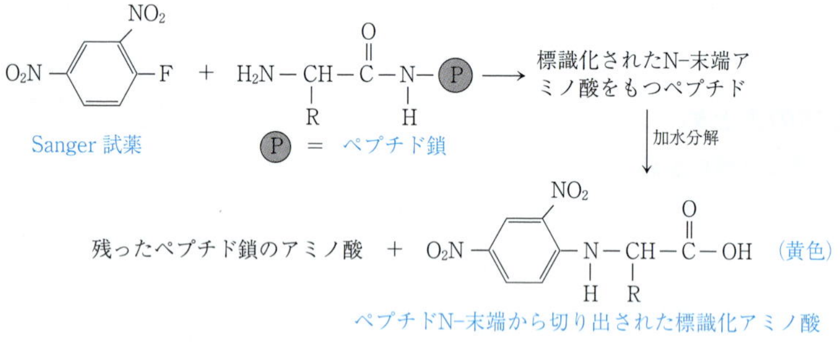

Sanger 試薬 + H$_2$N-CHR-C(O)-NH-Ⓟ ⟶ 標識化されたN-末端アミノ酸をもつペプチド

Ⓟ ＝ ペプチド鎖

↓ 加水分解

残ったペプチド鎖のアミノ酸 ＋ O$_2$N-C$_6$H$_3$(NO$_2$)-NH-CHR-COOH （黄色）

ペプチドN-末端から切り出された標識化アミノ酸

c. Edman分解反応
（17.10節；ペプチドのアミノ酸配列を決定するための試薬）

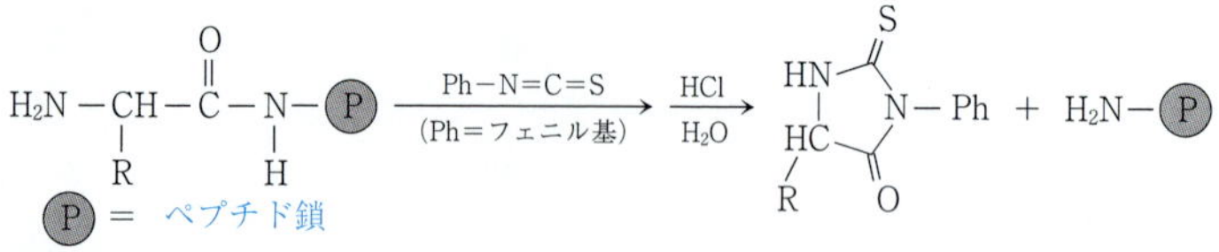

H$_2$N-CHR-C(O)-NH-Ⓟ $\xrightarrow[H_2O]{Ph-N=C=S \atop (Ph=フェニル基) \quad HCl}$ （チオヒダントイン環） + H$_2$N-Ⓟ

Ⓟ ＝ ペプチド鎖

d. 固相ペプチド合成（17.12節；詳しくは図17.7に示してある）

章末問題

アミノ酸：定義と構造そして性質

17.21 つぎの語句の定義または具体的な説明を示せ．
- (a) ペプチド結合
- (b) 両性イオン
- (c) ジペプチド
- (d) アミノ酸のL-立体配置
- (e) 必須アミノ酸
- (f) 非極性R基をもったアミノ酸
- (g) 極性R基をもったアミノ酸
- (h) 両性化合物
- (i) 等電点
- (j) ニンヒドリン

17.22 L-ロイシンのFischer投影式を書け．不斉中心に結合している4つの置換基について優先順位を示し，絶対立体配置がRかSかを答えよ．

17.23 つぎの化合物のFischer投影式を書け．
- (a) L-フェニルアラニン
- (b) L-バリン

17.24 アミノ酸の両性化合物としての性質を，アラニンを例にとってその両性イオン構造とつぎの化合物1当量との反応式を書くことにより説明せよ．
- (a) 塩酸
- (b) 水酸化ナトリウム

17.25 つぎの各アミノ酸について両性イオン構造を書け．
- (a) バリン
- (b) セリン
- (c) プロリン
- (d) トリプトファン

17.26 つぎの分子におけるもっとも酸性の強いプロトンはどれか示し，つぎにこれらの分子を1当量の塩基（OH^-）と反応させて得られる生成物の構造を書け．

(a) $HOOC-CH_2CH_2CHCO_2H$
         $|$
         $^+NH_3$

(b) $HOCH_2-CHCO_2^-$
              $|$
              $^+NH_3$

(c) $(CH_3)_2CHCHCO_2H$
                $|$
                $^+NH_3$

(d) NH_2
    $\underset{H_2N^+}{}C-NHCH_2CH_2CHCO_2^-$
                              $|$
                              NH_3

17.27 つぎの分子にプロトンを1つ与えるとどのような構造になるか示せ．

(a) $CH_3CH-CHCO_2^-$
         $|$ $|$
         OH $^+NH_3$

(b) $^-O_2CCH_2CH-CO_2^-$
                    $|$
                    $^+NH_3$

17.28 プロトン化されたアラニン$CH_3CH(NH_3^+)COOH$のpK_a値は2.34であり，プロパン酸CH_3CH_2COOHのpK_a値は4.85である．このようにプロパン酸のα水素を$-NH_3^+$基で置換すると酸性が高くなる理由を説明せよ．

17.29 グルタミン酸のpK_a値は2.19（α-カルボキシル基が示す値）と4.25（もう1つのカルボキシル基）と9.67（α-アンモニウムイオンが示す値）の3つである．グルタミン酸の強い酸性溶液（pH = 1）に塩基をゆっくり加えていくと起こる一連の反応を，反応式を用いて示せ．

17.30 アルギニンのpK_a値は，カルボキシル基の2.17，アンモニウムイオンの9.04，グアニジニウムイオンの12.48の3つである．アルギニンの強いアルカリ性溶液に酸を徐々に加えていくと起こる一連の反応を，反応式を用いて示せ．

= 総合問題

17.31 pH＝1の水溶液中におけるヒスチジンの構造式を書け。その構造において2つ目の塩基性置換基であるイミダゾール環の陽電荷が非局在化している様子を示せ。

17.32 アスパラギン，ヒスチジン，アスパラギン酸の混合物をpH＝6で電気泳動にかけたとき，それぞれの成分が陽極，陰極のどちらに向かって移動するか予想せよ。

アミノ酸の反応

17.33 バリンとつぎの化合物との反応を反応式を用いて示せ。
(a) CH_3CH_2OH ＋ HCl　　(b) C_6H_5COCl ＋ 塩基　　(c) 無水酢酸

17.34 つぎの反応を反応式を用いて示せ。
(a) セリン ＋ 過剰量の無水酢酸 ⟶
(b) トレオニン ＋ 過剰量の塩化ベンゾイル ⟶
(c) グルタミン酸 ＋ 過剰量のメタノール＋HCl ⟶

17.35 フェニルアラニンとニンヒドリンとの反応を反応式で示せ。

ペプチド

17.36 つぎのペプチドの構造式を書け。
(a) アラニルアラニン　　(b) バリルトリプトファン
(c) トリプトファニルバリン　　(d) グリシルアラニルグリシン

17.37 つぎのペプチドの加水分解反応式を書け。
(a) ロイシルセリン　　(b) セリルロイシン　　(c) バリルチロシルメチオニン

17.38 人工甘味料のアスパルテーム（p.517）の酸加水分解反応式を書け。

17.39 アラニルグリシンの構造は，その水溶液のpHが1のときと10のときとでは異なるという。それぞれの構造式を書け。

17.40 アミノ酸の3文字略号を用いて，Gly，Ala，Val，Leuの4種類のアミノ酸の組み合わせからできるすべてのテトラペプチドを書け。いくつ構造式が書けるであろうか。

17.41 グリシルシステインと過酸化水素のような穏和な酸化剤との反応で得られる生成物の構造式を書け（17.8節参照）。

17.42 つぎのSanger試薬との反応を反応式を用いて示せ。
(a) 2,4-ジニトロフルオロベンゼン ＋ グリシン
(b) 過剰量の2,4-ジニトロフルオロベンゼン ＋ リシン

17.43 シクロスポリンA（p.543）の構造に関するつぎの質問に答えよ。
(a) ペプチド結合ごとに点線で区切る方法で，シクロスポリンAはいくつのアミノ酸単位で構成されているかを示せ。
(b) このアミノ酸単位のうちの3つは同じものである。それは何か。
(c) アミノ酸単位のうちの2つは表17.1に記載されている一般的なものではない。その構造式を示せ。
(d) 上記の2つを除いて残ったアミノ酸単位は3種類だけであるが，それぞれは複数個含まれている。それぞれの名称と数を答えよ。

17.44 ブラジキニン（p.542）のアミノ酸配列を1文字表示法で表現するとRPPGFSRFRとなることを説明せよ。また，物質P（p.542）の1文字表示法による配列はどうなるのかを示せ。

ペプチドとタンパク質の1次構造

17.45 あるペンタペプチドをまず2,4-ジニトロフェニル（DNP）誘導体に変換し，つづいて完全に加水分解してから定量的に分析を行った。その結果，DNP-メチオニン，2モルの

メチオニン，1モルずつのセリンとグリシンが得られた。一方，このペプチドを部分的に加水分解し，それぞれの断片をDNP誘導体に変換してからさらに加水分解した。その結果，部分加水分解で得られた2種類のトリペプチドと2種類のジペプチドとから，それぞれつぎのアミノ酸が生成することがわかった。

　トリペプチドA：DNP－メチオニンと1モルずつのメチオニンとグリシン
　トリペプチドB：DNP－メチオニンと1モルずつのメチオニンとセリン
　ジペプチドC　：DNP－メチオニンと1モルのグリシン
　ジペプチドD　：DNP－セリンと1モルのメチオニン

以上の結果から，もとのペンタペプチドの構造を決定し，その根拠を説明せよ。

17.46 アラニルグリシルバリンのペプチドからアミノ酸1つをEdman法で除去する反応式を書け。その結果残ったペプチドの名称も示せ。

17.47 インシュリンのB鎖（図17.6）をアミノ酸の1文字表示法を使って表示し，これを，3文字略号（p.551）を使って表示した場合の紙面の広さと比べてみよ。

17.48 インシュリン（図17.7）をEdman分解反応にかけると2種類のフェニルチオヒダントインが生成する。これらはどのアミノ酸から生成するのかを考えて，それぞれのヒダントインの構造式を書け。

17.49 あるペプチドを加水分解したところ，つぎの化合物が単離された。Ala－Gly, Tyr－Cys－Phe, Phe－Leu－Try, Cys－Phe－Leu, Val－Tyr－Cys, Gly－Val, Gly－Val－Tyr。またこのペプチドを完全加水分解すると，上に名称がでてくるアミノ酸それぞれが等モル生成した。このペプチドの構造を示せ。さらにN－およびC－末端アミノ酸を示せ。

17.50 エンケファリン（enkephalin）とよばれる単純なペンタペプチド類は神経末端に多量に存在する。これは麻酔剤的な活性を示し，痛覚の検知機能に関係していると思われている。その1種類にメチオニンエンケファリン Try－Gly－Gly－Phe－Met がある。この分子の全体構造を側鎖も含めて書け。

17.51 アンギオテンシンIIは血管収縮活性を示すオクタペプチドである。これを完全に加水分解すると，1当量ずつのArg, Asp, His, Ile, Phe, Pro, Tyr, Valが得られる。Sanger試薬と反応させて加水分解すると，7種類のアミノ酸のほかにつぎのものが得られる。

$$O_2N-\underset{CH_2CO_2H}{\underset{|}{C_6H_3(NO_2)-NHCHCO_2H}}$$

カルボキシペプチダーゼで処理すると，はじめにPheが脱離してくる。トリプシンで処理すると，ジペプチドとヘキサペプチドが1種類ずつ生成するが，キモトリプシンで処理するとテトラペプチドが2種類生成する。このテトラペプチドの一つについてEdman分解反応を用いてアミノ酸配列を調べたところ，Ile－His－Pro－Pheの配列をもつことがわかった。これらのデータをもとにしてアンギオテンシンII全体のアミノ酸配列を導け。

17.52 エンドルフィン（endorphin）類は1976年に脳下垂体から単離された。これは鎮痛剤として強い効能を示す。その1つβ-エンドルフィンは32のアミノ酸から構成されたポリペプチドであり，これをトリプシンで消化するとつぎの断片が得られた。

Lys
Gly − Gln
Asn − Ala − His − Lys
Asn − Ala − Ile − Val − Lys
Tyr − Gly − Gly − Phe − Leu − Met − Thr − Ser − Glu − Lys
Ser − Gln − Thr − Pro − Leu − Val − Thr − Leu − Phe − Lys

以上の情報だけから β-エンドルフィンのC-末端アミノ酸が何であるか答えよ。また β-エンドルフィンを臭化シアンで処理したところ，

Tyr − Gly − Phe − Leu − Met

の他に26のアミノ酸から構成されたペプチド断片が生じた。この情報だけからN-末端アミノ酸が何であるか答えよ。また β-エンドルフィンをキモトリプシンで消化すると，

Leu − Met − Thr − Ser − Glu − Lys − Ser − Gln − Thr − Pro − Leu − Val − Thr − Leu − Phe

の15のアミノ酸からなるペプチド断片を含む多くの断片が生じた。さて，以上のすべての情報を総合すると，32のアミノ酸のうち22の位置を決定できるはずである。それを示せ。さらに残りのアミノ酸配列を決定するためには，どのような情報が必要なのか考えよ。

17.53 グルカゴン（glucagon）は血糖濃度が低下するとすい臓から分泌される一種のポリペプチドホルモンである。これにより肝臓でのグリコーゲンの分解が刺激されて血糖値が増加する。グルカゴンはつぎの1次構造をもっている。

His−Ser−Glu−Gly−Thr−Phe−Thr−Ser−Asp−Tyr−Ser−Lys−Tyr−Leu−
Asp−Ser−Arg−Arg−Ala−Gln−Asp−Phe−Val−Gln−Trp−Leu−Met−Asn−Thr

このグルカゴンをつぎの酵素で消化したときに得られるペプチド断片を示せ。
　　(a)　トリプシン　　(b)　キモトリプシン

ペプチドの合成

17.54　固相ペプチド合成（図17.7）において，N-末端を保護したC-末端アミノ酸をポリマーに結合させる反応は一種の S_N2 反応である。この反応での求核試剤は何か，また脱離基は何かを答えよ。さらにこの反応機構が明確にわかるように反応式を書け。

17.55　固相ペプチド合成において，ペプチド鎖をポリマーから切り離す反応（図17.7）は酸触媒による S_N2 反応機構で進行する。反応機構がわかるようにこの反応式を書け。

17.56　Merrifield固相合成法を用いてLeu − Proを合成するのに必要なすべての反応段階を示せ。

タンパク質の構造

17.57　グリシルグリシンの構造を描き，ペプチド結合に関する共鳴構造式を書け。またこの共鳴があるために回転が束縛される結合はどれかを示せ。

17.58　球状タンパク質において，つぎのアミノ酸のうち，どのアミノ酸のどの側鎖（置換基）が球状構造の中心方向を向いているかを答えよ。また，このタンパク質を水に溶解すると，構造の表面方向を向くのはどのアミノ酸のどの置換基かを答えよ。
　　(a)　アルギニン　　　(b)　フェニルアラニン　　(c)　イソロイシン
　　(d)　グルタミン酸　　(e)　アスパラギン　　　　(f)　チロシン

CHAPTER 18

ヌクレオチドと核酸

2重らせん構造をもった遺伝情報源であるDNAは、いまや科学の普遍化とともに日常的な言葉になりつつあり、化学ならびに生物学の分野におけるめざましい学問的勝利を象徴する物質の一つである。

本章では核酸のDNAとRNAの構造について学ぶことにする。まず核酸の構成単位であるヌクレオシドとヌクレオチドについて説明し、それに続いて、これらが結合して核酸という巨大分子を形成するしくみを学ぶことにしよう。そのあとでこの生体高分子の3次元構造を眺め、それが保有する情報（遺伝情報）がどのように解明されたかを考えてみよう。

18.1 核酸の一般的な構造

核酸（nucleic acid）は直鎖状の高分子であり、細胞核からはじめて分離された。核酸を加水分解するとヌクレオチド（nucleotide）が得られる。タンパク質の構成単位がアミノ酸であるように、これは核酸を構成する単位物質で

▲ すべての生命体は、その種に特有のDNA分子に記録された遺伝的「青写真」を所有している。

18.1	核酸の一般的な構造
18.2	デオキシリボ核酸（DNA）の構成成分
18.3	ヌクレオシド
18.4	ヌクレオチド
18.5	DNAの1次構造
18.6	核酸の配列順序の決定方法
18.7	実験室での核酸合成
18.8	DNAの2次構造；2重らせん構造
18.9	DNAの複製
18.10	リボ核酸（RNA）
18.11	遺伝暗号の伝達機構とタンパク質の生合成
18.12	生物学的に重要なその他のヌクレオチド
A WORD ABOUT . . .	
18.6	DNAと犯罪
18.12	核酸とウイルス

ある。したがって，核酸の1次構造を誤りなく書くためには，タンパク質のアミノ酸配列の解明と同じようにヌクレオチドの配列についての知識が必要になる。

ヌクレオチドをさらに加水分解すると，リン酸とヌクレオシド（nucleoside）が1モルずつ生成する。このヌクレオシドをさらに加水分解すると，糖と複素環塩基とが1モルずつ生成してくる。

$$
\text{核 酸} \xrightarrow[\text{酵素}]{H_2O} \text{ヌクレオチド（リン酸エステル–糖–複素環塩基）} \xrightarrow{H_2O, OH^-} \text{ヌクレオシド（糖–塩基）} + H_3PO_4 \xleftarrow[H^+]{H_2O} \text{複素環塩基} + \text{糖} \tag{18.1}
$$

結局，核酸の全体構造の基本骨格はリン酸エステル結合で結ばれた糖分子であり，それぞれの糖単位に塩基が結合した高分子として書くことができる。

```
┬糖―リン酸エステル┬糖―リン酸エステル┬糖―リン酸エステル
│                  │                  │
│塩基              │塩基              │塩基
│ヌクレオチド₁      │ヌクレオチド₂      │ヌクレオチド₃
```
核酸の構造を図式的に示したもの

18.2　デオキシリボ核酸（DNA）の構成成分

DNAを完全に加水分解すると，リン酸のほかに1種類の糖と4種類の複素環塩基とが得られる。この糖が**2-デオキシ-D-リボース**（2-deoxy-D-ribose）である。

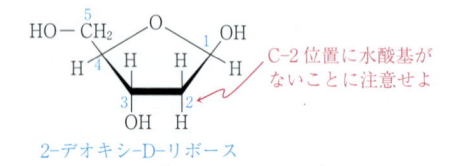

2-デオキシ-D-リボース

C-2位置に水酸基がないことに注意せよ

複素環塩基はピリミジン類（シトシン（cytosine）とチミン（thymine）の2つ，13.4節参照）およびプリン類（アデニン（adenine）とグアニン（guanine）の2つ，13.8節参照）の2種類に大別できる（図18.1参照）。あとで学ぶように，遺伝情報に関する説明でこれらの塩基名を引用する際には，それぞれの名称の頭の大文字C，T，A，Gを用いることにする。

まずは糖と塩基の結合を眺めてみよう。

☞　**核酸**は有機塩基を1つずつもった糖の分子がリン酸エステル結合で結ばれた基本骨格をもつ巨大分子である。

☞　DNAを構成する糖成分は**2-デオキシ-D-リボース**である。

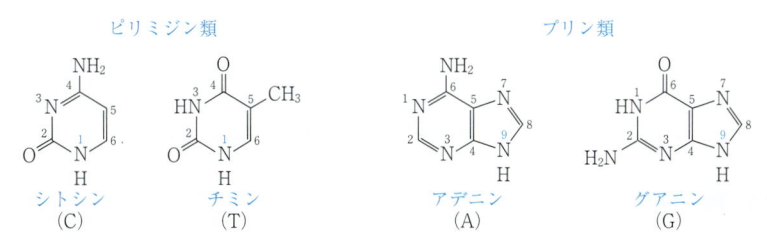

図18.1 DNA塩基類

18.3 ヌクレオシド

ヌクレオシド（nucleoside）は一種の N-グリコシドであり，糖のアノマー炭素（C-1位）にピリミジンまたはプリン塩基が結合した形をもっている。ピリミジンではN-1位が，プリンではN-9位が糖と結合する場所である（図18.2）。ヌクレオシドの構造を示すための位置番号には，糖と塩基それぞれの構造を単独に示すものと同じ数字が使われているが，糖と塩基とを区別できるように糖炭素の番号にはプ

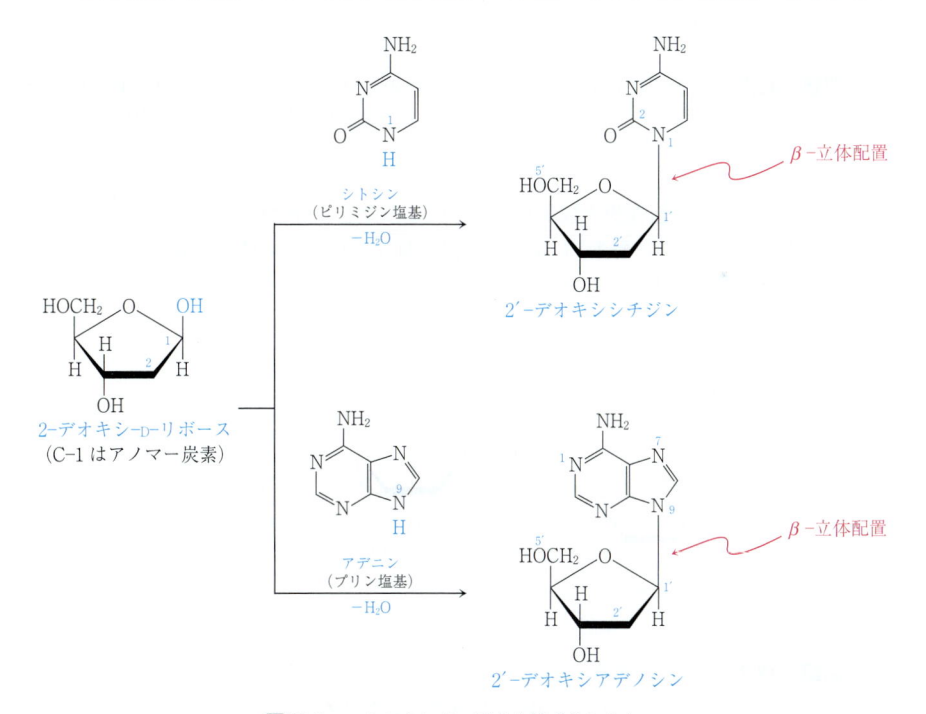

図18.2 ヌクレオシドの形成を模式化したもの

☞ **ヌクレオシド**とは N-グリコシドのことである。そこではヘテロ環塩基の1つの窒素原子が糖のアノマー炭素に結合している。

ライム符号「′」をつける。

気付いたことと思うが，N-グリコシドは 16.11 節で学んだ O-グリコシドによく似た構造をもっている。O-グリコシドではアノマー炭素上の OH 基が OR 基で置換されているが，N-グリコシドでは $-NR_2$ 基で置換されている。

例題 18.1

つぎの構造式を書け。
(a) 2-デオキシ-D-リボースとメタノールから生成する β-O-グリコシド
(b) 2-デオキシ-D-リボースとジメチルアミンから生成する β-N-グリコシド

解答

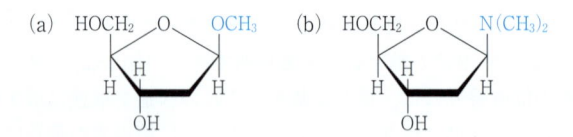

(a) [構造式: HOCH₂ − O − OCH₃ を含む五員環、OH 基付き]
(b) [構造式: HOCH₂ − O − N(CH₃)₂ を含む五員環、OH 基付き]

N-および O-グリコシドが互いによく似ている点に注目せよ。

問題 18.1 図 18.2 には DNA を構成する 4 つのヌクレオシドのうち 2 つが書かれている。残りの 2 つ，すなわち 2′-デオキシチミジンと 2′-デオキシグアノシンの構造式を書け。

ヌクレオシドは極性基を数多くもっているので水に溶けやすい。さらにグリコシドと同様に酸（または酵素）によって容易に加水分解されて糖と複素環塩基になる。その例をつぎに示す。

$$\text{2′-デオキシアデノシン} \xrightarrow[H^+]{H_2O} \text{2-デオキシ-D-リボース} + \text{アデニン} \tag{18.2}$$

問題 18.2 式 18.2 を参考にして，つぎの化合物の加水分解反応式を書け。
(a) 2′-デオキシチミジン　(b) 2′-デオキシグアノシン

18.4 ヌクレオチド

ヌクレオシドのリン酸エステルが**ヌクレオチド**（nucleotide）である。すなわち

18.4 ヌクレオチド

ヌクレオシドの糖成分の水酸基がリン酸でエステル化されたものである。DNA ヌクレオチドでは 2-デオキシ-D-リボースの 5′- または 3′-水酸基がリン酸エステルとして結合している。

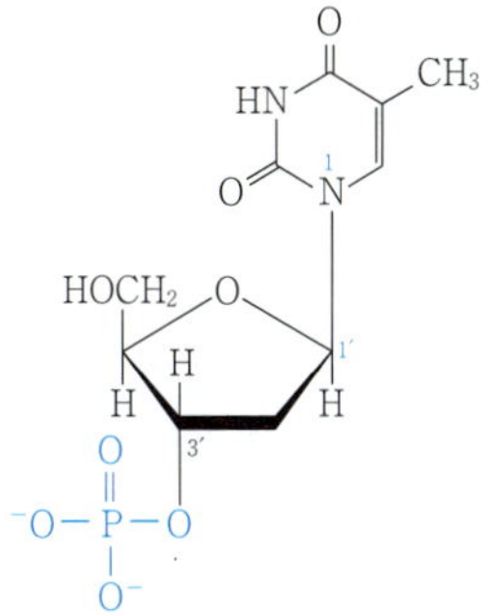

2′-デオキシチミジン-　　　　　2′-デオキシチミジン-
3′-リン酸エステル　　　　　　　5′-リン酸エステル

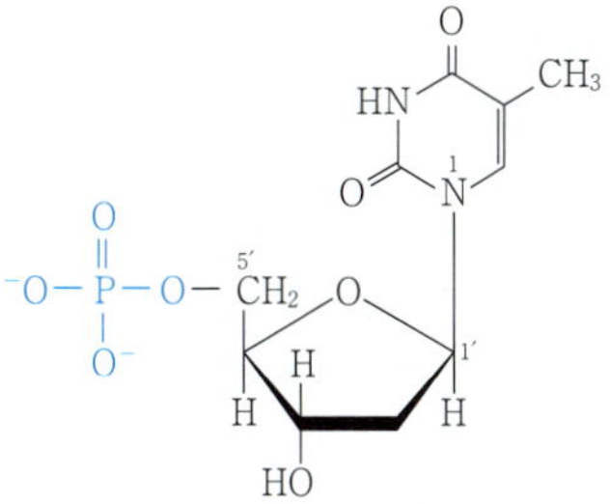

ヌクレオチドは上記のようにヌクレオシドの 3′- または 5′- 一リン酸エステルとして命名できる。この名称は長いので表 18.1 に示すように略記号で示すことが多い。ここで小文字の d は 2-デオキシ-D-リボースを，つぎの大文字は複素環塩基を，そして MP は一リン酸エステルを表している（二リン酸エステル（DP と略記）と三リン酸エステル（TP と略記）の形のヌクレオチドはあとででてくる）。とくに断りのない限り，これらの略記号は 5′-リン酸エステルに適用されるものである。

例題 18.2

dAMP の構造を書け。

表 18.1 一般的な 2-デオキシリボヌクレオチド

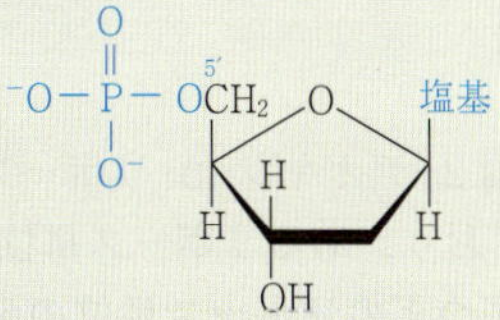

塩基	一リン酸エステルの名称	略記号
シトシン　（C）	2′-デオキシシチジン一リン酸エステル	dCMP
チミン　　（T）	2′-デオキシチミジン一リン酸エステル	dTMP
アデニン　（A）	2′-デオキシアデノシン一リン酸エステル	dAMP
グアニン　（G）	2′-デオキシグアノシン一リン酸エステル	dGMP

☞ **ヌクレオチド** とはヌクレオシドのリン酸エステルのことである。

解答 文字dは糖成分が2-デオキシ-D-リボースであることを示す。Aはアデニンが塩基であり、MPは一リン酸エステルを示す。したがって答えとなる構造は、式18.3に示されているものと同じである。

問題 18.3 つぎの構造式を書け。
(a) dCMP (b) dGMP

ヌクレオチドのリン酸エステル基は酸性が高く、pH＝7では構造式にも示してあるようにジアニオンの形で存在している。

ヌクレオチドは塩基水溶液、または酵素の作用により加水分解されてヌクレオシドとリン酸とになる。リン酸はP_iと略記されることもあるが、この記号は無機リン酸塩の意味である。

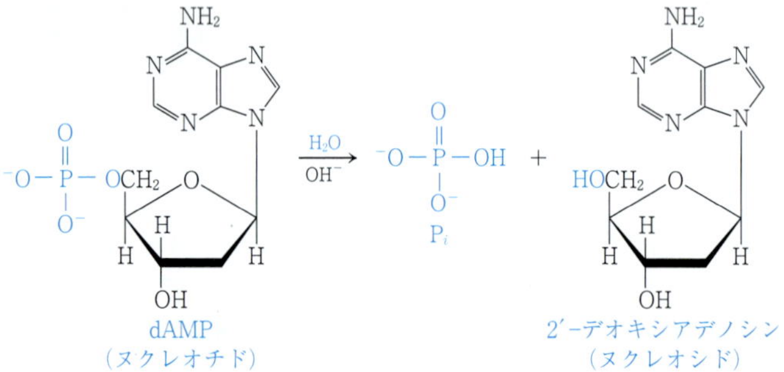

$$\text{dAMP (ヌクレオチド)} \xrightarrow[\text{OH}^-]{\text{H}_2\text{O}} \text{リン酸}(P_i) + \text{2}'\text{-デオキシアデノシン (ヌクレオシド)} \tag{18.3}$$

問題 18.4 まずはじめにdTMPをヌクレオシドへ、引き続いて糖と塩基へ加水分解する2段階反応の反応式を書け。

つぎに、DNA構造中のヌクレオチドの結合様式を眺めてみることにしよう。

18.5 DNAの1次構造

デオキシリボ核酸（DNA）は2-デオキシ-D-リボースとリン酸エステルとが交互に結合した基本骨格をもっており、あるリボース単位の3′-水酸基は、リン酸ジエステル結合を中間に介して、つぎのリボース単位の5′-水酸基と結合している。さらにヘテロ環塩基がβ-N-グリコシド結合によって、各デオキシリボース単位のアノマー炭素と結合している。このDNAの部分構造を図式的に書いたものが図18.3である。

注意して眺めると、DNAのデオキシリボース上には遊離の水酸基が残っていないことに気付くであろう。さらにリン酸エステル部分にはまだ酸性のプロトンが1つ残っていて、pH＝7では通常イオン化して負電荷をもった酸素原子を生じている（図18.3）。この酸性を示すプロトンが存在するのでDNAはリン酸の一種とみな

18.6 核酸の配列順序の決定方法

5′末端

3′末端

1つのデオキシリボースの3′水酸基が
リン酸エステルによってつぎのデオキシ
リボースの5′水酸基につながっている

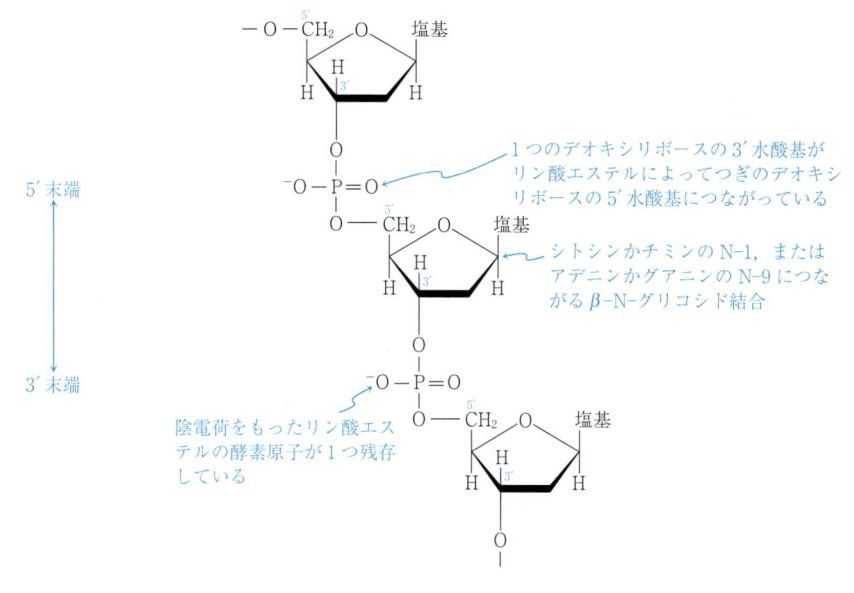

シトシンかチミンのN-1、または
アデニンかグアニンのN-9につな
がるβ-N-グリコシド結合

陰電荷をもったリン酸エス
テルの酵素原子が1つ残存
している

図18.3 DNA分子鎖の1つのセグメント

され，核酸とよばれる理由はここにある。このように数千から数百万のヌクレオチド単位が結合したDNA分子を正確に描写するためには，分子鎖にそった複素環塩基（A，C，G，T）の正しい配列順序を示す必要がある。

18.6 核酸の配列順序の決定方法

　核酸配列の決定方法は，原理的にはタンパク質のアミノ酸配列の決定方法に似ている。タンパク質が20種類のアミノ酸から構成されているのに比べて，核酸は4種類の塩基しか含まないので，一見したところ配列の決定は容易なように思えるかもしれないが，実際はかなり困難な仕事である。なぜかというと，いちばん小さいDNAでさえも最低5000のヌクレオチド単位から構成されており，DNAのあるものにいたっては百万以上のヌクレオチド単位からできている。そのために，この巨大分子がもつ塩基配列を正確に決定することは大変な仕事である。

　そこで本節では，核酸の配列順序の決定方法を詳しく説明するかわりに方法論についてのみ説明することにしよう。この方法は基本的に酵素反応と化学反応とを使って，DNAを小さな同定できる程度の断片に切断するものである。まずはじめに，DNA鎖中の特定の4塩基配列の位置を切断する**制限酵素**（restriction endonuclease）とよばれる酵素を使って，DNAの巨大分子を100から150個のヌクレオチド

☞　**制限酵素**の名をもつ酵素は，DNA分子鎖を既知の4塩基単位の断片に切断する。

A WORD ABOUT...

DNAと犯罪

DNA鑑別法（DNA profiling）はしばしば**DNA指紋法**（DNA finger printing）ともよばれ、新たに強力な法医学的手法となってきた。その内容をここで説明しよう。

微量のDNAは犯罪に関係する物件、たとえば暴行や殺人等の凶悪犯罪での精液、血液、毛根などの証拠物件から入手できる。このDNAを精製したあと、作用機構のわかった制限酵素を用いて切断し、18.6節の手法で塩基配列を決定する。酵素やホルモンなどヒトすべてに共通したペプチドに対応する機能遺伝子は個人差を示さないが、これらの遺伝子はヒトDNAのわずか5％にしかすぎない。それ以外のDNAは個人によって著しく異なり、これによって一人一人の特徴が現れてくる。したがって、これらの遺伝子の差異からヒト個人を鑑別できることになる。さらに、この方法の大変有効な特長として、鑑別に必要なDNA試料の量が数マイクログラムというきわめてわずかな量でよいことが挙げられる。

犯罪を対象とするDNA鑑別法には2つのおもな使い道がある。その1つは、犯罪現場から得られた試料を被疑者のものと比較することである。数年前にDNA法がはじめて適用されたとき、この比較手法によって2つの殺人事件の容疑者がさらにもう1件の犯人でもあったことが解明されている。

2つ目の使い道は、DNA鑑別法が指紋照合と同様に、DNAデータベースの蓄積をもとにして犯罪捜査にも使用できることである。蓄積されたデータベースを使ってある犯罪の被疑者を前犯者のファイル中から見つけ出すことが容易になる。

法医学的なDNA鑑別法は人間だけに限られたものではない。最近の殺人事件においてSnowballの名をもったネコの毛にこの手法が適用され、殺人事件の犠牲者とSnowballの飼主との関係が、上衣に付着していたネコの毛が証拠となって証明されたのである。

DNA鑑別法は大きな可能性をもっているが、一方で問題点も抱えている。たとえば1989年にニューヨークで起こった殺人事件の捜査に本法が適用され、何人かの犯人が判明した。ところで、すべての分析法に共通することだが、DNAのタイプ分析も適切な制御条件のもとに注意深く行わなければならない。ことにゲル電気泳動分析の場合には、1本のレーンにおける移動度が他のレーンのものよりも速かったり遅かったりした場合に、泳動におけるバンド移動度に誤差を生じてしまう。2つのDNA試料のパターンを比較することで同一人物のものかどうかを判断するのだから、両バンドの一致・不一致を誤りなく証明することが必須の条件となる。このように正確な分析作業を行って2つの試料が一致した場合、これが同一人物のものである確率は、1億人中から1人を選びだせる以上の精度のものであってきわめて高い。ところが本手法の採用がまじめに検討されていたにもかかわらず、分析精度の信頼性を確保するために必要な注意を払わなかった分析団体があったがために、上に述べたニューヨークでの犯罪に対する結論は数年間"棚上げ"になったままである。早急に国立科学院（NAS）のような独立した機関が、このDNA鑑別法の正しい適用ガイドラインを定めることが望まれる。それはこの鑑別法が犯罪解明にとって大きな助けとなることは間違いないからである。

DNAオートラジオグラムを解析する科学者

からできた断片に切断する。これらの断片をそれぞれ精製したあと，個々の断片について，A, G, C, Tいずれかの塩基部位で特異的に分子鎖を切断できる反応条件を注意深くコントロールした4種類の反応を行う。すると，それぞれの反応ごとに異なるヌクレオチド混合物が得られてくる。これらの反応で得られる細かく分解されたヌクレオチド混合物をゲル電気泳動法（ペプチドの分離に用いる電気泳動法と類似の手法）にかけると，それぞれの断片を構成するヌクレオチド単位まで分離が行われる。このように，この方法を使ってDNA配列を解読することができるようになった。

核酸配列の決定に関する研究の発展には，最近きわめて目覚ましいものがある。1978年にわかっていたもっとも長い核酸配列は，およそ200のヌクレオチド単位からなるものであった（これはRNAであり，一般にRNAはDNAよりもかなり短い分子鎖をもっている）。その後，Frederick Sangerは，あるウイルスの5 375個のヌクレオチド単位からなるDNA塩基配列を決定し，2度目のノーベル化学賞を受賞した。1977年には配置決定法としてMaxam-Gilbert法*が導入され，1985年には17万個ものヌクレオチド単位からなる塩基配列が解明されるまでになった。現在の塩基配列分析装置を使えば，数千のヌクレオチド塩基の配列を1日で決定できるまでになっている。こうして決定できたDNA塩基配列と遺伝暗号の知識（18.11節参照）とを使えば，いまでは巨大なタンパク質分子のアミノ酸配列まで決定できるようになった。

とてつもなく巨大なヒトゲノム（ヒト遺伝子）の配列決定までもいまでは可能になってきた。この目的のための研究が現在国際的規模で行われており，その目標達成は近い。そこでは30億個もの塩基対の暗号解読が必要だが，10年前には夢のまた夢であったものが現実となってきたのである。

18.7　実験室での核酸合成

タンパク質の特定のセグメントを合成することが重要であるのと同様に，DNAの特定のセグメントを人為的に合成することは重要な意味をもっている。あとでも説明するが，配列順序のわかった短いヌクレオチドは遺伝暗号を解読するために必要とされてきた。さらに配列のわかった長めのヌクレオチド鎖は，微生物を利用してインシュリンのような有益なタンパク質を合成する遺伝子工学的な目的に用いられている。また，配列のわかった合成**オリゴヌクレオチド**（oligonucleotide）を微生物のDNAに挿入して，生物学的DNA合成の鋳型として利用することも行われている。

---

*　1980年にWalter Gillbert（Harvard大学）はFrederick SangerならびにPaul Bergとノーベル賞を共同受賞した。

☞　**オリゴヌクレオチド**はヌクレオチドが数個鎖状につながったものである。

ヌクレオチドはペプチド以上に複雑な構造をもっているので，人工的DNA合成においてはペプチド合成以上に多くの問題が存在する．ヌクレオチドには合成に際して，保護したり脱保護しなければならない官能基がいくつか存在する．このような困難を克服して，多くの研究グループによりオリゴヌクレオチド合成法が開発されてきた．Khoranaと共同研究者らはこれらの化学的手法と酵素的手法を組み合わせて，はじめて遺伝子の合成に成功したのである*．

　さらに最近になって，遺伝子自動合成装置がMerrifield固相ペプチド合成法と類似の原理にもとづいて開発された．そこではまず保護したヌクレオチドをポリマー固相に共有結合でつなぎ，これにつぎの保護したヌクレオチドをカップリング試薬を用いて順番に加えていく．この工程の途中で保護基は結果的に除去され，最後に得られた合成オリゴヌクレオチドは固相から切り離される．この手法は，今ではオリゴヌクレオチドの迅速かつ信頼性ある合成法として発展しつつある．

　さて，塩基配列の特異性を表すDNAの1次構造からさらに話を進めて，二重らせん構造と遺伝暗号に関するDNAの2次構造をつぎに説明しよう．

18.8　DNAの2次構造；2重らせん構造

　1938年以来，DNA分子が特徴的な形状を保持していることが知られていた．糸状のDNAをX線で調べると，一定の周期で規則的な積み重ね（stacking）パターンが示されたからである．1950年になると，Erwin Chargaff（アメリカ，Columbia大学）はDNA構造に関してつぎの重要な手がかりを見いだした．彼はいろいろな生物のDNA中に含まれる塩基含量を分析した結果，どのDNAにおいてもAとTの含有量は常に等しく，またGとCの含有量も等しいことに気づいたのである．たとえばヒトのDNAは約30%ずつのAとT，20%ずつのGとCをもっている．ヒト以外のDNA源は異なる塩基含有率を示すが，それでもA/TならびにG/Cの比は常に1である．

　この数値の等しさが何を意味するのかは1953年まで明らかにはならなかった．WatsonとGrick**はCambridge大学での共同研究の結果，この年にDNA2重らせん構造説を発表したのである．さらに時を同じくして，ロンドンのRosalind FranklinとMaurice Wilkinsはこの2重らせん構造説を支持するX線データを発表した．彼等が提唱したモデルのおもな特徴はつぎのとおりである．

1　DNAは2本のポリヌクレオチド鎖が1本の共通軸のまわりを巻いた構造をもっている．
2　らせんはどちらも右巻であり，2本の鎖はそれぞれの鎖上のヌクレオシド単

---

*　Har Gobind Khorana（Massachusetts工科大学）のこの研究業績に対して1968年ノーベル医学賞が授与された．
**　James D. Watson（Harvard大学）とFrancis H. Crick（Cambridge大学）の2人は1960年ノーベル医学賞を受賞した．

18.8 DNAの2次構造；2重らせん構造

位の3′から5′末端に向けた結合方向に関して，逆向きに組み合っている。

3 プリン塩基とピリミジン塩基はヘリックスの内側に存在し，らせんの中心軸に対して垂直な平面内に置かれている。これに対して，デオキシリボースとリン酸エステル基はどちらもヘリックスの外側部分を構成している。

4 2本のらせんでできたDNA分子鎖は，プリン塩基とピリミジン塩基とが対となって水素結合を形成し固定化されている。すなわちアデニン（A）はチミン（T）と，グアニン（G）はシトシン（C）と常に一対となって水素結合している。

5 ヘリックスの直径は20Åである。それぞれの塩基対の平面は，隣接する塩基対の平面とは3.4Åの距離だけ離れており，らせん回転角では36°ずつの間隔を保って配置されている。その結果，らせんが一回転（360°）するあいだに10組の塩基対が存在し，軸方向の距離差34Åごとにらせん構造が繰り返される。

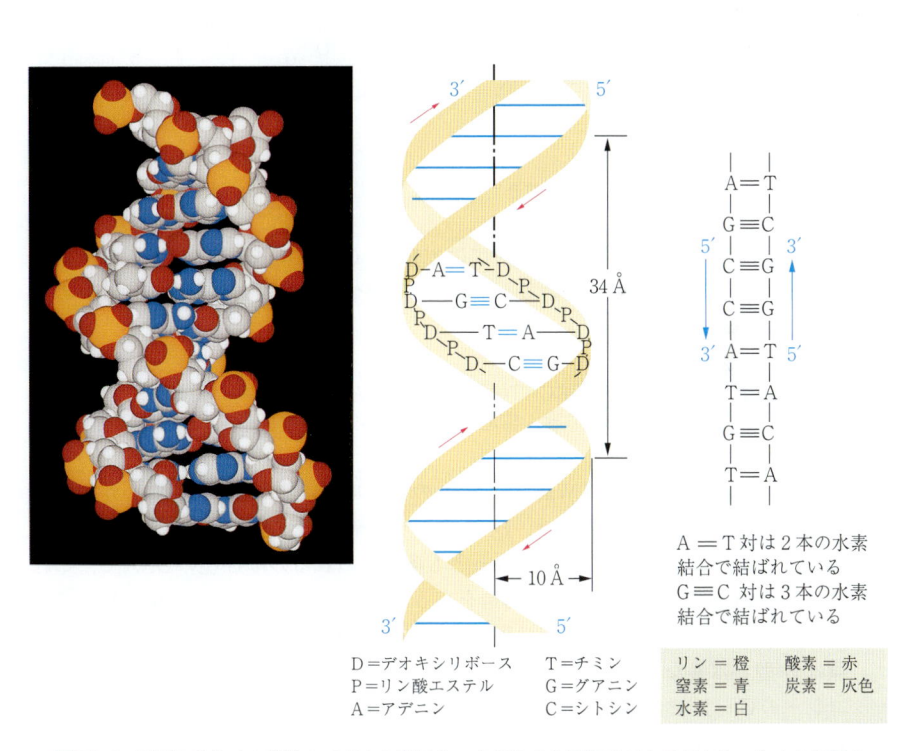

図18.4 DNA2重らせん構造のモデルと表示法。左側にある空間充てんモデルは，らせん内部の塩基対がらせんの中心軸に対して垂直な平面内に存在しているようすを明瞭に示している。中央の図はこれをさらに図形的に表現したもので，2重らせん構造の寸法が示されている。右側の式は塩基対のようすを2本の分子鎖の組み合わせとして表現したものである。

6 ポリヌクレオチド鎖にそった塩基の並び方を規制する条件はとくになく、この配列そのものが遺伝情報を伝えているのである。

図18.4は、この2重らせん構造を図形とモデルを用いて示したものである。この構造の最大の特色は、A－TとG－Cという塩基の相補的組み合わせ2対が存在するということである。すなわち、このらせんを形成するためにはプリン系とピリミジン系の塩基からできた塩基対だけが適合しており、そこでの水素結合を形成するにはプリン塩基どうしでは窮屈すぎるし、ピリミジン塩基どうしでは広すぎることがわかっている。その結果、プリン系-ピリミジン系塩基対の組み合わせとして4つ考えられる中で、A－TとG－Cの組み合わせが水素結合を形成するのに最適となっている。

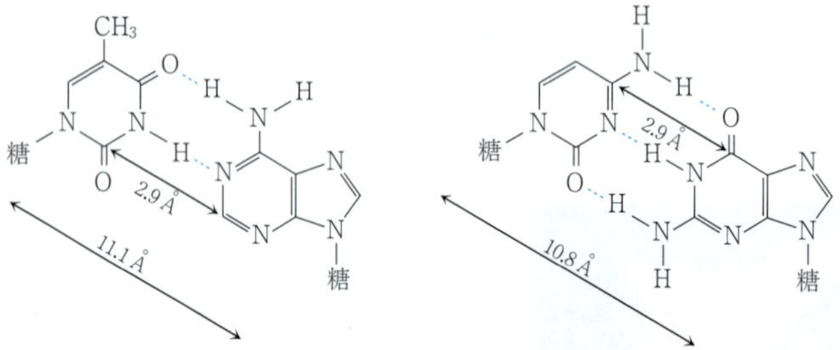

T－A塩基対（2つの水素結合）　　　　C－G塩基対（3つの水素結合）

この図に示すように、A－T塩基対には2本の、G－C塩基対には3本の水素結合があり、塩基2つを結合している。また、この2つの塩基対の平面構造はきわめてよく似ていることがわかる。

問題 18.5 塩基配列がAGCCATGT（5′→3′の方向に並べたもの）となった1本のDNA分子がある。これと2重らせん構造を形成するもう1本のDNAの塩基配列を示せ。

二重らせん構造に関するWatson-Crickのモデルは、基本的には正しいが少し単純化され過ぎている。いまでは、DNAのらせん構造はつぎのA-、B-、Z-型の3タイプに分類されるようになった。もっとも多くみられるのはB-型のDNAで、これはWatson-Crickの右巻きらせん構造をもっており、塩基対はらせん軸に対して垂直の配置をとっている。A-型では塩基対はらせん軸に対して20°も傾いており、糖環はB-型とは異なる積み重ね構造をもっている。Z-型ではいくつかの塩基がグリコシドのC－N結合軸のまわりを180°ねじれており、その結果、左巻きらせん構造をもっている。

DNA分子全体の立体配座を支配する因子の一つは塩基配列である。たとえば、プリンとピリミジン単位が交互に連続する配列をもった合成DNAは、プリン集団

のあとにピリミジン集団が結合する配列をもった合成DNAとは異なる立体配座をもつ。また，A－TとG－Cの塩基対においても，WatsonとCrickが当初に提唱したものとは異なるタイプの水素結合の存在が見いだされている。

このように，図18.4のような固定化された筒型らせん構造だけでなく，DNA構造の細部において多様な変形が生じ，その結果，DNA分子には屈曲型，ヘアピンループ型，スーパーコイル型，1本ループ型，さらに2重らせんから分子鎖内水素結合したループが突き出た十字型のものまで，いろいろな構造が存在している。このような構造の変化によってDNA分子に柔軟性が与えられる結果，細胞内物質を識別しながら相互作用して機能性を発揮しているのである*。

18.9 DNAの複製

DNA 2重らせん構造の見事なところは，生物の1つの世代からつぎの世代への情報伝達機構（すなわちDNAの複製：DNA replication）に関して，分子レベルの基盤を与えていることである。WatsonとCrickはDNA 2重らせん構造の2本の分子鎖（糸状体）が切り離されても，細胞中ではその1本の糸状体を鋳型として，対となるもう1本のポリヌクレオチドの糸状体が合成されることを1954年に提唱した。その概要を図示したのが図18.5である。

原理的には単純にみえても，**DNAの複製**（DNA replication）過程は実際はかなり複雑である。ヌクレオチドはモノホスファート（一リン酸エステル）ではなく，トリホスファート（三リン酸エステル）として存在する必要があり，これをある種の酵素（DNAポリメラーゼ）の働きでプライマー分子鎖に付加させたあと，別の酵素（DNAリガーゼ）が働いてDNA分子鎖を連結し，さらに複製をはじめる位置と終了する位置も指定する必要がある。こうした複製過程の詳しい内容に関する知識は，40年以上も昔にDNA 2重らせん構造が解明されて以来，飛躍的に豊富になってきた。

遺伝子解析の研究に革命的な進歩をもたらしたのは，1980年代半ばのKary Mullisによる**ポリメラーゼ連鎖反応法**（polymerase chain reaction, **PCR**）の発見であった。このPCR法は生体内のDNA転写過程の応用技術であり，ある特定のDNA配列を増殖させること（コピーを多数つくり出すこと）を可能にするものである。その要点を述べると，まずDNAを加熱して2本の糸状体に分離し，それぞれについてDNA配列の両末端を相補的構造をもった短いオリゴヌクレオチドの"プライマー"と結合させて標識化する。さらにこの標識化した配列に，適切

---

* これに関する解説としてJacqualine K. Bartonの論文がある（*Chem. and Eng. News*, **1988**. Sept. 26, p. 30–42）。

☞ DNA分子が自分自身のコピーをつくる過程のことを**DNAの複製**という。

☞ **ポリメラーゼ連鎖反応（PCR）**とは，あるDNA配列についてそのコピーを多数つくる手法のことである。

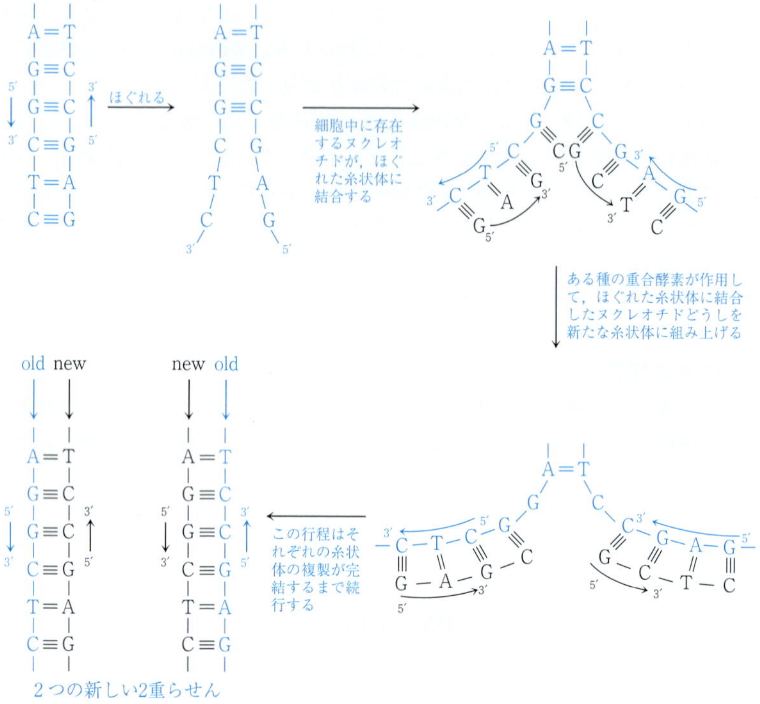

図 18.5 DNA複製の行程図。2重らせん構造がほぐれると、細胞中のヌクレオチドが塩基対組み合わせのルールに従って、ほぐれた分子鎖（糸状体）に結合していく。そのあと重合酵素が働き、新たに結合したこれらのヌクレオチドを新しい1本の糸状体に組み上げるのである。新たな2本のDNA糸状体はいずれも 5′末端から 3′末端の方向に組み上げられている。

なヌクレオチドを taq ポリメラーゼ（高温でも安定な DNA 重合触媒の1つ）を使って結合させる方法である*。この方法はいまでは自動化されて単一反応容器中で行えるので、1日もかからない短い時間内に 30 から 60 回繰り返し行うことによって、特定の DNA 配列のコピーを数百万倍に増やすことが可能になった。この方法を使えば1分子の DNA という微量からでも増幅できるのである。この PCR 法の応用分解はいまでは DNA 指紋法 (p.578)、遺伝子図法、遺伝子突然変異、ガン治療のモニター、分子進化の研究にまで及んでいる。

タンパク質合成における DNA の役割を学習するまえに、もう1つのタイプの核酸 RNA について知っておく必要がある。

---

* PCR 手法についての詳しい解説書：J. D. Watson, M. Gilman, J. Witkowski, M. Zoller, *Recombinant DNA*, 2nd ed, New York, W. H. Freeman and Co, 1992, 6章。

18.10 リボ核酸（RNA）

リボ核酸（ribonucleic acid, **RNA**）はつぎの3つの点でDNAとは本質的に違っている。(1) 構成糖単位はD-リボースである。(2) 4種類のヘテロ環塩基の1つチミンの代わりにウラシル（uracil）が使われている。(3) 一般にRNA分子は1本の分子鎖だけでできているが，その分子鎖が折れ曲がって重なった形のらせん構造を部分的にもっていることがある。

RNA糖単位のD-リボースがDNA糖単位の2-デオキシ-D-リボースと異なる点は，C-2位置に水酸基が存在することである。この違いがなければ，RNAのヌクレオシドやヌクレオチドはDNA構造とそっくりになってしまう。

注目すべき点は，ウラシルはチミンと違ってC-5位にメチル基をもたないことである。そしてウラシルもチミンと同様にN-1位でヌクレオチドを形成し，その名称も表18.1と同様につけられる。その名称を略記法で記すときには，糖がリボースなのでデオキシリボースを表すdはつけない。

問題 18.6 つぎのものの全体構造を書け。
(a) AMP
(b) RNAトリヌクレオチドのUCG（5′から3′への順序に従って書いたもの）

細胞中には3種類の主要なRNAが含まれている。その1つの**伝令RNA**（messenger RNA, **mRNA**と略記する）は遺伝暗号の**転写**（transcription）に関係している。これはタンパク質合成の鋳型でもあり，細胞中で合成されるタンパク質それぞれに固有のmRNAが存在する。mRNAの塩基配列はDNA分子鎖1本の塩基配列と相補的関係にあるが，DNA中のAと相補的なTに代わってUが使われている。

☞ **リボ核酸（RNA）**は糖のD-リボースと4種の複素環塩基（ただしチミン（T）の代わりにウラシルが使われている）からなっている。一般には1本の糸状体だけで存在する。

☞ **伝令RNA（mRNA）**はDNAから遺伝暗号を**転写**して，タンパク質合成の鋳型となる。

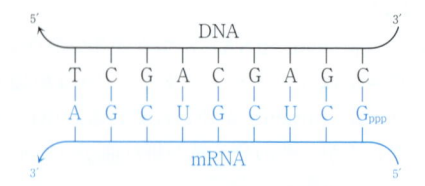

```
       5'                                    3'
        ┌─────────── DNA ───────────┐
         T  C  G  A  C  G  A  G  C
         A  G  C  U  G  C  U  C  G_ppp
        └─────────── mRNA ──────────┘
       3'                                    5'
```

　転写の過程はDNA鋳型にそって3′→5′の方向に順次起こっていく。すなわち，mRNAからみれば5′末端からつくられはじめることになる。mRNAの5′末端ヌクレオチドは，通常モノホスファートではなくトリホスファート（三リン酸エステル）として存在し，それはpppGかpppAである。この転写過程でもRNAポリメラーゼとよばれる重合酵素の存在は不可欠である。通常はDNAの分子鎖1本だけが転写される。そこにはプロモーター位置とよばれる塩基配列があり，ここから転写が開始されるのである。さらに転写を終了させる塩基配列も存在し，これによって転写完結の信号が伝えられる。

　mRNAの3′末端には，通常アデニン塩基だけのヌクレオチド単位がおよそ200個も連続している特別な配列が存在している。この配列のためにmRNAは細胞核から脱出してタンパク質合成が行われる細胞質のリボソームへと運ばれるのである。

　転移 RNA（transfer RNA，**tRNA**と略記する）はアミノ酸を活性化した形でリボソームに運び込む働きをするものであり，そこではmRNAの鋳型が指定する順序に従ってペプチド結合が形成される。そのときに，20種のアミノ酸それぞれについて少なくとも1つの対応するtRNAが存在する。tRNA分子の大きさは核酸としては比較的小さく，およそ70〜90個のヌクレオチド単位からできている。いずれのtRNAも共通してC−C−Aと並んだ3塩基配列を3′水酸基末端にもっており，そこにアミノ酸がエステルの形で結合される。さらにどのtRNAもアミノ酸が結合する場所からかなり離れた位置に**アンチコドンループ**（anticodon loop）とよばれるループ部分をもっている。このループにはヌクレオチドが7つ結合しており，その中心の3つはmRNA上のある特定の3塩基配列に対応した相補性をもっている。

　3つ目のRNAとして**リボソーム RNA**（ribosomal RNA，**rRNA**と略記する）がある。これは細胞内に存在するRNA全体の約80％を構成するものであり（tRNA 15％，mRNA 5％），リボソームの主成分でもある。この分子は1分子あたり数千のヌクレオチド単位からなる大きなものであるが，タンパク質合成におけるその役割はまだ正確には解明されていない。

☞　**転移 RNA（tRNA）**はペプチド結合形成のために，アミノ酸を活性化させてリボソームへ運搬する。tRNAのそれぞれは3塩基配列の**アンチコドンループ**をもち，この3塩基配列は特定のアミノ酸に対応するmRNA3塩基配列に対する相補性をもっている。

☞　球状RNAの80％は**リボソーム RNA（rRNA）**であり，リボソームの主成分である。

ごく最近まで，すべての酵素はタンパク質であると考えられていた。ところが最近になって，ある種のRNAが生化学的触媒として働くことが見いだされて，これまでの学説は修正されることになった。このRNA酵素は一般的な酵素の助けを借りずに，自分自身を切断したり再編成したりできるのである。この**リボザイム**（ribozyme）とよばれる酵素の発見は，生命の起源に関する学説に大きな影響を与えた*。すなわち「生命起源のもとになった原始スープ中で，最初に生じたのはタンパク質かそれとも核酸か？」という疑問が生じてきたのである。これまでタンパク質については，酵素を形成して生命に必要な反応を触媒できるが遺伝暗号の貯蔵元にはなれないこと，そして核酸についてはこれと逆のことがいわれてきたのである。ところがある種のRNAが触媒活性を示すことが明らかになるにおよんで，今から40億年前の地球がRNAの世界であったことがほぼ確実視されるようになった。すなわち，現在は遺伝暗号を記憶する役割をもつのはDNAであっても，生命起源の時代にはRNAがタンパク質やDNAの助けなしに生命発現のすべての役割を担当していたらしいのである。

18.11　遺伝暗号の伝達機構とタンパク質の生合成

　遺伝暗号の伝達機構がどのように解き明かされ，百種類以上もの巨大分子がどのような相互作用を行って遺伝情報をタンパク質合成へと伝達するのか，それを詳しく説明することは本書の限界を越えているが，その概要のおもな点を二，三説明してみよう。

　遺伝暗号（genetic code）とは，DNAの塩基配列と，またはそこからRNAに転写されたものと，これらに対応して作られるタンパク質のアミノ酸配列との相関関係のことである。そこでは塩基3つの配列が1単位となった**コドン**（codon）とよばれる暗号が，1つのアミノ酸を決めている。RNA中には4種類の塩基（A，G，C，U）が存在するから，4×4×4＝64種類のコドンが可能である。ところがタンパク質には20種類のアミノ酸しか存在しないのに，1つのコドンは1つのアミノ酸にしか対応しないので，遺伝暗号は縮重（degenerate）していることになる。つまり1つのアミノ酸についていくつかの異なる暗号が対応することになる。また，64種類のコドンのうち（UAA，UAG，UGA）の3つは「停止」の暗号であり，いずれも特定のタンパク質合成が終了したことの信号として働いている。

　またコドンAUGは二重の役割をもっている。すなわち開始コドンの役割を果たすだけでなく，タンパク質合成の連鎖がはじまったあとでこれが現れると，アミノ

　＊　これを発見したSidney Altman（Yale大学）とThomas R. Cech（Colorado大学）は1989年にノーベル化学賞を受賞した。

☞　**リボザイム**とは酵素の働きをもつRNAのことである。

☞　**遺伝暗号**とは，DNA中の塩基配列とタンパク質中のアミノ酸配列の対応関係のことである。mRNA上に存在する3塩基配列は**コドン**とよばれ，1つのアミノ酸に対応している。

表 18.2 遺伝暗号：コドンのアミノ酸への読み替え

最初の塩基 (5′末端)	2番目の 塩基	3番目の塩基（3′末端）			
		U	C	A	G
U	U	Phe	Phe	Leu	Leu
	C	Ser	Ser	Ser	Ser
	A	Tyr	Tyr	Stop	Stop
	G	Cys	Cys	Stop	Trp
C	U	Leu	Leu	Leu	Leu
	C	Pro	Pro	Pro	Pro
	A	His	His	Gln	Gln
	G	Arg	Arg	Arg	Arg
A	U	Ile	Ile	Ile	Met（スタート）
	C	Thr	Thr	Thr	Thr
	A	Asn	Asn	Lys	Lys
	G	Ser	Ser	Arg	Arg
G	U	Val	Val	Val	Val
	C	Ala	Ala	Ala	Ala
	A	Asp	Asp	Glu	Glu
	G	Gly	Gly	Gly	Gly

酸のメチオニンの暗号となる。このような遺伝暗号のすべてを表18.2に示しておく。

　遺伝暗号はつぎのようにして解明された。最初は1961年のMarshall Nirenberg（1968年ノーベル賞受賞）の実験の成功にあった。Nirenbergは合成RNAの一種であるポリウリジン（塩基配列がすべてウラシル（U）でできた一種のRNA）を，すべての種類のアミノ酸を含有する非細胞系のタンパク質合成溶液に加えてみた。そこで生成されたポリペプチドを調べたところ，フェニルアラニンの含有率がとび抜けて高いことを発見したのである。このポリウリジン中のコドンはUUUだけであるから，これはフェニルアラニンのコドンでなければならないことになる。同様にポリアデノシンからはポリリシンが，ポリシチジンからはポリプロリンが合成できたので，AAA≡Lys，CCC≡Proの関係が明らかになった。このあとも引きつづいて，塩基配列のわかった合成ポリリボヌクレオチドを用いた同様のポリペプチド合成の研究が繰り返され，その結果からコドンとアミノ酸とのすべての対応関係が解き明かされたのである。

例題 18.3

　UAACの配列をもったテトラヌクレオチドからつくられたポリリボヌクレオチドがある。これを用いてペプチド合成を行ったところ，(Try − Leu − Ser − Ile)$_n$の配列をもったポリペプチドが得られた。この4種のアミノ酸それぞれに対応するコドンは何か。

解答 ここで用いられたポリリボヌクレオチドはつぎの配列をもっているはずである。
UAUC UAUC UAUC …
この鎖をコドンに分割すると下のようになる。
UAU…CUA…UCU…AUC…
Tyr…. Leu…. Ser…. Ile, このパターンも繰り返す。
このように4つのコンドンが解明できたことになる。

問題 18.7 ジヌクレオチドUAから合成したポリヌクレオチドを用いてペプチド合成を行うと、$(Tyr-Ile)_n$ の配列をもったポリペプチドが得られた。これは例題18.3の結果を支持する根拠としてどのように使えるか考えよ。また、この結果からどのような新しい事実がわかるであろうか。

この遺伝暗号は地球上のすべての有機体（生物）に共通しており、あらゆる進化の過程を通して不変のまま継承されてきた。もしある1つのコドンのもつ意味が変化すると何が起こるであろうか。この変化は生体組織内で合成されるタンパク質のアミノ酸配列を変化させることであり、このような変化はその生体にとって明らかに不利である。それゆえ、暗号が変化しないように強力な自然界の選択力が働いている。

最近、tRNAに関する統計的な研究によると、遺伝暗号の年齢は38（＋6）億年よりも若いこと、すなわち地球の年齢とほぼ同じか、それよりも若いことが証明された*。

問題 18.9 放射線や発ガン物質、その他の要因により生じる突然変異は、ある1つの塩基を他の塩基で置換したり、または加除した結果生じるものである。それでは、UUUなる塩基配列がUCUへ変異した場合に何が起こるであろうか。またUCUからUCCへ変異したらどうなるか。また、あり余るほどのコドンをもつことが遺伝暗号にとってどのように有利に働くのかについて考えよ。

タンパク質はmRNAを鋳型として生合成される（図18.6）。アミノ酸がそれと特異的に対応するtRNAと結合してmRNAのところまで運ばれてくると、そこでは、tRNA上のアンチコドンが水素結合の形成を通して適合できるmRNA上のコドンを探し出す。ここで酵素が働き、アミノ酸どうしを結合させたあとアミノ酸をtRNAから切断し、さらにtRNAをmRNAから切り離して、再び同様の工程が繰り返される。

タンパク質の生合成には、このように数多くの種類の分子が協力して反応することが必要である。これらの分子はmRNA、tRNA、多様な酵素、アミノ酸、リン酸エステルなどである。このような要件が必要なのにもかかわらず、この複雑な反応は驚異的な速さで進行する。たとえば、150個のアミノ酸からなるタンパク質は1

---

* Manfred Eigen（1967年ノーベル賞）ほか，*Science*, **1989**, *244*, 673-679.

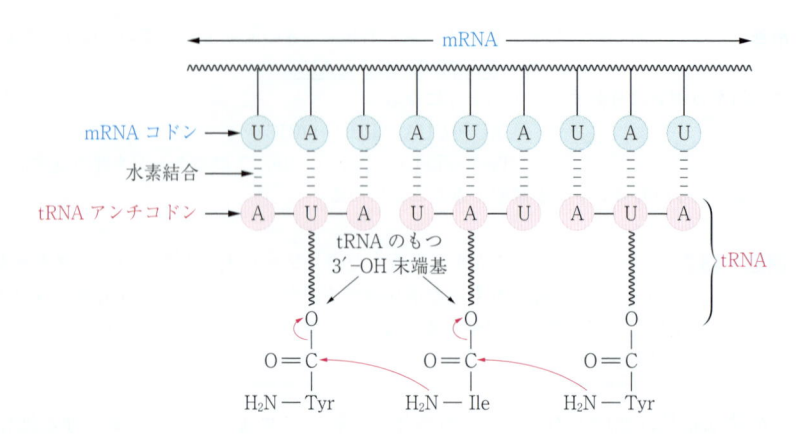

図 18.6 たんぱく質の生合成図。1つのアミノ酸（図ではIle）のアミノ基がもう1つのアミノ酸（図ではTyr）のカルボキシル基を攻撃して，tRNAの1つの3′-水酸基末端（図ではアンチコドンAUAのもの）を置換する。この反応はmRNAを鋳型として引き続き進行する。その結果，この図ではトリペプチドのTyr―Ile―Tyr単位が生成してくる。

分以内に生合成されるという。この速さを実験室での固相ペプチド合成法（17.12節参照）と比較してみると，化学者の手法が生体と競えるようになるまでには，まだまだ長い年月が必要なことを知らされる。

18.12 生物学的に重要なその他のヌクレオチド

　ヌクレオチド構造は核酸のみならず，ほかの生理活性物質においても重要な働きを示す。その重要なものをいくつか説明してみよう。

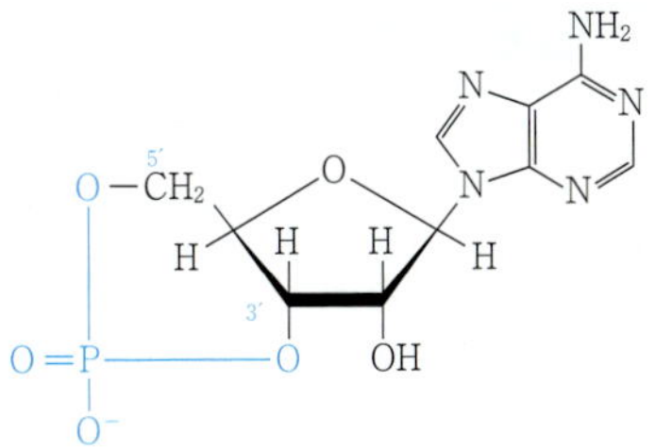

18.12 生物学的に重要なその他のヌクレオチド

アデノシン 3′,5′-環状一リン酸エステル
(環状 AMP；cAMP)

アデノシン（adenosine）はいくつかの異なるリン酸エステルの形で存在している。そのうち 5′-一リン酸エステル（AMP），二リン酸エステル（ADP），三リン酸エステル（ATP）さらに 3′,5′-環状一リン酸エステルは数多くの生物学的過程に介在する重要な物質である。

ATP にはリン酸無水物結合が 2 つ存在しているため，これが加水分解されて ADP や AMP になるときにかなりのエネルギーが放出されるので，それを受け取ってほかの生物学的反応が起こる。環状 AMP はある種のホルモンの働きを助ける媒体である。すなわち，細胞の外に存在するホルモンが細胞膜上のレセプター部位と反応すると，それによって細胞内の環状 AMP が刺激され，続いてこの環状 AMP が細胞内の生化学反応を制御することにつながってゆく。このように，このホルモンは機能を発揮するために必ずしも細胞膜を通りぬける必要はないのである。

分子構造の一部にヌクレオチドを組み込んだ 4 つの重要な補酵素がある。すでに学んだように補酵素 A（coenzyme A, p.333 参照）は ADP を部分構造として所有していて，生物学的アシル基運搬剤として働き，脂肪代謝に重要な役割を果たしている。**ニコチン酸アミドアデニンジヌクレオチド**（nicotinamide adenine dinucleotide, **NAD**）はアルコールを脱水素してアルデヒドまたはケトン変換したり，また逆にカルボニル基をアルコールに還元する働きを行う補酵素である。これらはヌクレオチド単位 2 つがそれぞれのリボースの 5′ 水酸基で結合した構造をもっている。

NADP（NAD のリン酸エステル）がアルコールをカルボニル化合物へ酸化する際に，この補酵素のニコチン酸アミド部分のピリジン環は，ジヒドロピリジンに還元されて NADPH になる。また，この逆工程が NADPH によってカルボニル化合物がアルコールに還元される際に起こる。ニコチン酸はこの補酵素の合成に不可欠な一種のビタミン B であり，これが不足すると慢性皮膚疾患のペラグラになる。

☞ ヌクレオチドの**アデノシン**は，多様なリン酸エステルの形をとって，多くの主要な生化学的機能を発揮している。

☞ **NAD** および **FAD** の 2 つは，数多くの生化学的な酸化−還元反応過程で働く補酵素である。

A WORD ABOUT . . .

核酸とウイルス

インフルエンザやふつうの風邪から，さらに深刻なヘルペス疾患やAIDS（acquired immune deficiency syndrome）までを含むウイルス性の伝染病が，全疾患に占める割合は現在では60%にも達する一方で，バクテリア性疾患は15%にしか過ぎなくなっている。1940年代以降から，バクテリア性感染症にきわめて効能のある多様な抗生物質（サルファ剤，ペニシリン，テトラサイクリンなど）が開発されてきたが，抗ウイルス性医薬の開発は難しく，遅々として進んでいない。その理由は何か，そして今後のウイルス性疾患との戦いに希望はあるのだろうか。

これは1種の選択の問題である。すべての医薬には，正常な細胞が共存する場で病原体だけを選択的に殺すことが要求される。幸いなことに，バクテリア細胞とヒト細胞の代謝機構は生化学的に明瞭に異なるので選択性は発揮されやすい。そこで，これに着目して安全な抗生物質が開発されてきたのである。ところがウイルスはそう簡単ではない。なぜかというと，ウイルスの複製機構は宿主細胞の中に物理的かつ機能的に取り込まれているので，宿主細胞を傷つけることなく，ウイルスを選択的に攻撃できる生化学的手法を見つけなければならないからである。

ウイルスはきわめて微小な物質であって，その中心核は核酸からできていて，そのまわりをタンパク質の衣が覆う構造をもっている。この中心核にはウイルスの複製に必要なすべての遺伝情報が蓄えられている。ウイルスは大きく分けて，核酸がDNAのもの（ヘルペス型ウイルスがその例）とRNAのもの（流感ウイルスやAIDSの原因であるヒト免疫欠陥性ウイルスHIVがその例）の2つに分類される。ウイルスが宿主細胞を侵すときは，まず宿主細胞膜にとりつき，つぎに膜を透過してからタンパク質の衣を脱ぎすて，裸になったウイルス中心核の核酸が，宿主細胞核に入り込んで複製を行うのである。ここで新たにつくられた核酸は細胞核を離れ，構造タンパクと結合して新しいウイルスを形成したのち細胞から排出される。言い換えると，正常細胞の正常な代謝工場がウイルスにハイジャックされ，正常な製造機能を発揮する代わりにウイルス成分をつくらされてしまうのだ。つまり宿主細胞はある意味でウイルス工場になってしまう。

細胞膜への結合から排出までの工程のどの段階も，抗ウイルス剤が阻害効果を発揮できる標的になる。たとえばその一つの仕掛けとして，ウイルスDNAのヌクレオシドに構造がきわめてよく似ていて，ウイルスDNA合成経路を遮断する効果をもった分子を設計することが考えられる。この考えに基づいて開発された抗ウイルス剤に，Wellcome研究所（米国ノースカロライナ州）のGertrude B. Elion*らが開発した**Acyclovir**（**ACV**, 9-(2-hydroxyethoxymethyl) guanine）がある。ここで注目してほしいのは，図のようにACVが2′-デオキシグアノシンをまねてつくられてはいるが，肝心な糖の一部分（青色部分）が欠けている点である。

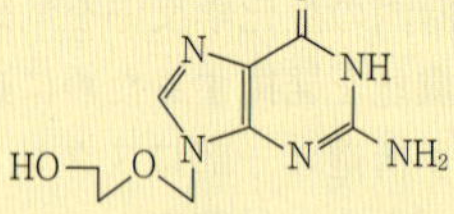

ACV

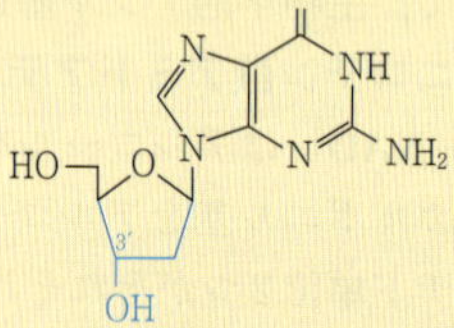

2′-デオキシグアノシン

ACVは単純ほう疹ウイルス（HSV）に対してよく効く。これは1980年代から治療に使用され患者の生命を救ってきたが，とくに生

---

* Gertrude. B. Elion, George Hitchings, James Blackの3名は，この研究業績により1988年ノーベル医学生理学賞を共同受賞した。

18.12 生物学的に重要なその他のヌクレオチド

殖腺ヘルペスの治療に有効である。この医薬はウイルス複製に不可欠な酵素反応段階をすくなくとも2つ選択的に阻害する働きをもつ。さらに、これはヌクレオチド単位の取り込みに不可欠な3′-OH基をもたないので、DNA鎖に取り込まれるとその成長を停止してしまう。

もう一つのウイルス伝搬性疾患であるAIDSは、世界的に広まりつつある伝染病である。これまでにHIVに冒された患者の治療用に、いくつかのヌクレオシド誘導体が医薬として認可されている。その中でもっとも長期にわたって使用されているのはZidovudine(またはAZT, 3′-azido-3′-deoxythymine)であり、これはDNAヌクレオシドの2′-deoxythymidineの同族体である。

zidovudine (AZT)

2′-デオキシチミジン

また、Didanosine (DDI, 2′3′-ジデオキシイノシンのこと)とZalcitabine (DDC, 2′3′-ジデオキシシチジンのこと)は、AIDSウイルスの治療に使われているヌクレオシド同族体である。これら以外にも数多くの化合物が現在臨床治療の実験にかけられている。

DDI

DDC

AZTやその他のヌクレオシド同族体の治療薬の働きは、HIVが自分のRNAゲノムを複製DNA中へ転写する際に必要な逆転写酵素(reverse transcriptase)の働きを阻害するところにある。この酵素は、成長しつつあるDNA鎖中へ天然ヌクレオチドの代わりにAZTを誤って取り込み、AZTは3′-位にOH基をもたないので(そのかわりにアジド基が存在する)DNAの成長が停止する。ところが残念なことに、AZTは決して理想的な抗HIV薬ではなく、血液細胞を作る骨髄に毒性を示すことがわかってきた。またAIDSウイルスがこれらの治療薬に対して耐性をもつようになってきたので、さらに新たな治療方法が必要となっている。

有望な新療法として、**プロテアーゼ禁止剤**(protease inhibitor)として知られる化合物を使う方法がある。この化合物は、ウイルスのライフサイクルに不可欠なタンパク質加水分解の能力をもった酵素プロテアーゼの活動を阻止するものである。その1つとして**インディナビア**(indinavir)の名称をもつ化合物があり、他にもいくつかの医薬が認可されている。このインディナビアをはじめとする一連のプロテアーゼ禁止剤は、**ペプチドミメティック**(peptidomimetics)とよばれる化合物群に属するものであり、プロテアーゼと結合してそのタンパク質加水分解触媒としての働きを阻害する。ところが、ここでも前述のようなウイルスの耐性化が問題となっている。しかし現在までのところ、このプロテアーゼ禁止剤とヌクレオシド類似剤を組み合わせた治療法が、HIV疾病にとってもっとも有効であると思われている*。

インディナビア

* 最近のHIV疾患の治療法に関する解説につぎのものがある。Elizabeth K. Wilson, *Chem. & Eng. News* **1996**, *629*, p.42

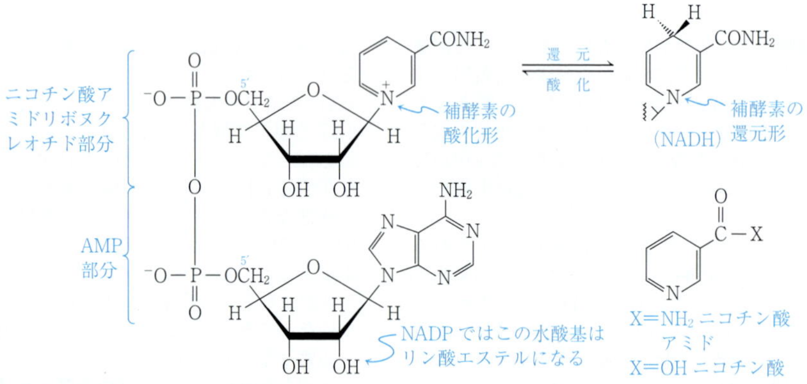

[NAD構造図]
ニコチン酸アミドリボヌクレオチド部分 / AMP部分
NADPではこの水酸基がリン酸エステルになる
補酵素の酸化形 / 補酵素の還元形 (NADH)
X=NH₂ ニコチン酸アミド
X=OH ニコチン酸

ニコチン酸アミドアデニンジヌクレオチド (NAD)

フラビンアデニンジヌクレオチド（fravin adenine dinucleotide, **FAD**）は黄色の補酵素であり，数多くの生物学的な酸化-還元反応に関与している．その構造はリボフラビン部分（ビタミンB_2）がADPに連結した形をもっている．またその還元形構造においては水素原子2つがリボフラビン単位に結合している．

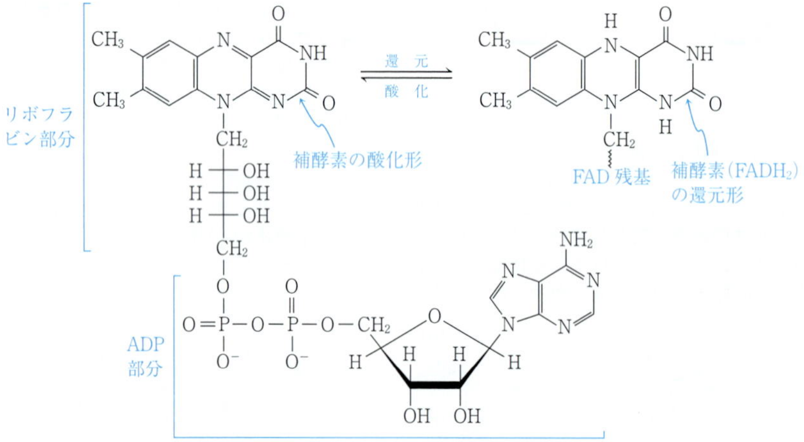

[FAD構造図]
リボフラビン部分 / ADP部分
補酵素の酸化形 / FAD残基 / 補酵素（FADH₂）の還元形

フラビンアデニンジヌクレオチド (FAD)

ビタミンB_{12}（Vitamin B_{12}；シアノコバラミンともいう）は赤血球の成熟分裂と発育に不可欠な物質であって，ヌクレオチドを含む複雑な構造をもった分子である

☞　**ビタミンB_{12}**は赤血球の成熟分裂と発育に不可欠な化合物であり，ヌクレオチド構造をその中にもっている．**補酵素B_{12}**は**5,6-ジメチルベンズイミダゾール**を塩基とするリボヌクレオチドをもっている．

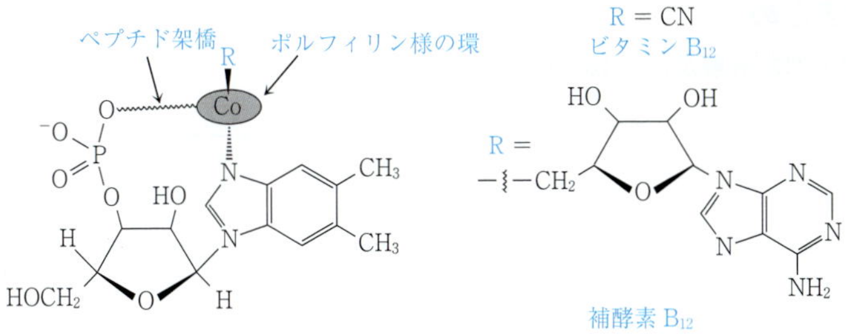

図 18.7 ビタミン B_{12} と補酵素 B_{12} の構造を表現した図。

（図 18.7）。またこれと類似の**補酵素 B_{12}**（coenzyme B_{12}）には，ヌクレオチド単位2つが含まれている。このビタミン B_{12} と補酵素 B_{12} では，いずれも構造の中心にコバルト原子が位置しており，それをポルフィリン（A Word About「ポルフィリン類のこと」参照）によく似た，窒素原子4つをもつ大環状分子がとり囲んでいる。さらにコバルト原子は2つの配位子をもち，それが含窒素ヘテロ環平面の上と下に位置している。その配位子の1つは **5,6-ジメチルベンズイミダゾール**（5,6-dimethylbenzimidazole）を塩基とするリボヌクレオチドであり，もう1つの配位子は，ビタミンン B_{12} ではシアノ基，補酵素 B_{12} では5-デオキシアデノシル基である。どちらの分子においてもコバルトと置換基Rの炭素原子とが直接結合している。この補酵素 B_{12} によって触媒される反応には，一般にCo−R基をCo−H基で置換するタイプのものが多い。

ビタミン B_{12} はある種の微生物によって生産されるが，ヒトはその生合成能力をもたないので食物から摂取しなければならない。わずかな量で十分なのだが，これが欠乏すると悪性貧血症にかかる。

ビタミン B_{12} は驚くほど多様な官能基と多くのキラリティをもつ化合物であり，これまでに化学実験室で合成されたもっとも複雑な分子である。その合成は1973年に Robert B. Woodward と Albert Eschenmoser ならびに彼らの学生たちによって完成されている*。

---

*　Robert Burns Woodward（1917〜1979）は，「有機合成の芸術」への多大な貢献により1965年にノーベル化学賞を受賞した。彼はこの芸術の最大の実践者として数多くの有機化学者から尊敬されている人物である。

反応のまとめ

1. 核酸の加水分解反応（18.1節）

$$\text{DNA} \xrightarrow[\text{酵素}]{\text{H}_2\text{O}} \text{ヌクレオチド} \xrightarrow[\text{HO}^-]{\text{H}_2\text{O}} \text{ヌクレオシド} \xrightarrow[\text{H}^+]{\text{H}_2\text{O}} \begin{array}{c}\text{複素環塩基}\\+\\\text{2-デオキシリボース}\end{array}$$

RNAの加水分解は，2-デオキシリボースに代わってリボースが生成すること以外は，DNAと同じである。

2. ヌクレオチドの加水分解反応（18.4節）

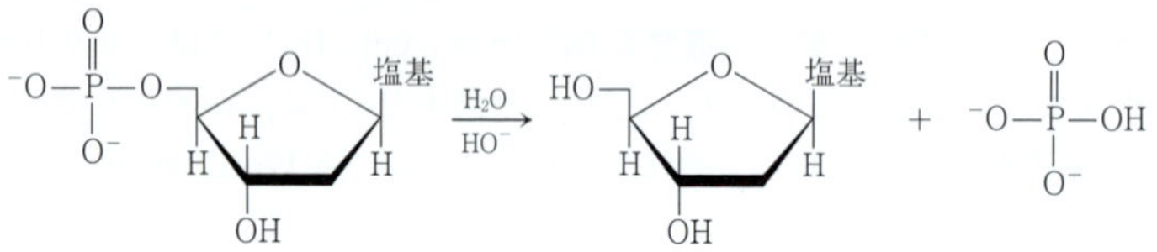

ヌクレオチド → ヌクレオシド ＋ 無機リン酸塩

章末問題

ヌクレオシドとヌクレオチド：命名法と構造

18.9 つぎの各項に該当する代表例を1つ，構造式で示せ。
 (a) ピリミジン塩基　　(b) プリン塩基
 (c) ヌクレオシド　　　(d) ヌクレオチド

18.10 アデニンとグアニン（図18.1参照）の構造をよく眺めて，これらの環構造が平面か，それとも折れ曲がっているかを説明せよ。また，ピリミジン塩基であるシトシンならびにチミンについても説明せよ。

18.11 つぎのそれぞれのヌクレオシドの構造を書け。
 (a) グアノシン（β-D-リボースとグアニンから構成されるヌクレオシド）
 (b) デオキシアデノシン
  （β-2-デオキシ-D-リボースとアデニンとから構成されるヌクレオシド）
 (c) ウリジン（β-D-リボースとウラシルとから構成されるヌクレオシド）
 (d) デオキシチミジン
  （β-2-デオキシ-D-リボースとチミンとから構成されるヌクレオシド）

18.12 アデノシン-5′―リン酸エステル（AMP）を，それを構成する単位分子まで完全に加水分解する反応式を示せ。

=総合問題

章末問題

18.13 表18.1を手がかりとしてつぎのヌクレオチドの構造を書け。
(a) グアノシン-5′—リン酸エステル
(b) 2′-デオキシチミジン-5′—リン酸エステル

DNAとRNAの構造

18.14 つぎのDNA由来のジヌクレオチドの構造を書け。
(a) A−T (b) G−T (c) C−A

18.15 つぎのRNA由来のジヌクレオチドの構造を書け。
(a) A−U (b) G−U (c) A−C

18.16 DNA由来のテトラヌクレオチドA−G−C−Cを考えてみよう。このテトラヌクレオチドをつぎの試薬で加水分解したとき、何が得られるかを答えよ。
(a) 塩基 (b) 塩基，続いて酸

18.17 つぎの略号で示されるRNA分子の構造を書け。
(a) UUU (b) UAA (c) ACA

18.18 ウラシルとアデニンの間に形成される水素結合の構造を書け。さらにこれをチミンとアデニンの水素結合（p.581）と比較して説明せよ。

18.19 つぎの塩基配列をもつDNAセグメントがある。5′A−A−G−C−T−G−T−A−C3′。このものと対になるセグメントの塩基配列を書き、3′と5′末端位置とを明示せよ。

18.20 上問のDNA塩基配列に対応するmRNA塩基配列を示し、その3′および5′末端の位置を明示せよ。

18.21 つぎの配列をもつmRNAがある。5′A−G−C−U−G−C−U−C−A3′。図18.4の右端に示した模式図の様式を真似て、このmRNA配列をつくり出せるDNAの2重らせん構造を書け。さらにそれぞれの分子鎖の5′と3′末端を明示せよ。

18.22 多様な試料から得られたDNA中のプリンとピリミジン含有量を分析したChargaffの研究結果と、DNAの2重らせん構造とが矛盾しないことを説明せよ。

遺伝暗号

18.23 CACの組み合わせをもったコドンはアミノ酸のヒスチジン（His）に対応する。このコドンを転写するもとのDNA分子鎖のヌクレオチド配列を示せ。また、そのDNA分子鎖の相補体DNAでのヌクレオチド配列も示せ。いずれの場合も5′と3′末端を明示すること。

18.24 表18.2をみて答えよ。コドンの3番目の塩基に使われているプリンを他のプリンに変異させると、生合成されるタンパク質に変化が起こるであろうか。同様にピリミジンを他のピリミジンに変異させた場合はどうか。変化が生じるならその内容について説明せよ。

18.25 表18.2をみて答えよ。コドンの3番目の塩基よりも1番目または2番目の塩基に変異が起こるほうがなぜ深刻な問題を生じるのだろうか、説明せよ。

18.26 あるmRNA鎖がつぎの塩基配列をもっているという。
−5′CCAUGCAGCAUGCCAAACUAAUUAACUAGC3′−
これにもとづいてどのようなペプチドが生産されるのか答えよ（開始ならびに停止コドンのことを忘れないこと）。

18.27 上記の問題18.26における最初のUが削除された場合にはどうなるのか答えよ。

18.28 つぎのDNA塩基配列から，どのようなペプチドが合成されるのか答えよ。

5′TTACCGTCTGCTGCCCCCCAT3′

生物学的に重要なヌクレオシドとヌクレオチド

18.29 ニコチン酸アミドアデニンジヌクレオチド（NAD）を完全に加水分解したときに得られる生成物を示せ。NADの構造はp.594に示してある。

18.30 UDP-グルコースはグリコーゲンの生合成におけるグルコースの活性化された形である。これは α-D-グルコースのC-1位がウリジン二リン酸エステル（UDP）の末端リン酸エステルによりエステル化されたヌクレオチドの構造をもっている。以上の説明にもとづいてUDP-グルコースの構造を書け。

18.31 コーヒーや紅茶に含まれるアルカロイド系興奮剤のカフェイン（caffeine）はつぎの構造をもつ一種のプリンである。

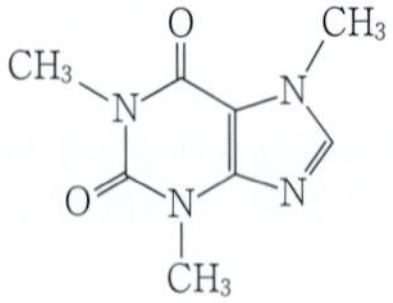

カフェイン

この構造をアデニンやグアニンと比較して，カフェインが2′-デオキシ-D-リボースのような糖との間に N-グリコシドを形成できる可能性について説明せよ。

18.32 5-フルオロウラシル-2-デオキシリボース（FUdR）は抗ウイルス剤や抗腫瘍剤として用いられている医薬である。この名称から構造式を書け。

18.33 サイコフラニン（psicofuranine）は抗生物質または抗腫瘍剤として使用されている医薬である。その構造はアデノシンによく似ているが，唯一異なる点は，そのC-1′位に－CH_2OH 基が α 配置で結合していることである。その構造式を書け。

出典（写真）

1ページ, John Elk III/Stock Boston; 7ページ, Jerry Howard/Positive Images; 38ページ, © PhotoDisc, Inc. All rights reserved; 47ページ, © PhotoDisc, Inc. All rights reserved; 70ページ, Martin Bough/Fundamental Photographs; 72ページ, Kenneth Murray/Photo Researchers, Inc.; 79ページ, Herninia Dosal/Photo Researchers, Inc.; 88ページ, © PhotoDisc, Inc. All rights reserved; 111ページ, Tom Pantages; 112ページ, David Ulmer/Stock Boston; 119ページ, Peter Menzel/Stock Boston; 127ページ, Len Rue, Jr./Animals Animals/Earth Scenes; 149ページ, Tom Pantages; 159ページ（左）, G. Buttner/Naturbild/OKAPIA/Photo Researchers, Inc.; 159ページ（右）, © PhotoDisc, Inc. All rights reserved; 174ページ, (no credit); 181ページ, John Walsh/Photo Researchers, Inc.; 187ページ, Tom Branch/Photo Researchers, Inc.; 193ページ, Stephen Dalton/AnimalsAnimals/Earth Scenes; 195ページ, David Hosking/Photo Researchers, Inc.; 212ページ, Joyce Wilson/Animals Animals/Earth Scenes; 216ページ, Tom Pantages; 221ページ, © PhotoDisc, Inc. All rights reserved; 244ページ, C.K. Lorenz/Photo Researchers, Inc.; 248ページ, © PhotoDisc, Inc. All rights reserved; 251ページ, SIU/Photo Researchers, Inc.; 260ページ, Brown Brothers; 262ページ, E.R. Degginger/Animals Animals; 271ページ, Nigel Dennis/Photo Researchers, Inc.; 275ページ, Kristen Brochmann/Fundamental Photographs; 276ページ, Tom Eisner/Dan Aneshausley, Cornell University; 294ページ, Phil Degginger; 307ページ, Geoff Kidd/Animals Animals/Earth Scenes; 309ページ（上）, Stephen J. Krasemann/Photo Researchers, Inc.; 309ページ（中）, Alan L. Detrick/Photo Researchers, Inc.; 309ページ（下）, Dr. E.R. Degginger; 311ページ, Dr. E.R. Degginger; 322ページ, © PhotoDisc, Inc. All rights reserved; 336ページ, Dr. E.R. Degginger; 349ページ, H. Reinhard/Photo Researchers, Inc.; 350ページ, Tom Pantages; page 363ページ, A.B. Joyce/Photo Researchers, Inc.; 364ページ, Dr. E.R. Degginger; 372ページ（下）, Dr. E.R. Degginger; 381ページ, Nick Kaplan; 398ページ, R. Masonneuve/Publiphoto/Photo Researchers, Inc.; 419ページ, Albert Squillace/Positive Images; 425ページ, Marguerite Bradley/Positive Images; 427ページ, Patricia J. Bruno/Positive Images; 432ページ, Pat Anderson/Visuals Unlimited; 443ページ, Meckes/Ottawa/Photo Researchers, Inc.; 456ページ, © PhotoDisc, Inc. All rights reserved; 461ページ, Professor Dr. Dieter Seebach, ETH Zurich, Switzerland; 464ページ, Richard Pasley/Stock Boston; 471ページ, David Cain/Photo Researchers, Inc.; 482ページ, Tom Pantages; 487ページ, Tom Pantages; 490ページ, SIU/Science Source/Photo Researchers, Inc.; 495ページ, Dan McCoy/Rainbow; 516ページ, Tom Pantages; 521ページ, Tom Pantages; 531ページ, Nuridsany et Perennou/Photo Researchers, Inc.; 534ページ, Breck P. Kent/Animals Animals/Earth Scenes; 557ページ, Perkin-Elmer/Applied Biosystems Division; 561ページ, UPI/Corbis-Bettmann; 571ページ（左）, Tim Davis/Photo Researchers, Inc.; 571ページ（右）, Alfred Pasieka/Science Photo Library/Photo Researchers, Inc.; 576ページ, James Holmes/Cellmark Diagnostics/Science Photo Library/Photo Researchers, Inc.; 581ページ, Alfred Pasieka/Science Photo Library/Photo Researchers, Inc.

付　　録

表A. つぎのタイプの開裂反応を行う代表的な結合の結合エネルギー
　　　A－X ⟶ A・ + X・ (kcal/mol)

I. 単結合　　結合エネルギー (kcal/mol)

A－X	X＝H	F	Cl	Br	I	OH	NH_2	CH_3	CN
CH_3－X	105	108	84	70	57	92	85	90	122
CH_3CH_2－X	100	108	80	68	53	94	84	88	
$(CH_3)_2CH$－X	96	107	81	68	54	94	84	86	
$(CH_3)_3C$－X	96		82	68	51	93	82	84	
H－X	104	136	103	88	71	119	107	105	124
X－X	104	38	59	46	36			90	
Ph－X	111	126	96	81	65	111	102	101	
$CH_3C(O)$－X	86	119	81	67	50	106	96	81	
H_2C＝CH－X	106								
HC≡C－X	132								

II. 多重結合　　結合エネルギー (kcal/mol)

H_2C＝CH_2	163
HC≡CH	230
H_2C＝NH	154
HC≡N	224
H_2C＝O	175
C≡O	257

表B. 代表的な結合距離 (オングストローム, Å)

I. 単結合

結合	長さ(Å)
H－H	0.74
H－F	0.92
H－Cl	1.27
H－Br	1.41
H－I	1.61
H－OH	0.96
H－NH_2	1.01
H－CH_3	1.09
F－F	1.42
Cl－Cl	1.98
Br－Br	2.29
I－I	

II. 二重結合

結合	長さ(Å)	結合	長さ(Å)
H－C＝	1.08	C＝C	1.33
H－Ph	1.08	C＝O	1.21
H－C≡	1.06		
C－C	1.54		
C－N	1.47		
C－O	1.43		
C－F	1.38		
C－Cl	1.77		
C－Br	1.94		
C－I	2.21		

III. 三重結合

結合	長さ(Å)
C≡C	1.20
C≡N	1.16
C≡O	1.13

表C. 代表的な有機官能基の酸性度

名称および例[a]	pK_a	共役塩基
塩酸, HCl	−7	Cl^-
硫酸, H_2SO_4	−3	HSO_4^-
スルホン酸	0〜2	
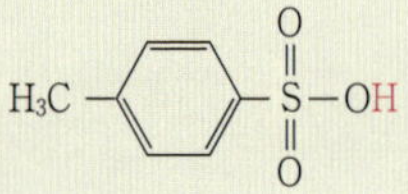 H_3C-C$_6H_4$-S(=O)$_2$-OH	−1	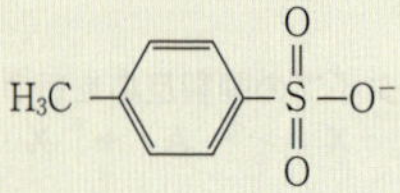 H_3C-C$_6H_4$-S(=O)$_2$-O$^-$
酢酸	3〜5	
$CH_3-C(=O)-OH$	4.74	$CH_3-C(=O)-O^-$
アリールアンモニウムイオン	4〜5	
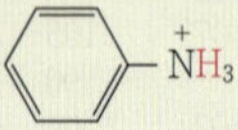 $C_6H_5-\overset{+}{N}H_3$	4.6	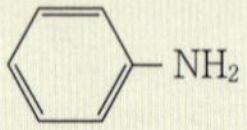 $C_6H_5-NH_2$
アンモニウムイオン, $\overset{+}{N}H_4$	9.3	NH_3
フェノール	9〜10	
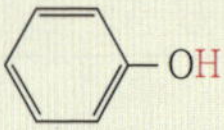 C_6H_5-OH	10	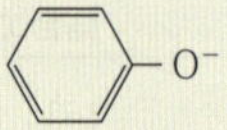 $C_6H_5-O^-$
β-ジケトン	9〜10	
$CH_3-C(=O)-CH_2-C(=O)-CH_3$	9	$CH_3-C(=O)-\overline{C}H-C(=O)-CH_3$
チオール	8〜12	
CH_3CH_2SH	10.6	$CH_3CH_2S^-$
β-ケトエステル	10〜11	
$CH_3-C(=O)-CH_2-C(=O)-OCH_2CH_3$	10.7	$CH_3-C(=O)-\overline{C}H-C(=O)-OCH_2CH_3$
アルキルアンモニウムイオン	10〜12	
$CH_3CH_2\overset{+}{N}H_3$	10.7	$CH_3CH_2NH_2$
水, H_2O	15.7	OH^-

強酸 → 弱酸 / 弱塩基 → 強塩基

表C. 代表的な有機官能基の酸性度

名称および例[a]	pK_a	共役塩基
アルコール	15〜19	
CH_3CH_2OH	15.9	$CH_3CH_2O^-$
アミド	15〜19	
$CH_3-\overset{O}{\overset{\|}{C}}-NH_2$	15	$CH_3-\overset{O}{\overset{\|}{C}}-\bar{N}H$
アルデヒド, ケトン	17〜20	
$CH_3-\overset{O}{\overset{\|}{C}}-CH_3$	19	$CH_3-\overset{O}{\overset{\|}{C}}-\bar{C}H_2$
エステル	23〜25	
$CH_3-\overset{O}{\overset{\|}{C}}-OCH_2CH_3$	24.5	$\bar{C}H_2-\overset{O}{\overset{\|}{C}}-OCH_2CH_3$
アルキン	23〜25	
$H-C\equiv C-H$	24	$H-C\equiv C^-$
アンモニア, NH_3	33	$^-NH_2$
水素, H_2	35	H^-
アルキルアミン	〜40	
(シクロヘキシル)-NH_2	42	(シクロヘキシル)-$\bar{N}H$
アルケン	〜45	
$H_2C=CH_2$	44	$H_2C=\bar{C}H$
芳香族炭化水素	41〜43	
(フェニル)-H	43	(フェニル)$^-$
アルカン	50〜60	
CH_4	50	$\bar{C}H_3$

左側: 強酸 → 弱酸
右側: 弱塩基 → 強塩基

a) 比較のために有機物ではない酸も含まれている

事項索引

あ 行

アイスランドスパー　172
アイソタクティック　453
IUPAC(国際純正応用化学連合)　50
IUPACの規則　50
IUPAC名　54
IUPAC命名法　272, 273
Acyclovir（ACV）　592
アキシアル　65
アキシアル結合　65
アキラル　160, 183
アシル化　141
アシル化反応　332
アスピリン　332, 486
アセタール　282, 283, 284
アセチリド　120
アセチル化　334
アセテートレイヨン　520
アゾ染料　371
アゾール　431
アタクティック　453
アニオン重合　458
アノマー　504
アノマー炭素　504, 573
アミド　326, 334, 338, 361
　　――の塩基性　361
　　――の共役酸　361
アミノ酸　531
　　――による年代測定法　534
　　――の1文字略号　532, 535
　　――の3文字略号　532, 533
　　――の酸・塩基特性　535,

538
　　――の配列決定法　547
アミノ酸分析　546
アミノ酸分析計　546
アミン　349
　　キラルな――　364
　　第一級――　198, 337, 350
　　第二級――　198, 350
　　第三級――　198, 350
　　――の塩基性　358
　　――の共役酸　359
　　――のつくり方　354, 356
　　――の命名法　351
アリール基　134
アリルカチオン　107
R-S表示法　166
RNA　426, 523, 571, 585
アルカン　47, 70
アルキル化　141
アルキル基　51
アルキル遊離基　74
アルキン　80
アルケン　80
アルコキシル基　282
アルコール　221, 228, 231, 463
　　第一級――　223, 317
　　第二級――　223
　　第三級――　223
　　――の塩基性　231
　　――の酸化　236
　　――の酸化度　228
　　――の水素結合　224
　　――の代謝　238
　　――の分類　223
　　――の命名法　222, 272
アルデヒド　236, 271, 292, 317
Altman, S.　587

アルドール　298
アルドール縮合　298, 339
アレルギー過敏症　434
アレーン　134
アンチコドン　589
アンチコドンループ　586
アンモニウムイオン　536
E1機構　209, 210, 232
E1脱離反応　208
E1反応　209, 217
E2機構　211
E2脱離反応　208, 210
E2反応　209, 217
ESI法　412
イオン化定数　226, 312
イオン結合　10
いす形配座　64
異性体　22
E-Z表示法　170
イソプロピル基　53
位置異性体　94
1重線（singlet）　389, 391
位置選択的　94
位置特異的　94
一酸化炭素　433
遺伝暗号　579, 585, 587, 589
遺伝子図法　584
遺伝子突然変異　584
イミン　289, 290, 358
陰イオン　10
インディナビア　593
インド蛇木　435
インドール　434
Williamson合成法　258
Wilkins, M.　580
Wöhler, F.　2
Woodward, R.B.　595

605

ウイルス　592
右旋性　173
永久分極　279
AIDS　592, 593
エクアトリアル　65
エクアトリアル位　66
エクアトリアル結合　65
S_N1　200
S_N1 機構　204, 206, 209, 234
S_N1 反応　217
　　──のエネルギー図　205
S_N2　200
S_N2 機構　200, 211, 234
S_N2 反応　203, 207, 217, 234, 368, 570
　　──のエネルギー図　201
s 軌道　32
s 性　421
エステル　321, 326, 338
エステル交換　338
sp^2 混成　86, 132
sp 混成軌道　115, 116
sp^2 混成軌道　85
sp^3 混成軌道　34, 35
Eschenmoser, A.　595
AZT　593
エタノール（エチルアルコール）　22, 25, 113, 222, 240
枝分かれした炭素鎖　23, 110
エチル基　53
エーテル　251
　　──のつくり方　257
　　──の開裂　259
　　──の命名法　252
Edman, P.　548
Edman 試薬　548
NMR　384
NMR スペクトル　384
$n+1$ 則　392
エネルギー障壁　101
エネルギー遷移　383
エネルギーダイアグラム　101
エノラートアニオン　296, 298, 299
エノール　117, 293, 295, 297
エピマー　501
エポキシド（オキシラン）　114
エラストマー　456
Elion, G. B.　592
エレクトロン・ドット式　28, 29

塩　基　255
塩基性　211, 225, 231, 420
塩基配列　577, 582
塩素化　71
塩素原子　13
エンタルピー　100
オキシム　290
オクタン価　38, 118, 257
オゾン層　214
　　──の破壊　214
オゾン分解　113, 114
オプシン　240
親イオン　408
折りたたみシート構造　559, 560
o-, p-配向基　143
o-, p-配向性　143
o-, p-配向性置換基　143
温度　103
オングストローム　405

か　行

加アルコール分解　338
加アンモニア分解　326, 338
壊血病　525
害虫防御方法　263
回転異性体　61
界面活性剤　478
化学シフト　386, 387
可逆反応　196
架橋結合　449
核　8
殻　8
核　酸　592
　　──の合成　579
　　──の配列　577
核磁気共鳴　386
核磁気共鳴スペクトル（NMR）　384
核磁気共鳴断層影像法（MRI）　399
核スピン　385
核スピン遷移　384
重なり形　61, 68
重なり形配座　60, 184
過酸化物フリーラジカル　241
可視スペクトル　405
加水分解　284, 546
可塑剤　450

カチオンラジカル　408
活性化エネルギー　101
価電子　8, 9, 13, 17
^{13}C NMR スペクトル　396
過マンガン酸カリウム　111
カラー写真用色素　373
加硫法　456
カルバニオン　255
カルボキシラートイオン　536
　　──の共鳴　314
カルボキシル基　307
カルボニル化合物　285, 287, 298
カルボニル基　277, 278, 279, 280
カルボン酸　292, 307
　　──の酸性度　312
　　──の物理的性質　312
　　──の誘導体　337
　　──の命名法　308
カルボン酸塩　316
Carothers, W. H　462
ガン化学療法剤　426
環境問題　480
還元的アミノ化　357
還元糖　510
還元反応　290, 509
環状アルデヒド　272
環状 AMP　591
環状エーテル　261, 264
環状構造　37, 38
環状ヘミアセタール　282, 283
ガン治療モニター　584
官能基　40, 41
官能基吸収　404
甘味料　516
慣用名　54
幾何異性　67
基　質　196
基準物質　386
軌　道　8, 9
軌道胞　34
軌道モデル　131
キノン　274, 276
逆転写酵素　593
逆 Markovnikov 型付加　105
キャラウェイ　159
求核攻撃　278, 290
求核剤　95, 196, 198, 279, 280, 281, 289, 338, 366, 370

事項索引　　　　　　　　　　　　　　　　　　　　　　　　　　　　　　　　　607

　　硫黄系の── 198
　　酸素系の── 198
　　炭素系の── 198
　　窒素系の── 198
　　ハロゲン系の── 198
求核置換反応　196, 217, 290, 354, 366, 422, 556
　　──の機構　200
求核的アシル置換反応　324
求核付加反応　280, 281
求核力　207, 211
吸光度(A)　406
吸収極大点　406
球状タンパク質　562
求電子剤　95, 138, 279, 371
求電子置換反応　137, 430
求電子付加反応　97, 204
求電子芳香族置換反応　154, 372, 421
吸　熱　103
吸熱反応　100, 101
鏡像体　160
共　鳴　43, 130
共鳴安定化　206, 284, 360, 362
共鳴エネルギー　136
共鳴構造　30
共鳴構造式　31, 278
共鳴混成体　30, 32, 131, 429
共役塩基　255, 602
共役系　106
共役ジエン　108
共有結合　10, 12, 14
極限構造　131
極限構造式　136, 144, 372
局在化　228
極性溶媒　207
局部 NMR　399
局部麻酔薬　437
キラリティ　160, 498
キラル　160, 183
　　──なアミン　364
　　──な分子　351
Gilbert, W.　579
銀鏡試験法　292
金属水素化物　357
筋肉弛緩剤　378
空間充てん型分子モデル　131, 474
空気酸化　261, 292
空気酸化法　318

くさび形　37
Goodyear, C.　456
Claisen(クライゼン)縮合反応　339
クラウンエーテル　265
クラッキング　118, 128
グラフト共重合体　458
Cram, D.J.　266
グリコシド結合　511, 512, 515
グリコール　111, 238
Crick, F.H.　580
Grignard, V.　254
Grignard試薬　254, 285, 287
β-グルコシダーゼ　518
α-グルコシド結合　518
β-グルコシド結合　518
Crutzen, P.　215
経口避妊薬　490
形式電荷　27, 43, 146
Kekulé構造式　130, 420
ゲストホスト　265
血管収縮活性　569
血管収縮剤　435
結合エネルギー　13, 601
結合角　36
結合距離　14, 16, 601
Cech, T.R.　587
ケト形　293, 295, 297
ケトン　236, 272, 273
ゲル電気泳動法　579
けん化　325, 476
原　子　7
原子価　20, 42
原子価殻　14, 21
原子核　7, 33
原子軌道理論　131
原始スープ　587
原子番号　8
原子量　8
ゴアテックス　216
5員環複素環化合物　428
硬　化　475
光学活性　171, 205
光学分割　186, 364
光学分割法　187
交換反応　296
光合成　433
交互共重合体　458
交差型立体配座　474
合成香料　277

合成ゴム　456
合成洗剤　479
抗生物質　178, 325, 434
構造異性体　22, 42, 68
構造式　21
酵素禁止剤　487
高分子　109
国際純正応用化学連合(IUPAC)　50
固相合成法　554
固相反応　554
固相ペプチド合成法　590
コドン　587
互変異性　293, 294
互変異性体　293, 294
コポリマー　457
Khorana, H.G.　580
混合アルドール　299
混合アルドール縮合　299
混成軌道　115
コンホマー　60, 68, 160

　　　　さ　行

再付着防止剤　483
細胞膜　483
鎖状構造　37, 38
左旋性　173
殺虫剤　212
砂糖キビ　515
砂糖代用品　239
3塩基配列　586
Sanger, F.　547, 579
Sanger試薬　547
酸　化　291
酸化-還元反応　594
酸化剤　292
酸化反応　509
酸化防止剤　241
三重結合　19, 115
三重結合距離　115
3重線(triplet)　414
酸　性　225
酸性度　228, 295, 602
酸性度定数　226, 359
酸素運搬タンパク質　433, 563, 565
Sandmeyer(ザンドマイヤー)反応　370
酸の付加　92

CIP表示法　166
ジアステレオマー　179, 180, 183, 187, 365
ジアゾカップリング　371, 372
ジアゾ化反応　368
ジアゾニオ基　369
シアノヒドリン　288
CFC　214
4塩基配列　577
ジエン　80, 108
紫外スペクトル　405
視　覚　88
色　素　427
σ(シグマ)軌道　32
σ(シグマ)結合　32, 33, 86, 91, 277
シクロアルカン　47, 62
刺激伝達物質　368
脂　質　471
cis(シス)異性体　68
cis-trans(シス-トランス)異性　67, 88, 310
cis-trans(シス-トランス)異性体　67, 89, 170
ジスルフィド結合　245, 542, 545, 552, 562
磁場強度　385
指紋領域　404
遮　蔽　390
重　合　109
重縮合ポリマー　444
臭素化　71
臭素化反応　129
18π電子　432
重付加型ポリマー　444
縮合系複素環化合物　438
宿主細胞　592
受容体　188
消化剤　216
硝　酸　510
触　媒　103
食品着色剤　379
植物色素　433
食糧危機　213
除草剤　212
Jones試薬　237
神経伝達物質　435
人工甘味料　516
人工血液　216
人工香料　322

人工油脂　521
親ジエン　108
シンジオタクティック　453
伸　縮　401
伸縮運動　401
親水性　477
振動数ν　382
親油性　477
α-水素　293, 295296, 297
　　——の酸性度　296
水素化　105
水素化反応　135
水素化分解　480
水素化ホウ素ナトリウム　509
水素結合　57, 224, 238, 253, 279, 335, 353, 559, 582
　　——の欠落　563
水素添加　475
水　和　92
水和反応　285
水和物　285
スカンク　244
ステロイド類　243, 486, 488
スピン運動　384
スピン結合定数　394
スピン-スピン分裂　391, 392
スピン反転　390
スルホン化　140
生化学的触媒　587
性忌避物質　178
正四面体　175
正四面体構造　36
正四面体配置　565
性ホルモン　490
性誘引物質　178, 322
正四面体構造　36, 44, 324
生理活性　177, 188
赤外スペクトル　400
赤外分光法　400
石　油　56, 118
セッケン　325, 476
接触水素化反応　154
接触水素添加　509
接触リフォーミング　128
絶対配置　183
接頭語　51
セミカルバゾン　290
繊維柔軟剤　483
遷移状態　201, 201
繊維状タンパク質　562

繊維用染料　372
旋光計　173
旋光度の符号　177
洗　剤　482
　　中性——　481
　　陽イオン性——　481
　　両性——　481
双極子-双極子相互作用　279
相対反応速度　142

た　行

対掌体　160, 162, 176, 183, 188
対称面　164
ダイナマイト　239
太陽エネルギー　433
多環式芳香族化合物　149
多環式芳香族炭化水素　151
Dacron　318
多重共有結合　18
脱水反応　232
脱炭酸　434, 435
脱ハロゲン化水素　208
脱ハロゲン化水素反応　209
脱保護　556
脱離基　196
脱離反応　208, 217
多　糖　496
多ハロゲン置換脂肪族化合物　214
炭化水素　19, 47
単結合距離　115
炭水化物　283, 495
炭水化物の貯蔵　518
男性ホルモン　491
炭素14　534
炭素環式化合物　38
α-炭素原子　293
炭素鎖延長反応　341
炭素陽イオン　96, 98, 138, 144, 284
　　第一級——　98
　　第二級——　98, 144
　　第三級——　98, 144
単　糖　496
単糖類　497
タンパク質　336, 412, 531, 545
　　球状——　562
　　酸素運搬——　433, 563, 565

事項索引

　　　繊維状—— 562
　　　——のアミノ酸配列 554
　　　——の1次構造 546
　　　——の2次構造 558
　　　——の3次構造 562
　　　——の4次構造 564
タンパク質ホルモン 552
単量体 109
Chargaff, E. 580
チオフェン 428, 430
チオール 221, 244, 448
置換基 51
置換基効果 147
置換反応 71, 91
逐次重合 458
逐次生長ポリマー 444
Ziegler-Natta（チーグラー・ナッタ）触媒 454, 455
中性子 7
中性洗剤 481
直鎖アルカン 48
直鎖状 22
直接染料 378
直線形矢印 31
鎮痛剤 436
痛　風 438
釣り針形矢印 31
DNA 412, 426, 523, 571, 572, 576
　　　ヒトの—— 580
　　　——の1次構造 576
　　　——の2次構造 580
　　　——の複製 583
DNA塩基配列 579
DNA鑑別法 578
DNA指紋法 578, 584
DNA分子鎖 577
Diels-Alder反応 108
DDI 593
DDC 593
デオキシリボ核酸（DNA） 412, 426, 523, 571, 572, 576
テトロン 318
テルペン類 242, 486
電気陰性度 17, 224, 278, 280, 329, 354, 361, 390
電気泳動法 540
電気的陰性 10, 12, 14
電気的陽性 10, 12, 14
テンサイ 515

電子 7, 33
電子求引性 31
電子供与性 280
電子欠損性 95
電子構造 44
電子遷移 406
電子対 196
電子配置 8, 9, 10
転　写 585
天然ガス 56
天然ゴム 455
天然存在比 396
同位体標識 256
同族体 48
等電点 537
特異的開裂剤 549
トランキライザー 437
$trans$（トランス）異性体 68
Tollens試薬 417, 510

な　行

内殻電子 17
ナノメーター（nm） 405
ニコルプリズム 172
二重結合 18
二重結合距離 115
2重線（doublet） 393
2重らせん構造 580
二　糖 512
ニトリル 319, 359
　　　——の加水分解 319
ニトロ化 140
ニトロ化合物の還元 356
乳酸脱水素酵素 177
Newman投影式 60, 85
尿　素 336
尿素樹脂 466
Nirenberg, M. 588
ニンニク 245
ヌクレオシド 571, 573
ヌクレオチド 571, 574
ねじれ形 61, 68
ねじれ形配座 60, 184
熱可塑性 449
熱硬化性樹脂 465
燃　焼 69
脳下垂体 569

は　行

π結合 86, 91, 277
配座異性体 68
配置異性体 68
波　数 400
Pasteur, L. 174, 182, 187
Pasteurの実験 174
発がん性物質 151
Buckyball 153
バックミンスター・フラーレン 153
発熱反応 69, 100, 102
パープルベンゼン 266
ハロゲン化 139
ハロゲン化反応 73
ハロゲン化物 211
　　　第一級—— 211
　　　第二級—— 211
　　　第三級—— 211
ハロゲンの付加 91
Haworth, W. N. 503
Haworth投影式 503
反遮蔽 390
反応機構 73
反応速度 101, 109, 201, 202, 207
pI 537
Biot, J.B. 176
光速度 383
光のエネルギーE 382
光の波長 383
非還元糖 515
非環式化合物 37
p軌道 32
非共有電子対 18, 31, 255, 280, 289, 360, 429, 431
非局在化 138, 228
ピーク面積 388
pK_a値 226, 295
非結合性電子対 18
非結合性分子間相互作用 59
非混成軌道 116
PCR 583
Bijvoet, J. M. 182
非晶質 449
比旋光度 173, 176
左利き 174, 187
ヒト免疫欠陥性ウイルスHIV 592

ヒドラゾン　290
ヒドリド還元　327
ビニルアルコール　117
漂白剤　483
ピラノース　506
　　——の立体配座　507
肥料　336
ピリジン　237, 420
ビルダー　482
ピロール　428, 430
ファンデルワールス引力　58
ファンデルワールス力　279
van't Hoff, J. H.　175
van't Haff-LeBelの理論　174
Vigneaud, V.　553
Fischer, E.　178, 322, 498, 542
Fischer投影式　178, 179, 498, 533
Fischerのエステル化反応　322
フェニルヒドラゾン　290
フェノール　128, 133, 144, 221, 223, 228, 229, 231, 239
　　——の塩基性　231
　　——の酸性度　228
　　——の水素結合　224
　　——の分類　223
　　——の命名法　222
フェノール芳香族置換反応　239
Fehling試薬　510
フェロモン　262
1,2-付加　106
1,4-付加　106
　　ハロゲンの——　91
付加環化反応　108
付加中間体　285
不活性気体　10
付加反応　90, 285
複素環　419
複素（ヘテロ）環式化合物　40, 419
不斉炭素原子　162
不斉中心　162
舟形配座　66
不飽和　47
フラグメント　409
フラノース　506
フラーレン　152, 412
フラン　428, 430
Planck定数　383

Franklin, R.　580
フリップ　65
Friedel-Craftsアシル化反応　142, 330
Friedel-Craftsアルキル化反応　142
Friedel-Crafts触媒　451
Friedel-Crafts反応　141, 275
プリン類　438
Brønsted-Rowry　225
ブロック共重合体　458
プロスタグランジン　484, 486
プロテアーゼ禁止剤　593
プロトン酸　259
プロトン-デカップル　397, 400
プロピル基　53
分極　278, 279
分極した共有結合　16
分光学の基礎理論　383
分子　13
分子イオン　408, 412
分子軌道　32
分子吸光係数　406
分子式　21
分子状酵素　433
分子進化　584
平衡定数　99, 101
平面三方形　84, 324, 328
平面偏光　171
Pedersen, C. J.　266
ヘテロ環化合物　39
ヘテロ原子　40, 419
Benedict試薬　510
ペプチド　531, 542
ペプチド結合　542
　　——の平面構造　558
ペプチド合成　552
ヘミアセタール　281, 283, 502
α-ヘリックス構造　559
Berg, P.　579
変角　401
偏光　171
ベンゼノニウムイオン　144
ベンゼン　39, 128
　　——のアシル化　141
　　——のアルキル化　141
　　——の軌道モデル　131
　　——の共鳴エネルギー　135

　　——の共鳴構造モデル　130
　　——のスルホン化　140
　　——のハロゲン化　39, 128
変旋光　505
芳香族炭化水素　47
芳香族アルデヒド　272
芳香族化合物　128
　　——の命名法　133
芳香族性　149
ホウ水素化　104
ホウ水素化-酸化反応　105
Pauling, L.　558
飽和炭化水素　47
補酵素　238, 434, 591
保護基　553
ポテンシャルエネルギー　61
ホトクロミズム　294
ホモポリマー　457
ポラロイド　172
ポリウレタン　443, 463
ポリエチレン　443, 444, 446, 454
ポリマー　443
ポリメラーゼ連鎖反応法　583
ポルフィリンヘム　564

ま　行

マイラー　461
曲がった矢印　31, 43
マーガリン　476
Maxam-Gilbert法　579
麻酔剤　260
麻酔剤的活性　569
マススペクトル　408
麻薬問題　436
マラリヤ　425
Lehn, J.-M.　266
Markovnikov, V.　95
Markovnikov型付加　105
Markovnikov則　93, 97, 98, 104, 106, 117, 185
MALDI法　412
右利き　174, 187
Midgley, T.　214
水の付加（水和）　92
ミセル　477
ミリミクロン　405
無煙火薬　520

事項索引

虫よけ薬　367
娘イオン　409
命名法　272
メガヘルツ　385
メソ化合物　181, 182
m-配向基　143
m-配向性　143
m-配向性置換基　146
メタン　36, 37, 48
メチレン基　48
Merrifield, R. B.　554
Merrifield 法　555
綿火薬　520
毛髪パーマ　245
モノマー　443
Molina, M. J.　215
モル吸光度　406
Morton, W. T. G.　260
モルヒネ　436
モントリオール議定書　215

や 行

薬理的効果　364
有機過酸化物　110, 254
有機金属化合物　254, 256
誘起効果　229, 315
有機ハロゲン化合物　195
有機リチウム化合物　256
遊離基　15, 110
遊離基付加反応　109
遊離基連鎖反応　73
油脂代替物　521

陽イオン　10
陽イオン性洗剤　481
陽　子　7
溶媒和　207
4塩基配列　577
4重線 (quartet)　414
四面体形　328

ら 行

ラクトン　325
ラジオ波 (rf)　385, 386
ラジカル開始剤　445
ラジカル再結合反応　447
ラジカル不均化反応　447
ラジカル連鎖重合　445
ラセミ混合物　175, 185, 186, 205
ラテックス　455
ランダム共重合体　458
リグニン　243
律速段階　139, 204
立体異性体　60, 159
立体規則的　453
立体配座　60, 209
立体配座異性体　160, 183
立体配置　166, 177
立体配置異性体　160, 183
　　——の反転　202, 203
　　——の保持　202
Libby, W. F.　534
リボ核酸 (RNA)　585
リポキシン　484

両　性　228
両性イオン　535, 536
両性イオン構造　335
両性洗剤　481
両頭矢印　31
リン酸エステル　523
リン脂質　368, 483
Lewis, G. N.　10
ルイス塩基　227, 259, 280
ルイス構造　42
ルイス酸　138, 227, 259
ルイス酸触媒　141
LeBel, J. A.　175
連鎖移動反応　448
連鎖開始段階　73
連鎖生長段階　74, 447
連鎖生長ポリマー　444
連鎖停止段階　74, 75
連鎖停止反応　110, 447
連鎖能　16
ロイコトリエン　484
Rowland, F. S.　215
6員環複素環化合物　424
6π電子系　429, 431
ロドプシン　88, 89, 240

わ 行

ワックス　485
Watson, J. D.　580
Watson-Crick のモデル　582

化合物索引

あ 行

アクリロニトリル 446, 452
アジピン酸 293, 311, 444
亜硝酸 369
アシルカチオン 142
L-アスコルビン酸 524
アスパラギン 533
(R)-アスパラギン 188
(S)-アスパラギン 188
アスパラギン酸 517, 533, 534, 538
アスパルテーム 516
アスピリン 332, 486
アセタートイオン 314
アセチリドイオン 198
アセチルサリチル酸 334
アセチルコリン 368
アセチル補酵素A（アセチルCoA) 333
N-アセチルムラミン酸 529
アセチレン 19
アセトアニリド 367
アセトアミド 330, 335
アセトアルデヒド 238, 274
アセト酢酸エチル 339
アセトフェノン 133, 142
アセトン 128, 207, 274
アセトンシアノヒドリン 288
アゾ化合物 372
アゾ染料 371
アゾール 431
アダマンタジン 378
アダマンタン 64, 378
アデニン(A) 39, 438, 572, 581
アデノシン 591

アデノシン三リン酸（ATP) 399
アデノシン二リン酸（ADP) 333
アドレナリン 177
アニソール 133
アニリン 133, 352, 353, 359, 360
アミダートアニオン 362
アミド 326, 334, 338, 361
アミノエタン 351
2-アミノエタンチオール 333
アミノ酸 531
α-アミノ酸 531
アミノ糖 523
2-アミノピリジン 423
2-アミノペンタン 351
アミロース 518
アミロペクチン 518
アミン 349
アラキドン酸 485
アラキン酸 472
アラニン 532, 536
アラミド 464
アリザリン 275
アリルカチオン 206
アリールジアゾニウムイオン 368
RNA 426, 523, 571, 585
アルカロイド 364, 424
アルギニン 533, 539
アルキルアンモニウム塩 362
アルキルオキソニウムイオン 231
アルキルピリジン 423
アルキルベンゼン 481

アルキルベンゼンスルホン酸塩 481
アルキルリチウム 257, 452
アルコキシド 258
アルコキシドイオン 198, 228
アルコール 221, 228, 231, 463
アルジトール 509
アルダル酸 510
アルデヒド 236, 271, 292, 317
D-アルトロース 500
アルドース類 497
アルドン酸 509
アンギオテンシンII 569
安息香酸 133, 310, 313
安息香酸アミド 335
安息香酸メチル 330
アントシアニン 419, 427
アンドロゲン 491
アンドロステロン 491
アンモニア 349, 353, 359
アンモニウムイオン 359
アンモニウム塩 334
硫　黄 456
イソキノリン 424
イソシアネート 463
イソフタル酸 311
イソブチレン 451
イソプレン 455
イソプロピルベンゼン 274
イソペンタン 24
イソロイシン(Ile) 532
一リン酸エステル 575
5′-一リン酸エステル(AMP) 591
イノシトール 529
イミダゾリウムイオン 433
イミダゾール 431

化合物索引

イミニウムイオン　358
イミン　289, 290, 358
インシュリン　548, 552
インドール　434
インベルターゼ　516
ウラシル　426, 585
ウルシオール　243
ウレタン　463
ウレタンフォーム　465
エステル　320, 326, 338
エステルエノラート　339
エストラジオール　490
エストロゲン類　490
SBR　456
エタノール（エチルアルコール）　22, 25, 113, 222, 240
エタン　19, 48
o-エチルアニリン　134
エチルアミン　353, 359
2-エチルヘキサン-1, 3-ジオール　300
エチルベンゼン　113, 133
1-エチルメチルアミノプロパン　351
エチルメチルエーテル　252
エチレン　19, 112, 113, 446
エチレンオキシド（オキシラン）　113, 261, 453
エチレングリコール　113, 238, 262, 460
HFC　215
HCFC　215
エーテル　251
エーテルヒドロペルオキシド　254
NAD　591
NAD$^+$　238
NADH　238
NADP　591
NADPH　591
N末端アミノ酸　542
エノラートイオン　524
エピクロロヒドリン　466
エピバチジン　365
FAD　594
エポキシ樹脂　466
エポキシド（オキシラン）　251, 261
エリスロマイシン　325
塩化アセチル　330

塩化チオニル　235, 329, 421
塩化m-トルイル　367
塩化ナトリウム　11
塩化ビニル　113, 446
塩化t-ブチル　234
塩化ブチル　234
塩化ベンジル　135
塩化ベンゼンジアゾニウム　368
塩化ベンゾイル　277, 330
塩化メチレン　214
エンケファリン　569
塩　酸　546
エンジオール　524
塩素酸ナトリウム　212
エンドルフィン　569
エンフルラン　260
オキサゾール　431
オキシトシン　542, 554
オキシラン　261
オキソニウムイオン　260
オクタナール　237
1-オクタノール　237
オクタペプチド　545
オクタン酸　237
オリゴ糖　496
オリゴヌクレオチド　579, 580
オレイン酸　472

か　行

架橋ポリスチレン　556
核　酸　426, 571
過酸化ベンゾイル　445, 449
カフェイン　438, 598
カプロラクタム　462
カプロン酸　308
カーボワックス　453
C_{60}クラスター　153
過マンガン酸カリウム　111, 129, 266, 317, 425
D-ガラクトロン酸　522
カルバミン酸　465
カルボキシペプチダーゼ　551
カルボキシラートイオン　198, 312, 314, 326
カルボン　159, 278
(R)-カルボン　188
(S)-カルボン　188
カルボン酸　292, 307

β-カロチン　89
3′, 5′-環状一リン酸エステル　591
環状エーテル　261, 264
ギ　酸　70, 308
p-キシレン　134, 318, 388
吉草酸　308
キチン質　522, 524
キニーネ　425
絹　糸　562
キノリン　424
キモトリプシン　550
球状タンパク質　563
キュバン　3
グアニジン基　539
グアニン　438, 572, 581
クマリン　39, 325
クメン　133
クラウンエーテル　265
グラファイト（黒鉛）　150, 152
グリコーゲン　518
N-グリコシド　574
グリコシド　510, 511
グルコール　111, 238
グリシン（Gly）　45, 532
グリセリン　238, 472
グリセリン三エステル類　471
グリセリン三硝酸エステル　239
グリセルアルデヒド　533
Grignard試薬　254, 285, 287, 318, 327, 337
グルカゴン　570
D-グルカル酸　510
D-グルコサミン　523
グルコシド　511
グルコース　66, 283, 504, 518
グルシトール　509
グルタミン（Gln）　533
グルタミン酸　533, 538
グルタル酸　311
クレアチニン　398
クロトンアルデヒド　300
グロビン　432
クロム酸　317
(S, S)-クロラムフェニコール　188
p-クロロアニリン　359
o-クロロ安息香酸　313
p-クロロ安息香酸　310

化合物索引　　　　　　　　　　　　　　　　　　　　　　　　　　　　　　　　615

2-クロロエタノール　222
2-クロロエチルホスホン酸　112
クロロ酢酸　313
p-クロロスチレン　134
クロロスルホン　213
クロロニウムイオン　138
4-クロロピリジン　423
クロロフィル　433
m-クロロフェノール　134
p-クロロフェノール　223
2-クロロ-1,3-ブタジエン　469
2-クロロブタン　160
3-クロロ-1-ブテン　186
クロロフルオロカーボン（CFC）　214, 216
2-クロロプロパン　160
クロロベンゼン　129, 133
p-クロロベンゼンスルホン酸　134
クロロホルム　214
クロロメタン類　214
ケイ皮アルデヒド　278
β-ケトエステル　339
ケトン類　497
ケトン　236
ケブラー　464
ケラチン　245, 562
α-ケラチン　559
β-ケラチン　560
ゲラニオール　38, 242
ケロシン　121
合成ゴム　456
抗ヒスタミン剤　434
五塩化リン　329
コカイン　437
黒鉛（グラファイト）　150, 152
5炭素糖　428
コデイン　436
コニイン　424
コハク酸　311
コラーゲン　525, 562
コラニュレン　152
コリン　368
コール酸　490
コルチゾン　491
コレステロール　243
混合トリグリセリド　473
コンゴーレッド　379

さ　行

酢酸　113, 308
酢酸オクチル　322
酢酸セルロース　520
酢酸ビニル　113, 446
酢酸ペンチル　322
サッカリン　516
サラン　443
サリシン　512
サリチル酸　332
酸化銀　317
三酸化硫黄　141
サンセットイエロー　379
三糖　496
ザントプテリン　426
酸無水物　331, 338
三リン酸エステル　575
5′-三リン酸エステル（ATP）　591
ジアジン　426
α-シアノアクリル酸メチル　469
ジアマンタン　64
cis-1,3-ジアミノシクロブタン　351
1,6-ジアミノヘキサン　444
ジアリルジスルフィド　245
次亜リン酸　370
シアン化ナトリウム　319
シアン化物イオン　197, 198
シアン化プロピル　197
ジイソシアネート　463
ジエチルエーテル　253, 257, 260
四エチル鉛　119
N,N-ジエチル-m-トルアミド　367
ジエチレングリコール　264
CFC-11　215
CFC-12　215
四塩化炭素　214
四塩化チタン　454
1,4-ジオキサン　264
ジオール　463
ジオールエポキシド　151
シクロオクタン　62
シクロスポリンA　543
シクロブタノール　222
シクロブタン　62, 63

シクロプロパン　62, 63, 260
1,3-シクロヘキサジエン　136
1,3,5-シクロヘキサトリエン　135
シクロヘキサノール（シクロヘキシルアルコール）　222, 237
シクロヘキサノン　237, 404
シクロヘキサン　62, 64, 65, 66, 128, 136
シクロヘキシルアミン　360
シクロヘキセン　136
シクロヘキセンオキシド　261
シクロヘプタン　62
シクロペンタノン　404
シクロペンタン　62, 63
cis-1,2-ジクロロエテン　88
trans-1,2-ジクロロエテン　88
3,5-ジクロロトルエン　134
2,4-ジクロロフェノキシ酢酸（2,4-D）　212
2,3-ジクロロブタン　181
ジクロロベンゼン　129
m-ジクロロベンゼン　134
o-ジクロロベンゼン　134
p-ジクロロベンゼン　134
ジシクロヘキシルカルボジイミド（DCC）　557
脂質　471
シスチン　245
システイン　245, 532, 545
ジスルフィド　245, 542, 545, 552, 562
ジテルペン　488
シトクロムオキシダーゼ　554
シトクロムC　554
シトクロムレダクターゼ　554
シトシン　426, 572, 581
2,4-ジニトロフルオロベンゼン　547
m-ジニトロベンゼン　143
p-ジビニルベンゼン　449
ジフェニルエーテル　252
ジ-t-ブチルジカーボナート　556
ジブロモベンゼン　129
ジペプチド　543
脂肪酸　472
脂肪族ジカルボン酸　311
C末端アミノ酸　542

N,N-ジメチルアセトアミド 336
N,N-ジメチルアニリン 355, 359
ジメチルアミノシクロヘキサン 351
ジメチルアミン 353, 359
ジメチルエーテル 253
1,2-ジメチルシクロペンタン 67
ジメチルスルホキシド 207
2,2-ジメチルプロパン 24
ジメチルホルムアミド 207
N,N-ジメチルホルムアミド (DMF) 336
5,6-ジメチルベンズイミダゾール 595
ジャスミン 278
臭化エチル 196
臭化デカメトニウム 378
臭化鉄(Ⅲ) 129
臭化 p-トリイルマグネシウム 256
臭化フェニルマグネシウム 255
臭化 t-ブチル 210
臭化物イオン 196
シュウ酸 311
重水(D_2O) 256
酒石酸 174, 182, 184
酒石酸ナトリウムアンモニウム塩 187
硝酸アンモニウム 240
硝酸セルロース 520
ショウノウ 278
水酸化物イオン 196, 198
水素化アルミニウムリチウム 290, 327, 345, 357
水素化シアノホウ素ナトリウム 358
水素化ナトリウム 339
水素化ホウ素ナトリウム 290
スカトール 435
スクアラミン 363
スクアレン 242
スクラロース 529
スクロース 514
スチレン 113, 128, 133, 446, 456
ステアリン酸 472

ステアリン酸ナトリウム 479
ステロイド 243, 486, 488
スルフヒドリル基 244
制限酵素 577
石油 56, 118
石油精製 118
セスキテルペン 488
セッケン 325, 476
セリン 532
セルロース 518
セロトニン 435
セロビオース 513
繊維状タンパク質 562
ソルビトール 238, 509

た 行

第一級アミン 198, 337, 350
第二級アミン 198, 350
第三級アミン 198, 350
第一級アルコール 223, 317
第二級アルコール 223
第三級アルコール 223
第一級ハロゲン化物 211
第二級ハロゲン化物 211
第三級ハロゲン化物 210
第四級アンモニウム塩 368
ダウノサミン 529
tag ポリメラーゼ 584
多糖 496
炭酸イオン 29
炭素陽イオン 206
単純トリグリセリド 473
炭水化物 496
炭素陽イオン 204, 210
単糖 496, 497
タンパク質 336, 412, 531, 545
チアゾール 431
チアミン 434
チオエステル 333
チオエーテル 198
チオフェノール 244
チオフェン 428, 430
チオール 221, 244, 448
Ziegler-Natta(チーグラー・ナッタ)触媒 454, 455
チミン(T) 426, 572, 581
直留ガソリン 121
チロシン(Tyr) 532
ツビッターイオン 535

DNA 412, 426, 523, 571, 572, 576
DNA ポリメラーゼ 583
DNA リガーゼ 583
disparlure 263
デオキシ糖 523
デオキシリボ核酸(DNA) 412, 426, 523, 571, 572, 576
2-デオキシリボース 523
2-デオキシ-D-リボース 572, 575
デオキシリボヌクレオチド 575
テオブロミン 438
デキストラン 522
デキストロース 515
テストステロン 39, 491
テトラクロロエチレン 215
テトラクロロメタン 14
テトラサイクリン 529
テトラテルペン 488
テトラヒドロピラン(オキサン) 264
テトラヒドロフラン(オキソラン) 255, 264
テトラフルオロエチレン 215, 446
テトラペプチド 545
テトラメチルシラン(TMS) 386
テトロース 497
テフロン 215, 443
テフロン樹脂 216
デメロール 436
デューテリオクロロホルム 385
(R,R,S)-デルタメスリン 188
テルペン 242, 486
テルペン類 242, 486
テレフタル酸 311, 318, 460
転移 RNA (tRNA) 586
天然ゴム 455
デンプン 517
伝令 RNA (mRNA) 585
α-トコフェロール 243
1-ドデカノール 480
ドデカヘドラン 4
tRNA 586
トリエチルアルミニウム 454
トリオース 497

化合物索引　617

トリグリセリド　472
トリクロロエチレン　215
トリクロロ酢酸　313
トリテルペン　488
2,4,6-トリニトロトルエン（TNT）　134
1,3,5-トリフェニルベンゼン　135
トリプシン　549, 551
トリプタミン　435
トリプトファン　435
2,2,2-トリフルオロエタノール　229
2,4,6-トリブロモフェノール　223, 240
トリペプチド　545
トリホスファート　583, 586
トリメチルアミン　350, 353, 359
1,3,3-トリメチルシクロヘキサン　168
1,2,4-トリメチルベンゼン　134
1,3,5-トリメトキシベンゼン　252
2,4-トリレンジイソシアネート　463
p-トルイジン　356, 363
o-トルイル酸　310
トルエン　128
トリプトファン　532
トレオニン　532
トレハロース　528

な　行

ナイロン　443, 444, 462
ナイロン-6　462
ナイロン-6,6　462
ナトリウムアセチリド　120
ナトリウムアルコキシド　339
ナトリウムエトキシド　197
ナフタレン　149
2-ナフトエ酸　310
(S)-ナプロキセン　188
二塩化エチレン　113
ニコチン　39, 355, 424
ニコチン酸　423
ニコチン酸アミドアデニンジヌクレオチド（NAD$^+$）　238

ニコチン酸アミドアデニンジヌクレオチド（NAD）　591
二酸化炭素　19
二酸化マンガン　111
二　糖　496
ニトリル　319, 359
ニトロ化合物　356
ニトログリセリン　239
ニトロソニウムイオン　369
m-ニトロトルエン　134
p-ニトロトルエン　356, 363
1-ニトロナフタレン　150
2-ニトロナフタレン　150
ニトロニウムイオン　140
p-ニトロフェノール　224, 229, 230
m-ニトロベンジルアルコール　135
ニトロベンゼン　133, 146
乳　酸　177, 184
乳酸デヒドロゲナーゼ　177
尿　酸　438
尿　素　336
尿素-ホルムアルデヒド樹脂　466
二リン酸エステル　575
5′-二リン酸エステル（ADP）　591
ニンヒドリン　541
ニンヒドリン試薬　546
ヌクレオシド　571, 573
ヌクレオチド　571, 574
ネオペンタン　24
ネペタラクトン　325
濃硫酸　140
ノナクチン　266
ノメックス　464

は　行

爆弾カブトムシ　276
(R,R)-パクロブトラゾール　188
葉　酸　426
バソプレッシン　542, 554
発煙硫酸　140
バトラコトキシン　365
バニリン　278
パパベリン　425
パーフルオロケミカルズ　216

パーフルオロトリブチルアミン　216
バリウム　437
バリン　532
バルビタール　260
パルミチン酸　472
ハロゲン化アシル　329, 338
ハロゲン化アルキル　197, 208, 217, 233, 258
ハロゲン化水素　233
ハロゲン化第一級アルキル　199, 203, 206
ハロゲン化第二級アルキル　206
ハロゲン化第三級アルキル　199, 206
ハロゲン化ホウ素　259
ハロゲン化メチル　203
ハロゲン化リン　235
ハロタン　260
ハロン　216
Halon-1211　217
Halon-1301　217
反転糖　516
パントテン酸　333
BHA　243
BHT　243
ピクリン酸　229, 230
ピコリン　423
in, out-ビシクロ[4.4.4]テトラデカン　4
PGG$_2$　486
ヒスタミン　434
ヒスチジン　434, 533, 539, 564
ビスフェノールA　466
ビタミンA（レチノール）　89
ビタミンB$_{12}$　595
ビタミンC　524
ビタミンK　278
必須アミノ酸　535
ヒトヘモグロビン　412
m-ヒドロキシ安息香酸　224
ヒドロキシカルボン酸　325
p-ヒドロキシベンズアルデヒド　224
ヒドロキノン　241
ヒドロニウムイオン　27, 28
α-ピネン　39
PVC　450
ビフェニル　135

P物質 542
ピペリジン 424
ピメリン酸 311
ピラノース 506
ピリジニウム塩 421
ピリジニウムクロロクロマート（PCC） 237, 275
ピリジノニウムイオン 422
ピリジン 237, 420
ピリドキシン 424
ピリミジン 426, 573
ピリリウムイオン 427
ピルビン酸 177
ピロール 428, 430
ファルネソール 242
フィトール 433
フィブロイン 560
フェニルアラニン 517, 532, 588
フェニルイソチオシアナート 548
2-フェニルエタノール 381
フェニルエチルアミン 364
フェニルカチオン 236
フェニル基 134
フェニルシクロプロパン 135
フェニルチオヒダントイン 548
2-フェニルペンタン 135
フェニルメタノール（ベンジルアルコール） 222
フェニルラジカル 445
フェノキシドイオン 228
フェノール 128, 133, 144, 221, 223, 228, 229, 231, 240
フェンタニル 437
1,3-ブタジエン 456
ブタナールアルドール 300
ブタノール 253
1-ブタノール（n-ブチルアルコール） 222, 234, 403
2-ブタノール（sec-ブチルアルコール） 202, 222
フタル酸 311, 318
ブタン 48
1-ブタンアミン 403
ブタン酸 308
ブタン酸エチル 322, 341
ブタン酸ペンチル 322
1-ブタンチオール 244

ブチルアミン 353
t-ブチルアルコール 229, 232
ブチルエチルエーテル 211
t-ブチルエチルエーテル 257
2-ブチルカチオン 185
t-ブチルカチオン 232, 234
ブチルt-ブチルエーテル 211
ブチロニトリル 319
2-ブチン 117
1-ブテン 185, 211
2-ブテン 183
cis-2-ブテン 89, 117
trans-2-ブテン 89
cis-2-ブテンオキシド 261
trans-2-ブテンオキシド 261
t-ブトキシカリウム 211
t-ブトキシカルボニル基 556
フマル酸 310
ブラジキニン 542, 557
フラノース 506
フラビンアデニンジヌクレオチド（FAD） 594
フラーレン 152, 412
フラン 428, 430
プリズマン 4
プリン類 438, 573
D-フルクトース 506, 515
フルフラール 428
フレオン 216
プロカイン 260
プロカイン塩酸塩 437
プロゲステロン 490
プロスタグランジン 484, 486
プロトン性極性溶媒 206
1-プロパノール（n-プロピルアルコール） 222
2-プロパノール（イソプロピルアルコール） 222, 240
プロパン 48
プロパンアミン 352
プロパン酸 308
プロピオン酸 308
プロピルアミン 359
n-プロピルアミン 353
プロピルベンゼン 133
プロピレン 446
2-プロペン-1-オール（アリルアルコール） 222
p-ブロモアニリン 352
ブロモエタン 197

2-ブロモ-3-クロロブタン 179, 186
(Z)-1-ブロモ-2-クロロ-2-フルオロ-1-ヨードエテン 171
o-ブロモクロロベンゼン 134
(E)-1-ブロモ-1-クロロ-2-メチル-2-ブテン 171
ブロモシクロペンタン 72
ブロモニトロベンゼン 148
1-ブロモブタン 211
2-ブロモブタン 185, 202
3-ブロモブタン 170
2-ブロモプロパン 211
ブロモベンゼン 129, 133
1-ブロモ-1-メチルシクロヘキサン 212
3-ブロモ-3-メチルヘキサン 205
プロリン 532, 542, 563
ヘキサクロロエタン 15
ヘキサデューテリオアセトン 385
ヘキサメチレンジアミン 444
ヘキサン 128
ヘキサン酸 308
ヘキサンジオン酸 444
ヘキソース 497
ペクチン 522
ベークライト 465
ベナドリル 434
ペニシリン 39, 434
ヘパリン 522
ペプチド 531, 542
ヘミアセタール 281, 283, 502
ヘム 432
ヘモグロビン 432, 565
ヘロイン 436
ベンジジン 379
ベンジルアルコール 128
ベンジル基 134
ベンズアルデヒド 128, 133, 278
ベンズアルデヒドシアノヒドリン 289
ベンゼノニウムイオン 138, 144
ベンゼン 39, 128
ベンゼンスルホン酸 141
ベンゾイルオキシラジカル

445
ベンゾカイン　437
1,4-ベンゾキノン　241, 274
ベンゾ[a]ピレン　151
ベンゾフェノン　277
ペンタン　253
ペンタン酸　308
3-ペンチン-1-オール　222
ペントース　497
芳香族フッ素化合物　370
抱水クロラール　285
ホウ水素化ナトリウム　290
補酵素A　333
補酵素B$_{12}$　595
ポリアクリロニトリル　446
ポリアデノシン　588
ポリウリジン　588
ポリウレタン　443, 463
ポリエステル　443
ポリエチレン　443, 444, 446, 454
ポリエチレンテレフタレート (PET)　461
ポリ（エチレンナフタレート）(PEN)　470
ポリ塩化ビニル　446, 449, 450
ポリカーボネート　470
ポリ酢酸ビニル　446
ポリスチレン　443, 446, 449
ポリテトラフルオロエチレン　446
ポリ(3-ヒドロキシバレリン酸) (PHV)　460
ポリ(3-ヒドロキシ酪酸) (PHB)　460
ポリプロピレン　446, 454
ポリペプチド鎖　547
ポリメタクリル酸メチル　446
ポリリシン　588
ポルフィリン類　432
ポルフィリン　595
ポルフィン　432
ホルマリン　274
ホルムアミド　335
ホルムアルデヒド　70, 273, 465
ボンビコール　262

ま 行

マルトース　513

マレイン酸　310, 331
マロン酸　311
マンノシド　511
ミオグロビン　433, 563
ミリスチン酸　472
無水酢酸　331
無水マレイン酸　331
(+)-ムスカリン　349
ムスカルア　262
ムスコン　39
メソトレキセート　426
メタアンフェタミン塩酸塩　363
メタクリル酸メチル　446
メタドン　436
メタノール（メチルアルコール）　222, 240
メタン　36, 37, 48
メタンチオール　244
メチオニン　532
N-メチルアニリン　359
1-メチルアミノプロパン　351
メチルアミン　353, 359
2-メチル-1,4-ヒドロキノン　276
2-メチル-1,3-ブタジエン　82
3-メチル-2-ブテン-1-オール　242
3-メチル-3-ブテン-1-オール　242
2-メチル-1-プロパノール（イソブチルアルコール）　222
2-メチル-2-プロパノール（tert-ブチルアルコール）　222
2-メチルプロペン　451
メチルプロペン　210
3-メチルヘキサン　165, 169
2-メチル-1,4-ベンゾキノン　276
mRNA　585
2-メトキシエタノール　264
trans-2-メトキシシクロヘキサノール　252
4-メトキシピリジン　423
2-メトキシペンタン　252
メトキシメタン　22, 25
メルカプタン　244
メルカプチド　244
メルカプチドイオン　198
モノテルペン　488

モノホスファート　583
モルヒネ　436

や 行

有機過酸　261
有機金属化合物　256
ヨウ化アリール　370
ヨウ化物イオン　198
ヨウ化メチルマグネシウム　255
四フッ化ホウ素酸　370

ら 行

ラウリル硫酸ナトリウム　481
ラウリン酸　472
酪　酸　308, 403
ラクタム　462
ラクトース　514
ラクトン　325
ラセミ酸　174, 182
ラノステロール　489
リシン(Lys)　533, 539
リゼルギン酸　435
リノール酸　472
リノレン酸　472
リブリウム　437
リボ核酸(RNA)　585
リボキシン　484
リボザイム　587
D-リボース　585
リボソームRNA(rRNA)　586
リモネン　39
硫化水素イオン　198
硫酸コンドロイチン　522
リン酸エステル　522, 525
リン脂質　368, 483
Lindlar（リンドラー）触媒　117
レスベラトロール　243
レセルピン　435
レチナール　289
11-cis-レチナール　89
$trans$-レチナール　88
レブロース　515
ロイコトリエン　484
ロイシン　532
ロドプシン　88, 89, 289

わ　行

ワックス　485

訳者略歴

秋葉 欣哉（あきば きんや）

1959年 東京大学理学部化学科卒業
現　職　広島大学名誉教授
　　　　理学博士

奥　　彬（おく あきら）

1961年 京都大学工学部工業化学科卒
現　職　京都工芸繊維大学名誉教授
　　　　工学博士

Ⓒ 培風館 2002

1986年 1月15日　初 版 発 行
1994年 3月20日　改 訂 版 発 行
2002年11月26日　三 訂 版 発 行
2025年 2月20日　三訂第22刷発行

ハート 基礎有機化学

原著者　　H．ハート
　　　　　L.E．クレーン
　　　　　D.J．ハート
訳　者　　秋葉欣哉
　　　　　奥　　彬
発行者　　山本　格

発行所　株式会社　培風館
東京都千代田区九段南4-3-12・郵便番号102-8260
電話(03)3262-5256(代表)・振替 00140-7-44725

中央印刷・牧 製本
PRINTED IN JAPAN

ISBN978-4-563-04587-6　C3043

4桁の原子量表（^{12}C の相対原子質量＝12）

元素名	元素記号	原子番号	原子量	元素名	元素記号	原子番号	原子量
アインスタイニウム	Es	99	(252)	テルビウム	Tb	65	158.9
亜鉛	Zn	30	65.39*	テルル	Te	52	127.6
アクチニウム	Ac	89	(227)	銅	Cu	29	63.55
アスタチン	At	85	(210)	ドブニウム	Db	105	(262)
アメリシウム	Am	95	(243)	トリウム	Th	90	232.0
アルゴン	Ar	18	39.95	ナトリウム	Na	11	22.99
アルミニウム	Al	13	26.98	鉛	Pb	82	207.2
アンチモン	Sb	51	121.8	ニオブ	Nb	41	92.91
硫黄	S	16	32.07	ニッケル	Ni	28	58.69
イッテルビウム	Yb	70	173.0	ネオジム	Nd	60	144.2
イットリウム	Y	39	88.91	ネオン	Ne	10	20.18
イリジウム	Ir	77	192.2	ネプツニウム	Np	93	(237)
インジウム	In	49	114.8	ノーベリウム	No	102	(259)
ウラン	U	92	238.0	バークリウム	Bk	97	(247)
エルビウム	Er	68	167.3	白金	Pt	78	195.1
塩素	Cl	17	35.45	ハッシウム	Hs	108	(265)
オスミウム	Os	76	190.2	バナジウム	V	23	50.94
カドミウム	Cd	48	112.4	ハフニウム	Hf	72	178.5
ガドリニウム	Gd	64	157.3	パラジウム	Pd	46	106.4
カリウム	K	19	39.10	バリウム	Ba	56	137.3
ガリウム	Ga	31	69.72	ビスマス	Bi	83	209.0
カリホルニウム	Cf	98	(252)	ヒ素	As	33	74.92
カルシウム	Ca	20	40.08	フェルミウム	Fm	100	(257)
キセノン	Xe	54	131.3	フッ素	F	9	19.00
キュリウム	Cm	96	(247)	プラセオジム	Pr	59	140.9
金	Au	79	197.0	フランシウム	Fr	87	(223)
銀	Ag	47	107.9	プルトニウム	Pu	94	(239)
クリプトン	Kr	36	83.80	プロトアクチニウム	Pa	91	231.0
クロム	Cr	24	52.00	プロメチウム	Pm	61	(145)
ケイ素	Si	14	28.09	ヘリウム	He	2	4.003
ゲルマニウム	Ge	32	72.64	ベリリウム	Be	4	9.012
コバルト	Co	27	58.93	ホウ素	B	5	10.81
サマリウム	Sm	62	150.4	ボーリウム	Bh	107	(264)
酸素	O	8	16.00	ホルミウム	Ho	67	164.9
ジスプロシウム	Dy	66	162.5	ポロニウム	Po	84	(210)
シーボギウム	Sg	106	(263)	マイトネリウム	Mt	109	(268)
臭素	Br	35	79.90	マグネシウム	Mg	12	24.31
ジルコニウム	Zr	40	91.22	マンガン	Mn	25	54.94
水銀	Hg	80	200.6	メンデレビウム	Md	101	(258)
水素	H	1	1.008	モリブデン	Mo	42	95.94
スカンジウム	Sc	21	44.96	ユウロピウム	Eu	63	152.0
スズ	Sn	50	118.7	ヨウ素	I	53	126.9
ストロンチウム	Sr	38	87.62	ラザホージウム	Rf	104	(261)
セシウム	Cs	55	132.9	ラジウム	Ra	88	(226)
セリウム	Ce	58	140.1	ラドン	Rn	86	(222)
セレン	Se	34	78.96†	ランタン	La	57	138.9
タリウム	Tl	81	204.4	リチウム	Li	3	6.941*
タングステン	W	74	183.8	リン	P	15	30.97
炭素	C	6	12.01	ルテチウム	Lu	71	175.0
タンタル	Ta	73	180.9	ルテニウム	Ru	44	101.1
チタン	Ti	22	47.87	ルビジウム	Rb	37	85.47
窒素	N	7	14.01	レニウム	Re	75	186.2
ツリウム	Tm	69	168.9	ロジウム	Rh	45	102.9
テクネチウム	Tc	43	(99)	ローレンシウム	Lr	103	(262)
鉄	Fe	26	55.85				

（注）本表の原子量値の信頼度は，有効数字の4桁目で±1以内であるが，*を付したものは±2以内，†を付したものは±3以内である。また，安定同位体がなく，特定の天然同位体組成を示さない元素については，その元素のよく知られた放射線同位体の中から1種を選んでその質量数を（　）の中に表示してある（したがってその値を他の元素の原子量と同等に取り扱うことはできない点に注意していただきたい）。日本化学会　原子量小委員会による。